KNAURS KULTURFÜHRER IN FARBE DEUTSCHLAND

Über 800 farbige Fotos und Skizzen
sowie 12 Seiten Karten

Droemer Knaur

Gesamtauflage 498000

Redaktion und Herausgeber: Redaktionsbüro Harenberg, Schwerte
Für Hinweise auf Veränderungen und Ergänzungen ist die Redaktion dankbar
Zuschriften an Postfach 800480, 8000 München 80
Satz: acomp, Wemding
Reproduktionen: Meyle + Müller, Pforzheim, Bruckmann, München,
Findl, Baumann und Semmler, Martinsried
Druck: aprinta, Wemding
Aufbindung: Großbuchbinderei Sigloch, Künzelsau
Umschlaggestaltung: Franz Wöllzenmüller
Printed in Germany · 13 · 75 · 81
ISBN 3-426-24588-4

VORWORT

»Knaurs Kulturführer Deutschland« möchte dem Benutzer ein genaueres Bild von den Schätzen deutscher Kunst und Kultur vermitteln. Deshalb sind in diesem Buch – anders als bei herkömmlichen Kunstführern – die Farbabbildungen gleichrangig mit dem Text behandelt worden: Mehr als 700 der Kirchen, Schlösser, Burgen, Theater, Museen und Meisterwerke, die in diesem Buch vorgestellt werden, sind auch farbig abgebildet.
So kann sich der Leser von den Sehenswürdigkeiten, die er bei einer Wochenendtour oder während des Urlaubs besichtigen will, im voraus einen zuverlässigen Eindruck verschaffen. Er kann treffsicher auswählen, was ihn interessiert und was er unter Umständen unbeachtet lassen will.
Nach sorgfältiger Überlegung haben sich Verlag und Herausgeber für die ortsalphabetische Anordnung entschieden. Dieses System vermittelt dem Buch die Übersichtlichkeit eines Nachschlagewerks und vermeidet langwieriges Suchen.
Die Brücke zwischen mehreren Orten, die geographisch benachbart sind, in diesem Buch jedoch durch das Alphabet getrennt werden, schlägt der Kartenteil Seite 412ff. Er führt alle behandelten Orte auf und bietet einen Überblick darüber, welche Orte in der Nachbarschaft eines Zielpunktes liegen und deshalb vielleicht zusätzlich in den Reiseplan einbezogen werden sollten.
Bei jedem Ort sind im Kopf des Artikels die Postleitzahl (Aachen 5100) und ein Hinweis auf die betreffende Karte (S. 416 □ A 12: Seite 416, Planquadrat A 12) angegeben. Ein Gleichheitszeichen (=) im Kopf eines Artikels zeigt an, daß der Ort **links** vom Gleichheitszeichen nunmehr die postalische Bezeichnung **rechts** vom Gleichheitszeichen trägt.
Innerhalb der Artikel zu den einzelnen Orten werden die verschiedenen Sehenswürdigkeiten einheitlich in der Reihenfolge vorgestellt: Zuerst sakrale Bauten, dann profane Bauten, besonders wichtige allgemeine Sehenswürdigkeiten, schließlich Museen, Theater, weniger bedeutende Sehenswürdigkeiten (jeweils mit dem Hinweis versehen: »Außerdem sehenswert«) und Zielpunkte in der nächsten Nachbarschaft (Umgebung).

Bei größeren Orten vermittelt eine kurze Einleitung einen Überblick über die kulturelle Entwicklung und »Rangstelle« der betreffenden Stadt. In diesen Einleitungen finden sich auch Hinweise auf bekannte Persönlichkeiten, die in der jeweiligen Stadt geboren sind oder dort gelebt haben.

Die einzelnen Sehenswürdigkeiten sind jeweils fett gedruckt. Dahinter ist die genaue Straßenbezeichnung vermerkt. Das erleichtert das Auffinden insbesondere solcher Stätten, die nicht unbedingt jedem Einheimischen bekannt sind. Ein Pfeil (→) im Text weist auf ein anderes Stichwort hin.

Im Anhang finden sich zwei Register: In einem werden – in alphabetischer Reihenfolge – Fachausdrücke erklärt. Das andere nennt die Namen der bedeutendsten Künstler, deren Werke in diesem Kulturführer besprochen sind. Und zwar finden sich hier diejenigen Künstler, deren Namen im fortlaufenden Text mit einem Sternchen (*) versehen sind.

Aachen 5100

Nordrhein-Westfalen S. 416 □ A 12

Münster (Münsterplatz): Der Münsterplatz ist die Urzelle der Kaiserstadt Aachen (lat. Aquae Granni: Quellen des keltischen Heilgottes Grannus). Hier befanden sich die heißen Quellen, aus denen später die Thermen der römischen Legionen wurden. Pippin (714–768), der Vater Karls des Großen, baute das Gelände mit Aula, Königsbad und Kapelle zu einem Hofgut aus. Im Münsterbau seines Sohnes Karls des Großen wurden von 936 (Otto I.) bis 1531 (Ferdinand I.) dreißig deutsche Könige und Kaiser inthronisiert (später wurde Frankfurt Krönungsstadt). Karl der Große und Otto III. sind im Aachener Münster beigesetzt.

Baugeschichte: Von 786 bis um 800 als Pfalzkapelle über dem älteren Bau aus der Pippinzeit von Karl dem Großen errichtet. Im 14. und im 18. Jh. wurde

Aachen, Panorama, mit Elisenbrunnen und Münster (links)

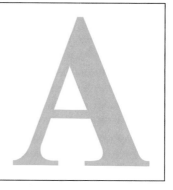

der Westteil durch Aufbau eines Turms mit Fialen stark verändert. Von 1355–1414 Erweiterung der Pfalzkapelle durch eine Chorhalle nach Osten. Sechs z. T. zweigeschossige Kapellen, die sich knospenartig an den Baukörper anfügen, kamen vom 15. bis zum 18. Jh. hinzu. Das ursprüngliche Zeltdach des Oktogons wurde 1664 durch ein gefaltetes Kuppeldach ersetzt. Nach 1945 Beseitigung der Kriegsschäden. Heute Kathedralkirche des 1930 neu gegründeten Bistums Aachen.

Baustil und Baubeschreibung: Die Form des zweigeschossigen Oktogons – Kernstück des heutigen Doms, in den Außenmauern von einem Sechzehneck ummantelt – wurde aus dem Byzantinischen übernommen. San Vitale, die Hofkirche Kaiser Justinians I., und das zweigeschossige Grabmal des Ostgotenkönigs Theoderich (beide in Ravenna) lassen sich als Vorbilder erkennen. Karl der Große, der mit dem Münster demonstrieren wollte, daß er sich als Nachfolger der römischen Kaiser betrachtete, ließ für die Bogenöffnungen der doppelten Galerien sogar antike Säulen aus Ravenna und Rom kommen. Um den 31,5 m hohen Mittelbau, der für lange Zeit der höchste Kuppelraum nördlich der Alpen war, legt sich ein zweigeschossiger Umgang. – Der gesamte Oktogonbau wird von einer mystisch-theologischen Mathematik beherrscht. – Mit dem gotischen Hallenchor (1355–1414) wurde der Zentralbau der Kapelle nach Osten hin aufgebrochen. Diese Erweiterung der alten Pfalzkapelle wurde für die Zeremonien der Kaiserkrönungen und die immer mehr anwachsenden Pilgerströme zum Grabmal des 1165 heiliggesprochenen Kaisers Karl notwendig.

Inneres und Ausstattung: Die Bögen der Galerien und Umgänge des Oktogons sind, nach Vorbildern aus Ravenna, in zweifarbigen Quadern gewölbt. Im Obergeschoß sind die Öffnungen mit Bronzegittern aus karolingischen

Pfalzkapelle mit Radleuchter ▷

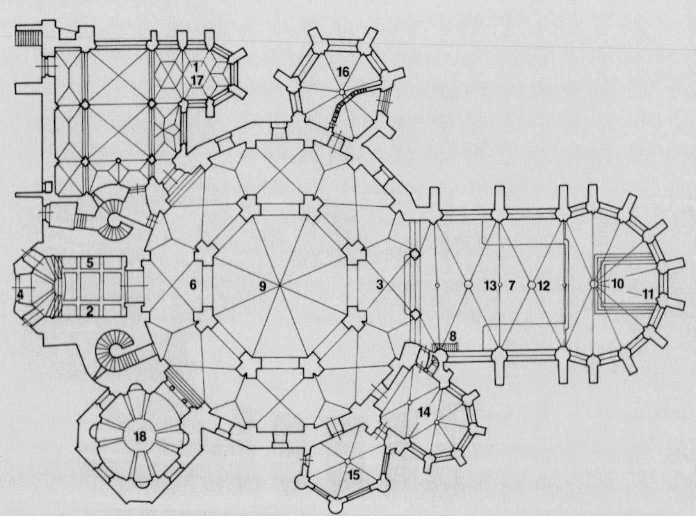

Aachen, Dom 1 Proserpina-Sarkophag, 200 **2** »Wölfin«, römisch, um 200 **3** Hauptaltar, um 800 mit Antependium Pala d'Oro, um 1000–20 **4** Bronzetür, um 800, am Barockportal des Haupteingangs **5** Pinienzapfen, um 900–1000 **6** Thron Karls des Großen, Ende 8. Jh. **7** Grabplatte Otto III. **8** Ambo, um 1014 von Heinrich II. gestiftet **9** Radleuchter, 1160–70, Stifter Friedrich I. **10** Karlsschrein, 1200–15 **11** Steinfigur Karls des Großen, um 1414–30 **12** Doppelmadonna, Vorderseite von Jan Bieldesnider, 1524 **13** Sängerpult, 15. Jh. **14** Matthiaskapelle **15** Annakapelle **16** Hubertus- und Karlskapelle **17** Nikolaus- und Michaelskapelle **18** Ungarnkapelle

DAT STUDIIS
AUCTOR PROTEGAT

Der Karlsschrein (1200–15) steht in der Mitte des Chorraums im Münster

Werkstätten (ehemals vergoldet) abgesichert. Dort steht auch Karls *Kaiserthron,* zu dem sechs Stufen – wie zum Thron König Salomos – hinaufführen. Der Oberteil des Oktogons und die Deckenwölbung sind mit Mosaiken überzogen. Das *Deckenmosaik* wurde allerdings unter Kaiser Barbarossa schwer beschädigt, als dieser 1165 den großen *Radleuchter* (Durchmesser 4,20 m) aufhängen ließ. Dieser Leuchter ist an einer 27 m langen eisernen Kette befestigt und symbolisiert mit seinen 16 Zinnen und dem Mauerkranz das Himmlische Jerusalem (Inschrift). – In der Chorhalle zeigt der *Hauptaltar* in seiner Vorderseite, dem Antependium, auf 17 goldgetriebenen Reliefs Christus, die Passionsszenen und die vier Evangelistensymbole (1020 von Kaiser Heinrich II. gestiftet). – In der Mitte des Chorraums steht der silbergetriebene *Karlsschrein* (1200–1215), den Kaiser Friedrich II. in Auftrag gegeben hat. Der Kaiser selbst bettete bei seiner eigenen Krönung zum deutschen König in Aachen die Gebeine Karls des Großen in den neuen Sarkophag. In den Arkadenbögen des Schreins sind die acht Nachfolger Karls dargestellt,

Zum Thron Karls des Großen (Ende 8. Jh.) führen sechs Stufen

Vergoldete Evangelienkanzel (Ambo) ▷

Lotharkreuz, Schatzkammer

Augustus-Kamee aus dem Lotharkreuz

auf den Dachschrägen Szenen aus dem Leben des Kaisers. (Der römische Sarkophag aus dem 2. Jh., in dem Karl ursprünglich beigesetzt worden war, befindet sich heute in der *Michaelskapelle* des Münsters.) – Eine von Kaiser Heinrich 1014 gestiftete *Evangelienkanzel* (Ambo), die ursprünglich im Mittelpunkt des Oktogons stand, wurde bei der Ausstattung der neuen Chorhalle als Predigtkanzel dorthin übertragen (über der Sakristeitür). Die vergoldeten Kupferbleche sind mit antiken alexandrinischen Elfenbeinreliefs, orientalischen Schachfiguren und moslemischen Zierstücken aus dem Schatz des Kaisers geschmückt (an Feiertagen und bei Führungen wird der hölzerne Schutzverschlag geöffnet). Im *Chorraum* stehen an den Pfeilern zwischen den Fenstern die Gestalten Karls des Großen (mit dem Modell der Pfalzkapelle im Arm), der Muttergottes und der Apostel (1. Hälfte 15. Jh.). In der *karolingischen Vorhalle* im Westen des Baus befindet sich die sog. *Wölfin* (römisch, 2. Jh.). Der Eingang der Vorhalle hat Türen in Bronze aus der Zeit Karls des Großen.

In der *Schatzkammer* des Doms sind beachtenswert: Das sog. *Lotharkreuz* (um 1000) mit der Augustus-Kamee (römisch, 1. Jh.); das *Schatzkammer-Evangeliar* mit der berühmten Miniatur der auf Felsenwolken sitzenden Evangelisten vor ihren Schreibpulten (9. Jh.); das sog. *Jagdhorn Karls des Großen* aus Elfenbein (»Olifant« aus der Rolandssage, wohl sizilisch, 11. Jh.). Weitere bedeutende Stücke sind ein *goldener Buchdeckel* (um 1000) mit byzantinischem Elfenbein, ein *Büstenaquamanile* (dargestellt Karl der Große mit in Silber eingelegten Augen, wahrscheinlich im Krönungsjahr 1215 von Friedrich II. gestiftet); der *Marien-*

Die Fassade des gotischen Rathauses ist mit Standbildern deutscher Könige geschmückt ▷

Gobelin und Büstenreliquiar Karls des Großen, Schatzkammer des Münsters

schrein in Form einer Kirche mit Querhaus aus Silber, Kupfer und Email (1220–1240). Das *Büstenreliquiar,* von Karl IV. anläßlich seiner Krönung im Jahr 1349 gestiftet, soll die Hirnschale Karls des Großen enthalten. Erwähnenswert sind auch die reichen Bestände an alten Stoffen, Altar- und Kanzeldecken.

Abteikirche/St. Johann Baptist (Abteiplatz): In Aachen-Burtscheid auf dem Johannisberg gelegen, 997 von Otto III. gegründete Benediktinerabtei, 1220 Zisterzienserinnenabtei. Nach mehreren Vorgängerbauten von dem Aachener Baumeister J. J. Couven* unter Mitwirkung von J. C. Schlaun* (Münster) 1730–54 errichtet. Die Abtei wurde 1802 aufgehoben und die Abteigebäude wurden abgerissen. Heute Pfarrkirche.

Rathaus (Markt): Errichtet auf den Grundmauern von Karls Palastaula, von der auch der karolingische Granusturm erhalten ist.
Im 14. Jh. erwarb die Stadt die Aula und baute sie im gotischen Stil zum zinnenbewehrten Rathaus mit reichem Figurenschmuck um. Im Obergeschoß der Reichssaal für das Krönungsmahl der deutschen Könige. Barocke Veränderungen der Fassade wurden im 19. Jh. beseitigt (Regotisierung). – Der Karlszyklus A. Rethels (1816–59) im Reichssaal ist die bedeutendste historische Wandmalerei der deutschen Kunst des 19. Jh. Von den acht Wandbildern (1840–1851) sind noch fünf vorhanden. Bekannt ist vor allem »Otto III. eröffnet die Gruft Karls des Großen«.

Elisenbrunnen (Friedrich-Wilhelm-Platz): 1822 Grundsteinlegung, nach Überarbeitung eines älteren Entwurfs Schinkels 1825–27 erbaut, nach dem Zweiten Weltkrieg restauriert. Vergleiche Abb. S. 7.

Museen: *Suermondt-Museum* (Wilhelmstraße): Genannt nach dem Aachener Sammler Barthold Suermondt, der 1882 dem Museumsverein 104 Gemälde stiftete. Das mehrstöckige Palais (Haus Casalette) birgt gotische Altäre, Plastiken, Geräte, vor allem Elfenbeine, flämische und holländische Gemälde des 17. Jh., aber auch impressionistische und moderne Gemälde von Liebermann, Slevogt, Beckmann, Hekkel bis hin zu Klee, Picasso, Poliakoff, Antes u. a. Grundstock der Sammlung modernster Kunst sind Leihgaben aus der Aachener *Sammlung Ludwig.* – *Couven-Museum* (Hühnermarkt): Möbel und Einrichtungsgegenstände aus der Zeit von 1740–1840. – Das *Heimat-Museum* (in der Burg Frankenberg) zeigt in erster Linie stadthistorische Sammlungen. – *Internationales Zeitungsmuseum* in der Pontstraße: 100000 Zeitungen aus aller Welt, insbes. Erst-, Letzt-, Jubiläums- und Sondernummern.

Theater: *Stadttheater* (Kapuzinergraben): Erbaut in den Jahren 1823–25, nach einem Entwurf von J. P. Cremer*, der von K. F. Schinkel* verbessert wurde. Umbau 1900. Nach Zerstörung 1943 wurde die Fassade mit Säulenportikus und Giebelfeld wiederhergestellt. Hier begann in den 30er Jahren Herbert von Karajan als Generalmusikdirektor seine Weltkarriere. – *Grenzlandtheater des Landkreises Aachen* (Friedrich-Wilhelm-Platz 3/4): Das 1950 erbaute Theater hat 199 Plätze und ein eigenes Schauspiel-Ensemble. – Die *Stadtpuppenbühne* (Kalverbenden) zeigt Theater mit rheinischen Stockpuppen.

Außerdem sehenswert: Stadtbefestigung mit Marschiertor und Ponttor (erbaut um 1300), Pfarrkirche St. Michael in Aachen-Burtscheid (18. Jh.); Minoriten-Kirche St. Nikolaus (14. Jh.) und Fronleichnamskirche (1930).

Aalen 7080

Baden-Württemberg S. 422 □ H 17

Die ehemalige Reichsstadt am Kocher zeigt enge Verbindungen zu den Siedlungen der Römerzeit (siehe Limes-Museum).

Pfarrkirche: Die Kirche ist in den Jahren 1765–66 erbaut. Das Dek-

Marienschrein, Schatzkammer

kengemälde (Auferstehung, Himmelfahrt und Jüngstes Gericht) von A. Wintergerst wird darin zum beherrschenden Schmuck (1767). Die Stukkierung ist von M. Winnenberg.

Fachwerkhäuser: Im Gebiet der Altstadt sind viele schöne Fachwerkhäuser aus dem 16.–18. Jh. erhalten.

Limes-Museum (St.-Johann-Str. 5): Dieses in seiner Art einzigartige Museum in Deutschland dokumentiert die Besetzung Deutschlands durch die Römer. Es wurde über einem römischen Kastell errichtet.

Adelsheim 6962

Baden-Württemberg S. 420 □ G 16

Ev. Jakobskirche: Der schlichte Bau aus dem späten 15. Jh. ist von besonderem Interesse durch die im Süden ausgebaute Grabkapelle der Herren von Adelsheim. Keines der dort aufgestellten Grabmäler ist ein kunstgeschichtlich herausragendes Werk, doch läßt sich an ihrer Folge von 61 Steinen die Entwicklung dieses Epitaphtyps vom 14. bis zum 18. Jh. ablesen. Höhepunkt der Reihe sind die Gräber des Stifters der Kapelle und die Ritterfigur des Christoph von Adelsheim, beides Werke des »Meisters von Adelsheim«, der wahrscheinlich mit H. Eseler aus Amorbach identisch ist.

Adenau 5488

Rheinland-Pfalz S. 416 □ B 13

Die Nürburg: 1160 erbaut von Graf Ulrich von Are, ab 1290 kurkölnischer Amtssitz, seit der Zerstörung durch die Franzosen 1689 verfallen. Eigentümer ist heute das Land Rheinland-Pfalz. – Die Ruine Nürburg überragt mit ihrem spätromanischen Bergfried und Resten einer Burgkapelle den Ort Adenau um 320 m und ist eine der höchstgelegenen Burgen der Eifel. Das Waldgebirge rings um die Nürburg wurde durch die 1925–27 von O. Creutz angelegte und später weiter ausgebaute Autorennstrecke, den *Nürburg-Ring* (Gesamtlänge der Schleifen 30 km), weltbekannt.

Außerdem sehenswert: Kath. Pfarr-

Ruine der Nürburg bei Adenau

kirche (im Kern aus dem 10. Jh., um 1200 erweitert); Fachwerkhäuser rings um den Marktplatz (u. a. die Häuser Nr. 4, 8 und 10).

Ahaus 4422
Nordrhein-Westfalen S. 414□C 8

Schloß (Sümmermann-Platz): Als Bischofssitz 1689–95 erbaut von dem Münsteraner Bischof F. C. von Plettenberg. Baumeister war der Kapuzinermönch A. v. Oelde. Nach der Beschießung im Siebenjährigen Krieg wurde das Schloß 1766/67 von dem bischöflichen Hofarchitekten J. C. Schlaun* (1695–1773) wiederhergestellt. Nach Brand im Jahre 1945 wurde es bis 1955 wieder aufgebaut. – Das in Backstein erbaute Schloß ist ein Typus der alten westfälischen Wasserburgen.

Außerdem sehenswert: Alter Friedhof. – Im nahegelegenen *Vreden* die kath. Pfarrkirche St. Georg (Neubau über der 1945 zerstörten spätgot. Hallenkirche; baugeschichtl. bedeutsamer Kryptaraum) und ehemalige Stiftskirche St. Felicitas.

Ahlen 4730
Nordrhein-Westfalen S. 414□D 9

St. Bartholomäus: Von der alten Taufkirche aus dem 9. Jh. ist außer der Sakramentsnische an der Südseite nichts mehr vorhanden. Der heutige Bau wurde in der Spätgotik aufgeführt: Eine Hallenkirche mit reizvollem Maßwerk an den breiten Fenstern (sog. Fischblasenornamente). Das Sakramentshäuschen mit Figürchen im Untergeschoß und einem turmartigen Gitterbaldachin wurde von dem Münsteraner Meister B. Bunickman geschaffen (1512).

Heimatmuseum (Wilhelmstraße): Das Museum zeigt Beiträge zu den Themen bürgerliches und bäuerliches Wohn- und Kulturgut aus dem südöstlichen Münsterland.

Ahrensburg 2070
Schleswig-Holstein S. 412□H 4

Woldenhorner Kirche/Schloßkirche (am Markt): In den Jahren 1594–96

Das Schloß zu Ahaus

gleichzeitig mit dem Schloß erbaut. Der Name »Woldenhorn« geht auf das ehemalige Dorf Woldenhorn zurück. Die Kirche ist eine lange, rechtwinklige Predigtscheune mit einer schönen Kassettendecke. Originell sind die sog. *Gottesbuden* an den Seiten der Kirche: eine Art »Sozialwohnungen« der Renaissance für die Armen der Gemeinde.

Schloß (Marktstraße): Die Renaissance im Norden Deutschlands ist kühl und zurückhaltend. Das weiße Schloß von Ahrensburg mit seinen vier Ecktürmen, verwandt dem → Glücksburger Schloß, ist dennoch voller Charme und Grazie. Es ist um 1595 unter P. Rantzau entstanden und ist das letzte Zeugnis der Rantzau-Epoche. Ein Treppenhaus, die Vertäfelung des Speisesaals (französische Arbeit um 1760) und die Decken im Rokokostil sind die künstlerisch wertvollsten Teile im Inneren, das um die Mitte des 19. Jh. noch einen Festsaal erhielt. Heute Museum.

Außerdem sehenswert: Verschiedene Bürgerhäuser am Markt (Nr. 10, 12, 15) aus dem 18. Jh.

Ahrweiler = 5483 Bad Neuenahr-Ahrweiler

Rheinland-Pfalz S. 416 □ C 13

Pfarrkirche St. Laurentius (Marktplatz): 1269 in Anlehnung an die Liebfrauenkirche in → Trier begonnen. 1300 vollendet. Das früheste Beispiel einer Hallenkirche, bei der Hauptschiff und Seitenschiff gleich hoch sind, links des Rheins. Eine Besonderheit sind die schräg nach innen gestellten Apsiden der Seitenschiffe. Ungewöhnlich ist auch der Einbau von Emporen in den drei westlichen Jochen, die durch die nach innen offene Turmhalle untereinander verbunden sind. Das frühe Datum der Entstehung läßt trotz des gotischen Hallentypus noch das Schwere, Massige romanischer Baugesinnung spüren. – Reste alter *Wandmalereien* aus dem 14. und 15. Jh., z. T. ergänzt (Jüngstes Gericht, Gnadenstuhl), sind wertvollster Teil der Innenausstattung. Neben dem *barocken Orgelgehäuse* (1720) und einer schmiedeeisernen *Kommunionbank* (1779) ist die *Grabplatte* des Coen Blankkart (1561) beachtenswert, außerdem die Sakristeitür (Anfang 16. Jh.).

Das weiße Schloß von Ahrensburg mit seinen vier Turmbauten

Ahrgau-Museum (Altenbaustraße): Vor- und Frühgeschichte, christliche Kunst vom 11.–15. Jh.

Außerdem sehenswert: Stadtbefestigung aus dem 13. Jh., Kloster Kalvarienberg (15. Jh.).

Aldersbach 8359

Bayern S. 422 □ N 18

Ehem. Klosterkirche Mariae Himmelfahrt: Von der ursprünglichen Gründung, einem Augustiner-Chorherrenstift des späten 11. Jh., das 1146 von den Ebracher Zisterziensern übernommen wurde, sind nur die Turmfundamente erhalten.
1617 Chorbau, Langhaus 1720 vollendet von D. Magzin, Fassade mit Turm Mitte 18. Jh., Sakramentskapelle spätes 18. Jh. Während der Chor (wie in der Gotik) noch Strebepfeiler hat, ist die Fassade spätbarock konzipiert – mit reichem Skulpturenschmuck um das Portal, über dem in einer Nische die Immaculata thront. Der Hochaltar des Passauer Meisters J. M. Götz, die Seitenaltäre, Kanzel, Türen, Chorgestühl und Tabernakel sind von hohem künstlerischen Wert. Höhepunkt sind jedoch die Dekorationen der Brüder Asam* aus München, die der Abt Theobald I. für die Ausschmückung der Kirche verpflichtet hatte. E. Quirin, der Stukkateur, überzog die Stichkappengewölbe mit schwingenden Akanthus- und Blattwerkgirlanden, die Pfeiler und Kapitelle mit mehr stilisierten Formen aus italienischer Tradition; C. D. Asam malte in den Fresken an der Langhausdecke, den Wänden und im Chor, einem himmlischen Theater gleich, Szenen aus der Heilsgeschichte: Mariä Verkündigung, Christi Geburt, Passion, Auferstehung und Himmelfahrt, Evangelisten und Kirchenväter. – Durch einen Kreuzgang kommt man von der Kirche in die *Klostergebäude* mit reich dekorierter Bibliothek, dem Fürsten- oder Salomosaal und der Kapelle am Torhaus.

Alfeld an der Leine 3220

Niedersachsen S. 414 □ G 9

Alte Lateinschule/Altes Seminar: An allen vier Seiten ist das freistehende, in

St. Laurentius in Ahrweiler gilt als die früheste Hallenkirche links des Rheins

Ehem. Klosterkirche, Aldersbach

Sichtziegeln aufgeführte, besonders schöne Fachwerkhaus von 1610 mit farbigen Schnitzereien verziert, die am Untergeschoß und ersten Stock in einem Fries unter den Fenstern entlanglaufen. Auf diesen, in einzelne Felder aufgeteilten geschnitzten Bänden wird höchst originell der Lehrstoff der Schule symbolisiert. In bunter Folge sind u. a. römische Feldherren und christliche Evangelisten dargestellt, Szenen aus dem Alten Testament, die Musen, die Künste und die Tugenden. Ein steinernes *Renaissanceportal*, von Pilasterfiguren flankiert, führt in das heutige städtische *Heimatmuseum*.

Fagus-Werk Karl Benscheidt: Diese größte Schuhleistenfabrik der Welt ist die erste moderne, dazu künstlerisch durchgeformte Fabrikanlage dieser Art und wurde richtungweisend für die spätere Industriebau-Architektur. In den USA fand diese Richtung ihren Eingang als »German Architecture«. – In dem 1911–14 von W. Gropius* und A. Meyer errichteten Bau ermöglicht eine Stahlskelettkonstruktion breite Fensterwände und damit eine ungewöhnliche Lichtfülle für die Arbeitssäle.

Heimatmuseum (Kirchhof 4/5) in einem alten Fachwerkhaus (1610), das erstklassige Motivschnitzereien an den Fensterbrüstungen aufweist.

Außerdem sehenswert: *St.-Nikolai-Kirche* (Kirchplatz): Heutiger Bau aus dem 15.–16. Jh., Triumphkreuz aus dem 13. Jh., Taufstein aus dem 14. Jh. – Das *Rathaus* am Marktplatz: Erbaut 1584–86, schöner Ziergiebel.

Allerheiligen = 7593 Ottenhöfen im Schwarzwald

Baden-Württemberg S. 420 □ D 18

Ruine der Klosterkirche: Zwischen den

Klosterkirche, Alpirsbach

Alpirsbach, romanischer Innenraum

Tannen eines einsamen Schwarzwaldtals ragen die steinernen Pfeiler und Bögen der Ruine als frühestes Zeugnis der Gotik in Mittelbaden auf. Das ehemalige Prämonstratenserkloster wurde von Herzogin Uta von Schauenburg Ende des 12. Jh. gegründet. Westeingang mit Vorhalle, dem sog. Paradies, noch romanisch, Hauptbau frühgotisch um 1260–70. Um 1470 wurde das Kirchenschiff nach einem Brand zur Hallenkirche umgestaltet. In den erhaltenen und wiederhergestellten Teilen der Klostergebäude, 1803 säkularisiert, ist heute ein Kurbetrieb untergebracht. – Die Formen der frühen Gotik sind kräftig gerundet, Romanisches klingt noch nach. Die Verbindung zur Bauhütte des Straßburger Münsters jenseits des Rheins wird aus manchen Details deutlich (z. B. dreiteilige Arkadenbögen im Hauptchor).

Umgebung: → Freudenstadt, → Alpirsbach.

Alpirsbach 7297

Baden-Württemberg S. 420 □ E 19

Ehem. Benediktiner-Klosterkirche (Ambrosius-Blarer-Platz): Die romanische Basilika, heute Pfarrkirche, ist eines der interessantesten Beispiele des Hirsauer Bautyps (→ Hirsau). Im spätgotischen Kreuzgang finden in den Sommermonaten *Konzerte* statt.
1095 von drei Adeligen gestiftet, 1099 geweiht, ca. 1125 vollendet, 1879 und 1957 renoviert. Der kreuzförmige Grundriß und die flache Decke bestimmen den streng gegliederten Innenraum. Wuchtige Säulen tragen das Mittelschiff; die Kapitelle zeigen Motive aus der germanischen Sage. Der burgartige Turm ist in den Untergeschossen ebenfalls romanisch, trägt jedoch gotische Aufbauten und Zutaten der Renaissance. Sakristei, Klostergebäude und Kreuzgang wurden erst später angebaut. – Von der romani-

schen Ausstattung sind Reste der Wandmalerei in den Chornischen erhalten, auch die Altartische und eine Bank vom alten Chorgestühl. Der *Flügelaltar* mit der Marienkrönung (um 1520) stammt aus der schwäbischen Malerschule, er wird Syrlin* d. J. zugeschrieben. 1523 entstand der Grabstein des Abtes Alexius: Ein Gerippe mit Abtstab und Wappen. Das *Refektorium* wurde 1956 zur Pfarrkirche ausgestattet.

Marktplatz und Rathaus: Die bürgerliche Siedlung Alpirsbach erhielt ab 1500 städtische Rechte. Aus dieser Zeit gibt es noch mehrere gut erhaltene Häuser, darunter auch das Rathaus (1566).

Alsfeld 6320

Hessen

S. 416 □ F 12

Walpurgiskirche (Kirchplatz): Der Walpurgiskirchturm beherrscht das Stadtbild des Ortes, der durch seine Lage an der Verbindungsstraße von Hessen nach Thüringen einstmals Bedeutung hatte und noch heute zu den schönsten deutschen Fachwerkstädtchen gehört.
Die Kernanlage ist frühgotisch und hat die Gestalt einer fast quadratischen Basilika (Mitte 13. Jh.), Neubau 1393. Häufige Veränderung und Erhöhung des Langhauses, zuletzt 1732. Heute ev. Stadtkirche. – Vom frühgotischen Bau blieben die Langhauspfeiler, Ansätze des Mittelschiffgewölbes, einige Obergadenfenster und die südliche Seitenschiffaußenwand erhalten. Die verschiedenen Stile, die bei den vielen baulichen Veränderungen der Kirche mitwirkten, sind im Äußeren und Inneren deutlich abzulesen. Der Kontrast zwischen dem niedrigen, dunklen Kirchenschiff und dem viel höheren, hellen Chor ist reizvoll (in der Regel ist das Verhältnis dieser beiden Bauteile umgekehrt). – Von der Ausstattung sind noch einzelne *spätgotische Wandbilder* erhalten, so z. B. ein großer Christophorus (Anfang 16. Jh.) an der Ostwand des nördlichen Seitenschiffs und eine Verkündigung an der Empore (um 1500). Seltene Stücke sind der romanische *Taufstein*, ein spätgotisches *Triumphkreuz* und ein *Schnitzaltar* des 16. Jh. mit großer Kreuzigung.

Rathaus (am Markt): Das Rathaus von Alsfeld ist einer der bedeutendsten Fachwerkbauten Südwestdeutschlands. Es wurde 1512–16, die Fachwerkobergeschosse 1514, von Meister Johann gestaltet (1910–12 restauriert). Das steinerne Erdgeschoß mit Spitzbogenöffnungen bildet eine Halle, darüber liegen zwei Fachwerkgeschosse mit zwei durchgehenden, von spitzen Helmen bekrönten Erkern und steilem Satteldach. An bautechnischen Einzelheiten erkennt man den Renaissancebau, die äußere Form dageben ist spätgotisch. Der *Ratssaal* hat noch die alte Ausmalung von 1577 und 1655, die Gerichtsstube eine schöne Intarsien-Prunktür.

Marktplatz und Altstadtstraßen: Das *Weinhaus*, ein dreigeschossiger Steinbau der Frührenaissance (im 19. Jh. durch Rundbogenfenster entstellt), steht auf dem berühmten Marktplatz mit seinen vielen interessanten Häusern direkt neben dem Rathaus. Im *Hochzeitshaus*, einem Renaissancebau (1564–71) mit hohen geschweiften Giebeln und einem zweigeschossigen Eckerker, ist heute das *Museum des Geschichts- und Altertumsvereins* untergebracht (stadt- und heimatkundliche Sammlungen). Sehenswert sind auch die vom Marktplatz ausgehenden, verwinkelten Straßen der alten *Innenstadt*, so die Rittergasse mit dem *Neurathhaus* von 1688, das *Stumpfhaus* mit reichen Schnitzereien und dem Bildnis des Bauherrn. An den Fachwerkhäusern kann man die Entwicklung des Fachwerkbaus von der Gotik bis zum Klassizismus ablesen.

Außerdem sehenswert: Dreifaltigkeitskirche in der Mainzer Straße (14./15. Jh.); ganz in der Nähe liegt die Altenburg (12. Jh.; 18. Jh.) mit Schloßkirche (18. Jh.).

Alsfeld, Marktplatz mit Weinhaus

Altdorf (bei Nürnberg) 8503
Bayern S. 422 □ K 16

Ehem. Universität: Die Altdorfer Hohe Schule, am Rand des Fränkischen Jura, war von 1575–1809 ein berühmter Bildungsort. Das von Nürnberg dorthin verlegte Gymnasium wurde 1580 zur Akademie und 1622 zur Universität. Von 1599–1600 studierte hier Wallenstein, und 1666 machte Leibniz hier seinen Doktor. 1809 wurde die Schule aufgelöst und mit der von Erlangen vereinigt.
Baugeschichte und Baubeschreibung: 1571–1582 erbaut. Drei in glatten Quaderflächen aufgeführte Trakte umgeben einen viereckigen Binnenhof, den nördlichen Abschluß bildet die Mauer mit dem Tor. Der dreigeschossige Hauptbau hat ein durch rundbogige Arkaden offenes Erdgeschoß und einen hohen Uhrturm. Mittelpunkt des Hofes ist der kunstvolle, von einem Achteckgitter eingeschlossene *Bronzebrunnen* des Nürnbergers G. Labenwolf mit Widderköpfen und wasserspeienden Delphinen, bekrönt von der Minervastatue auf einer Balustersäule.

Außerdem sehenswert: Ev. Pfarrkirche (Chor und Turm 14. Jh.; Langhaus 18. Jh.); ehem. Pflegschloß (16. Jh.), jetzt Landratsamt.

Altena 5990
Nordrhein-Westfalen S. 416 □ D 11

Burg (Fritz-Thomee-Straße 80): Die mittelalterliche Burg ist durch ihre ausgedehnte Anlage interessant: Durch den engen Zwinger kommt man über den unteren Burghof und ein mittleres und oberes Tor zum Bergfried und auf einen oberen Burghof. – Baubeginn war vermutlich im frühen 12. Jh., Verfall im 18. Jh., planmäßiger Wiederauf-

Altena, Burg

bau 1909–1916. – Die *Burgkapelle* beherbergt heute gotische Altäre aus Nachbargemeinden. Im neuen Bau befindet sich das *Schmiedemuseum* mit Geräten aus Zinn, Bronze, Kupfer, Messing und Schmiedeeisen vom Mittelalter bis zur Gegenwart. Der alte Bau enthält eine *Waffensammlung.* Das *Drahtmuseum* ist im ehemaligen Kommandantenhaus untergebracht. (Das Gebiet um Altena war das Land der »Drahtzieher«.) – Das deutsche *Jugendherbergswerk* nahm von dieser Burg aus seinen Anfang.

Altenberg = 5068 Odenthal

Nordrhein-Westfalen S. 416 □ C 11

Altenberger Dom/»Bergischer Dom«: Ehemals Zisterzienserabteikirche, im Waldtal der Dhün im Bergischen Land, gilt als eine der größten Kostbarkeiten gotischer Baukunst auf deutschem Boden. Im Mittelalter waren Kirche und Abtei Ziel einer großen Wallfahrt, der sog. Altenberger Gottestracht. Altenberg ist das Zentrum des Bundes der Deutschen Katholischen Jugend.

Baugeschichte: 1133 Schenkung einer Burg der Grafen von Berg an die burgundischen Zisterzienser als Material für einen Klosterbau, 1160 Weihe der Abteikirche, 1255 bis in die 2. Hälfte 14. Jh. Neubau des Doms. 1803 Säkularisation, Übergang des Klosters in Privatbesitz und Umwandlung in eine Fabrik; Zerstörung durch Brand, danach Verwendung als Steinbruch. Auf Veranlassung des späteren Königs Friedrich Wilhelms IV. 1835–46 Restaurierung des Doms, 1895 vollständige Wiederherstellung. Heute Simultankirche für ev. und kath. Gottesdienst.

Baustil und Baubeschreibung: In seiner schlichten Gesamthaltung ist der »Bergische Dom« ein gutes Beispiel für die Zisterzienserarchitektur: Eine dreischiffige Basilika mit Querschiff und

Maßwerkfenster, Altenberger Dom

leichter, schmuckloser Verstrebung. Einfache Säulen tragen anstelle gotischer Bündelpfeiler den Obergaden, auch die Kapitelle bleiben ohne plastischen Schmuck. Die Zisterzienser-Gotik verzichtete überdies auf Türme und begnügte sich mit einem Dachreiter für das Geläut. In Einzelheiten wirkte das Vorbild des nahen Kölner Doms (Walmdächer über dem Kapellenkranz um den Ostchor).
Inneres und Ausstattung: Wertvollster Teil der Ausstattung ist eine *Verkündigungsgruppe* aus dem 14. Jh., die ursprünglich vor dem Westportal stand. Fast die gesamte Westfassade wurde mit einem in den Hauptfarben Rot, Blau und Gold schimmernden *Maßwerkfenster* aufgebrochen, dadurch wirkt der Innenraum licht und klar. Zu beachten sind auch die *Grabmäler* und *Sakramentshäuschen* (1480).
Die im Barock umgestalteten *Klostergebäude* enthalten die Martinskapelle (13. Jh.).

Altenberger Dom

Altenstadt (bei Schongau) 8925
Bayern S. 422 □ J 20

Pfarrkirche St. Michael: In der durchweg barocken Umgebung stellt diese einzige vollständig erhaltene romanische Gewölbebasilika Oberbayerns eine Besonderheit dar. Ungewöhnlich für eine ländliche Pfarrkirche sind auch Größe und Großartigkeit des Gotteshauses, das zum Ziel großer Wallfahrten wurde.
Baunachrichten aus der frühen Zeit fehlen, das Datum der Fertigstellung liegt vermutlich um 1200. 1826 wurde der Bau unter König Ludwig I. restauriert. Letzte Renovierung 1961 ff. Heute katholische Pfarrkirche.
Die auf einem Hügel liegende Kirche aus Tuffsteinquadern ist von einer Wehrmauer umgeben und hat mit ihren wuchtigen, stumpf gedeckten Türmen ausgesprochen wehrhaften Charakter. Sie ist eine dreischiffige Basilika mit

Osttürmen und drei Parallelapsiden. Einziger Schmuck der schweren Mauern sind schön profilierte Kranzgesimse, Rundbogenfriese und Ecklisenen. Bei der schlichten Gestaltung des Innenraums fallen die mit Ornamenten, stilisiertem Blattwerk, Palmetten und Sternen verzierten flachen *Würfelkapitelle* auf. Der *romanische Taufstein* zeigt auf der Außenwand Reliefs mit Darstellungen Johannes' des Täufers, der Taufe Christi, der Muttergottes und des hl. Michael. Eine kunsthistorische Sensation birgt das Mittelschiff: Eines der wenigen noch existierenden romanischen »Triumphkreuze« aus Holz (in der originalen Bemalung). Der »Große Gott von Altenstadt« trägt statt der Dornenkrone eine Königskrone, der Corpus ist nach romanischem Schema streng der Kreuzform angeglichen. In seiner Überlebensgröße von 3,21 m Höhe und 3,20 m Spannweite beherrscht er den sonst fast schmucklosen Innenraum. Die dazu gehörigen Assistenzfiguren Maria und Johannes befinden sich schon seit längerer Zeit im Bayrischen Nationalmuseum in → München.

Altomünster 8064

Bayern S. 422 □ K 19

Birgittinnen-Klosterkirche: Bald nach 750 gründete hier der Einsiedler Alto ein Benediktiner-Doppelkloster (für Mönche und Nonnen). Später war es nur Männer-, dann wieder auch Frauenkloster, bis es 1485 in den Besitz des Birgittinnenordens kam. Nach der Säkularisation 1803 eröffnete man es im Jahr 1842 wieder. Es ist heute das einzige Birgittinnenkloster in Deutschland. Seine Kirche gilt als letztes Werk des großen Barockarchitekten J. M. Fischer*.

Chor Anfang 17. Jh., Umbau des Langhauses auf Fundamenten der mittelalterlichen Kirche durch Fischer 1763 begonnen, nach dessen Tod 1766–73 von seinem Polier vollendet. – Die Lage am Abhang des Hügels und die Bestimmung als Doppelkloster führten zu einem höchst originellen Kirchenbau mit Abstufungen des Fußbodens und zwei Emporengeschossen. – Im Sinne des späten Rokoko sind die Dekorationen maßvoll, z. T. schon streng, trotzdem jedoch graziös. Sie stammen vom Augsburger Stukkateur J. Rauch. Außer den reichen Deckenbildern verdienen die Altäre des Laienschiffs (St. Augustin und Alto) besondere Beachtung: Es sind Spätwerke des Münchener Meisters J. B. Straub* und seiner Werkstatt, ebenso die Apostelfiguren wie auch der obere Hochaltar und die Altäre im Zwischenchor.

Altötting 8262

Bayern S. 422 □ N 19

Heilige Kapelle (Kapellplatz): Die Kapelle gehört zu den ältesten Kirchen in Deutschland. Das Haus Wittelsbach und darüber hinaus ganz Bayern sind mit dem Gnadenort Altötting eng verbunden. Hier sind die Herzen von sechs bayerischen Königen, zwei Königinnen und zwei Kurfürsten in den Wandschränken gegenüber dem Gnadenbild beigesetzt, ebenso das Herz des Feldherrn Tilly. Alljährlich besuchen mehr als 300000 Pilger die Marienwallfahrtsstätte.

Die Kapelle wird erstmals 877 erwähnt, dürfte jedoch schon Anfang des 7. Jh. als Heidentempel entstanden sein. Ende des 15. Jh. wurde der Zentralbau der alten Kapelle zum Wallfahrtsheiligtum.

Das wundertätige Gnadenbild, ein rußgeschwärztes Schnitzwerk (daher »Schwarze Madonna«), wurde um 1300 geschaffen und stammt wahrscheinlich aus Lothringen. Seit dem 17. Jh. hat man die 65 cm hohe Figur unter einem prachtvollen Brokatornat verborgen. Schwarz sind auch die Innenwände des achteckigen Raums. Vor diesem schwarzen Grund des Raums steht silberschimmernd das Tabernakel mit dem Gnadenbild in der Mitte.

Altötting: Das Innere der Heiligen Kapelle ▷

Heilige Kapelle in Altötting

Rechts davor kniet lebensgroß Prinz Maximilian von Bayern. Sein Vater hat die Figur als Dank für die Errettung des Zehnjährigen aus schwerer Krankheit gestiftet. – Für die Flut der Weihegaben gestaltete die Pfarrkirche St. Philipp und Jakob ihre Sakristei zur *Schatzkammer* um. Unter den kunsthandwerklichen Kostbarkeiten, die hier aufgestellt sind, steht das sog. *Goldene Rößl* an erster Stelle, eine französische Arbeit aus Gold, Silber, Elfenbein und Juwelen (um 1400).

Städtisches Heimatmuseum (Kapellplatz 2a): Sammlungen zur Vor- und Frühgeschichte, außerdem umfangreiche Sammlungen, die in Verbindung mit der Wallfahrt entstanden sind (u. a. Votiv- und Andachtsbilder).

Außerdem sehenswert: *Stiftskirche St. Philipp und Jakob* (Kapellplatz): Erbaut 1499–1511, Grabkapelle des Grafen Tilly, sehenswerte Schatzkammer. – *Ehem. Jesuitenkirche St. Magdalena* (16.–18. Jh.). – *St.-Anna-Basilika* (Konventstraße): 1910–13 im Neubarock erbaut.

Alzey 6508

Rheinland-Pfalz S. 416 □ D 15

Ehemalige St.-Nikolai-Kirche (Obermarkt): Die Kirche erhebt sich auf dem Fundament einer alten Königshofkapelle und wurde 1476 als spätgotische Hallenkirche erbaut. Das Langhaus wurde nach einem Brand 1689 sehr verändert. 1844–48 wurde die Kirche regotisiert und sogar mit Gewölben versehen, jedoch ersetzte die Restaurierung von 1905 die Rippengewölbe wieder mit einer flachen Decke. – In der Turmvorhalle steht die Gruppe einer *Grablegung Christi:* sieben lebensgroße Figuren in Sandstein (zu datieren um 1430).

Burg (Schloßgasse 32–34): Volker von Alzey, der legendäre Sänger aus dem Nibelungenlied, war nicht der Herr dieser erst im 12. Jh. gegründeten Reichsburg. Als Vasall seines Königs Gunther hatte er allerdings im Jahre 406 mitgeholfen, das um 365 angelegte Römerkastell Alzey zu erobern. Der Bau der Hohenstaufenfürsten wurde in den Wirren des Interregnums (1254–73) »als Raubnest« zerstört (1260). Beim Wiederaufbau im 15. und 16. Jh. entstand eine Nebenresidenz der Heidelberger Pfalzgrafen. In den verschiedenen Gebäuden sind heute Behörden untergebracht. – Ein Quadrat von je 61 m Seitenlänge mit 3–4 m dicken Mauern markiert die alte Wasserburg, die bei Erweiterung durch verschiedene Bauherren an den Ecken Turmeinbauten mit Wohngebäuden und Wehrgängen erhielt. Die Vorburg, in Resten erhalten ist, war unmittelbar mit den Befestigungsmauern der Stadt verbunden.

Museum Alzey (Schloßgasse 11): Das Museum ist im sog. Burggrafiat untergebracht, einem 1550 zum erstenmal erwähnten Burggrafen-Haus und kurfürstlichen Verwaltungsgebäude. Es umfaßt eine Römische, Fränkische, Volkskundliche und Geologische Abteilung.

Außerdem sehenswert: Das Rathaus (Fischmarkt 3): erbaut 1586. – Wartbergturm (Auf dem Wartberg): Reste der mittelalterlichen Stadtbefestigung. – Ehem. Römerkastell (Jean-Braun-Straße).

Amberg 8450

Bayern S. 422 □ L 16

Die alte Erzbergbaustadt, Oberpfälzer Residenz der Pfalzgrafen bei Rhein, präsentiert sich noch heute als eine wehrhafte Stadt mit festungsartigen Toren, mit vielen Türmen, einem kurfürstlichen Kanzleigebäude, einer Residenz, mit Rathaus und vielen Bürgerbauten. Gotik, Renaissance und Barock finden sich hier unmittelbar nebeneinander.

Pfarrkirche St. Martin (Marktplatz): 1421 Baubeginn, 1442–83 Einwölbung, 1509–34 und im 18. Jh. Ausbau des Turms. Das Äußere ist glatt und kastenförmig. Die Strebepfeiler tragen – einmalig im damaligen Kirchenbau – eine durchgehende Empore. Die spätgotische Kirche ist nach dem Dom in → Regensburg die bedeutendste Kirche in der Oberpfalz.

Die neugotische Ausstattung aus dem 19. Jh. ist kunsthistorisch uninteressant. Von einiger Bedeutung ist dagegen das frühere Hochaltarbild von G. de Crayer, einem Rubensepigonen (Marienkrönung mit Schutzheiligen, 1658), das seitwärts über der Sakristei hängt. Wertvollstes Stück ist die Grabtumba des Pfalzgrafen Ruprecht Pipan (gestorben 1397) hinter dem Hochaltar. An der Nordwand am östlichen Portal finden sich zwei gotische Konsolfiguren aus Sandstein (Maria mit Verkündigungsengel), die Ricarda Huch in ihrem Buch »Im alten Reich, Lebensbilder deutscher Städte« ausführlich beschrieben hat. Erwähnenswert ist auch noch das Marmorgrab für

Marmorgrab des Martin Merz

den Büchsenmacher Martin Merz (gest. 1501) aus rotem Marmor.

St. Georg (Neuthor-Gasse): Das wehrhafte Äußere mit dem derben Turm kontrastiert mit dem überreich stukkierten Innenraum. Die Kirche wird 1094 zum erstenmal erwähnt, der gotische Basilikabau stammt jedoch aus dem 14 Jh. In der Gegenreformation übernahmen die Jesuiten die Kirche von den Protestanten und bauten seitlich zwei Kapellen dazu (1675/76). Die Schöpfer der Stukkaturen sind wahrscheinlich Wessobrunner Meister gewesen (A. Rauch und P. J. Schmuzer). Die Altäre in den Seitenschiffen stammen ebenfalls von de Crayer (1668). Hinter dem Chor liegt der langgestreckte Bau des *ehemaligen Jesuitenkollegs* mit einem schönen Rokokobibliotheksaal.

Deutsche Schulkirche (Deutsche Schulgasse): Ende des 17. Jh. erbaut von W. Dientzenhofer*. Sein Gepräge erhielt der Bau jedoch erst 1738–58 mit einer prunkvoll heiteren Rokokoausstattung und den Deckenfresken von G. B. Götz. Ein üppiges Portal mit den Giebelfiguren des hl. Augustin und des Franz von Sales umrahmt eine reich geschnitzte Holztür. Der beschwingte Orgelprospekt mit einer darunter tulpenartig aufwachsenden Chorempore, die Kanzel und ein breites schmiedeeisernes Rankengitter, das den Kirchenraum nach Westen abschließt, sind Höhepunkte der prächtigen Ausstattung.

Rathaus, Treppenaufgang

Wallfahrtskirche Maria-Hilf: Auf dem Amberg über der Stadt entstand nach einer Pest im Jahr 1634 als Votivkapelle ein kleiner Rundbau, der 1697–1703 durch einen Neubau (Baumeister W. Dientzenhofer) ersetzt wurde. Die Stuckausstattung (ab 1702) stammt vom Italiener G. B. Carlone* und dessen Schüler P. d'Aglio. Auf Gesimsen und vor Pfeilern stehen pathetische Heiligen- und Prophetenfiguren. Höhepunkt der Innendekoration sind die Deckenfresken von C. D. Asam* mit der Geschichte der Amberger Wallfahrt.

Rathaus (Marktplatz): Der schlanke hohe Giebel, vertikal mit Spitzbogenblenden gegliedert, ist reinste, reife Gotik und wurde 1356 errichtet. Im Inneren dieses Rathauses, einem der schönsten seiner Art in Deutschland, ist vor allem der große Ratssaal sehenswert. Unter den Fürstenporträts an den Wänden befindet sich das Bildnis des Pfalzgrafen Friedrich II. (wahrscheinlich von B. Beham gemalt).

Stadtbild: Ehem. pfalzgräfliche Bauten waren das heutige »Bezirksamt«, das seine Gestalt als *Residenz der Pfalzgrafen* durch den Heidelberger Baumeister J. Schoch erhielt (1602), und das heutige *Landgericht,* in seinen Renaissanceformen 1546 als *Regierungskanzlei* aufgeführt. Von der *Stadtbefestigung* sind noch große Teile erhalten, so z. B. vier der ehemals fünf *Stadttore.* Originell ist, wie die Befestigungsmauer auf zwei Brückenbögen über die Vils geführt worden ist. Sie werden wegen des Spiegelbilds im Wasser im Volksmund *»Stadtbrille«* genannt. Sehenswert sind auch das ehem. *Zeughaus*

Amberg, Rathaus ▷

Keines
Menschen
Geist hält
den Lauf
von Sonne,
Mond und
Sternen auf.

»Stadtbrille«, Befestigungsmauer über die Vils in Amberg

(15. Jh.), die *Ratstrinkstube* (18. Jh.) und eine Reihe von alten *Wohnhäusern* des 15. und 16. Jh. Außerdem die Frauenkirche (15. Jh.), die ehem. Franziskanerkirche (15. Jh.) und die Dreifaltigkeitskirche (15./18. Jh.).

Heimatmuseum (Eichenforstgasse 12): Sammlungen zu Geschichte der Stadt, u. a. »Amberger Liedertisch«.

Amelungsborn 3451

Niedersachsen S. 414 □ G 9

Ehem. Kloster: Auf einer leichten Anhöhe entstand im 12. Jh. eines der

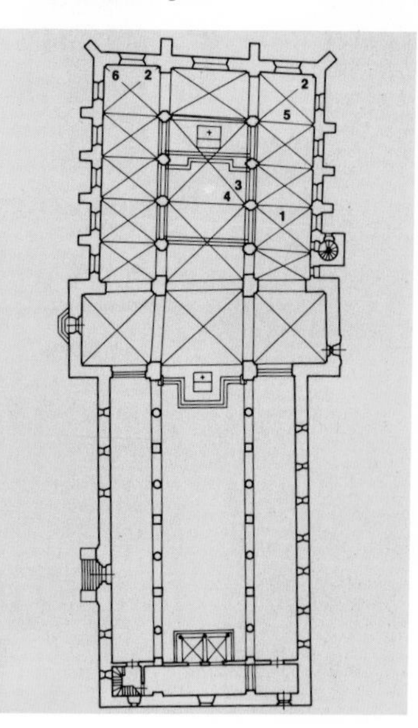

Amelungsborn, ehemalige Klosterkirche 1 Tumba des Grafen Hermann von Everstein und seiner Gemahlin, 1375 **2** Romanische Piscinen **3** Dreisitziger Levitenstuhl **4** Figur des hl. Bernhard mit Reliefs auf der Rückseite, 3. Viertel des 14. Jh. **5** Taufstein, 1592 **6** Grabstein des Abtes Steinhover (1588 gest.)

ältesten Zisterzienserklöster auf deutschem Boden. Aus der Gründerzeit sind das romanische Langhaus der Klosterkirche und kleinere Teile in anderen Bauabschnitten erhalten. Der Rest kam im wesentlichen in der Gotik hinzu. – Amelungsborn war Ausgangspunkt für weitere Klostergründungen, so u. a. in Riddagshausen bei→ Braunschweig.

Amorbach 8762

Bayern S. 416 □ F 15

Ehem. Benediktinerabteikirche St. Maria: Nach der Legende vom hl. Abt Amor 734 gegründet und wenig später von Bonifatius geweiht. – Mitte des 9. Jh. monumentaler Neubau. Westtürme 12. Jh. 1742 Abbruch der alten Basilika mit Ausnahme der Westtürme. Neubau der spätbarocken Kirche durch den Mainzer Baumeister M. v. Welsch*. 1747 vollendet, 1803 säkularisiert. Heute ev. Pfarrkirche.

Eindrucksvoll sind die in ihrer alten Form erhaltenen, wuchtigen romanischen Vierecktürme mit Rundbogenfenstern in drei Geschossen (beim Neubau durch Aufsetzen geschwungener Hauben harmonisch der vorgeblendeten barocken Fassade angeglichen). Eine repräsentative Freitreppe führt zu dieser durch Pilaster und reichen Figurenschmuck gegliederten und von einem Volutengiebel gekrönten Westfront und betont den schloßartigen Charakter der Anlage. Der ganze Bau ist als kreuzförmige Pfeilerbasilika angelegt, die ehem. Apsis wurde zum Langchor erweitert.

Die Rokokoausstattung ist in ihrem Rang den berühmten Spätbarockkirchen Frankens und Oberbayerns ebenbürtig. Die Ornamente an Wand und Decke stammen von den Wessobrunner Stukkateuren J. G. Üblherr* und J. M. Feuchtmayer*, einem der bedeutendsten süddeutschen Rokokodekorateure. Er und seine Schule schufen auch den Hochaltar und verschiedene Seitenaltäre. Die prachtvolle Kanzel stammt von dem Würzburger Hofbildhauer J. W. van der Auwera*. M. Günther malte das Hochaltarbild und die Deckenfresken. – Sehr schön ist das schmiedeeiserne Gitter zwischen Langhaus und Querschiff. – Im 1786 angelegten, an der Südseite der Kirche entlanglaufenden *Kirchgang* sind Arkadensäulen des romanischen Kreuzgangs eingebaut. – Die *Klostergebäude* an der Südseite der Kirche sind aus dem 17./18. Jh. Der Festsaal im Konventsgebäude, nach seiner Grundfarbe *Grüner Saal* genannt, ist mit strengen klassizistischen Stukkaturen geschmückt. Originelle gußeiserne Öfen stehen unter der Musikempore. Klassizistisch ausgestattet mit kunstvollen Ornamenten an Treppengeländern und Balustrade ist auch die *Bibliothek*. – Man sollte schließlich nicht versäumen, sich die alte *Klostermühle* mit dem steilen Treppengiebel aus dem Jahr 1448 anzusehen.

Amorbach, Luftansicht

Kath. Pfarrkirche: Die dreischiffige

Halle wurde nach einem Entwurf des Miltenbergers J. M. Schmidt 1752–54 erbaut. Die Fresken sind von J. Zick* (1753), die vier Statuen des Hochaltars stammen von J. Keilwerth aus Würzburg.

Museum: Fürstlich Leiningensche Sammlungen Amorbach (Kellereigasse): Heimatgeschichte, mittelalterliche Töpferkunst, Sammlung von Andachtsbildern.

Außerdem sehenswert: Fürstlich Leiningensches Schloß (1724–27), Rathaus (15. Jh.), Altes Stadthaus (15. Jh.).

Umgebung: Burgruine Wildenburg bei Amorbach (seit 12. Jh. belegt), die in Leben und Werk Wolframs von Eschenbach eine Rolle spielt.

Andechs = 8131 Erling-Andechs

Bayern S. 422 □ K 20

Wallfahrtskirche Mariae Verkündigung und Kloster: Das Benediktinerkloster Andechs, das nicht zuletzt wegen des beliebten Biers aus der Klosterbrauerei (1455) zahlreiche »Pilger« anzieht, war schon im 12. Jh. ein vielbesuchter Wallfahrtsort. Der hl. Rasso lebte als Graf von Andechs auf Bayerns 720 m hohem »Heiligen Berg« mit den drei Reliquien, die er 952 von einer Pilgerfahrt aus Jerusalem mitgebracht haben soll.

Die Wiederauffindung der verlorengegangenen »drei heiligen Hostien« im Jahr 1388 wurde Anlaß zum Bau der (spätgotischen) Kirche (1420 Beginn, 1448 vollendet). 1669 starke Schäden durch Blitzschlag. Mitte 18. Jh. neue Einwölbung von Langhaus und Chor, Erweiterung der Fenster und Umbau im Rokokostil, angeblich nach Plänen J. M. Fischers*, 1759 Aufstellung des neuen Choraltars. 1803 Säkularisation, 1846 Ankauf des ganzen Klosterkomplexes und Rückgabe an die Benediktiner durch König Ludwig I. von Bayern.

Die Kirche, auf abschüssigem Berghang gelegen, ist im Außenbau eine schlichte dreischiffige Hallenkirche, mit einem Westturm, der beim Umbau mit »welscher Haube« bekrönt wurde. – Die Erneuerungsbewegung des 18. Jh. beschränkte sich auf die Ausschmückung des alten spätgotischen

◁ Abteikirche, Amorbach

Wallfahrtskirche, Andechs

Baukörpers mit einer prachtvollen Dekoration: Blattranken, Akanthus und Rocaillen überspielen Wände, Pfeiler und Decken, eine elegant in Wellen schwingende Empore umzieht den ganzen Raum. J. B. Zimmermann* aus Wessobrunn ist der Schöpfer der Stukkaturen und der Deckenfresken (Bilder aus dem Leben des hl. Benedikt, Rassos Sieg über die Ungarn, Wallfahrtsszenen). Mittelpunkt der Wallfahrten – früher waren es mehr als 400 Gemeinden, die daran teilnahmen – sind das Gnadenbild der Muttergottes (um 1500) im unteren Hochaltar und die Immaculata (um 1608) des oberen Altars. Die Figuren der Elisabeth von Thüringen und des hl. Nikolaus stammen von J. B. Straub*. An der Westwand hängen interessante Votivtafeln. Von der Empore aus betritt man die *Heilige Kapelle*, in der sich die Reste des vor der Säkularisation reichen Andechser Klosterschatzes befinden. Als wichtige Stücke sind die *Dreihostienmonstranz* aus der Mitte des 15. Jh., das *Siegeskreuz Karls d. Gr.* aus dem 12. Jh., das *Brustkreuz* der hl. Elisabeth von Thüringen und deren *Brautkleid* zu nennen.

Andernach 5470

Rheinland-Pfalz S. 416 □ C 13

Der Runde Turm (Dr.-Konrad-Adenauer-Allee): Dieses Stück der Stadtbefestigung, die z. T. noch Fundamente der alten römischen Stadtmauer benutzte, ist das Wahrzeichen Andernachs und erinnert an die große geschichtliche Vergangenheit des Ortes. Der ursprüngliche Name der Stadt, Antunnacum, deutet auf eine keltische Siedlung, in der Drusus im Jahr 12 v. Chr. ein befestigtes Landkastell errichtete. Hier kreuzte die römische Rheinstraße mit einer Straße aus der Eifel. Im Mittelalter und auch später war Andernach wichtiger Umschlagplatz. – Der Runde Turm wurde 1448 gebaut, er ist 56 m hoch, mißt 15 m im Durchmesser und hat eine Mauerstärke von 5 m. Meister Philipp, der als Baumeister genannt wird, gestaltete den einfachen Wehrturm zu einem Kunstwerk. Heute ist eine Jugendherberge darin untergebracht. Mit anderen Teilen der Mauer blieben auch der 1340 erwähnte *Schuldturm* und das *Rheintor* mit seinen romanischen Figuren erhalten.

Liebfrauenkirche (Kehrstraße): Die Kirche *Mariae Himmelfahrt*, so der offizielle Name, gilt als eine der schönsten romanischen Kirchen des Rheinlands. Mit ihrem Bau dürfte um 1200 begonnen worden sein. 1877–99 Restaurierungen. Heute kath. Pfarrkirche. Ihren Ruf verdankt die viertürmige Basilika der Westfassade, an der jedes der drei Geschosse in der ganzen Breite mit Rundbogenarkaden aufgelockert ist. Die spitzen Rautendächer weisen bereits auf gotische Einflüsse hin. Auch im Inneren gibt es gotische Elemente, so die spitzbogigen Gurtbögen und die hölzernen Schlußsteine mit Bischofs-, Stadt- und Reichswappen. – Die *Kanzel* mit reichen Schnitzereien (18. Jh.) stammt aus Maria Laach, ebenso die barocke *Kommunionbank*. In der Sakristei befindet sich ein spätgotischer *Sakramentsschrein* (um 1500). Von Bedeutung ist das *Astkruzifix*, ein sog. Ungarn- oder Pestkreuz (14. Jh.). Sehenswert ist auch das *Heilige Grab* mit überlebensgroßen Figuren (1924).

Stadtmuseum (Hochstraße 97): Sammlungen zur Vor-, Stadt- und Heimatgeschichte.

Außerdem sehenswert: Ehem. Minoritenkirche (14./15. Jh.); Stadtkran (16. Jh.); Rathaus (15./18. Jh.); Ruine (17. Jh.), Burg der Erzbischöfe von Köln.

Anholt = 4294 Isselburg

Nordrhein-Westfalen S. 414 □ B 9

Wasserschloß: Dicht an der holländischen Grenze gelegen (Autobahnausfahrt Bocholt), stellen sich Burg und Vorburg Anholt als eine Art Inselreich

Ungarnkreuz, Andernach ▷

dar. – Der runde Bergfried stammt aus dem 13. Jh.; Flügel und Treppenturm aus dem 14. und 15. Jh. Ab Mitte des 17. Jh. im Stil des holländischen Barock verändert. Der Park ist im 18. Jh. angelegt worden und wurde im 19. Jh. durch einen englischen Park erweitert.
1699 entstand das Treppenhaus im Hauptbau mit einem monumentalen Treppenlauf in Holz. Der Paradesaal mit seinen reichen Stukkaturen wird von Wandteppichen ausgekleidet, die der Brüsseler Künstler L. van Schoor entworfen hat. Wandteppiche mit Bauernszenen nach Bildern des Genremalers D. Teniers d. J. schmücken den Speisesaal. – Bemerkenswert ist die große *Kunstsammlung* mit rund 800 Bildern (darunter ein früher Rembrandt »Diana und Aktäon«), kostbaren Tapisserien und zahlreichen Porzellanen.

Annweiler am Trifels 6747

Rheinland-Pfalz S. 420 □ D 16

Das Dorf Annweiler wurde 1219 durch Staufenkaiser Friedrich II. zur Reichsstadt erhoben, und aus dieser Zeit stammt die enge Bindung an den Trifels, den Felsen über der Stadt.

Reichsburg Trifels (6 km von Annweiler entfernt): Die Burg (schon 1081 Reichsburg) erhebt sich auf einem Felsenriff aus Buntsandstein über den grünen Bergkegeln des Pfälzer Waldes. Im flachen Kapellenerker an der Ostseite der Burg war 1124–1274 der Reichsschatz und 1195 auch der Normannenschatz verwahrt. Die feste Burg, die nie eingenommen wurde, sicherte die wichtige Straße von Metz an den Rhein. Sie fungierte auch als Prominentengefängnis: Der englische König Richard Löwenherz saß hier von 1192–94 als Gefangener Kaiser Heinrichs VI. (1193/94). Und auch Friedrich II. sperrte seinen meuternden Sohn König Heinrich hier ein (1235). Im 30jährigen Krieg war der Fels Fluchtburg der Bevölkerung. – 1662 wurden große Teile durch Blitzschlag zerstört. Der Wiederaufbau (seit 1935) hat den Bergfried um ein Stockwerk erhöht. Der Palas mit Rittersaal wurde stilgerecht ausgebaut.
In der Nähe befinden sich zwei weitere Burgruinen, die Burg Anebos (12. Jh.) und Burg Scharfenberg (um 1200).

Reichsburg Trifels bei Annweiler

Ansbach 8800

Bayern S. 422 □ J 16

Ehem. Stiftskirche St. Gumbert (Johann-Sebastian-Bach-Platz): In ihren wesentlichen Teilen stammt die Kirche aus dem 13. Jh., zahlreiche Umbauten, Erweiterungen und Ergänzungen haben jedoch das heutige Bild erst im Laufe der Jahrhunderte entstehen lassen. 1738 kam als letztes großes Bauteil das Langhaus im Zuge eines Neubaus hinzu. – Mit ihren drei Türmen ist die Kirche zum Wahrzeichen der Stadt geworden. Ihre Bedeutung erlangte sie vor allem durch ihre Verbindung zum Schwanenritterorden. 11 Grabsteine erinnern an einzelne Ritter dieses Ordens. Der mächtige Kanzelaltar (nach Angaben P. A. Biarelles) stammt aus den Jahren 1738/39.

Markgräfliches Schloß/Residenz am Schloßplatz: Das Schloß ist die Hauptsehenswürdigkeit in der kleinen fränkischen Residenzstadt. Teilweise auf den Grundmauern eines Renaissancebaus wurde das Schloß ab 1713 nach Plänen des aus Graubünden stammenden Baumeisters G. de Gabrieli* errichtet. Weitergeführt haben es die »Kavalier-Architekten« J. W. und K. F. von Zocha.
Baustil und Baubeschreibung: Die langgestreckte Front hat einundzwanzig Fensterachsen und geht auf Gabrieli zurück, der auch die wesentlichen Teile des Hofes mit den abgeschrägten Ekken und den offenen Säulenarkaden im Erdgeschoß geschaffen hat. Die südöstliche Fassade stammt von K. F. von Zocha. Die Außenfassaden der drei Flügel sind das Werk von L. Retti*.
Inneres und Ausstattung: K. F. von Zocha, dem die Dekorationen zugeschrieben werden, zählt zu den großen Dekorateuren seiner Zeit. Alles ist angehaucht von der vornehmen, dem Klassizistischen zuneigenden Kühle des französischen Rokoko. Mittelpunkt ist der Große Saal, der durch zwei Geschosse aufsteigt und an der Längsseite eine Musikempore besitzt. Das Dekkenfresko von C. Carlone* verherrlicht den jungen Markgrafen Carl Friedrich. Zu den sehenswertesten Räumen gehört das Spiegelkabinett (1739/40), in dem rund um die Spiegel auf vielfach gestuften Konsolenrahmen Porzellangruppen und -vasen aufgebaut sind, Kostbarkeiten aus den europäischen

Ansbach, Panorama mit St. Gumbert

Kelterbild, St. Gumbert

Arkadenhof im Markgräflichen Schloß, Ansbach

Manufakturen. Ansbach selbst hatte seit 1709 eine Fayencefabrik, aus der die fast 3000 Kacheln, mit denen der Speisesaal ausgekleidet ist (1763/64), stammen. – Östlich von der Residenz, jedoch nicht in direkter Verbindung dazu, schließt der *Hofgarten* an. Seine erste Anlage geht auf das 16. Jh. zurück, seine heutige Form erhielt er jedoch erst in der ersten Hälfte des 18. Jh. Die *Orangerie* (um 1730–43) ist ein 102 m langer Bau im Norden des Hofgartens.

Außerdem sehenswert: Ehem. markgräfliche Kanzlei (1594); Stadthaus (um 1532); Rathaus (1622); Prinzenschlößchen (1699–1701). Ansehen sollte man sich auch die ev. Pfarrkirche St. Johannis (15. Jh.). – Ferner: Friedhofskapelle Hl. Kreuz (16. Jh.); Synagoge (18. Jh.); Karlshalle (kath., 18. Jh.); Gymnasium (18. Jh.); viele schöne Wohnhäuser aus dem 16. und 18. Jh.

Armsheim in Rheinhessen 6509

Rheinland-Pfalz S. 416 □ D 15

Ehem. Wallfahrtskirche zum Hl. Blut: Auf älteren Grundmauern als dreischiffige Hallenkirche ab 1431 erbaut. Westturm Ende 15. Jh. Nach einem Brand im 19. Jh. wiederhergestellt. – Der hohe Westturm beherrscht weithin die alte Keltenstraße Worms-Bingen. Die spätgotische Kanzel (um 1500, aus dem Umkreis Riemenschneiders) ist mit den Evangelisten-Symbolen und den Marterwerkzeugen Christi geschmückt. In der Vorhalle ist auf einer Tafel das Gründungsdatum vermerkt.

Arnsberg 5760

Nordrhein-Westfalen S. 416 □ D 10

Propsteikirche St. Laurentius: Von der 1173 gegründeten und 1803 aufgeho-

benen Prämonstratenserabtei Wedinghausen ist nur noch die Kirche erhalten. Die Turmanlage stammt noch aus dem 12. Jh. Der frühgotische Chor wurde 1253 geweiht. Der Ausbau zur jetzigen Kirche zog sich bis ins 16. Jh. hin. – Von der Ausstattung sind vor allem der frühbarocke Hochaltar aus Marmor und Alabaster (eigentlich Epitaph des Landdrosten Kaspar von Fürstenberg) von H. Gröninger zu erwähnen, außerdem das Grabmal Friedrichs von Fürstenberg (um 1680) und die Doppelgrab-Tumba des Grafen Heinrich und seiner Gemahlin Ermengard von Arnsberg (14. Jh.) sowie Kanzel und Beichtstühle (um 1740).
Im S der Kirche sind Reste der *ehem. Klostergebäude* erhalten.

Außerdem sehenswert: Hirschberger Tor (1753) bei der Propsteikirche, Altes Rathaus (1710), Marktbrunnen (1779), Landsberger Hof (1605; darin jetzt das *Sauerländer Heimatmuseum*) und Fachwerkhäuser in der Altstadt.

Arnstein = 5401 Obernhof

Rheinland-Pfalz S. 416 □ D 13

Ehem. Prämonstratenserabtei St. Maria und Nikolaus: Ludwig III., der letzte Graf von Arnstein oder Arnoldstein (gest. 1185), gründete in seiner Burg ein Prämonstratenserkloster (1139), in das er später selbst als Mönch eintrat. Die Abtei erlebte einen raschen Aufstieg und wurde in der Folgezeit baulich stark erweitert. Die Klosterkirche, 1208 geweiht, und das schlichte romanische Refektorium blieben erhalten, Umbau 1359, barokke Innenausstattung Mitte des 18. Jh., 1803 Säkularisation. – Die Abteikirche ist eine kreuzförmige dreischiffige romanische Pfeilerbasilika (eingewölbt) mit zwei Chören und zwei Turmpaaren, die östlichen frühgotischen Türme sind achteckig, die westlichen vierseitig mit Rautendächern. Von der Ausstattung zu erwähnen ist der Hochaltar (1760), die Kanzel (1757), die Grabplatte Ludwigs IV. (um 1320).

Arnstorf 8382

Bayern S. 422 □ N 18

Oberes Schloß: Dieses Schloß gehört zu den wenigen bayerischen Wasserburgen. Die ältesten Teile stammen vermutlich aus dem 15. Jh. Größere Ausbauten im 17. und frühen 18. Jh. – Die Erdgeschoßräume und die Schloßkapelle, barock stukkiert, stammen noch aus der spätgotischen Bauperiode, die oberen Stockwerke zeigen barocke Dekorationen. Vor allem die Ausmalung des Festsaals, des *Kaisersaals*, durch M. Steidl (1714) ist von hohem künstlerischem Rang. Auch der schöne *Theatersaal* aus der Zeit um 1700 ist sehenswert.

Außerdem sehenswert: Unteres Schloß (17./18. Jh.); Pfarrkirche St. Georg (15./16. Jh.).

Arolsen 3548

Hessen S. 416 □ F 10

Schloß (Schloßstraße): Die Anlage ist dem Schloß von Versailles nachempfunden. Da die ganze Stadt nach fürstlichem Willen auf dem Reißbrett entstand, ergibt sich eine Einheitlichkeit von Schloß, Kirche und Bürgerhäusern.
Graf Anton Ulrich von Waldeck (1711 zum Reichsgrafen erhoben) gründete mit der Grundsteinlegung zum Schloß 1713 auch gleichzeitig die neue Stadt. Baudirektor Major Julius Ludwig Rothweil und dessen Sohn Franz Friedrich entwarfen die Pläne für das Schloß und für die meisten Häuser der Stadt. Der Schloßbau war 1720 im wesentlichen beendet, während die innere Ausstattung und die Ausbauten sich bis 1811 hinzogen.
Das Schloß, mit Ehrenhof angelegt, zeigt im Grundriß Hufeisenform. Von dem Rondell, das gegenüber als Abschluß eines Paradeplatzes geplant war, wurde nur ein Teilbogen fertig. Ein Wassergraben, der den ganzen Komplex umzieht, erinnert an westfälische

Arolsen, Schloß

Wasserschlösser. Die weit ausgreifend projektierte Anlage mußte infolge finanzieller Schwierigkeiten Fragment bleiben.
Der Bau ist eine stilreine spätbarocke Anlage. Treppenhaus, Gartensaal, Kapelle und der (in einem konventionellen Klassizismus dekorierte) Große Saal sind die räumlichen Sammelpunkte in den einzelnen Trakten. Hier beherrschen die kraftvoll beschwingten Stukkaturen von A. Gallasini* (1715–19) das Bild. Die sensible Innendekorierung der Wohnräume, im kühlen Régencestil und elegant-zarten Rokoko gehalten, trennt die intime Wohnsphäre von den gravitätischen Repräsentationsräumen. Zur Ausstattung der Räume gehören neben Bildern der Landesherren aus verschiedenen Jahrhunderten (von Aldegrever, Meytens, Querfurt und J. H. Tischbein) auch die bekannten Büsten Goethes und Friedrichs d. Gr., die A. Trippel (1789) geschaffen hat; außerdem Plastiken von C. F. Rauch, der 1777 in Arolsen geboren wurde.

Außerdem sehenswert: Regierungsgebäude und Marstall (1749–61); Orangerie und Gärtnerei (1819–22); Neues Schloß (1763–78/1853); ev. Pfarrkirche (18. Jh.); Bürgerhäuser; ehem. Palais von Canstein (1743; jetzt Rathaus).

Aschaffenburg 8750

Bayern S. 416 □ F 14

Die Stadtansicht von der Mainseite her wird von dem burgartigen viertürmigen Schloß Johannisburg aus Buntsandstein beherrscht.

Stiftskirche St. Peter und Alexander (Löherstraße): Erste urkundliche Erwähnung im späten 10. Jh., erster Bau um 950 von Otto von Schwaben (in der

Kirche beigesetzt); im frühen 12. Jh. Neubau des heutigen Langhauses als Pfeilerbasilika; Westportal und zwei Nebenportale an der Nordseite Anfang 13. Jh.; Ostchor, Querschiff und Kreuzgang spätromanisch-frühgotisch um 1230/40; 1415 Beginn des Nordturms (1480/90 fertiggestellt); 1516 an der Nordseite *Maria-Schnee-Kapelle* (Meister Nikolaus); 1618 Einbau von 16 romanischen Säulen der Stauferburg Babenhausen als Träger einer Westempore. Heute ist St. Peter und Alexander Pfarrkirche.

Inneres und Ausstattung: Das romanische Langhaus mit den kurzen runden Bogenläufen kontrastiert zu den Spitzbogen des frühgotischen Chors und Querarms. Die Blätterkapitelle an den Säulen der Westempore stammen aus der gleichen Werkstatt wie das *Tympanon* mit dem thronenden Christus am Westportal. In der Zeit um 1200 wurde das archaisch strenge *Kruzifix* geschnitzt (Seitenwand des Mittelschiffs). Von M. G. Nithardt (M. Grünewald*), der viele Jahre in Aschaffenburg und im benachbarten Seligenstadt gelebt hat, stammt eine *Beweinung Christi*, die Predella eines verlorengegangenen Altars (Grünewald schuf für die Maria-Schnee-Kapelle jenen Altar, dessen Teile sich heute in → Stuppach und → Freiburg i. Br. befinden). Bronzegüsse aus der Nürnberger Vischer-Werkstatt waren Aufträge des Kardinals Albrecht von Brandenburg in Mainz, der während den Reformationsunruhen nach Aschaffenburg auswich. Sehenswerte Kleinodien finden sich außerdem in der *Schatzkammer*. Der spätromanische *Kreuzgang* an der Nordseite der Kirche birgt eine Anzahl von bedeutenden Grabdenkmälern.

Schloß Johannisburg (Schloßplatz): Festungsbaumeister G. Ridinger aus Straßburg hat 1605–14 um den mittelalterlichen Bergfried herum das wuchtige Renaissanceschloß mit vier quadratischen Türmen an den Ecken und der *Schloßkirche* im Nordflügel erbaut. Die Johannisburg ist die erste deutsche Schloßanlage der Renaissance, bei der die Repräsentation der Macht

Stiftskirche, Aschaffenburg

an die Stelle des Wehrhaften tritt. Das Schloß war im 2. Weltkrieg stark zerstört worden. Im Inneren hat eine bedeutende Filialgalerie der *Bayerischen Staatsgemäldesammlungen* Unterkunft gefunden.

Pompejanum (Pompejanumstraße): Nordwestlich vom Schloß, hinter dem sog. Schloßgarten, hat König Ludwig I. von Bayern 1842–49 durch seinen Hofarchitekten F. Gärtner* nach dem Vorbild des Hauses des Castor und Pollux in Pompeji das turmartige neo-antike Gebäude des Pompejanums errichten lassen.

Friedhof (Lamprechtstraße): Hier findet man die Gräber von Wilhelm Heinse (1746–1803), dem Stürmer und Dränger und Verfasser des »Ardinghello«, und von Clemens Brentano (1778–1842), dem romantischen Dichter und Herausgeber von »Des Knaben Wunderhorn«.

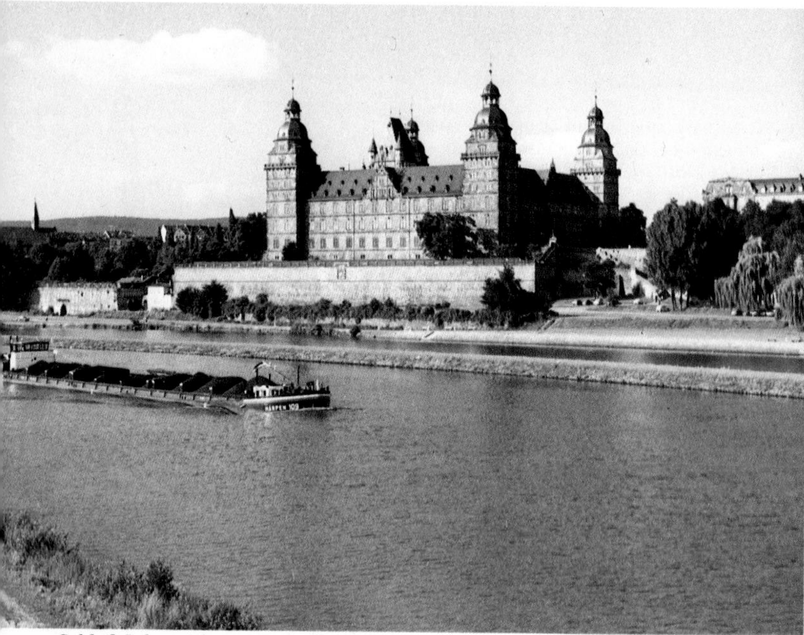

Schloß Johannisburg, Aschaffenburg

Museen: *Museum der Stadt Aschaffenburg* (Stiftsplatz): In dem 1854 gegründeten Museum werden vor- und frühgeschichtliche Bodenfunde, Holzplastik, Skulpturen, Fayencen, Keramik und Spessartglas gezeigt. – *Naturwissenschaftliches Museum:* Zoologie, botanische und mineralogische Sammlungen. – *Staatliche Graphische Sammlung* (Stiftsplatz): Malerei des 15.–18. Jh., Rembrandt-Radierungen.

Umgebung: Der Park *Schönbusch* südlich der Stadt geht auf die Mainzer Kurfürsten zurück, das *Schlößchen* darin wurde 1778/79 errichtet, die verschiedenen *Pavillons* im Park wurden in den achtziger Jahren errichtet.

Aschau 8213

Bayern

S. 422 □ M 20

Burg Hohenaschau: Die mächtigste Wehrburg des Chiemgaus thront auf einem Fels hoch über der Landschaft. Einer der Grafen von Freyberg, in deren Besitz Hohenaschau seit Ende des 14. Jh. war, verwandelte um 1561 die unbehagliche Burg in ein weitläufiges Renaissanceschloß, das unter den Grafen Preysing, die es von 1611–1853 bewohnten, im Stil des Barock umgebaut wurde.

Hauptburg mit Ringmauer und Bergfried stammen aus dem ausgehenden 12. Jh., die Vorburg wohl aus dem 13. Jh., 1561 erfolgte der Umbau zu einer bastionartigen Befestigung. Umgestaltungen mit Neubauten und Anbauten waren auch noch im 17. und 20. Jh. zu registrieren. Die Kapelle wurde auf mittelalterlichen Mauern 1637–39 neu aufgeführt. Dekoration der Hauptburg-Innenräume 1672–86. Rokokoausstattung der Kapelle 17. Jh.

Faszinierend ist die monumentale Ahnengalerie im repräsentativen Festsaal der Hauptburg: zwölf überlebensgroße

Altes Rathaus, Attendorn

Stuckstandbilder der Preysingschen Vorfahren auf Konsolen. Auch die Decke und die Wände über den Türen und dem Marmorkamin sind mit üppiger Stuckdekoration überzogen. Der frühbarocke italienische Hochaltar aus Verona kam erst im 20. Jh. in die Kapelle. Sehenswert sind die beiden Rokoko-Seitenaltäre mit Gemälden und Stuckumrahmungen von J. B. Zimmermann* und zwei Holzstatuetten (1766) von I. Günther*.

Ferner: St. Mariae Lichtmeß, Pfarrkirche (15. Jh., 18. Jh.), und Kreuzkapelle (1753).

Attendorn 5952

Nordrhein-Westfalen S. 416 □ D 11

Altes Rathaus (Am Markt): Das offene Erdgeschoß dieses Baus aus dem 14. Jh. diente als Kaufhalle, das Obergeschoß war zugleich Rats- und Tanzsaal. Die Treppengiebel an den Seiten und die offene Arkadenhalle mit dem gotischen Spitzbogenmotiv in beiden Geschossen geben dem Bau, der zu den ältesten Rathäusern in Westfalen gehört, das Gepräge. Heute ist das Innere modernisiert (*Heimatmuseum*).

St. Johannes: In der gotischen Hallenkirche aus dem 14. Jh. ist der quadratische Westturm von einem älteren romanischen Bau übernommen.
In der Nähe von Attendorn befindet sich die Höhenburg *Schnellenberg* aus dem 17. Jh.

Aufhausen, Oberpf. 8401

Bayern S. 422 □ M 17

Wallfahrtskirche Maria Schnee: Die Stiftskirche südlich von Regensburg steht weithin sichtbar in der Land-

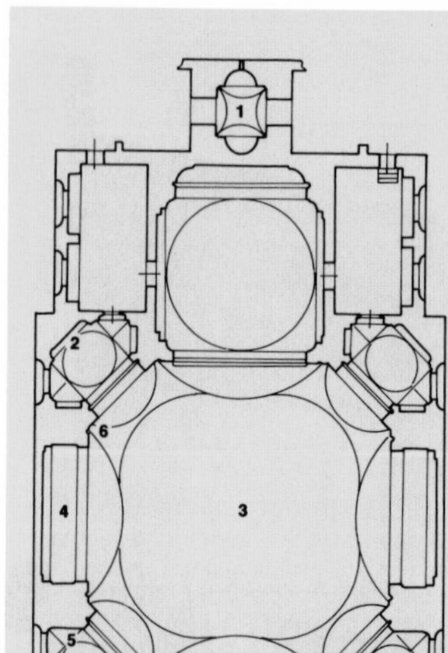

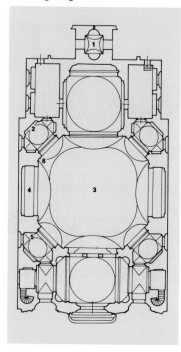

Aufhausen 1 Marienstatue (Gnadenbild), gestiftet von Herzog Wilhelm V. von Bayern **2** Marienbild nach Entwurf Dürers **3** Deckengemälde nach Entwurf Asams **4** Seitenaltar »Tod des hl. Benedikt« **5** Holzrelief Mariae Opferung, Nürnberger Schule, spätgotisch **6** Pieta

schaft, ein Werk des bayerischen Maurermeisters und Architekten Johann Michael Fischer*, von dem im süddeutschen Raum 32 Kirchen und 23 Klosterbauten erhalten sind.
Ehemals eine Wallfahrtskapelle in Holz, 1672 Bau einer Kirche in Stein, 1736–51 Neubau der Stiftskirche durch Fischer. Nach den schlichten äußeren Wänden überraschen die vielfach gebrochenen Baulinien im Inneren mit der Mittelrotunde, den Kapellennischen und dem rundkuppelüberdachten Vor- und Chorraum. In der Rotunde schließt eine Galerie den hochschießenden Raum nach oben kranzartig ab. Graziöse Stukkaturen akzentuieren die Kapitellzonen der Doppelpilaster und die Rahmungen der anspruchsvollen Deckenfresken. In der sog. *Frauenkapelle* (links vom Chor) eine Augsburger Altartafel der Renaissance, eine sitzende Muttergottes (um 1510/15), vielleicht ein Werk des Jörg Breu d. Ä.

Augsburg 8900

Bayern S. 422 □ J 19

Unter den vielen bekannten Persönlichkeiten, die Augsburg – die Stadt der Fugger und Welser – hervorgebracht hat, stehen Agnes Bernauer, der »Engel von Augsburg«, und Bert Brecht an der Spitze. Agnes Bernauer und ihre Liebe zu Albrecht III. von Bayern hat viele Schriftsteller angeregt. Brecht hat seine Geburtsstadt in Gedichten und Balladen verewigt und ihr die Erzählung »Der Augsburger Kreidekreis« gewidmet.

Dom St. Maria (Frauentorstraße 1): An der Stelle der ersten Römersiedlung (Augusta Vindelicorum) entstand im 10. Jh. ein Dombau unter Bischof Ulrich dem Heiligen. Man hat eine spätrömische Taufgrube gefunden und Mauern der alten Taufkirche des Doms (abgetragen 1808) freigelegt.
Baugeschichte: Neuanlage als dreischiffige romanische Pfeilerbasilika mit flankierenden Seitentürmen unter Bischof Heinrich II. (1047/63). Ab 1320 Gotisierung und Verbreiterung auf fünf Schiffe. Gleichzeitig wurde der Ostteil abgebrochen und durch einen gotischen Hallenchor mit sieben Kapellen ersetzt (Weihe 1431).
Baustil und Baubeschreibung: Das Äußere des Doms wird vom Kontrast zwischen dem langgestreckten niedrigen romanischen Westteil und dem hochgestelzten gotischen Chorbau bestimmt. Die *Chorhalle*, mit der die Kirche auf 113 m verlängert wurde, schob sich über die Fernstraße »Via Clau-

Dom St. Maria, Augsburg ▷

Dom, Südportal

dia«, zu deren Schutz hier das erste Römerlager angelegt war. Die beiden Portale an Süd- und Nordseite des Chors, die gleichsam noch einmal den alten Straßenzug markieren, sind Marienportale, zweiflügelig mit Pfeilermadonna in der Mitte, 1343 (im Norden) und 1356 (im Süden) datiert. Das dritte Portal zeigt die berühmten romanischen Bronzereliefs (um 1060).

Inneres und Ausstattung: Im Inneren ergeben sich durch die Zweiteilung des Baus unterschiedliche Raum- und Lichtverhältnisse. Unter dem überhöhten Westchor befindet sich die romanische *Krypta* (1060). Der gleichen Epoche entstammen die fünf, in größere Fenster eingesetzten Glasgemälde im südlichen Mittelschiff (mit den fünf archaischen Gestalten Jonas, Daniel, Hosea, Moses und David). Es ist der *früheste Glasfensterzyklus* Mitteleuropas. Ein Stück monumentaler Innenarchitektur ist der steinerne, auf zwei Löwen ruhende *Bischofsthron* (wohl um 1100). Die Wand des südlichen Querschiffs ist mit einem 15 m hohen Chri-

St. Ulrich und Afra ▷

Augsburg, Dom 1 Kapitelsaal **2** Blasiuskapelle **3** Katharinenkapelle **4** Marienkapelle **5** Kreuzgang **6** Andreas-Hilaria-Kapelle **7** Wolfgangkapelle **8** Augustinkapelle **9** Gertrudkapelle **10** Konradkapelle **11** Annakapelle **12** Antoniuskapelle **13** Lukaskapelle **14** Bronzetür, aus den Türen des romanischen Domes zusammengesetzt **15** Bischofsthron, um 1100 **16** Farbfenster mit Prophetendarstellungen, um 1140 **17** Tumba für Konrad und Afra Hirn, 1423 **18** Nordportal, 1343 **19** Südportal, 1360 **20** Altartafeln von Jörg Stokker, 1484 **21** Altartafeln von H. Holbein d. Ä., 1493 **22** Hochaltar, Kreuzigungsgruppe von Jos. Henselmann, 1962

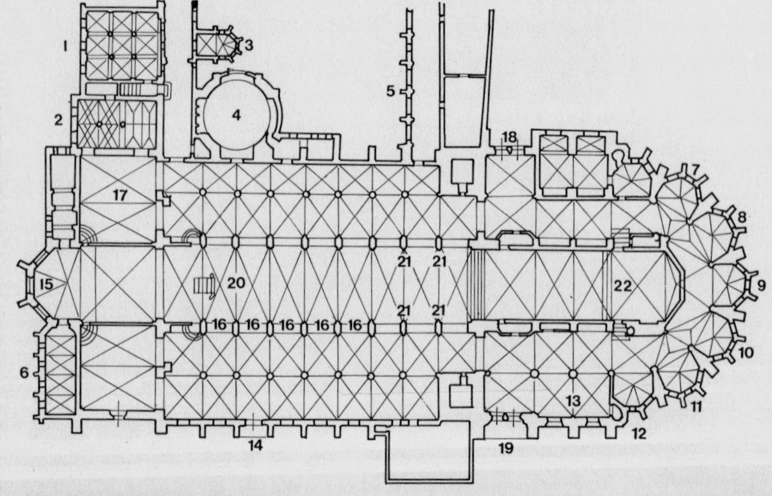

stophorus bemalt (1491). Höhepunkt der reichen Ausstattung sind die Gemälde von H. Holbein* d. Ä. zum Marienleben aus dem Jahr 1493 (Mittelschiffpfeiler), der Schmerzensmann von G. Petel (um 1630, dritter nördlicher Pfeiler im Mittelschiff) sowie die Bronzegrabplatte des Bischofs Wolfhart Rot, gest. 1302 (im Umgang an der Konradskapelle). – *Ferner:* Blasiuskapelle (15. Jh.) an der Nordseite; Andreas- und Hilariakapelle am südlichen Querschiff (14. Jh.); Marienkapelle im Kreuzhof (18. Jh.); Katharinenkapelle (16. Jh.); Kreuzgang und Kapitelsaal.

St. Ulrich und Afra (Ulrichsplatz 19): Als Gegenpol zum Dom, am anderen Ende der Altstadt, liegt die Baugruppe der beiden Kirchen mit ihren Zwiebelhauben. Ehemals weit außerhalb der Stadt gelegen, ist der Komplex heute Abschluß der Maximilianstraße nach Süden.
Über dem Grab der hl. Afra (Märtyrertod 304) entstand der erste Bau. 973 wurde Bischof Ulrich hier begraben. Spätgotischer Neubau von 1467–1526 (Baumeister waren V. Kindlin, B. Engelberg* und H. König). Kaiser Maximilian I. legte 1500 den Grundstein zum Chor. Der in Stadtrichtung vorgelagerte Predigtsaal wurde 1710 im barocken Stil als ev. St.-Ulrichs-Kirche ausgebaut.
Der steile Innenraum (30 m hoch, 93 m lang) wird durch die drei mächtigen Altäre im Chor beherrscht. Der Meister, J. Degler d. Ä. aus Weilheim, hat hier die Weihnachtskrippe in den theaterhaften Schaurahmen eines Altars übertragen. Auch die beiden Außenaltäre erinnern an spätgotische Figurenschreine. Zeitgleich mit Degler stellte H. Reichle* seinen Kreuzaltar – vier monumentale freistehende Bronzefiguren – in der Vierung auf (1605), ein Meisterwerk des frühen Barock. In den verschiedenen Seitenkapellen befinden sich die Grabstätten von einigen Angehörigen der Familie Fugger. Nach Westen zu schließt ein Gitter das Schiff in voller Breite ab. Die Arbeit in Schmiedeeisen und Holz nennt einen unbekannten Kunstschmied und Bildhauer E. B. Bendel als Schnitzer. – Im Chorraum unter dem rechten Seitenaltar führen die Stufen zur *Gruft* des hl. Ulrich, des streitbaren Bischofs von Augsburg. P. Verhelst stattete sie in heiterstem Rokoko aus (1762). Daneben bildet die einfache *Afragruft* mit dem spätrömischen Sarkophag einen starken Kontrast.

St.-Anna-Kirche mit Fugger-Grabkapelle (Annaplatz): Die ehem. Karmeliterklosterkirche ist äußerlich unscheinbar, aber bedeutend durch die daran angebaute *Fugger-Grabkapelle*, den ersten Renaissancebau auf deutschem Boden. 1321 gegründet, 1487–97 umgebaut und vergrößert, 1602–16 Restaurierung durch E. Holl* (vor allem am Turm ist Hollsche Konzeption sichtbar), 1747–49 Innenausstattung mit Rokokodekoration. Die Fuggerkapelle wurde 1509 von Jakob und Ulrich Fugger gestiftet, 1518 geweiht; 1944 schwere Schäden durch Kriegseinwirkung, 1947 Erneuerung der Gewölbe und Ergänzung an den Grabreliefs.
Die ursprüngliche Anlage wurde durch den barocken Umbau neu gestaltet. Nur im Ostchor mit seiner kräftigen Verstrebung ist noch die spätgotische Bauweise sichtbar. Die Fuggerkapelle ist als Westchor der Kirche im Stil der Florentiner und venezianischen Renaissance angebaut worden. – Blickpunkt und bedeutendstes Kunstwerk der Kapelle ist die spätgotische Gruppe der »Beweinung Christi« von H. Daucher im Altarraum. S. Loscher hat die vier Reliefs der Wand hinter dem Altar geschaffen. J. Breu d. Ä. malte die Flügel für die Orgel, die einzigen Überbleibsel des 1944 vernichteten wertvollen alten Musikinstruments. Die Vorlagen für die Reliefs der Gräber von Jakob und Ulrich Fugger wurden von A. Dürer* entworfen. Sehenswert ist auch die *Goldschmiedekapelle* (15. Jh.) an der Nordseite und der Kreuzgang.

Ehem. Dominikanerkirche St. Magdalena (Dominikanergasse): 1513–15 als zweischiffige Hallenkirche mit Kapellenreihen zu beiden Seiten errichtet. 1716–24 in feinen, eleganten Rokokoformen ausgestuckt (F. X. und J. M.

Feuchtmayer*). Vier Bronzetafeln an der Längswand (für Kaiser Maximilian I., dessen Sohn und zwei Enkel) verweisen auf Augsburg als die Lieblingsstadt der Habsburger während der Renaissancezeit. Heute sind in den Räumen Funde der Vorgeschichte und aus der Römerzeit ausgestellt.

Rathaus (Ludwigsplatz): Erbaut zu Beginn des 30jährigen Krieges. Baumeister war »Stadtwerkmeister« E. Holl (Richtfest 1618). Die Innenausstattung (mit dem »*Goldenen Saal*« als Mittelpunkt) ist das Werk von M. Kager (bis 1626); sie ging im 2. Weltkrieg völlig zugrunde. – Der Bau am Ludwigsplatz hat sieben Geschosse und wird von dem Pinienzapfen, dem Augsburger Wappen, bekrönt. Ihn rahmen die beiden achteckigen, aus dem Bauwürfel herauswachsenden Türme mit ihren grünspanleuchtenden Zwiebeldächern.

Zeughaus (Zeughausplatz): Als repräsentatives Waffenarsenal der Stadt erbaut unter der Leitung von E. Holl (1602–07), Fassade von J. Heinz. – Das Zeughaus ist noch vor dem strengen Rathaus entstanden und gilt als frühestes Beispiel einer barocken Fassade

Das Zeughaus wurde unter Leitung von E. Holl 1602–07 erbaut

Das Rathaus (1618) wurde ebenfalls von E. Holl erbaut

auf deutschem Boden. Künstlerischer Mittelpunkt der schweren Architekturzüge ist H. Reichles* Bronzegruppe über dem Portal mit Michael, dem Satansbezwinger (1603–06), bei der er sich an die Michaelskirche in München anlehnt.

Rotes Tor (Eserwall-Straße): Mauer und Vortor aus der Mitte des 16. Jh. Der Befestigungsturm wurde von E. Holl in den ersten Jahren des 30jährigen Krieges erbaut (1621/22). Der Turm ist aus Ziegel und mit Schießscharten für Artillerie und Feuerwaffen versehen. Als »Kulisse« ist er oft in die sommerlichen *Opernfreilichtspiele* im Wallgrabengelände einbezogen.

Schaezler-Palais (Maximilianstraße 46): Das Schaezler-Palais, in den Jahren 1765–67 im Auftrag des Bankiers B. A. Liebert von Liebenhofen erbaut, ist der schönste Rokokobau der Stadt. Baumeister war der kurbayerische Hofarchitekt K. A. von Lespilliez. Das Palais wird beherrscht vom Festsaal, für den P. Verhelst das Schnitzwerk und F. Xaver und S. Feuchtmayer die Stuckarbeiten geschaffen haben. Auf dem großen ovalen Plafond malte G. Guglielmi, der auch das Dekor des Festsaals entworfen hat, eine figurenreiche Allegorie. Sie stellt die Beglükkung der Künste und Wissenschaften durch den gut gehenden Handel dar.

Brunnen (Ludwigsplatz und Maximilianstraße): Der Augustusbrunnen vor dem Rathaus, der Merkurbrunnen und Herkulesbrunnen in der Maximilianstraße setzen die Akzente im repräsentativen Straßenzug der Stadt. Der *Augustusbrunnen* von H. Gerhard*, dem Leiter der Erzgießerwerkstatt am Münchner Hof, wurde zur 1600-Jahr-Feier zu Ehren des Stadtgründers Kaiser Augustus aufgestellt. Am Beckenrand lagern vier allegorische Bronzegestalten, die Verkörperung der Augsburger Wasserläufe Lech, Wertach, Brunnenbach und Singold (1589–94). Mit dem *Merkurbrunnen* feiert die Handelsstadt den Gott ihres Hauptgewerbes. Die Figur des Merkur ist eine Kopie (von Adriaen de Vries) nach der Florentiner Merkurgruppe von Giovanni da Bologna. Der *Herkulesbrunnen* stammt ebenfalls von de Vries (1595–1602).

Fuggerei (Jakobsplatz): In der Jakobervorstadt, unterhalb des Rathauses, befindet sich die sog. Fuggerei, die erste Altensiedlung. Jacob Fugger der Reiche hat sie gestiftet (1516–25). Die rechtwinklig angelegte Siedlung von 53 Häusern mit 106 Wohnungen ist durch drei Tore zu betreten, die um 22 Uhr geschlossen werden. Die Miete beträgt seit 1521 (Stiftungsurkunde) »einen rheinischen Gulden« pro Jahr, das ist in moderner Währung 1,71 DM.

Museen: *Staatsgalerie* (Maximilianstraße 46): u. a. Bilder von Holbein d. Ä., Burkmair und Dürer. – *Barockgalerie* (Maximilianstraße 46): Rokoko-Festsaal. – *Maximilian-Museum* (Philippine-Welser-Straße 24): Feuerwaffen Kaiser Karls V., Baumodelle des berühmten Baumeisters E. Holl. – *Mozartgedenkstätte* (Frauentorstraße 30): Originalnotenmaterial, Steinflügel, auf dem Mozart gespielt hat.

Theater: Stadttheater (Kennedyplatz 1): Oper, Operette. – Schauspielhaus (Vorderer Lech): Schauspiel. – Augsburger Puppenkiste (Spitalgasse 15): Weltbekanntes Marionettentheater.

Aumühle 2055

Schleswig-Holstein S. 414 □ H 5

Bismarck-Mausoleum: Im Gutspark von Friedrichsruh wurde 1898 für Bismarck und seine Familie ein Mausoleum errichtet, ein zweigeschossiger neuromanischer Zentralbau mit staufischen Architekturformen, in dem die Marmorsarkophage aufgestellt sind. *Friedrichsruh*, der ehem. Ruhesitz Otto von Bismarcks, ist heute *Museum* mit Erinnerungsstücken an den »Großen Alten aus dem Sachsenwald«.

Das Rote Tor, Augsburg ▷

B

Babenhausen 6113

Hessen S. 416 □ F 14

Ev. Pfarrkirche (Kirchstraße): Die Kirche (14. und 15. Jh.) ist 1939 restauriert worden. Bedeutend ist der spätgotische Schnitzaltar im Chor (1515/18), in dessen reich verziertem Mittelteil die ungefaßten überlebensgroßen Holzfiguren des Papstes Cornelius und der Heiligen Nikolaus und Valentin stehen,

Spätgotischer Schnitzaltar in Babenhausen

die Flügel zeigen weitere Heilige im Relief. Der Altar gilt als Werk der Mainzer Backoffen-Werkstatt, andere Forscher haben Matthias Grünewald* genannt, der in den erwähnten Jahren im benachbarten Aschaffenburg gearbeitet hat. An der Chorwand und im südl. Seitenschiff finden sich alte Malereien aus der Zeit um 1400, 1480 und 1520 mit dem hl. Nikolaus, der Meerfahrt der Magdalena und Märtyrerszenen. Die ornamentale Dekoration entstand im 17. Jh.

Schloß (Schloßweg 1): Der Bau wurde als Wasserburg angelegt. Der alte Ostflügel – eine offene Arkadenhalle – stammt aus der Stauferzeit (um 1210). Die bildhauerisch bemerkenswerten Kapitelle sind erneuert (Originale im Schloß).

Umgebung: Von Babenhausen aus lohnt ein Ausflug nach →Dieburg oder →Seligenstadt. Auf jeden Fall aber wird man →Aschaffenburg und →Darmstadt ansehen wollen.

Bacharach 6533

Rheinland-Pfalz S. 416 □ D 14

Ein Hofgelehrter Kaiser Friedrichs II. leitete den Namen der Stadt von »Bacchi ara«, Bacchus-Altar, ab, eine nicht verbürgte, für den Weinort aber passende Namensgebung. Bacharach mit seinen malerischen Fachwerkhäusern und den Resten der Stadtbefestigung ist das meistbesungene Städtchen am Rhein (Heine, Ricarda Huch, Victor Hugo u.a.)

Burgruine Stahleck: Eine Vorstellung von der ehem., schon 1135 erwähnten Burg erhält man heute nur aus alten Stichen. Die Reste der mit ihrem Bergfried, dem Palas und starken Befestigungen stattlichen Anlage sind zu einer *Jugendherberge* ausgebaut worden. 1194 haben sich hier die verfeindeten Fürstenhäuser der Welfen und Hohenstaufen durch Heirat von Agnes von Stahleck und Heinrich dem Welfen ausgesöhnt.

Ev. Pfarrkirche St. Peter (Marktplatz): Auffallend an dieser dreischiffigen romanischen Basilika (13. Jh.) ist der wuchtige Turm, der auf seinem oberen, in gotischer Zeit errichteten Geschoß einen Zinnenkranz mit spitzem Helm trägt und damit einen burgartigen Eindruck erweckt. Im Inneren beeindruckt der kraftvolle, harmonische, in Deutschland seltene viergeschossige Aufbau im Stil der französischen Frühgotik. Ansonsten sind in der Peterskirche fast ausnahmslos romanische Elemente verwendet worden.

Werner-Kapelle: Die Kapelle bietet einen starken Kontrast zur benachbarten Pfarrkirche St. Peter. Die zierliche gotische Kapelle wurde für einen nach der Legende in Oberwesel von Juden ermordeten Knaben Werner errichtet, dessen Leichnam durch ein Wunder stromaufwärts getragen und hier angeschwemmt worden sein soll. 1293 begann man mit dem Bau, 1337 fand die Weihe des Chores statt, 1426 wurde weitergebaut. Das kleine Kunstwerk aus rotem Sandstein und einem Grundriß in Kleeblattform ist jedoch nie vollendet worden. Das reichentwickelte Fenstermaßwerk blieb unverglast.

Backnang 7150

Baden-Württemberg S. 420 □ G 17

Rathaus (Markt): Auf einem steinernen Untergeschoß sind zwei Fachwerketagen mit einem hohen Giebeldach errichtet. Besonders schön sind die in Stein geschlagenen Maskenkonsolen.

Burgruine Stahleck bei Bacharach

Das Rathaus ist um 1600 erbaut und von monumentaler Einfachheit.

Außerdem sehenswert: Ev. Stadtkirche / ehem. Stiftskirche *St. Pankratius* mit romanischen und gotischen Elementen, *St.-Michaels-Kirche* (13. Jh.) und das *Schloß* auf dem Schloßberg (1605, nicht zu Ende geführt); das geschichtsträchtige *Murrhardt* mit spätroman. Walterichskapelle.

Baden-Baden 7570

Baden-Württemberg S. 420 □ D 18

Schon der römische Kaiser Caracalla hat hier in den Kaiserthermen von »Aquae Aureliae« im Jahr 213 gebadet. Im 19. Jh. wurden sie Treffpunkt der Pariser Society und der europäischen und russischen Aristokratie. Dostojewskis Roman »Der Spieler« ist aus dem Erlebnis an der Baden-Badener Spielbank entstanden, Gogol und Turgenjew dichteten hier, und hier weilte auch Honoré de Balzac mit seiner ein Leben lang fast nur aus der Ferne geliebten Madame Hanska. Mark Twain hat die Modekurstadt und deren Betrieb in seinem Buch »Bummel durch Europa« glossiert. – Schon um 1500 gab es hier zwölf Badehäuser und 389 Einzelbadkästen, und Paracelsus, der große Arzt, rettete im Jahr 1526 mit den Heilquellen den badischen Markgrafen Philipp I. vor dem Tode.

Ehem. Stiftskirche Unserer Lieben Frau / St. Peter und Paul (Marktplatz): Über den verfallenen römischen Thermen wurde auf kaiserlichem Grund die Kirche errichtet (1245 als Pfarrkirche erwähnt). Von diesem ersten Bau ist nur noch der untere Teil des Turms erhalten. Die Kirche ist in der Mitte des 15. Jh. zu einer weiten Hallenkirche mit hohem Mittelschiff umgestaltet worden. Um 1460 war an das nördliche Seitenschiff ein Chor angesetzt worden, zu dem man – 200 Jahre später – am südlichen Seitenschiff ein Pendant, diesmal in gotisierenden Formen, gesellte. Der Turm erhielt erst im 18. Jh. seine Obergeschosse. Das Innere wird beherrscht von einem 5,60 m hohen *Sandsteinkruzifixus*, der vom Alten Friedhof nach hier gebracht wurde. Es ist ein Werk des spätgotischen Naturalismus, geschaffen von Nikolaus Gerhaert von Leyden. Auch die figürli-

Baden-Baden, Ruine eines römischen Bades

che Plastik des *Sakramentshäuschens* kommt aus der gleichen Werkstatt. Aus der langen Reihe der *Grabdenkmäler* im Chor ragt das Prunkepitaph für Markgraf Ludwig Wilhelm I. (Türkenlouis) heraus. Der Feldherr steht, den Marschallstab in der Hand, auf seiner Grabtumba und ist umgeben von Allegorien, Trophäen und Emblemen, die den Türkenbesieger verherrlichen. Wessobrunner Stukkateure sind die Schöpfer dieses Werkes (1753). Ein anderes bedeutendes Stück ist das Nischengrab Philipps I.: Der Markgraf liegt in Ritterrüstung auf dem Sarg.

Neues Schloß Niederbaden (Schloßstraße): Die Burg war seit 1479 Residenz der Markgrafen von Baden, die nach der Zerstörung Baden-Badens (1689) ihren Sitz nach → Rastatt verlegten. Der Ausbau des spätgotischen Schlosses erfolgte im 16. Jh. unter Markgraf Philipp II. Um einen unregelmäßig viereckigen Hof gruppieren sich der sog. *Kavalierbau* (1709 wiederhergestellt), der *Küchenbau* (ab 1572) mit zweigeschossiger Loggia und einem im 19. Jh. aufgesetzten Fensterstockwerk. Mittelpunkt ist das Hauptschloß, der sog. *Renaissance-Palast,* mit Portal und Thermalbädern im Erdgeschoß. Der Baumeister dieses 67 m langen, rationell durchdachten Traktes war K. Weinhart aus München (1573–75). Von den vielen Türmen, die Merians Kupferstich von 1643 von dem prächtigen Renaissanceschloß zeigt, sind nur noch zwei erhalten. In zwei Flügeln sind heute die *Stadtgeschichtlichen Sammlungen* (Römerfunde!) untergebracht.

Zisterzienserinnenabtei Lichtental (Hauptstraße 40): Ein wenig außerhalb liegt das Kloster Lichtental, das von der Enkelin Heinrichs des Löwen, Irmingard, 1243 gegründet wurde und noch heute der alten Bestimmung dient. Der Bau selbst stammt aus dem 14. und 15. Jh. Im Frauenchor liegt Stifterin Irmingard begraben. Den Grabstein (um 1350) hat der Straßburger Meister Wölfelin von Rufach geschaffen. In einer Grabnische im Chor findet man gotische Wandmalereien (um 1330). In der *Fürstenkapelle* (nördlich von der Kirche) werden die Flügel des 1496 entstandenen Altars gezeigt. Die drei Sandsteinfiguren über dem Kapelleneingang (um 1300) stammen aus dem Schwarzwaldkloster → Allerheiligen.

Zisterzienserinnenabtei Lichtental bei Baden-Baden

Lichtental

Kurhaus: Mit Beginn des 19. Jh. entwickelte sich der Ort zum Modebad. F. Weinbrenner* aus Karlsruhe, ein strenger klassizistischer Architekt, baute den Promenadebau aus dem 18. Jh. zum Kurhaus mit heiterer Säulenhalle um (1821/24). Er hat auch das Kapuzinerkloster, das der Verleger Cotta den Mönchen abkaufte, umgebaut (heute *Badischer Hof*) und das *Palais Hamilton* (jetzt Städt. Sparkasse) im Jahr 1808 errichtet.

Theater: Das *Theater Baden-Baden* (Goethe-Platz): Das Theater, das 1862 nach Plänen von C. Couteau erbaut wurde, wird von einem eigenen Schauspiel-Ensemble bespielt. Das Theater hat 512 Plätze.

Außerdem sehenswert: Altes Schloß Hohenbaden (12. bis 15. Jh., seit 1590 Ruine), das Jagdhaus Fremersberg (1716–21) und die Ev. Kirche am Fremersberg aus dem Jahr 1958.

Badenweiler 7847

Baden-Württemberg S. 420 □ C 20

Burgruine: Von der alten Stauferburg aus dem 12. Jh. sind nur geringe Teile erhalten (Fenster im Palas). Die Burg wurde 1678 weitgehend zerstört und ist nur noch wegen des weiten Blicks in die Rheinebene Anziehungspunkt.

Ruine des Römerbades (im Kurpark): Die Thermalquellen in Badenweiler sprudelten schon in römischer Zeit. Die Ruinen des Römerbades wurden 1784 zufällig entdeckt. Das Bad bedeckte eine Gesamtfläche von rund 300 qm und besaß vier Baderäume als Zentrum, die durch eine Bodenheizung gewärmt wurden. Die Größe des Bades läßt auf eine sehr große *Römersiedlung* schließen.

Außerdem sehenswert: *Neue kath. Pfarrkirche St. Peter:* Diese moderne Kirche löste 1960 die alte kath. Kirche ab und zeigt eine interessante Architektur (die Backsteinwände sind auf elliptischem Grundriß gegeneinander versetzt). – Eine Gedenktafel am Parkhotel erinnert daran, daß hier der russische Dramatiker und Erzähler *Anton Tschechow* im Frühsommer 1904 gestorben ist.

Baldern = 7085 Bopfingen

Baden-Württemberg S. 422 □ H 17

Schloß: Die Ursprünge des Baus gehen zwar bis in die Mitte des 12. Jh. zurück, heute präsentiert sich das Schloß jedoch in seinen wesentlichen Teilen als ein Werk des Spätbarock. Höhepunkt ist die 1725 geweihte *Schloßkirche*, für die G. Gabrieli* (der auch die drei Altäre entworfen hat) die entscheidenden Anregungen gab. Ausgeführt wurden die Stukkaturen durch die Degginger Künstler J. Jakob und U. Schweizer. Innerhalb des Schlosses ist vor allem der *Fürstenbau* zu erwähnen, der ebenfalls reich mit Stukkaturen versehen ist. – Im Schloß befindet sich heute eine

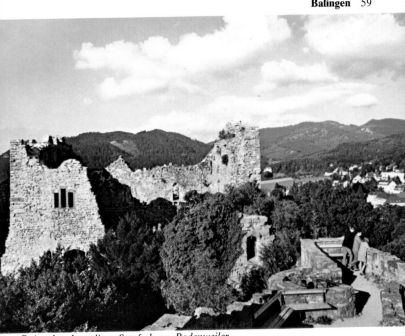

Ruine der ehemaligen Stauferburg, Badenweiler

bemerkenswerte *Sammlung historischer Waffen* sowie Keramiken und Fayencen.

Balingen 7460
Baden-Württemberg S. 420 □ E 19

Ev. Stadtkirche: Die Kirche aus dem 15./16. Jh. imponiert durch ihren mächtigen Turm, der dem Vorbild in → Rottweil nachempfunden ist. Im Inneren ist die steinerne *Kanzel* von Meister Franz (Anfang 16. Jh.) hervorzuheben. Den Schalldeckel hat S. Schweizer aus Balingen geschaffen.

Außerdem sehenswert: *Das Zollernschlößchen* aus dem 15. Jh., wurde 1930 völlig erneuert. Heute befinden sich darin das *Heimatmuseum* (hervorzuheben ist eine originalgetreu aufgebaute Färberwerkstatt) und das *Waagen-Museum* (Waagen aus aller Welt seit 2980 v. Chr.). – *Friedhofskapelle* (11. Jh.).

Zollernschlößchen, Balingen

Balve 5983

Nordrhein-Westfalen S. 416 □ D 11

Kath. Pfarrkirche St. Blasius (Am Kirchplatz): Die schlichte dreijochige Hallenkirche mit Quergiebeldächern ist typisch für die südwestfälische Romanik. Leider beeinträchtigt der übergroße neuromanische Anbau von 1910 im Norden das Gesamtbild der Anlage. Das Querhaus und der Chor entstanden Ende des 12. Jh., die Halle mit Westturm und Sakristei gegen Mitte des 13. Jh. Bei den Stufenportalen sind die Außenwände ganz ohne Gliederung und plastischen Schmuck. Auch im Inneren wirkt die Kirche mit den schweren quadratischen Pfeilern und den Kuppelgewölben im Mittelschiff streng und ernst. In den Apsiden findet man noch Reste *spätromanischer Wandmalerei* aus der Mitte des 13. Jh. (Christus als Weltenrichter mit Heiligen und Aposteln), und jüngere gotische Malereien (datiert 1334, z. T. stark erneuert). Zur Ausstattung gehören die stehende Madonna, ein romanisches Rauchfaß, ein spätgotischer Kruzifixus (Ende 15. Jh.) und ein hl. Blasius (Anfang 16. Jh.), der Kirchenpatron.

Balver Höhle (1 km nördlich an der B 229): In dieser größten Kulturhöhle Deutschlands fand man Werkzeuge der Steinzeit. Sie werden heute zusammen mit Funden aus der Bronze- und Eisenzeit im *Vorgeschichtlichen Heimatmuseum* gezeigt.

Bamberg 8600

Bayern S. 418 □ J 15

Bamberg, der Sitz des Grafengeschlechts der Babenberger, wurde unter Kaiser Heinrich II. (973–1024) Bischofsstadt und Vorort der Missionierung nach Osten. Mit dem Dom erhielt es sein architektonisches und geistiges Zentrum. Den Engpaß zwischen Bischofsstadt und Bürgerstadt bildet seit dem 14. Jh. das Rathaus, heute ein barocker Torturm mit Gebäudemassen zu beiden Seiten. Aus dem Giebelwirrwarr spitzer Ziegel- und blauer Schieferdächer ragen die Türme der vielen Kirchen heraus – ein in dieser Unversehrtheit einmaliges Stadtbild, das auch im letzten Krieg verschont blieb.

Dom (Am Domplatz): Auf dem Grundriß eines alten Doms, den Kaiser

Fürstenportal des Bamberger Doms ▷

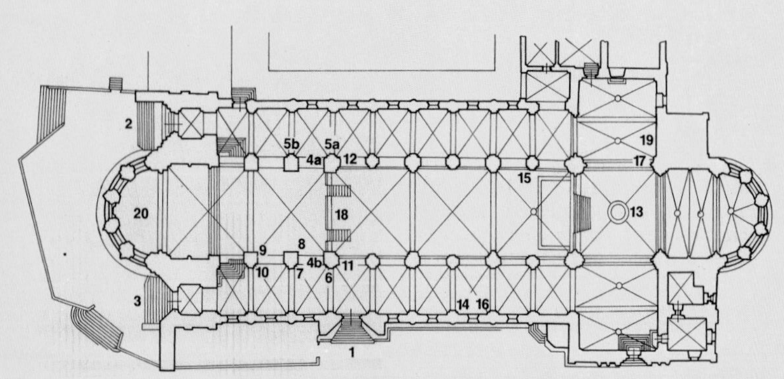

Bamberg, Dom 1 Fürstenportal **2** Adamspforte, um 1215–20 **3** Gnadenpforte **4** Schranken des Georgenchores, 13. Jh. a) Apostel b) Propheten **5** Figuren vom Fürstenportal, 13. Jh. a) Ekklesia b) Synagoge **6** Dionysius, 13. Jh. **7** Lachender Engel, 13. Jh. **8** Maria **9** Elisabeth **10** Grabbild Clemens II., 13. Jh. **11** Reiter **12** Verkündigungsrelief **13** Grabtumba Papst Clemens II. im Peterschor, 13. Jh. **14** Grabmal des Fürstbischofs Friedrich von Truhendingen, 1366 **15** Grabmal des Fürstbischofs Friedrich von Hohenlohe, 1352 **16** Grabmal des Fürstbischofs Albert von Wertheim, 1421 **17** Grabmal des Fürstbischofs Philipp von Henneberg, 1487 **18** Grabmal der Heiligen Heinrich und Kunigunde von Tilman Riemenschneider, 1499 ff. **19** Marienaltar von Veit Stoß, 1523 **20** Ausmalung des Georgenchores von K. Caspar, 1928

Bamberger Reiter

Kaiserin Kunigunde, Kaisergrab

Heinrich II. erbaut hatte, erstand im 13. Jh. der heutige Dom, der vor allem wegen seiner Figurenzyklen (Bamberger Reiter) und der Portale berühmt ist.

Baugeschichte: Der alte Dom war burgartig nach allen Seiten hin abgeschlossen. Der Neubau der Stauferzeit (1215–37) wandelte den Plan ab und errichtete vier Türme. Die Aufstokkung der beiden Obergeschosse der Osttürme und die Behelmung aller vier Türme führte J. M. Küchel* durch (1766–68), ein Schüler Balth. Neumanns*.

Baustil und Baubeschreibung: Der Dom ist mit seinen vier Türmen und der dreischiffigen Basilika eine typische romanische Anlage. Auch die gotischen Teile folgen noch eindeutig dem romanischen Plan. Daß der Kirchenraum im Osten und Westen mit Chören abgeschlossen wird, ist ein Charakteristikum der deutschen Romanik (vgl. → Speyer, → Worms).

Inneres und Ausstattung: Der Ostchor hat über den Fenstern eine leere Kalotte, die mit einem Fresko von K. Caspar (1928) ausgeschmückt ist. Im Westchor und dem Westquerschiff sind die Gewölbe mit tief eingeschnittenen Kreuzgewölben zerteilt. Unter dem Ostchor liegt eine dreischiffige *Krypta.* Ein besonderer Schmuck sind die Portale an der Ostseite (die *Adamspforte* und das *Marienportal,* das auch *Gnadenpforte* genannt wird) und an der nördlichen Längsseite (Fürstenportal mit Jüngstem Gericht), ebenso der Zyklus mit den Apostelpaaren an den Wänden des Georgenchors. Auch der berühmte *Bamberger Reiter* (links vom Aufgang zum Georgenchor), Maria, der »lachende« Engel, die nornenhafte Elisabeth, der hl. Dionysius und die Statuen von *Ecclesia* und *Synagoge* haben wohl ursprünglich ihren Platz an Außenportalen gehabt. Das altertümlichste der Portale ist die *Adamspforte.* Die Gestalten von Kaiser Heinrich,

Tympanon des Marienportals

Kaiserin Kunigunde, St. Stephanus, Petrus und Adam und Eva – die ersten plastischen Akte des Mittelalters! –, die zeitweise hier standen, befinden sich im Diözesanmuseum. Vor dem Ostchor liegt der *Doppelsarkophag* für Kaiser Heinrich und Kaiserin Kunigunde, ein Hochgrab aus Solnhofener Schiefer, mit dem Kaiserpaar auf der Deckplatte und Reliefs an den Seiten. Es ist ein Werk Riemenschneiders* (1499–1513) im Faltenstil der Spätgotik. Am letzten Pfeiler (links vom Peterschor) steht die überschlanke Greisengestalt des Bischofs Friedrich von Hohenlohe, ein Werk des Würzburger Wolfskeelmeisters (1352). Im Seitenschiff dahinter an der Abschlußwand nach Westen steht jetzt der *Bamberger Altar* von V. Stoß* (1520–25), ein Marienaltar mit der Geburt Christi und Reliefs in den Flügeln, alles ungefaßt in Naturholz. Die dritte bedeutende Plastik im Westchor des Doms ist der *Kreuzaltar* von J. Glesker* (1648–53) mit goldgefaßten überlebensgroßen Figuren im Stil des Hochbarock. Ferner verdient das *Chorgestühl* aus dem späten 14. Jh. besondere Beachtung. – Die *Schatzkammer* besitzt u. a. die Kaisermäntel Heinrichs II. und der Kaiserin Kunigunde, die Kaiserdalmatika und die kostbar gefaßten Schädel von Kaiser Heinrich und Kaiserin Kunigunde.

Alte Hofhaltung und Neue Hofhaltung (Karolinenplatz): An die Nordseite des Doms schließt die Alte Hofhaltung an; an gleicher Stelle hatte Kaiser Heinrich II. im Jahr 1020 zusammen mit dem Dombau seine Pfalz errichtet. Die Fachwerkflügel im Hof, die den Eindruck eines ländlichen Gutshofs vermitteln, stammen aus dem 15. Jh. Der *Ratsstubenbau* (1570–77) hat schön geschweifte Giebelstücke und einen reich gearbeiteten Erker. – Dem Renaissancebau gegenüber liegt die barocke *Neue Hofhaltung* (auch *Residenz* genannt). Sie wurde im wesentlichen

Königin von Saba, Chorgestühl des späten 14. Jh., Bamberger Dom

Ratsstubenbau (1570–77) in der Alten Hofhaltung in Bamberg

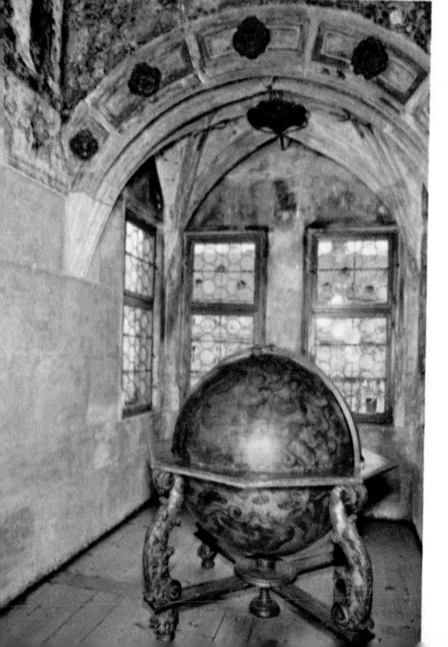

von J. L. Dientzenhofer* gebaut (1697–1703). Im Inneren hat eine Filialgalerie der *Bayerischen Staatsgemäldesammlungen* Unterkunft gefunden. Dem Bau ist nach Nordosten auf einer Gartenterrasse das *Rosarium* vorgelagert.

St. Michael (Michaelsberg): Von Kaiser Heinrich II. kurz nach dem Dom gegründet (1015). 1117 durch Erdbeben zerstört. Neubau 1121 durch Bischof Otto den Heiligen; romanische Apsis im Jahr 1570 durch einen schlanken Chor in spätgotischen Formen ersetzt. 1610 wurden auch die oberen Turmgeschosse im Stil der Spätgotik aufgestockt. J. L. Dientzenhofer legte vor das Turmpaar 1696 die Westfassade. 1723 wurde davor noch die breite Freitreppe mit Balustradenterrasse aufgeführt. – Die Flachdecke wurde 1610 durch ein Gewölbe ersetzt, auf das der »Botanische Garten« aufgemalt ist – mehr als 600 einheimische und fremdländische Pflanzenarten. Die Grabtumba des hl. Otto (gest. 1189) steht unter dem Chor mit einem »Tunnel« zum Hindurchkriechen für fromme Verehrer des Heiligen. An den Wänden des schmalen Chorraums stehen rechts und links Sitze und Vertäfelung eines schönen Rokokogestühls von H. E. Kempel und Servatius Brickard.

St. Martin (Grüner Markt): Mit tief eingeschnittenen Bogennischen haben G. Dientzenhofer* und sein Sohn Johann Leonhard die Schaufassade der Kirche nach dem römischen Vorbild von »Il Gesù« gegliedert. Der Bau ist 1686–91 entstanden. Die Ausstattung haben Italiener übernommen. Das Mittelgewölbe ist mit einer architektonischen Scheinkuppel bemalt. Das an die Kirche anschließende Jesuitenkolleg (1696–1711) war eine Zeitlang Universität und barg die *Staatsbibliothek* (heute in der Neuen Residenz) mit Handschriften und Handzeichnungen.

Obere Pfarrkirche (Unterer Kaul-

Kreuzgang, Karmelitenkirche ▷

berg): Der mächtige Chor (mit Umgang) ragt, von Strebebögen gestützt, über die vielmals gebrochenen Dachflächen des Kapellenkranzes heraus. Zuerst erwähnt im 11. Jh.; hochgotischer Neubau (ab 1338) im Stil der Bettelordenkirchen; Chor 1375–87; Einwölbung bis 1421. Von der Nordseite her betritt man das Innere durch die sog. Ehepforte, ein Portal mit den klugen und törichten Jungfrauen, der Himmelfahrt und der Krönung Mariens (um 1360). Bis auf das Gnadenbild der Muttergottes im Hochaltar (um 1330) stammt die Ausstattung im wesentlichen aus dem 18. Jh. In der sechsten Kapelle des Chorumgangs findet man ein feines *Sakramentshäuschen* aus Sandstein mit Reliefschmuck (1392).

Barockbauten: Aus der Menge der barocken Bürgerhäuser der Altstadt ragen einige besondere Bauten heraus. *Rathaus* (Obere/Untere Brücke): Die erste Brücke an dieser Flußübergangsstelle entstand 1157, der erste Torturm 1321. Der heutige Rathausbau wurde bereits 1467 auf einem Pfahlrost errichtet und 1744–56 von J. M. Küchel* in barocke Gestalt gebracht. Das geschweifte Mansardendach mit der durchbrochenen Laterne und die reichen Balkone an beiden Seiten sind mainfränkisches Rokoko höchsten Ranges. – Das *Palais Concordia* (Concordiastraße) wurde 1716–22 wohl von J. Dientzenhofer* für Geheimrat Böttinger gebaut (heute Chemisches Institut der Kath. Hochschule). Zwei rechtwinklige Flügel bilden nach der Regnitzseite hin ein Gartenparterre mit Tor zum Wasser. – Das *Böttingerhaus* (Judengasse), 1707–13 für den gleichen Bauherrn wie das Palais Concordia errichtet, ist mit seinem überquellenden Dekor meisterlich in den engen Straßenwinkel eingepaßt. – Sehenswert auch das *Raulino-Haus* (1709–11) und der *Ebracher Hof* (1764–66), in dem sich heute das Landratsamt befindet. – *Klein-Venedig* wird eine Reihe alter Fischerhäuser mit geraniengeschmückten Holzbalkonen genannt; man findet sie vom Rathaus regnitzabwärts. In diesem Viertel schenken alte Kneipen (»Schlenkerla«) das berühmte Bamberger Rauchbier aus. – *E. T. A. Hoffmann-Haus* (Schillerplatz 26): E. T. A. Hoffmann war hier von 1808–13 als Kapellmeister am Theater tätig (Gedenkstätte im Haus Schillerplatz 26). Diese musikali-

St. Michael

Altes Rathaus mit Brücke ▷

sche Tradition setzen die *Bamberger Symphoniker* fort, die als »Deutsche Philharmoniker« aus Prag nach Bamberg übersiedelten.

Museen: Neben der *Städtischen Kunstsammlung* in der Alten Hofhaltung (siehe dort) und neben dem *Erzbischöflichen Diözesanmuseum* mit Domschatz (im Kapitelhaus des Doms, siehe dort) besitzt Bamberg noch weitere Museen: *Neue Residenz* (Domplatz): Die Neue Residenz wurde 1599–1610 als letzte Residenz der Fürstbischöfe zu Bamberg durch J. Wolf d. Ä. erbaut und 1695–1703 durch J. Dientzenhofer vollendet. In diesem Baudenkmal werden Beispiele für die Wohnkultur des Spätbarock, Rokoko und Klassizismus gezeigt. Ebenfalls in der Neuen Residenz befindet sich die *Staatsgalerie Bamberg*, eine Abteilung der Bayerischen Verwaltung der Staatlichen Schlösser, Gärten und Seen. Gezeigt wird Europäische Malerei vom 15.–18. Jh. – *Historisches Museum* (Domplatz 7): Hier werden Kunst und Kunsthandwerk und Beiträge zur Volkskunde gesammelt. – *Karl-May-Museum* (E. T. A. Hoffmann-Straße 2): In Verbindung mit dem in Bamberg ansässigen Karl May Verlag ist dieses Museum als Gedächtnisstätte für den Schriftsteller Karl May entstanden (1960). Unter anderem werden das Arbeitszimmer und die Bibliothek Karl Mays gezeigt.

Theater: *E. T. A. Hoffmann-Theater* (Schillerplatz 7): Nach der Zerstörung im 2. Weltkrieg wurde das Theater 1958 neu eröffnet. Es besitzt ein eigenes Schauspiel-Ensemble. 664 Plätze.

Außerdem sehenswert: In Bamberg gibt es noch eine Reihe weiterer schöner Kirchen, so *St. Jakob* (um 1070 gegründet und 1111 geweiht; Änderungen im 13. und 15. Jh., auch im 18. und 19. Jh.); *St. Stephan* (1020 geweiht, verschiedentlich Änderungen, heutiger Bau geht auf das 17. Jh. zurück), seit 1807 ev. Pfarrkirche; die *Karmelitenkirche* (13. Jh., barocker Umbau von J. L. Dientzenhofer), St. Gangolf (1063 Weihe; Erweiterung im 15. Jh. und weitere Umgestaltungen danach) und die *ehem. Dominikanerkirche* (1310, mit verschiedenen späteren Umgestaltungen), die heute als Konzertsaal dient. – *Ferner:* Das ehem. fürstliche Schloß *Geyerswörth* (1587).

Banz 8621

Bayern S. 418 □ J 14

Ehem. Benediktinerkloster: Weithin sichtbar präsentiert sich die schloßartige barocke Klosteranlage aus gelbem Sandstein mit der zweitürmigen Kirche auf einem Tafelberg hoch über dem Main, nicht zufällig gegenüber der auf der anderen Mainseite gelegenen Wallfahrtskirche → Vierzehnheiligen. 1069 Gründung eines befestigten Benediktinerklosters durch Gräfin Alberada von Schweinfurt; 1071 Übergabe an den Bischof von Bamberg; 1114 Weihe einer Kirche, Zerstörung im Dreißigjährigen Krieg. 1695 Beginn des Klosterneubaus durch J. L. Dientzenhofer*; 1710–19 Kirchenbau des bekannteren Bruders J. Dientzenhofer*; Torflügelbau des großen Hofes 1752 nach Plänen B. Neumanns*.

Man kommt von der Mainseite durch ein mit Rokokoranken und bewegten Figuren verziertes Tor, rechts und links flankiert von zweistöckigen Gebäuden mit Eckpavillons als äußerem Abschluß nach den Plänen von B. Neumann. Über den Wirtschaftshof steigt man zum Konventsbau hinauf, dahinter liegt, wieder etwas höher, der Abteibau. So entsteht eine reizvolle Stufung der verschiedenen Dachpartien. Der Schwerpunkt bei der äußeren Gestaltung der Kirche lag in der vorgewölbten Fassade zwischen den beiden mächtigen Türmen mit den hohen geschwungenen Hauben. Heiligenfiguren mit pathetischen Gebärden stehen in den Nischen der einzelnen Geschosse und als Balustradenaufsatz am Turmgeschoß. Die Fassadenplastik stammt von B. Esterbauer (1713).

Trotz des rechteckigen Grundrisses der Kirche scheint der Innenraum aus ei-

Benediktinerkloster, Banz

nem länglichen Oval zu bestehen. Die prunkvolle Ausstattung geht z. T. auf Entwürfe Dientzenhofers* zurück. Hervorzuheben sind die *Stuckarbeiten* und die *Deckenfresken*, das hervorragende *Chorgestühl* sowie *Hochaltar*, *Choraltar* und *Kanzel*. Im Kloster sind noch die *Abtskapelle* und der *Kaisersaal* zu sehen.

Bardowick 3143

Niedersachsen

S. 414 □ H 5

Ev. Pfarrkirche St. Peter und Paul (Dom): Nach der Zerstörung dieses

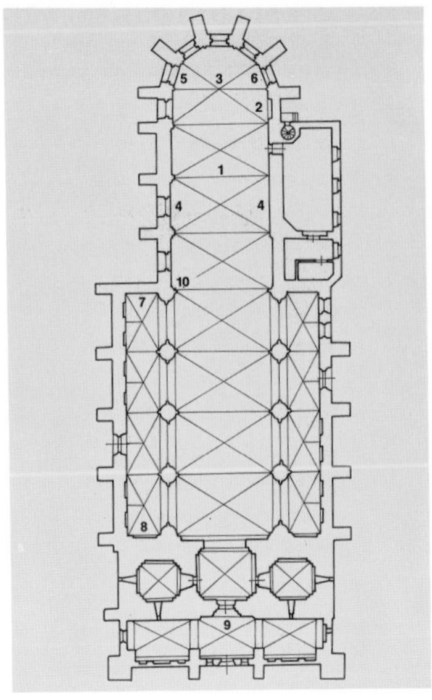

Bardowick, Dom 1 Bronzefünte (Taufe), 1367 **2** Grabplatte des Dekans Hermann Schomaker, 1406 **3** Schnitzaltar, 1425; Sockel um 1405 **4** Chorgestühl, Ende 15. Jh. **5** Sakramentshaus, spätgotisch **6** Epitaph für Jakob Schomaker von Albert von Soest, 1579 **7** Epitaph des Dr. Wilhelm von Cleve (1600 gestorben) **8** Epitaph des Johannes Förster (1547 gestorben) **9** Stufenportal, um 1170 **10** Kanzel

Bardowick, St. Peter und Paul

einstmals bedeutenden Handelsplatzes im Jahr 1189 durch Heinrich den Löwen wurde die Stiftskirche St. Peter und Paul gebaut (von den Einheimischen »Dom« genannt). Von der 1220–30 entstandenen spätromanischen Anlage sind noch der Westbau aus hellem Quaderstein, eine Zweiturmanlage mit Zwischenhalle und die Empore erhalten. Das Langhaus wurde 1380 abgerissen und durch eine gotische Backsteinhalle ersetzt, die sich mit breitem kreuzrippengewölbtem Mittelschiff und schweren Rundpfeilern bruchlos den älteren Teilen anpaßt. Der zweiflügelige Schnitzaltar von 1425 steht im Blickpunkt des schlichten, mit hohen Fenstern sehr hellen Innenraums. Drei Lüneburger Meister haben das eichene Chorgestühl mit Heiligenreliefs geschnitzt.

Umgebung: Interessante Ausflugsziele sind → Lüneburg, → Ebstorf, → Uelzen.

Bassenheim 5401

Rheinland-Pfalz S. 416 □ C 13

Kath. Pfarrkirche: In dieser 1899 bis 1900 erbauten, künstlerisch uninteressanten Kirche steht auf dem nördlichen Nebenaltar eines der schönsten Werke der deutschen mittelalterlichen Plastik, der *Bassenheimer Reiter*, ein fast vollplastisches Relief aus grauem Sandstein (1,13 m × 1,14 m). Es stellt den hl. Martin dar, der seinen Mantel mit dem Bettler teilt. Erst 1935 wurde das Relief von der Kunstgeschichte entdeckt. Man stellte fest, daß es 1683 aus Mainz (wahrscheinlich aus dem Dom) nach Bassenheim mitgebracht worden war. Es wurde als Frühwerk des Naumburger Meisters identifiziert.

Umgebung: → Koblenz, → Niederlahnstein oder → Andernach.

Bassenheimer Reiter ▷

Bassum 2830

Niedersachsen S. 414 □ F 6

Stiftskirche: Die Kirche gehört zu dem ev. Damenstift, das sich heute mit Gebäuden des 18. Jh. an das Gotteshaus anschließt. Gegründet wurde das ehemalige Kanonissenstift von dem berühmten Erzbischof von Bremen und Hamburg, Ansgar, um die Mitte des 9. Jh. Die heutige Backsteinkirche wurde jedoch erst 1351 geweiht. Die romanische Grundhaltung wird noch aus den gedrungenen Baukörpern, vor allem aber an dem schweren Vierungsturm, deutlich. Rein gotisch sind dagegen die Zierformen am Ostgiebel und

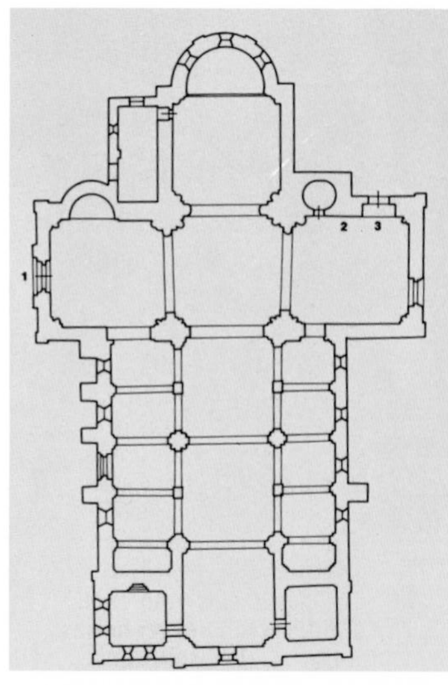

Bassum, Stiftskirche 1 Hauptportal, sog. »Brautpforte«, Anlage des 19. Jh. mit Teilen des 13. Jh. **2** Grabmal der Äbtissin Anna Gräfin von Hoya (1585 gest.) **3** Figur des hl. Mauritius, 19. Jh.

an den Schallöffnungen des Turms. Im Innenraum beeindrucken das weiträumige Querhaus und der helle Chor.

Baumburg (Chiemgau)

Bayern S. 422 □ M 20

Ehem. Augustiner-Chorherren-Stiftskirche St. Margarethen: Weithin sichtbar steht auf steil abfallender Uferhöhe an der Stelle, an der früher eine Burg der Chiemgaugrafen stand, die zweitürmige Kirche mit ihren originellen, spitz ausgezogenen Zwiebelhauben. Der erste Bau wurde 1023 geweiht, die jetzige Kirche ist ein Neubau von 1754/57 über den romanischen Grundmauern. In dem äußerlich schmucklosen Bau vermutet man kaum die Üppigkeit der Innendekoration: Stuckarbeiten der → Wessobrunner Schule im feinsten Rokoko, schöne Schnitzereien an Altären, Kanzel und Chorgestühl sowie – über die ganze Kirche verteilt – Putten. Die Deckengemälde stammen von einem böhmischen Hofmaler und zeigen im Langhaus Szenen aus dem Leben des Ordensheiligen Augustinus (1756/57). Der imposante Hochaltar in Stuckmarmor zählt mit seinen vier überlebensgroßen Heiligenfiguren zu den besten süddeutschen Barockaltären. – Im Sommer werden in der Kirche *Konzerte* veranstaltet (geistliche Musik).

Bayreuth 8580

Bayern S. 418 □ K 14

Von »Bayern gerodet« bedeutet der Name der Stadt, zu deren Festspielen jeden Sommer Richard-Wagner-Verehrer aus aller Welt kommen. Sie ist aber auch die Stadt des Dichters Jean Paul. Markgräfin Wilhelmine und ihr Mann gaben der kleinen Residenz das moderne Rokokogepräge, das nicht nur im Schloßneubau, dem Opernhaus und in der verspielten Eremitage draußen vor der Stadt, sondern ebenso in den langen Zeilen der alten Straßen sichtbar wird. Das Fränkisch-Kleinstädtische, das Residenzhafte und das Flair des Weltläufigen geben dem Ort während der Festspielwochen eine einzigartige Atmosphäre.

Bühnenfestspielhaus (Festspielhügel):

Festspielhaus in Bayreuth

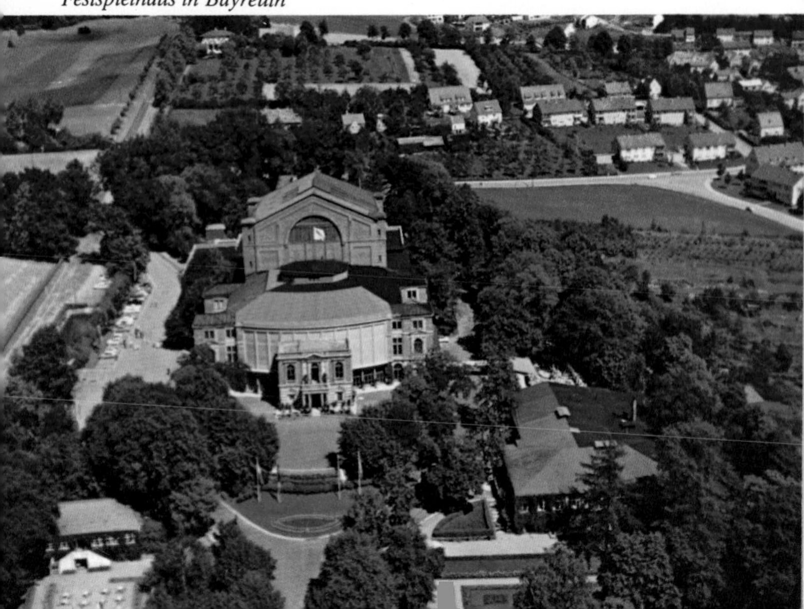

Mit dem Festspielhaus, das G. Semper auf dem Grünen Hügel im Norden der Stadt 1871–76 erbaute, entstand für Wagners Musik ein einzigartiges Instrument: ein Raum für rund 1800 Personen mit erstklassiger Akustik. Nach den Vorbildern antiker Theater steigen die Sitzreihen amphitheatralisch an. Das Orchester, dessen Lampen nicht stören sollen, ist versenkt. Hier führte Richard Wagners Witwe Cosima, die Tochter Franz Liszts, das Zepter und Sohn Siegfried in der Tradition des 19. Jh. Regie. Mit dem Dreigespann W. Furtwängler, H. Tietjen, E. Preetorius zog jedoch 1930 ein neuer Wagnerstil ein. Nach dem 2. Weltkrieg hat Wagner-Enkel Wieland diesen Stil in Regie und Szene zu einem abstrakten Symbolismus verändert.

Villa Wahnfried (Richard-Wagner-Str. 48): R. Wagner ließ sich im Jahr 1874 von G. Wölfel den weitläufigen Bau dieses spätklassizistischen Wohnwürfels mit vorspringendem Mittelteil und flachem Dach errichten. Dem Haus gab er die beziehungsvolle Inschrift: »Hier, wo mein Wähnen Friede fand, Wahnfried sei dieses Haus von mir genannt.« – Das Haus, bisher die Wohnung der Familie Wagner, wurde im Krieg teilzerstört, ist von der Stadt Bayreuth den Wagner-Erben abgekauft worden und ist 1976 als *Richard-Wagner-Museum, Wagner-Archiv* und Forschungsstätte wieder eröffnet worden. Im Vorgarten von Wahnfried ist die Büste von Wagners großem Freund und königlichem Gönner, Ludwig II., aufgestellt. Auf der Rückseite des Parks befinden sich das Grab Wagners, der 1883 in Venedig starb, und das Grab seiner Frau Cosima (gest. 1930).

Markgräfliches Opernhaus (Opernstraße): Das alte Barocktheater gab Wagner die erste Anregung, Bayreuth als Wohnsitz zu wählen, um hier seinen Festspielgedanken zu verwirklichen. Das Theater diente einer Hofgesellschaft zur Selbstdarstellung und war das Gegenteil des demokratischen Theaters, das Wagner wollte. Der Bau, eingeklemmt zwischen Bürgerhäuser, ist von außen unansehnlich (gebaut 1745–48 von J. St. Pierre auf Anregung der Markgräfin Wilhelmine). Das Innere, das die beiden berühmten italienischen Theaterarchitekten G. und C. Galli Bibiena gestalteten, überwältigt durch seinen schweren Prunk in Rot,

Villa Wahnfried

Braun, Grün und Gold. Interessant ist die Perspektivbühne mit den Kulissen der Galli Bibiena von mehr als 30 m Tiefe. Im *Theater,* heute Museumsobjekt, gastiert im Sommer das Bayerische Staatstheater mit Opern- und Ballettaufführungen.

Altes Schloß (Maximilianstraße): Das weithin sichtbare Erkennungszeichen des Alten Schlosses ist der achteckige Turm, der als Fahr- und Reittreppe angelegt ist (1565/66). Man hat von hier eine schöne Aussicht. Die Fassade des dreiflügeligen Baus, der im 17. Jh. in mehreren Etappen entstand, ist mit originellen Büstenmedaillons geschmückt, geschaffen 1691 von dem Regensburger E. Räntz. Dem Komplex des Schlosses fügte J. St. Pierre 1753–56 an der Ostseite die *Schloßkirche* an (seit 1813 kath. Kirche). Es ist ein saalartiger Bau mit heiteren Rokokostukkaturen, in dem sich auch die Gräber der Markgräfin Wilhelmine und ihres Mannes befinden.

Neues Schloß (Ludwigstraße): Der Brunnen vor dem Schloß ist ebenfalls von E. Räntz geschaffen (1698). Das Neue Schloß wurde im Auftrag der Markgräfin von J. St. Pierre gebaut (1753/54). Die Räume des Neuen Schlosses, in denen neben Städtischen Sammlungen auch die Richard-Wagner-Gedenkstätte untergebracht ist, sind nach dem Geschmack Wilhelmines mit Naturmotiven ausgestattet: Palmen, Zedern, Vögel, Insekten und Drachen im Stil der Chinamode jener Zeit. Im Erdgeschoß deuten Grottenzimmer in Tuffstein, Gartenlauben und Blumenrabatten an den Wänden auf die kokett-sentimentale Naturschwärmerei des 18. Jh. – Im Neuen Schloß befinden sich das *Städtische Museum* (Vor- und Frühgeschichte, Stadtgeschichte, Keramik, Fayencen, Gläser, Krüge) und eine Filialgalerie der *Bayerischen Staatsgemäldesammlungen* (Malerei des 16.–18. Jh.).

Eremitage (im Nordosten der Stadt): Auf dem Gelände eines alten Tiergartens wurde die erste »Eremitage« gebaut, das *»Alte Schloß«,* in dem die Hofgesellschaft nach französischem Vorbild Schäferleben und Eremitendasein mimte – eine neue Form des Gesellschaftsspiels im 18. Jh. Im Damenflügel ist das Musikzimmer eine der gelungensten Raumgestaltungen des Rokoko. Die Anlage ist in mehreren Etappen zwischen 1715 und 1750 entstanden. Die schöpferischen Ideen gingen auch hier von Wilhelmine aus, die 1749–53 in unmittelbarer Nähe noch zusätzlich das *»Neue Schloß der Eremitage«* bauen ließ. Der *Sonnentempel,* der ursprünglich eine vergoldete Apollogruppe statt des (zu niedrigen) Adlers trug, ist in seiner klassizistischen Strenge einer der schönsten Rundbauten des ausgehenden Rokoko. Im Park findet man neben dem Naturtheater, einer Drachenhöhle (1743) und Wasserkaskaden auch eine Einsiedlerkapelle. Nicht weit davon steht das Grab, das Wilhelmine ihrem Hund Folichon in Form einer antiken Ruine errichten ließ.

Außerdem sehenswert: Der Ort mit seinen vielen schönen Patrizierhäusern (vor allem in der Maximilianstraße) hat den Reiz der altfränkischen Stadt erhalten. – *Ferner:* Ev. Pfarrkirche (13.–15. Jh., danach Erweiterungsbauten) und Spitalkirche (1748–50). Das Schlößchen St. Georgen an einem See nördlich der Stadt (1725) und das Jagdschloß Thiergarten (1715–20) südlich der Stadt.

Bebenhausen = 7400 Tübingen 1

Baden-Württemberg S. 420 □ F 18

Die Klosteranlage Bebenhausen liegt in einer anmutigen Talsenke bei Tübingen. Sie ist noch fast vollständig erhalten. Nach den Zisterziensern zog mit der Reformation ein evangelisches Seminar ein (1560–1807), zu dessen Schülern Ende 18. Jh. noch der Philosoph F. W. Schelling zählte. Später wurde das Kloster königliches Jagdschloß. Heute ist hier das große *Hölderlinarchiv* und eine *Filialgalerie* des

Württembergischen Landesmuseums untergebracht.

Ehem. Klosterkirche St. Maria: Zisterzienser erbauten 1188–1228 die Kirche im kargen Ordensstil, eine ursprünglich flach gedeckte Basilika. Um 1340 brach man in den Chor ein riesiges Sandsteinfenster mit reichem Maßwerk ein. 1407 kam der schwere Vierungsturm hinzu. Das Langhaus wurde im Zuge der Reformation von neun Jochen um zwei Drittel auf den heutigen Stumpf amputiert. Die Einwölbungen gehen auf das 15. und 16. Jahrhundert zurück.

Klostergebäude: Mittelpunkt der Anlage ist der Klosterhof mit dem spätgotischen Kreuzgang (1471–96) und einer reizvollen Brunnenkapelle. Daran schließt sich in reifster Gotik das Sommerrefektorium an (um 1335). Im Ostflügel haben der Kapitelsaal, das Parlatorium (hier durften die zum Schweigen verpflichteten Mönche die notwendigen Gespräche führen) und vor allem die sog. Brüderhalle Platz. Laienrefektorium und Winterrefektorium im Westflügel sind Neu- bzw. Umbauten des frühen 16. Jh.

Beckum 4720

Nordrhein-Westfalen S. 414 □ D 9

Kath. Propsteikirche St. Stephanus: Unter der heutigen Kirche hat man die Grundmauern von drei Vorgängerbauten ausgegraben. Die jetzige gotische Hallenkirche, Ende des 14. Jh. begonnen und 1526 vollendet, übernahm vom romanischen Bau den Westturm, der in das Mittelschiff einbezogen wurde. Zur Ausstattung gehören: Ein achtseitiger *Taufstein* aus dem 13. Jh., er zeigt Reliefdarstellungen in strenger romanischer Monumentalität. Eine Kostbarkeit ist der *Prudentia-Schrein,* bestehend aus einem Holzkern, der mit getriebenem Silber überzogen, vergoldet und reich geschmückt ist. An den Seiten des Schreins stehen unter dem Satteldach zwischen Doppelsäulen mit kleeblattförmigen Arkaden Christus, Maria und die 12 Apostel (1240).

Bedburg 5152

Nordrhein-Westfalen S. 416 □ B 11

Wasserschloß: Die fast quadratische

Prudentia-Schrein, Beckum

Anlage mit Innenhof und Ecktürmen war eine der frühesten Backsteinburgen des Rheinlands und ist trotz unterschiedlicher Bauperioden eine Einheit (Bauzeit von 1300–1600). Als architektonische Meisterleistung gelten die zweigeschossigen Säulenarkaden, die den Innenhof begrenzen.

Beilngries 8432

Bayern S. 422 □ K 17

Schloß Hirschberg (3 km nordwestlich): Zwei spätmittelalterliche Tortürme mit Folterkammer und Verlies eröffnen die Anlage, dahinter aber zeigt sich mit der einstigen Sommerresidenz der Fürstbischöfe von Eichstätt heiteres Rokoko. Fürstbischof Anton von Strasoldo ließ die Feste 1760–64 von M. Pedetti umbauen. Hinter dem Rokokogitter tut sich ein Ehrenhof mit zwei langen Flügeln auf, den ein Portalbogen mit witzigen Gnomenfiguren schmückt. Kaisersaal, Schreibkabinett, Erkerzimmer u. a. sind mit lockeren Stuckspielereien versehen. Der zweigeschossige *Rittersaal* ist mit dem Bild des Erbauers und Gemälden von den wichtigsten Orten der Diözese ausgestattet. An der Decke hat der Erbauer ein Fresko mit der Opferung Iphigeniens anbringen lassen (1774 von M. Franz). – Das Schloß ist heute Exerzitienheim der Diözese Eichstätt.

Außerdem sehenswert: Die Ringmauern (aus dem 15. Jh.) sind noch großenteils erhalten. Die Marienkapelle ist 1683 erbaut und 1753 vergrößert worden, das ehemalige Franziskaner-Kloster wurde 1763 erbaut und die Friedhofskirche St. Lucia stammt aus den Jahren 1469–76.

Beilstein 5591

Rheinland-Pfalz S. 416 □ C 14

Kath. Pfarrkirche (am Josefsberg): Fast 50 Jahre wurde an der dreischiffigen Hallenkirche gebaut, bis sie 1738 endlich fertiggestellt war. Hervorzuheben ist das schöne *Barockinventar.*

Burg Metternich: Die Burg, die in der Zeit vom 12. bis zum 15. Jh. entstanden ist, fiel 1637 an den Freiherrn von Metternich, einen Ahnherrn des Fürsten

Schloß Hirschberg bei Beilngries

und österreichischen Kanzlers, der nach den napoleonischen Kriegen der Erneuerer Europas wurde. Seit der Zerstörung im Jahre 1689 ist nur noch eine Ruine vorhanden. Über das ganze Ausmaß der Burganlagen informiert ein interessanter Kupferstich Merians aus dem Jahr 1640.

Benediktbeuern 8174

Bayern S. 422 □ K 21

Ehemaliges Benediktinerkloster: Das Kloster Benediktbeuern, eine Barockanlage vor dem Hintergrund der Benediktenwand, erregte nicht nur Aufsehen als architektonische Leistung von Rang, sondern auch als Kulturzentrum. Hier entstanden im 12./13. Jh. die Texte der Carmina Burana, die Carl Orff 1937 in Musik setzte. Seit 1930 ist Benediktbeuern Kloster und Hochschule der Salesianer. Im Sommer finden Konzerte statt.

Kirche St. Benedikt: Kirche und Kloster gelten als die älteste Gründung des Benediktinerordens in Oberbayern. Der jetzige frühbarocke Bau, 1680–86 entstanden, steht an der Stelle einer spätgotischen Anlage (1490). Das Langhaus ist eine breite, etwas gedrungen wirkende Wandpfeilerhalle mit flachem Tonnengewölbe, tiefen Seitenkapellen und niedrigen Emporen darüber. Schon am Bau der Kirche spürt man italienischen Einfluß, stärker aber an der reichen, Pilaster, Bögen und Gewölbe überziehenden Stuckdekoration. Hans Georg Asam, der Vater der berühmten Brüder Asam*, schuf die Deckenfresken, das Bild des Antonius-Altars malte sein Sohn Cosmas Damian. Ein Kleinod barocker Architektur ist die nördlich des Altarraums angebaute ovale *Anastasiakapelle* von J. M. Fischer* (1750–58). Je zwei durch Gesimse verbundene Stuckmarmorpilaster verschaffen dem kleinen Raum monumentale Wirkung. Die Seitenaltäre werden I. Günther* zugeschrieben. Das silbervergoldete Büstenreliquiar der hl. Anastasia ist eine Arbeit E. Q. Asams*. Von den vielen reich stuckierten Räumen der Klostergebäude wurden einige von J. B. Zimmermann* dekoriert.

Museum: *Historische Fraunhofer-Glashütte* (Fraunhoferstraße 126): Die

Ehem. Benediktinerkloster, Benediktbeuern

Sammlungen dokumentieren Entwicklungen in der optisch-feinmechanischen Industrie.

Bensberg = 5060 Bergisch Gladbach 1

Nordrhein-Westfalen S. 416 □ C 11

Neues Schloß (Schloßstraße): Der heute im Inneren zur Kaserne umgewandelte Bau war ehemals ein Jagdschloß. Kurfürst Johann Wilhelm von der Pfalz ließ es 1705–16 von seinem Hofbaumeister, Graf M. Alberti*, nach dem Vorbild von Versailles errichten. Die große symmetrische Anlage mit den locker zueinander geordneten Gebäuden war früher weiß verputzt. Anstelle der nüchternen zweistöckigen Zweckbauten von 1838, in der Höhe der preußischen Wachhäuser gelegen, standen eingeschossige Pavillons mit Mansardendächern. Von der alten Innenausstattung sind nur wenige Stukkaturen und Malereien erhalten.

Alte Burg (Engelbertstraße): Nach der Errichtung des neuen Schlosses verfiel die alte Burg aus dem 12. und 13. Jh., einstmals Lieblingsaufenthalt und Witwensitz der Grafen von Berg. Drei Türme dieses romanischen Baus und Teile der Umfassungsmauern wurden geschickt in den modernen Rathauskomplex einbezogen und zu einer burgähnlichen Anlage umgestaltet.

Museum der Stadt (Burggraben 17): Sammelgebiete sind Siedlungsgeschichte, Volkskunde, Geologie und Bergbau, Papier- und Lederindustrie.

Bensheim 6140

Hessen S. 416 □ E 15

Kath. Pfarrkirche St. Georg (Am Marktplatz): Der klassizistische Bau wurde in Anlehnung an frühchristliche und römische Basiliken 1826–30 auf dem Platz einer romanischen Kirche aufgeführt. Beim Wiederaufbau nach dem 2. Weltkrieg ersetzte man den ursprünglich erhaltenen romanischen Turm durch eine moderne Doppelturmfront und errichtete zwei neue Chorflankentürme. Auch das Innere ist eine freie Nachgestaltung altchristlicher Kirchenräume. Klassizistisch sind die hohen schlanken Säulen, das Tonnengewölbe im Mittelschiff und die flachen Kassettendecken der Seitenschiffe (1963 nach alten Entwürfen erneuert). Von der Ausstattung ist neben den Gemälden der Seitenaltäre eine spätgotische *Turmmonstranz* aus dem 15. Jh. sehenswert.

Bürgerhäuser: Fachwerkbauten des 16.–18. Jh. prägen das Bild des Ortes, der seit vorrömischer Zeit besiedelt und später im Besitz des Klosters Lorsch war. Auch Reste der Stadtbefestigung sind noch zu sehen.

Auerbacher Schloß (im Stadtteil Bensheim-Auerbach): Die Burg in Bensheim-Auerbach wurde vom Kloster Lorsch im 13. Jh. zum Schutz seiner Güter angelegt. Sie ist nach dem Franzoseneinbruch von 1674 als Ruine stehengeblieben (1903 restauriert). Im Hof befindet sich ein 75 m tiefer Schachtbrunnen.

Fürstenlager: Die ehemalige Kuranlage des Hessen-Darmstädter Hofes liegt ebenfalls in Bensheim-Auerbach. Es handelt sich um eine 1738 entdeckte Heilquelle, um die sich zahlreiche pavillonähnliche Bauten gruppieren (bis zum Ende des 18. Jh. entstanden).

Bergsträsser Heimatmuseum (Klosterhof): Vor- und Frühgeschichte, Stadtgeschichte, bäuerliche und bürgerliche Wohnkultur, Handwerk, Zunftwesen.

Bentheim 4444

Niedersachsen S. 414 □ C 8

Fürstliches Schloß (Schloßstraße): Romantisch und malerisch steht die Burg,

Herrgott von Bentheim ▷

einst Sitz der Grafen von Holland, mit ihren drei zinnengekrönten Türmen auf dem steil abfallenden Felsen. Die ausgedehnte Anlage umfaßt Bauten aus dem 13., 15., 17. und 19. Jh. Der Bergfried und ein Rundturm an der Südwestecke sind gotisch, die sog. *Kronenburg* im Westen, in der sich auch der durch neugotische Umbauten veränderte Wohnturm und die Kemenate aus dem 12. und 13. Jh. befinden, ist im Gesamtbild neugotisch. Auf der Treppenanlage der Südterrasse ist der berühmte *Herrgott von Bentheim* aufgestellt, ein Sandsteinkreuz mit bekleideter Christusfigur aus dem 12. Jh. Man hat es in der Nähe der Burg gefunden. Das *Schloßmuseum* zeigt Beispiele einheimischer Plastik.

Berching 8434

Bayern S. 422 □ K 17

Im Tal der Sulz ist dieses »oberpfälzische Rothenburg« mit seinem fast unversehrten mittelalterlichen Stadtbild ein touristischer Anziehungspunkt ersten Ranges. Die *Stadtbefestigung* blieb bis heute vollständig erhalten. Sogar die Eichentüren der vier *Stadttore* existieren noch. Unter den neun *Befestigungstürmen* nimmt der *Chinesische Turm* eine Sonderstellung ein.

Pfarrkirche Mariae Himmelfahrt: Die frühgotischen Teile dieser Kirche wurden von dem Eichstätter Hofbildhauer M. Seybold in den Jahren ab 1756 wesentlich erweitert. Die *Deckengemälde* von J. M. Bader und reiche *Rocaille-Stukkaturen* (1758) bestimmen das Innere des Baus. Neben den *Altären* ist aus der Ausstattung ein *Epitaph* zu erwähnen.

St.-Lorenz-Kirche: Die Mauern des Langhauses liefern Hinweise auf einen Vorgängerbau aus dem 11. Jh. Der *Turm* stammt in seinen unteren Teilen aus dem 13. Jh. Das heutige Gesicht der Kirche wird durch die Umbauten bestimmt, die um 1680 einsetzten. Zur Innenausstattung gehört der *Hochaltar* mit Schnitzarbeiten aus der Zeit um 1500–20 (nach Nürnberger Vorbild). In den *Seitenaltären* ist auf erstklassigen *Tafelgemälden* die Laurentius-Legende dargestellt.

Wallfahrtskirche Mariahilf (an der Straße zum 8 km entfernten → Beilngries): Der heutige Bau entstand 1796 anstelle einer alten Feldkapelle. In der Kirche fällt eine *Schmerzensmanngruppe* auf, die um 1480–90 entstanden sein dürfte.

Berchtesgaden 8240

Bayern S. 422 □ N 21

Ehem. Augustinerchorherren-Stiftskirche St. Peter und Johannes (Schloßplatz): Die erste Kirche wurde 1122 St. Petrus und Johannes d. T. geweiht. Der zweite Bau, der im Westteil und im Kreuzgang noch vorzüglich erhalten ist, folgte Anfang des 13. Jh. 1283–1303 kam unter Propst Johannes der schlanke frühgotische Chor dazu. Um 1470 wurde das romanische Langhaus abgerissen und durch eine Pfeilerhalle ersetzt. – Die nach italienisch-romanischer Manier in rötlich-grauen Quadern errichteten Türme (Anfang 13. Jh.) wurden im 19. Jh. neu aufgebaut; die spitzen Helme sind jedoch stilfremd. Neben den schweren Formen des Turmpaars und der dazwischen eingeklemmten Vorhalle mit dem Rundbogenportal im Innern (einige Stufen hinab) überrascht die weite gotische Langhaushalle mit ihren Rundsäulen und dem gratigen Netzgewölbe. Der Hochchor steigt am Ende des Langhauses auf, ein einzigartiges Beispiel früher Gotik in Bayern. – Von den Portalen, die zum Kircheninneren führen, ist eines romanisch (im Westen), das andere gotisch (im Norden). Erwähnenswert sind die verschiedenen Grabsteine der Fürstpröpste in rotem Untersberger Marmor, insbesondere die Tumba des Propstes P. Pienzenauer (1432) neben dem Westeingang. Eine Kostbarkeit ist das Chorgestühl mit seinen wild verflochtenen Tiergestalten an den Wangen (1436–43). Nach der Seite des Stiftsgebäudes hin sind schwalbennestartig Andachtslogen im Rokokostil plaziert (um 1750).

Stift/Residenz: Das Stiftsgebäude, später Residenz (heute Wittelsbacher Besitz), ist um den Klosterhof und auf romanischem Grund aufgebaut. Es hat im Laufe der Jahrhunderte verschiedene Veränderungen erfahren. Nach dem Residenzplatz zu wurden die Fassaden im 18. Jh. stukkiert. Im Inneren ist der romanische *Kreuzgang* einer der besterhaltenen in seiner Art. Das Dormitorium, der Schlafraum der Chorherren (um 1410), gehört heute zum *Museum,* das im wesentlichen die vorzügliche Kunstsammlung des ehemaligen Kronprinzen Ruprecht präsentiert (der lange hier gewohnt hat).

Museen: Neben dem *Schloßmuseum* (siehe Stift/Residenz) ist ein Besuch im *Heimatmuseum* zu empfehlen (Schloß Adelsheim). Die Bestände des Museums sind zum großen Teil aus dem Fundus der Fachschule für Holzschnitzerei entstanden. – *Deutsches Wappenmuseum* (Salzburger Straße): Hier sind rund 150000 Wappen zusammengetragen. – *Salzmuseum* (Bergwerkstraße): In diesem Spezialmuseum, das in enger Verbindung mit dem seit 1517 in Betrieb befindlichen Salzbergwerk Berchtesgaden steht, werden Sammlungen von der Entwicklung der Salzgewinnung bis zum Brauchtum der Bergwerksleute gezeigt.

Außerdem sehenswert: Frauenkirche am Anger (16. Jh.), Wallfahrtskirche Maria-Gern (1709) nördlich von Berchtesgaden und die Wallfahrtskirche Kunterweg westlich der Stadt (1731–33).

Bergen (bei Neuburg a. d. D.) 8859

Bayern S. 422 □ K 18

Pfarr- und Wallfahrtskirche Hl. Kreuz: Wiltrudis, die Witwe des Bayernherzogs Berthold I., gründete 976 an dieser Stelle ein Kloster (dessen erste Äbtissin sie wurde). 1755–58 wurde die Klosterkirche von den Jesuiten in einen bemerkenswerten Rokokobau umgewandelt. Feine *Stukkaturen, farbige Fresken* (von J. W. Baumgartner) und der *Hochaltar* von J. M. Fischer* aus Dillingen bestimmen das Innere des Raums. Auch die *Altarbilder* des Hochaltars stammen von Baumgartner. An der südlichen Längswand befindet sich das *Epitaph* für W. v. Muhr (um 1535) von L. Hering. Das *Dreifaltigkeitsbild* ist nach einer Arbeit Dürers* gestaltet. Aus der 2. Hälfte des 12. Jh. die *Krypta.*

Bad Bergzabern 6748

Rheinland-Pfalz S. 420 □ D 17

Ehem. Herzogliches Schloß: Die beiden schweren Rundtürme an den Ekken der Südfront lassen erkennen, daß der Bau – ehem. Residenz der Herzöge von Zweibrücken – ursprünglich ein Teil der Stadtbefestigung war. Seit dem 19. Jh. sind im Schloß ein Krankenhaus und eine Schule untergebracht. – Von der ausgedehnten Vierflügelanlage um einen rechteckigen Hof ist der Südteil der älteste (1527), die drei anderen Flügel wurden 1543–69 dazugebaut. Sein heutiges Gesicht erhielt der Komplex bei Umbauten von 1720–25 (geschwungene Hauben, barocke Fenster und eine repräsentative Freitreppe). Der Treppenturm an der Hofseite, an dessen Portal man die Jahreszahl 1530 lesen kann, ist ein interessantes spätgotisches Relikt aus der Entstehungszeit des Schlosses.

Gasthaus zum Engel: Der ehemalige Adelshof der Familie von Marx ist das schönste Renaissancehaus der Pfalz. Das dreigeschossige Gebäude (um 1600) mit drei durch Voluten und Obelisken belebten Giebeln, einem reichverzierten Erker an jeder Ecke, dazu einem prächtigen Hoftor und zwei Treppentürmen ist das Glanzstück unter den vielen schönen alten Wohnhäusern der Stadt.

Außerdem sehenswert: *Marktkirche* (nach 1321; Umgestaltung 1772, Restaurierung 1896), *Ev. Schloßkirche* (1720–30), *Lustschlößchen Zickzack* (17. Jh., Änderungen 19. Jh.), *Rathaus* (1705) und die Türme (Dicker Turm und Storchenturm), die von der Stadtbefestigung erhalten sind.

Bad Berleburg 5920

Nordrhein-Westfalen S. 416 □ E 11

Schloß: In die großzügige Dreiflügelanlage sind Reste einer im 13. Jh. angelegten Höhenburg einbezogen. Der nördliche Erweiterungsbau aus dem 16. Jh. hat ein schönes Renaissanceportal mit Wappen und Muschelbekrönung. Auch der *Rote Turm,* ein niedriger Rundturm, stammt aus dieser Zeit. Der barocke, dreigeschossige Mittelflügel wurde 1731–33 gebaut, der als Marstall dienende Südflügel Ende des 18. Jh. In seiner ursprünglichen Form erhalten blieb der fein stukkierte barocke *Musiksaal* mit umlaufender Empore. Zu besichtigen ist auch die *Fürstliche Kunstsammlung* mit Möbeln des 17. und 18. Jh., Kunstgewerbe, Waffen und Familienbildern sowie die *Bibliothek* mit Handschriften und seltenen Drucken. Schöne Parkanlagen mit Lusthaus und Gartenplastik schließen sich im Westen und Norden an das Schloß an.

Berlin 1000

S. 418

Im 13. Jh. sind die Marktflecken Colonia (1237) und Berlin (1244) zum erstenmal urkundlich erwähnt. 1307 wurden beide Gemeinden zu einer Doppelstadt zusammengelegt, 1359 wurde Berlin Mitglied der Hanse und 1488 Residenz der Markgrafen von Brandenburg. Nach dem 30jährigen Krieg beginnt mit dem Großen Kurfürsten Friedrich Wilhelm (1640–88) der Aufstieg. Er läßt Berlin zur Festung mit Wall ausbauen. Im Anfang des 18. Jh. hat sich Berlin in eine barocke Residenz verwandelt. Aus dieser Zeit stammen das Zeughaus und die Erweiterungsbauten am Schloß. Friedrich Wilhelm I. (1688–1740), der Soldatenkönig, legt die Weiterentwicklung Berlins städtebaulich fest. Berlin wird zu einer der bedeutendsten Residenzstädte des

Herzogliches Schloß, Bergzabern

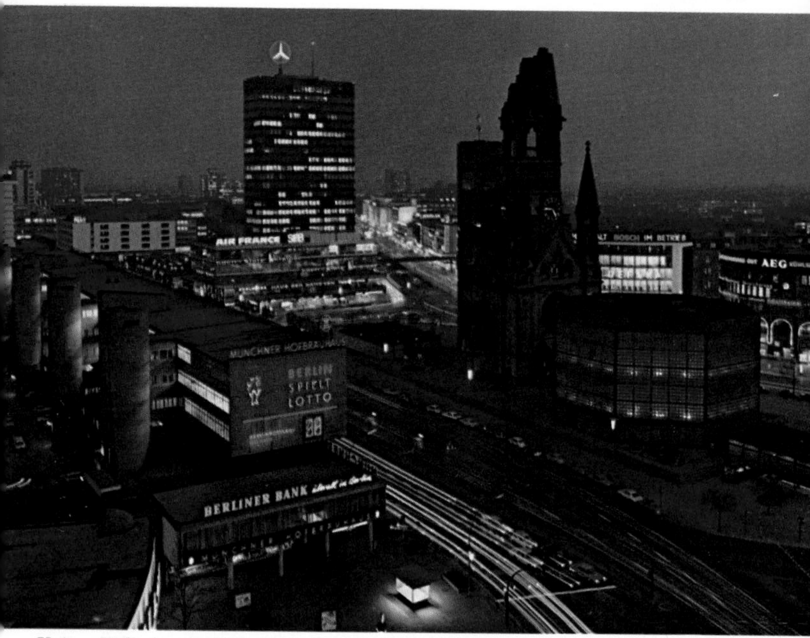

Kaiser-Wilhelm-Gedächtniskirche mit Europa-Center

Rokoko. Die Stadt wird auch zum geistigen Zentrum Deutschlands, man diskutiert in den Salons der Aufklärung und der Romantik. 1871 ist der preußische König deutscher Kaiser und Berlin Hauptstadt des Deutschen Reiches. In den »Goldenen Zwanziger Jahren« dieses Jahrhunderts schließlich wurde der Bereich um Ku-Damm, Gedächtniskirche, KaDeWe und Tauentzienstraße zum Inbegriff gesellschaftlichen und geistigen Lebens in Deutschland. Das »Romanische Café« am Zoo, der Treffpunkt der Intellektuellen und Dichter, löste zu dieser Zeit den Weinkeller bei Lutter & Wegner am Gendarmenmarkt ab, wo sich 100 Jahre zuvor Chamisso, E.T.A. Hoffmann, Fouqué, Brentano und viele andere kluge Köpfe Berlins getroffen hatten. Heute gehört vieles, was Berlin geprägt hat, zum östlichen Teil der Stadt.

Kaiser-Wilhelm-Gedächtniskirche (Breitscheidplatz am Zoo): Um die 1891–95 erbaute neuromanische Kirche, von der nach den Bombennächten des 2. Weltkriegs nur noch die Ruine des Westturms als Mahnmal geblieben ist, hat sich die neue City entwickelt. Der Neubau der Gedächtniskirche (1959–61) stammt von E. Eiermann* – ein flaches Oktogon aus blauen Glasziegeln (im Berliner Volksmund »Gebetsgasometer«).

Kath. Kirche Maria Regina Martyrum (Hecker-Damm): Nicht weit von der Hinrichtungsstätte im Zuchthaus Plötzensee wurde diese Kirche zum Gedächtnis der Opfer der Hitlerdiktatur 1960–62 erbaut (Architekten H. Schaedel und F. Ebert). Die Anlage umfaßt einen großen Hofbezirk, ein Gemeindehaus, ein turmartiges Betongerüst mit Glockenstuhl und den riesigen Block, der Ober- und Unterkirche in sich birgt. In der Unterkirche befinden sich drei Gedächtnisgräber für die Blutzeugen, in der Oberkirche ein Fresko von G. Meistermann*, das die Apokalypse darstellt.

Ev. Kirche am Hohenzollernplatz (Wilmersdorf): Der großzügige, klar gegliederte Klinkerbau (1931–33) ist ein Werk des Hamburger Baumeisters Höger, der auch das Chile-Haus in → Hamburg entworfen hat und hier die Absicht verfolgte, »bei moderner Konstruktion in aller sachlichster nackter Anwendung in gesteigertem Maße sakrale Wirkung und gigantische Raumwirkung« zu erzielen.

St.-Matthäus-Kirche (Tiergarten, neben der neuen Nationalgalerie): Der Erbauer der Kirche, F. Stüler, war ein Schüler K. F. Schinkels*. Die dreischiffige, 1846 fertiggestellte Kirche wurde nach der Zerstörung im 2. Weltkrieg als ein feinfühliges Zeugnis historisierender Baukunst originalgetreu wieder errichtet. Die farbigen Ziegelsteinstreifen und die drei Apsiden im Osten erinnern an ravennatische und frühchristliche Bauten.

Ehem. Dorfkirchen: In Berlin, wo beim Zusammenschluß zu Groß-Berlin (1920) u. a. 59 Landgemeinden zusammengefaßt wurden, sind zahlreiche Dorfkirchen erhalten. Die *St.-Annen-Kirche* (Königin-Luise-Straße) in Dahlem wurde schon 1275 erwähnt. Das Gebäude ist aus großen rohen Backsteinen über einem Feldsteinsokkel im 13. Jh. und später errichtet. Auf dem Türmchen des Kirchengiebels richtete man 1832 die erste Übermittlungsstation für optische Telegraphie zwischen Berlin und Koblenz ein. *Tempelhof* erhielt seinen Namen nach dem Templerorden, von dem in diesem Bezirk noch zwei Kirchen erhalten sind. Gegenüber dem Bezirksrathaus im Park liegt die erste Ordenskirche, ein schmuckloser niedriger Granitbau mit romanischer Apsis 13. Jh. Die Kirche ist heute der älteste Bau Berlins. Anfang des 13. Jh. ist die *Templerordenskirche in Marienfelde* entstanden, eine rechteckige Halle mit Westturm. Die Kirche gilt als typische märkische Dorfkirche der Stauferzeit. Ähnliche Dorfkirchen oder kleinstädtische Gemeindekirchen gibt es in vielen Teilen Berlins – in Steglitz, Zehlendorf, Schöneberg, Lichterfelde, Rudow, Britz, am Stölpchensee und in Lübars, um nur einige Ortsteile zu nennen. Eine Stadtkirche von größeren Dimensionen ist die *St.-Nicolai-Kirche in Spandau* (Carl-Schurz-Straße). Diese märkische Backsteinkirche der Hochgotik (um 1340) beherbergt einen gotischen Taufkessel, eine barocke Kanzel und einen sehenswerten steinernen Renaissancealtar (über der Familiengruft des Festungsbaumeisters Rochus zu Lynar, der den Altar gestiftet hat, 1582, und auf den Tafeln mit seiner Familie dargestellt ist).

Zitadelle Spandau: Der Italiener Graf Rochus von Lynar hat die alte Wasserburg an der Stelle, an der die Spree in die Havel mündet, 1578/94 umgebaut. Einbezogen in die neue Anlage (ein Quadrat von je 200 m Seitenlänge mit vier Bastionen) wurden das Herrenhaus (1512) und der alte, noch aus dem frühen 14. Jh. stammende Bergfried (»Juliusturm«), der von 1874 bis 1919 den »Reichskriegsschatz« von 120 Millionen in Goldstücken barg.

Zitadelle Spandau

Jagdschloß Grunewald (am Grunewaldsee, Pücklerstraße): »Zum grünen Wald« nannte Kurfürst Joachim II. Hektor (1505–1571), der im Jahre 1539 die Reformation in seinem Kurfürstentum einführte, das kleine Jagdschloß, das er 1542 von C. Theiss* erbauen ließ. Im 18. Jh. bekam das Schlößchen sein heutiges Aussehen. Im Innern ist eine schöne Sammlung vor allem niederländischer Gemälde des 17. Jh.

Schloß Charlottenburg (Spandauer Damm): In der Achse der Schloßstraße ragt beherrschend der mächtige Mittelturm des Schlosses über den weiten Ehrenhof und die niedrigen Flügel des langgestreckten Baus. Der Schloßpark auf der Rückseite zieht sich an der Spree entlang nach Norden. Das Hauptschloß wurde in mehreren Etappen gebaut. Die ursprüngliche Anlage – Mittelbau ohne den hohen Turmaufbau – ließ Friedrich Wilhelm III. (ab 1701 König Friedrich I.) für seine Gemahlin Sophie Charlotte, die Freundin des Philosophen Leibniz, 1695 bauen. Erst später kamen die Flügel durch den schwedischen Baumeister E. v. Göthe hinzu (1701–1707). Er veränderte auch den Mittelbau, dem er den gewaltigen Tambour mit der Dachkrone und der Fortunafigur aufsetzte. Beim Wiederaufbau 1952 wurde die Figur (von R. Scheibe neu geschaffen) zur »Wetterfahne« umfunktioniert. Nach dem Tod der Königin wurde der Westflügel (Orangerie) zu Ende gebaut und das Schloß »Charlottenburg« benannt. Friedrich der Große trieb sodann den weiteren Ausbau voran. Für ihn baute G. W. von Knobelsdorff* 1740–43 im Osten das Gegenstück zur Orangerie, einen langgestreckten zweigeschossigen Flügel, den sog. *Knobelsdorff-Bau* mit der »Goldenen Galerie« als Hauptraum (Rokoko-Ausstattung). Im Erdgeschoß des Knobelsdorff-Flügels befindet sich das bedeutende Kunstgewerbemuseum (u. a. Welfenschatz). Im Ehrenhof steht das Denkmal des Großen Kurfürsten zu Pferde (s. unter Denkmäler). Der Park hat drei architektonische Anziehungspunkte: das

Berlin, Schloß Charlottenburg 1 Porzellankabinett **2** Kapelle **3** Räume Friedrichs I. a) Schlafzimmer b) Schreibzimmer c) Tressenzimmer d) Audienzraum **4** Räume Sophie Charlottes a) Audienzraum b) Vorraum c) Wohnräume **5** Gartensaal **6** Vestibül **7** Vorzimmer **8** Gläsernes Schlafgemach **9** Audienzraum **10** Mecklenburger Zimmer **11** Eichengalerie **12** Getäfelter Eckturm

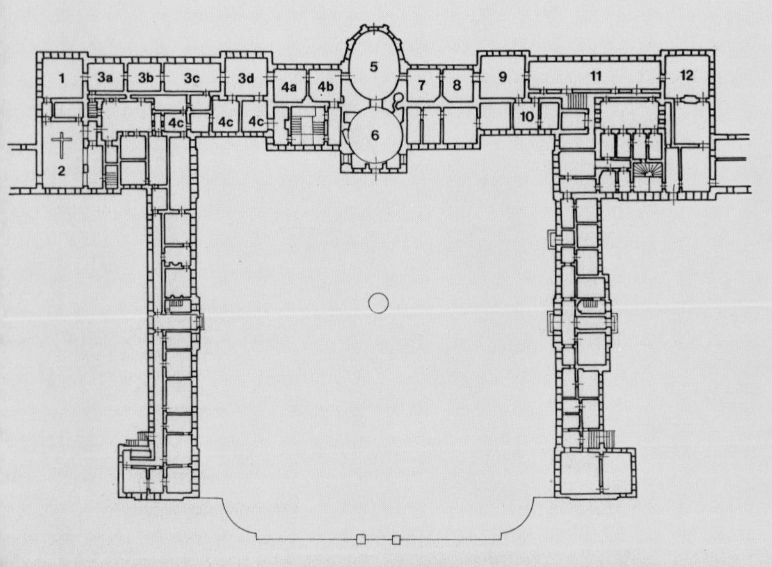

Belvedere, ein dreigeschossiges, frühklassizistisches Schlößchen (Ende des 18. Jh. erbaut von G. Langhans*, dem Schöpfer des Brandenburger Tors). Ein weiterer Anziehungspunkt ist gleich östlich hinter dem Hauptschloß der *Neue Pavillon.* Er ist im Stil eines Sommerhauses, wie es Auftraggeber Friedrich Wilhelm III. in Neapel gesehen hatte, 1824 von K. F. Schinkel* errichtet: Ein einfacher Kubus mit umlaufendem Balkongitter und Mittelloggien im Obergeschoß. An der Westseite des Parks liegt das *Mausoleum.* Der Bau (von H. Gentz 1810 errichtet) erfuhr durch Schinkel und noch einmal im Jahr 1841 Veränderungen. Die Sarkophage mit Königin Luise und Friedrich Wilhelm III. stammen von dem Bildhauer C. Rauch* (1842/46).

Schloß Bellevue (Spreeweg): Das Schloß wurde zusammen mit dem schönen Schloßpark für den jüngsten Bruder des Alten Fritz, Prinz Ferdinand von Preußen, von P. M. Boumann* geplant und ausgeführt (1785–86). Der Bau mit seinen Flügeln um den Ehrenhof davor zeigt bereits die Kühle des frühen Klassizismus. Das Haus hat einst als Fürstenwohnung, Museum und Gästehaus der Regierung gedient; heute dient es dem Bundespräsidenten als Sitz in Berlin.

Schloß und Kavaliersbau auf der Pfaueninsel (Wannsee): Das Schloß, 1796 im sentimentalen Ruinenstil der frühen Romantik gebaut, hatte Friedrich Wilhelm II. als sommerliches Buon Retiro für sich und Gräfin Lichtenau in Auftrag gegeben. Der große Saal ist mit wertvollen Hölzern ausgelegt und zeigt (Glaslüster und Spiegelwände) klassizistischen Schloßkomfort. An der Decke eine Kopie des berühmten Gemäldes von Guido Reni »Apollo auf dem Sonnenwagen«. Der *Kavaliersbau,* 1804 in schicklicher Entfernung vom Lustschloß errichtet, wurde von K. F. Schinkel 1814–26 erneuert und als Prinzenwohnung eingerichtet. Die gotische Fassade stammt aus einem Danziger Patrizierhaus (um 1400). Sie wurde vom König gekauft und von Schinkel in den Bau eingefügt. Meierei, Kuhstall (in Kapellenform), Pfauenhaus und eine große, von Lenné angelegte Volière sind weitere Sehenswürdigkeiten für den Inselspaziergänger.

Humboldtschlößchen in Tegel (Karoli-

Schloß Charlottenburg

nenstraße): Das alte Renaissancelandhaus (um 1550) eines kurfürstlichen Hofsekretärs erbte Wilh. von Humboldt und ließ es 1822–24 durch K. F. Schinkel zum klassizistischen Schlößchen erweitern. Schinkel vervierfachte das vorhandene Turmmotiv und ließ an den Ecktürmen von C. Rauch* Reliefs mit den vier Winden anbringen (nach dem Vorbild am »Turm der vier Winde« in Athen). Im Obergeschoß befinden sich der *Blaue Salon* und der *Große Antikensaal* mit Originalen und Abgüssen antiker Plastiken neben Thorvaldsens »Merkur mit der Pansflöte«. Im Sommer werden im Antikensaal gelegentlich Kammerkonzerte veranstaltet. – Am Ende des Schloßparks nahe dem See liegt die Grabstätte der Humboldts, die K. F. Schinkel 1829 gestaltet hat (mit einer Säule in der Mitte, auf der eine Kopie von B. Thorvaldsens »Hoffnung«, das Original dazu im Schloß, thront).

Schloß Kleinglienicke (Glienicker Brücke, Königstraße): Die Anlage besteht aus Wohn-, Repräsentations- und Wirtschaftsbauten, die K. F. Schinkel für den Prinzen Karl von Preußen erbaut (1824–26) und über den ganzen Park verteilt hat. Eine alte Wohnvilla wurde zum Hauptschloß umgebaut (davor eine goldene Löwenfontäne). Der originellste Bau ist das sog. *Kasino,* drei gegeneinander verschobene Kuben mit Terrassen und Pergola im Stil eines italienischen Landhauses. Mit Blick auf die Havel wurde am Ufer eine überdachte Aussichtsplattform errichtet.

Reichstagsgebäude (Platz der Republik): »Modern« war dieser Bau, als er 1884–94 im pompösen Hochrenaissancestil von P. Wallot* aufgeführt wurde, ein imponierender Monumentalbau, der Macht und Größe des neuen Reichs symbolisieren sollte. Das Haus brannte 1933 z. T. aus und erlitt 1945 schwere Zerstörungen. Ohne die gläserne Riesenkuppel über dem Mittelbau wurde das Haus wieder aufgebaut und dient z. Z. Fraktions- und Ausschußsitzungen.

Hebbeltheater (Stresemannstraße 29): Das Haus ist der einzige große »Jugendstilbau«, der den Krieg überstanden hat. O. Kaufmann, ein bekannter Theaterarchitekt, hat neben dem Hebbeltheater (1907) in Berlin außerdem das *Theater am Nollendorfplatz,* die

Schloß Bellevue

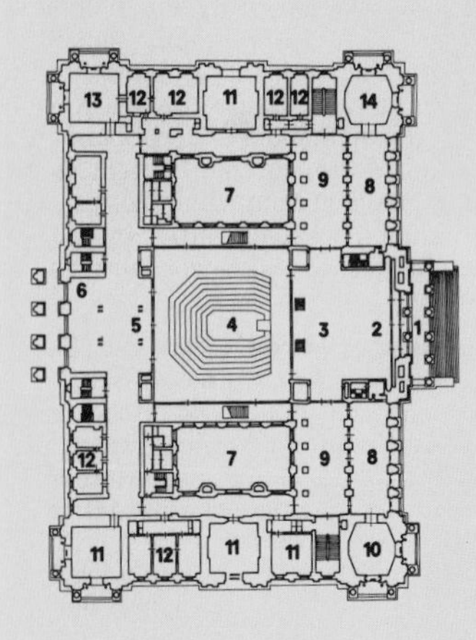

13 Berlin, Reichstag 1 Westportal **2** Empfangshalle **3** Plastik von B. Heiliger **4** Plenarsitzungssaal **5** Ostvorhalle **6** Triptychon von A. Camaro **7** Lichthof **8** Repräsentationsraum **9** Wandelhalle **10** Ruheraum **11** Sitzungssaal **12** Büroraum **13** Empfangssaal **14** Lesesaal

Volksbühne (in Ostberlin), die *Komödie* (Kurfürstendamm 206/7) und das *Renaissance-Theater* (Hardenbergstraße 6) gebaut.

Reichstagsgebäude

Turbinenhalle der AEG (Huttenstraße 12–16): Peter Behrens (1868–1940), Architekt und Industriedesigner, wurde 1906 künstlerischer Berater der AEG und schuf mit der Turbinenhalle (ursprünglich 110 m lang) einen der ersten modernen Industriebauten. Die langen Seiten sind in Glas aufgelöst und werden optisch nur noch durch die schweren gefugten Betonpfeiler an den Ecken zusammengehalten.

Druckhaus Tempelhof (Mariendorfer Damm): Im Süden des Flughafens Tempelhof ragt der 72 m hohe Büroturm des Druckhauses auf. Die durch sechs Stockwerke gezogenen Fensternischen und die aufgesetzten Rippen an Turm und Gebäude haben dem mit Klinker überzogenen Druckgebäude des ehem. Ullstein-Verlags (heute Axel Springer) den Namen »Zeitungskathedrale« gegeben. Das Gebäude wurde 1926/27 nach den Plänen von E. Schmohl errichtet.

Shell-Haus (Reichpietsch-Ufer/Hitzigallee): Das Haus, in dem sich heute die BEWAG befindet, wurde 1926–31 von dem Düsseldorfer Architekten E. Fahrenkamp gebaut. Das aus acht ge-

Olympiastadion

staffelten hohen Türmen zusammengesetzte Gebäude zieht sich mit seinen abgerundeten Ecken wie ein Faltschirm am Landwehrkanal entlang. Es war das erste Stahlbetonhochhaus in Deutschland.

Olympiastadion (Heerstraße/Stadionallee): Das Stadion, das für die XI. Olympischen Spiele 1936 auf dem »Reichssportfeld« gebaut wurde, faßt 100 000 Menschen. Die ganze Anlage (mit Schwimmstadion, Maifeld, Tennisplätzen, Waldbühne u. a.) ist mit plastischen Bildwerken reich ausgestattet. Erbauer war Werner March, dessen Vater, Otto March, im Jahr 1913 an gleicher Stelle das »Deutsche Stadion« in Berlin erbaut hatte.

Corbusier-Haus (Stadionallee/Heerstraße): Nach dem Modell seiner Unité d'habitation in Marseille baute der französische Architekt Le Corbusier als Beitrag zur Internationalen Bauausstellung 1957 in Berlin dieses auf Betonstützen stehende Haus von ungewöhnlicher Größe (135 m lang, 56 m hoch, 17 Geschosse, 527 Wohnungen, 1400 Menschen).

Hansaviertel (Altonaer Straße/Bartningstraße): Für die Internationale Bauausstellung 1957 tat sich eine Gemeinschaft von 48 in- und ausländischen Architekten zusammen und bebaute das Terrain des vernichteten Hansaviertels (aus der Zeit um 1901) mit modernen Hochwohnhäusern. Trotz der verschiedenartigen Persönlichkeiten – unter ihnen die Architekten W. Gropius, O. Niemeyer, A. Aalto und H. Luckhardt – entstand der erste moderne Stadtteil, der Vorbild und Anregung für den Bau moderner Satellitenstädte lieferte.

Kongreßhalle (John-Foster-Dulles-Allee): Als Beitrag Amerikas zur Bauausstellung 1957 wurde die Kongreß-

Kongreßhalle

halle errichtet. Über einer rechteckigen Sockelzone, die Konferenzsäle, Restaurant, Postamt, Bibliothek, Büroräume usw. umfaßt, erhebt sich ein großer, 1300 Menschen fassender Kongreßsaal in ovaler Form. Er wird von einem kühn ausschwingenden Dach überdeckt, das dem Bau den Spitznamen *Schwangere Auster* eingetragen hat.

Deutsche Oper (Bismarckstraße): Als Ersatz für das im 2. Weltkrieg zerstörte Deutsche Opernhaus entstand 1961 an gleicher Stelle das Haus der Deutschen Oper von F. Bornemann. Die fensterlose, mit Flußkieseln überzogene Fassade bewitzelte Berliner Humor mit dem Titel »Sing-Sing«.

Europa-Center (Breitscheidplatz, am Zoo): An der Stelle des ehemaligen »Romanischen Cafés« entstand das 20stöckige (1963–65) Europa-Center mit Kinos, Kunsteisbahn, Geschäftshöfen und -passagen in mehreren Stockwerken, das von den Berlinern nach seinem Bauherrn K. H. Pepper »Peppers Manhattan« getauft wurde.

Philharmonie (Tiergarten, am Kemper-Platz): Als erster Bau eines geplanten Kunst- und Kulturzentrums entstand die neue Philharmonie, ein asymmetrisches, zeltartiges Gebäude von H. Scharoun (1960–63). Der Konzertsaal ist ein verschobenes Fünfeck mit ringsum unregelmäßig ansteigenden Logenterrassen (über 2000 Sitze). Das Orchester hat im Zentrum des Raums seinen Platz. Die akustischen Probleme dieser ungewöhnlichen Form wurden mit gebauschten Stoffflächen bewältigt. Die Philharmonie ist Heimstatt der Berliner Philharmoniker (Chefdirigent: Herbert von Karajan) und heißt im Volksmund »Zirkus Karajani«.

Großer Kurfürst (vor dem Charlottenburger Schloß): Das Denkmal, das ehe-

Die Philharmonie im Tiergarten mit ihrem zeltartigen Betondach wurde 1960–63 von H. Scharoun erbaut

Wie Weinberge – so H. Scharoun – steigen die Logenterrassen für die Zuschauer in der Philharmonie um das Orchester herum hoch

mals auf der Langen Brücke am Stadtschloß an der Spree stand, durch Kriegsumstände aber in den Westen der Stadt kam, steht jetzt im Ehrenhof am Schloß Charlottenburg. Das Monument ist eines der großen Reiterdenkmäler der europäischen Kunst, modelliert von dem Baumeister und Bildhauer Schlüter*, gegossen 1700/08 von J. Jacoby.

Brandenburger Tor: Das Tor am Westausgang des alten Berlin war bis in die 60er Jahre des 19. Jh. Zolltor, heute ist es eine Art Klammer, die die beiden Hälften der Stadt optisch miteinander verbindet. Die Propyläen der Akropolis in Athen waren für Baumeister C. G. Langhans* Vorbild für den Abschluß der Prachtstraße Unter den Linden (1788–91). Das über 6 m hohe Viergespann mit der Siegesgöttin (das 1806 von Napoleon entführt, 1814 jedoch wieder zurückgeholt wurde) ist ein Werk des Bildhauers G. Schadow* (1793). 1956 wurde die Quadriga nach den alten Formen neu gegossen und auf dem wiederaufgebauten Tor aufgestellt.

Kreuzberg-Denkmal (Viktoriapark): Das gußeiserne Denkmal in gotisierenden Formen wurde von K. F. Schinkel zur Erinnerung an die Befreiungskriege 1813–15 auf dem Kreuzberg aufgestellt.

Siegessäule (Großer Stern): Zur Erinnerung an die Kriege und Siege von 1864, 1866 und 1870/71 wurde in den Jahren 1872/73 die Siegessäule vor dem (später gebauten) Reichstag errichtet. Über einer Säulenplattform ragt die 68 m hohe begehbare Steinsäule auf, die an ihrer obersten Spitze mit einer vergoldeten Siegesgöttin bekrönt ist (Bildhauer F. Drake).

Lilienthal-Denkmal (Lichterfelde-O, Lilienthal-Park): Im Süden Berlins ist 1914 auf dem aufgeschütteten Hügel, von dem herab Otto Lilienthal ab 1891 seine ersten Flugversuche machte, ein Denkmal für den Flugpionier aufgestellt worden: Acht Stützen tragen ein breites flaches Runddach, zu dem eine Bruchsteintreppe führt.

Luftbrückendenkmal (Platz der Luftbrücke): Zur Erinnerung an die Berlin-Blockade durch die Sowjets im Winter 1948/49 errichtete die Stadt ein Mahn-

Siegessäule

Brandenburger Tor ▷

mal, das der Bildhauer E. Ludwig schuf – das erste abstrakte Denkmal Berlins, im Berliner Volksmund »Hungerharke« genannt.

Museen: Die reichen Kunstschätze sind zur Zeit noch auf mehrere Stellen verteilt: In Dahlem (zwischen Arnimallee und Lansstraße) sind *Gemäldegalerie, Skulpturensammlung* und das weltberühmte *Kupferstichkabinett* untergebracht. Daneben wurden vor einigen Jahren das *Völkerkundemuseum,* das *Ostasienmuseum* und das *Museum für indische Kunst* eröffnet. Das zweite Zentrum befindet sich rund um das Charlottenburger Schloß, in dessen Ostflügel das *Kunstgewerbemuseum* seine Räume hat. In einem Nebenbau im Westen ist das *Museum für Vor- und Frühgeschichte* untergebracht. In den Pavillonbauten (ehemals Kaserne) am Ende der Schloßstraße, gegenüber dem Schloß, stellt das *Antikenmuseum* vor allem antike Kleinkunst aus (die Großplastiken der alten Sammlung befinden sich im Osten der Stadt). Das *Ägyptische Museum* im östlichen Pavillon ist weltberühmt durch den Kopf der Nofretete und Porträtplastiken aus der Amarnazeit. Im dritten Kunstkomplex ist mit der *Nationalgalerie* (am Tiergarten), dicht bei der Philharmonie und Staatsbibliothek, der erste Bau des neuen Museumszentrums erstellt worden. Hier ist in einer unterirdischen Anlage aus vielen Räumen und einem Freilichthof für Plastik die Kunst des 19. und 20. Jh. zu sehen. Der originelle Bau von Ludwig Mies van der Rohe (1961–68), der ursprünglich für eine mittelamerikanische Tabakkompanie als Verwaltungshaus geplant war, hat über dem Sockelgeschoß (90 × 90 m) einen hangarartigen Glaspavillon (50 × 50 m), der für Wechselausstellungen moderner Kunst vorgesehen ist. – Das *Berlinmuseum,* in Kreuzberg (Lindenstraße), untergebracht im einzigen erhaltenen Barockbau in Berlin, zeigt die Geschichte der Stadt in Dokumenten (außerdem hat es eine Porträtgalerie und graphische Arbeiten Menzels).
Neben den zuvor genannten Museen gibt es eine Reihe von Spezialmuseen, von denen hier nur einige aufgeführt werden sollen: *Botanischer Garten und Botanisches Museum* (Königin-Luise-Straße 6–8): Der Botanische Garten in Berlin-Dahlem wurde 1897–1909 von A. Engler eingerichtet. Er wird heute durch zahlreiche wissenschaftliche

Nationalgalerie

Sammlungen ergänzt. – *Brückemuseum* (Bussardsteig 9): Das Museum in Dahlem wurde 1964 gegründet und zeigt Arbeiten von Künstlern der 1905 in Dresden gegründeten Gruppe »Die Brücke«. – *Berliner Post- und Fernmeldemuseum* (An der Urania 15): Postgeschichte, Berliner Postwesen, Rundfunk, Film, Fernsehen, Briefmarken. – *Deutsches Rundfunkmuseum* (Hammarskjöld-Platz 1): Technik und Geschichte des deutschen Rundfunks und Fernsehens seit 1923. – *Verkehrsmuseum Berlin* (Kleiststraße 14): Sammlungen zur Entwicklung des gesamten Verkehrswesens sowie eine Dokumentation zur Berliner Luftbrücke nach dem 2. Weltkrieg. – *Museum der Weltluftfahrt* (Schütte-Lanz-Straße 45/49): Das Museum ist in Verbindung mit der Gedenkstätte für Otto Lilienthal entstanden. Dokumentiert wird die Entwicklung der gesamten Luftfahrt bis hin zu Randthemen wie z. B. einer Sammlung von Münzen mit Luftfahrtmotiven. – *Staatliche Porzellanmanufaktur* (Wegelystraße und Budapester Straße 48): Sammlung historischer Porzellane und Führung durch die berühmte Berliner Manufaktur.

Theater: Neben den Theatern, die in Verbindung mit architektonischen Leistungen genannt wurden (siehe *Hebbeltheater, Theater am Nollendorfplatz, Komödie, Renaissance-Theater, Deutsche Oper und Philharmonie*), verfügt Berlin über eine Vielzahl weiterer Theater. *Schiller-Theater* (Bismarckstraße 110), *Schloßpark-Theater* (Schloßstraße 48): Beide Theater werden von den Staatlichen Schauspielbühnen Berlins bespielt. Das Schiller-Theater, das im 2. Weltkrieg zerstört und 1951 wieder eröffnet wurde, hat 1103 Plätze. Das Schloßpark-Theater, nach den Zerstörungen im 2. Weltkrieg schon 1945 wieder eröffnet, faßt 478 Zuschauer. – *Freie Volksbühne Berlin* (Schaperstraße 24): Hier finden Schauspielaufführungen statt (eigenes Ensemble). 1047 Plätze. – *Hansa-Theater* (Alt-Moabit 48): Das Hansa-Theater ist ebenfalls dem Schauspiel vorbehalten. 686 Plätze. – *Theater am Kurfürstendamm* (Kurfürstendamm 209): Hier werden Musicals und Komödien aufgeführt. 785 Plätze. – *Theater des Westens* (Kantstraße 12): Hier sind Operette und Musical zu Hause. 1643 Plätze. – *Tribüne* (Otto-Suhr-Allee 18–20): Schauspiel, Lustspiel. 319 Plätze. – *Berliner Kammerspiele/Theater der Jugend* (Alt-Moabit 99): Vorwiegend Aufführungen für die Jugend. 500 Plätze. – *Schaubühne am Halleschen Ufer* (Hallesches Ufer 32): Progressives Theater (Schauspiel). 539 Plätze. – *Vaganten-Bühne* (Kantstraße 12 a): Modernes und Nachwuchs-Theater (Schauspiel). 100 Plätze. – *GRIPS-Theater* (Altonaer Straße 22): Kindertheater. 300 Plätze.

Bernkastel-Kues 5550

Rheinland-Pfalz S. 416 □ B 14

Kath. Pfarrkirche St. Michael (südlich von Bernkastel): Neben der *Burgruine Landshut,* neben schönen *Fachwerkhäusern,* neben dem *Michaelsbrunnen* und dem zierlichen *Renaissance-Rathaus* gehört St. Michael zu den Sehenswürdigkeiten des Moselstädtchens. Der schwere Turm aus Bruchstein (Anfang 14. Jh. einst Teil der Stadtmauer) gleicht mit seinen acht kleinen, erkerartigen Seitentürmen einem Wehrturm. Im 17. Jh. wurde das Mittelschiff der Kirche erweitert. Aus dieser Zeit stammt auch die barocke Fassade (1968 wiederhergestellt). Von der reichhaltigen Ausstattung sind die Triumphkreuzgruppe mit lebensgroßen Holzfiguren (um 1440), der Marienaltar mit Figuren und Reliefs aus Alabaster (1750), Orgelprospekt und Chorgestühl (18. Jh.) hervorzuheben.

St.-Nikolaus-Hospital (im Stadtteil Kues): Kues wurde berühmt durch Nicolaus Cusanus, Kardinal, Philosoph und Theologe, der 1447 seinem Geburtsort das Hospital für 33 alte bedürftige Männer stiftete. Nach seinem Tod wurde sein Herz in der Kapelle beigesetzt, sein Körper ruht in Rom. Die spätgotische Anlage des Hospitals besteht aus einem Kreuzgang um einen quadratischen Hof, die Zellen schließen im Süden und Westen an, das Refektorium im Norden und die Kapelle im Osten. Im Chor der Kapelle liegt die Grabplatte des Nikolaus von Kues, daneben der besonders schöne spätgotische Grabstein seiner Schwester (gest. 1473). Über der Sakristei befindet sich jetzt auch die Bibliothek mit über 400 Handschriften (u. a. von Cusanus) und Inkunabeln.

Besigheim 7122

Baden-Württemberg S. 420 □ F 17

Das einzigartige Stadtbild mit der alten Enzbrücke (1581) und den bunten Dächern ist durch die Bilder des schwäbischen Malers G. Schönleber bekannt geworden. Zwei riesige romanische Rundtürme, die als Reste alter Burganlagen erhalten sind, schützten die Stadt zwischen Enz und Neckar nach Süden und Norden. Die Durchmesser von 12,5 bzw. 11,5 m und der Eingang in 11 m Höhe über dem Erdboden haben ihnen den Namen »Römertürme« eingetragen.

Ev. Stadtkirche: Am Langhaus dieser Kirche aus dem 14./15. Jh. findet sich ein Passionszyklus aus dem Jahr 1380. Im Chor steht der Hochaltar, ein Schrein mit geschnitzten Figuren, Büsten und einer Figurenszene in der Mitte. Alles wird umwuchert von einem Blattrankenwerk, aus dem die Figuren wie aus einer Laube herausschauen. Dargestellt sind die beiden Johannes, in der Mitte eine Wundertat des hl. Cyriakus. Schrein und Flügel sind ein Werk Christophs von Urach (1520), eines Bildschnitzers zwischen Gotik und Renaissance.

Außerdem sehenswert: Das Rathaus (1459), Marktbrunnen (spätes 16. Jh.) und die Enzbrücken (1581 bzw. 1833).

Beuron 7792

Baden-Württemberg S. 420 □ F 20

Benediktiner-Abtei St. Martin und Maria: Überragt von den Kalkfelsen der Schwäbischen Alb, liegt das Kloster Beuron in einer Schleife des Donautals. Es ist heute Erzabtei der Beuroner Benediktinerkongregation, die im Geist

Michaelsbrunnen mit Fachwerkhäusern

der alten Ordensregeln sich um die Erneuerung der Liturgie verdient gemacht hat und – im Gegensatz zum barocken Aufwand der eigenen Klosterkirche – in Anlehnung an frühchristliche und romanische Stilelemente eine neue religiöse Formsprache suchte. Interessantes Ergebnis der »Beuroner Kunst« ist die 3 km entfernte *St.-Maurus-Kapelle,* 1868–70 von Pater D. Lenz errichtet. Um der vermeintlichen Erneuerung der kirchlichen Kunst willen wurden an der barocken Abteikirche (1732–38) schwerwiegende Eingriffe vorgenommen, die dem Gotteshaus ein altkirchliches Gepräge geben sollten. Unterdessen haben Restaurierungen den mit Pfeileremporen versehenen Bau wiederhergestellt. Der 1872 bei der »Reinigung« ebenfalls umgewandelte Hochaltar von J. A. Feuchtmayer* konnte in seiner ursprünglichen Pracht nicht wiederhergestellt werden. Die 1898 an die Nordseite der Kirche angefügte *Gnadenkapelle* mit einer Pietà aus dem 15. Jh. repräsentiert beispielhaft die Kunstbestrebungen Neu-Beurons. In der weitläufigen neuen Klosteranlage arbeiten eine theologisch-wissenschaftliche Hochschule und Forschungsinstitute.

Benediktiner-Abteikirche St. Martin und Maria in Beuron

Das Deckengemälde in der Beuroner Kirche von J. I. Wegscheider

Biberach an der Riß 7950

Baden-Württemberg S. 422 □ G 20

In Biberach (genauer: in Oberholzheim) ist der Dichter Christoph Martin Wieland (1733–1813) geboren. Er hatte während seiner Weimarer Zeit engen Kontakt zu Goethe und Schiller. Im Garten des Hauses Saudengasse 10/1, wo heute das *Wielandmuseum* untergebracht ist, steht noch immer sein Gartenhäuschen.

Stadtpfarrkirche St. Martin (Kirchplatz/Am Marktplatz): Die gotische Basilika ist in ihren wesentlichen Teilen im 14./15. Jh. entstanden. Der Innenraum wurde 1746–48 barock umgestaltet. Hervorzuheben sind das große *Fresko* im Langhaus (J. Zick*, 1746), der *Hochaltar* (1720) mit einem Gemälde von J. G. Bergmüller, das filigranhafte *Chorgitter* (1768) und die *Kanzel* (1511). J. Esperlin hat die *Ölgemälde* im Hochschiff geschaffen.

Bürgerhäuser: Viele der alten Bürgerhäuser, meist mit sehr massivem Unterbau und vorspringendem Fachwerkaufsatz, haben die Jahrhunderte überdauert und bestimmen jetzt das Stadtbild. Erwähnt seien hier die Häuser aus dem 16. Jh. *Markt 15* (die ehem. Eichstelle), *Markt 22* (ehem. Salzstadel), *Markt 4* (ehem. Kaufhaus).

Stadtbefestigung: Die gut erhaltene Stadtbefestigung wurde 1782 zu großen Teilen abgetragen. Erhalten blieben u. a. das mächtige *Ulmertor,* das 1410 entstanden ist und die Stadt gegen Osten absichern sollte, aber auch der *Gigelturm* und der *Weiße Turm* (beide teilweise erneuert).

Museen: *Städtische Sammlungen – Braith-Mali-Museum* (Museumstraße 2): Das Museum bezieht das *Alte Spital* (neu aufgebaut 1519) ein. Gezeigt werden: Vor- und frühgeschichtliche Sammlungen, Stadtgeschichte und Kunsthandwerk, Plastik des 15.–20. Jh., Nachlaß und Atelier des Tiermalers Anton Braith (1836–1905) und von Christian Mali (1832–1906). – *Wieland-Museum* (Saudengasse 10).

Bielefeld 4800

Nordrhein-Westfalen S. 414 □ E 9

Neustädter Marienkirche (Kreuzstraße): Die gotische Hallenkirche (1330 vollendet) wurde im 2. Weltkrieg schwer beschädigt, u. a. brannten die Türme aus. Der Kirchenraum mit den drei Schiffen setzt sich klar gegen den schmalen langen Chor ab. Dieser ist im Osten rechteckig abgeschlossen und mit einem reichen Maßwerkfenster licht geöffnet. – Das Bedeutendste an der Kirche sind Teile der Ausstattung. Im Chor steht ein *Flügelaltar,* eines der Hauptstücke der gotischen Malerei Westfalens in der Zeit des sog. Weichen Stils (11 der 18 fehlenden Flügeltafeln befinden sich in deutschen und ausländischen Sammlungen). Der Altar ist ein Werk des »Meisters des Berswordt-Altars«, der auch den Kreuzigungsaltar in der Marienkirche in → Dortmund gemalt hat. Das Gesims des Altars wird bekrönt von 15 Sandsteinfiguren vom ehem. Lettner der Kirche (um 1320). Dieser Meister hat wohl auch das Grabdenkmal Ottos III. von Ravensberg mit Gemahlin und Kind (an der Nordseite des Chors) geschaffen, ein Werk, das zu den bedeutendsten der deutschen Bildhauerkunst des 14. Jh. zählt.

Altstädter Nikolaikirche (Postgang): Glanzstück dieser Kirche aus den Jahren 1330–40 ist ein gotischer Schnitzaltar (16. Jh.) aus einer Antwerpener Werkstatt mit 250 plastischen Figuren.

Sparrenburg (Am Sparrenberg): Die Doppelstadt Bielefeld, durch die Hanse und den Leinenhandel groß und bekannt geworden, stand einst unter dem Schutz der Sparrenburg, deren Befestigungsanlagen die Stadt im 30jährigen Krieg geschützt haben. Graf Ludwig von Ravensberg ließ die Burg zwischen 1240 und 1250 bauen. Hauptanziehungspunkt sind heute ein

37 m hoher Aussichtsturm und die 285 m langen unterirdischen Gänge der Befestigungsanlagen.

Museen: *Städtische Kunsthalle Bielefeld – Richard-Kaselowsky-Haus* (Artur-Ladbeck-Straße 5): Das neue Gebäude, das die Firma Dr. Oetker gestiftet hat, wurde 1966–68 durch P. Johnson erbaut. Sammelgebiete sind Internationale Malerei, Graphik und Plastik des 20. Jh. – *Historisches Museum* (Welle 61): Kunst- und Kulturgeschichte in Ost-Westfalen-Lippe, Kunstgewerbe. – *Naturkunde-Museum* (Stapenhorststraße 1): Sammlungen zu den Bereichen Erdwissenschaften, Zoologie, Botanik. – *Bauernhaus-Freilichtmuseum* (Dornberger Str. 82). – Deutsches Spielkartenmuseum in der Sparrenburg.

Theater: *Stadttheater* (Niederwall 27): Das 1904 eröffnete Theater ist Heimat für Oper und Operette. 773 Plätze. – *Theater am Alten Markt* (Alter Markt): Schauspiel. 392 Plätze. – *Rudolf-Oetker-Konzerthalle* (Stapenhorststraße): Konzerte des Philharmonischen Orchesters und des Bielefelder Kinderchors.

Billerbeck 4425

Nordrhein-Westfalen S. 414 □ C 9

Kath. Pfarrkirche St. Johannes: Der hl. Ludger, der erste Bischof von Münster, der 809 in Billerbeck gestorben ist, las in der vor 800 gegründeten Johanniskirche seine letzte Messe. Ein späterer Bau wurde 1074 geweiht, von ihm stammen noch die Untergeschosse des Westturms an der heutigen Kirche, die man um 1234 errichtete. Sie gilt als bedeutendes Beispiel der spätromanischen münsterländischen Hallenkirchen. Im Gegensatz zu diesen ist sie jedoch im Äußeren nach rheinischem Vorbild reicher behandelt. So fällt neben den schmückenden Rundbogenfriesen vor allem die Betonung des Nordportals auf. 1425, in gotischer Zeit, wurden Veränderungen vorgenommen, u. a. erhielten einige Fenster Maßwerk, auch der Spitzhelm stammt wohl noch aus dieser Bauperiode. Im Inneren findet man ebenfalls reiche Schmuckformen. Von der Ausstattung sollte man vor allem den achteckigen spätgotischen *Taufstein* (1497) beachten, eine hängende spätgotische *Doppelmadonna*, die *Renaissancekanzel*

Sparrenburg, Bielefeld

(1581) und die Steinplastiken der Muttergottes und des Salvator (1618).

Ludgerus-Brunnen-Kapelle (Ludgeristraße): Auf einem von Linden umstandenen Platz bei der Quelle, die als Taufbrunnen des hl. Ludger gilt, ist ein kleiner offener Ziegelbau mit reicher Sandsteingliederung (laut Inschrift 1702) erbaut, darin die liegende Figur des hl. Ludger.

Bingen 6530

Rheinland-Pfalz S. 416 □ D 14

Mäuseturm (im Rhein): Die Sage, daß der böse Bischof Hatto von Mainz in dem Turm auf den Klippen mitten im Rhein durch Mäuse ein schreckliches Ende gefunden habe, hat ihren Ursprung in einer Sprachklitterung: Der Zollturm, mit dem Bischof Hatto den Rheinverkehr für sich lukrativ machte, hieß »Mautturm«, der Dialekt machte »Mäuseturm« daraus.

Burg Klopp (über Mariahilfstraße): Seit dem 13. Jh. saß hier eine Besatzung der Mainzer Erzbischöfe, die die Rheinpassage und den Naheübergang kontrollierte. Seit 1438 residierte als Herr über Bingen ein Mainzer Domherr. Oft wurde die Burg eingeäschert, zuletzt 1711 gesprengt. Der Neubau, bei dem Fundamente alter romanischer Teile verwendet wurden, stammt aus den Jahren 1875–79, heute *Heimatmuseum.*

Kath. Pfarrkirche / Ehem. Stiftskirche St. Martin (Zehnthofstraße): Der heutige Bau stammt aus dem Anfang des 15. Jh. Unter dem Ostteil des Langhauses liegt ein Krypta aus der Zeit der Salier (11. Jh.). Außerdem ist noch die spätgotische Halle von architektonischer Bedeutung. Die zwei Figuren in den Seitenaltären des Mittelschiffs (hl. Barbara und hl. Katharina, Werke des sog. weichen Stils, um 1420).

Außerdem sehenswert: Die *Rochuskapelle* 1895 (Vorgängerbauten aus den Jahren 1666 und 1814 waren zerstört) oberhalb von Bingen, der *Rheinkran* (16. Jh.), die *Drususbrücke* (10. oder 11. Jh.; nach 1945 teilweise erneuert) über die Nahe, *Wohnhäuser* aus dem 17. und 18. Jh. und Reste der *Stadtbefestigung.*

Rochuskapelle bei Bingen

Wallfahrtskirche St. Marien, Birnau

Birnau = 7770 Überlingen
Baden-Württemberg S. 420 □ F 20

Wallfahrtskirche St. Marien: Wie auf einer grünen Terrasse, die sanft vom Bodensee aufsteigt, liegt in freier Landschaft die schloßartige Fassade des Priesterhauses. Hinter dem fürstlichen Turmportal (mit der Immaculata von J. A. Feuchtmayer* darüber) tut sich einer der prächtigsten Kirchenräume des deutschen Rokoko auf, gebaut vom Vorarlberger Baumeister P. Thumb*, ausgestattet vom einfallsreichsten der Wessobrunner Stukkateure, J. A. Feuchtmayer. Die Wallfahrt selbst wurde im 18. Jh. aus der Gegend von Überlingen auf das freie Gelände von Neubirnau verlegt. Das Gnadenbild der Muttergottes (um 1430) fand nach verschiedenen Irrfahrten seinen Platz unter einem Bogen fröhlicher Stuck-Putten. Die Zisterzienser-Wallfahrtskirche wurde 1804 säkularisiert. 1919 kehrten Priester und Gnadenbild erneut zurück. 1971 wurde die Wallfahrtskirche zur Basilica minor erhoben.

Inneres und Ausstattung: Ein ausschwingendes Balkonband umtänzelt alle Vor- und Rücksprünge der Wand- und Pfeilerarchitektur. Auch die Balustrade hat J. A. Feuchtmayer mit Stuck überzogen und pointiert. Altäre und Kanzel stehen als feste Punkte und markieren die Achsen des Baus. Am rechten Seitenaltar, der dem hl. Bernhard geweiht ist, posiert der berühmte kleine *Honigschlecker,* Symbol für den Heiligen, dessen Rede »süß wie Honig« floß. In den Deckengemälden von G. B. Götz (1750) öffnet sich eine himmlische Show mit prachtvollen Arrangements von biblischen Helden, Heiligen und Putten. Das künstlerisch bedeutendste unter den Bildwerken sind die *Kreuzwegstationen* J. A. Feuchtmayers, von denen leider nur noch acht erhalten sind.

Birstein 6484

Hessen S. 416 □ F 13

Schloß: Das Schloß liegt hoch über dem Luftkurort im Gebiet des Vogelsbergs. Die ältesten Teile der verschachtelten Anlage gehen bis in das Jahr 1279 zurück. Eindrucksvollster Teil ist heute das *Neue Schloß* (1764) (nicht zu besichtigen!), das einen großen Teil der älteren Gebäude verdeckt. Es ist einheitlich im Stil des Barock gebaut und besitzt kostbare Dekorationen in den *Innenräumen* (Stuck, Malereien).

Bischmisheim 6601

Saarland S. 420 □ B 16

Ev. Pfarrkirche: Die Kirche, ein achteckiger, symmetrisch gegliederter Zentralbau, ist ein Beispiel nüchterner Zweckarchitektur des Klassizismus. Er wurde 1822 nach einem Entwurf des großen Berliner Architekten K. F. Schinkel* gebaut. Über dem Oktogon faßt ein Pyramidendach mit Laterne den Baukörper zeltartig zusammen. Für den Bau war die Pfalzkapelle in → Aachen Vorbild. Das Innere zeigt eine typisch protestantische Predigtkirche, in der Altar, Kanzel und die Orgel in einer Achse übereinander angebracht sind.

Blaubeuren 7902

Baden-Württemberg S. 422 □ G 19

Ehem. Klosterkirche: Unterhalb der Kalkfelsen, dicht neben dem Blautopf, dem tiefblauen Quelltopf der Blau, liegt die äußerlich kahle Kirche mit ihren zahlreichen *Klostergebäuden.* Vom Gründungsbau der Hirsauer Benediktiner (11. Jh.) sind nur noch Teile des Turms erhalten. Im ganzen ist die Anlage ein spätgotischer Neubau von seltener Einheitlichkeit (1491–99 durch P. von Koblenz*). Der Hochaltar (1493) gehört zu den großen Dokumenten spätgotischer deutscher

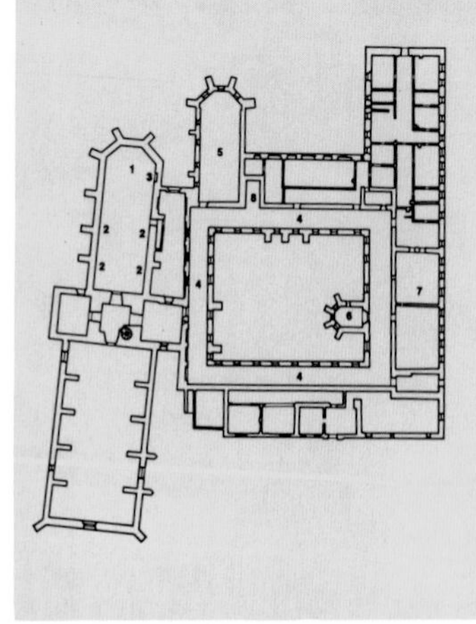

Blaubeuren, Kloster 1 Hochaltar, 1493; Tischlerarbeit von Jörg Syrlin d. J., Figuren von Gregor Erhart **2** Chorgestühl von Jörg Syrlin d. J., 1493 **3** Dreisitz von Jörg Syrlin d. J., 1496 **4** Kreuzgang **5** Kapitelsaal **6** Brunnenkapelle **7** Refektorium **8** Margarethenkapelle

Schnitzkunst. Das Kloster ist noch heute evangelisch-theologisches Seminar.

Inneres und Ausstattung: Durch das Untergeschoß des Turms ist der Innenraum der Kirche zweigeteilt, nur in der Mitte ehemals durch Bogenöffnungen in zwei Geschossen miteinander verbunden. Das *Langhaus* – heute total abgeschlossen – ist Gemeindesaal. Architektonisch wichtigster Teil ist der *Chor* mit seinem aufsteigenden Rippensystem, das sich (heute zu bunt bemalt) über dem Raum zusammenschließt. Zwischen den Fenstern beschirmen Baldachine die Gestalten der 12 Apostel. Ein kostbar geschnitztes *Chorgestühl* mit z. T. ergänzten Büsten von dem Ulmer »Schreinermeister« Syrlin* d. J. (1493) schließt den Chorraum hufeisenförmig nach Westen ab: Alle Sitze blicken auf den Chor mit dem großen Hochaltar, der die ganze Breite des schmalen Chors einnimmt und bis zu den Gewölberippen hinaufreicht. Es handelt sich um einen doppelten *Wandelaltar* mit reliefierten Innen- und beidseitig gemalten Außenflügeln. Die fünf überlebensgroßen Figuren des Mittelschreins hat der Bildschnitzer G. Erhart* geschaffen (1493); die Muttergottes auf der Mondsichel in der Mitte ist farbig völlig original erhalten.

Außerdem sehenswert: Ev. Pfarrkirche (frühes 15. Jh.), Spital (spätes 16. Jh.) und Rathaus (1593).

Bocholt 4290

Nordrhein-Westfalen S. 414 □ B 9

Kath. Pfarrkirche St. Georg (Kirchstraße): Mit seinem erhöhten Mittelschiff ist der Bau ein Beispiel für jene Stufenkirchen, die im Münsterland häufiger anzutreffen sind. Die hohe barocke Turmhaube, die einst das Stadtbild bestimmt hat, wurde im Krieg zerstört.
Baubeginn 1415 an der Stelle einer spätromanischen Kirche, Fertigstellung 1486. Die spätgotische Hallenkirche hat 5 Joche, ein kurzes Querschiff und einen Chor mit fünfseitigem Abschluß. Die westliche Turmseite bildet mit dem riesigen, bis zum Boden herabgezogenen sechsteiligen Maßwerkfenster eine prächtige Fassade. Der Hochaltar enthält ein Kreuzigungsbild vom Kölner Meister des Marienlebens (Spätgotik).

Rathaus (Marktplatz): Das Rathaus gehört zu den schönsten deutschen Renaissancebauten. Es wurde 1618 begonnen und zeigt vor allem an der Fassade einen großen Formenreichtum. Die beiden Obergeschosse sind in Ziegelbauweise aufgeführt und mit korinthischen Halbsäulen und Pilastern geschmückt. Das Erdgeschoß hat die Form einer Arkadenhalle, das erste Stockwerk wird von dem reich verzierten Erker geprägt. Das Rathaus wurde nach der Zerstörung im 2. Weltkrieg originalgetreu wiederaufgebaut.

Bochum 4630

Nordrhein-Westfalen S. 416 □ C 10

Propsteikirche St. Peter und Paul (Brückstraße): Die Kirche gehört zu den wenigen Bauten, die an das ehemalige Ackerbürgerstädtchen, das noch im Jahre 1850 nur 5000 Einwohner

Renaissance-Rathaus, Bocholt

hatte, erinnern. Aus der ersten Bauzeit (14. Jh.) stammt der Turm. Das Langhaus hat die Form einer spätgotischen Hallenkirche (Baubeginn um 1517). Von der Ausstattung blieb ein romanischer Taufstein (Ende 12. Jh.) mit Szenen aus dem Leben Jesu in Relief. Eine Beweinungsgruppe stammt aus der Zeit am 1520 (siehe Abb.).

Museen: *Bergbaumuseum* (Vödestraße 28): Das Museum zeigt Sammlungen zur Geschichte des Bergbaus und seine Darstellung in der Kunst vom Jahr 150 n. Chr. bis heute. Besondere Attraktion ist ein Anschauungsbergwerk mit allen Maschinen, in das die Besucher einfahren können. – *Geologisches Museum des Ruhrbergbaus* (Herner Straße 45): Die Sammlung zur Geologie des Ruhrgebietes umfaßt mehr als 22000 Stücke. – *Museum Bochum* (Kortumstraße 147): Gezeigt wird Kunst nach 1945 (Wechselausstellungen zeitgenössischer Kunst, Stadtgeschichte und Bauernkultur).

Theater: *Bochumer Schauspielhaus* (Königsallee 15): Das Schauspielhaus gehört zu den bedeutendsten deutschsprachigen Bühnen. Sein Ruhm ist unter den Intendanten Saladin Schmitt, Hans Schalla und Peter Zadek gewachsen. 900 Plätze. Mit Opern, Operetten und Ballett wird das Haus vom *Musiktheater im Revier* (→ Gelsenkirchen) im Austauschverfahren versorgt.

Bonn 5300

Nordrhein-Westfalen S. 416 □ C 12

Die Stadt, die einst aus dem Römerkastell Castra Bonnensia hervorgegangen ist und als befestigter Ort viele Stürme und Zerstörungen erlebt hatte, wurde im 18. Jh. zur Barockresidenz der baulustigen und verschwenderischen Kurfürsten aus dem Hause Wittelsbach. Der Charakter der Stadt wird in wesentlichen Teilen von den Anlagen jener Zeit bestimmt. Nachdem Bonn 1949 zur Hauptstadt der Bundesrepublik Deutschland erklärt wurde, geben Regierungsgebäude der Stadt ein neues Gepräge.

Münster St. Martin, früher Stiftskirche St. Cassius und Florentinus (Münsterplatz): Der Legende nach ist die hl. Helena, die Mutter Konstantins d. Gr.,

Beweinungsgruppe, Propsteikirche Bochum

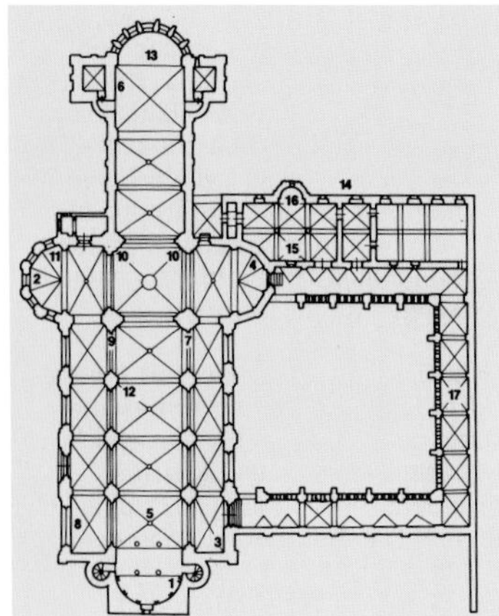

Bonn, Münster 1 Grabplatte des Engelbert von Falkenstein, letztes Viertel des 14. Jh. **2** Grabmal des Ruprecht von der Pfalz (gest. 1480) **3** Maria-Magdalena-Altar, um 1600 **4** Sakramentsaltar, 1608 **5** St. Helena von Hans Reichle, um 1600–10 **6** Sakramentshaus, 1619 **7** Geburt-Christi-Altar, 1622 gestiftet **8** Dreifaltigkeitsaltar, 1704 **9** Dreikönigsaltar, 1713 **10** Seitenaltäre von Johannes Damm und Josef Metzler, 1735 **11** Allerseelenaltar, 1699, Antependium 1761 **12** Kanzel **13** Hochaltar, 1863 **14** Kapitelhaus **15** Kapitelsaal **16** Cyriakuskapelle **17** Kreuzgang

Gründerin einer kleinen Stiftskirche gewesen, auf deren Resten das Münster errichtet wurde, das heute noch Mittelpunkt der katholischen Gottesdienste in Bonn ist.

Um 1065–75 Bau einer dreischiffigen kreuzförmigen Basilika mit Krypten und zwei Türmen; nach dem Brand von 1239 Neubau, Anbau der Ostapsis, der Osttürme und des Kreuzgangs. Nach 1200 entstand das heutige Querschiff. Restaurierungen 1883–89 und 1934. Nach Bombenschäden allgemeine Wiederherstellung.

Das Münster ist in der Vielgestaltigkeit des Baukörpers ein gutes Beispiel rheinischer Spätromanik. Fünf Türme von unterschiedlicher Höhe und Form betonen die Vertikale. Die spitzen Turmhelme, die später für die ursprünglich vorhandenen Faltdächer aufgesetzt wurden, geben ein eindrucksvolles Bild. Die offenen Strebebögen des Langhauses gehören zu den ältesten in Deutschland. – Zur ursprünglichen Anlage aus den Jahren 1060/70 gehört der westliche Teil der *Krypta.* Von den steinernen *Chorstuhlwangen* des frühen 13. Jh. sind die Figuren des schreibenden Engels und des Teufels mit der Schriftrolle erhalten (wahrscheinlich Werke des Samsonmeisters aus → Maria Laach). Im Chor steht ein hohes Renaissance-*Sakramentshäuschen,* im westlichen Mittelschiff eine Bronzefigur der hl. Helena von H. Reichle* (1600–1610). Die Reste der *Wandmalerei* des 13. und 14. Jh. sind stark restauriert. An der Südseite der Kirche schließen sich die drei Flügel des zweigeschossigen *Kreuzgangs* an.

Ramersdorfer Kapelle (Bornheimer Straße): Die ehemalige Deutschordenskapelle, gegen 1250 erbaut, stand ursprünglich in Ramersdorf am Fuß des Siebengebirges. Um sie vor dem Abbruch zu retten, wurde sie 1846 auf dem Bonner Alten Friedhof wieder errichtet. Der Bau zeichnet sich durch seine anmutige Leichtigkeit – schlanke Säulen mit Schaftringen und ornamentierten Kapitellen – aus.

Alter Friedhof (Bornheimer Straße):

Ramersdorfer Kapelle

Der Friedhof wurde im 18. Jh. als Soldaten- und Fremdenfriedhof angelegt und ist später zur Begräbnisstätte vieler bedeutender Persönlichkeiten geworden (u. a. E. M. Arndt, A. W. Schlegel, Tieck, Beethovens Mutter, Schillers Frau Charlotte und sein Sohn Ernst, Adele Schopenhauer und Robert und Clara Schumann).

Jesuitenkirche (Bonngasse): Die heutige kath. Universitätskirche wurde während der Franzosenzeit als Pferdestall benutzt. In dieser Zeit wurde die alte Einrichtung zerstört. – Der Bau wurde 1688 begonnen, 1692 die Fassade vollendet, 1717 Weihe der Kirche.
Die Kirche ist das Werk eines späten Manierismus. Die fünfjochige Hallenkirche ist in ihrer Grundordnung der mittelalterlichen Hallenkirche nachempfunden. Die prächtige Fassade wird von vier mächtigen Strebepfeilern mit korinthischen Kapitellen getragen und von einem Aufsatz mit der Statue des Salvators gekrönt. Die beiden fünfgeschossigen Türme werden von welschen Hauben abgeschlossen. – Von der ursprünglichen Ausstattung blieb nur die Kanzel von 1698 erhalten. Die Altäre stammen aus anderen Kirchen.

Rathaus (Markt): Zu den Bonner Barockbauten aus der Zeit der Wittelsbacher Kurfürsten gehört das Rathaus. Es wurde 1737/38 nach Plänen von M. Leveilly gebaut. Die Fassade wurde nach dem Krieg wiederhergestellt. Eine doppelläufige Freitreppe mit besonders schönem Eisengitter führt zum Portal hinauf. Wappenaufsatz und Uhr bekrönen das Mansardendach.

Kurfürstliche Residenz mit Hofgarten (Am Hofgarten): Der repräsentativste Bau der Stadt ist das barocke Schloß (heute Universität). Kurfürst Joseph Clemens ließ 1697–1702 seine Residenz an der Stelle einer 1689 zerstörten Anlage aus dem 13. und 16. Jh. durch E. Zuccalli* aus Graubünden erbauen. 1715 Umgestaltung nach Plänen von R. de Cotte, dem Oberbaudirektor Ludwigs XIV. Nach dem Brand von 1777 folgte der Bau der Schloßkapelle. 1818 Umwandlung zur *Rheinischen Landesuniversität.*
Kern der Anlage ist ein geschlossener Barockbau nach dem Modell italienischer Stadtpaläste. Die mehrgeschossige Vierflügelanlage gruppiert sich mit ihren Ecktürmen um einen größeren Hof und einen Ehrenhof. Durch die

Kurfürstliche Residenz

seitlichen Anbauten von 1715 wurde die Anlage in ein nach Südosten geöffnetes, dreiflügeliges Schloß umgestaltet. – Zur Baugruppe der Residenz gehört auch das Koblenzer Tor, als früherer Sitz des Michaelsordens auch Michaelstor genannt.

Poppelsdorfer Schloß / Kurfürstliches Schloß / Schloß Clemensruhe: Das kleine Schloß gehörte früher zur kurfürstlichen Residenz und war mit ihr durch die Poppelsdorfer Allee verbunden. Nach der Zerstörung im 2. Weltkrieg wurde es nur zum Teil und vereinfacht wiederaufgebaut. Von dem 1756 vollendeten Bau des französischen Baumeisters R. de Cotte blieb nur die Vierflügelanlage mit Rundhof und rundbogigem Arkadenumgang erhalten. Aus dem barocken Zier- und Nutzgarten wurde im 19. Jh. der *Botanische Garten.* – Der Schloßbau beherbergt das *Zoologische* und das *Mineralogisch-Petrologische Institut* der Universität.

Kreuzbergkirche (Bonn-Poppelsdorf): Das Interessanteste an dieser Wallfahrtskirche, die 1714 erneuert wurde, ist das »Haus des Pilatus« mit der »Heiligen Stiege«, das nach dem Vorbild der »Scala Sancta« in Rom errichtet und an den Chor angebaut wurde. Es geht wahrscheinlich auf einen Entwurf von B. Neumann* zurück. Der mittlere Treppenlauf darf nur kniend erstiegen werden. Auf dem Balkon über dem mittleren der drei Portale stehen die Figuren von Christus, Pilatus und einem Kriegsknecht. Auch an der barokken Innenausstattung der Kirche hat Neumann mitgearbeitet, so stammt z. B. der doppelseitige Hochaltar mit dem betenden Kurfürsten wahrscheinlich von ihm.

Beethovenhaus (Bonnstraße 20): Das Bürgerhaus aus dem 18. Jh., in dem Beethoven 1770 geboren wurde und bis zu seinem 22. Lebensjahr gewohnt hat, ist seit 1889 Museum und enthält die größte und wertvollste Beethoven-Sammlung der Welt: Erinnerungsstücke, ein Beethovenarchiv und eine Bibliothek mit rund 20000 Bänden.

Villa Hammerschmidt (Adenauerallee): In der rheinaufwärts gelegenen Villenvorstadt an der Adenauerallee, die nach 1949 Regierungsviertel wurde, liegt die Villa Hammerschmidt

Poppelsdorfer Schloß

(1863–65, nach dem Industriellen gleichen Namens, der die Villa bewohnte), jetzt Sitz des Bundespräsidenten. Die Räume sind mit wertvollen Gemälden vom 18. Jh. bis zur Moderne ausgestattet (Besichtigung ist möglich).

Palais Schaumburg (Adenauerallee): Das Palais, in dem bis 1976 das Bundeskanzleramt untergebracht war, war früher Wohnsitz der Prinzessin Victoria zu Schaumburg-Lippe, der Schwester Wilhelms II. Es wurde 1858–60 im Stil der Renaissance umgebaut.

Doppelkapelle Schwarzrheindorf: Bonn gegenüber, auf der anderen Rheinseite, stand auf einer leichten Anhöhe eine römische Wachstation. An dieser Stelle wurde die Doppelkapelle gebaut, die zu den schönsten Werken romanischer Architektur im Rheinland gehört. Heute ist sie die *kath. Pfarrkirche St. Klemens* in Schwarzrheindorf.
Der Bau wurde als Burgkapelle unter Graf Arnold v. Wied, dem späteren Erzbischof von Köln, begonnen und 1151 geweiht. 1173 Erweiterung, nach Beschädigungen 1747–52 Wiederherstellung unter Clemens August. 1803 säkularisiert (als Stall und Scheune benutzt). 1832 erfolgte die Rückgabe des Obergeschosses, 1865 die Rückgabe des Untergeschosses an die Kirche.
Die Form der Doppelkapelle (zwei übereinanderliegende Räume, durch eine Öffnung in der Mitte verbunden) war bei romanischen Burgkapellen verbreitet. Für den Burgherrn war die Oberkirche bestimmt, die Unterkirche für das Gefolge. Der ursprüngliche Zentralbau mit seinen vier Kreuzarmen wurde später um das nach Westen gerichtete Langhaus erweitert. Zugleich wurde der Turm um ein Stockwerk erhöht (der lange spitze Helm ist eine gotische Zutat).
Die bedeutenden romanischen Wand- und Deckenmalereien sind zur Bauzeit entstanden. Auf stumpfem blaugrünem Grund sind die Bilder mit dünner, roter, gelber und grauer Kalkfarbe gemalt. Teile der Wandbilder wurden im 19. Jh. erneuert. – Zu erwähnen ist die holzgeschnitzte Madonnenfigur, die aus der schwäbischen Schule des 17. Jh. stammt.

Museen: *Rheinisches Landesmuseum* (Colmantstraße 16): Nach einer Neuordnung im Jahr 1969 ist es das

Palais Schaumburg

»Heilige Stiege«, Kreuzbergkirche ▷

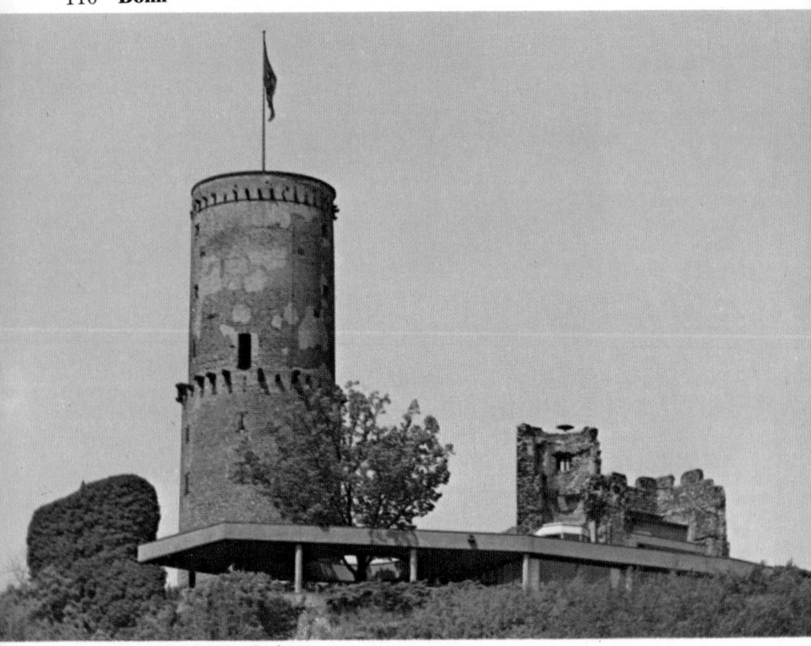

Godesburg, Bad Godesberg

größte Museum im Rheinland. Es gibt einen Überblick über alle Epochen römisch-rheinischer Provinzialkunst und zeigt u. a. frühgeschichtliche Funde, römische Waffen und Altäre, christliche Kunst, niederländische Tafelmalerei des 16. Jh., modernste Malerei und Plastik. – *Städtische Kunstsammlungen Bonn* (Rathausgasse 7): Kunst des 20. Jh. unter besonderer Berücksichtigung rheinischer Expressionisten sowie der Maler der Gruppen »Die Brücke« und »Blaue Reiter«. – *Ernst-Moritz-Arndt-Haus* (Adenauerallee 79): Wohn- und Sterbehaus Ernst Moritz Arndts (1769–1860), Stadtansichten von Bonn und den Rheinlandschaften. – *Bonner Bildungsmuseum – Kasimir-Hagen-Sammlung* (Wilhelmstraße 34): Malerei des Deutschen Jugendstils und Rheinischer Expressionismus. – *Akademisches Kunstmuseum der Universität Bonn* (Am Hofgarten): Dieses älteste systematische Universitätsmuseum in Deutschland wurde 1819 gegründet. Es zeigt u. a. Abgüsse antiker Plastiken, antikes Kunsthandwerk sowie Münzen und Gläser. – *Briefmarken-Museum* (Koblenzer Straße 81) mit aktuellen Sammlungen von Neuerscheinungen der Deutschen Bundespost.

Theater: *Theater der Stadt Bonn* (Am Boeselagerhof 1): Schauspiel, Oper, Operette, Ballett, Musical. 896 Plätze. – *Contra-Kreis-Theater* (Am Hof 3–5): Progressives Theater (Schauspiel). 194 Plätze. – *Theater der Jugend* (Colmantstraße 14–16): Schülervorstellungen. 200 Plätze. – *Stadttheater Bad Godesberg* (Stadtteil Bad Godesberg, Theaterplatz) mit Gastspielen in- und ausländischer Bühnen.

Godesburg (Bonn – Bad Godesberg, Am Burgfriedhof): Christliche Missionare errichteten auf dem Basaltkegel zunächst eine dem hl. Michael geweihte Kapelle, im Jahr 1210 entstand dann eine typische Gipfelburg auf ovalem

Grundriß. 1583 wurde die Burg bei einer Belagerung gesprengt und ist seitdem Ruine. Nur die Umfassungsmauern des romanischen Palas mit rundem Treppenturm, die Ringmauer und der etwas später gebaute, freistehende Bergfried sind erhalten. Die *Michaelskapelle* hat vom alten Bestand noch den romanischen Chorabschluß. Das barocke Langhaus wurde 1697–99 gebaut und mit reicher Stuckdekoration an den Gewölben versehen. Hervorzuheben ist der Hochaltar mit der vergoldeten Figur des hl. Michael.

Außerdem sehenswert: *Redoute*, die 1790 für Kurfürst Max Franz aus Köln erbaut wurde. Die Alte kath. *Martinskirche* (12. Jh., Umbau 1746) in Muffendorf und die *Burg Turmhof* aus dem 12. Jh. (Umgestaltung im 18. Jh.) in Friesdorf.

Bopfingen 7085

Baden-Württemberg S. 422 □ H 17

Ev. Stadtkirche (Kirchplatz 1): Dieser romanische Bau mit flachgedecktem Schiff und rechteckigem gotischem Chor aus dem 13./14. Jh. deutet auf zisterziensische Vorbilder. Der Turm ist in den unteren Geschossen frühgotisch und endet in barocken Formen. Die Gemälde (1472) am Hochaltar, einem spätgotischen Schnitzaltar mit Madonna und Heiligenfiguren, stammen laut Signatur von dem Nördlinger Maler F. Herlin. Unter den Grabmälern ist das des Wilhelm v. Bopfingen (1287), eine hervorragende Arbeit aus der Mitte des 14. Jh., das bedeutendste. Im Langhaus und Chor gibt es Reste der alten Wandmalerei, in der Sakristei ein gut erhaltenes Freskobruchstück mit Frauen und Engeln am Grabe (spätes 14. Jh.).

Außerdem sehenswert: Das Rathaus (1586) mit Pranger und die Wallfahrtskirche auf dem Flochberg (1741–47 erbaut).

Boppard 5407

Rheinland-Pfalz S. 416 □ C 14

St.-Severus-Kirche (Marktplatz): Das römische Kastell Bodobriga gehörte zu den Rheinbefestigungen des Drusus

St.-Severus-Kirche, Boppard

um 20 v. Chr. Auch in der Folgezeit hatte die an dieser Stelle erbaute Stadt historische Bedeutung. Im 10. Jh. wurden die Reliquien des hl. Severus aus Trier hierher überführt.
Anfang 12. Jh. romanischer Bau, um 1200 Verblendung der Türme und Einbezug in einen Neubau, 1225 Weihe. Unmittelbar danach erweiternder Umbau: Erhöhung des Mittelschiffs, 1236 Verlängerung der Apsis zum Chor, 1605 spitze Turmhelme.
Zwischen Langhaus und Chor schieben sich die beiden eng beieinanderstehenden mächtigen Türme, so daß sie im Außenbau wie ein Querschiff wirken. Die Westfront enthält ein romanisches Portal. Besonders reich gegliedert ist der Chor: Blenden auf schlanken Säulen, darüber eine Zwerggalerie. – In den Ansätzen der kühn geführten spitzbogigen Gewölbe sind Rosettenfenster angebracht, während die unteren Teile des Langhauses in den Arkaden und Emporen die schweren Formen der Romanik bewahrt haben. Außer der Bemalung, die 1890 freigelegt wurde, sind von der Ausstattung noch eine thronende Madonna (1280–1300) und ein Triumphkreuz aus der ersten Hälfte des 13. Jh. erhalten.

Ehem. Karmeliterkirche: Das Kloster wurde bereits 1265 gegründet (der jetzige Klosterbau wurde 1730 errichtet), mit dem Bau der Kirche aber erst 1319 begonnen. Erweiterungsbauarbeiten von 1439–1444. Bedeutung hat die äußerlich schlichte Kirche vor allem durch die wertvolle Ausstattung: Das *Chorgestühl* (um 1460), der barokke Hochaltar (1699), Renaissance-Wandgräber (16. Jh.) im Chor und ein Wandgemälde (1407).

Museen: *Städtisches Heimatmuseum* (Burgstraße): Vor- und Frühgeschichte, Funde aus römischen Gräbern, geologische und mineralogische Sammlungen sowie Waffen-, Maß-, Münz- und Schmucksammlungen. – *Wald- und Holzmuseum* (Burgstraße): Wald und Holzarten sowie die Verarbeitung des Holzes sind in diesem Spezialmuseum dargestellt; Schmetterlingssammlung.

Bordesholm 2352
Schleswig-Holstein S. 412 □ H 3

Stiftskirche/Ehem. Klosterkirche der Augustinerchorherren: Die Kirche auf einer Halbinsel im Bordesholmer See wurde im Mittelalter wegen ihrer Reliquien und der Grabstätte Bischof Vizelins von vielen Wallfahrern besucht.
Ab 1322 Entstehung einer Marienkirche (Einweihung 1332), von 1450–52 Einziehung der Mittelschiffsgewölbe und Verlängerung um ein einjochiges Hallenschiff, 1490–1509 nochmals um zwei Hallenjoche vergrößert.
Der schlichte, nur von einem Dachreiter bekrönte Ziegelbau ist typisch für die norddeutsche Gotik. Chorhaupt und Wände sind ohne besonderen Schmuck und nur durch Fenster und flache Wandstreifen gegliedert. – Der Herrenchor bestimmt den Ostteil. Auch die Emporen waren ursprünglich für die Chorherren bestimmt. Nach Westen schließt sich die spätgotische Laienkirche an. In der Sakristei, der sog. *Russenkapelle,* steht der Sarkophag Herzog Karl Friedrichs (Vater von Zar Peter III.). Das berühmteste Stück der ehem. Ausstattung, der *spätgotische Schnitzaltar* von H. Brüggemann* (1514–21), kam 1666 in den Dom von Schleswig. Der jetzige Hochaltar ist barock (1727). Erhalten blieb das gotische *Chorgestühl,* das bedeutende *bronzene Freigrab* der Herzogin Anna von 1514 sowie ein Altar mit Gemälden (niederländisch beeinflußt).

Borghorst 4433
Nordrhein-Westfalen S. 414 □ C 8

Kath. Pfarrkirche (Kirchplatz): Die Kirche eines 968 gegründeten, heute nicht mehr existierenden Nonnenklosters wurde 1885 abgebrochen und durch einen neugotischen Bau ersetzt. Große Teile des alten wertvollen *Kirchenschatzes* blieben jedoch erhalten: Drei romanische Altarleuchter mit Tierornamenten, zwei in Silber getriebene spätgotische Reliquienstatuetten

Bronzegrab, Stiftskirche in Bordesholm

und als kostbarstes Stück ein Gemmenkreuz (11. Jh.), das sog. Heinrichskreuz, die bedeutendste Goldschmiedearbeit aus ottonischer Zeit in Westfalen. Es ist 41 cm hoch, mit figürlichen Goldreliefs beschlagen und mit Halbedelsteinen, antiken Gemmen und der Halbfigur Kaiser Heinrichs II. verziert.

Borken 4280

Nordrhein-Westfalen S. 414 □ B 9

Kath. Propsteikirche St. Remigius (Mühlenstr./Remigiusstr.): An diesem Treffpunkt einstmals wichtiger Straßen hat schon in karolingischer Zeit eine Kirche gestanden. Von einer um 1150 errichteten steinernen Saalkirche sind noch die unteren Geschosse des W-Turms erhalten. 1433 entstand der heutige Bau; in der Folgezeit wurden die zahlreichen Kapellen angebaut. Der Wiederaufbau in alter Form nach schweren Zerstörungen im letzten Krieg war 1954 beendet. Die berühmtesten Stücke der reichen Ausstattung sind ein romanischer *Taufstein* (um 1200) mit Menschen- und Tiergestalten, ein *Gabelkruzifix* (14. Jh.), zwei *Darstellungen der Anna selbdritt* und eine *Grablegung* (15. Jh.).

Umgebung: *Schloß → Raesfeld* (südlich von Borken): Das Wasserschloß aus dem 17. Jh. (heute Gaststätte) gehört zu den bedeutendsten Anlagen dieser Art im Münsterland. – *Burg Gemen* (nördlich von Borken): Auf vier Inseln entstand die Anlage im 15. Jh. Die Hauptburg war 1411 fertiggestellt.

Bosau 2422

Schleswig-Holstein S. 412 □ H 3

Vizelinkirche: Im Jahr 1150 begann der Wendenmissionar Bischof Vizelin

Gotisches Triumphkreuz, Bosau

am Plöner See mit dem Bau einer kleinen Bischofskirche. Als man bald danach den Bischofssitz nach Oldenburg und später nach Lübeck verlegte, wurde die Anlage zur spätromanischen Dorfkirche mit Chor und Halbrundapsis umgebaut. Die Kirche wurde im 19. Jh. stark überarbeitet. – In der Apsis sind Reste der *gotischen Ausmalung* erhalten. Aus der 1. Hälfte des 14. Jh. stammen ein *Figurenaltar* und ein *gotisches Triumphkreuz.*

Bottrop 4250

Nordrhein-Westfalen S. 414 □ B 10

Heilig-Kreuz-Kirche: Die Kirche, die 1957 von R. Schwarz erbaut wurde, gilt als gelungenes Beispiel moderner Kirchen-Architektur. Die Stützen sind aus Stahlbeton, die Mauern aus Sichtziegeln. Das Ganze ist auf einem parabelförmigen Grundriß entstanden. Die farbige Glaswand ist von G. Meistermann*.

Heimatmuseum (Im Stadtgarten 20): Das Museum zeigt Sammlungen zur Vor-, Stadt- und Landesgeschichte (Ruhrgebiet).

Braubach 5423

Rheinland-Pfalz S. 416 □ D 13

Marksburg: Diese einzige unzerstörte Burg am Rhein erhebt sich auf einem 170 m hohen Burgberg über der Stadt. Im sog. Kaiser-Heinrichs-Turm, in dem sich der Sage nach Kaiser Heinrich IV. auf der Flucht vor seinem Sohn verborgen haben soll, befand sich seit 1437 eine Kapelle für den Evangelisten Markus, von dem die Burg ihren Namen hat. – Die stark befestigte Anlage besteht in der Hauptsache aus Hochburg, Bergfried, Palas und »Rheinbau«: Drei Flügel (12.–14. Jh.) umge-

Marksburg 1 Kapellenturm, erste Hälfte 13. Jh. **2** Innerer Zwinger, um 1300 **3** Zugbrückentor, 1. Hälfte 15. Jh. **4** Palas, Ende 14. Jh. **5** Eiserne Pforte, Ende 14. Jh., im 17/18. Jh. verändert **6** Fuchstor, Ende 14. Jh. **7** Geschützhaus, 16. Jh. **8** Tunnelgang, 1643–45 **9** Scharfes Eck, 1643–45 **10** Pulvereck, 1643–45 **11** Kleine Batterie, 1643–45 **12** Große Batterie, nördlicher Teil, 1643–45

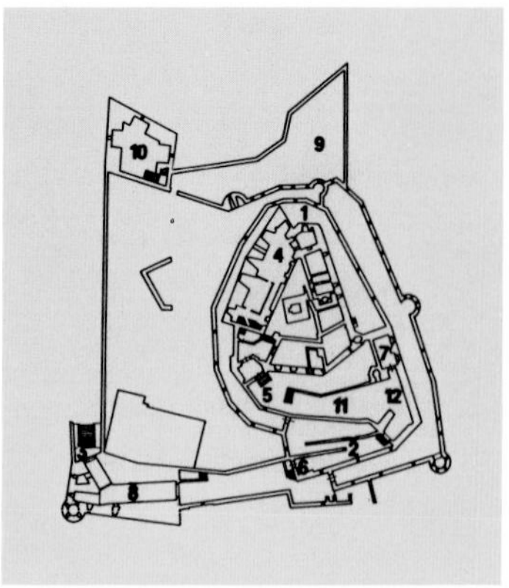

Marksburg bei Braubach ▷

ben einen dreieckigen Hof, in dem der quadratische *Bergfried* (13. Jh.) steht. Durch einen Torbau, mehrere Zwinger und drei weitere starke Tore kommt man in den inneren Burghof mit *gotischem Palas,* dem bedeutendsten Teil der Burg, und dem *Kaiser-Heinrichs-Turm.* Die Ringmauern der *Hochburg* stammen noch aus dem 13. Jh., vom 15.–17. Jh. wurden zahlreiche Mauern, Wehrgänge, Rundtürme und Basteien dazugebaut. Der sog. *Rheinbau* besteht aus Fachwerkbauten des 18. Jh. – Die Burg ist Eigentum der Deutschen Burgen-Vereinigung und gleichzeitig deren Sitz. Sie ist als *Museum* eingerichtet und kann von jedermann ganzjährig besichtigt werden.

Braunfels 6333

Hessen S. 416 □ E 13

Schloß: Die ehemalige Burg der Grafen von Solms-Braunfels wurde im 30jährigen Krieg mehrmals eingenommen und durch zwei große Brände zerstört. Das heutige Bild wird weitgehend von den Ausbauten des 19. Jh. bestimmt. – An der N-Ecke der vermutlich 1260 gegründeten, aber erst im 15. Jh. ausgebauten Anlage liegt die Kernburg mit rechteckigem dreigeschossigem *Palas* und dem etwas älteren *Friedrichsturm.* An der O-Seite bestimmt ein *halbrunder Turmbau* aus dem 15. Jh. die Anlage. Der ehemalige *Hauptturm* hat einen spätgotischen Aufbau (der heutige Hauptturm wurde 1884 errichtet). An der S-Seite des Haupthofs schließt sich ein spätgotischer *Saalbau* mit Bogenfries aus dem 15. Jh. an. Der *Küchenbau* wurde 1710–12 errichtet. Durch die Ringmauern und Wehrgänge gelangt man durch vier spätgotische Tore zum Schloß. Im Palas ist heute ein *Museum* eingerichtet, das eine Sammlung von Plastiken und Malerei des 14.–18. Jh. zeigt, außerdem zahlreiche alte Waffen und Möbel.

Außerdem sehenswert: Das Stadtbild imponiert durch Einheitlichkeit. Interessant sind die zahlreichen Fachwerkbauten und besonders die *Fürstliche Rentkammer* (um 1700).

Umgebung: Ein Abstecher nach → Wetzlar wird sich auf jeden Fall lohnen.

Schloß der Grafen von Solms-Braunfels

Braunschweig 3300

Niedersachsen

S. 414 □ J 8

Das Gesicht der Welfenstadt ist durch Heinrich den Löwen (1129–95) geprägt worden, dessen Wirkung noch bis ins 13. Jh. ausstrahlte. Der Ort, von zwei Armen der Oker umflossen, entstand aus einer Reihe kleiner Siedlungsbezirke, die unter Heinrich dem Löwen vereinigt und weiter ausgebaut wurden. Die Kernzelle ist das bereits 1031 erwähnte Dorf Bruneswiek. Im Jahr 1260 wurde Braunschweig Hansestadt. Alle wichtigen weltlichen und kirchlichen Bauten sind im 12. bis 14. Jh. entstanden. Für die sieben Pfarrkirchen der Stadt hat der Dom Heinrichs des Löwen mehr oder weniger deutlich Modell gestanden. Typisch braunschweigisch sind die am Rathaus der Altstadt und an Kirchenbauten über den Fenstern aufgesetzten Giebel mit ihrem reichen Maßwerk. Die Altstadt wurde im 2. Weltkrieg zu 90% zerstört. Einer völligen Wiederherstellung des alten Zustands standen die Bedürfnisse einer modernen Großstadt entgegen; immerhin sind die wichtigsten der alten Bauten wiederaufgeführt worden.

Dom / Ehem. Kollegiatsstiftkirche St. Blasius (Burgplatz): Von Heinrich dem Löwen 1173 begonnen, 1195 weitgehend vollendet (Heinrich starb im selben Jahr und wurde hier beigesetzt). Zwischen die achteckigen Obertürme der W-Front wurde 1275 ein gotisches Glockenhaus gesetzt. Im 14. Jh. erhielt das Seitenschiff im S eine gotische Giebelreihe. Eine zweischiffige Halle ersetzte im späten 15. Jh. das romanische Seitenschiff im N. In seinen östlichen Außenteilen ist der Bau praktisch original erhalten.

Inneres und Ausstattung: Das Überraschende und für die damalige Zeit und die Landschaft Neue ist die *Einwölbung des Mittelschiffs* (durch lombardische Meister?). Unter dem O-Teil ist eine *Krypta* erhalten, die seit der Rück-

Braunschweig, Dom 1 Imerward-Kruzifix, um 1160 **2** Hochaltar, 1188 geweiht **3** Bronzeleuchter, Stiftung Heinrichs des Löwen **4** Grabplatte Heinrichs des Löwen und der Herzogin Mathilde, um 1250 **5** Albrecht der Fette (1318 gestorben) **6** Heinrich III., Bischof von Hildesheim (1362 gestorben) **7** Herzog Otto der Milde und Herzogin Agnes, 1346 **8** Martersäule **9** Heiliger Blasius und Johannes der Täufer, Anfang 16. Jh. **10** Grabmal des Herzogs Ludwig Rudolf (1735 gestorben) und der Herzogin Christine Louise, Zinnfiguren von H. M. Vetten

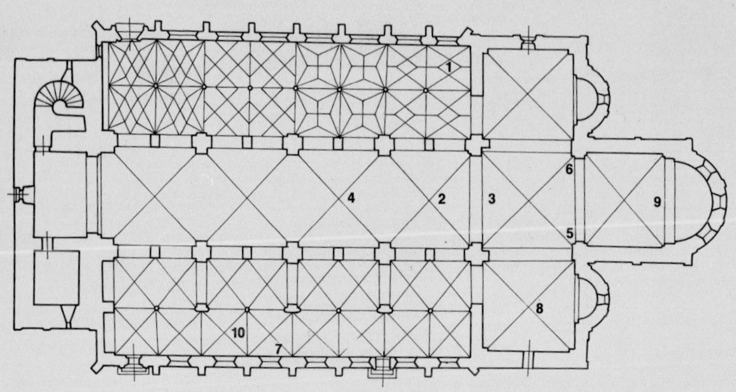

kehr der Welfen von Wolfenbüttel nach Braunschweig (18. Jh.) als Fürstengruft dient. Erst im 19. Jh. hat man entdeckt, daß die Wände und Gewölbe der Kirche ehemals mit einem großen theologischen Bildprogramm ausgeschmückt waren. Restaurierungsarbeiten nach dem 2. Weltkrieg haben die ganze Schönheit und Einzigartigkeit dieser zwischen 1220 und 1240 entstandenen Malereien, die an vergrößerte Buchminiaturen erinnern, sichtbar werden lassen. – Aus der Stiftskirche, die Heinrichs Dom vorausgegangen ist, wurde ein archaisch strenger *Kruzifixus* (um 1160) mit der Inschrift am Gürtel »Imervard me fecit« (Imerward hat mich gemacht) übernommen. Der siebenarmige *Leuchter* im Chor wurde von Heinrich dem Löwen gestiftet. Der Herzog selbst ist mit seiner Gemahlin, Herzogin Mathilde, überlebensgroß auf der *Grabplatte* im Mittelschiff dargestellt – Idealporträts im Stil der ritterlichen Stauferzeit. Interessant ist die Wiedergabe des Dommodells im Arm des Herzogs (um 1250).

Burg Dankwarderode (Burgplatz): Der Platz um den Dom war ehemals eine Wasserburg der Vorgänger Heinrichs, der hier neben dem Dom seine Burg Dankwarderode errichtete, von der Originalteile in den stilgetreuen Wiederaufbau einbezogen wurden. Die Burg hatte im 17. Jh. als Zeughaus und nach weiteren Umbauten später als Kaserne gedient. Erst Ende des 19. Jh. wurde sie als historisches Gebäude weiterer Zerstörung entzogen. – Auf dem Burgplatz mit Blick nach O steht der berühmte *Braunschweiger Löwe,* den Heinrich der Löwe im Jahr 1166 als Machtsymbol auf hohem Sockel hat aufstellen lassen. Der ehemals vergoldete, monumentale Löwe ist das älteste Beispiel einer freistehenden Denkmalsplastik in Deutschland.

Ev. Pfarrkirche St. Martin (Altstadtmarkt): Nur wenige Jahre nach dem Dom begonnen (1180), nimmt die Hauptpfarrkirche der Altstadt dessen Formen und Baugliederung fast kopierend auf. Ebenso wie der Dom wurde auch St. Martin später von einer Basilika zur Hallenkirche umgestaltet. Über den Jochen der Seitenschiffe gotische Maßwerkgiebel, z. T. mit reichem plastischem Schmuck, nach dem Vorbild des Doms (um 1320–30). Die Maßwerkgiebel an der ganzen O-Seite wur-

Dom, Grabplatte

Dom, nördliches Seitenschiff ▷

Burg Dankwarderode, im Vordergrund der Braunschweiger Löwe

Portal der evangelischen Pfarrkirche St. Martin

den in Anpassung an das gotische Altstadtrathaus aufgesetzt. Von der Ausstattung ist ein spätgotischer *Taufkessel* in Bronze zu erwähnen, der von vier Männern, die die Paradieses-Ströme personifizieren, getragen wird (1441 von B. Sprangken).

Ev. Pfarrkirche St. Katharina (Hagenmarkt): In der Siedlung Hagen, die unter Heinrich dem Löwen der neuen Welfenresidenz einverleibt wurde, entstand um 1200 nach dem Vorbild der Martinskirche (und indirekt auch des Doms) die Katharinenkirche. Auch sie wurde um 1275 aus einer Basilika in eine Hallenkirche umgewandelt. Zwischen die achteckigen Türme wurde um 1300 ein großes Glockenhaus mit gotischem Maßwerk eingespannt.

Ev. Pfarrkirche St. Andreas (Wollmarkt): Auch diese Ende des 12. Jh. erbaute Kirche folgt dem Vorbild des Doms und der Kirche St. Martin und wurde Ende des 13. Jh. zu einer Hal-

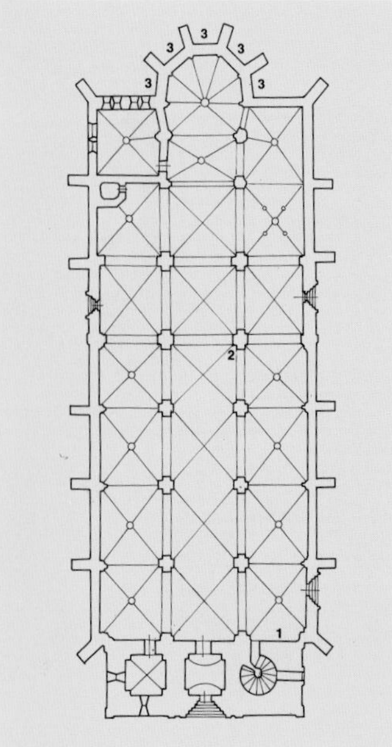

Braunschweig, Katharinenkirche 1 Grabmal für Jürgen von der Schulenburg (1619 gest.) und seine Frau Lycia von Jürgen Röttger und Lulef Bartels **2** Kanzel, 1890 **3** Chorfenster von H.-G. von Stockhausen, 1959

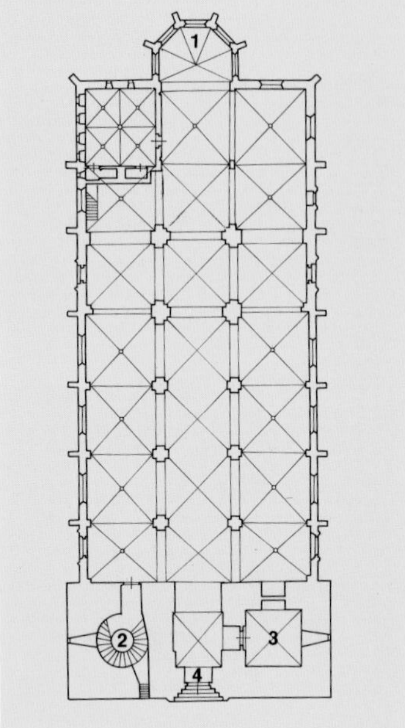

Braunschweig, Evangelische Pfarrkirche St. Andreas 1 Chorraum mit Hochaltar **2** Nordturm **3** Südturm **4** Westportal

lenkirche umgebaut. Ähnlich wie am Dom wurden über den Fenstern der neuen Seitenschiffe Giebel angebracht.

Ev. Kirche St. Magni (Am Magnitor): Die alte Kirche des ehem. Dorfes Altewiek mußte 1252 einem Neubau weichen, der gleich als Hallenkirche geplant war. Die Wiederherstellung nach dem letzten Krieg folgte modernen Gesichtspunkten. – Auf dem *Magnifriedhof* liegt *G. E. Lessing* begraben (1729–1781).

Ehem. Benediktinerkirche St. Aegidien (Aegidienmarkt): Nach einem Brand im Jahre 1278 (die Klosterkirche war 1115 geweiht worden) wurde die Kirche in ihren Ostteilen bis Ende 13. Jh. wiederaufgebaut, der Westteil war jedoch erst 1437 fertiggestellt, und die Weihe fiel ins Jahr 1478. Der Turm, der unvollendet war, wurde 1817 abgerissen. Der *Innenraum* macht den Bau zur »schönsten Hallenkirche Braunschweigs«. Vor allem der hohe Chor mit seinen gotischen Fenstern und einer kleinen Galerie darüber ist ausdrucksvoll geformt. Die *Kanzel* zeigt in barocker Rahmung flache Figurenreliefs des großen spätgotischen Bildhauers Hans Witten*, dessen Hauptwerke im Harzraum und in Sachsen stehen. In der Kirche befand sich seit 1906 das Braunschweigische Landesmuseum für Geschichte und Volkstum (heute in der Paulinerkirche). – *Konventsgebäude:* Sakristei, Kapitelsaal, Parlatorium und Brüdersaal aus dem 12. Jh. – alle im Ostflügel – sind erhalten.

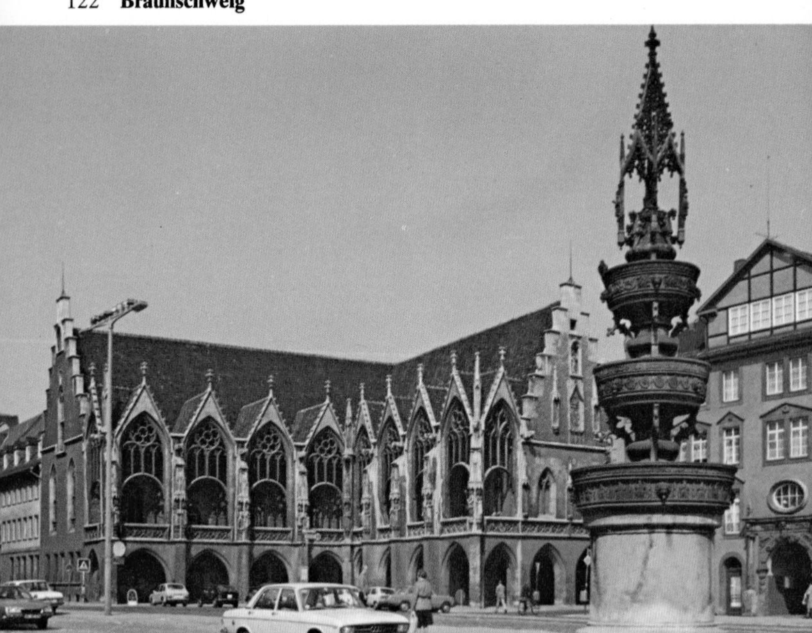

Altstadtrathaus, im Vordergrund der Marienbrunnen

Ehem. Zisterzienserkirche Braunschweig-Riddagshausen: Die typische Zisterzienserkirche zeichnet sich durch einfache, asketisch strenge Bauformen aus. Sie hat keinen Chor, sondern einen geraden Abschluß. Um diesen Abschluß liegen 14 kleine Kapellen für Einzelandachten und Bußübungen. Für die Fenster, die paarweise angebracht sind, ist jeder Maßwerkschmuck verboten, ebenso jede bildhauerische und malerische Arbeit. Der Orden war gegen allen Prunk, er verbot auch repräsentative Turmbauten, weshalb Riddagshausen nur einen (in der Renaissance erneuerten) Dachreiter über der Vierung besitzt. Bedeutend ist die Länge der Kirche (83 m). Im Inneren ist von der alten Ausstattung nichts mehr vorhanden.

Altstadtrathaus (Altstadtmarkt): Als »Traditionsinsel« hat man nach den Verwüstungen des 2. Weltkriegs den *Altstadtmarkt* wieder hergerichtet. Das steinerne Spitzenwerk der Giebel des Rathauses (nur die Fassade ist im Original erhalten) über den offenen Laubengängen (14. und 15. Jh.) bestimmt das Bild des Platzes. Zwischen den Öffnungen der Galerie stehen im Obergeschoß unter Baldachinen die steinernen Statuen von Welfenfürsten.

Gewandhaus (Altstadtmarkt): Das Kaufhaus der Schneider, das bereits 1303 erwähnt wird, erhielt Ende des 16. Jh. neue prächtige Giebel. Die prunkvolle Giebelfassade (in Richtung Kohlmarkt) entwarf der Generalbaumeister der Stadt, Hans Lampe (1590–91). Die acht Geschosse haben mit der Stockwerkeinteilung dahinter nichts zu tun, sie sind reine Schaufassade. Über Laubengängen, deren Korbbogenmotiv in der Reihe der immer kleiner werdenden Mittelfenster wiederkehrt, wird die Giebelspitze des Baus, der als Lager und Verkaufshalle für Tuchhändler diente, von einer

Justitia bekrönt. Heute befindet sich im Kellergeschoß ein Speise- und Weinrestaurant.

Bürgerbauten: Trotz der Verluste durch den Krieg – es wurden über 800 Stein- und Fachwerkhäuser vernichtet – sind in der Altstadt einige Häuser erhalten oder wiederhergestellt worden. Erwähnung verdienen vor allem das *Huneborstelsche Haus* (Burgplatz 2 a) und dicht daneben das klassizistische *Haus Vieweg* (Burgplatz 1). Vom gleichen kargen klassizistischen Stil ist das *Haus Salve Hospes,* in dem heute der Kunstverein (Lessingplatz 12) seinen Sitz hat.

Schloß Richmond (Wolfenbütteler Straße): Erbaut im Jahr 1768/69 für Herzogin Augusta durch K. Ch. W. Fleischer auf einer Terrasse über dem Auental der Oker in strengem, dem Klassizistischen zuneigendem späten Barock (Louis-Seize). Der quadratische Bau hat die Zugänge und Treppenplattformen ungewöhnlicherweise an den Ecken. Der Grundriß bietet eine originelle Mischung aus runden, ovalen beziehungsweise unregelmäßigen Räumen (s. Abb. unten).

Museen: *Herzog-Anton-Ulrich-Museum* (Museumstraße 1): Neben dem

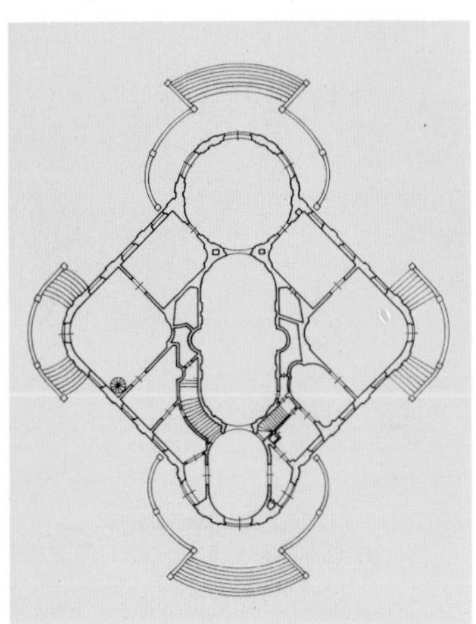

Kunstgewerbe ist hier eine bedeutende Gemäldegalerie untergebracht. Das berühmteste Stück ist das »Familienbild« von Rembrandt, das bedeutendste Werk des Malers auf deutschem Boden. Außerdem Bilder von Rubens, van Delft, van Dyck, Steen u. a. – *Staatliches Naturhistorisches Museum* (Pockelstraße 10 a): In diesem ältesten, der Öffentlichkeit zugänglichen naturwissenschaftlichen Museum reichen die Bestände bis auf die Sammlungen des Welfenhauses zurück. Das Museum wurde 1754 gegründet. – *Städtisches Museum* (Steintorwall 14): Schwerpunkt der Sammlungen sind Beiträge zur Kulturgeschichte der Stadt und ihrer Umgebung. – *Wilhelm-Raabe-Gedächtnisstätte* (Leonhardstr. 29 a): Erinnerungen an das Leben und Werk Wilhelm Raabes (1831–1910) in dessen Wohnhaus.

Theater: *Großes Haus* (Am Theater): Die Braunschweiger Theatertradition geht bis auf die Gastspiele Englischer Komödianten im 17. Jh. zurück. Das ehem. Große Haus wurde im 2. Weltkrieg zerstört, die Wiederherstellung war im Dezember 1948 abgeschlossen. Oper, Operette und Schauspiel sind hier zu Hause. 1190 Plätze. – *Kammerspieltheater Kleines Haus:* Hier wird ausschließlich Schauspiel geboten. 244 Plätze.

Brauweiler 5026

Nordrhein-Westfalen S. 416 □ B 11

Ehem. Benediktinerabteikirche (Ehrenfriedstraße): Der Bau steht an der Stelle einer römischen Ansiedlung, auf der die Schwester Kaiser Ottos III. mit ihrem Mann Ezzo ein Familienkloster mit Kirche gründete. Es wurde kurze Zeit später durch die heutige Kirche ersetzt.

1048 Baubeginn, 1061 Weihe der Oberkirche; Westbau, Dreiturmgruppe und Langhaus 1. Hälfte 12. Jh.; Türme unvollendet, erst im 19. Jh. zusammen mit dem ursprünglich geplanten achtseitigen Vierungsturm fertig gebaut. Hoher Turmhelm 1629, neue Einwölbung mit Kreuzrippengewölbe 1514.

Imposant ist der dreitürmige Westbau mit Mittelturm. Die langgestreckte Vorhalle ist 1780 datiert und hat eine Fassade im Zopfstil. Das Bild der Ostseite wird vom Ausbau des 19. Jh. bestimmt (der sich an berühmten Kölner Kirchen orientierte). In der reichen Gliederung des Baukörpers, in der einheitlichen Verteilung von Fenstern und schmückenden Zutaten ist Brauweiler ein Musterbeispiel romanischer Architektur.

Das *Hauptportal* des Westbaus mit seinen ornamentalen Tierfiguren stammt vermutlich von einem lombardischen Meister. Das *Südportal* hat zwei Löwen als Wächter. Über den Türen zu den Nebenchören stehen Tympanonfiguren der Stifter Ezzo und Mathilde. Als besondere Kostbarkeit gilt der in der Kirche angebrachte Zyklus figürlicher *Reliefsplatten*, der noch aus dem frühesten Bau stammt (1065–1084). Zur *reichen Ausstattung* der Kirche gehören die Chorschranken (1174 und 1201), die Stiftertumba, ein bedeutendes steinernes Altarretabel mit Madonna und Heiligen (um 1190), zwei Frührenaissance-Altäre und die Holzfigur des thronenden Nikolaus, des Patrons der Kirche (spätes 12. Jh.). Außerdem Beichtstühle (18. Jh.) und Orgelgehäuse (18. Jh.).

Breckerfeld 5805

Nordrhein-Westfalen S. 416 □ C 11

Ev. Pfarrkirche (Schulstraße): Die Kirche, die dem Pilgerheiligen St. Jacobus geweiht ist, lag an der Pilgerstraße von N-Deutschland nach Santiago de Compostela in Spanien. Sie wurde im 14. Jh. gebaut, erhielt ihr Hauptschmuckstück jedoch erst in den Jahren der Reformation: einen *Schnitzaltar* in Eichenholz mit Maria und dem hl. Jacobus und Christophorus im Mittelschrein. Es ist das Werk eines hervorragenden Lübecker Meisters, vielleicht aus der Werkstatt des B. Dreyer.

Breisach 7814

Baden-Württemberg S. 420 □ C 20

Stephansmünster: Das auf felsiger Anhöhe hoch über dem Ort gelegene Münster hat unzählige Kriege und politische Veränderungen erlebt und überstanden. Nach 1945 mußte es vollständig wiederaufgebaut werden.

Langhaus mit Querschiff und O-Türmen um 1200, S-Turm, Chor und Westjoch gegen 1300–1330, Einwölbung, Sakristei und Innenausstattung im 15. Jh. – Die verschiedenen Bauperioden sind an der Kirche deutlich abzulesen, selbst das symmetrische Turmpaar unterscheidet einen rein romanischen und einen gotisch aufgelokkerten Teil. Um 1300 wurde mit dem Chor die gesamte Anlage zur Hallenkirche umgestaltet.

Der Umbau des 15. Jh. kehrte gotische Elemente hervor. Im romanischen Langhaus sind oberitalienische Ein-

Breckerfeld, Schnitzaltar, Pfarrkirche

flüsse deutlich. Ein spätgotischer *Lettner* (um 1500) trennt den Chor vom Langhaus: schlanke Arkaden mit Maßwerk, Baldachinen und Wimpergen umrahmen die Muttergottes, die zwischen Joseph und den drei Königen sowie dem Kirchenpatron Stephanus in der Mitte steht. Die W-Halle wird von einem monumentalen *Fresko* von M. Schongauer* (Weltgericht, um 1490) bestimmt. Kostbarstes Teil der Innenausstattung ist der Hochaltar, der berühmte *Breisacher Altar* des Meisters HL (entstanden 1523–26). Auf dem Mittelschrein des Schnitzaltars erscheint die Muttergottes zwischen Gottvater und Christus. Die spätgotischen Formen sind schon barock bewegt. Auf einem Flügel des Altars sind die Märtyrer Stephanus und Laurentius dargestellt, auf dem anderen die Stadtpatrone Gervasius und Protasius (deren Gebeine in einem Silberschrein ruhen, der im Kirchenschatz aufbewahrt wird).

Breitenburg Post Itzehoe 2210

Schleswig-Holstein S. 412 □ G 3

Schloß: Der Bau geht in seinen Grundmauern bis in die Gotik zurück. Im 16. Jh. erweiterte der Staatsmann, Gelehrte und berühmte Kunstsammler Heinrich von Rantzau das Schloß und machte es zu einem Zentrum des Humanismus im N. Diese Anlage wurde im 30jährigen Krieg von den Soldaten Wallensteins zerstört. Die Neubauten stammen im wesentlichen aus dem 19. Jh. An den ursprünglichen Bau erinnert nur der schmiedeeiserne *Ziehbrunnen* (1592). Sehenswert ist die *Schloßkapelle* (1965 wiederhergestellt) mit ihrer reichen Ausstattung. Aus der *Kunstsammlung* sind neben dem Silberrelief Heinrich Rantzaus (1577) vor allem die Gemälde von L. Cranach*, H. Holbein* d. J., Herkules Seghers, J. Owens und Abgüsse nach Werken von Thorwaldsen zu nennen.

Breisacher Altar

Bremen 2800

Bremen S. 414 □ F 6

Der alten Freien und Hansestadt, die sich auf einem Landrücken dem rechten Weserufer entlangzieht, wurde erst 1646 ihre Reichsunmittelbarkeit anerkannt, doch gehörte sie seit 1358 zum Hansebund und hatte in jahrhundertelangen schweren Kämpfen mit den landesherrlichen Erzbischöfen ihre demokratische Selbständigkeit schon vorher errungen. – Erzbischof Ansgar, »Apostel des Nordens«, der im 9. Jh. das Bistum von Hamburg nach Bremen verlegte, und Adalbert von Bremen, der Bremen im 11. Jh. zum »Rom des Nordens« machen wollte, haben das äußere Bild der Altstadt wesentlich beeinflußt. Sie verbindet noch heute den Anspruch der Bischofsstadt mit dem Glanz und Reichtum der Bürger- und Hansestadt. »Roland der Riese am Rathaus zu Bremen«, dem Dom zugewandt, symbolisiert die bürgerliche Freiheit. Berühmt sind die »Bremer Stadtmusikanten«, eine Plastik von G. Marcks auf dem Kirchhof Unserer Lieben Frauen. Die »Phantasien im Bremer Ratskeller«, mit denen Wilhelm Hauff der Hansestadt seine Referenz erwiesen hat (1826), wurden von M. Slevogt in den Räumen dieses Kellers mit Wandbildern illustriert.

Dom St. Peter (Marktplatz): Dom und Rathaus stehen nebeneinander am gleichen Platz mit dem gleichen Anspruch. Der Dom wurde im Jahr 1042 begonnen, aber erst im 13. Jh. mit der eindrucksvollen W-Fassade und ihren Türmen fertiggestellt. Das Seitenschiff im S erhielt im 14. und 15. Jh. vorgelagerte Kapellen, das nördliche Seitenschiff wurde in der Spätgotik von C. Poppelken erhöht und umgestaltet. Nach Zerstörungen und Verfall im 16. und 17. Jh. erhielt der wiederaufgebaute N-Turm eine barocke Bekrönung. Von 1888–1901 wurde der Dom mit großer Einfühlung »romanisch« restauriert, vor allem das Äußere erhielt markante Stilmerkmale – allerdings auch die unpassende Vierungskuppel. Heute ist der Dom von St. Peter Bremens evangelische Hauptkirche.

Baustil und Baubeschreibung: Bestimmt wird der äußere Eindruck des Baus durch die W-Türme im Stil der frühen Gotik (am ausdrucksvollsten in den oberen Geschossen). Die beiden Krypten im W und O gehen auf die ersten Baujahre zurück und erinnern daran, daß der ursprüngliche Bau (im romanischen Stil) noch zweichörig geplant gewesen ist. Die W-Krypta wurde durch die späteren Turmbauten verkleinert, die O-Krypta ist mit ca. 23 m Länge und 11 m Breite eine feierliche Unterkirche. Die rein romanische Pfeilerbasilika, die ursprünglich flach ge-

Dom St. Peter ▷

Bremen, Dom St. Peter 1 Ostchor, darunter Krypta mit kirchlichen Kunstschätzen **2** Westkrypta (unter der Orgelempore) mit Taufe, um 1220 **3** Wangen vom Chorgestühl, um 1400 **4** Orgelempore **5** Heilige Sippe, um 1512 **6** Madonna mit Kind, um 1512 **7** Reliefs an der Orgelbrüstung, 1518 **8** Epitaph des Kanonikus Klüver (1570 gestorben) **9** Kanzel, 1638 **10** Grabplatte des Freiherrn von Knigge (1796 gestorben) **11** Brautportal, um 1890 **12** Bachorgel

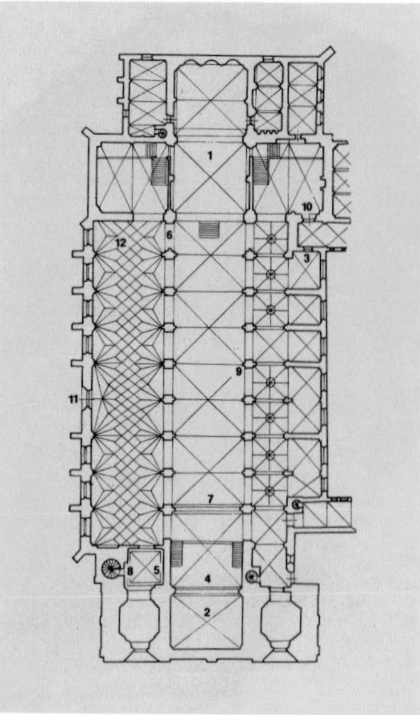

Innenansicht des Nordschiffs des Doms St. Peter in Bremen

Ostkrypta im St.-Peter-Dom in Bremen (um 1050)

deckt gewesen ist, bekam 1230/40 jenes Gewölbe, für das ein vielfältiges System von Pfeilern und Halbpfeilern mit Kapitellen entwickelt werden mußte. Im südlichen Seitenschiff sind die wulstigen Rippen und die vorgelagerten Halbsäulenordnungen besonders eindrucksvoll. Das Seitenschiff im N ist in der Spätgotik erneuert und mit einem feinen Netzgewölbe versehen worden. – Die Ausmalung der Kirche geht auf die Restaurierung am Ende des 19. Jh. zurück.

Inneres und Ausstattung: Das älteste und bedeutendste Stück ist der *Thronende Christus* in der O-Krypta (um 1050). In der W-Krypta (heute Taufkapelle) steht ein *Bronzetaufbecken,* ein arkaden- und figurengeschmückter Kessel, getragen von vier Männern, die auf Löwen reiten. Es ist ein Meisterwerk aus der Zeit um 1220/30, entstanden in der Tradition der großen Bronzegießkunst der Harzgegend. Neben den neun, fast 5 m hohen Eichenholzwangen, Resten eines 1828 zerstörten *Chorgestühls* (um 1400), ist die *Orgelempore* mit ihren Figuren der bildnerische Hauptschmuck des Mittelschiffs (eine Arbeit des Münsteraners H. Brabender, »Beldensnyder« genannt). Das

1518 vollendete Werk zeigt in den Sandsteinnischen Karl den Großen (mit dem Dommodell) und den Dombauer in der Mitte, rechts und links Chorherren, Stifter und Ritter. Diese Anordnung stellt die letzte große Repräsentation kirchlicher Macht vor dem Ausbruch der Reformation dar. Vom gleichen Bildhauer ist auch die Steinmadonna am letzten Pfeiler des nördlichen Seitenschiffs vor der Vierung.

Rathaus (Marktplatz): Das gotische Rathaus, das 1405–10 als eine Art Bürgerburg mit Zinnen und einem Wehrgang ringsum gebaut wurde, veränderte sein Gesicht, als die Spannung zwischen Bürgerschaft und Bischof mit der Reformation zu Ende gegangen war. Die Fassade nach dem Platz hin wurde durch hohe Fenster geöffnet, das Dach bekam drei Giebel und eine Gesimsbalustrade. Den ehemaligen Wehrgang ersetzt an der Schauseite ein fast italienisch heiterer Laubengang mit einem überreichen steinernen Balkongitter darüber (1608–12). Die sieben Kurfürsten mit Karl dem Großen und je vier Figuren (Propheten und Weise) an den Schmalseiten des Hauses sind aus der Entstehungszeit erhalten (um 1410, aus der Parler*-Schule), passen jedoch unter ihren Baldachinen rhythmisch gut in das neue Bild. Der vorgezogene Mittelgiebel, der bis auf den Laubengang hinunterreicht, ist ein Meisterwerk jener »Weser-Renaissance«, die ihre Motive und Anregungen aus Holland geholt hat.

Inneres und Ausstattung: Von den beiden übereinanderliegenden Hallen ist die untere – bis auf die Türen und Wendeltreppe – ein rein gotischer Raum, der ehemals als Markt- und Versammlungshalle diente. Auch Theatertruppen traten hier auf. Im *Oberen Saal* verbinden sich – vor allem in den Fenstern – Gotik und Renaissance. Das kostbarste Ausstattungsstück dieses ratsherrlichen Festsaals ist die eingebaute *Güldenkammer,* ein einst mit goldenen Ledertapeten ausgestattetes Kabinett für vertrauliche Sitzungen mit einer verglasten Empore (für Musiker). Eine Fülle von Figuren, Sinnbildern, Ornamenten, Kartuschen und Säulen sind hier zur reichsten Holzbildhauerarbeit der norddeutschen Renaissance vereint. Die allegorischen Fresken auf der gegenüberliegenden Längsseite (mit dem »Salomonischen Urteil«, das

Rathaus und Dom

dem Maler B. Bruyn zugeschrieben wird) stammen aus dem Jahr 1532. – Der *Ratskeller* ist mit seinen riesigen bemalten Fässern aus dem 18. Jh., den eingebauten »Trinklauben«, aber auch der vierhundert verschiedenen Weine wegen, die hier ausgeschenkt werden, besuchenswert.

Roland (Marktplatz): Unmittelbar zum Rathaus und zur Bremer Bürgerschaft gehört die fast 10 m hohe Roland-Steinfigur, die 1404 aufgestellt wurde und einen hölzernen Roland ersetzen mußte, der von den Leuten des Erzbischofs verbrannt worden war. Das Symbol bürgerlicher Freiheit, dem die übrigen Rolande im norddeutschen Raum nachgebildet worden sind, drückte zugleich dem landesherrlichen Erzbischof gegenüber den Anspruch auf Reichsunmittelbarkeit aus. Die Wendung der Rittergestalt vor dem Rathaus frontal gegen die Fassade des Doms bedeutet Protest und Widerstand. Der Roland wurde von der Bremer Bürgerschaft als »Palladium und weltliches Heiligtum« verehrt. Das Gerichtsschwert in der Hand betont die eigene Rechtshoheit, eine plattdeutsche Umschrift auf dem Schild spricht von der Freiheit, die »Karl« (der Kaiser) dieser Stadt gegeben hat.

Pfarrkirche Unserer Lieben Frauen (an der Nordwestseite des Rathauses): Die Hallenkirche wird durch die drei durchgehenden Giebeldächer über dem Schiff charakterisiert. Die untersetzten, verschieden hohen Türme legen Zeugnis vom Bauablauf ab: Der südliche Turm ist romanisch (um 1130) und wurde 1229 in die neue Doppelturmanlage im W einbezogen. Die dreischiffige Hallenkirche besitzt schöne Maßwerkfenster (heute in blankem Backstein, ehemals ausgemalt). Heute ist U. L. Frauen ev. Pfarrkirche.

Pfarrkirche St. Martini (Martinistraße): Unmittelbar an der Weser gelegen, ist die Kirche mit ihrer Schauseite und den vier Giebeln dem Fluß zugekehrt. Ursprünglich war die Kirche eine dreischiffige Basilika, sie wurde

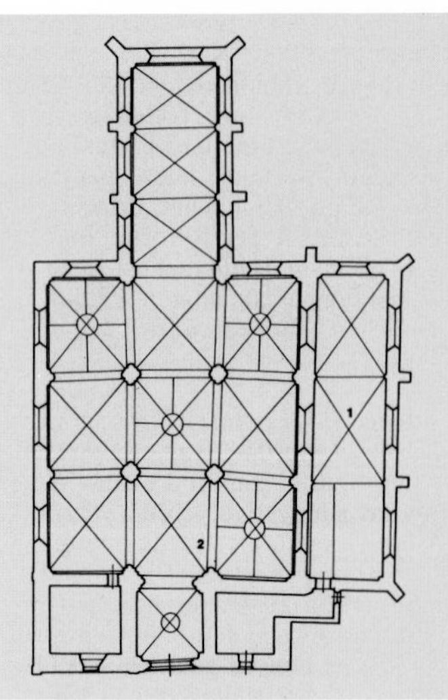

Bremen, Unserer Lieben Frauen 1 Malerei des 14. Jh., übermalte Reste im Seitenschiff (jetzt Gemeindehaus) **2** Kanzel, 1709

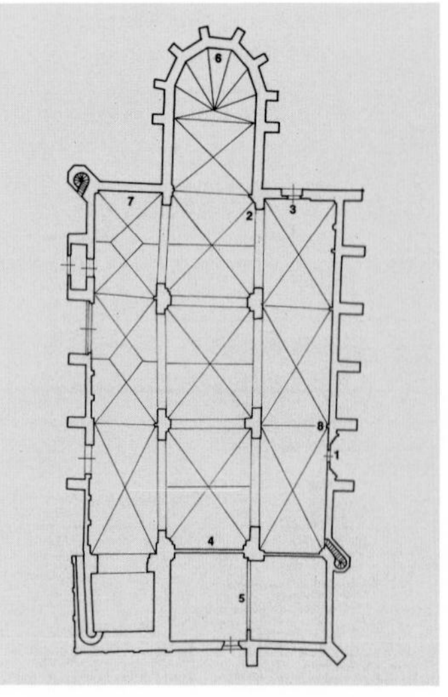

Bremen, Martinikirche 1 Christus-Tympanon, 13. Jh. **2** Kanzel von Hermen Wulf, 1597 **3** Epitaph für Bürgermeister Zobel, 1598 **4** Orgelprospekt von Hermen Wulf, 1603 **5** St.-Martins-Relief, 1626 **6** Chorfenster von Elisabeth Steinecke, 1959 **7** St.-Martins-Fenster **8** Neanderfenster

jedoch im späten 14. Jh. nach schweren Hochwasserschäden zur Hallenkirche umgebaut. Als »Ollermannskerken« diente sie der bremischen Kaufmannsschaft. Nach dem 2. Weltkrieg ist sie wieder aufgebaut worden.

Stadtwaage (Langenstraße): Der dreigeschossige Bau steigt nach oben noch mit einem fünfgeschossigen Treppengiebel weiter auf. Er wurde 1587/88 errichtet, im 2. Weltkrieg total zerstört, 1958–61 jedoch wiederaufgebaut.

Schütting (Marktplatz): Dem Haus des Rates gegenüber liegt – der Bedeutung dieses Standes für die Stadt entsprechend – das Haus der Kaufleute, der »Schütting« (ein plattdeutsches Wort für »Geld zusammentun«). Die noble Hausfront mit ihren steilen Fensterachsen ist 1536–38 vom Antwerpener Baumeister Johann den Buscheneer aufgeführt worden. Ziergiebel (mit einer Hansekogge) und Gesimsbalustrade kamen 1594 hinzu. Der östliche Seitengiebel (aus dem Jahr 1565) ist von dritter Hand: Ein Stufengiebel, wie er auch bei der Stadtwaage zu sehen ist. Das schwerfällige Portal mit Aufgang und Balustrade wurde Ende des 19. Jh. hinzugefügt und paßt wenig zu der aristokratischen Steifheit und Vornehmheit der Schauseite.

Schnoor (nahe der Weser im östlichen Teil der Altstadt): Der »Schnoor«, ein kleinbürgerliches Wohnquartier mit malerisch niedrigen Häusern und Höfen, wurde ehemals von Fischern und Handwerkern bewohnt. Die Häuser stammen aus den letzten vier Jahrhunderten und haben Namen wie »Hinter der Holzpforte«, »Wüste Stätte« oder »Marterburg«. Der Schnoor ist das einzige zusammenhängend erhalten gebliebene Stadtviertel Bremens.

Böttcherstraße: Der Name ist ein Bremer Kulturbegriff. Hier ließ der Kaffeekaufmann und Kunstfreund Ludwig Roselius in den Jahren 1926–31 eine alte Straße von modernen Künstlern in einer eigenartigen Verbindung aus mittelalterlichen und expressionistischen Stilformen neu gestalten. An den Fassaden der im 2. Weltkrieg z. T. schwer beschädigten Häuser finden sich Plastiken von B. Hoetger. Mittelpunkt ist das *Roselius-Haus* mit der Kunstsammlung Roselius.

Museen: *Kunsthalle* (Ostertor): In der Gemäldesammlung finden sich Werke von Delacroix, Corot, Manet, Monet, Leibl und den deutschen Impressionisten. Die Graphiksammlung mit rund 200000 Blatt (Handzeichnungen und Druckgraphik) gehört trotz schwerer Kriegsverluste zu den bedeutendsten in Deutschland. – Das *Focke-Museum* (Schwachhauser Heerstraße 240): Der Neubau entstand nach den Plänen von Prof. Bartmann 1964. Die Bestände des Historischen und des Gewerbemuseums wurden in diesem Neubau zusammengefaßt. – *Übersee-Museum* (Bahnhofsplatz 13): In diesem 1896 gegründeten Museum sind u. a. Nachbildungen japanischer und chinesischer Häuser sowie japanische Tempelgärten zu sehen. Außerdem Beiträge zur Völkerkunde. Innerhalb des Übersee-Museums gibt es ein *Kindermuseum,* das vorrangig die einheimische Tierwelt zeigt. – *Bleikeller im St.-Peter-Dom* (Am Markte): Durch die Einlagerung von Bleiplatten sind ca. 500 Jahre alte Mumien erhalten.

Theater: *Theater am Goetheplatz:* Oper, Schauspiel, Musical. 989 Plätze. – *Kammerspiele* (Böttcherstraße): Modernes Schauspiel und musikalische Komödie. 196 Plätze. – *Concordia* an der Schwachhauser Heerstraße: Raumbühne für modernes und experimentelles Theater. Bis zu 200 Plätzen. – *Niederdeutsches Theater* (Waller Heerstraße 165):Volkstümliche Stücke. 582 Plätze.

Bronnbach = Wertheim 6980

Baden-Württemberg S. 416 □ G 15

Ehem. Zisterzienserklosterkirche St. Maria: Die jetzige kath. Pfarrkirche im Taubergrund ist eine der interessantesten frühen Zisterzienserkirchen in Deutschland. Sie läßt den provenzalisch-burgundischen Einfluß sichtbar werden.

1157 Baubeginn, 1166 Umbau, 1222 Weihe der Kirche, 17.–18. Jh. barocke Ausstattung. – Der äußere Bau verrät die Sparsamkeit der zisterziensischen Bauweise: Die langgestreckte, kreuzförmige Basilika mit ihren drei Schiffen ist schmucklos, nur mit einem Dachreiter über der Kreuzung. Die hohen Seitenschiffe haben noch spätromanische Rundbogenarkaden, das Tonnengewölbe des Mittelschiffs ist gekennzeichnet von gotischen Spitzbogen.

Die üppigen *Barockaltäre* mit den gedrehten Säulen passen nicht zu der herben, streng zisterziensischen Architektur, haben jedoch künstlerische Qualität. Den Hochaltar und die vier Nebenaltäre sowie die Kanzel schuf 1712 der Würzburger Meister B. Esterbauer. Aus dem 17. Jh. sind der ehem. Hochaltar und der Magdalenenaltar erhalten.

Sehenswert sind auch die *Klostergebäude* mit Kreuzgang (um 1230), Kapitelsaal (12. Jh.; mit spätromanischem Kreuzrippengewölbe auf vier Säulen) und Fürstensaal (1727).

Bruchsal 7520

Baden-Württemberg S. 420 □ E 17

Schloß (Schönbornstraße): Bauherr dieser großartigen Schloßanlage war einer der Fürstbischöfe von Schönborn, auf deren Initiative weitere hervorragende Barockbauten in dieser Diözese zurückgehen. Sie hatten ein besonderes Fingerspitzengefühl in der Wahl der besten Architekten, Bildhauer, Maler und Stukkateure ihrer Zeit. Das Schloß enthält eine der bedeutendsten Raumschöpfungen des europäischen Barock, B. Neumanns* *Bruchsaler Treppe.* Die Schloßanlage, bestehend aus 50 Einzelgebäuden, wurde 1945 bei einem Luftangriff völlig zerstört und ist mit großen Schwierigkeiten in jahrelanger Kleinarbeit unter Mitwirkung namhafter Künstler meist in der ursprünglichen Form wiedererstanden. Im Louis-Seize-Kammermusiksaal finden alljährlich die bekannten *Bruchsaler Schloßkonzerte* statt.

1722 Baubeginn des dreiflügeligen Ehrenhofs mit Corps de logis, Kammerflügel und Kirchenflügel, 1730 Ausschmückung der Kirche unter Mitwirkung des Freskomalers C. D. Asam*

Schloß in Bruchsal

(zerstört), Treppenhaus 1731, Glokkenturm 1738, Innendekorationen bis 1760, Kammermusiksaal 1776.
Die hufeisenförmige Anlage wird nach der Straße durch Verbindungsbauten abgeschlossen. Beachtlich die zwei Eckpavillons und das Torwärterhaus, letzteres von Neumann entworfen. Der Weg durchs Tor führt direkt auf die repräsentative säulen- und pilastergeschmückte Neumannsche Fassade zu.
Inneres und Ausstattung: Hinter der prächtigen Fassade befindet sich das *Treppenhaus.* In kühnem Bogen schwingt sich die Treppe aus einem Grottenraum mit ovalem Grundriß zur Plattform empor, die von einer weiten Kuppel überwölbt ist. Reizvoll ist der Lichtwechsel von der dunkleren Grotte zum hellen, stuckverkleideten Obergeschoß unter der strahlenden Kuppel mit dem Fresko von J. Zick (es zeigt Szenen aus der Baugeschichte und der Geschichte des Bistums). Von der Plattform kommt man in den originalgetreu rekonstruierten *Fürstensaal* mit Bildnissen der Speyrer Bischöfe und einem allegorischen Deckenfresko. Wandteppiche, Gemälde und Möbel, die den Zerstörungen des Krieges entgingen, findet man in den Schausammlungen des *Corps de Logis,* außerdem Porzellane, Fayencen, Jagdwaffen, Goldschmiedearbeiten u. a. – Der im Westen an das Schloß anschließende *Hofgarten* ist im strengen französischen Stil angelegt.

Badische Landesbühne (Klosterstraße 6): Das Schauspiel-Ensemble bespielt neben der Bruchsaler Bühne (380 Plätze) eine Reihe weiterer Städte und Ortschaften in der näheren Umgebung.

Brüggen 3211
Niedersachsen S. 414 □ G 9

Schloß: Der prächtige Barockbau mit anschließendem Englischen Park wurde größtenteils zwischen 1686 und 1716 für einen braunschweig-lüneburgischen Hofmarschall gebaut. Von der großzügig angelegten Eingangshalle führt eine doppelläufig ansetzende Treppe ins Obergeschoß. Der dortige *Festsaal* ist geschmückt mit Pilastern und korinthischen Kapitellen, Stuckdekoration und Putten. Das Mittelbild auf der flachen Decke zeigt »Apoll über dem Ring der Jahreszeiten« (1705).

Schloß Augustusburg, Brühl

Brühl 5040

Nordrhein-Westfalen S. 416 □ B 12

Schloß Augustusburg: Das Lust- und Jagdschloß des Kurfürsten Clemens August ist auf den Fundamenten einer wehrhaften, 1689 in die Luft gesprengten Wasserburg gebaut und sollte ursprünglich den Charakter eines Wasserschlosses bewahren, wurde aber in der zweiten Bauperiode durch den bayerischen Hofarchitekten F. de Cuvilliés* im Stil des bayrisch-französischen Rokoko umgestaltet. Heute dient das Schloß, »die bedeutendste Leistung des Rokoko in den Rheinlanden«, der Bundesregierung als Repräsentations- und Empfangsgebäude.
1725 Grundsteinlegung und Baubeginn unter J. C. Schlaun* aus Münster; 1728–40 Umbau durch Cuvilliés, Beseitigung der Türme und Gräben, Überarbeitung der Fassade, Anlage einer breiten Terrasse. 1754–70 Vollendung des Baues schon mit klassizistischen Anklängen. 1944/45 schwere Kriegsschäden, 1961 Abschluß der Wiederherstellungsarbeiten.

Von O gesehen zeigen die drei Flügel des Schlosses noch die barocke Konzeption von Schlaun. Cuvilliés machte die Südseite zur neuen Schauseite und verwandelte die Anlage mit seiner großzügigen Terrasse in ein modernes Gartenschloß.
Die Eingangshalle wird von dem *Treppenhaus* bestimmt, das B. Neumann* entworfen hat. Der grau-grünblau und rosa schimmernde Stuckmarmor der Säulen und Architrave ergibt mit dem Weiß der Figuren, dem goldgetönten schmiedeeisernen Geländer und den hellen Stukkaturen auf farbigem Grund ein faszinierendes Zusammenspiel der Farben. An das Treppenhaus schließt der *Gardensaal* im leichten, französischen, schon klassizistisch gefärbten Rokoko an. Im Nordflügel befinden sich weitere Repräsentationsräume, so das *Blaue Winterquartier* (18. Jh.), darüber das *Gelbe Appartement* mit dem Cuvilliés-Speisezimmer.

Außerdem sehenswert: Das nahegelegene Jagdschlößchen *Falkenlust* (1729–40, nach Plänen Cuvilliés' erbaut).

Brühl, Schloß Augustusburg 1 Treppenhaus **2** Gardensaal **3** Speise- und Musiksaal

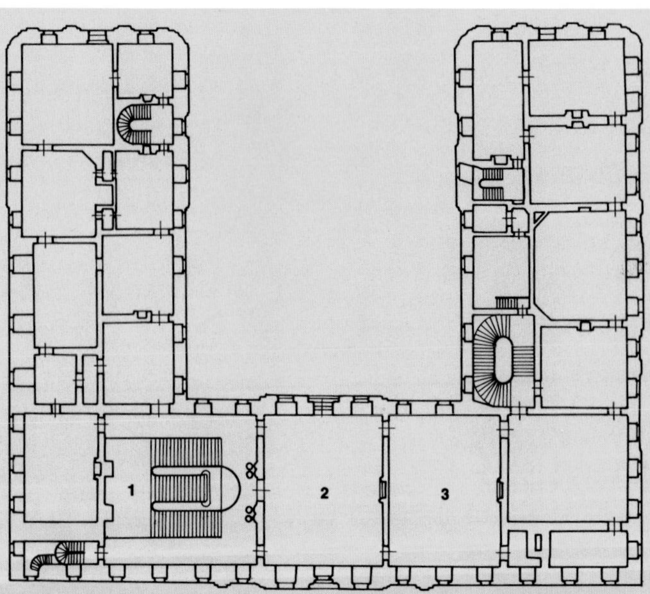

Bückeburg 3062

Niedersachsen S. 414☐F 8

Ev. Stadtkirche (Lange Straße/Schulstraße): Diese Kirche der ehemals Schaumburg-Lippeschen Residenz gehört zu den frühesten protestantischen Großbauten. Hier predigte einst der von 1771–76 in Bückeburg als Oberprediger amtierende Herder. An ihn erinnert ein Denkmal.

Die Kirche (1611–15) entfaltet ihre ganze Pracht an der *Fassade,* die vom glatten Sockel zunehmend reicher gegliedert und verziert aufsteigt. Verschiedenste Stilelemente wirken hier zusammen.

Der als protestantische Predigtkirche gebaute Raum hat an allen Seiten umlaufende hölzerne Emporen, Kreuzrippengewölbe wie eine gotische Hallenkirche und hohe schlanke Säulen mit korinthischen Kapitellen. Von der barocken Ausstattung, deren Farben erneuert wurden, war die *Orgel* besonders wertvoll. Sie wurde nach einem Brand im Jahr 1962 unter Verwendung der alten Schnitzereien rekonstruiert. Reich geschnitzt ist auch die *Kanzel,* mit einer eleganten Fürstenloge an der

Götterpforte im Goldenen Saal des Schlosses in Bückeburg

Vierflügelanlage des Wasserschlosses in Bückeburg

Westwand. Berühmt ist das *Bronzetaufbecken* von A. de Vries (1615).

Schloß (Schloßstraße): Aus einer um 1300 von Graf Adolf von Schaumburg errichteten und 1370–1404 umgebauten Wasserburg entstand das heutige Schloß, das noch den Bergfried und die Kapelle der alten Anlage enthält. Seinen Renaissancecharakter erhielt das Schloß bei einem gründlichen Umbau (1560–63), der es zu einer Vierflügelanlage mit rechteckigem Hof, Treppenturm und Hofgalerie an zwei Seiten werden ließ. Noch einschneidender waren die barocken Veränderungen. Das *Schloßtor,* ein barocker Triumphbogen in den Architekturformen der Stadtkirche, betont den Hang zur Repräsentation. In die barocke Fassade wurde der alte *Bergfried* einbezogen. In der *Schloßkapelle* sind der von zwei Engeln getragene Altartisch, die Fürstenloge und das Gestühl mit seinem reichen Schnitzwerk besonders zu erwähnen. Eine Besichtigung wert ist auch der *Goldene Saal* (Kassettendecke von 1605).

Museen: *Schaumburg-Lippesches Heimatmuseum* (Lange Straße 22): Das 1890 gegründete Museum zeigt u. a. Dokumente zur Geschichte des ehem. Fürstentums Schaumburg-Lippe sowie bürgerliche und bäuerliche Wohnkultur, Trachtensammlungen. – Weitere Sammlungen siehe *Schloß.*

Bücken, Kreisgrafschaft Hoya 3091

Niedersachsen S. 414 □ F 7

Ev. Stiftskirche: Bei dieser zweitürmigen romanischen Basilika lassen sich die drei Bauperioden vom 11.–13. Jh. auch am verwendeten Material ablesen: Beim Erstbau wurde Sandstein benutzt, beim zweiten Bauabschnitt Bruchstein und Granit, beim dritten Ziegel. – Zu der wertvollen Ausstattung gehört das 5 m hohe *Triumphkreuz* (1270). Die *Glasgemälde* (1220; mit Darstellungen aus dem Leben Jesu und aus Heiligenlegenden) sind frühgotisch. Ein spätgotischer *Schnitzaltar,* die steinerne *Kanzel* aus dem 13. Jh. und das *Chorgestühl* aus dem 14. Jh. sowie ein 10 m hohes *Sakramentshäuschen* in Sandstein (15. Jh.) verdienen besondere Aufmerksamkeit.

Bücken, Schnitzaltar, Stiftskirche

Bückeburg, evangelische Stadtkirche ▷

EXEMPLUM
RELI
GIONIS

Büdingen 6470

Hessen S. 416 □ F 13

Schloß: Ein gutes Beispiel für eine alte, eng zusammengedrängte Herrenburg ist das Schloß der Fürsten zu Ysenburg und Büdingen, eine ehemalige Wasserburg, die mit dem Städtchen und seinen noch gut erhaltenen mittelalterlichen *Befestigungen* eine malerische Einheit bildet.
Die Kernburg, die früher mit der Vorburg zusammen von einem breiten, teilweise doppelten Graben umgeben war, hat die ungewöhnliche Form eines unregelmäßigen Vielecks von 13 Seiten. Die Umfassungsmauern aus Bukkelquadern sind bis zu 2 m stark. Überall sieht man noch Reste der romanischen Anlage, so an den Hof- und Außenmauern des *Palas* (große Rundbogenöffnungen der ehemaligen Fenster, Reste eines Rundbogenfrieses). Aus romanischer Zeit stammen das Untergeschoß der *Kapelle* und der ursprünglich frei stehende *Bergfried;* dazu ein gotischer *Torbau* mit spätgotischer Vorhalle. Den Gesamteindruck bestimmen die Bauten der späteren Bauperioden (Spätgotik und Renaissance). Neben einigen kreuzgewölbten Sälen und Räumen der Burg (z. T. guterhaltene Wandmalereien des 16. Jh.) sind vor allem die Ausstattung der spätgotischen Kapelle (1495–97) und die Ausstellungsstücke des *Schloßmuseums* interessant.

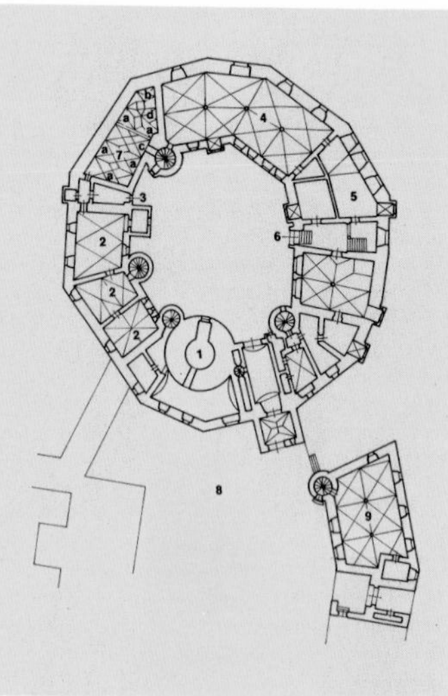

Büdingen, Schloß 1 Bergfried, Unterturm 13. Jh., Oberturm 15. Jh. **2** Palas **3** Kapelle, Anfang 13. Jh. **4** Krummer Saalbau, 15. Jh. **5** Küchenbau **6** Barockportal von Bartholomäus Schneller, 1673 **7** Schloßkapelle, 1495–97 a) Chorgestühl von Peter Schantz und Michel Silge, 1497–99 b) Grab des Johann von Ysenburg und der Sophie von Wertheim, um 1400 c) Pietà, Ende 15. Jh. d) Kanzel von Konrad Büttner, 1610 **8** Vorburg **9** Wachtbau

Büren 4793

Nordrhein-Westfalen S. 414 □ E 10

Jesuitenkirche Maria Empfängnis: Eine Seltenheit in Westfalen ist diese Barockkirche süddeutscher Prägung, an der bayerische und Tiroler Künstler mitgearbeitet haben. Ungewöhnlich ist auch, daß der Chor im W und die Fassade im O liegt. – Der Kölner Kurfürst Clemens August, der zugleich Bischof von Paderborn war, sandte seinen Bonner Hofbaumeister Roth nach Büren und ließ ihn den Plan entwerfen. 1754–60 wurde die Kirche gebaut. Ein Schüler des berühmten bayrischen Rokokokünstlers C. D. Asam* schuf die Deckengemälde. 1767–71 entstanden die Stukkaturen, etwas später war die Bildhauerarbeit abgeschlossen. – Neben der reich gegliederten, üppig geschmückten *Fassade* ist die Vierung mit ihrer mächtigen *Kuppel* eindeutiger Schwerpunkt des Baues. – Im Innenraum fasziniert die Pracht der *Stukkaturen,* die sich wirkungsvoll von den rosafarbenen und blauen Tönen der Wände abheben. Die *Deckenmalerei* zeigt Szenen aus dem Marienleben.

Burghausen 8263

Bayern S. 422 □ N 19

Burg: Auf schmalem Bergrücken zwischen der Salzach und dem Wöhrsee

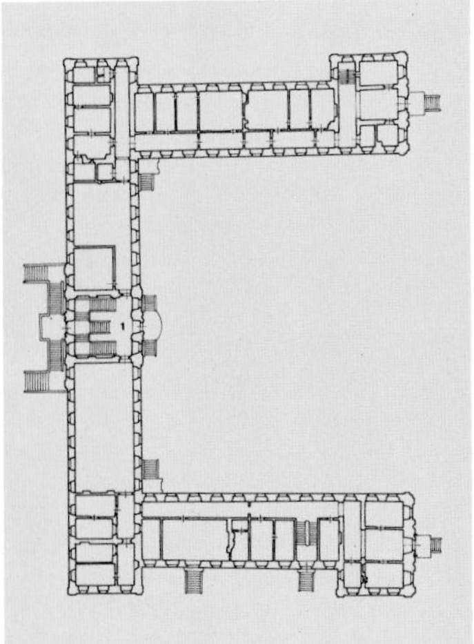

Büren, Jesuitenseminar 1 Treppenhaus mit geschnitzter Treppe, 1727

zieht sich – 1100 m lang – die alte Burg der bayerischen Herzöge in einer sechsgliedrigen Wehranlage hin. Es ist die größte Burganlage Deutschlands. Schon Kaiser Heinrich II., der zugleich Herzog von Bayern war, hatte hier einen befestigten Königshof. Die heutige Anlage entstand vom 13. bis zum 15. Jh. Nach N verläuft das Gelände flach, geschützt durch zahlreiche Gräben, Tore und Höfe. Der letzte Hof ist eine enge Schlucht. Der S-Trakt steht wie der Bug eines hohen Schiffs über den Dächern des Städtchens. In diesem Teil liegt der dreigeschossige *Dürnitzstock* mit seiner zweischiffigen Vorratshalle. Darüber, gleichfalls zweischiffig, befindet sich der heizbare *Speisesaal,* beide mit schönen Kreuzgewölben (15. Jh.). Das Obergeschoß war ehemals Tanzsaal für die zahlreichen Burgbewohner. Die *Burgkapelle* St. Elisabeth ist in ihrem Chorraum genau an der Grenze von Romanik und Gotik entstanden (um 1255), das Langhaus mit seinem Netzgewölbe um 1475. – Im Fürstenbau der Burg der bayerischen Herzöge in Burghausen befindet sich heute eine Filialgalerie der *Bayerischen Staatsgemäldesammlungen.*

Außerdem sehenswert: Die Stadtmauer ist mit den Befestigungsanlagen der Burg verbunden. Die Häuser der Altstadt haben ein für das Innviertel typisches Gepräge. *Ferner:* Rathaus (14. Jh.), Regierungsgebäude (16. Jh.),

Burghausen, Burg

Pfarrkirche St. Jakob (1360, mit mehreren Umbauten), Spitalkirche St. Jakob (1360, mit mehreren Umbauten), Spitalkirche Hl.-Geist (1. Hälfte 14. Jh., Umbau 16. Jh., Barockisierung 18. Jh.) und etwas außerhalb der Stadt *Heiligkreuz* (Tittmoninger Straße) aus dem 15. Jh.

Burglengenfeld 8412

Bayern S. 422 □ L 16

Burg: Von der Wittelsbacher Burg, die sich bis in die Zeit um 1100 zurückverfolgen läßt, sind beträchtliche Teile erhalten geblieben *(Ringmauer, Bergfried, Friedrichsturm).* Mehrere Anbauten kamen zur Zeit der Gotik im 12. Jh. hinzu.

St. Veit: In der kleinen Kirche, die im Stil des Rokoko umgestaltet wurde, befindet sich das *Epitaph,* das L. Hering für Bernhard von Hyrnheim (gest. 1541) geschaffen hat.

Burgsteinfurt 4430

Nordrhein-Westfalen S. 414 □ C 8

Schloß (Burgstraße 1): Die Wasserburg gehört zu den ältesten und mächtigsten des Münsterlandes. Sie liegt mit Schloß und Vorburg auf zwei Inseln der Aa im Südosten der Stadt. Die ältesten Teile der Anlage sind im 12. Jh. entstanden. Die Ringmauer, die den Burgplatz umgibt, der quadratische Wohnturm (mit dem Rittersaal) und der Torturm stammen aus dem 13. Jh. Zu den älteren Bauten gehört auch die romanische *Schloßkapelle* mit einem schönen, von Ecksäulen mit reichen Kapitellen flankierten Portal (12. Jh.). Es handelt sich hierbei um eine Doppelkapelle mit zwei Geschossen – eine damals für Burgkapellen häufige Form. Von den Wohnbauten des 16.–18. Jh. ist das Haus der Gräfin Walburg mit dem zweistöckigen Renaissance-Erker (signiert 1559) und reichen Dekorationen besonders hervorzuheben. Vom Schloß aus erstreckt sich nach Südosten der ursprünglich nach französischem Muster angelegte Park *Bagno,* der 1780–1817 in einen Englischen Garten umgewandelt und erweitert wurde. Von seinen vielen Sehenswürdigkeiten ist das meiste allerdings verschwunden; erhalten blieb der 1774 vollendete *Konzertsaal* mit Muschelgrotte und mit frühklassizistischer Stuckausstattung.

Bürresheim

Rheinland-Pfalz S. 416 □ C 13

Burg: Das Schloß ist zum Teil bewohnt, die übrigen Gebäude sind im Besitz des Landes Rheinland-Pfalz und dienen als *Museum.* Bei der Anlage ist das stetige Wachsen einer Burg vom mittelalterlichen Wehrbau zum gotischen und barocken Wohnbau gut zu verfolgen. Der älteste Teil, die sog. Kölner Burg im Westen der Anlage, zeigt noch einen hohen rechteckigen *Bergfried* (12. Jh.), der zusammen mit den anderen Bauten einen Hof umschließt. Schloß Bürresheim → Mayen

Bürresheim, Burg

Butzbach 6308
Hessen S. 416 □ E 13

Wie viele andere Städte, so erhebt auch Butzbach Anspruch darauf, Goethe als Vorlage für das Epos »Hermann und Dorothea« gedient zu haben. – Das Stadtbild weist eine Vielzahl schöner Fachwerkhäuser auf, die vor dem 30jährigen Krieg entstanden sind.

Markuskirche (Kirchplatz): Beim Bau der Markuskirche im 14./15. Jh. wurde die *Michaelskapelle* in die Gesamtanlage einbezogen und ebenfalls – wie der übrige Kirchhof – ummauert. Trotz vieler Veränderungen ist der Charakter der Anlage nicht beeinträchtigt. Aus der Innenausstattung ist das *Baldachinepitaph* für Landgraf Philipp von Hessen-Butzbach (1622) hervorzuheben. *Orgel* von 1614.

Rathaus und Marktplatz: Das *Rathaus* (1560) bekam 1630 die bis heute erhaltene *Uhr.* Am Marktplatz gehören die *Alte Post* (1636) und der *Goldene Löwe* (1709) zu den schönsten Bauten.

Heimatmuseum (Griedelerstr. 20–22).

Buxtehude 2150
Niedersachsen S. 414 □ G 5

Buxtehude war ehemals Hansestadt. Von den starken Befestigungen ist nur noch der *Marschtorzwinger* erhalten (Stadtwappen 1539).

Ev. Petrikirche (Kirchenstraßen): Die Petrikirche, wahrscheinlich Mitte bis Ende des 14. Jh. erbaut, ist ein typisches Beispiel norddeutscher Backsteingotik. Die dreischiffige Basilika wurde allerdings im 19. Jh. neu verkleidet, der Turmoberbau erneuert (jedoch in enger Anlehnung an den alten Bestand). Besonders schön ist der Innenraum mit reich profilierten Spitzbogenarkaden, sechsteiligem Rippengewölbe und hohen, hellen Fensterwänden. Von der ehemaligen Ausstattung befindet sich das berühmteste Stück, der *Buxtehuder Altar* (Ende des 14. Jh.), ein Marienaltar des Meisters Bertram*, als Leihgabe in der Hamburger Kunsthalle. Der jetzige *Hochaltar* entstand 1710, die *Kanzel* 1674, in den Seitenschiffen gibt es reichgeschnitztes *Gestühl.*

Die Kirche ist ein Juwel der Gotik.

Petrikirche, Buxtehude

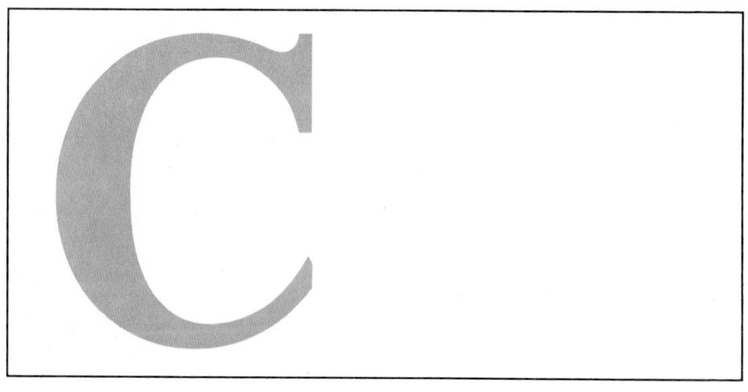

Cadolzburg 8501

Bayern S. 422 □ J 16

Zollernburg (über Marktstraße und äußeres Burgtor): Die Burg wurde zum erstenmal 1157 erwähnt, sie reicht in ihren Anfängen jedoch vermutlich weiter zurück. Umbauten vom 16. bis zum 19. Jh. haben die Anlage stark verändert. – Die typischen Merkmale der mittelalterlichen Dynastenburg sind trotz der zahlreichen Veränderungen und der Zerstörung bei Kriegsende gut zu erkennen. Vorburg, Türme, Tore und Torbefestigungen vermitteln den Eindruck der hochmittelalterlichen Veste. – Die weitläufige Anlage war einst Residenz der Grafen von Zollern, der Burggrafen von Nürnberg, und war von 1415 bis 1456 Sitz der Kurfürsten von Brandenburg. Albrecht Dürer hat den Burghof in zwei Aquarellen festgehalten.

Caldern = 3551 Lahntal 2

Hessen S. 416 □ E 12

Ev. Pfarrkirche: In der Mitte des 13. Jh. ist die heutige Pfarrkirche in Verbindung mit dem kurz zuvor gegründeten Zisterzienserinnenkloster entstanden. Der Bau ist von den typischen Merkmalen einer spätromanischen Anlage geprägt. Der *Fußboden* ist, wie zu jener Zeit in den Dorfkirchen des Dillkreises üblich, im Raum vor dem Hochaltar mit Kieselsteinen im Fischgrätmuster ausgelegt. Das *Kruzifix* stammt aus der ersten Hälfte des 14. Jh. Die reich verzierte *Orgel* ist um 1700 hinzugefügt worden.

Calw 7260

Baden-Württemberg S. 420 □ E 18

Calw ist die Geburtsstadt Hermann Hesses (1877–1962). Sein Geburtshaus stand am Marktplatz. An ihn erinnern eine Gedenktafel und eine Sammlung im Rathaus. Unter dem Titel »Gerbersau« hat Hesse alle Erzählungen zusammengefaßt, die in Calw und in Schwaben spielen.

Nagoldbrücke mit Nagoldkapelle (über die Nagold): Über dem mittleren Pfeiler der malerischen Brücke wurde im 14. Jh. die gotische Brückenkapelle St. Nikolaus errichtet.

Marktplatz (Markt): Das Rathaus (1673) legt Zeugnis ab von der Wohlhabenheit, die Calw als mittelalterlicher Treffpunkt der Tuchhändler aus ganz Europa geprägt hat. Die Obergeschosse wurden 1726 hinzugefügt. – Zum Stadtbild gehören zahlreiche, ebenfalls gut erhaltene *Fachwerkbauten,* die meist nach dem großen Stadt-

Nagoldbrücke mit Nagoldkapelle in Calw

brand 1692 entstanden sind. – Der *Marktbrunnen* wurde 1686 errichtet.

Heimatmuseum und Hermann-Hesse-Gedenkstätte (Bischofstraße 58): Gezeigt werden Volkskunst, Trachten, Bauernmöbel, Zinn, kirchliche Kunst, alte Möbel sowie Erinnerungsstücke an den Dichter Hermann Hesse.

Cappel = Lippstadt 4780

Nordrhein-Westfalen S. 414 □ E 9

Ev. Stiftskirche (Cappeler Stiftsallee): Die Kirche entstand als Teil des ursprünglichen Prämonstratenserinnenklosters, das 1588 in ein weltliches Damenstift umgewandelt wurde. In dem ehemaligen Klostergebäude befindet sich heute ein Mädcheninternat. – Die Stiftskirche stammt aus dem 12. Jh., um 1700 wurden jedoch wesentliche Teile abgebrochen. Restaurierungen in den Jahren 1886 und 1951. – Bei einer Gesamtlänge von ca. 50 m ist die kreuzförmig angelegte, romanische Pfeilerbasilika das älteste erhaltene Langhausgewölbe in Westfalen, wahrscheinlich sogar einer der ältesten Gewölbebauten der deutschen Architektur. Strenge Formen kennzeichnen den Bau, sie sind typisch für die westfälische Architektur der Zeit und zugleich Ausdruck der Askese, die zu den Merkmalen der Prämonstratenser gehörte.
Inneres und Ausstattung: Über der dreischiffigen Pfeilerhalle liegt im Obergeschoß die Nonnenempore. Fast alle bemerkenswerten Teile der Ausstattung sind aus spätgotischer Zeit. Dazu gehören *Kanzel* und *Lesepult* mit geschnitzten Maßwerkfeldern und der schmiedeeiserne *Kronleuchter*. Die Frührenaissance bestimmt das reich verzierte *Chorgestühl*. *Grabsteine* aus der Zeit von 1567–1804 sind Äbtissinnen, Stiftsdamen und Adligen gewidmet.

Cappenberg 4628

Nordrhein-Westfalen S. 414 □ C 10

Als Sühne für seine Teilnahme an dem Feldzug des Sachsenherzogs Lothar, der 1121 die Stadt Münster erobert und dabei auch den Dom in Brand gesteckt hatte, wandelte Gottfried von Cappenberg mit seinem Bruder Otto die Burg in ein Prämonstratenserkloster um. Die westfälische Dichterin Annette von Droste-Hülshoff hat »Die Stiftung Cappenbergs« in einer Ballade beschrieben.

Kath. Pfarrkirche St. Johannes (Am Schloß): Die Kirche gehört mit ihrer *reichen Ausstattung* zu den bedeutenden sakralen Sehenswürdigkeiten in Westfalen. – Nachdem die Burg Cappenberg 1122 in eine »Heimstatt der Armen Christi« umgewandelt worden war, begann der Bau von Kirche und Kloster (1149 vollendet). 1803 wurde die gesamte Anlage säkularisiert und 1816 vom Freiherrn vom Stein erworben, der hier 1831 gestorben ist. Der ursprüngliche Zustand wurde durch spätere Umbauten verändert. – Die dreischiffige und ursprünglich flachgedeckte Pfeilerbasilika erhielt um 1387 ein gotisches Gewölbe. Sie wird von einem für diese Zeit typischen kreuzförmigen Grundriß bestimmt. Die Außenmauern sind schmucklos, was der Strenge und dem Geist der Prämonstratenser entspricht. – Das Innere wird trotz der gotischen Gewölbe von romanischen Elementen geprägt. – Zum *Kirchenschatz* gehört das berühmte kupfervergoldete *Kopfreliquiar* mit den Zügen Friedrich Barbarossas, das als das erste in Deutschland geschaffene Kaiserbildnis bezeichnet wird (Mitte bis Ende des 12. Jh.). Edelsteine, die als Augen eingesetzt waren, sind nicht mehr vorhanden. – Hervorzuheben ist auch das sog. *Cappenberger Kruzifix* im Querschiff (12. Jh.), ein bedeutendes Werk der spätromanischen Plastik in Deutschland. – Im Chor findet sich als Meisterwerk der Hochgotik das *Doppelgrabmal* der beiden Stifter, Gottfried und Otto von Cappenberg (von

Doppelgrabmal St. Johannes, Cappenberg

unbekannten westfälischen Meistern um 1330). Gemeinsam tragen sie das Modell der Kirche. – Das *Chorgestühl* (16. Jh.) ist mit reichen Schnitzereien versehen. Im südlichen Querschiff befindet sich eine *Grabplatte* mit der überlebensgroßen Darstellung des (später heilig gesprochenen) Ritters Gottfried von Cappenberg.

Schloß: Die ehemalige Propstei wurde 1708 erbaut (der S-Flügel bereits 1684, die beiden Torhäuser 1840). Eine Pappelallee führt auf das Schloß zu. – Im Inneren befinden sich das *Museum für Kunst- und Kulturgeschichte der Stadt Dortmund* und das *Freiherr-vom-Stein-Museum.* – Der *Park,* der das Schloß umgibt, ist in seinen wesentlichen Teilen vom Freiherrn vom Stein angelegt worden. E. M. v. Arndt war hier oft zu Gast.

Kopfreliquiar, St. Johannes ▷

ITVR ✠ HIC

Castell 8711
Bayern S. 418 □ H 15

Untere und obere Burg (auf dem Herrenberg/Schloßberg): Die beiden Schloßruinen sind die Reste der Stammburgen des Grafengeschlechts der Castells. Die obere Burg wurde schon 1258 aufgeführt, geht in ihren Grundzügen jedoch wahrscheinlich auf den Anfang des 9. Jahrhunderts zurück. Die untere Burg wurde 1497 fertiggestellt.

Neues Schloß (nördl. der Ortschaft): Das neue Schloß, das vom Barock geprägt ist, entstand ab 1687 und war bis 1806 Residenz der Grafen Castell. Die dreiflügelige Anlage wurde aus rohem Bruchstein errichtet.

Ev. Pfarr- und Schloßkirche: Die Kirche (erbaut 1780–1792) zählt zu den bedeutenden Werken protestantischer Architektur in Bayern. Die Innenausstattung läßt das ausklingende Rokoko deutlich werden. Die harmonisch eingefügten Holzemporen schließen auch den Chor ein.

Celle 3100
Niedersachsen S. 414 □ H 7

»Mit reizenden Pflanzungen, in englischem Geschmack angelegt«, schrieb Adolf von Knigge 1793, vereine Celle »ungeachtet der öden Gegend umher, mit den geselligen Stadtfreuden die Annehmlichkeiten des Landlebens«. Hermann Löns pries Celle als »viel schöne Stadt« und Hans Fallada hat die Besuche bei seiner Großmutter in Celle in seinen Erinnerungen »Damals bei uns daheim« geschildert.

Schloß (Schloßplatz): Das erhöht liegende Schloß ist von alten Festungsgräben umrahmt. Es war in seiner ursprünglichen Anlage Keimzelle und Mittelpunkt der Stadt. – In seiner jetzigen Gestalt geht es auf Herzog Georg Wilhelm zurück (1665–1705). Teile der Anlage lassen sich jedoch bis zum Ende des 13. Jh. zurückverfolgen. Der älteste erhaltene Raum ist die 1485 geschaffene (und im 16. Jh. umgebaute) *Schloßkapelle* im SO-Turm. Zahlreiche Veränderungen und Umbauten haben den Gesamteindruck der Anlage nur wenig verändert. – Die stark gegliederte Fassade mit ihren Giebeln, Erkern, Portalen und den ausgeprägten Ecktürmen lassen das Schloß zu einem Meisterwerk der Renaissance in Deutschland werden. Vier Flügel umgeben den ausdrucksvoll gestalteten Innenhof. – Das *Schloß-Theater* (1695 vollendet) im NW-Turm, einst erstes Hoftheater und heute ältestes erhaltenes Theater in Deutschland, wurde 1855 erneuert und 1935 neuzeitlich ausgestaltet (siehe unten). – Barocke Pracht entfalten die *Wohn- und Repräsentationsräume* im N-Flügel. Abb. S. 147.

Stadtkirche (An der Stadtkirche): Der ursprünglich gotische Bau wurde im 17. Jh. barockisiert und stellt sich nun als dreischiffige Hallenkirche mit reichen Stukkaturen und Figuren dar. An die ursprüngliche Ausstattung erinnern im Chor mehrere *Grabplatten* und *Epitaphe* der Welfenfürsten aus dem 16. und 17. Jahrhundert. Bemerkenswert sind auch die *Holztonnendecke,* der *Altar* (1613) und die *Fürstengruft.*

Altes Rathaus (Markt): Im 14. Jh. begonnen, wurde das Alte Rathaus von 1573 bis 1579 im Stil der Renaissance ausgebaut. Im 18. Jh. wurde die Fassade klassizistisch umgestaltet. 1938 erweiterte man das Rathaus nach Westen hin.

Altstadt: Typische Straßen der Altstadt sind die *Kalandgasse,* die *Kanzleistraße* (mit dem *Oberlandesgericht*), die *Schuhstraße, Am Heiligen Kreuz,* die *Poststraße* und der *Große Plan* mit sehr schönen, gut erhaltenen *Fachwerkhäusern.* Zu erwähnen ist auch das barocke *Zuchthaus* an der Trift. Die Bürgerhäuser sind meist reich verziert und zeigen Kennzeichen aus der Zeit von der späten Gotik bis zum Barock. Typisch sind die kleinen Erker (Ausluchte).

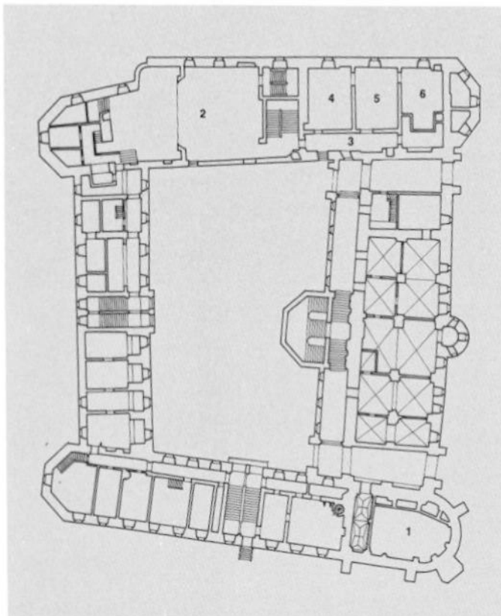

Celle, Schloß 1 Schloßkapelle **2** Schloßtheater **3** Portraitgalerie **4** Spiegelsaal **5** Porzellansaal **6** Schlafgemach

Das Schloß in Celle gehört zu den Meisterwerken aus der Renaissance in Deutschland

Bomann-Museum (Schloßplatz 7): Sammelgebiete sind bäuerliche Kultur der Lüneburger Heide sowie Landes- und Stadtgeschichte. Im Museum befindet sich die Zentralkartei für landwirtschaftliche Geräte in niedersächsischen Museen.

Schloß-Theater (Schloßplatz 1): Neben der Hauptbühne (330 Zuschauerplätze) gibt es eine Studio-Bühne (55 Zuschauerplätze). Beide Bühnen werden von einem eigenen Schauspielensemble bespielt.

Cham 8490

Bayern

S. 422 □ M 16

Rathaus (Marktplatz): Das Rathaus aus dem 15. Jh. wurde mehrfach verändert und erhielt 1875 einen neugotischen Erweiterungstrakt.

Pfarrkirche St. Jakob (Stadtplatz): Alle

Clausthal-Zellerfeld, Pfarrkirche

Cismar, Benediktinerklosterkirche

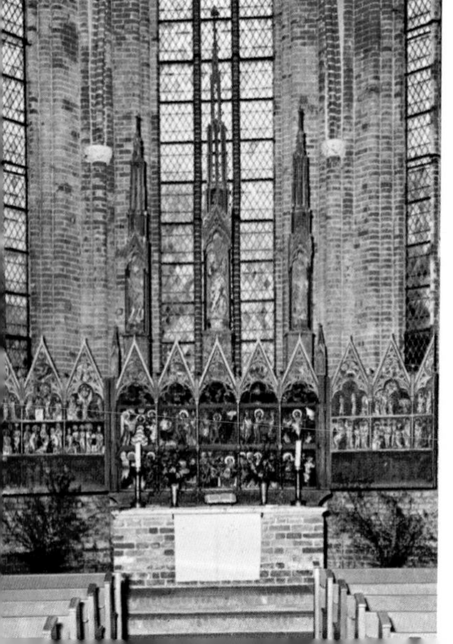

Unterbauten und Türme gehen auf das 13. Jahrhundert zurück. Verschiedene Umbauten des Langhauses sind bis 1900 durchgeführt worden. Die schöne *Stukkatur sowie* die *Bemalung* und das *Tabernakel* (in der Sakristei) gehen auf die Zeit um 1760 zurück.

Stadtbefestigung: Die ältesten Teile der gut erhaltenen Befestigung sind Zeugen des 13. Jh. Sehenswert ist das *Burgtor* mit seinen vier massiven Rundtürmen.

Cismar = Grömitz 2433

Schleswig-Holstein S. 412 □ J 3

Ehemaliges Benediktinerkloster und Kirche: Durch ein erzbischöfliches Edikt mußten Benediktinermönche, die in Lübeck durch einen unsoliden Lebenswandel aufgefallen waren, in das abgelegene Cismar (heute Ortsteil von Grömitz) ausweichen. Von der umfassenden Klosteranlage aus dem 13. Jh. sind heute nur noch Reste vorhanden, die jedoch in neuere Bauten einbezogen wurden und kaum noch zu erkennen sind. Erhalten ist die einschiffige Backsteinkirche, die um 1250 fertiggestellt war, später jedoch mehrfach erweitert und umgebaut wurde. Im Inneren läßt sich erkennen, daß die Marienkirche in → Lübeck als Vorbild gedient hat. Wichtigstes Stück der Innenausstattung ist der geschnitzte *Altar* (1310–20), der mit großer Wahrscheinlichkeit aus einer Lübecker Werkstatt stammt. Die Reliefs zeigen Szenen aus dem Leben Christi und andere Bilder in den ursprünglichen Fassungen. Die Flügel illustrieren die Legenden des Evangelisten Johannes und des hl. Benedikt.

Clausthal-Zellerfeld 3392

Niedersachsen S. 414 □ H 9

Ev. Pfarrkirche zum Hl. Geist (Hindenburgplatz): Die 1642 fertiggestellte Kirche aus Fichtenholz (Turm aus Eiche) gehört zu den größten Holzkirchen Europas. *Kanzelkorb* und *Altar* (1641), der *Messingskronleuchter* (1660), sehr schöne *Grabplatten* aus dem 17. Jahrhundert und die *Orgel* (1770) bestimmen das Innere des Baus.

Oberharzer Museum (Bornhardtstraße 16): Das Museum ist der Geschichte des Harzer Bergbaus gewidmet. Zum Museum gehören ein Unter-Tage-Stollen, Pferdegöpel und viele andere Bergwerkseinrichtungen.

Clemenswerth → Sögel

Cloppenburg 4590

Niedersachsen S. 414 □ D 6

Museumsdorf (Museumstraße 13): Der Cloppenburger Heimatforscher H. Ottenjann hat 1934 den Grundstein für das heute größte Freilichtmuseum dieser Art in Deutschland gelegt. Auf einer Fläche von 15 ha sind niedersächsische Bauernhäuser aus dem 16. bis 19. Jh. in Cloppenburg naturgetreu wieder aufgebaut und originalgetreu eingerichtet worden. Insgesamt 80 Gebäude gehören heute zu der viel besuchten Anlage. – Der *Quatmannshof* (1805) gehört mit einer ausdrucksvollen Fachwerkfassade und dem weit vorragenden Giebel zu den schönsten Häusern innerhalb des Museumsdorfes.

Museumsdorf Cloppenburg

Clus 3371

Niedersachsen S. 414 □ H 9

Ehem. Benediktinerklosterkirche St. Maria und Georg: Von dem ehem. Benediktinerkloster, das 1596 aufgehoben wurde, ist die dreischiffige *Basilika* erhalten. Im Mittelpunkt der Innenausstattung steht der Lübecker *Altar* (1487). Er zeigt in reichen Schnitzereien die Marienkrönung.

Außerdem sehenswert: Im nahen Brunshausen die *ehem. Benediktinerinnenklosterkirche,* deren Anfänge auf das 15. Jh. zurückgehen.

Coburg 8630

Bayern S. 418 □ I 14

Zu denen, die in Coburg gelebt haben, zählen u. a. Martin Luther (1530 wartete er hier über 5 Monate auf die Möglichkeit, vom Augsburger Reichstag gehört zu werden), Friedrich Rückert (von 1820 bis zu seinem Tod im Jahre 1866) und Jean Paul (1803/04 als herzoglicher Legationsrat). Für drei Tage beehrte 1782 auch J. W. von Goethe die Stadt.

Veste Coburg (Veste): Die Veste zählt zu den größten Burgen in Deutschland und gilt als »fränkische Krone«. Sie liegt über dem Tal der Itz und bietet Ausblick nach Thüringen und Franken. *Baugeschichte:* Die Anordnung auf einen Bergvorsprung, der zu drei Seiten hin steil abfällt, sollte den Bau für An-

Veste Coburg

greifer uneinnehmbar machen. Die Kapelle St. Peter und Paul läßt auf einen Baubeginn bereits im 11. Jh. schließen. Im 12./13. Jh. kamen der heutige Fürstenbau mit anschließendem Küchenbau und die Steinerne Kemenate, die später durch Luther berühmt werden sollte, hinzu. Im 16. und 17. Jh. wurde die mittelalterliche Burg zur Landesfestung ausgebaut.

Baustil und Baubeschreibung: Viele Veränderungen, Erneuerungen und Hinzufügungen lassen keinen einheitlichen Baustil erkennen. Spätromanische Merkmale weist der *Blaue Turm* auf, spätgotisch ist das *Hohe Haus* mit seinen vielen Erkern, von der Renaissance ist der *Ziehbrunnen* geprägt. Ein teilweise dreifacher Mauerring umschließt mehrere Binnenhöfe. Um den Osthof gruppieren sich der *Fürstenbau,* die *Steinerne Kemenate* und der neue Gästebau.

Inneres und Ausstattung: Die Veste birgt heute umfangreiche *Kunstsammlungen* aus neun Jahrhunderten europäischer Kunst und Kultur. Schwerpunkte sind die hier zusammengetragenen Gemälde Lukas Cranachs, die umfassendste Waffensammlung der Bundesrepublik sowie ein Münzkabinett mit rund 20000 Münzen und Medaillen. Die Sammlung von Handzeichnungen und Graphiken (300000 Blatt) ist weltberühmt. – In der Steinernen Kemenate erinnert die *Lutherstube* an den Aufenthalt Luthers im Jahre 1530.

Ev. Pfarrkirche St. Moriz (Pfarrgasse): Die Pfarrkirche beherbergt bedeutende Kulturdenkmäler der Renaissance und ist das älteste erhaltene Bauwerk im Stadtkern. – Der Baubeginn geht bis ins 12. Jh. zurück, wesentliche Teile wie z. B. die beiden ungleichen Türme kamen zu Beginn des 15. Jh. hinzu. Das Langhaus ist wahrscheinlich erst im 16. Jh. fertig geworden. Das Innere wurde im 18. Jh. im Stil des Barock umgestaltet. – Wesentliche Teile der Kirche tragen die Kennzeichen der Spätgotik. Auffallend sind die beiden ungleichen Türme, von denen der eine viereckig und fast schmucklos ist (abgesehen von der barocken Haube und den gotischen Türmchen im Dachgeschoß). Er wird vom zweiten Turm, der durch Balustraden und Fialen aufgelockert wird, weit überragt. – Das Innere wird von einem *Alabaster-Wanddenkmal* bestimmt, das der Thüringer Bildhauer Bergner am Ende des 16. Jh. geschaffen hat. Es erstreckt sich in 5 Geschossen bis zu einer Höhe von 12 m und gehört zu den bedeutendsten Prunkdenkmälern der Renaissance in Deutschland. Die Statuen im Hauptgeschoß stellen Mitglieder der herzoglichen Familie dar, das mittlere Relief zeigt die Überführung Josephs in das kanaanäische Grab. – Aus dem Mittelalter ist der hervorragend gelungene *Grabstein* des Ritters Bach erhalten, der sich im Untergeschoß des südlichen Turmes befindet.

Schloß Ehrenburg (Schloßplatz): Der Name des Baus geht auf einen Besuch Kaiser Karls V. (1547) zurück.
Herzog Johann Ernst ließ das ursprüngliche Franziskanerkloster von 1543–47 zu einem Stadtschloß ausbauen. 1586 gab Herzog Johann Casimir den Befehl zu einer wesentlichen Neugestaltung und Erweiterung. Nach einem Brand erfolgten im 17. und 18. Jh. nochmalige Veränderungen und Erweiterungen. – Von dem Renaissanceschloß, das Herzog Johann Ernst errichten ließ, ist heute nur noch der Flügel zur Steinstraße hin erhalten. Nach dem Brand wurde der Hauptteil des Schlosses neu erbaut und ist nun mit seiner repräsentativen, in wesentlichen Zügen vom Barock bestimmten Fassade nach N gerichtet (Teilbereiche sind von der Neu-Gotik bestimmt). – Im W-Flügel ist, von außen kaum zu erkennen, die *Hofkirche* integriert. Sie war 1701 fertiggestellt und wird von üppigen Stuckdekorationen sowie einer nur einmal kurz unterbrochenen Empore bestimmt. Im Geschoß über der Kirche befindet sich der *Riesensaal,* der nach den 28 Riesen (in schwerem italienischen Stuck) benannt wurde. Auch der *Weiße Saal* (im 2. Obergeschoß des Mitteltraktes), das *Rote Zimmer* und das *Gobelinzimmer* zeigen reichen Deckenstuck. Ein anderer Teil der Räume ist in seiner Dekoration klassizistisch, am typischsten der *Thronsaal* im O-Flügel. – Große Teile des Schlosses sind heute als *Museum* eingerichtet (Stadtgeschichte, Wohnkultur des 19. Jh., Barockteppiche).

Rathaus (Marktplatz): Das Rathaus geht in seiner heutigen Form auf einen Neubau des 16. Jh. zurück. Um 1750 wurde dieser mit den anderen Bauteilen vereinheitlicht. Der doppelgeschossige *Erker* an der SO-Ecke des Baus zeigt den Stadtheiligen St. Moriz. Darunter ist – in einer kleineren Figur – der *Baumeister* H. Schlechter dargestellt. Er hält ein Schildchen in den Händen, auf dem das Meisterzeichen und seine Namensinitialen zu erkennen sind. – Im Obergeschoß des Rathauses befindet sich der *Große Saal* mit einer schweren Balkendecke.

Cantzley und Bürgerhäuser: Die *Cantzley,* das 1600 erbaute Amtsgericht, findet sich an der N-Seite des Marktplatzes. Bemerkenswerte Bürgerhäuser sind u. a. erhalten in der Ketschengasse (*Münzmeisterhaus* im Haus Nr. 7), am Bürglaß *(Hahnmühle)* und in der Steingasse (u. a. *Hofapotheke*). Erwähnt seien auch die Häuser 4 und 17 in der Herrngasse sowie das *Gymnasium.*

Landestheater (Schloßplatz 6): In dem 1840 eröffneten Theater (700 Zuschauerplätze) sind heute Musiktheater und Schauspiel mit jeweils eigenem Ensemble zu Hause.

Cochem 5590

Rheinland-Pfalz S. 416 □ C 14

Reichsburg Cochem (Schloßstraße): 1072 erbaut und im 14. Jh. erweitert, im 17. Jh. zerstört, von 1869 bis 1877 wieder aufgebaut; Beschädigungen aus dem 2. Weltkrieg sind beseitigt. Vom

Reichsburg Cochem

ursprünglichen Bau ist nur noch das achteckige Untergeschoß des Bergfrieds erhalten. Der heutige Bau ist in seinen wesentlichen Elementen neugotisch.

Kath. Pfarrkirche St. Martin (Kirchplatz): Die Kirche geht auf eine fränkische Gründung zurück. Neubau um 1500. Im 2. Weltkrieg wurden jedoch große Teile zerstört; erhalten blieben der Chor und die Südwand des Langhauses. Von der bemerkenswerten Ausstattung verdient die *Reliquienbüste* des hl. Martin (um 1500) Beachtung.

Alte Wohnhäuser: An der *Moselpromenade* sind einige Häuser von den »Modernisierungen« verschont geblieben (Häuser Nr. 12, 36). Sie erinnern an die bewegte Geschichte der Stadt, die im 9. Jh. als Reichsgut zum ersten Mal genannt wird. Schöne alte Häuser auch am *Marktplatz* (dort auch das Rathaus, das 1739 errichtet worden ist).

Coesfeld 4420

Nordrhein-Westfalen S. 414 □ C 9

St.-Lamberti-Kirche (Marktplatz): Ursprung des heutigen Baus war eine spätromanische Hallenkirche, die in den Jahren 1473–1524 spätgotisch umgebaut und ausgestaltet wurde. Die W-Seite und der Turm ersetzten 1703 eingestürzte Teile des alten Baus. – Neben den spätgotischen Elementen zeigt sich am *Turm* (Sandstein mit Backsteinverblendung) der Einfluß des holländischen Klassizismus. – Wichtigstes Teil der Ausstattung ist das lebensgroße *Gabelkruzifix*, das aus Holz gearbeitet ist (Anfang 14. Jh.). Die elf lebensgroßen *Apostelbilder* an den Pfeilern (1506–1520) stammen von J. Düsseldorp. Außerdem *Gemälde* aus der Ant-

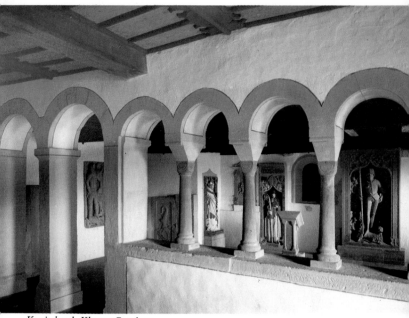

Kapitelsaal, Kloster Comburg

werpener Schule sowie *Schmiedeeisenarbeiten.*

Kath. Pfarrkirche St. Jacobi (Jacobikirchplatz): Die spätromanische Hallenkirche, die sich bis ins Jahr 1195 zurückverfolgen ließ, wurde im 2. Weltkrieg zerstört und durch einen modernen Neubau ersetzt. Erhalten blieb das berühmte und reich verzierte *Portal,* das charakteristisch für die münsterländischen Stufenportale ist (13. Jh.). Von der alten Ausstattung sind der spätromanische *Taufstein* (um 1240) und der flandrische *Schnitzaltar* (um 1520) erhalten.

Münsterländische Bürgerhäuser: Die schönen Bürgerhäuser wurden im 2. Weltkrieg größtenteils zerstört. Einige Beispiele finden sich heute in der *Mühlenstraße* (u. a. Häuser 3 und 15), in der *Süringstraße* (Häuser 9, 14) und in der *Walkenbrücker Straße* (Häuser 4 und 29).

Außerdem sehenswert: Das *Walkenbrücker Tor* (Mühlenplatz), das nach dem Krieg wiederhergestellt worden ist, und der *Pulverturm* (Schützenwall) erinnern an die einst mächtige *Stadtbefestigung* (14. Jh.). – *Heimatmuseum* mit Zeugnissen der lokalen Geschichte.

Comburg = Schwäbisch Hall 7170

Baden-Württemberg S. 420 □ G 17

Ehem. Kloster Groß-Comburg: Das ehemalige Kloster liegt am südöstlichen Stadtrand von Schwäbisch Hall im Kochertal. Die Klosterburg gehört zu den bedeutendsten Anlagen dieser Art in Deutschland. Begründet von den fränkischen Grafen von Rothenburg im 10. Jh., wurde vermutlich 1087 ein Neubau fertiggestellt. Die Gesamtanlage ist eine Mischung von Bauten aus acht Jahrhunderten.

Antependium in der Klosterkirche St. Nikolaus in Comburg

Klosterkirche St. Nikolaus: Auf Fundamenten eines älteren Baus und unter Verwendung von erhaltenen Teilen (W-Turm und Chortürme) entstand der heutige Bau in den Jahren 1707–15. Den verhaltenen Teilen des älteren Baus steht die barocke Pracht des Neubaus gegenüber. Der Einfluß Würzburger Künstler der Zeit ist unverkennbar.

Inneres und Ausstattung: Die langgestreckte Halle ist reich an barocken Kunstschätzen. Der *Hochaltar* stammt vom Würzburger Meister B. Esterbauer (1713–17). Bedeutender als der Hochaltar selbst ist das *Antependium,* das aus einer Holztafel mit vergoldetem Kupferblech besteht (um 1140). Wie dieses stammt vermutlich auch der gewaltige *Radleuchter* aus der Comburger Werkstatt. Der Ring symbolisiert die Mauer des zwölftürmigen Jerusalems, die Laternen haben die Gestalt von Torhäuschen. Apostel und Propheten sind in getriebenen Medaillons dargestellt. Ähnliche Leuchterkronen gibt es im → Aachener Münster und im → Hildesheimer Dom. Romanisch ist auch das *Grab des Stifters* Burkhard II. (um 1220) im Mittelschiff. Das *Epitaph* für Propst Neustetter wurde 1570 errichtet und ist ein Meisterwerk der Renaissance.

Klosteranlage: Die Anlage ergibt nach zahlreichen Ergänzungen und Veränderungen kein einheitliches Bild mehr. Bedeutendster Teil ist die sechseckige *Erhardskapelle,* ein wuchtiger Bau, der sich in seinen Anfängen bis 1230 zurückverfolgen läßt. Das dritte der drei *Tore* (ein romanischer Torbau aus dem Anfang des 12. Jh.) beherbergt die *Michaelskapelle.*

Klein-Comburg: Das ursprüngliche Frauenkloster ist auf dem Groß-Comburg gegenüberliegenden Talhang in der ersten Hälfte des 12. Jh. errichtet worden. Mittelpunkt ist die ehem. *Klo-*

sterkirche St. Ägidius, ein sehr ausgewogener Bau, in dem nur der Chor ein Gewölbe trägt. Reste der Ausmalung aus dem 12. Jh. sind erhalten; der größere Teil wurde im 19. Jahrhundert ergänzt.

Corvey = Höxter 3470

Nordrhein-Westfalen S. 414 □ G 9

Ehem. Benediktinerabtei Corvey: Ursprung der berühmten Anlage war eine Gründung der Vettern Karls des Großen, Adalhard und Wala, im Jahre 815. Sie errichteten das Kloster allerdings zunächst auf jener Seite der Weser, die dem heutigen Bau gegenüberliegt. Materielle Not zwang zur Übersiedlung in den Weserbogen (822). Das Kloster wurde bald zu einem geistigen Zentrum. Hier hat Widukind seine große Sachsengeschichte geschrieben. In der reich ausgestatteten *Klosterbibliothek* befanden sich die ersten fünf Bücher der Annalen des Tacitus und mehrere Werke Ciceros. Viel später, als die Bedeutung Corveys schon zurückgegangen war, wirkte hier von 1860–74 der Dichter Hoffmann von Fallersleben als Hofbibliothekar des Fürsten von Corvey. Sein Grab befindet sich auf dem Klosterfriedhof. – Nach der Zerstörung im 30jährigen Krieg wurde die Anlage im Stil des Barock neu errichtet. Der großzügige Gebäudekomplex hat die Form eines langgestreckten Rechtecks, das man durch ein steinernes Tor erreicht. Von den einstmals vorhandenen Gräben und Zugbrücken ist heute nichts mehr zu sehen. Erhalten blieb die Klostermauer, an der entlang ein Weg führt.

Ehemalige Klosterkirche: An der Stelle, an der sich heute die Klosterkirche erhebt, befand sich einst eine dreischiffige Basilika, die zwischen 822–44 erbaut worden ist und im 30jährigen Krieg ebenfalls zerstört wurde. – Der heutige Bau, ein gotisierender Saalbau, entstand in den Jahren 1667–71. Einbezogen wurde das W-Werk des ursprünglichen Baus, das alle Kriegswirren überstanden hat. Auch in den Maßen folgte man weitgehend dem Vorgängerbau. Im O des Chors befindet sich die *Benediktuskapelle* (1727), in der Südseite des Langhauses die ebenfalls später hinzugefügte *Marienkapelle* (um 1790). Nach dem 2. Weltkrieg wurde die Kirche insgesamt renoviert. Das *Westwerk,* vom ursprünglichen romanischen Bau erhalten, diente vermutlich als sog. Gastkirche, in der die Kaiser und Könige bei ihren Besuchen in Corvey (bis zur Mitte des 12. Jh. sind 24 Kaiser- und Königsbesuche bezeugt) dem Gottesdienst beigewohnt haben. Die Emporen erinnern an jene Hofkapellen, wie sie zum Beispiel im → Aachener Münster erhalten sind. Der besonders große Mittelbogen war vermutlich Sitz des Herrschers. Die kleineren Arkaden waren für das Gefolge bestimmt. – An das Westwerk, bedeutendster Teil der Klosterkirche in Corvey, schließt der von 1667–71 errichtete gotische Neubau an.
Inneres und Ausstattung: Die Ausstattung der Kirche wird vom sog. Paderborner Barock bestimmt. Er ist in den Formen pompöser und derber als im Süden Deutschlands. *Hochaltar* und beide *Nebenaltäre* sind leuchtend rot gehalten, das *Chorgestühl* zeigt reiche Schnitzereien. An der Westwand wird die *Orgel* von vier Engeln getragen. Ein stark beschädigtes *Fresko* aus der Gründungszeit zeigt im Westwerk den Kampf des Odysseus mit Skylla.

Schloß: Das Schloß, hervorgegangen aus der ehemaligen Abtei, entstand von 1699 bis 1721. Es umschließt den *Kreuzgang* und einen zweiten großen *Binnenhof.* Die *Westfassade* ist 200 m lang und besitzt fünf verschieden große Portale. Im *Kaisersaal* finden alljährlich die *Corveyer Festwochen* statt.

Crailsheim 7180

Baden-Württemberg S. 422 □ H 17

Stadtkirche St. Johannes Baptist: Eine Inschrift am Turm nennt das Jahr 1398 als Baubeginn, urkundliche Nachrich-

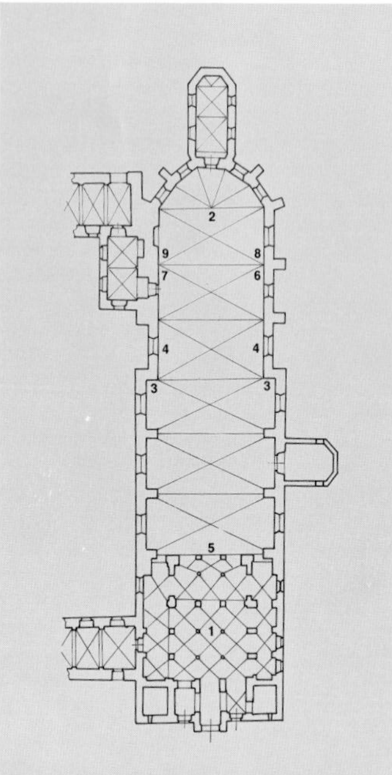

Corvey, ehemalige Abteikirche St. Stephanus und Vitus 1 Westwerk **2** Hochaltar, um 1675, Entwürfe von Johann Georg Rudolph, Schnitzer Johann Sasse **3** Nebenaltäre, um 1675 **4** Chorgestühl, um 1675 **5** Orgel; Werk von Andreas Schneider, 1681; Prospekt Sasse zugeschrieben **6** Epitaph des Abtes von Bellinghausen (1696 gestorben) **7** Epitaph des Abtes von Velde (1714 gestorben) **8** Epitaph des Abtes von Horrich (1721 gestorben) **9** Epitaph des Abtes von Blittersdorf (1737 gestorben)

ten erwähnen den Bau aber schon 1289. Die Vollendung zog sich bis in die Mitte des 15. Jh. hin. – Die spätgotische Kirche folgt dem Typ der → Rothenburger Franziskanerkirche. – Höhepunkt der Ausstattung ist der *Hochaltar* von 1486. Sehenswert sind das *Sakramentshäuschen* (1499) und die *Barockorgel* (1709). Unter den zahlreichen *Grabdenkmälern* verdienen das Grabmal des Wendel von Schrotzberg (an der S-Wand im Kirchenschiff) und das Grabmal der Anna Ursula von Braunschweig und Lüneburg (an der W-Wand) besondere Beachtung.

Fränkisch-Hohenlohesches Heimatmuseum (Lange Straße): Das Museum in der ehem. Spitalkapelle zeigt Sammlungen zur Stadtgeschichte, Kunsthandwerk und Fayencen.

Creglingen 6993

Baden-Württemberg S. 416 □ H 16

Herrgottskapelle: An der Stelle eines Hostienwunders (ein Bauer hatte beim Pflügen eine Hostie gefunden) ließen die Herren von Brauneck südlich der Stadt Creglingen 1399 eine Herrgottskapelle bauen, die im Spätmittelalter zu einer viel besuchten Wallfahrtskirche wurde. Schiff und Chor sind in dieser einräumigen Kapelle unter einem Dach zusammengefaßt. Der ursprüngliche Bau zeigt sich dank erstklassiger Restaurierungen in seiner ursprünglichen Schönheit.

Inneres und Ausstattung: Besonders sehenswert ist der *Marienaltar,* der sich im Schiff über einer steinernen Altarplatte genau am Ort des Hostienwunders erhebt. T. Riemenschneider* hat dieses Hauptwerk der unterfränkischen Schule in den Jahren 1502–05 geschaffen. Es ist vergleichbar mit dem Hl. Blutaltar in der → Rothenburger St.-Jakobs-Kirche, jedoch dank der günstigeren Aufstellung diesem noch überlegen. Der Mittelschrein zeigt Maria, die von den Engeln gen Himmel getragen wird. Unter ihr sind die Apostel zu erkennen. Die Flügel zeigen Szenen aus dem Marienleben. Im Sprengwerk ist die Marienkrönung dargestellt, darüber schwebt der Heiland. Die einzelnen Figuren sind entweder gar nicht oder nur ganz leicht getönt. Die Rückwände des Mittelschreins und der Marienkrönung sind durchbrochen, so daß Licht durchdringen kann und ein eigenwilliges Schattenspiel entsteht. – Die beiden *Seitenaltäre* entstanden um 1460, der *Hochaltar* um 1510. Der Boden der Kirche ist mit *Grabplatten* bedeckt.

Corvey, Blick vom Westwerk-Untergeschoß in die Klosterkirche ▷

Dachau 8060

Bayern S. 422 □ K 19

Ludwig Thoma, der von 1893–97 als »erstansässiger Advokat« in Dachau lebte (Augsburger Str. 13), bescheinigte der Stadt in seinen Bauerngeschichten eine »derb zugreifende, altbayerische Lebensfreude«.

Schloß (Schloßstraße): Vorgängerbau des heutigen Schlosses war eine Burg aus dem 11. Jh., die unter Herzog Ernst in den Jahren 1546–73 durch einen Neubau ersetzt wurde. 1715 erfolgte ein Umbau im Auftrag von Max Emanuel. Nach Verfall in den Jahren 1806–09 blieb nur der Südwesttrakt erhalten. – Der Renaissancebau hat seinen Höhepunkt im alten Festsaal, zu dem ein bemerkenswertes Treppenhaus führt (von J. Effner, der auch den Umbau geplant hat). Im Festsaal ist der 1567 von H. Thonauer gemalte Grisaillefries zu sehen.

Dachau, Schloß

Darmstadt, Ernst-Ludwig-Haus

Hofgarten: Die ursprüngliche barocke Gartenanlage ist nur in Teilen erhalten. Sie führte ursprünglich in großflächigen Abstufungen bis ins Ampertal hinab.

Pfarrkirche St. Jakob: Erbaut von 1584–1629, Kriegsschäden von 1648 beseitigt, später mehrere Anbauten, Erhöhung der Türme. Wichtigstes Stück der Ausstattung ist eine silbergetriebene Jakobsfigur von 1690.

Darmstadt 6100

Hessen S. 416 □ E 15

Darmstadt, ab 1567 Residenz der Landgrafen von Hessen-Darmstadt, wurde im 2. Weltkrieg zu großen Teilen zerstört. Bedeutende Leistungen der Architektur und des Städtebaus gingen verloren. – Die Stadt war spätestens seit dem 18. Jh. ein geistiges Zentrum in Hessen. Karoline von Hessen-Darmstadt – von Goethe »Große Landgräfin« tituliert – pflegte Kontakte zu den geistigen Größen ihrer Zeit: zu Goethe, Herder, Wieland, Friedrich dem Großen u. a. Darmstadt ist aber auch mit Namen wie Georg Büchner (von 1816–31 und 1834–35 in Darmstadt), Matthias Claudius (1776), Ferdinand Freiligrath (1841–42) und Theodor Heuss (Ehrenbürger der Stadt) verbunden. Um die Jahrhundertwende entstand auf der Mathildenhöhe eine Künstlerkolonie. – Darmstadt ist Sitz der Deutschen Akademie für Sprache und Dichtung. Alljährlich wird hier der wichtigste deutsche Literaturpreis, der Georg-Büchner-Preis, vergeben.

Schloß (Marktplatz): Im Schloß befinden sich heute die Landes- und Hochschulbibliothek, das Staatsarchiv, das Schloßmuseum sowie einige Hochschulinstitute.

Russische Kapelle

Hochzeitsturm, Portal

Anfänge des heutigen Baus lassen sich bis zum Jahr 1331 zurückverfolgen. Nach einem Brand im Jahr 1546 begann der Wiederaufbau 1557. Zehn Jahre später wurde der Ausbau zum Residenzschloß eingeleitet. Die Ausgestaltung zur repräsentativen Barockanlage plante L. R. Delafosse. 1944 brannte der gesamte Schloßkomplex aus, wurde jedoch originalgetreu wieder errichtet.
Die Anlage ist gegliedert in das Altschloß und das sog. Neuschloß. Das Altschloß ist geprägt von schlichten, unregelmäßigen (meist dreigeschossigen) Bauten, die an drei Binnenhöfen gelegen sind. Ältester Teil ist der Herrenbau, der aus dem Palas des 14. Jh. hervorgegangen ist (Veränderungen bis ins 20. Jh.). Südlich schließt sich der *Weißesaalbau* an (1501–12, 1716 verändert). Abschluß nach Süden ist der *Kaisersaalbau* (1595–97). Die Ostseite ist vom Kirchenbau bestimmt (1595 bis 1597 im Stil der Renaissance). Das Kirchenportal zur Hofseite hin wurde 1709 nach Entwürfen von Delafosse neu gestaltet. Nach Norden wird das Altschloß durch den *Paukergang* begrenzt (1595–97). Über der Tordurchfahrt sehr schöne Doppelbogenloggien in beiden Obergeschossen. Die Verbindung zum Neuschloß stellt der *Glockenbau* dar (1663–71). Der viergeschossige, quadratische Treppenbau birgt in seiner Laternenhaube das 1670 von S. Verbeek geschaffene Glockenspiel. – Das *Neuschloß* sollte nach den Plänen Delafosses zu einer mächtigen Schloßanlage ausgebaut werden, das Vorhaben wurde jedoch nur zum Teil verwirklicht. Das Neuschloß umgibt die alte Schloßanlage mit zwei langgestreckten, monumental wirkenden Flügeln im Süden und Südwesten. Architektonischer Mittelpunkt ist der Eingangsrisalit zur Marktseite.
Inneres und Ausstattung: Der Gedanke, das Schloß nach dem Wiederaufbau als Archiv, Bibliothek, Museum und

Evangelische Stadtpfarrkirche

St. Ludwig

für einige Hochschulinstitute zu nutzen, ließ die Frage nach der ursprünglichen Ausstattung in den Hintergrund treten. Die Atmosphäre der einstmaligen Residenz wird jedoch im *Schloßmuseum* wach (mit der *»Darmstädter Madonna«* v. Holbein d. J. als bedeutendstem Besitz). Das Hessische *Landesmuseum* (Eingang Friedensplatz) vereint Kunst und Naturwissenschaften unter einem Dach. Interessantester Teil ist die international bedeutende *Sammlung Ströher,* die zu den wichtigsten Popkunstsammlungen der Welt gehört.

Herrengarten mit Prinz-Georg-Palais (Schloßgartenstraße): Der ehemalige Schloßpark erlebte – parallel zum sich wandelnden höfischen Geschmack – die Umgestaltung zum französischen Lustgarten (1681 unter Elisabeth Dorothea) und zum englischen Garten (1766). Im Herrengarten steht das Prinz-Georg-Palais, das vermutlich um 1710 von Delafosse als höfische Sommerwohnung errichtet worden ist. Dem schlichten Barockbau vorgelagert sind – als isolierte Flügel – die Orangerie und Remise. Seit 1907 dient das Palais als *Porzellanmuseum.*

Mathildenhöhe (von der Stadtmitte aus über die Dieburger Straße): Die Mathildenhöhe, eine 1830 von Großherzog Ludwig II. angelegte und nach seiner Schwiegertochter Mathilde benannte Parkanlage, wurde 1901 zur Künstlerkolonie und mit einer aufsehenerregenden Ausstellung eröffnet. In Zusammenhang mit dieser und den folgenden Kunstausstellungen wurde Darmstadt zu einem Zentrum des Jugendstils in Deutschland. Namhafte Künstler bauten auf der Mathildenhöhe. Der Wiener Josef Maria Olbrich, der die Leitung des Ausbaus der Mathildenhöhe zur Künstlerkolonie hatte, entwarf das *Ernst-Ludwig-Haus* (heute Sitz der Deutschen Akademie für Sprache und Dichtung). Am Alexandraweg baute der Hamburger Peter Behrens sein Wohnhaus. Zur Ausstellung des Jahres 1904 entstand die Dreihäusergruppe Olbrichs am Prinz-Christian-Weg. Der *Hochzeitsturm,* eines der Wahrzeichen der Stadt, wurde – von Olbrich entworfen – zur Ausstellung des Jahres 1908 fertiggestellt. – Auf der Mathildenhöhe außerdem die *Russische Kapelle,* die 1899 geweiht wurde.

Rosenhöhe (nahe dem Ostbahnhof): Ehemals herrschaftlicher Weinberg, entstand zu Beginn des 19. Jh. ein Park. Inmitten des Parks findet sich das *Mausoleum* für Prinzessin Elisabeth (1826 von G. Moller* geschaffen). In Verbindung mit einer Ausstellung Darmstädter Künstler im Jahr 1914 fertigten A. Müller und B. Hoetger das *Löwentor* (ursprünglich Mathildenhöhe), das in veränderter Form auf der Rosenhöhe wieder aufgestellt worden ist.

Jagdschloß Kranichstein (8 km von Darmstadt, über Kranichsteiner Straße): 1572 im Auftrag von Landgraf Georg I. durch Jakob Kesselhut als dreiflügeliges Schloß im Stil der Renaissance errichtet. Auffallend ist der kräftige Rundturm an der Nordwestekke. 1863 Hinzufügung eines Querbaus. Heute *Jagdmuseum* und Hotel.

Luisenplatz: Kennzeichen des Luisenplatzes im Zentrum der Stadt ist die 28 m hohe *Ludwigssäule* aus dem Jahr 1844, Denkmal für Großherzog Ludwig I. – Das *Kollegienhaus* (1777–80) wurde nach der Zerstörung im 2. Weltkrieg wiederhergestellt. Einst als Verwaltungsgebäude konzipiert, ist es heute Sitz des Regierungspräsidenten.

Ev. Stadtkirche (Kirchstraße): Von der ursprünglichen Marienkapelle aus dem 13. Jh. ist nur noch der fünfgeschossige Westturm erhalten (das oberste Geschoß 1627–31, Laterne mit Glockenstuhl 1953). Der langgestreckte Chor entstand wahrscheinlich 1419–31. Das spätgotische Langhaus aus den Jahren 1685–87 wurde 1844–45 umgebaut. Nach den Zerstörungen im 2. Weltkrieg Wiederaufbau (1952–53) bei teilweisen Veränderungen. – Die Kirche besitzt einzigartige Renaissancegrabmäler. Das bedeutendste ist das (dreigeschossige) Epitaph in Altarform, das Landgraf Georg I. und seine Gemahlin Magdalena zur Lippe zeigt. Es wurde 1588–89 von P. Osten geschaffen und ist neben dem Denkmal für Philipp den Großmütigen in Kassel das älteste Monumentalgrabmal aus der Zeit nach der Reformation in Hessen.

Kath. St.-Ludwigs-Kirche (Wilhelminenplatz): Hinter dem Denkmal für Großherzogin Alice steht der große Rundbau, der in den Jahren 1822–38 nach einem Entwurf von G. Moller (1820) entstanden und nach der völligen Zerstörung im 2. Weltkrieg durch C. Holzmeister (Wien) wiederaufgebaut wurde. Der Bau entstand in Anlehnung an das römische Pantheon und gilt als typischer Bau des Klassizismus in Deutschland. 28 Säulen sind im Inneren zu einem Kranz zusammengeschlossen. Die Kuppel ist 14 m hoch und hat einen Durchmesser von 28 m.

Altes Landestheater (zwischen Schloß und Hofgarten): 1818–19 von G. Moller als Hoftheater erbaut, nach einem Brand im Jahr 1871 von 1875–79 leicht verändert wiederaufgebaut, 1944 ausgebrannt. Der Säulenportikus ist erhalten.

Museen: *Hessisches Landesmuseum* (Friedensplatz 1): In dem 1896–1906 von A. Messel erbauten Museum werden u. a. Malerei, Plastik und Kunsthandwerk gepflegt. – *Hessische Landes- und Hochschulbibliothek* (im Schloß): In der Schausammlung werden wertvolle Inkunabeln, Handschriften, Musikhandschriften und Musikerbriefe gezeigt. – *Schloßmuseum* (Residenzschloß): Wohnkultur und Gemälde des 17.–20. Jh., Galawagen, Kleider und Uniformen. – *Großherzogliche Porzellan-Sammlung* (im Prinz-Georg-Palais im Schloßgarten): Europäisches Porzellan und Fayencen des

18./19. Jh. – *Kunsthalle* (Steubenplatz): Wechselausstellungen moderner und alter Kunst. – *Stadtmuseum* (Große Bachstraße 2): Stadtgeschichte.

Theater: *Großes und Kleines Haus mit Werkstattbühne* (Auf dem Marienplatz) sind in einem Neubau von R. Prange (Oper und Schauspiel) unter einem Dach vereint. Das Große Haus hat 956 Plätze, das Kleine 482, die Werkstattbühne 150. – *Theater am Platonenhain* (Georg-Büchner-Platz 3): Zimmertheater.

Dausenau 5409

Rheinland-Pfalz S. 416 □ D 13

Ev. Pfarrkirche Maria und St. Kastor: Die Kirche ist 1319 zum erstenmal erwähnt. Der Turm ist romanisch, das kurze Langhaus ist als gotischer Hallenbau des 14. Jh. konzipiert. Der Dom zu → Trier diente als Vorbild für diese im Mittelrhein- und Lahngebiet häufiger anzutreffende Art der Emporenhallen. Von der Ausmalung aus dem 14. Jh. sind im Hauptchor, im südlichen Nebenchor und am Gewölbe des südlichen Seitenschiffs Reste erhalten. Der spätgotische Flügelaltar (um 1500) zeigt im dreiteiligen Schrein die Muttergottes, auf den Flügeln Szenen aus dem Marienleben.

Deggendorf 8360

Bayern S. 422 □ N 17

Pfarrkirche Mariae Himmelfahrt: Der Bau, dessen Ursprünge auf eine romanische Anlage zurückgehen (1240 niedergebrannt), wurde vielfach verändert. Ein Tympanonrelief (1242–50) befindet sich heute an der Wand der *Wasserkapelle* (neben der Pfarrkirche). Der Hochaltar ist als Baldachinanlage gestaltet. Der Altar war 1749 ursprünglich für den Eichstätter Dom geschaffen (von M. Seyboldt), kam dann aber 1884 nach Deggendorf.

Außerdem sehenswert: *Hl.-Grab-Kirche:* Dreischiffige Basilika aus der Zeit der Gotik (1360). – *Bürgerspitalkirche St. Katharina:* Sehenswerte Deckenbilder von F. A. Rauscher. – *Rathaus* (Marktstraße): Hoher Giebel und dahinter liegender Turm sind die Charakteristika dieses Baus aus dem 16. Jh. Auf dem Marktplatz zwei *Brunnen* aus dem 16. und 18. Jh.

Deggingen 7345

Baden-Württemberg S. 420 □ G 18

Pfarrkirche Hl. Kreuz: Unter Einbeziehung des gotischen Turms aus dem 14. Jh. entstand der Neubau der Kirche 1700. Der mächtige Hochaltar stammt von der einheimischen Bildhauerfamilie Schweizer. Im Mittelpunkt steht die Kreuzigungsszene (mit Longinus zu Pferde und trauernden Frauen). Die seitlichen Figuren stellen Helena und Konstantin dar. Im oberen Teil Gott Vater mit den Aposteln Johannes, Petrus, Paulus und Jakobus sowie den himmlischen Heerscharen.

Außerdem sehenswert: *Wallfahrtskir-*

Deggingen, Hl. Kreuz

che Ave Maria (1716–18) mit ungewöhnlichem Altar der Bildhauerfamilie Schweizer.

Deidesheim 6705

Rheinland-Pfalz S. 420 □ D 16

Deidesheim, ein altes Städtchen an der Weinstraße, ist voller Geschichten um den Wein. Sie reichen vom Eintrag, den Alexander von Humboldt bei seinem Aufenthalt in Deidesheim im (heute noch bestehenden) Gasthaus »Zur Kanne« hinterließ, bis zu der berühmten »Geschichte des Weinbaus«, jenem Standardwerk von Friedrich Armand von Bassermann-Jordan.

Kath. Pfarrkirche (Marktplatz): Die für den pfälzischen Raum bedeutsame spätgotische Kirche wurde 1464–80 errichtet und nach der Zerstörung 1689 wiederaufgebaut. Von der alten Ausstattung finden sich einige wertvolle Stücke in der dreischiffigen Basilika: Allem voran die Apostel- und Prophetenbüsten, die einst das Chorgestühl gekrönt haben und heute an den Emporenpfeilern befestigt sind (um 1480). Der Hochaltar trägt einen Kruzifixus aus der Zeit um 1510, die beiden ihn umschwebenden Engel kamen im 18. Jh. hinzu (sie werden dem Umkreis Verschaffelts* zugeschrieben). Erhalten ist auch ein wertvolles Relief des hl. Georg.

Rathaus (Marktplatz): Der feingliedrige Bau wird von einer charaktervollen Freitreppe (1734) mit Säulen geprägt. Sie führt vom (offenen) Untergeschoß aus dem 16. Jh. in das später aufgesetzte Obergeschoß aus dem 18. Jh. Beachtenswert ist die feine Baldachinausbildung.

Heidenlöcher (nördlich von Deidesheim): Der Steinwall entstand vermutlich in frühgeschichtlicher Zeit und diente zu jener Zeit als Fliehburg. Heute sind nur noch Reste erhalten, die jedoch Ansätze von Häusern und Toren erkennen lassen.

Außerdem sehenswert: *Spitalkirche* (Weinstraße): Kapelle aus dem Jahr 1496, angrenzende Spitalgebäude aus dem 16.–18. Jh. – *Michaelskapelle* (Wall): Spätgotischer Bau aus dem Jahr 1662 (1951 nach Zerstörung im 2. Weltkrieg restauriert). – *Museum für moderne Keramik.*

Denkendorf 7306

Baden-Württemberg S. 420 □ F 18

Ehem. Klosterkirche: Der Bau geht in seinen wesentlichen Teilen auf das 12./13. Jh. zurück. Das schwere Kreuzgewölbe der Vorhalle ruht auf zwei mächtigen Pfeilern. Massige Pfeiler stützen auch die flachgedeckte Basilika. 23 Stufen unterhalb des Kirchenbodens liegt die *Krypta* mit Wandmalereien (1515). Sie gilt als Hinweis auf den Heiliggrabkult, der zur Zeit der Kreuzzüge entstanden ist. In der Vorhalle und im südlichen Seitenschiff befinden sich beachtenswerte Grabdenkmäler.

Außerdem sehenswert: Friedhofskirche (um 1500).

Denkendorf, Klosterkirche

Detmold 4930

Nordrhein-Westfalen S. 414 □ F 9

»Es war eine hübsche, reinliche Stadt«, schwärmte Malwida von Meysenburg in ihren »Memoiren einer Idealistin« (1876), »an einem der malerischsten Punkte des nördlichen Deutschland gelegen, von Hügeln, mit herrlichen Buchenwäldern bedeckt, umgeben, an die sich historische Erinnerungen ferner Vorzeit knüpfen.« Diese Erinnerungen gelten vor allem dem Cheruskerfürsten Armin, der 9 n. Chr. mit seinem Sieg über das Heer des römischen Statthalters Varus, vermutlich hier, ganz in der Nähe von Detmold, die Vorherrschaft der Römer gebrochen hat. Zu den berühmten Söhnen der Stadt gehören Christian Dietrich Grabbe (1801–36), Ferdinand Freiligrath (1810–76), Georg Weerth (1822–56) und Theodor Althaus (1822–52). Von 1826–33 hat hier Albert Lortzing gelebt.

Residenzschloß der Edelherren zur Lippe, Detmold

Residenzschloß (Ameide): Eine mittelalterliche Wasserburg (der mächtige Bergfried ist erhalten), die nur gelegentlich als Residenz der Edelherren

Hermannsdenkmal auf der Grotenburg im Teutoburger Wald

zur Lippe gedient hatte, wurde 1528–36 zur stärksten lippischen Landesfestung ausgebaut. 1549 entwarf der Tübinger Schloßbaumeister J. Unkair* den vierflügeligen Bau mit den charakteristischen Treppentürmen, der erst 1621 vollendet wurde. Der Südwestflügel kam 1670 hinzu.
Trotz der nicht immer einfühlsamen Veränderungen gilt das Residenzschloß als eines der bedeutendsten Werke der sog. Weser-Renaissance. Das Schloß war ursprünglich stark befestigt, Teile des Walls und der Wassergräben wurden jedoch beseitigt. Nach den Plänen von J. Unkair wurde der Bau von C. Tönnis, dem Meister der Weser-Renaissance, vollendet.
Wertvollste Stücke der reichen Ausstattung sind die acht *Gobelins* an den Wänden des Königszimmers. Sie zeigen einen Alexanderzyklus und wurden um 1670 von Jan Frans van den Hecke in dessen Brüsseler Werkstatt gefertigt. – Mehrere Salons und Wohngemächer sind mit der ursprünglichen Ausstattung erhalten. Die *Kunstsammlungen* sind im Rahmen des *Schloßmuseums* zugänglich.

Lippisches Landesmuseum und Heimathaus (Ameide): In den historischen Fachwerkhäusern Zehntscheune und Kornhaus, die durch eine Überführung miteinander verbunden sind, befindet sich heute das Lippische Landesmuseum. Die beiden Häuser wurden im Kloster Falkenhagen bzw. auf dem Hof der Domäne Schieder abgebrochen und hier neu errichtet. Das Museum bietet vor allem Beiträge zur kunsthistorischen Entwicklung des Lippe-Landes.

Westfälisches Freilichtmuseum (am südlichen Stadtrand): Bauernhäuser und Gehöfte aus Westfalen wurden hierher überführt und originalgetreu wieder aufgebaut.

Hermannsdenkmal: Das 53,44 m hohe Denkmal zeigt den Cheruskerfürsten Armin (»Hermann der Cherusker«), der vermutlich an dieser Stelle in einem drei Tage dauernden Gefecht den rö-

Mittelrheinisches Vesperbild (um 1420) in der Wallfahrtskirche St. Maria, Dieburg ▷

Auf dem Wittekindberg des Wiehengebirges, an der Porta Westfalica, dem Durchbruch der Weser zwischen Wiehengebirge und Weserkette, wurde zur Erinnerung an Kaiser Wilhelm I. 1896 dieses Denkmal errichtet

mischen Statthalter Quintilius Varus 9 n. Chr. geschlagen hat. Das Denkmal wurde nach Plänen von E. von Bandel in den Jahren 1838–75 erbaut. Es gilt als Beispiel für die Plastik und Architektur des Historizismus.

Außerdem sehenswert: Marktplatz; ref. Marktkirche (16. Jh.); Neues Palais (1706–18).

Dettelbach 8716

Bayern S. 416 □ H 15

Wallfahrtskirche Maria auf dem Sand (Wallfahrtsweg): Ein Vesperbild, das um 1504 gefunden wurde, war Ausgangspunkt für eine Wallfahrt. Julius Echter, baulustiger Fürstbischof von Würzburg, gab den Auftrag zum Bau (1610–13) der heute noch viel besuchten Wallfahrtskirche in Mainfranken. Der Chor der ursprünglich kleineren Kirche wurde in den Bau einbezogen. Er gilt als typisches Werk des sog. Juliusstils, der auf eine Verbindung zwischen Elementen der Spätgotik, der Renaissance und des Barock zielt. Charakteristisch für diesen Stil sind die Wandbemalungen an der Außenfront und das aufwendige Portal, das M. Kern geschaffen hat. Im Inneren beansprucht der Gnadenaltar mit seinen ungewöhnlichen Ausmaßen die Aufmerksamkeit des Betrachters. Die Baldachinanlage aus Stuckmarmor stammt von A. Bossi (1778–79). Die Kanzel, die im Jahre 1626 ebenfalls von M. Kern geschaffen wurde, gilt als eine der bedeutendsten Steinplastiken der Renaissance.

Kath. Pfarrkirche: Haupt- und runder Treppenturm sind durch eine Holzbrücke verbunden und ergeben ein ungewöhnliches Bild. Teile stammen aus dem Jahr 1489, andere Passagen wurden 1769 neu aufgeführt. Der Turm ist von acht Kapellen umgeben und läßt vermuten, daß die Anlage ursprünglich großzügiger geplant war.

Stadtmauer und Rathaus: Als der Ort 1484 zur Stadt ernannt wurde, begann man sofort mit dem Bau einer Stadtmauer, die zu großen Teilen erhalten ist. Das dreigeschossige Rathaus (15./16. Jh.) ist mit seinem Giebel und einer Freitreppe an der Schauseite sehenswert.

Dieburg 6110

Hessen S. 416 □ F 15

Wallfahrtskapelle St. Maria: Der heutige Bau erhielt seine bestimmenden Formen bei einem Erweiterungsbau 1697–1715 im Stil des Barock. Die Ursprünge des Gotteshauses lassen sich bis in die vorkarolingische Zeit verfolgen. Bemerkenswert ist die Ausstattung, deren Höhepunkt ein mittelrheinisches Vesperbild ist (um 1420). Es ist in den Hochaltar von J. P. Jäger (1749) einbezogen, der sich beim Entwurf des Säulenaufbaus an das von ihm selbst geschaffene Vorbild von St. Quintin in → Mainz gehalten hat. Das Gnadenbild besteht aus Leder, Mörtel und Leinwand – eine nur selten zu findende Technik. Eine Abbildung des Vesperbildes auf Seite 167.

Stiftskirche, Dießen

Dießen am Ammersee 8918

Bayern S. 422 ☐ K 20

Ehem. Augustiner-Chorherren-Stiftskirche St. Maria (oberhalb des Ortes): Dem heutigen Bau sind die Gründung des Frauenklosters St. Stephan (um 1100) und des Augustiner-Chorherrenstifts (um 1122–32) vorausgegangen. Mit dem Bau der heutigen Anlage wurde 1720 begonnen. Nachdem der Rohbau schon fast fertig war, wurde er wieder abgerissen und mit dem Neubau nach Plänen des Münchner Barockbaumeisters J. M. Fischer* begonnen (fertiggestellt 1739).

Der Bau ist der erste einer Kette, die später → Fürstenzell, → Zwiefalten und → Ottobeuren einbezieht. Die ausgewogene Fassade endet in einem fein geschwungenen Giebel. In der Nische unter dem Auge Gottes ist der Ordensheilige Augustinus zu erkennen. Die ursprünglichen Obergeschosse des Kirchturms wurden zerstört und im neugotischen Stil ersetzt (1846–48).

Inneres und Ausstattung: Die Kirche gehört zu den bedeutendsten Barockbauten in Bayern. Fischer war bei seinen Planungen zwar eingeengt durch die Auflage, er möge die vorhandenen Fundamente weitgehend übernehmen, hat aber trotzdem sein System der zentralen Raumgruppierung verwirklicht. Das Innere zeigt einen Saal im Wandpfeilertyp. Zwischen den mächtigen weiten Pfeilern sind die Altäre zu einer Prozessionsstraße angelegt. An der Innenausstattung haben die besten Künstler jener Zeit mitgearbeitet: Als Stukkateure waren die Brüder Franz Xaver und Joh. Mich. Feuchtmayer* sowie J. G. Üblherr* aus → Wessobrunn beteiligt. Die Skulpturen wurden u. a. nach Entwürfen von François de Cuvilliés* d. Ä. und durch dessen Mitarbeiter J. Dietrich* geschaffen. Glanzstück ist der Hochaltar, der durch Treppen noch zusätzlich erhöht wird. Vier Kirchenväter umstehen die Mensa des Altars. Das versenkbare Altarbild zeigt die Himmelfahrt Mariens. Hinter dem Altarbild von B. A. Albrecht (1738) befindet sich eine Bühne, die – den Festtagen entsprechend – mit wechselnden Bildern ausgestattet werden kann (theatrum sacrum). Auch an den Seitenaltären haben berühmte Künstler gearbeitet wie E. Verhelst*, F. X. Schmädl, G. B. Pittoni, G. B. Tiepolo*, J. G. Bergmüller und J. B. Straub* (von

Die Kirche in Dießen gehört zu den bedeutendsten Barockbauten in Bayern

Schwebender Engel, Dießen

Dietkirchen, ehemalige Stiftskirche

dem die Kanzel stammt). Der schwebende Engel in einer Seitenkapelle über dem Taufstein gehörte ursprünglich nicht zur Ausstattung dieser Kirche. Er wird dem Kreis um I. Günther* (um 1760) zugeschrieben. Die reichen Fresken hat Bergmüller geschaffen (1736).

St. Georgen (am westlichen Stadtrand): Der Bau aus dem 15. Jh. wurde 1750 erweitert. Unter den Künstlern, die die Innenausstattung schufen, finden sich berühmte Namen: F. X. Feuchtmayer (Stukkaturen), J. Zitter (Freskomalerei), M. Günther (Teile des Altars).

Außerdem sehenswert: Friedhofskirche St. Johannes.

Umgebung: Als lohnende Ausflugsziele bieten sich Kloster → Andechs, → Steingaden und die → Wieskirche an.

Dietkirchen = Limburg 6250

Hessen S. 416 □ D 13

Ehem. Stiftskirche St. Lubentius und Juliana: Die Kirche ist in malerischer Lage auf einem Kalksteinfelsen im Lahntal errichtet. Teile des bedeutenden romanischen Bauwerks stammen aus der Mitte des 11. Jh., so die Türme und Querhauswände. Das Langhaus wurde im 12. Jh. verbreitert. Restaurierungen 1958 haben einige Veränderungen zugunsten des ursprünglichen Zustands beseitigt. – Die Kirche gehört zu den wenigen romanischen Bauwerken, die in ihrer ursprünglichen Architektur bis in unsere Zeit hinein erhalten geblieben sind. Typisch sind die enggestellten Türme, die bis zur Höhe des Schiffs ungegliedert sind.

Inneres und Ausstattung: Die Gedrungenheit der Stützen und Gewölbe ist bezeichnend für die Zeit der Romanik.

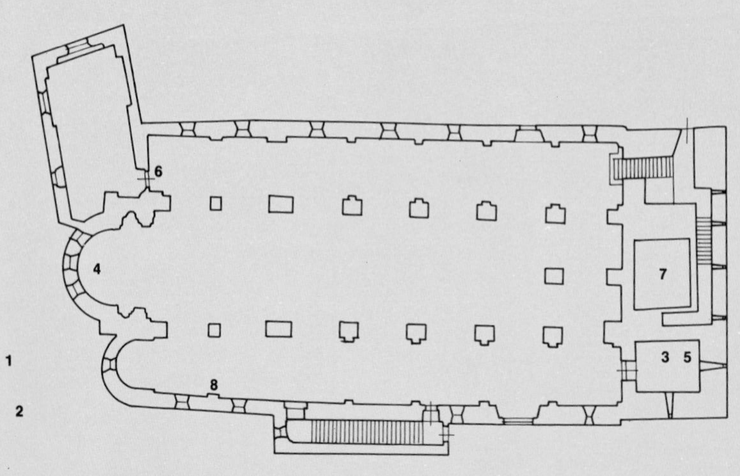

Dietkirchen, ehem. Stiftskirche 1 Dreifaltigkeitskapelle **2** Michaelskapelle **3** Steinsarg des hl. Lubentius, Inschrift des 10. Jh. **4** Malerei der Vierungsgewölbe, 2. Viertel 13. Jh. **5** Kopfreliquiar des hl. Lubentius, Kopf um 1270, Brustteil 1447 **6** Eisenbeschlag und Türklopfer der Sakristeitür (Abguß, Original, 13. Jh., im Domschatz **7** Orgelprospekt, um 1695 **8** Grabmal des Philipp Frey von Dehrn (1550 gest.)

Von der Ausstattung ist der frühgotische *Taufstein* hervorzuheben (um 1220) und das Renaissance-Grabmal für Philipp Frey von Dehrn (16. Jh.). Der Kirchenschatz enthält ein beachtenswertes Kopfreliquiar des hl. Lubentius (Kopf vermutlich um 1270, die Büste um 1447).

Dietramszell 8157

Bayern S. 422 □ L 20

Ehem. Augustiner-Chorherren-Stiftskirche: Die Kirche gehört zu den bedeutendsten Barockkirchen in Oberbayern. Zu Beginn des 19. Jh. wurde Dietramszell Sammelkloster für Nonnen, die durch die Säkularisation obdachlos geworden waren. – Die heutige Klosterkirche entstand als Neubau in den Jahren von 1729–41 (Weihe 1748). Der Tegernseer Mönch Dietram hatte an gleicher Stelle im 12. Jh. eine Martinskapelle mit angefügtem kleinen Kloster gegründet. Das Äußere der Kirche steht in keinem Verhältnis zur reichen Ausstattung. Der Bau wurde nach Plänen eines unbekannten Meisters errichtet. – Ihren Rang bezieht die Kirche aus den feinen Stukkaturen und pastellfarbigen Fresken J. B. Zimmermanns*. Mittelpunkt des mächtigen Hochaltars ist ebenfalls ein Werk Zimmermanns: das Gemälde der Himmelfahrt Mariens (1745). Auch die Gemälde in drei Seitenaltären stammen von ihm.

Kirche St. Martin: Die Kirche (1722 geweiht) ist im Norden an die Stiftskir-

Augustiner-Chorherren-Stiftskirche in Dietramszell

che angebaut und kann vom ersten Langhausjoch aus betreten werden. Stuckarbeiten und Gemälde stammen ebenfalls von J. B. Zimmermann.

Wallfahrtskirche St. Leonhard (nördlich von Dietramszell): Der Bau, 1774 geweiht, steht im Zeichen des Spätrokokos. Er ergibt vor dem Hintergrund der Berge ein besonders romantisches Bild. Bemerkenswert die Ausstattung.

Diez 6252

Rheinland-Pfalz S. 416 □ D 13

Schloß Oranienstein (auf einem Felshang nördlich der Stadt): Prinzessin Albertine Agnete von Oranien ließ das Schloß 1672–84 erbauen. Die fünfflügelige Anlage gruppiert sich um einen nach Süden geöffneten Ehrenhof. Für einen Umbau (1697–1709) wurde D. Marot, Architekt am niederländischen Hofe, herangezogen. Heute wird das Schloß von der Bundeswehr genutzt. – Die reiche Ausstattung hat in den Stuckdecken von E. Castelli und bemerkenswerten Deckengemälden ihre Höhepunkte. Im östlichen Seitenflügel befindet sich die *Schloßkapelle.* Ungewohnt ist die Anordnung der Orgel über der Kanzel.

Schloß Diez: Über der Stadt, auf Felsen errichtet, ist die Burg an ihrem romanischen Bergfried (der Helm ist mit vier gotischen Ecktürmen geziert) weithin zu erkennen. Der ursprüngliche Bau aus der 2. Hälfte des 11. Jh. wurde im 14. Jh. erweitert und 1732 umgebaut.

Außerdem sehenswert: *Nassauisches Heimatmuseum* im Schloß und *Nassau-Museum Oranienstein:* Erinnerungen an die Familie Nassau-Oranien, Vorgeschichte, Geologie, Volkskunde. – Schöne alte *Wohnbauten. Ev. Pfarrkirche* (13. Jh.).

Umgebung: *Ruine Balduinstein* (6 km südwestlich von Diez), *Schloß Schaumburg* (7 km südwestlich von Diez, heute Museum).

Dillenburg 6340
Hessen S. 416 □ E 12

Dillenburg hat mit jenem Platz unter der immer noch grünen »Wilhelmslinde« (Schloßberg) historischen Boden zu bieten: Hier wurde Wilhelm von Oranien im Jahre 1568 die Führung im Befreiungskampf gegen Spanien angetragen. In der Literatur ist Wilhelm von Oranien ein Denkmal in Goethes Drama »Egmont« gesetzt, das ihn als Berater Egmonts auftreten läßt.

Ev. Pfarrkirche (Kirchberg): In der 1489 bis 1524 erbauten Kirche befinden sich 15 Gräber des Hauses Nassau-Oranien. Der Raumeindruck wird von den doppelten Emporen bestimmt, die an drei Seiten den Innenraum umgeben. Sie sind von den Formen der Spätrenaissance geprägt. Im Chor befindet sich das Epitaph für das Herz des Grafen Johann von Nassau (gest. 1475).

Außerdem sehenswert: Der *Wilhelmsturm* (auf dem Hof des ehem. Schlosses): 1872–75 errichtetes Wahrzeichen Dillenburgs. Vom 1240 erbauten Schloß sind nur Reste, so einige Schloßgewölbe (»Kappeskeller«), erhalten. – *Altes Rathaus* (Hauptstraße): Neubau nach 1723, zwei Steingeschosse und ein Fachwerkgeschoß. Im gesamten Stadtgebiet sind viele schöne Fachwerkhäuser aus dem 16. bis 18. Jh. erhalten. – Im *Nassau-Oranischen Museum* (im Wilhelmsturm) werden Sammlungen zur Frühgeschichte sowie Keramik, Porzellan, Zinn, Grafik und Waffen gezeigt.

Dillingen an der Donau 8880
Bayern S. 422 □ I 18

Das Städtchen gewann im 15. Jh. an Bedeutung, als sich Augsburg der Herrschaft der Bischöfe entzogen hatte: Bis zum 18. Jh. war Dillingen nun Residenz und Sitz der Verwaltung des ehem. Bistums Augsburg. Mit dem Studienkolleg, das 1549 von Kardinal Otto Truchseß von Waldburg gegründet und 1554 zur Universität erhoben

Schloß Oranienstein, Diez

Dillingen, St. Peter

wurde, entwickelte sich Dillingen zu einem geistigen Zentrum der Gegenreformation in Deutschland.

Studienkirche Mariae Himmelfahrt (Kardinal-von-Waldburg-Straße): Die Kirche ist eingefügt in die Gesamtanlage der Konvents- und Universitätsbauten. Sie entstand von 1610–17 und wurde 1750–68 im Stil des Rokoko umgestaltet. In ihren Grundzügen ist die Kirche mit St. Michael in → München zu vergleichen, im Sinne des sog. Vorarlberger Wandpfeilerschemas, wie es sich auch in → Ellwangen und → Obermarchtal findet, sind jedoch Emporen, Querhaus und Hallenchor weggelassen worden. Reicher Stuck und leuchtende Fresken geben der ansonsten feierlichen Atmosphäre eine heitere Note. Der Hochaltar wurde von den einheimischen Künstlern J. M. Fischer (als Bildhauer) und J. Hartmuth (als Schreiner) geschaffen. Das Altargemälde zeigt die Himmelfahrt Mariens und stammt von J. G. Bergmüller. Auch das Bild im südöstlichen Nebenaltar ist von Bergmüller (1756).

Pfarrkirche St. Peter (Klosterstraße): J. Alberthal aus Graubünden schuf die dreischiffige Hallenkirche (1619–28). 1643 wurde sie in eine Wandpfeileranlage umgewandelt (um die aufkommende Einsturzgefahr zu beseitigen). Die Stuckarbeiten stammen von J. Feistle (1734).

Konvents- und Universitätsbauten (Kardinal-von-Waldburg-Straße): Dazu sind das *Priesterseminar* (1619–22) und das *Jesuitenkolleg* (1736–38) mit seinem barocken *Bibliothekssaal* zu rechnen. Festsaal der *Universität* (1688/89) war die *Aula* (genannt »Goldener Saal«), die in den Jahren 1761–64 entstand. Hervorzuheben sind die Deckengemälde. Zu dem Komplex gehört auch noch das *Gymnasium* (1724).

Schloß (Schloßstraße): Die einstmalige Burg wurde zunächst nur als Stätte der Zuflucht jener Bischöfe genutzt, die aus Augsburg verdrängt wurden. Nach einem Brand 1595 begann der Wiederaufbau mit zahlreichen Erweiterungen. Im 18. Jh. erhielt die Anlage das großzügige, schloßartige Bild.

Außerdem sehenswert: *Spitalkirche Hl. Geist* (um 1500, Änderungen 1687), die *St.-Wolfgangs-Kapelle* (1536, umgebaut 1591 und 1725) auf dem ehem. Friedhof und die *Franziskanerinnen-Klosterkirche Mariae Himmelfahrt* (an St. Peter angrenzend) von J. G. Fischer* mit einem Kruzifixus aus der Zeit um 1520. – Interessant ist auch das *Stadtbild.*

Dingolfing 8312

Bayern S. 422 □ M 18

Pfarrkirche St. Johannes: Der Backsteinbau war gegen 1490 vollendet

Deutsches Haus, Dinkelsbühl ▷

Hotel - Deutsches - Haus
Altdeutsches Restaurant
Hotel

(Baubeginn vermutlich 1467). Er gehört zu den schönsten, erhalten gebliebenen gotischen Kirchen in Bayern. Aus der einst reichen Ausstattung sind nur noch Teile vorhanden, so zwei Schnitzfiguren (sie stellen die Patrone Johannes dar und sind um 1520 entstanden).

Schloß (Obere Stadt): Der rechteckige Backsteinbau (15. Jh.) ersetzt den ursprünglichen Bau aus dem Jahre 1251. Das Herzogshaus besticht durch seinen reich verblendeten Stufengiebel. Heute beherbergt das Schloß das *Heimatmuseum.*

Dinkelsbühl 8804

Bayern S. 422 □ H 17

Im frühen Mittelalter erhielt Dinkelsbühl wegen seiner günstigen geographischen Lage Bedeutung. Das galt auch noch, als Goethe im November 1797 nach der Rückkehr von seiner dritten Reise in die Schweiz hier Station machte. Joh. Peter Hebel hat der Stadt mit seiner Geschichte »Zwei Postillione« ein Denkmal gesetzt. Kasimir Edschmid verglich Dinkelsbühl mit Rothenburg, »jedoch ohne Trompetenklang in der Luft, ohne das Drama des Blutes, ohne den Spuk der Geschichte. . .«

Stadtpfarrkirche St. Georg (Marktplatz): Vater und Sohn Nikolaus Eseler* haben diesen bedeutenden Bau der Gotik von 1448–99 geplant und erbaut. Die dreischiffige Halle, 76,88 m lang, 22,48 m breit, hat umlaufende Seitenschiffe. Das Innere wird beherrscht von den schlanken Pfeilern, die in das dichte Netzgewölbe auslaufen. Die Ausstattung stammt in ihren wesentlichen Teilen aus späterer Zeit. In den neugotischen Hochaltar (1892) wurde eine spätgotische Kreuzigungstafel eingearbeitet. Dagegen stammt der Baldachin-Altar am Choreingang aus der Zeit um 1470, auch das Sakramentshaus, die Kanzel und der Taufstein sind aus der Entstehungszeit.

Mittelalterliche Fachwerkhäuser (Segringer und Nördlinger Straße): Das Stadtbild ist aus dem 12.–15. Jh. beinahe unberührt erhalten geblieben. Von der einstigen Stadtbefestigung sind die vier Tore, Wörnitztor (im Osten), Nördlinger (Süden), Segringer (Westen) und Rothenburger Tor (Norden), noch erhalten. In den erstklassig erhaltenen Fachwerkbauten sind fränkische und schwäbische Elemente gemischt. Das *Deutsche Haus* (am Marktplatz), erbaut 1440, gilt als eines der schönsten Fachwerkhäuser im süddeutschen Raum. Ansehen sollte man sich auch die ehem. *Ratstrinkstube* (16. Jh.), das *Kornhaus* (1508) und die *Schranne* (um 1600). Zwischen diesen altdeutschen Bürgerhäusern zeigt sich das *Palais des Deutschen Ordens,* als Deutschordenhaus in den Jahren 1761–64 errichtet, als Ausnahme. – Von den Kirchen sind noch *St. Ulrich* (um 1700), die *Kapuzinerkirche* (17. Jh.) und die *Dreikönigskapelle* (14. Jh., 19. Jh. profaniert) zu erwähnen.

Donaueschingen 7710

Baden-Württemberg S. 420 □ E 20

Die Stadt, in der sich Brigach und Breg zur Donau vereinen (»Donauquelle« im Schloßhof), verdankt ihre kulturelle Bedeutung den Anregungen der Fürsten zu Fürstenberg. Eine Sonderstellung hat die Hofbibliothek mit ihren rund 130000 Bänden. Von 1857–59 war der Dichter Joseph Victor von Scheffel Bibliothekar hier. – Jeweils im Herbst finden die Donaueschinger *Musiktage* statt.

Kath. Pfarrkirche St. Johannes Bapt./ Johanneskirche (Karlstraße 71): Der zweitürmige Barockbau (1724–47) imponiert mit seiner Fassade und einer reichen Innenausstattung. Im Langhaus sind die 12 Apostelbilder sehenswert. Bedeutendstes Stück ist eine Madonna (1525–30; den Meistern des → Breisacher Altars zugeschrieben).

Schloß (Fürstenbergstraße 2): Die

Donaueschingen, Schloß

schlichte Barockanlage aus den Jahren um 1723 wurde durch einen Umbau (1893–96) stark verändert und ist architektonisch kaum noch von Bedeutung. Im Schloßhof befindet sich die sog. Donauquelle, für die A. Weinbrenner ein Brunnenrondell mit allegorischer Marmorgruppe geschaffen hat. Bedeutend sind die *Sammlungen* zur Wohnkultur und zum Kunstgewerbe aus der Zeit der Renaissance und des Barock. Der Hauptteil der Fürstlich Fürstenbergischen Sammlungen befindet sich im *Karlsbau* neben dem Schloß. Höhepunkt der Sammlungen ist die *Gemäldegalerie* altdeutscher Meister (u. a. Holbein der Ältere und Mathias Grünewald).

Hofbibliothek (Haldenstraße 3): Wertvollster Bestand der Hofbibliothek sind die Handschriften, so u. a. eine Fassung des Nibelungenlieds aus der 2. Hälfte des 13. Jh., und mehr als 500 Inkunabeln.

Umgebung: Entenburg bei Pfohren (südlich von Donaueschingen); Mariahof, Fürstenbergische Gruftkirche in Neudingen (Neurenaissance, 1856).

Donaustauf 8405

Bayern S. 422 □ M 17

Burg: Von der mittelalterlichen Burg (12. Jh.) sind nach der Zerstörung 1634 nur Reste erhalten, so Teile der Kapelle (11. Jh.) und des Palas. Die Geschichte der Burg ist mit Namen wie Friedrich Barbarossa (1156) und Heinrich dem Löwen (1161) verbunden.

Walhalla (Oberhalb Donaustauf): Ludwig I. von Bayern hat den Bau aus weißem Marmor den »rühmlich ausgezeichneten Teutschen« gewidmet. Die Idee des Nationaldenkmals ist jedoch über die Erstausstattung kaum hinausgekommen. – Der Tempel, von Leo

Walhalla bei Donaustauf

von Klenze* 1830–41 erbaut, ist den Griechentempeln nachempfunden. Der 125 × 50 m große Bau wird in seinem Oberbau von 52 dorischen Säulen getragen. Zu den rund 120 von Kronprinz Ludwig gestifteten Büsten gehören Erasmus von Rotterdam, Goethe, Hutten, Kant, Klopstock, Lessing, Luther, Schiller, Wagner, Wieland und Winckelmann. Nach 1945 wurden sechs Walküren und das Marmorstandbild Ludwigs I. hinzugefügt.

Donauwörth 8850

Bayern S. 422☐I 18

Die günstige Verkehrslage im Einzugsgebiet von Schwaben, Franken und Bayern hat Geschichte und Kultur der Stadt geprägt. Die gut erhaltene Stadtanlage aus dem 13. Jh. wurde 1945 stark zerstört, jedoch zum großen Teil wieder aufgebaut. Mittelpunkt ist die berühmte Reichsstraße, Teil der Verbindungsstraße zwischen Nürnberg und Augsburg. An ihr liegen die beiden Kirchen (siehe unten), das Rathaus, der Stadtzoll, mehrere sehenswerte Fachwerkhäuser und das Fuggerhaus. – Noch im 19. Jh. war die Donau nur bis hierher schiffbar. – Im Ortsteil Auchsesheim wurde 1901 der Komponist Werner Egk geboren.

Stadtpfarrkirche Mariae Himmelfahrt/ St. Ulrich und Afra (Reichsstraße): Die Kirche wurde 1444–61 als spätgotische Hallenkirche errichtet. Ihr mächtiger Turm überragt alle Dächer der Stadt. Im Mittelpunkt der reichen Ausstattung (Wandmalereien aus dem 15. Jh.) steht das *Sakramentshaus,* das von Augsburger Steinmetzen um 1500 geschaffen wurde. Es ist eine Baldachinanlage im Stil der Spätgotik, deren Relieffiguren von großer Natürlichkeit sind. In der *Sakristei* ein Gemälde der Donauschule (1515).

Ehem. Benediktinerklosterkirche Hl. Kreuz (Hl.-Kreuz-Straße): Der Barockbau gründet auf einen Bau aus dem 12. Jh., von dem die Untergeschosse des Turms noch erhalten sind. J. Schmuzer* aus → Wessobrunn hat den Bau 1717–20 errichtet. Es handelt sich um eine Wandpfeileranlage mit schönen Emporen. Im Mittelpunkt der Innenausstattung steht der Hochaltar von F. Schmuzer* (1724). Sehenswert sind aber auch die Seitenaltäre und die Gruftkapelle (unter der Orgelempore). Die wesentlichen Gemälde stammen von J. G. Bergmüller* (so auch das Gemälde des Hochaltars).

Fuggerhaus (Reichsstraße): In diesem berühmten Haus, 1543 von den Augsburger Fuggern errichtet, waren u. a. Schwedenkönig Gustav Adolf (1632) und Kaiser Karl VI. (1711) zu Gast. Sehenswert an dem schönen Renaissancebau ist die großzügige Vorhalle.

Gerberhaus mit Heimatmuseum (Im Ried 103): In einem der ältesten Fachwerkhäuser der Stadt, dem Gerberhaus (15. Jh.), befindet sich das Heimatmuseum mit Ausstellungsstücken der bürgerlichen und bäuerlichen Wohnkultur, Votivtafeln und Hinterglasmalerei.

Außerdem sehenswert: Reste der Stadtbefestigung mit dem *Riedertor* und dem *Färbertor* (Schauseiten zur Donau), das *Rathaus* (Reichsstraße), das Elemente verschiedener Stilepochen zeigt, das ehem. *Deutschordenshaus* (Spitalgasse) im klassizistischen Stil sowie zahlreiche alte Häuser.

Dornum 2988

Niedersachsen S. 414 □ D 4

Wasserschloß: Der Vierflügelbau aus dem Barock (1668–1717) ersetzte eine sog. Häuptlingsburg aus dem 14. Jh. Der Bau liegt in einem weitläufigen Park und ist als einziger von ursprünglich drei Häuptlingsburgen erhalten.

Ev. Pfarrkirche/Bartholomäuskirche: Die Kirche ist im 13. Jh. (wie rund 100 ostfriesische Einraumkirchen) nach niederländischem Vorbild aus Backstein errichtet worden. Die Grabsteine und Epitaphien an den Wänden im Inneren zeigen die enge Verbindung zu dem Häuptlingsgeschlecht. Sehenswert sind die Kanzel mit reichem Figurenschmuck (um 1660), der Taufstein (um 1270) sowie der Altar (1683). Das Kreuzigungsbild ist eine Kopie des berühmten Gemäldes von A. van Dyck. Das Grabmal vor dem Altar zeigt Gerhardt II. von Kloster (1594).

Windmühle: Die Windmühle (eine sog. Ständermühle) ist die letzte erhaltene Bockwindmühle in Ostfriesland.

Dortmund 4600

Nordrhein-Westfalen S. 416 □ C 10

Dortmund ist wirtschaftliches und kulturelles Zentrum des östlichen Ruhrgebietes. Die heutige Industriestadt war einst Mitglied der Hanse und freie Reichsstadt. Der Hellweg, als Westen- und Ostenhellweg heute Haupteinkaufsstraße, gehört zu den berühmten Heer- und Handelsstraßen (Karl der Große zog auf dem Hellweg vom Niederrhein zur Weser). – Nach 1945 hat die Dortmunder *Gruppe 61* Probleme des Ruhrgebiets in schriftstellerischen Arbeiten dargestellt. 1961 hat die Stadt Dortmund den *Nelly-Sachs-Preis* gestiftet, einen der bedeutendsten deutschen Kulturpreise.

Reinoldikirche (Ostenhellweg/Friedhof): Die Kirche, ein großräumiger Basilikabau (1260–80), ist dem Stadtpatron Reinoldus geweiht. Als er nach der Legende von Kölner Steinmetzen beim Bau einer Kirche erschlagen worden ist, sollen alle Kirchen von selbst geläutet haben, und sein Leichenwagen sei von allein nach Dortmund gerollt. Eine Holzfigur (15. Jh.) am Pfeiler des Triumphbogens stellt ihn dar. Das Pendant zeigt Karl den Großen, der als Gründer der Stadt bezeichnet wird. – Der spätgotische Chor entstand

Reinoldikirche, Dortmund

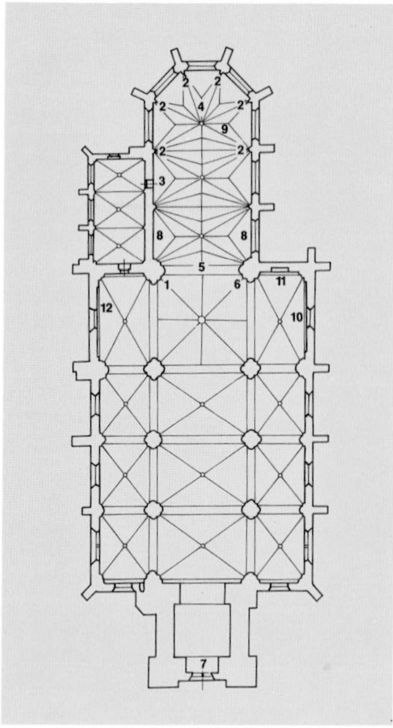

Dortmund, Reinoldikirche 1 Statue des heiligen Reinoldus, Anfang 14. Jh. **2** Apostelfiguren an den Chordiensten, um 1420–30 **3** Muttergottes **4** Altar, wahrscheinlich burgundisch, um 1430–40 **5** Lesepult, Belgien, um 1450 **6** Statue Karls des Großen, Mitte des 15. Jh. **7** Glasfenster mit den vier Kirchenvätern, Mitte 15. Jh. **8** Chorgestühl, um 1470 **9** Taufbecken von Johann Winnenbrock, 1469 **10** Kruzifix, 2. Hälfte 15. Jh. **11** Tafelbild »Kreuzschleppung«, Anfang 16. Jh. **12** »Jüngstes Gericht«, Studie von Volterra, Anfang 16. Jh.

1421–50, der 100 m hohe Westturm (einst »Wunder Westfalens« und Wahrzeichen der Stadt) wurde in seiner heutigen Form 1701 vollendet. – Von der reichen Innenausstattung sind noch der spätgotische *Schnitzaltar* (1420–30) und die dahinter liegenden, beim Wiederaufbau nach 1945 von Gottfried von Stockhausen geschaffenen Chorfenster besonders zu erwähnen. Ungewöhnlich ist das aus Messing gegossene *Adlerpult,* das vermutlich um 1450 in Belgien entstanden ist.

Marienkirche (Ostenhellweg): Die kleine romanische Kirche (12. Jh.) ist wohl der älteste Gewölbebau Westfalens. Die Kirche wird in ihrem Inneren von einem Pfeilerwerk beherrscht, wobei den einzelnen Pfeilern jeweils feine Säulen vorgelegt worden sind. Berühmt sind die (nicht vollständig erhaltenen) Tafeln des *Marienaltars.* Conrad von Soest, Sohn der Stadt, hat mit diesen Tafelbildern um 1420 eines der bedeutendsten Werke gotischer Malerei in Deutschland geschaffen. Leider wurden die Flügelbilder 1720 vor ihrem Einbau in einen barocken Altaraufbau unglücklich beschnitten (eine Rekonstruktion der alten Tafeln befindet sich im Landesmuseum → Münster). Das Mittelbild zeigt den Tod Mariens, links ist die Geburt Christi, rechts die Anbetung der Könige zu sehen. – Ein älterer Zeitgenosse Conrads von Soest, der sog. Meister des *Bers-*

Marienaltar des Conrad von Soest in der Marienkirche ▷

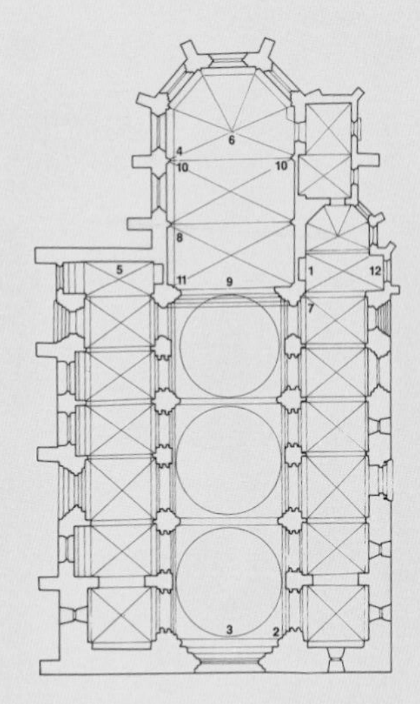

17 Dortmund, Marienkirche 1 Romanische Chorsäule **2** Thronende Madonna, um 1230 **3** Erzengel Michael, 1320 **4** Sakramentshäuschen, Ende 14. Jh. **5** Berswordtaltar, um 1390 gestiftet **6** Marienaltar von Conrad von Soest, um 1420 **7** Madonna, um 1430 **8** Gottvater als Weltenrichter, um 1470 **9** Triumphkreuz, um 1520 **10** Chorgestühl, 1523 **11** Pultadler, um 1550 **12** Taufe, 1687

wordt-Altars, hat den vom Ratsherrn Lambert Berswordt gestifteten Altar im nördlichen Seitenschiff geschaffen (1390). Im Mittelpunkt der drei Bilder steht jeweils Christus (Kreuztragung, Kreuzigung, Kreuzabnahme). – An der Nordseite findet sich das *Reliquienhaus,* das erst 100 Jahre nach Fertigstellung des Chors vollendet war. Reliquienhäuser waren eine Spezialität in den westfälischen Kirchen dieser Zeit. Heute wird hier eine 91 cm große, farbig gefaßte Eichenholzfigur aufbewahrt (um 1230). – Typisch für den Stil der Spätgotik ist das eichene, reich geschnitzte *Chorgestühl* (1523).

Ev. Kirche St. Petri/Petri-Kirche (Westenhellweg): Die Kirche ist in ihren wesentlichen Teilen von 1320–53 entstanden. Nach der fast vollständigen Zerstörung im 2. Weltkrieg Wiederaufbau bis 1963. Der dreischiffige Bau ist fast quadratisch und wird von außen durch den wuchtigen Westturm bestimmt. – Berühmt ist der riesige Antwerpener *Schnitzaltar* (um 1520), der im 19. Jh. hier aufgestellt wurde. Der Altar ist 7,4 m breit und 5,6 m hoch. Er zeigt 633 geschnitzte und in Gold gefaßte Figuren sowie 48 Gemälde.

Petrikirche, Schnitzaltar

Kath. Propsteikirche St. Johannes der Täufer (Silberstraße): Die Kirche aus dem 16. Jh. ist wegen ihres mächtigen *Flügelaltars* berühmt, den D. Baegert aus Wesel (es ist sein Hauptwerk) geschaffen hat (1470–80). Er zeigt die Kreuzigung Jesu, auf den Flügeln ist u. a. die hl. Sippe und die Anbetung der Könige dargestellt. Auf der Sippentafel ist die älteste Stadtansicht Dortmunds zu sehen. Sehenswert auch das *Sakramentshäuschen* (15. Jh.).

Pfarrkirche St. Syburg (am südlichen Stadtrand von Dortmund): Wesentlich sind die Fundamente einer vermutlich von Karl dem Großen 799 erbauten Kapelle, die man beim Wiederaufbau der kriegszerstörten Kirche gefunden hat. Der kleine Friedhof, der die Kirche umgibt, besitzt zahlreiche Grabsteine aus dem 16.–18. Jh.

Westfalenhalle (Rheinlanddamm): Der Vorgängerbau aus dem Jahr 1925 war mit einer Spannweite von 75 m eine architektonische Glanzleistung von Weltrang. Nach der Zerstörung im 2. Weltkrieg wurde sie 1955 durch einen Neubau des Dortmunder Architekten Walter Hötje ersetzt. Die pfeilerlose Sport- und Mehrzweckhalle gehört mit einem Fassungsvermögen von bis zu 23000 Zuschauern zu den größten in Europa. Sie wurde in den 70er Jahren durch mehrere kleinere Hallen ergänzt (insgesamt 30000 qm Fläche). Zum Komplex der Westfalenhalle gehören auch eine Eislaufbahn und ein Reitstall. In unmittelbarer Nachbarschaft befinden sich die beiden großen Fußballstadien.

Theater: Das *Große Haus* (Hansastraße 1) wurde 1966 eröffnet und ist Heimat für Musiktheater und Schauspiel. Daneben *Kleines Haus* und *Schauspielstudio* (beide Häuser Hiltropwall 15) sowie das *Kinder- und Jugendtheater* (am Ostwall).

Museen: Das *Museum am Ostwall* (Ostwall 7) zeigt Moderne Kunst in Wechselausstellungen sowie u. a. die Sammlung Karl Gröppel (deutscher Expressionismus). – Das *Museum für Kunst- und Kulturgeschichte* wurde während des Kriegs nach → Cappenberg ausgelagert und ist dort verblieben. Die Abteilung »Vor- und Frühgeschichte/Stadtgeschichte« befindet sich in der Ritterhausstraße 34.

Westfalenhalle

Haus der Bibliotheken (Markt): In einem Gebäude sind die *Stadt-* und *Landesbibliothek* mit mehr als 300000 Bänden, die *Stadtbücherei,* das bedeutende *Archiv für Arbeiterdichtung* sowie das *Zeitungswissenschaftliche Institut* untergebracht. Das Zeitungswissenschaftliche Institut besitzt mit seinen Bänden zur Publizistik des Vormärz und der Märzrevolution 1848, Pressefrühdrucken, Karikaturen und Plakaten internationale Bedeutung.

Drachenfels = 5330 Königswinter 1

Nordrhein-Westfalen S. 416 □ C 12

Burg Drachenfels: Kölner Erzbischöfe haben die Burg im 12. Jh. auf einer Kuppe des Siebengebirges errichtet. Die Burg wurde mehrmals erobert und durch die Bauhütten des Niederrheins, die sie als Steinbruch benutzten, stark in Mitleidenschaft gezogen. Erhalten ist eine Ruine mit romanischem Bergfried und Außenbering. Der Sage nach soll hier in einer Felsenhöhle der Drache gehaust haben, den Siegfried getötet hat.

Duderstadt 3428

Niedersachsen S. 418 □ H 10

Kath. Propsteikirche St. Cyriakus/ Oberkirche (Marktstraße): Der heutige Bau, eine große Hallenkirche mit 6 Pfeilerjochen im Langhaus, wurde 1394 begonnen, seine Fertigstellung zog sich jedoch bis zum Beginn des 16. Jh. hin. Von der gotischen wie von der späteren Barockausstattung sind nur Teile erhalten. Der Hochaltar wurde 1874–77 neu gestaltet (unter Einbeziehung einer um 1500 geschnitzten Passion Christi). Die 15 Pfeilerfiguren, darunter die 12 Apostel, stammen aus dem Barock.

Rathaus (Marktstraße 66): Der Fachwerkbau aus dem 13. Jh., der Elemente des niedersächsischen und des hessisch-fränkischen Fachwerkbaus vereinigt, war ursprünglich Kaufhalle und schloß im Obergeschoß den zweischiffigen Bürgersaal ein. Im 15. und 16. Jh. wurde der Bau erweitert.

Fachwerkhäuser: In der Altstadt ist eine Fülle schöner Fachwerkhäuser aus verschiedenen Stilepochen erhalten ge-

Rathaus, Duderstadt

St. Cyriakus, Duderstadt

blieben. Das Haus an der Marktstraße 91 ist 1752 entstanden und als *Steinernes Haus* bekannt. – Die alte *Stadtbefestigung* hat ihren Höhepunkt im Westertorturm, der nachweislich mit einem maniriert geschraubten Turmhelm gekrönt ist.

Heimatmuseum (Oberkirche 3): Das Heimatmuseum des Eichsfeldes befindet sich in der ehem. Stadtschule, einem 200 Jahre alten Fachwerkbau mit schönem Barockportal.

Duisburg 4100

Nordrhein-Westfalen S. 416 □ B 10

Duisburg ist das Zentrum des »Ruhrgebiets am Rhein«. Seine günstige geographische Lage hat dazu beigetragen, daß sich hier ein Schwerpunkt der Stahlerzeugung gebildet hat (20 der 35 Hochöfen im Ruhrgebiet stehen in Duisburg). Der Duisburger Hafen ist mit einer Fläche von insgesamt 904 ha und einem Umschlag von 50 Millionen Tonnen der größte Binnenhafen Europas und der größte Flußhafen der Welt. – Der Geograph und Kartograph Gerhard Mercator hat von 1512–94 in Duisburg gelebt.

Salvatorkirche (Salvator-Kirchplatz): Die Tuffstein-Basilika aus dem 15. Jh. wurde 1903–04 neugotisch ausgebaut. Hervorzuheben ist das Epitaph für G. Mercator, der für den Herzog von Jülich gearbeitet hat und Begründer der Kartographie gewesen ist.

Außerdem sehenswert: Kath. Kirche in Duisburg-Hamborn (Hallenkirche aus Tuffstein aus dem 12. Jh.), Kath. Pfarrkirche St. Dionysius in Duisburg-Mündelheim (Tuffstein-Basilika aus dem 13. Jh. mit dekorativer Ausmalung und einigen bemerkenswerten Holzskulpturen), Mercator-Halle (König-Heinrich-Platz; moderne Mehrzweckhalle mit 2500 Sitzplätzen und 700 qm Ausstellungsfläche).

Museen: Das *Niederrheinische Museum* (Friedrich-Wilhelm-Straße 64) ist aus Duisburger Privatsammlungen hervorgegangen und bietet heute neben Wechselausstellungen Sammlungen zur Stadtgeschichte, zur Geschichte der Kartographie sowie zur Vor- und Frühgeschichte. – Im *Wilhelm-Lehmbruck-Museum* (Düsseldorfer Straße Nr. 51) befindet sich eine Sammlung mit Werken des Duisburger Bildhauers W. Lehmbruck.

Düren 5160

Nordrhein-Westfalen S. 416 □ B 12

Ev. Pfarrkirche: Die 1954 errichtete Kirche gehört zu den bemerkenswerten Schöpfungen moderner Kirchenarchitektur. Die Architekten Hentrich und Petschnigg haben das Prinzip des Zentralbaus hier mit aller Konsequenz durchgehalten.

Kath. Pfarrkirche St. Anna: Auch die einstige Pfarrkirche St. Anna wurde im 2. Weltkrieg zerstört – wie der größte Teil der Stadt. Der Neubau von R. Schwarz ist in drei Hauptteile gegliedert (Vorhalle, Werktagskapelle, Sonntagskirche).

Städtisches Leopold-Hoesch-Museum (Hoeschplatz 1): In einem Bau, der vom Übergang des zweiten Barock zum Jugendstil charakterisiert ist, wird überwiegend Kunst aus dem 19. und 20. Jh. gezeigt. Regelmäßige Ausstellungen zeitgenössischer Kunst.

Bad Dürkheim 6702

Rheinland-Pfalz S. 420 □ D 16

Wald und Reben, Bade- und Trinkkuren haben Bad Dürkheim schon zu Zeiten der Römer Bedeutung verschafft. Alljährlich im September wird der »Dürkheimer Wurstmarkt«, das größte Weinfest der Welt, gefeiert.

Ehem. Schloßkirche St. Johannes/Ev. Stadtpfarrkirche: Die dreischiffige Anlage stammt in ihren wesentlichen Teilen aus dem 14. Jh. (neugotischer Turm von 1865/66). Besonders hervorzuheben sind die verschiedenen Grabdenkmäler, unter ihnen das für Graf Emich IX. und dessen Gemahlin.

Außerdem sehenswert: Auf dem Kästenberg bei Bad Dürkheim finden sich Reste eines keltischen Ringwalls (»Heidenmauer«). An einen römischen Felsbruch erinnern die Felszeichnungen des Krimhildenstuhls (am Ostrand des Berges). – Heimatmuseum (Eichstraße 22).

Düsseldorf 4000

Nordrhein-Westfalen S. 416 □ B 11

Düsseldorf, als »Schreibtisch des Ruhrgebiets« apostrophiert, vereint die Atmosphäre der Weltstadt mit rheinischem Charme. Es ist aber auch die Stadt der Schlösser (in Kaiserswerth und Benrath), Heimat bedeutender Theater, Sitz berühmter Museen und Galerien sowie Geburtsstadt großer Deutscher (allen voran Heinrich Heine, der am 13. 12. 1797 hier geboren wurde). Königsallee und Hofgartenstraße sind architektonische Beispiele für den Klassizismus in Deutschland, das neue Schauspielhaus, das Thyssen-Hochhaus und zahlreiche weitere Bauten aus der Zeit nach dem 2. Weltkrieg dürfen als Beispiele für moderne Städteplanung gelten. – Mit dem Heinrich-Heine-Preis und dem Großen Kunstpreis des Landes Nordrhein-Westfalen zeichnet die Stadt Düsseldorf bedeutende Leistungen aus Kunst und Kultur aus.

Düsseldorf, St.-Lambertus-Basilika 1 Vesperbild, um 1420, in einer Stele aus Muschelkalk von K. M. Winter, 1975 **2** Taufbecken, 15. Jh. **3** Chorgestühl **4** Sakramentshaus, spätgotisch **5** Kanzel **6** Heiliger Christophorus, Anfang 16. Jh. **7** Hochaltar, 1688–98 **8** Wandgrab Herzog Wilhelms des Reichen von Gerhard Scheben, 1595–99 **9** Bronzeportal von Prof. Ewald Mataré, 1960

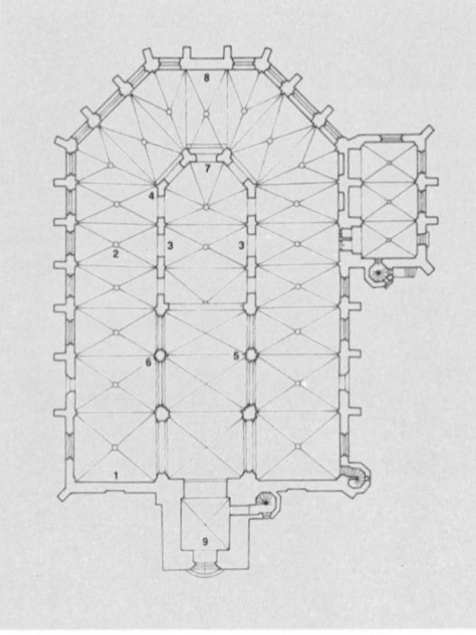

Stiftskirche St. Lambertus (Altstadt): Die gotische Hallenkirche trat in den Jahren 1288–1394 an die Stelle einer ursprünglich romanischen Basilika. Der 72 m hohe Westturm hat die Kirche zu einem Wahrzeichen der Stadt werden lassen. – Die mittelalterliche Ausstattung ist nur zu einem kleinen Teil erhalten. Hervorzuheben sind Re-

St. Lambertus

ste der gotischen Wandmalerei sowie ein spätgotisches *Sakramentshaus* (1475–79) mit einer ungewöhnlichen Figurenfülle. Unter den *Grabmälern* (die Lambertus-Kirche war bis zum Bau der Andreaskirche Grabstätte der Fürsten) sind das Grabmal der Gräfin Margarethe von Berg (1388) und das Wandgrab (hinter dem barocken Hochaltar) für Herzog Wilhelm V. (1594–99) hervorzuheben. Der größere Teil der Ausstattung wurde in den Jahren 1650–1712 eingebaut: Der Hochaltar, vier Nebenaltäre, Kanzel und Gestühl. Der Kirchenschatz enthält bemerkenswerte Silberarbeiten.

Kath. Pfarrkirche St. Andreas (Andreasstraße): Pfalzgraf Wolfgang Wilhelm von Neuburg hat die Kirche in den Jahren 1622–29 als Jesuiten-Klosterkirche (und zugleich als Hof- und Grabkirche der Fürsten zu Neuburg) bauen lassen. Im Chor befindet sich das *Mausoleum,* das 1667 hinzugefügt wurde und in dem Kurfürst Joh. Wilhelm II. begraben ist. Vorbild für diesen künstlerisch bedeutendsten Bau des 17. Jh. im niederrheinischen Raum waren die Hofkirche in Neuburg an der Donau sowie römische Bauten der

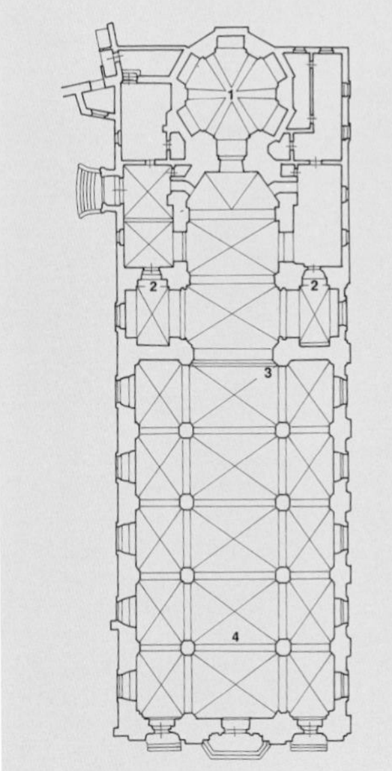

Düsseldorf, St. Andreas 1 Mausoleum mit Sarkophagen der Neuburger **2** Seitenaltäre, 17. Jh. **3** Kanzel, Mitte 17. Jh. **4** Orgelprospekt, 2. Hälfte 18. Jh.

Andreaskirche, Chor

Andreaskirche

Spätrenaissance bzw. des frühen Barock. In den Seitenschiffen finden sich lebensgroße Holzskulpturen von Aposteln und Heiligen, über dem Westportal die Büste von Pfalzgraf Wolfgang Wilhelm. Nennenswert die erstklassige Stuckdekoration.

Kath. Pfarrkirche St. Maximilian/Maxkirche / Ehem. Franziskaner-Klosterkirche St. Antonius von Padua (Zitadellenstraße): Der Bau aus dem Jahre 1736 entspricht dem Typ der niederrheinischen Hallenkirche. Die reichen Formen des Rokoko prägen die schöne Innenausstattung (Stukkaturen, Chorstühle, Kanzel, Kirchenbänke und Orgelbühne). Zu den wertvollsten Stükken gehört ein Adlerpult aus Messing, das 1449 in Maastricht gegossen worden ist.

Ehem. Stiftskirche / Pfarrkirche St. Margaretha (Ortsteil Gerresheim): Der äußerlich streng wirkende Bau (1236 fertiggestellt) hat eine Länge von 47 m. Der Raum ist kaum gegliedert und ergibt deshalb ein besonders harmonisches Gesamtbild. Die dekorative Ausmalung wurde erneuert. Wertvollster Teil der Innenausstattung ist das

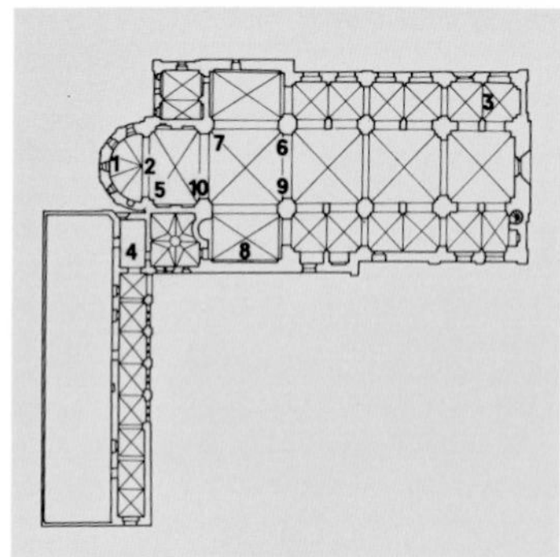

Düsseldorf-Gerresheim, ehemalige Damenstiftskirche **1** Kruzifixus, letztes Drittel 10. Jh. **2** Hochaltar mit romanischer Mensa **3** Sarkophag des heiligen Gerricus, 14. Jh. **4** Turmmonstranz, um 1400 **5** Sakramentshaus, Ende 15. Jh. **6** Muttergottes, Standfigur vom Anfang 16. Jh. **7** Marienleuchter, Anfang 16. Jh. **8** Chorgestühl, Anfang 18. Jh. **9** Kanzel, Anfang 18. Jh. **10** Reliquiennische, um 1500

überlebensgroße hölzerne *Kruzifix* (letztes Drittel des 10. Jh.) über dem Hochaltar. Aus dem 15. Jh. stammt das spätgotische *Sakramentshaus,* dessen fünfseitiges Gehäuse von schmiedeeisernen Gittern umgeben ist.

Suitbertusschrein, St. Suitbert

Stiftskirche St. Margaretha

Schloß Jägerhof

Ehem. Stiftskirche St. Suitbertus/Kath. Pfarrkirche (Ortsteil Kaiserswerth): Die dreischiffige frühromanische Pfeilerbasilika mit ihren imponierenden Ausmaßen (68 m lang, 22,80 m breit) wurde in der 2. Hälfte des 12. Jh. errichtet. Der Chor wurde 1230–40 hinzugefügt. Hauptstück des Kirchenschatzes ist der *Schrein des hl. Suitbertus.* Der 1,60 m lange Kasten ist aus vergoldeten Kupferplatten gearbeitet und mit sehr gut ausgebildeten Figuren besetzt. In den Arkaden der Seitenteile werden die Apostel, die Muttergottes und der hl. Suitbertus gezeigt.

Schloß Jägerhof und Hofgarten (Jägerhofstraße): Das Schloß wurde 1750 von J. J. Couven* als fürstliches Jagdschloß am nördlichen Ausgang des Hofgartens erbaut. Allerdings erhielt der Bau nicht die aufwendige, von Couven ursprünglich geplante Form. Heute ist im Schloß Jägerhof die *Kunstsammlung Nordrhein-Westfalen* untergebracht. Wichtigste Teile sind 80 Werke von Paul Klee und eine der bedeutendsten Sammlungen Meißener Porzellans (siehe auch unter Museen). Der Hofgarten wurde von M. Weihe* von 1801–13 aus einer älteren Anlage heraus zum heutigen Landschaftsgarten umgestaltet. Unter den zahlreichen Denkmälern und Brunnen ist das Heinrich-Heine-Denkmal auf dem Napoleonsberg das bedeutendste.

Schloß Benrath (Ortsteil Benrath, Schloßallee): Das von N. de Pigage* in den Jahren 1755–73 errichtete Schloß zeigt deutliche Parallelen mit den ebenfalls von de Pigage erbauten Schlössern in Mannheim und Schwetzingen. Während er dort Vorhandenes einbeziehen mußte, hatte er in Benrath bei der Planung freie Hand. Das Ergebnis führte zum schönsten Jagdschloß des Rheinlands (neben Schloß Brühl). Der Bau umfaßt insgesamt 84 Räume. Dabei haben nur Vestibül, Gartensaal und Sa-

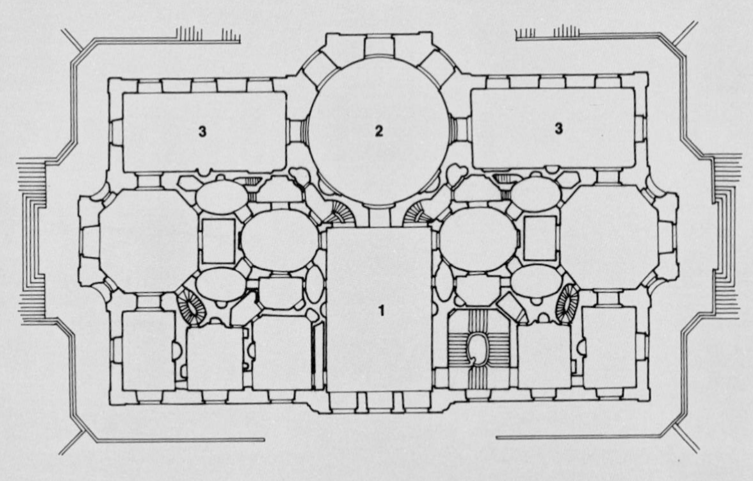

Düsseldorf, Schloß Benrath 1 Vestibül **2** Salon **3** Gartensäle

lon die von außen vermutete Höhe. Dagegen ist der Bau nach innen – zu den zwei ovalen Lichthöfen hin – in vier Geschosse unterteilt. Die Innenräume, die im wesentlichen von denselben Künstlern ausgestaltet wurden, die auch am Bau des Schlosses in Mannheim mitgewirkt hatten (Stuck von G. A. Albuzzio, Holzschnitzereien von M. van den Branden und A. Egell, Tischlerarbeiten von F. Zeller), sind im Stil Louis XVI. gehalten. – Links und rechts vom Hauptbau stehen zwei *Kavaliershäuser.* Ebenfalls in die Gesamtplanung Pigages einbezogen ist der Park (von dem im 19. Jh. ein Teil zum englischen Garten umgestaltet wurde). – Östlich von dem Spiegelweiher findet sich der sog. *Prinzenbau,* der von Herzog Philipp Wilhelm in den Jahren 1651–61 errichtet wurde.

Kaiserpfalz (Ortsteil Kaiserswerth): Die Kaiserburg wurde von Friedrich Barbarossa neu erbaut. Heute sind allerdings nur noch Teile erhalten, so die 50 m lange, 13 m hohe und 6 m breite, dem Rhein zugeneigte Außenmauer des einstigen Palasgebäudes. Die Pfalz lag ursprünglich auf einer Insel, die durch eine künstlich angelegte Schleife des Rheins entstanden war.

Moderne Architektur: Der Bedeutung Düsseldorfs als Sitz zahlreicher Hauptverwaltungen großer Konzerne entspricht die moderne Architektur der Stadt. Sie nimmt ihren Anfang mit dem *Warenhaus Tietz* (heute Kaufhof) an der Königsallee, das von J. M. Olbrich in den Jahren 1907–09 als viergeschossiger Komplex errichtet wurde. Es zeigt die Überwindung des Jugendstils und die Entwicklung des funktionsgebundenen Baustils (Funktionalismus). In den Jahren 1911–12 errichtet P. Behrens direkt am Rheinufer das *Mannesmannhaus* – ein monumentaler Bau von großer Sachlichkeit. 1925 ist die *Ehrenhof-Anlage* fertiggestellt – als

Ausstellungsbau von W. Kreis geplant und ebenfalls am Rhein gelegen. Der Komplex ist unterteilt in die *Rheinhalle* (ein runder Kuppelbau), das Gebäude des ehem. Reichsmuseums f. Wirtsch.- u. Gesellschaftskunde und den Ehrenhof (mit Kunstmuseum). Die Anlage bestätigt den Drang zu modernen Zweckbauten, zeigt aber gleichzeitig, daß darin weder Schematisierung noch Einengung für die Architekten zu sehen sind. Zu den Bauten, die nach dem 2. Weltkrieg entstanden sind und als richtungweisend für die moderne Architektur gelten, gehört das *Thyssen-Haus* zwischen Hofgarten und Geschäftszentrum. Die Architekten H. Hentrich und H. Petschnigg haben es von 1957–60 errichtet.

Klassizistische Wohnhäuser: Zahlreiche klassizistische Bauten, einst ein Charakteristikum von Düsseldorf, sind im Krieg zerstört und nur teilweise mit ihren alten Fassaden wiederaufgebaut worden. Gute Beispiele für klassizistische Wohnbauten finden sich in der Bastionstraße (Häuser 3–11 a und 13–23), in der Bilkerstraße (vor allem die Häuser 24–26, 32, 36–42, 46) und in der Elisabethstraße, insbesondere das Haus Nr. 18.

Außerdem sehenswert: *Königsallee* (eine der bekanntesten europäischen Einkaufsstraßen, 1801 nach Plänen des Münchner Hofbaumeisters C. A. Huschberger angelegt), *Schloßturm* (Burgplatz; Überbleibsel des 1872 niedergebrannten Schlosses aus dem 13. Jh.), *Ratinger Tor* (Teil der klassizistischen Stadttoranlage, die A. von Vagedes 1811–14 geschaffen hat).

Theater: Die *Deutsche Oper am Rhein* (Heinrich-Heine-Allee 16 a), ein Bau aus dem Jahr 1785, der 1954/55 vollständig umgebaut worden ist, wird heute vom Ensemble der Theatergemeinschaft Düsseldorf-Duisburg bespielt. – Das *Düsseldorfer Schauspielhaus* (Bleichstraße 1) gehört zu den bedeutendsten deutschen Schauspielbühnen. Der jetzige Bau (Architekt B. Pfau) wurde im Januar 1970 eröffnet. Das *Kom(m)ödchen* (Hunsrückenstraße) ist eines der bekanntesten deutschen Kabaretts.

Museen: Das *Kunstmuseum der Stadt* (Ehrenhof 5) zeigt neben wechselnden Kunstausstellungen eine Gemäldegalerie mit Werken des 16.–20. Jh. und besitzt mehrere Spezialabteilungen (Graphik, Kupferstichkabinett, Kunstgewerbe, Glassammlung). Das *Landesmuseum Volk und Wirtschaft* (Ehrenhof 2) ist als Wirtschaftsmuseum in seiner Art einzig in Deutschland. – Die *Kunstsammlung Nordrhein-Westfalen* (Jacobistraße 2 im Schloß Jägerhof) zeigt Malerei des 20. Jh. mit einer bedeutenden Kollektion von Werken Paul Klees. – Im *Schloß Benrath* werden die Wohnkultur des Rokoko und Spätbarock sowie Kleinkunstgegenstände und Porzellan gezeigt. – Das *Heine-Archiv* (Grabbeplatz 7) befindet sich im Gebäude des Stadtgeschichtlichen Museums. Es verfügt über eine Bibliothek mit 5000 Bänden und über ca. 4000 Manuskripte. – Das *Goethe-Museum* (Jägerhofstraße 1) entstand aus der Privatsammlung Anton Kippenbergs, des ehem. Inhabers des Insel-Verlags. Es ist nach den Sammlungen in Frankfurt und Weimar mit insgesamt rund 30000 Objekten das drittgrößte Goethe-Museum. – Das *Haus des Deutschen Ostens* (Bismarckstraße 90) bietet Sammlungen über Brauchtum, Wohnkultur und Geschichte des Deutschen Ostens (mit Charta der Heimatvertriebenen, Wappensammlung). – Das *Hetjens-Museum* (im Palais Nesselrode, Schulstraße 4) zeigt Keramik aus 8 Jahrtausenden sowie Porzellan aus aller Welt.

E

Eberbach = 6101 Reichelsheim
Hessen S. 416 □ D 14

Ehem. Zisterzienserkloster: In der Abgeschiedenheit der Taunusberge am Nordrand des Rheingaus sind die Klostergebäude aus dem 12. bis 14. Jh. erhalten. Die Anlage gilt als Musterbeispiel eines hochmittelalterlichen Reformklosters. Die Zisterzienser, die für ihren Lebensunterhalt selbst aufkamen, haben den Weinbau dieses Gebietes zu hohem Ansehen geführt und dem Kloster seine kunsthistorische Bedeutung gegeben. – Da zur Blütezeit bis zu 300 Mönche und Laienbrüder im Kloster lebten, nahm die Anlage sehr schnell den Charakter einer kleinen Stadt an. So errichteten die Zisterzienser um 1215/20 sogar ein eigenes Hospital, daneben gab es alle nötigen Wirtschaftsgebäude. Nach der Säkularisation 1803 war das Kloster fast 100 Jahre lang Straf- und Irrenanstalt (1813 bis 1912), dann Militärgene-

Zisterzienserkloster Eberbach, Dormitorium

sungsheim (1912–18). Die ehem. Klosteranlagen werden heute von der Verwaltung der Staatsweingüter im Rheingau betreut und wirtschaftlich genutzt. Die historischen Räume können besichtigt werden (Führungen an Wochenenden und nach Voranmeldung möglich).

Baustil und Baubeschreibung: Die Klosteranlage ist von einer rund 1100 m langen und 5 m hohen Mauer umgeben. Sie ist, bis auf ihre Tore und Pforten, aus dem 12./13. Jh. erhalten. Im Mittelpunkt der Bauten steht die Kirche. Sie wurde 1186 geweiht (Baubeginn 1145). Romanische Formen bestimmten das Innere der dreischiffigen Basilika. Die schlichten, herben Formen kehren auch in Pfeilern, Rundbogenarkaden und in den blockartigen Wandvorlagen wieder. Von der ursprünglich reichen Ausstattung ist kaum etwas erhalten. Um so deutlicher treten die *Grabmale* hervor, von denen eines der besten dem Mainzer Domkantor Eberhard von Oberstein (gest. 1331) am Ostende des südlichen Kapellenschiffs gewidmet ist. Die Grabmäler in der ersten Südkapelle zeigen Wigand von Hynsperg (gest. 1511) bzw. Adam von Allendorf (gest. 1518) und dessen Ehefrau. Sie wurden von dem berühmten mittelrheinischen Bildhauer H. Backoffen* bzw. seinem Mitarbeiter geschaffen und tragen teils gotische, teils renaissancehafte Ornamentik. – Im Norden der Kirche schließen sich die *Klausurgebäude* an. Sie sind um den Kreuzgarten und den *Kreuzgang* gruppiert. Einzig repräsentativer Raum in diesem nach den Regeln der Zisterzienser spartanisch gehaltenen Komplex ist das *Refektorium,* das 1738 eine prächtige Stuckdecke im Stile des Barock erhalten hat. – Westlich von den Klausurgebäuden liegt der *Konversenbau,* der im 12./13. Jh. errichtet wurde und den Laienbrüdern als Unterkunft diente. Diese Laienbrüder hatten geringere geistliche Pflichten als die Mönche und übernahmen die Arbeiten, die außerhalb des eigentlichen Klosterbezirks zu erledigen waren. Sie lebten nach der Ordensregel streng getrennt von den Mönchen.

Klosterkirche St. Sebastian, Ebersberg

Ebersberg 8019

Bayern S. 422 □ L 20

Ehem. Klosterkirche St. Sebastian: Der ursprüngliche Bau (1312 fertiggestellt, die Türme stammen von einem Vorgängerbau) ist heute nur noch in seinen Grundzügen zu erkennen. Durch die verschiedenen baulichen Veränderungen bietet sich heute ein kunsthistorisch uneinheitliches Bild. Die Kirche ist dem hl. Sebastian geweiht, dessen Hirnschale 931 aus Rom nach Ebersberg gebracht worden ist. Der Hochaltar (1773) zeigt die Sebastiansfigur zwischen Ignatius von Loyola sowie Petrus, Paulus und Franz Xaver. Die Epitaphien in der *Grabkapelle,* die sich nördlich an den Chor anschließt, gehören zu den wichtigsten plastischen Kunstwerken der bayerischen Spätgotik. Sehenswert ist auch die reiche Ausstattung der *Sakristei* mit Schnitzfiguren aus der Werkstatt

I. Günthers* und die darübergelegene *Sebastianskapelle* mit schönen Stukkaturen und einer Reliquienbüste St. Sebastians (Ende 15. Jh.)

Außerdem sehenswert: Rathaus aus dem Jahr 1529 mit Netzgewölbe und geschnitzter Holzdecke; Marktplatz mit Häusern aus Barock und Biedermeier.

Ebrach 8602

Bayern S. 418 □ I 15

Ehem. Zisterzienserkloster: Ebrach war im 12. Jh. erster Stützpunkt der Zisterzienser in Franken (und dritter in Deutschland). Von hier gingen weitere Neugründungen aus, hier entwickelte sich ein geistiges Zentrum des Mönchsordens. Das Ziel, die Reichsunmittelbarkeit zu erhalten und damit von den Würzburger Bischöfen unabhängig zu werden, wurde allerdings nicht erreicht. Das heutige Kloster, eine mächtige Anlage mit fünf Höfen, ist nach Plänen von J. L. Dientzenhofer* im ersten Bauabschnitt und B. Neumann* in der zweiten Bauphase entstanden. Der Einfluß Neumanns zeigt sich vor allem an den Schauseiten, im Treppenhaus des nördlichen Abteitraktes sowie bei der Gestaltung des Ehrenhofs. 1851 wurde in den Klostergebäuden ein Zuchthaus eingerichtet.

Klosterkirche: Die dreischiffige Basilika gehört zu den größten Kirchen, die der Orden in Deutschland errichtet hat (84,5 m lang, 23,4 m breit, 21,9 m hoch). Der Chor dieses mächtigen Baus ist Ausgangspunkt für zwölf weitere Kapellen. Das Innere wird von den reichen Stukkaturen bestimmt, die M. Bossi* in den Jahren 1773–91 geschaffen hat. Die Westwand ist von einer großen, schön gestalteten Fensterrose beinahe vollständig eingenommen. Der Chor wird in seiner ganzen Höhe und Breite von einem Altar aus Stuckmarmor (ebenfalls von M. Bossi) ausgefüllt. Hervorhebung verdienen auch das reich geschmückte *Chorgestühl* und die *Orgel* (1743). Das bedeutendste unter den Grabmälern ist das Epitaph für Königin Gertrud und ihren Sohn, Herzog Friedrich von Schwaben. – Die *Michaelskapelle,* die von romanischen Elementen bestimmt ist, wurde 1207 fertig.

Fensterrose, Ebrach

Muttergottes (13. Jh.), Ebstorf

Ausschnitte aus der Weltkarte (13. Jh.) im Kloster Ebstorf

Ebstorf 3112

Niedersachsen S. 414 □ H 6

Ebstorf ist wegen seiner »Ebstorfer Weltkarte« berühmt geworden. Heute kann man allerdings nur eine Nachbildung der Karte besichtigen, denn das Original ist 1943 im Niedersächsischen Staatsarchiv Hannover verbrannt. Die Weltkarte – als größte Weltkarte des Mittelalters apostrophiert – besteht aus 30 Pergamentbögen und ist insgesamt 12,75 qm groß. Sie hat die Gestalt einer Scheibe (Durchmesser 3,6 m) und sieht Jerusalem als Mittelpunkt der Erde. Das Werk ist nach einer Beschreibung des Propstes Gervasius von Tilbury entstanden (13. Jh.) und setzt sich aus einer Vielzahl von Details, Einzeldarstellungen und Erläuterungen zusammen.

Kloster Ebstorf: 1150 wurde hier ein Augustinerkloster, 1197 ein Benediktinerinnen-Kloster gegründet, das im Mittelalter zu ungewöhnlichem Reichtum gelangte. Nach der Reformation wurde es 1554 in ein adliges Damenstift umgewandelt. Die Klostergebäude bergen heute eine Fülle von Kunstgegenständen, darunter eine Nachbildung der Ebstorfer Weltkarte und zahlreiche Truhen und Schränke, die einst als Aussteuer von den Novizinnen mitgebracht wurden und heute eine kleine Kulturgeschichte des eichenen Möbels darstellen. Im *Refektorium* sind weitere Kunstwerke zu sehen, darunter ein hochgotisches Bildwerk mit der Muttergottes (um 1330), in der *Bücherei* wertvolle Bilderhandschriften.

Klosterkirche: Die Kirche gehört zu den spätgotischen Großkirchen, wie sie auch in → Lüneburg, → Uelzen und → Verden entstanden sind. Die Wirkung des Chors wird durch eine große Empore beeinträchtigt, die für die Nonnen bestimmt war. Bemerkenswert

Hirtenanbetung, 1515, Eckernförde

Altaraufsatz von Gudewerdt d. J., 1640

sind die wertvollen *Glasfenster* aus der Zeit um 1390, die sich im südlichen und westlichen Kreuzgangsflügel finden. Die vier hohen Fenster im Chor sind mit Glasgemälden aus dem 14. und 16. Jh. geschmückt. An den Wänden des Chors sind prunkvolle Epitaphien aus dem 17. Jh. zu sehen (sie stellen Äbtissinnen dar). – Aus der reichen Ausstattung soll erwähnt sein: Ein *Schrein* (1495), der einstmals sieben in Silber getriebene Heiligenfiguren enthalten hat, ein kleines spätgotisches *Vesperbild,* eine aus dem Jahr 1230 stammende *Muttergottes* und die lebensgroße Figur des *hl. Mauritius.*

Eckernförde 2330

Schleswig-Holstein S. 412 □ H 2

Die einstige Fischersiedlung hat sich im 13. Jh. zur Stadt entwickelt und ist heute wirtschaftliches und kulturelles Zentrum im Landkreis Rendsburg/Eckernförde. Der rechteckige Marktplatz bildet das Kernstück der mittelalterlichen Stadtanlage.

Ev. Nikolaikirche (Nikolaistraße): Der dreischiffige Backsteinbau ist im 15. Jh. aus einer einschiffigen Kirche des 13. Jh. hervorgegangen (Chor und Reste des Westturms sind erhalten). Der schlichte Außenbau läßt die Fülle der Ausstattung nicht ahnen, die diese Kirche zu einer der bedeutendsten in Schleswig-Holstein gemacht hat. Glanzstück ist der Altaraufsatz, den H. Gudewerdt d. J. um 1640 geschaffen hat. Der Altar ist der schönste Barockaltar in Schleswig-Holstein. Die Schnitzereien an der Kanzel stammen von H. Gudewerdt d. Ä. Berühmt ist die Nikolaikirche aber auch wegen der zahlreichen Epitaphien, darunter das Grabmal für Thomas Börnsen (1661) von H. Gudewerdt. Die *Bronzetaufe* (1588) ist besonders prunkvoll gestaltet.

Ev. Kirche zu Borby: Dieser im Kern einschiffige Feldsteinbau aus der Zeit um 1200 birgt eine gotländische Kalksteintaufe (Anfang 13. Jh.) und einen geschnitzten Altaraufbau, der an die Leistungen H. Gudewerdts d. J. anschließt (1686).

Bürgerhäuser: Schöne alte Bürgerhäuser, die meist nur in Details verändert wurden, finden sich u. a. in der Kieler Straße (Nr. 48), in der Nikolai- und Gudewerdtstraße sowie in der Gaethjestraße.

Eichstätt 8833

Bayern S. 422 □ K 17

In der Zeit der Renaissance hatte Eichstätt überregionale Bedeutung. Das heutige Stadtbild ist vom Barock geprägt – eine Folge des Brands von 1634, bei dem die Stadt nahezu völlig vernichtet und im Zeichen des Barock neu aufgebaut wurde. Fast die ganze Stadt ist noch von einem alten Mauerring umgeben. Der starke Einfluß der Kirche in der Bischofsstadt kommt durch den Dom, das Benediktinerinnenkloster St. Walburg und den Sitz einer kath. Gesamthochschule zum Ausdruck.

Dom (Domplatz 10): Der Dom ist das beherrschende Bauwerk der Stadt. An die romanischen Vorgängerbauten erinnern der kreuzförmige Grundriß und die übernommenen Türme. Die wesentlichen Teile des mächtigen Baus stammen aus dem 14. Jh. (der Neubau wurde 1256 mit dem Chor begonnen, das Kirchenschiff entstand in den Jahren 1380–96 als dreischiffige gotische Pfeilerhalle). Die kunsthistorische Bedeutung des Doms beruht auf der reichen Innenausstattung. Glanzstück ist der *Pappenheimer Altar* im nördlichen Querschiff. Kaspar von Pappenheim, seines Zeichens Domherr, hat den fast 10 m hohen Altar 1489 gestiftet. Geschaffen hat ihn vermutlich der Nürnberger Steinmetz V. Wirsberger*, einer der bedeutendsten Künstler seiner Zeit. Im Willibaldschor steht die berühmte *steinerne Muttergottes* (1297). Gegenüber befindet sich das Grabmal des Klostergründers Willibald (Willibaldstumba, um 1269). Der Altar im Hauptchor wurde mehrmals umgestaltet und ist heute in seinen

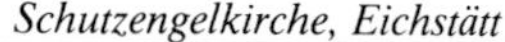

Schutzengelkirche, Eichstätt

Hauptteilen neugotisch. Die Statue des hl. Willibald, ein Werk des einheimischen Steinmetzen L. Hering, zählt zu den bedeutendsten plastischen Kunstwerken der Renaissance. Ebenfalls von Hering ist der *Wolfsteinsche Altar* (1519/20), der jetzt an der Westwand des südl. Seitenschiffes aufgestellt ist. Das *Mortuarium* (Totenhalle), das sich westlich an den Kreuzgang anschließt, birgt weitere bemerkenswerte Grabsteinplatten. Unter den Säulen, von denen die acht Doppeljoche getragen werden, ist die *schöne Säule* ein Meisterstück deutscher Steinmetzkunst. Künstlerisch wertvoll sind die Glaskunstarbeiten in den vier Fenstern der Ostseite des Mortuariums, in denen das Jüngste Gericht dargestellt ist (nach Entwürfen von Hans Holbein d. Ä.).

Stadtpfarrkirche St. Walburg (Walburgiberg): Die Kirche ist nach der hl. Walburg, der Schwester des Klostergründers Willibald, benannt. Sie lebte im Kloster Heidenheim, einer Gründung ihres Bruders, ihre Überreste wurden jedoch im 9. Jh. nach Eichstätt überführt. Die Kirche ist neben dem Dom das beherrschende Bauwerk der Stadt. Sie ist von 1626–31 errichtet und in den folgenden Jahren nur geringfügig verändert worden. Durch eine erhöhte Portalvorhalle betritt man den Kirchenraum. Das Innere der Wandpfeilerkirche ist durch Wessobrunner Stuck (→ Wessobrunn) reich verziert. Hinter dem Hochaltar aus dem 18. Jh. befindet sich die *Confessio der heiligen Walburg* (Gruftaltar), eine seltene Mischung aus Grabmal und Altar.

Ehem. fürstbischöfliche Residenz (Residenzplatz): Nach dem großen Brand im Jahre 1634 begann 1704 der Neubau der heutigen Gebäude, die 1791 fertiggestellt waren. Seit 1817 sind hier staatliche Ämter untergebracht. Architektonisch bedeutend ist das von M. Pedetti gestaltete *Treppenhaus*. Im zweiten Obergeschoß befindet sich der Hauptsaal (auch *Spiegelsaal* genannt). Er ist reich mit Stuck verziert, und an den Wänden sind dekorative Spiegel angebracht. Vor der Residenz auf dem Residenzplatz ist der *Marienbrunnen* (1775–80) sehenswert. Der Platz gilt als einer der schönsten Barockplätze in Deutschland. Auch die angrenzenden Bauten sind nach Entwürfen des bekannten Baumeisters G. Gabrielis* entstanden.

Ehem. Sommerresidenz (Ostenstraße 26): Die Sommerresidenz ist im ersten Drittel des 18. Jh. von G. Gebrich erbaut worden. Sie ist über 100 m breit und in ihren Innenräumen aufwendig ausgestattet. Heute befindet sich in ihren Räumen die Verwaltung der Gesamthochschule Eichstätt.

Jesuitenkirche/Schutzengelkirche (Leonrodplatz): Nach dem großen Brand mußten die überwiegenden Teile der erst 1620 geweihten Kirche neu errichtet werden (1661). Bemerkenswert sind die reichen Stuckarbeiten von F. Gabrieli*, einem Bruder des fürstbischöflichen Baumeisters G. Gabrieli. Der Hochaltar stammt von Hofbildhauer M. Seybold, das Altarblatt ist von dem Augsburger Künstler J. E. Holzer geschaffen.

Bischöfliches Palais (P.-Philipp-Jenningen-Platz 5): Ein vornehmer Bau, der im 18. Jh. entstanden ist und 1817 vom Bischof bezogen wurde. Baumeister ist G. Gabrieli gewesen. In dem Haus befinden sich zahlreiche hervorragende sakrale Kunstwerke des 15. und 16. Jahrhunderts.

Willibaldsburg (am Südostrand der Stadt): Auf einem Höhenrücken vor den Toren der Stadt ist die im 14. Jh. gegründete Burg erhalten. Von den Plänen, die im 16./17. Jh. zu einem schloßartigen Ausbau im Stil der Renaissance führen sollten, wurde nur ein kleiner Teil verwirklicht (so der *Gemmingenbau*, für den E. Holl* die Entwürfe geliefert hat). In den erhaltenen Gebäudeteilen befindet sich das *Museum in der Willibaldsburg*, das neben

Glasfenster im Mortuarium des Doms ▷

Beiträgen zur Vor- und Frühgeschichte vor allem Beiträge zur Geschichte der Stadt sowie Gemälde und Plastik der Spätgotik besitzt.

Ehem. Augustiner-Chorherrenstift (in Rebdorf): Die dreischiffige Pfeilerbasilika ist aus einem Umbau in den Jahren 1732–34 entstanden. An die Vorgängerbauten erinnert der romanische Westteil. Die Stukkaturen stammen von F. Gabrieli. Im Südosten liegt der *Klosterkomplex.*

Ehem. Augustinerinnenkloster (in Marienstein): Von der ehemaligen Anlage (15. Jh.) sind nur der Prioratsbau und die Wirtschaftsgebäude erhalten.

Museen: Neben dem Museum in der Willibaldsburg (siehe dort) und dem Diözesan-Museum in der ehem. fürstbischöflichen Sommerresidenz (siehe dort) gibt es in Eichstätt die *Sammlungen des Bischöfl. Seminars* (»Jura-Museum Eichstätt«); das *Museum Bergér* (Harthof), das sich auf Versteinerungen aus dem fränkischen Jura spezialisiert hat, und den bedeutenden *Domschatz* (in der Kapitelsakristei).

Außerdem sehenswert: Eine Reihe weiterer kleiner Kirchen ist hervorragend ausgestattet, wird jedoch gegenüber dem Dom, der Stadtpfarrkirche und der Schutzengelkirche meist weniger beachtet. Dazu gehören die *Kapuzinerklosterkirche Hl. Kreuz* (17. Jh.) mit bedeutendem »Hlg. Grab«, die *ehem. Dominikanerkirche* (13. Jh., 1713–23 umgestaltet), die spätgotische *Mariahilfkapelle* (mit barocker Umgestaltung), die ehem. *Klosterkirche Notre Dame* (um 1720) und die *Frauenbergkapelle* (1739; nahe der Willibaldsburg). Sehenswert ist schließlich auch die *Dompropstei* (1672; Jesuitenplatz), die einen ungewöhnlich reichen Stuckschmuck (1770) besitzt, und das *Cobenzl-Schlößchen* (nach 1730).

Umgebung: Von Eichstätt sollte man nach Möglichkeit Abstecher nach → Weißenburg, → Neuburg und → Ingolstadt einplanen.

Einbeck 3352

Niedersachsen S. 414 □ G 9

Einbeck, das 1368 Mitglied der Hanse wurde, ist durch die Herstellung von Pelzwerk, Leinwand, Wolle und Starkbier wie auch wegen der vielen, gut erhaltenen Fachwerkhäuser bekannt. Zu den berühmten Söhnen der Stadt gehört Friedrich Sertürner, der 1805 das Morphium entdeckt hat und vor dem Altendorfer Tor begraben liegt. Erwähnt sei auch Till Eulenspiegel, der hier als Brauknecht gearbeitet haben soll und dem die Einbecker ein Denkmal gewidmet haben.

Ehem. Stiftskirche St. Alexandri (Stiftplatz): Zu Beginn des 12. Jh. waren Ort und Kirche Ziel von Wallfahrten zum Blut Christi. Im 13. und 14. Jh. trat ein Neubau an die Stelle der alten Kirche (der allerdings Teile einbezog). Von der alten Ausstattung ist nur noch wenig erhalten. So das *Chorgestühl* (1288), die *Grabplatte* für Stiftspropst Johann (gest. 1367) und ein *Taufbekken* aus dem Jahr 1427. Bemerkenswert ist auch der romanische *Radleuchter,* der einen Durchmesser von 3,5 Metern hat und vermutlich aus der Mitte des 15. Jh. stammt.

Ev. Marktkirche St. Jakobi (Marktplatz): Vom ursprünglichen Bau (13. Jh.) ist wenig erhalten. Die üppige Barockfassade im Westen (1741) war eher eine Notlösung: Mit ihr wollte man eine schon bedenklich gewordene Neigung des Baus auffangen. Die Kanzel, von einfachen Schnitzereien geprägt, stammt aus dem Jahr 1637. Sehenswert sind verschiedene Epitaphe aus dem 16./17. Jh.

Rathaus (Marktplatz 6–8): Die drei Vorbauten ergeben mit ihren steilen Rundspitzen eine eigenartige Architektur. Neben dem Rathaus (1593) befindet sich die *Ratswaage* (1565). Das reich geschmückte Holzwerk im Erdgeschoß prägt den aparten Bau. Ebenfalls am Marktplatz liegen die *Ratsapotheke* (1562) und das *Brodhaus.* Das

Ratsapotheke und Brodhaus, Einbeck

Brodhaus wurde von der Einbecker Bäckergilde 1552, zehn Jahre vor der Ratsapotheke, errichtet.

Fachwerkhäuser: Mehr als 100 gut erhaltene Fachwerkhäuser sind über den gesamten Stadtteil innerhalb des Walls verteilt. Besonders schöne Häuser finden sich im Steinweg, in der Tidexerstraße und in der Marktstraße. Sie sind fast ausschließlich im 16. Jh. entstanden.

Museum: Das Städtische Museum (Steinweg 11) ist in einem der schönen alten Bürgerhäuser untergebracht. Schwerpunkte der Sammlungen sind Beiträge zur Kulturgeschichte der Stadt Einbeck, zur Formstecherei, zum Tapetendruck und zum Brauereiwesen.

Umgebung: Abstecher lohnen sich nach → Alfeld und nach → Bad Gandersheim.

Eining = Neustadt 8425

Bayern S. 422 □ L 17

Kastell: Südlich des kleinen Ortes in Niederbayern wurden 1879 die Ruinen eines Römerkastells entdeckt und bis 1920 mit großer Sorgfalt ausgegraben. Es trägt den Namen Abusina (nach dem Flüßchen Abens). Die Entwicklung des Kastells läßt sich bis ins 1. Jh. verfolgen. Die zu besichtigende Anlage hat das Ausmaß von 147 × 125 m und gehört damit zu den kleinen Kohortenkastellen. Im einzelnen sind zu erkennen: Türme, Tore, Mittelbau (Praetorium), Atrium, Waffenkammer, Verwaltungskomplex und Nebengebäude. In der Nähe von Eining begannen die Römer im 2. Jh. mit der Errichtung des Limes (»trockener Limes« im Gegensatz zum »nassen Limes«, der durch die Donau gebildet wurde). Der rätische Limes dehnte sich über eine Strecke von insgesamt 166 km aus. Seine Mauern waren zwischen 2 und 3 m hoch und erreichten eine Dicke von 1,2 m. In regelmäßigen Abständen waren den Mauern Wachtürme zugeordnet.

Ellingen 8836

Bayern S. 422 □ I 17

Schloß (im Nordwesten der Stadt): Nachdem Kaiser Friedrich II. Ellingen 1216 an den Deutschen Orden geschenkt hatte, errichtete dieser zunächst eine Kommende. Später residierte hier der Landkomtur der Ballei (Provinz) Franken, 1788 der Deutschmeister des Ordens. 1708 erfolgte der Bau eines Schlosses. Die vierflügelige Anlage legt sich um einen Innenhof, der im Norden von der Schloßkirche begrenzt wird. Zur Schauseite ist der Südflügel geworden. Seine Fassade ist durch drei Risalite gegliedert. Der Entwurf der Anlage stammt von F. Keller, die Stuckarbeiten hat der Wiener F. Roth geschaffen. Heute beherbergt die Anlage das Ellinger *Residenzmuseum*. Wichtigste Sammelgebiete sind Beiträge zur Wohnkultur im klassizistischen und französischen Empire-Stil. Das Museum schließt darüber hinaus mehrere museale Räume des Deutschordens ein. – Im N grenzt an den Schloßkomplex die reich ausgestattete *Reitschule* an, im Süden eine Brauerei.

Schloßkirche (im Schloßkomplex): Kunsthistorisch bemerkenswert sind die barocke Raumausstattung, die Stuckarbeiten und die reiche Freskenmalerei (1718). Den großen Hochaltar hat der berühmte Augsburger Künstler F. X. Feuchtmayer geschaffen. Die geschnitzten Betstühle sind in dieser Güte nur selten anzutreffen.

Rathaus (Hausnerstraße): Der Ellinger Ordensbaumeister F. Roth, von dem auch die Pläne für das Schloß stammen, hat die Entwürfe für das Rathaus geschaffen, das ursprünglich gerichtlichen Zwecken dienen sollte (fertiggestellt 1744). Es gilt als eines der schönsten Rokoko-Bauwerke dieser Zeit.

Außerdem sehenswert: Von der Stadtbefestigung sind nur noch geringe Teile erhalten; dazu gehört das *Pleinfelder Tor* (1660). Ansehen sollte man auch die *Rezat-Brücke* (1762) mit ihren 8 Heiligen, die *kath. Pfarrkirche St. Georg* (1729–31) und die *Mariahilfkapelle* (1676 Beginn; um 1730 beendet) am Friedhof.

Ellwangen, Jagst 7090

Baden-Württemberg S. 422 □ H 17

Wo das Vorland der Schwäbischen Alb zu den Ellwanger Bergen übergeht, im schönen Jagsttal, liegt Ellwangen (nicht zu verwechseln mit Ellwangen bei Biberach an der Riß). Die Stadt hat sich seit 1146 um das ehem. Kloster und die Stiftskirche entwickelt. Auf den umliegenden Hügeln sind das Schloß der Stiftspröpste und die Wallfahrtskirche Schönenberg errichtet.

Ehem. Stiftskirche/Kath. Pfarrkirche St. Veit (Marktplatz): Der heutige Bau, der (nach Vorgängerbauten aus dem 8. und 11. Jh.) in seinen wesentlichen Teilen aus dem Jahr 1233 stammt, hat eine bewegte Geschichte. In fast allen Stilepochen wurden Veränderungen vorgenommen, bevor er 1737–41 seine heutige Barockgestaltung unter Fürstpropst Georg von Schönborn erhalten hat. – Das Äußere der Kirche ist bestimmt durch die beiden großen Türme und die fünf Apsiden. – Grundzüge des romanischen Baustils werden vor allem in der *Krypta* deutlich, die unter der Vierung liegt und in ihrer Anlage von den üblichen Mustern stark abweicht. – Aus der alten Ausstattung sind die *Grabplatten* und *Epitaphe* hervorzuheben. Die Bronzegüsse von Stifter Hariolf und Erlolf (im südlichen Querhaus) und für Albrecht von Rechberg (im nördlichen Querhaus) werden dem Nürnberger Bildhauer P. Vischer* zugeschrieben. Das Grab des Ritters Ulrich von Ahelfingen (gest. 1339) im Südflügel gilt als eine der schönsten Grab-Plastiken aus der Gotik in Schwaben. – Von den ehemals zwölf

Ehem. Stiftskirche St. Veit, Ellwangen

Altären (bei der Weihe im Jahr 1233) sind nur noch einige vorhanden. Die Umgestaltung im Stil des Barock hat der Kirche ein anderes Gepräge gegeben. Der *Heiligkreuzaltar* (in der Vorhalle) stammt aus der Zeit um 1610 und ist aus Sandstein gearbeitet. Im 16. Jh. entstand der Altar im südlichen Teil des Querschiffs, um 1613 wurde der des nördlichen Querschiffs aufgestellt. Der Hochaltar (in der Vierung) ist ebenso wie der Hochaltar im Osten im Zuge einer Restaurierung in den Jahren 1949/50 unter Verwendung alter Teile neu gestaltet. – Das *Stiftsgebäude* mit spätgotischem *Kreuzgang* und Liebfrauenkapelle (um 1470) schließt im Norden an die Kirche an.

Jesuitenkirche (Marktplatz 1): Die Jesuitenkirche steht in enger räumlicher Verbindung mit der ehem. Stiftskirche. Der Bau war 1721 fertiggestellt und ist wegen der Ausmalung seiner Gewölbe durch C. T. Scheffler, einen Asam-Schüler, von besonderer kunsthistorischer Bedeutung. Dargestellt sind Szenen aus dem Marienleben sowie architektonische Strukturen. Es ist das erste große Werk Schefflers, der auch die Fresken im Kongregationssaal des *Jesuitenkollegiums* (1720–22) geschaffen hat.

Wallfahrtskirche St. Maria (Schönenberg 21): In landschaftlich reizvoller Lage ist die Wallfahrtskirche auf dem Schönenberg entstanden (der erste Bau aus dem Jahr 1639 brannte nieder und wurde von 1683–95 neu errichtet). Beherrschendes Element im Innern ist der riesige Hochaltar aus schwarzem und blauem Marmor. Stukkaturen (1683 und 1709) und Fresken (1711) stammen zum überwiegenden Teil von M. Paulus. In den Kirchenbau eingeschlossen ist die *Loretokapelle* (1639), die aus dem ersten Bau erhalten ist.

Schloß (Schloßstraße): Der hoch über

der Stadt gelegene Bau entstand aus einer einstigen Burg (13. Jh.), die später zur Abtwohnung und Festung ausgebaut wurde und 1608 die heutige Form des vierflügeligen Fürstenschlosses im Stil der Spätrenaissance erhalten hat. In den Jahren 1720–26 wurde die Innenausstattung im Stil des Barock neu gestaltet. Heute befindet sich in dem schönen Bau u. a. das *Schloßmuseum* mit Sammlungen zur Vor- und Frühgeschichte, zur kirchlichen Kunst (barocke Krippen), wertvollen Fayencen, Drucken sowie Zeichnungen aus dem Barock.

Außerdem sehenswert: Am Marktplatz und in den Hauptstraßen sind die *Kurien der Stiftsherren* aus dem 17./18. Jh. erhalten (an den Marienstatuen zu erkennen). Das *Landgericht* (Marktplatz 3–7; ehem. Stiftsrathaus) wurde 1748 nach einem Entwurf von B. Neumann* entworfen. Das *Palais Adelmann* (Obere Straße 6) hat italienische Vorbilder und stammt vermutlich von M. Thumb* aus dem Jahr 1688. Ferner: Ehem. Statthalterei (1591); Marienkirche (1427 und 1735 barockisiert); Friedhofskirche St. Wolfgang (1473–76).

Umgebung: → Aalen, → Crailsheim, → Nördlingen, → Schwäbisch Hall.

Eltville 6228

Hessen S. 416 □ D 14

Eltville, am rechten Ufer des Rheins gelegen, ist die älteste Stadt des Rheingaus. Zahlreiche Wein- und Sektkellereien bestimmen die Wirtschaft der kleinen reizvollen Stadt. – Die Geschichte Eltvilles läßt sich bis in die Zeit der Völkerwanderung zurückverfolgen, wo eine alemannische Siedlung Keimzelle der später oft umkämpften Stadt gewesen ist. 1332 wurde der Ort zur Stadt erhoben. Literarischen Ruhm verschaffte Thomas Mann dem reizvollen Städtchen: Der Held seiner »Bekenntnisse des Hochstablers Felix Krull« erfand für die in Eltville ansässige Firma Engelbert Krull die Marke »Lorley extra cuvée«. An Johannes Gutenberg, den Erfinder der Buchdruckerkunst, erinnert eine Gedenkstätte im Wohnturm der heutigen Burg. Hier in Eltville wurde Gutenberg nämlich im Jahr 1465 vom Erzbischof von Mainz und Kurfürst

Ellwangen, Schloß

Taufstein (1517), Eltville ▷

S·THOMAS·S·PHILIPVS

Adolf von Nassau zum Hofmann ernannt – übrigens die einzige Ehrung, die Gutenberg zu Lebzeiten zuteil geworden ist.

Kath. Pfarrkirche St. Peter und Paul (Rosengasse 5): Nach einer romanischen Basilika des 12. Jh. wurde Mitte 14. Jh. der Bau der Kirche begonnen und 1686 abgeschlossen. Bei Restaurierungsarbeiten in den Jahren 1932–34 wurden ein viertes östliches Seitenschiff und eine neue Sakristei hinzugefügt. Hervorzuheben ist der Turm, ein Meisterwerk spätgotischer Kunst in Hessen. In der Turmhalle ist an der Ostwand eine sehr schöne Wandmalerei aus dem 15. Jh. erhalten, die erst 1961 freigelegt wurde. Zu der überaus reichen Ausstattung gehört ein *Taufstein* aus dem Jahr 1517, der am Fuß mit den Symbolen der Evangelisten geschmückt ist. Geschaffen wurde der Taufstein in der Werkstatt des Mainzer Künstlers H. Backoffen*. Ein anderes Meisterwerk ist die *Mondsichelmadonna* (16. Jh.), die vermutlich ebenfalls ein Mainzer Künstler geschaffen hat. Unter den verschiedenen *Grabsteinen* und *Epitaphien* ist das Denkmal für Agnes von Koppenstein (gest. 1553) am gelungensten. Beachtenswert sind auch die *Ölberggruppe* (um 1520) und die Kreuzigungsgruppe (um 1505) in der Kapelle im Friedhof (1717).

Burgruine: Die Wasserburg aus dem 14. Jh. ist auf quadratischem Grund angelegt. Eine Seite stößt direkt an den Rhein, die drei übrigen Seiten waren einst durch starke Zwinger geschützt. Im 14./15. Jh. ist die Burg vermutlich Residenz der Kurfürsten gewesen.

Bürgerhäuser: Zahlreiche Bürger- und Adelshäuser des 16. und 17. Jh. sind in gutem Zustand in der Hauptstraße erhalten und legen Zeugnis von der Geschichte der Stadt ab. Typisch sind die barocken Hausmadonnen und Heiligenstatuen. Auch in den Nebengassen gibt es eine Reihe reizvoller Häuser. Hervorzuheben sind der Stockheimer Hof (16. Jh.), der Gräflich Eltzsche Hof (16. Jh.) und der Bechtmünzer Hof (15. Jh.).

Umgebung: Von Eltville aus lassen sich zahlreiche Sehenswürdigkeiten entlang dem Rheinufer erschließen. Aber auch → Wiesbaden, → Mainz oder → Eberbach sind mit ihrer großen kulturellen Tradition einen Abstecher wert.

Eltz (Burg) → Moselkern

Emden 2970

Niedersachsen S. 414 □ C 5

Die Nordsee hat Emden geprägt. Die Stadt besitzt nicht nur den drittgrößten deutschen Nordseehafen, sondern hat auch bedeutende Werften. Diese Tradition läßt sich bis ins Mittelalter zurückverfolgen, als Emden durch Flüchtlinge aus dem niederländischen Freiheitskampf zu einer der wichtigsten Seehandels- und Reedereistädte der damaligen Zeit ausgebaut wurde.

Ref. Große Kirche St. Cosmas und Damian (Kirchstraße): Die einstmals dreischiffige Hallenkirche, mit deren Bau im 12. Jh. begonnen, die später vielfach verändert und 1944 größtenteils zerstört wurde, ist nur als Ruine erhalten. Sie soll in ihrem jetzigen Zustand als Erinnerungsstätte für das Zusammenwachsen der reformierten Gemeinden aus den Niederlanden und Niederdeutschland erhalten bleiben. An die Geschichte dieser Verbindung erinnert ein in Sandstein geschlagenes Schiff (1660; über der Eingangstür zum nördlichen Seitenschiff), dessen Besatzung (Flüchtlinge aus den Niederlanden auf dem Weg nach Emden) verzweifelt gegen das aufgebrachte Meer kämpft.

Ref. Neue Kirche (Brückstraße): Auch diese Kirche steht in enger Verbindung mit den niederländischen Religionskriegen. Sie wurde nach dem Vorbild der Amsterdamer Noorderkerk in den

Jahren 1643–48 errichtet und diente den Flüchtlingen als Gebetsstätte. Vier große Giebeldächer geben der Kirche ein eigenwilliges Aussehen.

Rathaus (Am Delft): L. van Steenwinkel hat für Emden eine Neuauflage des ebenfalls von ihm erbauten Antwerpener Rathauses geschaffen. 1576 war der Bau mit der klassischen Renaissance-Fassade fertig. Nach der starken Beschädigung im 2. Weltkrieg wurde das Haus neu aufgebaut. Es ist heute Heimat des *Ostfriesischen Landesmuseums* und des *Städtischen Museums.* Sammelgebiete des Landesmuseums sind Kunst- und Kulturgeschichte (Hafen, Schiffahrt), Gemälde und Beiträge zur Landesgeschichte. Das Städtische Museum besitzt eine Rüstkammer mit historischen Waffen. Daneben sind eine romanische und eine gotische Abteilung sehenswert. Im Museum befindet sich auch der *Städtische Silberschatz.*

Außerdem sehenswert: Von den zahlreichen Bürgerhäusern haben nur wenige die Bombenangriffe im 2. Weltkrieg überdauert. Zu ihnen gehört das *Haus Pelzerstraße 12* mit einer schönen niederländischen Renaissance-Fassade.

Theater: Das Neue Theater Emden (Theaterstraße) wurde 1970 eröffnet. Es hat 684 Plätze und wird von benachbarten Bühnen und Tournee-Theatern bespielt.

Emkendorf 2371

Schleswig-Holstein S. 412 □ H 2

Graf Fritz Reventlow und seine Gattin Julia haben das Herrenhaus des Gutes Emkendorf zu Beginn des 19. Jh. zu einem geistigen Zentrum in Norddeutschland gemacht. Ab 1794 wurde das ehemals barocke Herrenhaus im frühklassizistischen Stil umgebaut. Die Räume sind mit pompejanischen und etruskischen Motiven ausgeschmückt. Zum Kreis der Literaten, die hier versammelt waren, gehörten Friedrich Gottlieb Klopstock, Matthias Claudius, Christian und Friedrich Leopold zu Stolberg sowie zahlreiche weitere Intellektuelle der Zeit. Claudius soll hier sein berühmtes »Abendlied« geschrieben haben.

Emmendingen, Schloß

Emmendingen 7830

Baden-Württemberg S. 420☐D 19

Emmendingen hegt und pflegt, was die Stadt mit dem Namen Goethe verbindet: Johann Georg Schlosser, von 1774–87 Amtmann in Emmendingen, hatte 1773 Goethes Schwester Cornelia geheiratet und lebte mit ihr bis zu ihrem Tod im Jahre 1777 dort. Zu den Gästen im Hause Schlosser gehörte Johann Wolfgang von Goethe, der in den Jahren 1775 und 1779 mehrmals hier weilte. In den Annalen der Stadt sind u. a. auch Jakob Michael Reinhold Lenz, einer der Wortführer im Sturm und Drang, der Historiker Johann Daniel Schöpflin und der Dichter Johann Peter Hebel aufgeführt. Der Schriftsteller Alfred Döblin ist hier im Landeskrankenhaus gestorben.

Ehem. Schloß: Im Markgrafenschloß (16. Jh.), das im Laufe der Zeit vielfach verändert wurde, ist heute das *Heimatmuseum* untergebracht (Stadtgeschichte, Erinnerungen an Goethe, Werke des Malers Fritz Boehle).

Außerdem sehenswert: *Katholische Pfarrkirche St. Bonifatius* (19. Jh.) mit dem frühgotischen Flügelaltar des Nördlinger Meisters Friedrich Herlin aus der Zeit um 1470, das Rathaus (1729) und das Stadttor (18. Jh.).

Umgebung: Von Emmendingen aus wird man einen Besuch des 15 km entfernten → Freiburg kaum auslassen wollen. 5 km nördlich von Emmendingen liegt die Burgruine Landeck, 5 km östlich die Burgruine Hochburg (346 m hoch mit gutem Ausblick).

Emmerich 4240

Nordrhein-Westfalen S. 414☐A 9

Emmerich gehört zu den vom 2. Weltkrieg besonders beschädigten Städten, beim Wiederaufbau wurde jedoch das ursprüngliche Gepräge der Stadt weitgehend erhalten. Die Nähe zur holländischen Grenze und der Rhein haben Emmerich zur Handelsstadt werden lassen. Das Stadtwappen ist das älteste deutsche Stadtwappen.

Ehem. Stiftskirche St. Martin: Die Kirche wurde zwar schon im 11. Jh. gegründet, in ihrer heutigen Form war sie jedoch erst im 15. Jh. beendet (nach der Zerstörung im 2. Weltkrieg Wiederherstellung in vereinfachter Form). An den alten romanischen Bau erinnert das *Chorhaus*. Erhalten ist auch die schön gestaltete *Hallenkrypta* mit ihren sechs romanischen Säulen. In den beiden Kapellen, die sich an die Krypta anschließen, sind Reste *romanischer Wandmalereien* zu sehen (12. Jh.). Von der einst reichen Ausstattung sind nur geringe Teile erhalten, so Teile des spätgotischen *Chorgestühls* (1486) und ein geschnitztes *Kruzifix* (um 1200). Hervorzuheben ist der *Kirchenschatz* mit seltenen Werken deutscher Goldschmiedekunst. Bedeutendstes Stück ist die *Arche des hl. Willibrord*, ursprünglich (11. Jh.) ein reich verziertes Eichenholz, das um 1400 einen Aufsatz erhalten hat und um 1520 zu einem monstranzähnlichen Gerät umgestaltet wurde.

Arche des hl. Willibrord, Emmerich

Pfarrkirche St. Aldegundis (St.-Aldegundis-Kirchplatz): Nach Zerstörungen im 2. Weltkrieg wurde die Kirche aus dem 15. Jh. getreu dem alten Vorbild neu errichtet. Bemerkenswert sind einige Teile der spätgotischen Innenausstattung: Die silbervergoldete Turmmonstranz (16. Jh.) und mehrere Skulpturen. – Empfehlenswert ist eine Turmbesteigung (Rundblick über Emmerich).

Rheinbrücke: Die Rheinbrücke ist 1228 m lang und damit die längste deutsche Hängebrücke.

Museum: Das Rheinmuseum (Geistmarkt) ist eines der wichtigsten Museen mit Beiträgen zur Entwicklung und Geschichte der Rheinschiffahrt.

Umgebung: → Anholt, → Kalkar, → Xanten.

Enger 4904

Nordrhein-Westfalen S. 414 □ E 8

Ev. Pfarrkirche/Ehem. Stiftskirche St. Dionysius: An der Stelle, an der die heutige Kirche steht, soll Herzog Widukind, Führer der Sachsen im Kampf gegen Karl den Großen, schon im Jahr 785 eine Kirche gestiftet haben, und hier soll er auch nach seinem Tod (807) begraben worden sein. An den Sachsenfürsten erinnert die Tumba im Chor der heutigen Kirche. Sie ist heute Teil einer Renaissance-Tumba (um 1590), die eigentliche Bildnisplatte ist jedoch vermutlich schon um 1090 entstanden. Sie zählt zu den wichtigsten erhaltenen Bildhauerarbeiten aus der Salierzeit. Zur Ausstattung der Kirche gehört der *Schnitzaltar*, den H. Stavoer (Hildesheim) gearbeitet hat. Er ist um 1525 fertiggestellt gewesen. Anregungen für die Gestaltung haben Dürer und Dürerschüler geliefert.

Außerdem sehenswert: *Wittekind-Gedächtnisstätte* (Kirchplatz 10): Das kleine Museum ist zum überwiegenden Teil eine Dokumentation über den Sachsenführer Widukind. – Ferner: Kopien des einstigen *Kirchenschatzes* von St. Dionysius (die Originale befinden sich heute in Berliner Museen).

Enkenbach = E.-Alsenborn 6753

Rheinland-Pfalz S. 420 □ D 16

Ehemalige Prämonstratenserinnen-Klosterkirche St. Norbert/Kath. Pfarrkirche: Vor der Klosterkirche wurde bereits im Jahr 1148 die Gründung eines Prämonstratenserinnen-Klosters urkundlich erwähnt. Die Klosterkirche kam in den Jahren 1220–72 hinzu. An vielen Stellen zeigt sich eine Vermischung verschiedener Formen. Beachtenswert ist das romanische Portal, das zu den schönsten in Deutschland gehört. Obwohl bereits gotische Elemente auftreten, ist der Bau in seinen wesentlichen Zügen doch romanisch.

Außerdem sehenswert: In der *Ev. Pfarrkirche* eine Orgel der berühmten Orgelbauer Gebr. Stumm. – In der Hauptstraße einige schöne alte Häuser. – Die Zisterzienserklosterkirche in *Otterberg*.

Erbach im Odenwald 6120

Hessen S. 416 □ F 15

Erbach ist Verwaltungssitz des Odenwaldkreises und Hauptsitz der Elfenbeinschnitzerei in Deutschland. Die Stadt entwickelte sich im Schutz der ehemaligen Burg, einem Vorgängerbau des heutigen Schlosses.

Schloß: Ursprünglich stand an der Stelle des heutigen Baus ein mittelalterliches Wasserschloß. Von ihm ist jedoch nur noch der Bergfried erhalten (1200). Graf Georg Wilhelm ließ 1736 den schlichten und langgestreckten Schloßbau errichten. Barocke Elemente stammen von einem Umbau im Jahr 1902. Im Schloß sind heute die *Gräflichen Sammlungen* zu besichtigen, die Franz I. Graf zu Erbach-Erbach

Erbach, Schloß

(1754–1823) zusammengetragen hat: Hieb- und Stichwaffen des Mittelalters, Waffen- bzw. Gewehrkammer, Ritterrüstungen, Büsten römischer und griechischer Kaiser und Feldherren sowie eine Hirschgeweihgalerie.

Museen: Das Erbacher Elfenbeinmuseum (Otto-Glenz-Straße 1) ist in seiner Art einzigartig. Es zeigt deutsche Elfenbeinkunst seit dem 18. Jh. und soll weiter ausgebaut werden.

Außerdem sehenswert: Rathaus aus dem 16. Jh.; ev. Pfarrkirche, die 1749–50 nach Plänen von F. J. Stengel* entstanden ist; Burgmannenhöfe im Städtel (Häuserzeile mit schönen alten Häusern vornehmlich aus dem 16. und 17. Jh.).

Umgebung: Im und um den Odenwald bieten sich Ausflugsziele an, so zum Beispiel → Amorbach, → Michelstadt oder → Miltenberg.

Erding 8058

Bayern S. 422 □ L 19

Die Lage an der Fernstraße München–Landshut hat die Entstehung und Entwicklung der Stadt beeinflußt. Im 9. Jh. befand sich hier ein Königshof, die Stadt ist jedoch eine Neugründung von Herzog Otto II. von Bayern im 13. Jh.

Stadtpfarrkirche St. Johannes: In seinen wesentlichen Teilen entstammt der Bau dem 14. und 15. Jh., die Ausstattung jedoch zum überwiegenden Teil dem 19. Jh. An den um fünf Meter nach Osten abgesetzten Glockenturm war einst das Rathaus aus dem 16. Jh. angebaut, das jedoch 1866 abgebrochen wurde. Heute hat der Turm Berührung mit der neugotischen Schrannenhalle. Das Innere der Kirche ist von schlanken Pfeilern bestimmt, die den Einfluß der Landshuter Schule (→ Landshut) verdeutlichen. Zur reichen Ausstat-

Wallfahrtskirche Hl. Blut in Erding

tung gehören das *Leinberger Kruzifix* von H. Leinberger* (1520). Im neugotischen Hochaltar sind Holzfiguren des späten 15. Jh. übernommen worden.

Wallfahrtskirche Hl. Blut (Heilig Blut 4): Die Kirche am Stadtrand ist in ihrer heutigen Form erst 1675–77 von dem Erdinger Maurermeister H. Kogler erbaut worden. An die Vorgängerbauten und den Ursprung der Wallfahrt erinnert die kreuzförmig angelegte Krypta an der Stelle des Hostienwunders. Von ungewöhnlichem Einfallsreichtum zeugt die Stuckausstattung, die der Münchner Stukkateur J. G. Bader 1704 abgeschlossen hat. Besonders gelungen ist die feingliedrige Empore.

Museum: Das Heimatmuseum (im Rathaus) bietet Beiträge zur Vor- und Frühgeschichte und zeigt Plastiken des 14. bis 18. Jh. sowie bäuerliche Wohnkultur und eine Musikinstrumentensammlung.

Außerdem sehenswert: *Spitalkirche Hl. Geist* Landshuter Straße 12) aus dem Jahre 1444 mit Stukkaturen von 1688 und einem schönen Hochaltar von 1793; *Rathaus* aus dem 17. Jh., zahlreiche guterhaltene *Wohnbauten* aus dem 17. bis 18. Jh. Das Landshuter Tor (genannt: *Schöner Turm;* 15. Jahrhundert, erinnert an die einstige Stadtmauer.

Umgebung: Im näheren Umkreis gibt es zahlreiche schöne Dorfkirchen (so in Altenerding, in Groß-Thalheim, in Hörgersdorf und Oppolding), die größtenteils in ihrer reichen Ausstattung besuchenswert sind.

Eriskirch 7991

Baden-Württemberg S. 420 □ G 21

Pfarr- und Wallfahrtskirche Unserer Lieben Frau: Die überreich ausgestattete Kirche aus der Zeit um 1400 besitzt mit den Fresken an den Wänden von Chor und Langhaus und den Glasgemälden einzigartige Schätze. Die Fresken (15. Jh.) sind Glanzstücke der sog. seeschwäbischen Schule. Im Chor sind in den Fenstern die Glasgemälde erhalten, die Graf Heinrich von Montfort 1408 gestiftet hat. Erwähnenswert sind schließlich die drei gotischen Madonnen (zwei im Chor, eine an einem Seitenaltar des Schiffes).

Erlangen 8520

Bayern S. 418 □ I 15

Erlangen ist Teil des Industriegebiets Nürnberg-Fürth-Erlangen, Sitz der 1743 eröffneten Universität Nürnberg-Erlangen (mit mehr als 16000 Studenten) und zahlreicher Firmen mit weltweiter Bedeutung. Die enorme Entwicklung der Stadt begann, nachdem Kaiser Karl IV. die Siedlung im Jahr 1361 erworben hatte und die heutige Altstadt anlegen ließ. Markgraf Christian Ernst von Bayreuth leitete 1686 mit der Ansiedlung von Hugenotten die zweite Etappe der Stadtentwicklung ein. Zu dieser Zeit begann der Bau der rechtwinklig angelegten Neustadt. Unter den Professoren der Universität waren u. a. Johann Gottlieb Fichte (1805–06), Friedrich Rückert (1826–41) und Ludwig Feuerbach (1828), zu den Studenten gehörten u. a. Johann Peter Hebel.

Altstädter Dreifaltigkeitskirche (Martin-Luther-Platz): Die Kirche wurde in ihrer heutigen Form nach dem großen Brand (1706) im Jahr 1721 errichtet. Es handelt sich um eine Saalkirche mit umlaufenden Emporen und einem seltenen Kanzelaltar. Der Turm, der mit der Fassade des Baus eng verbunden ist, gilt als ein Wahrzeichen der Stadt. Aus der Ausstattung ist die Orgel zu erwähnen, deren Gehäuse F. P. Dieffenbach (1720) geschaffen hat.

Ev.-ref. Kirche (Hugenottenplatz): Das Innere der Kirche, die in den Jahren 1686–93 entstanden ist (Turm aus den Jahren 1732–36), erweckt durch geschickte Gestaltung der Holzempore den Eindruck eines Rundbaus. Der Bau ist innen wie außen sehr schlicht, nur die Kanzel besitzt reichen Schmuck.

Orangerie mit Schloßgarten

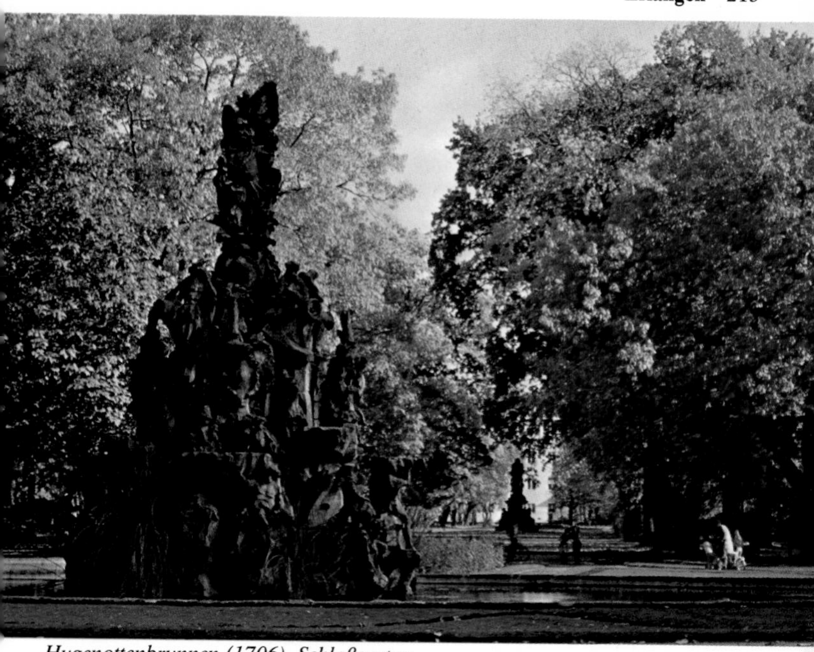

Hugenottenbrunnen (1706), Schloßgarten

Schloß (Schloßplatz): Im Jahr 1700 legte Erbprinz Georg Wilhelm den Grundstein für den langen dreigeschossigen Bau, der vier Jahre später fertiggestellt war. Die Ausstattung ging bei einem Brand im Jahr 1814 verloren. Heute dient das Schloß der Universität. – Der *Schloßplatz* wird durch den 1706 fertiggestellten *Hugenottenbrunnen* bestimmt. Er bietet allegorische Huldigungen an Markgraf Christian Ernst.

Orangerie (Schloßgarten): Die Orangerie entstand 1706–08 nach Plänen von G. von Gedeler, der auch das Schloß konzipierte. Sie befindet sich inmitten des 1704–05 angelegten Schloßgartens (bis 1785–86 im französischen Stil). Der Bau ist halbrund geschwungen und hat seinen Mittelpunkt in einem Saalbau mit schöner Stuckausstattung.

Markgrafen-Theater (Theaterplatz 2): An der Nordost-Ecke des Schloßgartens ließ Markgraf Friedrich Wilhelm in den Jahren 1715–19 das Markgrafentheater erbauen, das 1742 durch den Venezianer G. P. Gaspari umgebaut und ausgestaltet worden ist. Das Theater erlebt heute im Rahmen eines umfassenden Gastspielbetriebs ca. 130 Vorstellungen pro Jahr.

Außerdem sehenswert: *Palais-Stutterheim* am Marktplatz, erbaut von 1728–30, ist jetzt Stadtbibliothek. Das *Neue Rathaus* ist in Sichtbetonbauweise von H. Loebermann in Verbindung mit einem Kongreßzentrum und der Stadthalle in den Jahren 1970–71 gebaut worden. Die *Neustädter Stadtpfarr- und Universitätskirche* (1737 geweiht; Neustädter Kirchplatz) zeigt im Innern Stuck und Deckengemälde von C. Leimberger und einen Kanzelaltar, der auf einem Engel von E. Räntz ruht.

Museen: In Verbindung mit der Universität Erlangen sind zahlreiche Mu-

Markgrafen-Theater, Erlangen

seen entstanden. Die *Archäologische Sammlung* (Kochstraße 4) zeigt Abgüsse griechischer und römischer Plastiken. Die *Gemäldesammlung* (Schloßgarten 1 in der Orangerie) widmet sich allen Bereichen der Kunst und Kunstgeschichte. Die *Geographische und Völkerkundliche Sammlung* (Kochstraße 4) ist auf die Erd- und Völkerkunde konzentriert. Allgemeine Geologie und Lagerstättenkunde, Erd- und Stammesgeschichte sowie Mineralogie umfaßt die *Geologische Sammlung* (Schloßgarten 5a). Die *Graphische Sammlung* bietet Handzeichnungen, Kupferstiche und Holzschnitte bedeutender Künstler (u. a. A. Dürer, M. Grünewald) sowie Münzen und Medaillen. *Weitere Museen:* Mineralogische Sammlungen (Schloßgarten 5a), Musikinstrumentensammlung (Schloßplatz 4), Ur- und Frühgeschichtliche Sammlung (Kochstraße 4) und eine Zoologische Sammlung (Universitätsstraße 19).

Erlenbach b. Bad Bergzabern 6749

Rheinland-Pfalz S. 420 □ D 17

Burg Berwartstein: Kaiser Friedrich I. hat die Burg 1152 dem Bischof von Speyer geschenkt. Seit der Zerstörung im Jahr 1591 ist sie nur noch als Ruine erhalten (Teile sind weiter bewohnt). Die Anlage gehört zu den im Wasgau häufiger zu findenden Felsenburgen und ist in Unter-, Ober- und Vorburg gegliedert. Die Oberburg ist auf einem steil abfallenden Felsen errichtet und hat Räume und Gänge, die direkt in den Felsen geschlagen sind. Von der Wehrhaftigkeit der Anlage zeugen die Geschützbastione der Vorburg. – Südlich vorgelagert ist die *Burgruine Kleinfrankreich*, zu erkennen an dem starken Rundturm (um 1480).

Umgebung: Als Ausflugsziele bieten sich → Pirmasens, → Annweiler oder auch Bad → Bergzabern an.

Erwitte 4782

Nordrhein-Westfalen S. 414 □ E 10

Die geographisch günstige Lage an der Kreuzung des Hellwegs und des Lippewegs führte zur Gründung eines Königshofes, in dem Heinrich I. (935) und weitere Könige aus dem sächsischen Haus geweilt haben.

Kath. Pfarrkirche St. Laurentius: Der mächtige Turm ist in der Mitte des 13. Jh. entstanden und steht den Turmbauten im nahen → Soest kaum nach. Der barocke Turmhelm stammt aus dem Jahr 1710. Hervorzuheben sind die Reliefplastiken an den Portalen der beiden Querhäuser und an den Triumphbogensäulen. Die Turmhalle besitzt einen eigenen, zweiten Chor. Zur Ausstattung gehören u. a. neun fast lebensgroße Apostelfiguren aus Holz (1763), das Vesperbild »Siebenschwertermadonna« und ein hölzernes Kruzifix aus dem 13. Jh.

Schloß: Der langgestreckte zweigeschossige Bau ist als Wasserburg im 17. Jh. entstanden (Umbau im Jahr 1934). Einflüsse der Weser-Renaissance sind erkennbar. Das Schloß befindet sich heute im Besitz des Landes Nordrhein-Westfalen.

Außerdem sehenswert: Einige alte Fachwerkhäuser aus dem 16.–18. Jh. sind am Marktplatz und in dessen Nachbarschaft erhalten. Das Rathaus (1716 erbaut) am Markt und das Städtische Krankenhaus, das 1703 fertiggestellt war.

Eschwege 3440

Hessen S. 418 □ H 11

Ev. Altstadt-Pfarrkirche St. Dionys (Marktplatz): An der Kirche wurde vom 13. Jh. bis zum 16. Jh. gebaut. Die fast quadratische Halle besitzt eine wertvolle Barockausstattung, an deren Spitze die geschnitzte Kanzel aus dem 17. Jh. zu nennen ist. Sehenswert ist die Orgel (1677–79), die J. F. Schäffer geschaffen hat und die im Knorpelstil dekoriert ist.

Schloß (Schloßplatz 1): Die Gründung des Schlosses geht auf das Jahr 1386 zurück, die heute erhaltenen Bauteile entstanden jedoch in der Mehrzahl erst ab 1581. Hauptraum des strengen Renaissancebaus ist der ehem. Rittersaal, der vorübergehend als kath. Schloßkapelle gedient hat, jetzt jedoch wieder als Repräsentationsraum zur Verfügung steht. Das Schloß ist heute Sitz des Landratsamtes.

Außerdem sehenswert: *Altes Rathaus* (Am Markt): 1660 erbautes Fachwerkhaus. – *Fachwerkbauten* am Markt. – Das *Heimatmuseum* (Vor dem Berge 14a). – Die nahegelegene Doppelstadt *Bad Sooden-Allendorf,* die ein geschlossenes Fachwerk-Ensemble in A. aufweist, namentlich das *Haus Odenwaldt).*

Essen 4300

Nordrhein-Westfalen S. 416 □ C 10

Essen, eines der Zentren zwischen Rhein und Ruhr, hat sich im Laufe der letzten 100 Jahre zu einem industriellen und kulturellen Schwerpunkt mit heute fast 700 000 Einwohnern entwikkelt. Die Geschichte der Stadt war bis zum 17. Jh. bestimmt von jenem Stift, das Altfried, der spätere Bischof von Hildesheim, um 850 gründete und für das er seine Schwester als erste Äbtissin einsetzte. Bis 1670 hatte die jeweilige Äbtissin alle Rechte über die Stadt, die bis dahin in ihrer Entwicklung blockiert war.

Münster/Ehem. Stiftskirche St. Maria, Cosmas und Damian (Burgplatz): Die dreischiffige gotische Hallenkirche entstand über der spätottonischen Krypta des 11. Jh. in den Jahren 1276–1327. Die Zerstörungen des 2. Weltkrieges wurden in den Jahren 1951–59 beseitigt. Zu der hervorragenden Ausstattung gehören viele Kunstwerke aus ottonischer Zeit. Im Westbau sind (geringe) Reste von *Wandmalereien* aus dem 11. Jh. erhalten. Die *Kreuzsäule* aus dem 10. Jh. wurde im Zuge des Wiederaufbaus hinter dem Bischofssitz im Chor aufgestellt. Der jetzt im Westbau aufgestellte *Siebenarmige Leuchter* wurde um das Jahr 1000 angefertigt. Wertvollstes Stück der Ausstattung ist die *Goldene Madonna*, die bereits vor dem Jahr 1000 entstanden ist und als die älteste erhaltene, freiplastische Marienfigur des Abendlandes gilt. Von kaum geringerem Rang ist das *Theophanus-Kreuz*, das im 11. Jh. angefertigt worden ist. Es wird heute im Münsterschatz aufbewahrt (wie auch die Krone der Goldenen Madonna). In der *Krypta* befindet sich das Grab für den Hildesheimer Bischof Altfried (gest. 874). Der reich verzierte, steinerne Sarkophag ist eine Arbeit des 14. Jh., die erst im 19. Jh. in die Krypta übertragen wurde. – Zum *Münsterschatz* gehören hervorragende Werke deutscher Goldschmiedekunst aus ottonischer Zeit.

Ehem. Pfarrkirche St. Johann Baptist (Burgplatz): Die dreischiffige Hallenkirche, die 1471 entstand und dessen Barockausstattung um 1700 hinzugefügt wurde, bildet heute eine Einheit mit dem Münster, mit dem sie durch das *Atrium* verbunden ist.

Auferstehungskirche (Kurfürstenplatz): Eine interessante architektonische Lösung von O. Bartning aus dem Jahr 1929. Sie hat ihr Vorbild in der Emporenkirche des Barock. Sie wurde in Stahlkonstruktion auf einem kreisförmigen Grundriß errichtet. Eine Hälfte der Grundfläche ist für die Gemeinde bestimmt, die andere dient als Abendmahlraum.

Abteikirche St. Ludger (Essen-Werden, Abteistraße): Die 796 von Ludger, dem ersten Bischof von Münster, gegründete Kirche erhielt ihre heutige Form in der Zeit von 1156–75. Sie ist in ihren wesentlichen Teilen romanisch. Ein viereckiger Turm und der kräftige Vierungsturm sind die bestimmenden Teile des Baus. Im Inneren vermischen sich Romanik und Gotik. Die Ausstattung ist Spätbarock (1706–18). Der mächtige Hochaltar nimmt den spätromanischen Chorschluß in ganzer Breite und Höhe ein. Im nördlichen Querhausarm steht eine lebensgroße Marienfigur, die zu Beginn des 14. Jh. in einer Lütticher Werkstatt entstanden ist. Erwähnenswert sind auch die zahlreichen Grabmale. – Der *Kirchenschatz* ist im Zuge der Säkularisierung wesentlich geschmälert worden, trotzdem aber auch heute noch voller unschätzbarer Werte. Hervorzuheben sind: Ein Bronzekruzifix aus dem Jahr 1060, das zu den schönsten der Welt gehört; der Kelch des hl. Ludger um 900 (der älteste Kelch Deutschlands); ein fränkischer Reliquienkasten aus dem 8. Jh.; spätromanische Reliefs aus Sandstein (ursprünglich als Sarkophag-Umkleidung für das Ludgergrab eingesetzt).

Kath. Pfarrkirche St. Lucius (Essen-Werden, Heckstraße): Die Kirche wurde in den Jahren 995–1063 erbaut und gilt als die älteste Pfarrkirche nördlich der Alpen. Sie wurde 1965 in ihrer ursprünglichen Form wiederhergestellt.

Stiftskirche (Essen-Stoppenberg): Die kleine Kirche, eine romanische Pfeilerbasilika aus dem 12. Jh., ist im Laufe der Jahrhunderte in Teilen stark verändert worden.

Villa Hügel (über dem Baldeneysee, zu erreichen über Haraldstraße): Der Industrielle Alfred Krupp ließ die Villa Hügel in reizvoller Lage in den Jahren 1870–72 als Wohnhaus errichten. Seit 1953 ist die Villa für die Öffentlichkeit zugänglich. Von Zeit zu Zeit finden hier bedeutende Kunstausstellungen statt. Zum Inventar des Hauses gehören drei bedeutende Gobelin-Zyklen.

Schloß Borbeck (Schloßstraße): Im 18. Jh. wurden Vorgängerbauten durch das heutige Schloß im Stil des Spätbarock

Münster, Essen ▷

Bronzekruzifix (1060), St. Ludger

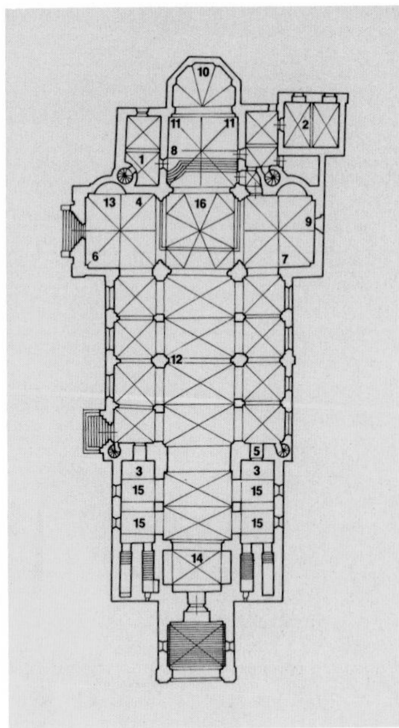

Essen-Werden, ehemalige Abteikirche St. Ludger 1 Sakristei **2** Schatzkammer **3** Wandmalereien, Mitte 10. Jh. **4** Muttergottes, 13. Jh. **5** Vesperbild, Anfang 16. Jh. **6** Mannaregen, 16. Jh. **7** Elias und der Engel, 16. Jh. **8** Grabplatte des Abtes Grimhold (1517 gestorben) **9** Abendmahlsbild, um 1705 **10** Hochaltar, 1710 **11** Chorgestühl, 1710 **12** Kanzel, 1710 **13** Marienaltar, 19. Jh.; Gemälde von Theodor Mintrop **14** Orgel, 1910 **15** Glasfenster von de Graaf, 1957

ersetzt. Im Herrenhaus des Wasserschlosses residieren die Äbtissinnen des Stifts. Heute sind im Schloß mehrere städtische Institutionen untergebracht.

Museen: *Museum Folkwang* (Bismarckstraße 64–66): Das Museum ist aus dem 1906 gegründeten Städtischen Kunstmuseum und der Sammlung Dr. Hans Goldschmidt, die 1920 der Stadt als Schenkung übergeben wurde, hervorgegangen. Zu den Sammelgebieten gehören die Bereiche Kunst- und Kulturgeschichte, Plastik exotischer Länder, christlicher Kunst, Keramik, Glas und Porzellan, javanische Schattenspielfiguren, Kupferstiche, Handzeichnungen und Drucke. Ein Schwerpunkt sind deutsche und französische Malerei und Plastik aus dem 19. und 20. Jh. – *Deutsches Plakatmuseum* (Steeler Str. 29): Zu den Beständen gehören mehr als 15000 Plakate aus vielen Ländern, darunter vor allem politische und Kunst-Plakate. – *Ruhrland- und Heimatmuseum* (Bismarckstraße 62): Sammelgebiete sind die Naturwissenschaften, Vor- und Frühgeschichte sowie die Geschichte des Ruhrgebiets und insbesondere der Stadt Essen. – *Halbach-Hammer* (im Nachtigallental): Der Hammer stammt aus einer Siegerländer Schmiede des 16. Jh. und wurde 1936 in Essen aufgebaut. Er gehört zu den bedeutendsten technischen Kulturdenkmälern in Deutschland.

Theater: Das alte, 1919 eröffnete Schauspielhaus wurde nach der Zerstö-

Villa Hügel über dem Baldeneysee

rung im 2. Weltkrieg nicht wieder aufgebaut. Dagegen entstand das *Opernhaus* (1892 eröffnet) im Jahre 1950 neu. Hier sind heute Oper und Schauspiel zu Hause. Eine zweite Bühne in der *Humboldtaula* (Varnhorststraße) ist ebenso wie die *Studio-Bühne* (Hagen 2) dem Schauspiel vorbehalten. Darüber hinaus gibt es ein *Mobiles Theater*, das in den Essener Stadtteilen gastiert.

Außerdem sehenswert: *Marktkirche* (Pferdemarkt): Die im Jahr 1058 zum erstenmal erwähnte Kirche war das Zentrum der Reformation in Essen. Nach der Zerstörung im 2. Weltkrieg wurde nur der östliche Teil wieder aufgebaut. – *Gruga-Park* (Norbertstraße): Aus dem Botanischen Garten (1927) und dem Alten Grugapark (1929) hat sich die heutige Gruga auf 70 ha Fläche als Beispiel einer modernen Freizeitanlage entwickelt. Im direkten Anschluß an die Gruga ist die *Gruga-Halle* entstanden, eine Halle in moderner Architektur mit einem Fassungsvermögen von 8500 Zuschauern.

Esslingen 7300

Baden-Württemberg S. 420 □ F 18

Im Stadtkern gab es schon in vorgeschichtlicher Zeit Siedlungen. Um 800 wurde Esslingen zum Markt erhoben, und 1212 erhielt es Stadtrechte. Der Ort ist in seiner schönen alten Anlage weitgehend erhalten. In Esslingen werden u. a. der Andreas-Gryphius-Preis für ostdeutsche Literatur und seit 1963 der Georg-Dehio-Preis für Kultur- und Geistesgeschichte vergeben.

Ev. Stadtkirche St. Dionysius (Bahnhofstraße): Nach Vorgängerbauten aus dem 8. Jh. bis 11. Jh. entstand im 13. Jh. der heutige Bau, der durch vielfache Veränderungen im Laufe der Jahrhunderte gelitten hat. Die beiden Türme im Osten wurden um 1230 errichtet und sind in ihren Grundzügen romanisch (der südliche weist bereits gotische Elemente auf). Im Innern präsentiert sich die Stadtkirche als Basilika mit sieben Jochen. Die steilen Arkadenbögen und der Lettner (1486–89 von L. Lechter, Heidelberg) bestimmen das Innere. Bemerkenswert ist das *Sakramentshäuschen* an der linken Wand des Chors, das – ebenso wie der schöne *Taufstein* – von Lechler stammt. Der *Hochaltar* von P. Riedlinger (Ravensburg) ist 1604 entstanden und zeigt gemalte Szenen aus dem Leben Christi. Von hohem Rang sind die *Glasfenster*, die Szenen aus dem Alten und Neuen Testament darstellen.

Dominikanerkirche St. Paul (Mettinger Straße): Die 1268 durch Albertus Magnus geweihte Kirche ist die älteste erhaltene Kirche des Bettelordens in Deutschland. Es handelt sich um eine langgestreckte Basilika mit schönem Kreuzrippengewölbe und einem polygonalen Chor. In den strengen Formen und der schlichten Ausstattung werden die Ideale des Bettelordens demonstriert.

Ehem. Franziskanerkirche St. Georg (Franziskanergasse): Vom ursprünglichen Bau aus dem Jahr 1237, errichtet von den Bettelbrüdern, ist das Langhaus im Jahre 1840 wegen Baufälligkeit abgerissen worden. Erhalten ist der Chor, der die Zeichen der Gotik trägt.

Frauenkirche/Evang. Stadtpfarrkirche (Mettinger Straße): Der gotische Turm gehört zu den schönsten in Deutschland. An der Arbeit, die 1478 vollendet war, beteiligten sich U. und M. Ensinger* sowie die Familie Böblinger. Über den Portalen sind sehr schöne Reliefs und Skulpturen erhalten. – An den Pfeilern des Mittelschiffs Apostelfiguren von J. Töber. Die Glasmalereien stammen aus der Zeit um 1320–30.

Altes Rathaus (Rathausplatz): Ein spätgotischer Fachwerkbau aus dem Jahr 1430 ist Kern dieses schönen Baus. Die Front ist im Stil der Renaissance gestaltet. Im Mittelpunkt des vielfach geschwungenen Staffelgiebels steht die Kunstuhr, die der Tübinger J. Diem 1592 geschaffen hat. Die geschnitzten Konsolfiguren (um 1440) des *Bürgersaals* stellen Heilige, Kaiser und Kurfürsten dar.

Neues Rathaus (Rathausplatz): Das Haus wurde ursprünglich als Privathaus für J. C. Palm im Jahre 1747 errichtet. Seit dem Jahre 1842 dient es als Rathaus.

Burg (Burgsteige): Von der einstmals mächtigen Anlage, die im 12./13. Jh. entstanden ist und 1515–27 erweitert wurde, sind Reste der Mauern und der *Dicke Turm* erhalten. Sie war einst der am weitesten vorgeschobene Teil der Stadtbefestigung. Erhalten sind auch der *Torturm der Pliensaubrücke*, das *Schelztor* und das *Wolfstor*.

Neckarbrücke: Die Neckarbrücke, die zur ehem. Flußinsel Pliensau führte, bestand schon 1286 und gehört zu den ältesten erhaltenen Brücken in Europa. Die kleinere der beiden Neckarbrükken ist berühmt wegen der Nikolauskapelle, einem Bauwerk der Gotik (um 1430).

Theater: In dem 1863 erbauten Schauspielhaus (Strohstraße 1) gibt es neben dem Großen Haus mit 300 Plätzen ein Studio mit 65 Plätzen.

Museen: Das Stadtmuseum befindet sich im Alten Rathaus (Rathausplatz). Schwerpunkte sind Orts- und Landesgeschichte, Kunstgeschichte und Altertümer.

Außerdem sehenswert: Aus dem 16.–18. Jh. sind zahlreiche schöne Bürgerhäuser, meist in Fachwerkkonstruktion, erhalten.

Umgebung: Klosterkirche in → Denkendorf.

St. Dionysius, Esslingen ▷

Benediktinerkloster Ettal

Ettal 8101

Bayern S. 422 □ K 21

Als »Bayerischer Gralstempel« liegt Ettal im Ammergebirge, 5 km von → Oberammergau und 15 km von → Garmisch-Partenkirchen entfernt. Ettal gilt als einer der meistbesuchten Wallfahrtsorte.

Benediktinerklosterkirche: Kaiser Ludwig der Bayer gründete 1330 an einer Abzweigung der Handelsstraße Augsburg – Innsbruck ein Stift, in dem 13 Ritter mit ihren Frauen, einige Witwen und in einem Benediktinerkloster 22 Mönche leben sollten. Ein Madonnenbild von G. Pidano, das der Kaiser aus Italien mitgebracht hatte, machte die Kirche schnell zum wichtigsten Wallfahrtsziel im Voralpenland. Im Jahre 1370 war die gotische Klosterkirche als 12eckiger Zentralbau fertiggestellt. Als Vorbild diente die Grabkirche Christi in Jerusalem. Unter weitgehender Erhaltung des Kernbaus erfolgte 1710 die barocke Umgestaltung durch E. Zuccalli* und F. Schmuzer*. Die Barockkuppel wurde nach einem Brand von F. Schmuzer in den Jahren 1745–52 geschaffen. Im 18. Jh. kamen auch die reich geschmückte Fassade und ein weiterer Chor hinzu. Das Innere des Zwölfecks hat einen Durchmesser von 25,3 m. Es wird bestimmt durch das riesige Kuppelfresko, das J. K. Zeiller 1746 geschaffen hat. Das Gemälde in der Kuppel des Chors stammt von M. Knoller (1786). Die Orgelempore und die Stukkaturen hat J. B. Zimmermann* geschaffen, Altäre und Kanzel sind die Arbeit von J. B. Straub*. Die Mitwirkung der besten Künstler hat den Zentralraum der Klosterkirche zu einem der Meisterwerke des Rokoko in Deutschland gemacht.

Umgebung: 10 km westlich von Ettal

Deckengemälde der Ettaler Kirche

ist das Schloß → Linderhof einen Abstecher wert.

Ettlingen 7505

Baden-Württemberg S. 420 □ E 17

Funde aus der Bronze- und Römerzeit machen die Bedeutung der Stadt Ettlingen in ferner Vergangenheit deutlich.

Kath. Pfarrkirche St. Martin (Kirchenplatz): Der ursprüngliche Bau (aus dem 12. bis 15. Jh.) wurde im Jahre 1689 Opfer eines Brandes. Erhalten sind der alte Turmchor (12./13. Jh.) und der hohe Chor mit seinem schönen Sterngewölbe (1459–64). Hervorzuheben ist die Fassade, die durch drei große Pilaster dreigeteilt wird. Das Innere wird durch einen schlichten Saalraum mit teilweise ausgestalteten Wandnischen bestimmt.

Schloß (Schloßplatz): Die Vierflügelanlage entstand 1728–33. Sie hat ihren kunsthistorisch wertvollsten Teil in der üppig ausgestatteten *Schloßkapelle*, die später zu einem Konzertsaal umgestaltet worden ist (durch Umbau von ursprünglich drei auf nunmehr zwei Geschosse). C. D. Asam* hat die Ausgestaltung der Kapelle übernommen. Von ihm stammen auch die Deckengemälde. Wichtigstes Thema ist der hl. Nepomuk. – Im *Schloßhof* befindet sich der Delphinbrunnen (1612), vor dem Schloß der Narrenbrunnen (1549). Im Schloßkomplex ist heute das *Albgaumuseum* der Stadt Ettlingen (Heimat- und Stadtgeschichte) untergebracht.

Rathaus: Das Rathaus entstand in den Jahren 1737–38 nach Plänen des Baden-Badener Steinmetzen und Maurermeisters A. Mohr. In eine Wand ist zur Erinnerung an die Römerzeit eine Nachbildung des römischen Neptunsteins eingelassen, der 1480 von der Alb angeschwemmt wurde.

Eutin 2420

Schleswig-Holstein S. 412□I 3

Die ehemalige Residenzstadt am Großen Eutiner See hat ihren Ruf als »Rosenstadt« bis heute bewahrt. Eutin wird gern als das »Weimar des Nordens« bezeichnet. Unter Herzog Peter Friedrich Ludwig (1785–1829) arbeitete hier eine Reihe berühmter Männer, so u. a. Goethe-Freund Leopold Graf Stolberg, der Homer-Übersetzer Joh. Heinrich Voß und der Maler Friedr. Wilh. Tischbein. Berühmtester Sohn der Stadt ist der Komponist Carl Maria von Weber, zu dessen Ehren alljährlich im Juli/August im Schloßpark die *Eutiner Sommerspiele* veranstaltet werden.

Ev. Michaeliskirche (Marktplatz): Die gewölbte Backsteinbasilika stammt aus dem ersten Drittel des 13. Jh. (später stark verändert). Die erhaltenen Teile des ursprünglichen Baus zeigen deutlich Elemente der Frühgotik. Zur Ausstattung gehören ein siebenarmiger Leuchter (1444), Bronzetaufe (1511), Triumphkreuz (15. Jh.) und zwei Epitaphe (um 1670) im Knorpelstil (durch knorpelartige Verknotungen gekennzeichnete Ornamente).

Schloß (Schloßplatz): Vom 13. bis zum 16. Jh. hat sich der heutige Bau mit seinen vier Flügeln aus der einstmaligen Burg der Bischöfe von Lübeck entwickelt. – Wertvollster Teil des Schlosses ist der *Blaue Saal* im Westflügel. Im Schloß befindet sich u. a. die größte Sammlung von Fürstenporträts in Norddeutschland, darunter Porträts und Historienbilder von Wilhelm Tischbein sowie Landschaftsbilder von Ludwig Philipp Strack. Weiter Ausstellungsstücke zur Wohnkultur des Spätbarock, Regence und Klassizismus, außerdem Porzellane, Brüsseler Gobelins und Schiffsmodelle. – Das Schloß ist umgeben von einem schönen Park, der ursprünglich als französischer Garten angelegt war, in späterer Zeit jedoch zu einem englischen Park umgestaltet wurde.

Schloßkapelle, Ettlingen

Fallersleben = 3180 Wolfsburg 12

Niedersachsen S. 414 □ I 8

Durch Hoffmann von Fallersleben (1798 bis 1874), den Dichter des Deutschlandlieds, der hier geboren ist, wurde der Ort bekannt. An den Dichter erinnern das Geburtshaus (Westerstraße 4) und ein *Museum* (Schloßplatz 5).

Ev. Kirche: Die klassizistische Saalkirche mit der schönen, einheitlichen Innenausstattung wurde 1804 als protestantische Predigtkirche gebaut. Typisch dafür sind die umlaufende Empore und der Kanzelaltar.

Schloß (Schloßpark): Von dem Bau des 16. Jh. ist noch ein zweigeschossiger Fachwerkflügel mit massivem Treppenturm (Anfang des 17. Jh.) erhalten.

Faurndau = Göppingen 7320

Baden-Württemberg S. 422 □ G 18

Pfarrkirche St. Marien: »Furentowa« hieß einmal das Kloster, das zur Zeit des Stauferkaisers Friedrich II. die bis heute erhaltene Kirche erhielt (um 1230). Den Bau zieren wertvolle *Steinmetzarbeiten*, die außen am schönsten im Bereich der Apsiden sind. Ebenso ist das Innere der Kirche mit dekorativen Simsen und Ornamentfriesen versehen. Im Mittelbau tragen sechs Säulen und vier Halbsäulen hervorragende *Kapitelle.* Bei der Restaurierung wurden frühgotische *Wand- und Deckenmalereien* freigelegt. – Das Dach der Kirche wurde zur Zeit der Gotik angehoben; man kann noch am Dachfirst die alte und neue Höhe erkennen.

Fehmarn (Insel)

Schleswig-Holstein S. 412 □ I/K 2

Ev. Johanneskirche (in 2448 Bannesdorf): Der schlichte, frühgotische Bau (13. Jh.) war ursprünglich aus behauenen und geschichteten Feldsteinen aufgeführt und wurde erst im 19. Jh. zum Teil in Ziegeln erneuert. Im Inneren beeindruckt die lebhafte Farbgebung des Backsteinrots an den unteren Wandteilen. – Reste spätgotischer *Wandbilder* sind an der Chornordwand erhalten. Der ehemalige *Rokoko-Hochaltar* von 1777 mit seitlichen Säulen und Putten steht jetzt auf der Südseite.

Nikolaikirche (in 2448 Burg): Um die Mitte des 13. Jh. entstand im Hauptort Fehmarns diese Backsteinkirche. Die Osthälfte und der Chor stammen aus einer späteren Zeit. Von der mittelalterlichen Ausstattung sind u. a. der dreiflügelige *Hauptaltar* (14. Jh.), der spätgotische *Blasiusaltar* und eine *Gotländische Steintaufe* (Taufstein, Mitte 13. Jh.) erhalten.

Peterskirche (in 2449 Landkirchen): Die dreischiffige Hallenkirche (Mitte 13. Jh.) ist in den Abmessungen und Einzelformen der Kirche in Burg ähnlich, unterscheidet sich aber durch die in spätgotischer Zeit angefügte Kapelle und einen freistehenden hölzernen Glockenturm.

Johanniskirche (in 2449 Petersdorf): Der hohe Westturm (1567) dieser stattlichen Dorfkirche wurde zu einem Zeichen für die Seefahrer. Die Kirche entstand in verschiedenen Bauperioden (bis 1567). – Zur Ausstattung gehört ein *Schnitzaltar* (vor 1400), der neben dem Altar von Meister Bertram in der Hamburger Hauptkirche St. Petri als der schönste des 14. Jh. im hansischen Bereich gilt.

Außerdem sehenswert: 3 km südlich von Burg *Burgruine Glambek*, eine der wenigen größeren Burgruinen Schleswig-Holsteins.

Feuchtwangen 8805

Bayern S. 422□ H 17

Ehem. Stiftskirche (Marktplatz): Die auf das 8. Jh. zurückgehende, im 13. Jh. neugebaute Kirche wurde in den folgenden Jahrhunderten mehrfach verändert. Wichtigste Teile der *Ausstattung* sind der Hochaltar (1483 von M. Wohlgemut aus Nürnberg), das Chorgestühl (um 1510, später jedoch verkürzt und überarbeitet), zahlreiche Epitaphen (darunter die lebensgroße Figur des Ordensritters S. v. Ehenheim, 1504).

Heimatmuseum (Museumstraße 19): In dem 1902 gegründeten Museum sind vor allem die Sammlungen zur Volkskunst und Volkskunde sehenswert. – Eine Spezialsammlung zeigt Feuerwehrgerät ab Mitte des 18. Jh.

Fischbeck = 3253 Hessisch Oldendorf 2

Niedersachsen S. 414□ G 8

Ehem. Augustiner-Kanonissenstift: Der Kern der reizvollen Anlage mit Gebäuden des 13.–18. Jh. ist der romanische Kreuzgang mit Doppelarkaden und gotischem Maßwerk.

Ev. Stiftskirche: Die Kirche gehört zu den bedeutendsten und interessantesten romanischen Bauten des Wesergebiets. Der wuchtige, turmartige Westbau, der mit seinen fünf Geschossen das Langhaus hoch überragt, erweckt den Eindruck einer Burganlage. Allein der Chor und die Apsis sind mit Rundbogenarkaden, mit Rundbogenfriesen, dünnen Rundstäben und rheinischen Fensterformen reicher gegliedert. Im Inneren ist trotz aller Restaurierungen der Bau des 12. Jh. gut zu erkennen. In der alten Form erhalten ist vor allem die Krypta. Kostbarstes Stück der *sehenswerten Ausstattung* ist das Kopfreliquiar aus vergoldeter Bronze (wohl um 1200, Original in → Hannover).

Kopfreliquiar, Stiftskirche Fischbeck ▷

Renaissancealtar, Marienkirche Flensburg

Flensburg 2390

Schleswig-Holstein S. 412 □ G 1

Die Stadt an der dänischen Grenze entstand aus einer dänischen Handelssiedlung des späten 12. Jahrh. mit Markt und Schiffsanlegestelle. Der Aufstieg Flensburgs zum Kultur- und Handelszentrum begann gegen Ende des 13. Jh. – Eine tragende Rolle im Stadtbild spielen die massiven spätgotischen *Backsteingiebelhäuser,* die sich im 15. Jh. gegen den Fachwerkbau durchsetzten, ferner *Renaissancebauten* und Wohn- und Bürgerhäuser des 17. und 18. Jh. mit »Utluchten« (Erkern), daneben bemerkenswerte klassizistische Gebäude. – Vom Mittelalter und der Renaissance zeugen auch Reste der *Stadtmauer,* vor allem das *Nordertor* von 1595, eine breite rundbogige Durchfahrt in einem aus Backsteinen aufgeführten Treppengiebel.

Grabmal der Anna v. Buchwald, Marienkirche

Marienkirche (Nordermarkt): 1284 wurde mit dem Bau der dreischiffigen gotischen Stufenhalle begonnen, im 13. und 14. Jh. der Ostchor verlängert und das Ganze durch Seitenkapellen erweitert. – Zur Ausstattung gehören ein (von H. Ringering) holzgeschnitzter, reich bemalter und ungewöhnlich großer *Renaissance-Altar* (1598), eine *Bronzetaufe,* an der die 4 Evangelisten das mit 8 Reliefs geschmückte Becken tragen, und eines der bedeutendsten Renaissancegrabmäler in Schleswig-Holstein, das *Grab der Anna v. Buchwald* (1597), an der Ostwand des südlichen Seitenschiffs.

Flensburg, Marienkirche 1 Deckengemälde a) Marienlegende,.um 1400 b) Altes Testament, um 1400 c) Jüngstes Gericht, Ende 15. Jh. **2** Kruzifix, 15. Jh. **3** Kanzel, 1579 **4** Taufe von Michael Dibler, 1591 **5** Epitaph für Jürgen Beyer, 1591 **6** Grabmal der Anna von Buchwald, 1597 **7** Altar von H. Ringerink, 1598; Malereien von Jan van Enum **8** Epitaph für Evert Vette von Jan van Enum, 1601 **9** Epitaph für Niels Lorentzen, 1642 **10** Epitaph für Carsten Beyer, 1644 **11** Epitaph für Niels Hacke, 1648; Grablegungsdarstellung von H. Jansen **12** Orgel; Prospekt von 1731 **13** Kreuzigungsbild von M. Kahlke, 1920 **14** Glasgemälde von Käthe Lassen, 1946–56 a) Weihnachten b) Karfreitag c) Ostern d) Himmelfahrt e) Endgericht f) Pfingsten **15** Glasgemälde von Gottfried von Stockhausen, 1959–60 a) Schöpfung b) Mose und Elia c) Dreieinigkeit d) Samariter und Guter Hirte

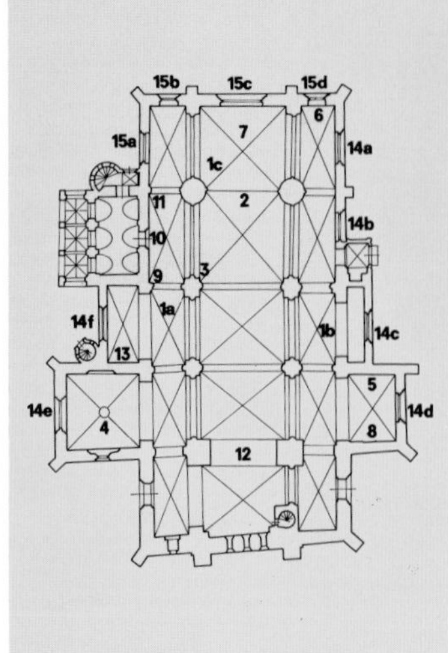

Nikolaikirche (Südermarkt): Der große gotische Backsteinbau entstand in seinen wesentlichen Teilen zwischen 1390 und 1480. – Das bedeutendste Stück der Ausstattung ist die *Orgel* mit dem Renaissanceprospekt von H. Ringering (1604–09), üppig geschnitzt und in leuchtender Fassung. Beachtenswert ist auch der *Rokoko-Hochaltar* mit gedrehten Säulen und lebensgroßen Darstellungen der Tugenden (1749).

Hl.-Geist-Kirche (Nordergraben): Der 1386 errichtete, glattwandige Bau wurde durch einen barocken Volutengiebel belebt, die bekrönende, achtseitige Laterne stammt aus dem Jahr 1761.

Städtisches Museum (Lutherplatz 1): Es enthält Sammlungen zur Kunst- und Kulturgeschichte Schleswigs, Plastik, Möbel, Zimmer aus Bürger-, Seefahrer- und Bauernhäusern.

Außerdem sehenswert: *Johanniskirche* im östlichen Stadtteil mit interessanten Gewölbemalereien. – *Alter Friedhof*, historische *öffentliche Bauten* und *Bürgerhäuser*.

Umgebung: Zu empfehlen ist ein Ausflug nach → Glücksburg.

Flossenbürg 8481

Bayern S. 418 □ M 15

Burgruine Flossenbürg: Der Ort besitzt neben der Gedenkstätte, die an die Opfer des einstmaligen Konzentrationslagers erinnern soll, eine mächtige Burgruine (12. Jh.). Der älteste Teil ist der Wohnturm auf der höchsten Spitze des Felsens. Das tiefer liegende Wohnhaus und der vorgeschobene Turm entstanden Anfang des 13. Jh. Man kann hier vor allem die vollendete Quadertechnik bei Werksteinen verfolgen, die bis zu 2 m lang sind.

Föhr → Nieblum

Forchheim, Oberfranken 8550

Bayern S. 418 □ K 15

An der Mündung der Wiesent in die Regnitz gelegen, geht die Gründung der Stadt auf eine fränkische Siedlung aus dem 6. Jh. zurück. Im 9. Jh. wird Forchheim Königshof und schließlich Pfalz. Dreimal wurden hier Könige gewählt. Ab 1300 begann der Ausbau zur Stadt. Das mittelalterliche Stadtbild ist in großen Teilen erhalten und gibt dem Ort einen besonderen Reiz.

Kath. Pfarrkirche St. Martin (Kirchenstraße): Der Einfluß der → Bamberger Dombauhütte läßt sich an den ältesten romanischen Teilen der Kirche noch erkennen. Der heutige, im wesentlichen gotische Sandsteinquaderbau wurde im 14. Jh. gebaut, 1670 erhielt der Turm seine geschwungene Kuppelhaube. Außen am Chorschluß befindet sich ein vorzüglicher *Ölberg* (1511) des

Johanniskirche, Flensburg

Forchheim, Rathausplatz

Bamberger Bildhauers H. Nußbaum, von dem auch das schöne *Holzrelief* (Abschied Christi von Maria) im Innenraum an der Westwand des nördlichen Seitenschiffs stammt. Der Einfluß Dürers* ist hier unverkennbar.

Pfalz (Kapellenstraße 16): Die Wasserburg, die vermutlich an der Stelle erbaut wurde, an der die karolingische Kaiserpfalz gestanden hat, ist im 14. Jh. entstanden. Der malerische Komplex besteht aus einem spätgotischen *Torbau*, dem massiven *Palas*, einem Giebelbau (16. Jh.) und dem *Treppenturm* im Hof (17. Jh.). – Im Inneren befinden sich spätgotische *Fresken* und das *Pfalzmuseum* mit vor- und frühgeschichtlichen Funden und Volkskunst.

Rathaus (Rathausplatz): Nahe der Pfalz steht an dem typisch fränkischen Marktplatz neben anderen stattlichen Fachwerkhäusern das Rathaus (14./15. Jh.) mit schönem Zierfachwerk und Balustersäulen, deren Kapitelle geschnitzte Figuren zeigen.

Außerdem sehenswert: Reste der früher die Stadt umschließenden *Festung* (16. bis 18. Jh.) im SW und N.

Frankenberg/Eder 3558

Hessen S. 416 □ F 11

»Frankenberg, Stadt wohlbekannt, seit alter Zeit in Hessenland« steht im Wappenspruch der Stadt, die ihr mittelalterliches Stadtbild bis heute bewahrt hat (die Stadt entstand nach einem Brand im Jahr 1476 in großen Teilen neu).

Ev. Stadtpfarrkirche/Ehem. Liebfrauenkirche (Auf der Burg): Tyle von

Das Rathaus (1509) in Frankenberg beeinflußte den Fachwerkbau in Hessen ▷

Marienkapelle in der Liebfrauenkirche

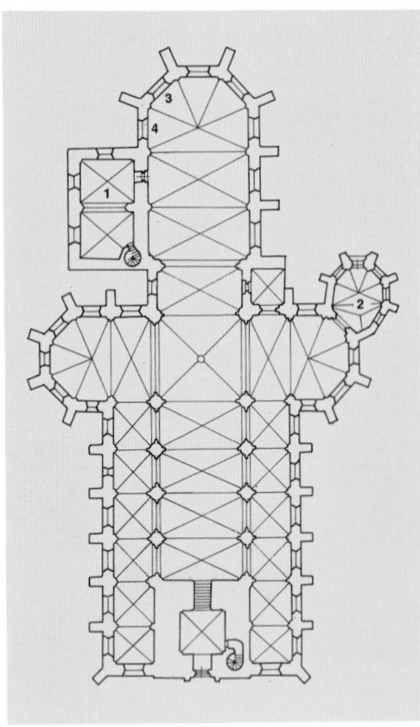

Frankenberg, Marienkirche 1 Sakristei **2** Marienkapelle **3** Tabernakel, um 1350–60 **4** Christus am Ölberg, Relief, 14. Jh.

Frankenberg baute die 1286 begonnene Kirche im 14. Jh. um. Auf ihn gehen der 1353 geweihte Chorneubau, der Turm, Teile der Seitenschiffe und die an den südlichen Querarm angebaute achteckige *Marienkapelle*, ein Kleinod gotischer Architektur, zurück. – Bei der Umgestaltung der ehemals dreischiffigen Hallenkirche folgte er weitgehend dem Vorbild der Elisabethkirche in → Marburg. Der Außenbau ist streng frühgotisch mit Strebepfeilern und Kranzgesims, die *Portale* sind dagegen reicher gegliedert, besonders das Westportal. – Im Innenraum, der sein Licht durch hohe Fenster erhält, fallen das lockere Blattwerk an den *Kapitellen* und die Masken und Tierköpfe an den *Pfeilern* des Langhauses und im Chor auf. Die Gewölbe sind mit Rankenmotiven, Blüten, Früchten und Vögeln verziert (um 1480, 1962 freigelegt). Neben guten *Steinfiguren*, die sich jetzt in der Sakristei befinden, und der *Steinkanzel* (1554) ist die steinerne *Altarwand* in der Marienkapelle von besonderem Rang.

Rathaus (Marktplatz): Das Rathaus wurde in seiner heutigen Form 1509 erbaut. Mit den spitzen Helmen seiner acht Erkertürmchen, dem Dachreiter und einem Treppenturm war es für die Entwicklung des Fachwerkbaus in Althessen von ähnlicher Bedeutung wie das Rathaus in → Alsfeld. Besondere Aufmerksamkeit verdienen die prächtig geschnitzten *Konsolengruppen über den Portalen.* An der Südseite ist hier die Gestalt eines in die Knie gesunkenen Mannes zu erkennen, auf dessen Schultern ein Narr mit Schellenkappe und Flöte sitzt.

Außerdem sehenswert: *Bürgerhäuser* aus dem 16. bis 18. Jh., die auch heute noch das Stadtbild bestimmen. – *Kreisheimatmuseum* (Bahnhofstraße 10). – Bedeutendes Zisterzienserkloster im nahegelegenen *Haina.*

Frankfurt am Main 6000

Hessen S. 416 □ E 14

Frankfurt war viele Jahrhunderte lang die Stadt, in der Kaiser und Könige gewählt und gekrönt wurden; es ist aber auch die Stadt Goethes, die Stadt der Deutschen Nationalversammlung in der Paulskirche, die Stadt der Messen (seit 1240) und der Börse. Frankfurt war eine der prächtigsten deutschen Bürgerstädte mittelalterlicher und zugleich großbürgerlicher Prägung, die 1944 durch Bomben und Brände ihr ursprüngliches Gesicht verlor. Fast 2000 alte Bürgerhäuser wurden vernichtet und blieben verloren. Im neuen Frankfurt sind die Überbleibsel des Alten nur Inseln, um die Hast und Hektik einer Geschäftsstadt branden, die freilich ihren kulturellen Auftrag ernst nimmt. Davon zeugen 10 → Theater, 9 → Museen, wichtige Galerien, Bibliotheken und Hochschulen, vor allem die 1912 gegründete *Johann-Wolfgang-Goethe-Universität.*

Dom/Ehem. Stifts- und kath. Pfarrkirche St. Bartholomäus (Domplatz): *Baugeschichte:* An der Stelle, wo von 1356 an die deutschen Kaiser gewählt und seit 1562 auch gekrönt wurden, stand in der Karolingerzeit eine Salvatorkirche, von der Reste entdeckt worden sind. Der heutige Bau stammt im wesentlichen aus dem 14. und 15. Jh. Baumeister war M. Gerthener*. Er entwarf auch den hohen Westturm mit dem ebenso seltenen wie seltsamen Kuppelabschluß (1415). Jedoch brauchte der Ausbau weit über 100 Jahre. Die oberste Spitze kam bei einer Erneuerung und Erweiterung erst im 19. Jh. auf den Turm.

Baustil und Baubeschreibung: An Kapitellen, Maßwerk und Gewölberippen sind die verschiedenen Phasen des Ausbaus in der Gotik abzulesen. – Das Auffallendste im Inneren ist die fast gleiche Länge von Mittelschiff und Querarm, deren Gewölbe erst im 19.

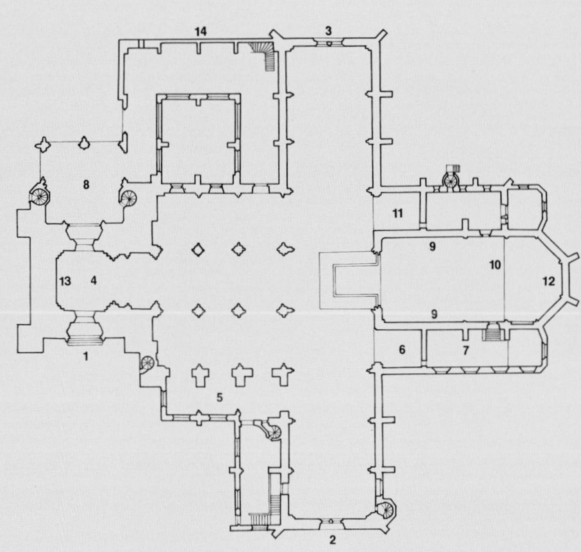

Frankfurt, Dom 1 Südportal des Turmes, 1422 **2** Südportal des Querhauses **3** Nordportal des Querhauses **4** Turmhalle **5** Scheidkapelle mit Taufstein **6** Christi-Grabkapelle **7** Wahlkapelle **8** Vorhalle von Denzinger, 1879–80 **9** Chorgestühl, 1352 **10** Sakramentshäuschen aus der Werkstatt des Madern Gerthener, 1415–20 **11** Maria-Schlaf-Altar, 1434 **12** Hochaltar, 2. Hälfte 15. Jh. **13** Kreuzigungsgruppe von Hans Backoffen, 1509 von Jakob Heller gestiftet **14** Bartholomäusrelief von Hans Mettel, 1957

Kreuzigungsgruppe, Dom

Jh. auf einheitliche Höhe gebracht wurden. Der Raum wirkt wie eine breite, von Pfeilern gestützte Halle, an die sich einige intime Kapellenräume anlehnen.
Portale und Ausstattung: Die Portale, die von N und S in das Innere führen, haben Figurenschmuck aus der Entstehungszeit. Besonders schön ist die *Pfeilermadonna* am Nordportal. Das Südportal zeigt im Giebelfeld und auf Konsolen rechts und links ein ganzes Figurenensemble mit der Anbetung der Könige, einer Kreuzigung, Propheten und Heiligen. Geschaffen hat dieses Kunstwerk der oberrheinische Meister Antze (um 1350), von dem auch das sehr schöne *Chorgestühl* stammt (es zeigt auf einer Wange Kaiser Ludwig den Deutschen mit dem Modell der Kirche). – In der Turmhalle steht das bedeutendste Stück der Ausstattung, eine lebensgroße *Kreuzigungsgruppe* aus sieben Personen mit drei Kreuzen, ein Steinbildwerk des Mainzers H. Backofen* (1509). Ebenso in Stein gearbeitet ist der *Maria-Schlaf-Altar* in der Marienkapelle (vom nördlichen Querhaus aus zu erreichen), das realistische und vorzügliche Werk eines mittelrheinischen Meisters (1434). Die *Wandmalereien* über dem Chorgestühl mit der Legende des hl. Bartholomäus, die dem S. Lochner* zugeschrieben werden, sind sehr verblichen (1427). – Von der reichen, im Krieg ausgelagerten Ausstattung sind noch zwei *Grabsteine* hervorzuheben: Ein Ritter mit dem Helm unterm Arm (Günther v. Schwarzburg, Gegenkönig Karls IV.), und im nördlichen Querschiff das Doppelgrab der Familie Holzhausen (Ende 14. Jh.).

Kathol. Pfarrkirche St. Leonhard (Alte Mainzer Gasse, am Main): Kaiser Friedrich II. stiftete das Gelände am Main zum Bau einer Kirche (1219), von der noch die beiden achteckigen Türme neben dem Chor und zwei Portale mit reichen Kapitellzonen, Rundbogen und Giebelfeldern darüber erhalten sind. Der Chor zwischen den Türmen wurde 1430 eingezogen. Anfang des 16. Jh. wurden im Norden und Süden zwei weitere Seitenschiffe angefügt. Ein handwerkliches Kabinettstück ist das *Salvator-Chörlein.*
Baustil und Baubeschreibung: Der romanische Beginn wird in den beiden *Türmen* deutlich sichtbar. Das reiche Maßwerk des *Chors* (von M. Gerthener*) läßt das gotische Element hervortreten. Die verschiedenen Stern- und Netzgewölbeformen des malerischen Innenraums, die im Lauf des 15. Jh. immer kunstvoller werden, finden ihren End- und Höhepunkt im *Salvator-Chörlein,* der Grablege der Familie Holzhausen (1516).
Das wichtigste Stück der Ausstattung ist eine *Bildtafel* mit dem Abendmahl im nördlichen Seitenschiff (von *H. Holbein d. Ä.,* 1501). Sie ist ein Stück aus der Predella eines Altars, der jetzt im → Städel-Museum steht.

Kath. Liebfrauenkirche (Liebfrauenberg): Von dem heute den Kapuzinern

St. Leonhard ▷

als Klosterkirche dienenden Gotteshaus sind nur noch wenige originale Teile erhalten. Am bedeutendsten ist das *Tympanonrelief* über dem Südportal mit einer bewegten, vielfigurigen Anbetung der Könige in plastischer Landschaft, ein Hauptwerk des »weichen Stils« (um 1420) und wohl ebenfalls von M. Gerthener* geschaffen (vgl. Dom und St. Leonhard). Von der kostbaren *Rokokoausstattung* sind (in Chor und Langhaus) nur einige Figuren übrig geblieben.

Paulskirche (Paulsplatz): Die Kirche, 1787 begonnen und 1833 (nach Bau des Turms) vollendet, stand mit ihrer nüchternen, klassizistischen Tonne als Fremdkörper zwischen den Bürger- und Patrizierhäusern des alten Frankfurt. Das Rund war ursprünglich als protestantische Predigtkirche gebaut worden, diente dann jedoch u. a. der Deutschen Nationalversammlung 1848/49 als Tagungsort. Das Gebäude brannte im 2. Weltkrieg aus, wurde 1948/49 wieder aufgebaut (als Parlamentsgebäude der künftigen Deutschen Bundesrepublik vorgesehen) und dient heute der Stadt zu repräsentativen Veranstaltungen (Verleihung des Goethepreises, des Friedenspreises des Deutschen Buchhandels usw.)

Ehem. Karmeliterkloster (Karmelitergasse 5): Von der zugehörigen *Kirche St. Maria* sind nur noch Chor und Querschiff erhalten, die Klostergebäude wurden teilweise wiederaufgebaut. Im ehemaligen *Refektorium* ist der 80 m lange *Freskozyklus* von *J. Ratgeb* aus Schwäbisch Gmünd (1514–23) nur zum Teil erhalten. Ratgeb, neben Grünewald der große expressive Maler der Spätgotik, wurde als Aufständischer im Bauernkrieg 1526 gevierteilt.

Deutschordenskirche St. Maria (in Sachsenhausen, Brückenstraße): Die heutige kath. Pfarrkirche ist in ihrem Inneren ein heller, einschiffiger Bau der reinen Gotik (im Jahr 1309 geweiht). Er erhielt um 1510 im S eine kleine Nebenkapelle und im 18. Jh. eine barocke Fassade.

Marienaltar, Deutschordenskirche

Römer (Römerberg): *Das Rathaus* der alten Krönungsstadt setzte sich aus einem Komplex von elf mit Höfen und Trakten untereinander verschachtelten Bürgerhäusern zusammen. Es erhielt seinen Namen vom ältesten der Giebelhäuser, dem Haus »Zum Römer«, das schon 1322 unter diesem Namen erwähnt wurde. Die Untergeschosse zum Römerberg waren ehemals offene Kauf- und Messehallen. Im Obergeschoß befindet sich der wiederhergestellte *Kaisersaal* (ehem. Festsaal für Krönungsbankette) mit *Bildern* der deutschen Kaiser. Beachtenswert ist von den wenigen geretteten Teilen die *Kaisertreppe* mit ihrem schmiedeeisernen Geländer. Von den fünf *Giebeln*, welche die berühmte Römerfront bildeten, wurden drei wiederhergestellt, zwei modern angeglichen.

Hauptwache (Hauptwache): Am Anfang der Geschäftsstraße *Zeil* wurde das ehem. Wachtlokal, ein einstöckiger

Römer

barocker Bau, wiederaufgebaut. Nachdem es zuletzt als Café gedient hatte, mußte es wegen Bauarbeiten vorübergehend wieder abgebrochen werden.

Steinernes Haus (Alter Markt): Eines der wenigen Häuser, die den letzten Krieg wenigstens teilweise überstanden haben. Der repräsentative Patrizierbau der Gotik (1464) ist an seinen Türmchen und dem Zinnenkranz am Dachgesims leicht zu erkennen. Das restaurierte Gebäude dient heute dem *Kunstverein Frankfurt* als Ausstellungshaus.

Goethehaus (Am Großen Hirschgraben 23): Das völlig zerstörte, dreistökkige Geburtshaus Goethes ist 1946–51 wiederaufgebaut und mit dem gesamten alten Inventar (das ausgelagert war) ausgestattet worden. Hier ist neben dem schönen Treppenhaus, dem Hof, dem Empfangszimmer und der Küche von Frau Aja auch das Arbeitszimmer, wo Goethe den »Götz«, den »Werther« und Teile des »Faust« geschrieben hat, wieder in alter Form vorhanden. Verbunden ist das Haus mit dem *Goethe-Museum*, das zum Freien Deutschen Hochstift gehört.

Saalhofkapelle (Saalgasse 31): Neben dem *Eisernen Steg* über den Main steht der mit vier schiefergedeckten Fialentürmchen geschmückte *Rententurm*, ehemals Teil eines Stadttors (1456). Hinter dem Turm sind Reste der alten königlichen Wasserburg erhalten geblieben, insbesondere die kleine *romanische Kapelle* aus dem 12. Jh., das älteste erhaltene Bauwerk der Stadt.

Stadtbefestigung: Von der alten Stadtbefestigung sind neben dem *Rententurm* auch die *Galluswarte*, die *Bockenheimer*, die *Sachsenhäuser* und die *Friedberger Warte* sowie der *Eschenheimer Torturm* gerettet worden. Letzterer wurde vom Frankfurter Hauptarchitekten der Gotik, M. Gerthener*,

Hauptwache

1426–28 als Rundturm mit Wehrgang und Fialentürmchen vollendet. – Im *Kuhhirtenturm* in Sachsenhausen (Deutschherrenufer) hat von 1923–25 P. Hindemith gewohnt.

Theater: Das alte *Opernhaus*, das als Konzerthalle wiederaufgebaut werden soll, wurde im 2. Weltkrieg zerstört. – Die neu erbauten *Städtischen Bühnen* für Oper, Schauspiel und Kammerspiel sind in einem Komplex untergebracht (Untermainanlage 11). – Das *Fritz-Rémond-Theater im Zoo* (Alfred-Brehm-Platz 16), *Die Komödie* (Neue Mainzer Str. 18) und das *Theater am Turm* (Oederweg 1) sind Schauspieltheater mit breit gefächerten Spielplänen.

Museen: Alle Frankfurter Sammlungen sind durch Bürgerinitiativen ins Leben gerufen worden. – Das *Städelsche Kunstinstitut* (Schaumainkai 63) zeigt die europäische Malerei vom 14. Jh. bis zur Gegenwart. Zu den berühmtesten Werken gehören die *Lucca-Madonna* von van Eyck und *Die Blendung Simsons* von Rembrandt. Aber auch Werke von L. Cranach, Dürer, Holbein, Rubens, F. Hals, Schongauer, Manet, Renoir und Picasso sind hier ausgestellt. – Die *Skulpturensammlung Liebieghaus* (Schaumainkai 71) stellt eine der bedeutendsten Plastiksammlungen Europas dar. – Das *Museum für Vor- und Frühgeschichte* (Justinianstraße 5) ist in dem reizvollen vierstöckigen *Wasserschlößchen Holzhausensche Oede* untergebracht. – Das *Naturmuseum Senckenberg* (Senckenberganlage 25) ist eines der bedeutendsten naturkundlichen Museen in Deutschland. Besondere Anziehungspunkte sind Skelette von Tieren der Vorzeit. – Ferner: *Bundespostmuseum* (Schaumainkai 53), *Historisches Museum* (Saalgasse 19) zur Lokalge-

Behrens-Bau, Verwaltungsbau der Farbwerke Hoechst ▷

Grabkapelle Reichenbach, Hauptfriedhof

schichte sowie *Museum für Völkerkunde* (Schaumainkai 29).

Friedhöfe: Auf allen Friedhöfen Frankfurts findet man Grabstätten berühmter Persönlichkeiten. Auf dem *Petersfriedhof* liegen die Eltern Goethes begraben; auf dem *Jüdischen Friedhof* (Rat-Beil-Str.) ruht der große Mediziner Paul Ehrlich; auf dem *Hauptfriedhof* fanden ihre letzte Ruhestätte der Philosoph Schopenhauer und Goethes »Suleika« (die Bankiersgattin Marianne von Willemer). In der Tradition fürstlicher Grablegen entstand hier 1843 auch die *Grabkapelle Reichenbach* mit den Liegefiguren der beiden fürstlichen Toten, Kurfürst Wilhelm II. von Hessen-Kassel und seiner Gemahlin Gräfin Reichenbach.

St.-Justinus-Kirche (Ffm.-Höchst, Hauptstraße): Aus karolingischer Zeit stammen nur noch die *Blattkapitelle* der Arkaden des Langhauses. Nach 1431 kam an Stelle des südlichen Querschiffs die *Sakristei* hinzu. Einige Jahrzehnte später, als auch das *Westportal* mit den großartigen *Steinfiguren* der Hl. Antonius und Paulus entstand, wurde der schlanke gotische *Ostchor* hinzugefügt.

Bolongaro-Palast (Ffm.-Höchst, Hauptstraße): Der Palast mit seiner 117 m langen Straßenfront wurde 1772/75 für die Tabakfabrikanten und Bankiers J. P. und J. M. M. Bolongaro gebaut und dient heute als Bezirksamt. Originell ist der spitze Obelisk als Dachreiter auf dem Mittelbau. Letzterer öffnet sich mit barocken Springbrunnen nach dem Main hin in einer schönen Treppenanlage.

Farbwerke Höchst – Verwaltungsbau: Der Bau von P. Behrens (1920–24) ist

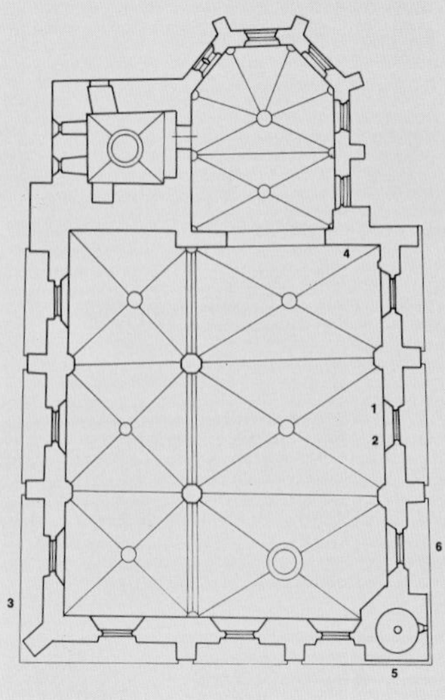

Frankfurt, Alte Nikolaikirche 1 Epitaph für Siegfried zum Paradies von Madern Gerthener, um 1410 **2** Epitaph für Katharina zum Wedel (1378 gestorben) **3** Steinfigur des heiligen Nikolaus in Außennische an der Nordseite, spätgotisch **4** Rokoko-Kanzel von Joh. Daniel Schnorr, 1761–71 **5** Tympanon mit heiligem Nikolaus zwischen zwei krüppelhaften Bettlern, gotisch **6** Tympanon mit ähnlicher Darstellung wie 5., vermutlich vom Westportal stammend

ein Beispiel typischer Industriearchitektur des deutschen Bau-Expressionismus der zwanziger Jahre (Turm und kathedralenartiges Treppenhaus mit abgestuften Stalaktitenpfeilern (Eiszapfenformen).

Jahrhunderthalle der Höchst AG (Ffm.-Höchst, Pfaffenwiese): Hier werden neben Sinfoniekonzerten von in- und ausländischen Gastspielensembles Opern, Ballette und Schauspiele aufgeführt.

Außerdem sehenswert in Höchst: Das aus einer mittelalterlichen Burg umgebaute *Renaissanceschloß* sowie das *Heimatmuseum* im alten *Zollturm* (Schloßplatz 13).

Frauenchiemsee 8211

Bayern S. 422 □ M 20

Benediktinerinnen-Klosterkirche St. Maria: Die Gründung des Frauenklosters auf der Chiemseeinsel geht zwar auf Herzog Tassilo III. (um 770) zurück, im Mittelpunkt der Klostergeschichte steht jedoch Irmingard, eine Enkelin Karls d. Gr. Die Patronin des Chiemgaus war hier Äbtissin (ihr Grab von 866 wurde erst kürzlich bei Ausgrabungen wiederentdeckt). – Die Kirche wurde auf Fundamenten einer vor 866 entstandenen, im 10. Jh. von den Ungarn zerstörten, älteren Kirche errichtet. Der heutige, romanische Bau stammt in seinem Kern aus dem 11. Jh. Zu dieser Zeit wurden auch die Untergeschosse des freistehenden, achteckigen *Glockenturms* gebaut, der heute Wahrzeichen der Insel ist. Ursprünglich hat er als Fluchtturm gedient, in gotischer Zeit wurde er jedoch aufgestockt, 1626 bekam er seine Zwiebelkuppel. – Bedeutung hat die Kirche vor allem durch ihre *Wandmalereien,* unter denen die spätromanischen in den Arkadenwölbungen des Presbyteriums (um 1170–80) besonders hervorzuheben sind. In dieser Salzburgischen Arbeit sind Christus, Maria und Martha, Engel, Lebensbrunnen sowie Lebensbaum dargestellt.
Die *Ausstattung* der Kirche ist einheitlich barock und stammt aus dem 17. Jh. Die wichtigsten Teile: Der schwarzgoldene *Hochaltar* (mit Seitenfiguren), das *Deckengemälde* in der gotischen Marienkapelle und die *geschnitzte Ma-*

St. Maria, Frauenchiemsee

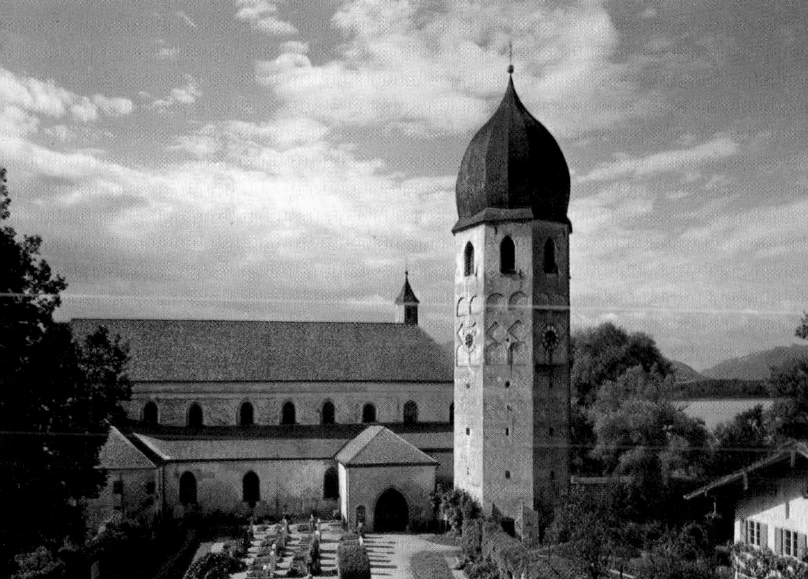

donna (Mitte 16. Jh.). Zahlreiche spätgotische und barocke Rotmarmor-*Grabsteine* befinden sich in den Chorumgängen. – Im Kloster befindet sich heute ein Pensionat.

Fraurombach = Schlitz 6407

Hessen S. 416 □ G 12

Ev. Kirche/Ehem. Wallfahrtskirche Liebfrauen: Die Bedeutung dieser schlichten romanischen Kirche aus der 2. Hälfte des 12. Jh. (das Fachwerkobergeschoß wurde später aufgesetzt) liegt in dem Zyklus gotischer Wandmalereien im Langhaus (14. Jh.): In drei Bildstreifen sind die Legende des Kaisers Heraclius, die Wiedereroberung des Heiligen Kreuzes und die Rückführung nach Jerusalem entsprechend einer Dichtung des hessischen oder thüringischen Dichters Otte (um 1203) dargestellt.

Umgebung: Als lohnende Ausflugsziele in der näheren Umgebung kommen vor allem der Fünf-Burgen-Ort → Schlitz, → Bad Hersfeld und → Fulda in Frage.

Freckenhorst = 4910 Warendorf 2

Nordrhein-Westfalen S. 414 □ D 9

Kath. Pfarrkirche St. Bonifatius: Reliquien des hl. Bonifatius, die hier aufbewahrt werden, gaben der ehem. Stiftskirche den Namen. Mit ihrer W-Fassade, die wie ein gewaltiges Stadttor wirkt, gehört sie zu den bedeutendsten frühromanischen Kirchen Westfalens. – Zu den Stiftsdamen gehörte auch die Mutter der westfälischen Dichterin Annette von Droste-Hülshoff. Nach den Erzählungen der Mutter hat die Dichterin einige Kapitel für L. Schückings Roman »Das Stiftsfräulein« geschrieben.

Baugeschichte: Vom ursprünglichen

Freckenhorst, Pfarrkirche St. Bonifatius, ehem. Stiftskirche 1 Taufstein, 1129 **2** Löwenköpfe an den Sakristeitüren, romanisch, wahrscheinlich vom ehemaligen Hauptportal **3** Grabplatte der Geva, Anfang 13. Jh., in der Krypta **4** Standleuchter, 15. Jh. **5** Drei Tabernakeltürme, um 1500 **6** Marienklage, um 1520 **7** Ehem. Hochaltar und Epitaph für Äbtissin Maria von Plettenberg von Wilhelm Spannagel, 1646 **8** Figuren der Maria Immaculata und des heiligen Joseph von C. X. Stippeldey, 1791–93 **9** Hochaltar von H. G. Bükker **10** Ambo von H. G. Bücker **11** Schrein der heiligen Thiatildis; Gehäuse von H. G. Bücker

St. Bonifatius, Freckenhorst

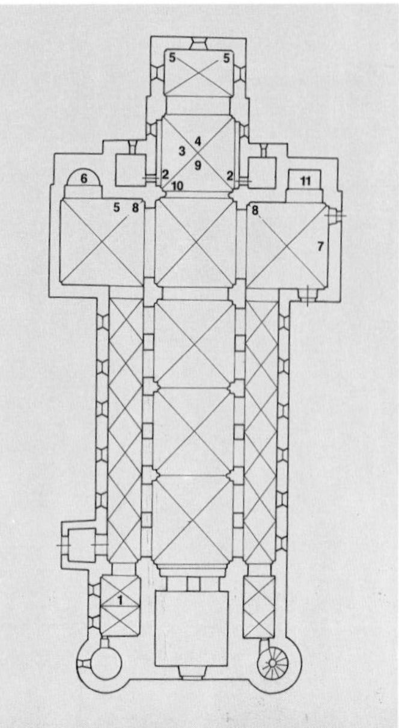

Bau aus dem 11. Jh. blieb nach einem Brand nur der jetzige Westbau erhalten. Der Neubau wurde 1129 geweiht (Inschrift am Taufbecken). In den folgenden Jh. erweiterte man die Kirche, erhöhte die Türme und versah sie mit Fenstern. 1670 erhielt der Hauptturm seinen barocken Helm.
Baustil und Baubeschreibung: Der schlichte Bau, eine kreuzförmige Basilika, wirkt vor allem durch seine Großräumigkeit. Die Kombination mit fünf Türmen ist in Westfalen nur selten zu finden. – Im wesentlichen blieb die *romanische* Form der Kirche erhalten, nur die Gewölbe des Mittelschiffs sind *gotisch.* – In den Seitenschiffen findet man eine interessante Wandgliederung mit *Säulenarkaden.* Die *Kapitelle* sind mit Rankenwerk und Menschenköpfen dekoriert. – Von der ehemaligen Klosteranlage steht noch ein Teil des *Kreuzgangs* aus dem 13. Jh.
Ausstattung: Der berühmte Freckenhorster *Taufstein* gilt als das bedeutendste steinerne Taufbecken Deutschlands aus dem 12. Jh. Auf den beiden Reliefstreifen sind liegende Löwen und sieben Szenen aus der Heilsgeschichte dargestellt. – Auch die *Grabplatte* der Kirchengründerin Geva (13. Jh.) ist interessant. Die lebensgroße Figur ist in einem sich anschmiegenden, reich gefältelten Gewand dargestellt.

Fredelsloh = 3413 Moringen 3

Niedersachsen S. 414 □ G 9

Ehem. Klosterkirche St. Blasii: Die heutige ev.-luth. Pfarrkirche ist ein imposanter, wenn auch etwas karger romanischer Bau aus schweren rötlichen Sandsteinquadern. Ungewöhnlich ist die apsisartige Ausbuchtung zwischen den beiden wuchtigen Westtürmen. Die auch im Inneren strenge, dreischiffige Kirche – sie kommt ohne plastischen Schmuck aus – wurde im 12. Jh. erbaut. – Von der alten Ausstattung sind außer einem sehr beschädigten *Taufstein* (13. Jh.) nur die *Sandsteinreliefs* mit den Figuren der 12 Apostel an den Seitenwänden des Chors erhalten.

Freiburg im Breisgau 7800

Baden-Württemberg S. 420 □ D 20

An der Dreisam, zwischen den Hängen des Schwarzwalds und der Oberrhein. Ebene gelegen, wird Freiburg von seinem berühmten Wahrzeichen, dem gotischen *Münster*, beherrscht. Vom Hausberg *Schauinsland* (Seilbahn) bietet sich ein lohnender Blick über die Stadt.
Vom schnellfließenden *Bächle* durchzogen (eine mittelalterliche Kanalisation, die in schwülen Sommern Kühlung bringt und in die jeder echte Freiburger einmal hineingestolpert sein muß), hat sich diese Bürgerstadt gegen alle Adelsansprüche gewehrt und behauptet. Diese selbständige Tradition geht zurück auf Herzog Konrad von Zähringen, der 1120 an »ansehnliche Handelsleute« je 50 Fuß breite und 100 Fuß lange (ca. 16 × 32 m) Grundstücke vergab. Die Unabhängigkeit hat die Stadt geprägt. Erobert wurde sie zwar 1515 von aufständischen Bauern, 1632 und 1638 durch die Schweden, 1644 durch Bayern sowie 1677, 1713 und 1744 durch die Franzosen. Sie blieb jedoch in ihrer baulichen Substanz bis zum 2. Weltkrieg weitgehend erhalten. Die Bombenschäden des Jahres 1944 sind inzwischen zum größten Teil behoben, und das Bild der alten, schönen Stadt ist wieder gut zu erkennen.

Münster Unsere Liebe Frau (Münsterplatz): Von den spätromanischen Anfängen sind das *Querhaus* und die beiden sich daran anlehnenden *Hahnentürme* erhalten (um 1200, später jedoch deren Obergeschosse und die durchbrochenen gotischen Helme). Der zweite Bauabschnitt umfaßte das *Langhaus* (1220–1260), im dritten wurde der hochgotische *Westturm* errichtet (1260–1350). Anschließend wurde der alte, zu klein gewordene romanische Chor abgerissen und durch einen längeren gotischen *Chor* ersetzt. Diese Arbeiten begannen nach Vollendung des Turms und waren erst 1515 abgeschlossen.

Freiburger Münster

Die *romanischen* Bauabschnitte im Querhaus und an den beiden Seitentürmen setzen sich gegen die *gotischen* Epochen deutlich ab. Das Langhaus zeigt die strenge Form der Gotik in der Tradition des Straßburger Münsters. Der lichte Chor erinnert mit seinem Umgang und dem Kapellenkranz an den Veitsdom in Prag. Baumeister des Chors war J. von Gmünd aus der Parlerschule*. Der Turm (1260–1350) steigt in drei Abschnitten zu einer Einheit auf: Quadratischer Unterbau, darauf das Oktogon und darüber die steile Pyramide des Helms. Statt eines Daches wurden Spitzenornamente in rotem Sandstein verwendet. Diese früheste Einturmlösung der Gotik hat viele Nachfolger gefunden.

Inneres und Ausstattung: Im Giebelfeld des *Westportals,* das sich zur *Vorhalle* öffnet, sind in Streifen die Geschichte Christi, das Jüngste Gericht, die zwölf Apostel und Ecclesia mit Synagoge angeordnet. Die Darstellungen an den Wänden der Vorhalle zeigen u. a. die klugen und törichten Jungfrauen, den »Fürsten der Welt« als Verführer, die nackte Wollust, dazu Engel und Heilige. Bildhauer und Steinmetzen kamen aus der Bauhütte von Straßburg. Die Vorhalle, einstmals auch als Gerichtshalle benutzt, besitzt Steinbänke und »Ur-Maße« für Elle und Zuber (rechts und links neben dem Eingang). Die *Madonna* an der Innenseite über dem Portal (um 1270–80) ist die schönste Figur aus diesem Zyklus. – Sie stand vermutlich auf dem *Hochaltar,* bevor dieser 1516 mit der Marienkrönung und den Bildern der Flügel von H. Baldung, genannt Grien*, gestaltet wurde. – Von Grien stammt auch das Gemälde des berühmten *Schnewlin-Altars* (jetzt in der von links 9. der 16 Kapellen, die rund um den Chor angeordnet sind). – An Stelle der 15. Kapelle (südlich, dicht am Querhaus) wurde eine *Sakristei* eingerichtet. Hier findet sich das Bild eines Schmerzensmannes von L. Cranach* (1524). – Von H. Holbein d. J.* sind in der *Universitätskapelle* (11. von links) zwei Flügel des Oberried-Altars (1521) zu einer Einheit zusammengefügt. – In der benachbarten *Cyriakskapelle* steht der Taufstein des Freiburger Bildhauers Chr. Wenzinger, eine Arbeit des Rokoko, heiter und fromm zugleich (1768). – In der 4. Chorkapelle von links, der *Lochererkapelle,* steht in Holz geschnitzt, ohne jede Bemalung eine Schutzmantelmadonna (1521–24). Bis in die Bauzeit des Langhauses reicht die *Heiliggrabkapelle* an dessen Südseite zurück (1340). Christus liegt auf einer Tumba, an deren Seite die Wächter schlafend hocken. Hinter dem Grab sind die edlen Gestalten der drei Frauen zu erkennen. Der Körper Christi hat ein eisernes Türchen, hinter dem zu Karfreitag die Hostie verborgen wurde. – Die *Kanzel* an der Südseite des Langhauses zeigt zwar gotische Formen, ist jedoch erst 1559–61 historisierend im spätgotischen Stil gearbeitet worden. Ihr Schöpfer, der Meister J. Kempf, hat sich am Kanzelfuß selbst dargestellt. Er

Freiburger Münster ▷

trägt ein Renaissancekostüm und sieht zum Fenster heraus. – Das Wertvollste der Ausstattung sind die *Glasfenster,* von denen leider nur noch ein Teil erhalten ist. Die Scheiben stammen aus dem 13.–15. Jh. und sind in Teilen ergänzt.

Ehem. Franziskanerklosterkirche St. Martin (Rathausplatz): Die Kirche wurde im 2. Weltkrieg zerstört und bis 1953 unter Beseitigung der früher vorgenommenen, zahlreichen Veränderungen in der ursprünglichen Form der gotischen Bettelordenskirche wieder errichtet. Das Langhaus wird von den weit gespannten Arkadenbögen bestimmt (von schmucklosen Rundpfeilern getragen). Nur im Chor findet sich eine Ausschmückung des sonst so schlicht-strengen, asketischen Baus.

Ehem. Kirche und Kloster der Augustiner-Eremiten (Salzstraße 32): Die Kirche geht auf das Jahr 1278 zurück und konzentriert sich auf ein saalartiges Langhaus (später im Stil des Barock umgebaut). – Das *Kloster,* das im 14. Jh. im S an die bestehende Kirche angebaut wurde, beherbergt seit der Instandsetzung 1923 das städt. *Augustinermuseum* (siehe dort).

Universitätskirche / Jesuitenkirche (Bertholdstraße): Die Kirche, die in den Jahren 1685–1705 errichtet wurde, brannte bei einem Angriff im 2. Weltkrieg aus. Dabei ging auch die kostbare Ausstattung verloren. Der wieder errichtete Bau hat keinen Stuck und wurde mit schlichten Altartischen versehen.

Adelhauser Kirche (Adelhauser Platz): Der Orden der Dominikaner verlegte Kirche und Kloster nach mehreren Angriffen und Zerstörungen in das Stadtgebiet, wo 1687 mit dem Neubau begonnen wurde. Ihre Bedeutung bezieht die Kirche, die vermutlich von einem französischen Architekten erbaut wurde und zahlreiche französische Akzente aufweist, aus der *Sandsteinfigur der hl. Katharina* und dem berühmten *Adelhauser Kruzifix* (beide 14. Jh.).

Martinstor

Bemerkenswert sind auch ein *Vesperbild* aus dem 14. Jh. und eine *Muttergottesfigur* von H. Wydyz (um 1500).

Ev. Ludwigskirche (Stadtstraße): Die heutige Ludwigskirche wurde an anderer Stelle als der im 2. Weltkrieg vernichtete Vorgängerbau und nach anderer Konzeption errichtet. Sie ist ein gutes Beispiel für *modernen Kirchenbau.* Der Altar und die ihn umgebende Gemeinde sind in das Zentrum dieser Kirche gerückt.

Kaufhaus (Münsterplatz): An Stelle der alten Begräbnisstätte rund um das Münster entstand Anfang des 16. Jh. der Münsterplatz, an dessen Südrand gegen 1520 das Kaufhaus gebaut wurde – ein *spätgotischer Bau* mit Türmchen und bunten Ziegeldächern an den Ecken, ochsenblutrot angemalt und mit Gold verziert. Die Laube im Erdgeschoß war Kaufhalle, das Obergeschoß diente der Stadt als Festsaal.

Kaufhaus (1520) am Münsterplatz

Die kaiserlichen Protektoren der Stadt ehrte man mit *Standbildern* an der Fassade (von S. von Staufen, 1530).

Stadtbefestigung: In der Kaiser-Josefstraße und im Straßenzug Oberlinden sind mit dem *Martins-* und dem *Schwabentor* Reste der Stadtbefestigung aus dem 13. Jh. erhalten. Das Martinstor war um 1230 fertiggestellt, erhielt sein heutiges Aussehen allerdings erst um 1900, als der Bau um 21 m erhöht wurde. Das Schwabentor wurde 1953 restauriert.

Basler Hof (Kaiser-Joseph-Straße 167): Wo heute der Regierungspräsident sein Domizil hat, saßen zuvor Repräsentanten des Basler Domstifts, der österreichischen Regierung und das Polizeipräsidium. Das Haus wurde 1500–10 nach Plänen des kaiserlichen Kanzlers Stürzel erbaut.

Haus zum Schönen Eck (Münsterplatz 8): Neben dem spätgotischen Kaufhaus entstand dieses barocke Bürgerhaus, das sich der angesehene Freiburger Architekt und Bildhauer Chr. Wenzinger 1755/65 gebaut hat. Höhepunkt des Baus ist das Treppenhaus mit großen Deckengemälden im Obergeschoß. Heute ist hier die *Musikhochschule* untergebracht.

Brunnen: Schöne Brunnen geben dem Freiburger Stadtbild besondere Akzente. Dazu gehören der *Bertholdsbrunnen* (an der Kreuzung Kaiser-Joseph-Straße/Bertholdstraße/Salzstraße), der *Georgsbrunnen* (Münsterplatz) und der Fischbrunnen (Münsterplatz).

Museen: Das *Augustinermuseum* (Augustinerplatz) gehört zu den schönsten Kunstsammlungen am Oberrhein. Neben vielen romanischen und gotischen Glasfenstern, Plastiken und Wandbehängen sind die Gemälde von H. Baldung* und M. Grünewald* das Kostbarste der Galerie. – Aus den Sammlungen des *Naturkundemuseums* (Gerberau 32) ragen das Orchideen- und das Edelsteinkabinett heraus. – Im selben Haus befindet sich das *Museum für Ur- und Frühgeschichte*. Beachtung verdienen auch das *Museum für Völkerkunde* (Adelhauser Straße 33), das *Deutsche Volksliedarchiv* (Silberbachstraße 13), das *Münstermuseum* (Schoferstr. 4) sowie die *Zinnfigurenklause* im Schwabentor.

Theater: Die *Städtischen Bühnen* (Bertholdstraße 40) bespielen drei Häuser und als Freilichttheater den Rathaushof mit Oper, Operette und Kammerspiel.

Außerdem sehenswert: *Altes Rathaus* gegenüber der St.-Martins-Kirche, *Neues Rathaus* (ehem. Alte Universität), die wiederaufgebauten *Universitätsbauten*, die *Münsterbauhütte* (Münsterplatz) und *Wohnhäuser* aus der Zeit der Gotik bis zum Rokoko.

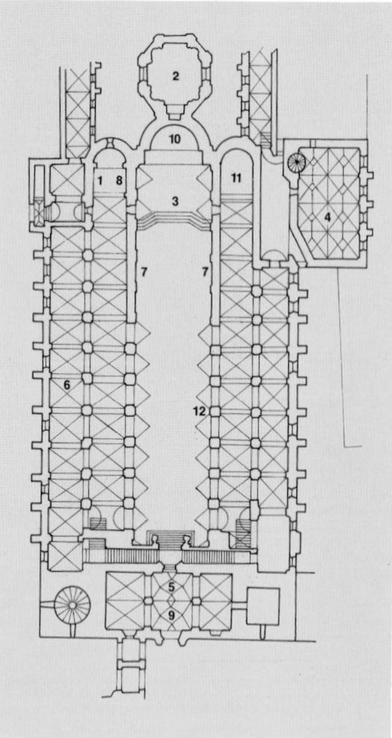

Freising, Dom St. Maria und Korbinian **1** Stephanuskapelle **2** Maximilianskapelle **3** Krypta, darin Bestiensäule, Steinsarg St. Korbinians, Grabplatte des Bischofs Hitto (835 gestorben) **4** Sakristei, im Obergeschoß Schatzkammer **5** Stufenportal, um 1190 **6** Maria auf der Stiege, 1461 **7** Chorgestühl, 1484–85 **8** Beweinungsgruppe von Erasmus Grasser, 1492; Christus von 1440 **9** Vorhalle **10** Hochaltar **11** Sakramentskapelle **12** Kanzel, 1624

Freising 8050

Bayern S. 422 □ L 19

Der Domberg über der Isar, zu dessen Füßen sich die Stadt entwickelte, ist eines der geistigen und geistlichen Zentren Süddeutschlands. Vom 8. Jh. an bis zur Verlegung des Bistums nach München (1821) war Freising Bischofsstadt. Erhalten sind Kirchen, Kapellen, Klerikerwohnungen und die Bischofsresidenz mit ihren Nebengebäuden auf dem langgestreckten Bergrücken.

Dom St. Maria und St. Korbinian (Domberg): Bald nach dem Tode Bischof Ottos, des großen mittelalterlichen Geschichtsschreibers und Onkels Friedrich Barbarossas, ermöglichte eine Stiftung dieses Kaisers den Neubau des *romanischen* Doms (1160), der in seinen Grundzügen bis heute erhalten ist. Das Innere wurde jedoch 1723/24 von den Brüdern Asam* mit verschwenderisch reichen *Rokokomalereien* und üppigem *Stuck* ausgekleidet. 100 Jahre zuvor hatte der romanische Bau durch Um- und Einbauten der Renaissance schon eine Veränderung erlebt. Die ursprüngliche Flachdecke war bereits seit dem Ende der Gotik verschwunden (Einwölbungen durch Meister Jörg, den Meister der → Frauenkirche in München, 1481/82). Aus dieser Zeit stammt auch das *Chorgestühl*. Der *Hochaltar*, bei der Renaissanceerneuerung 1625 aufgestellt, enthält heute nur noch die Kopie des »Apokalyptischen Weibes« von P. P. Rubens (das Original in der →

Bitte in Druckschrift ausfüllen:

VOR- UND ZUNAME

STRASSE

PLZ	ORT

BERUF	DATUM

Diese Spalten werden vom Verlag ausgefüllt.

BERUF	DAT	TITEL	ANR	INF	G	

Bitte mit Postkarten-Porto freimachen

Werbeantwort

An die
Droemersche Verlagsanstalt
Th. Knaur Nachf.

Postfach 80 04 80
8000 München 80

Anbetung Jesu, Dom

Münchner Pinakothek). Gute Gemälde zeichnen die *Seitenaltäre* aus. – An den Säulen des Portals in der vorgelagerten Halle sind Barbarossa (mit Otto von Freising?) und gegenüber Kaiserin Beatrix dargestellt. – Der interessanteste Teil des Doms ist die vierschiffige *Krypta* mit der berühmten *Bestiensäule* unter dem erhöhten Ostchor. – Das südliche Seitenschiff schließt die *Sakramentskapelle* ab (Brüder Asam).

Benediktuskapelle: Hinter dem Dom, mit dem sie durch einen *Kreuzgang* verbunden ist, liegt die kleine Benediktuskirche, der sog. *Alte Dom*, ein Werk reifer Gotik (1346). Im Inneren sind allerdings Rippen und Pfeiler zu Anfang des 18. Jh. mit Barockstuck überzogen worden.

Johanneskirche (an der Westseite des Doms): Hier stand die alte Taufkapelle der Anlage. Der 1319/21 errichtete Neubau ist beste Hochgotik. Über dem nördlichen Seitenschiff der Kirche ließ sich der Fürstbischof einen Privatgang anlegen, der den Dom unmittelbar mit seiner Residenz verband.

Bischöfliche Residenz: In den Räumen, die z. T. von F. Cuvilliés* und J. B. Zimmermann* dekoriert sind, befindet sich jetzt ein Bildungszentrum.

Ehemalige Klosterkirche Neustift: Nordöstlich vom Domberg liegt die Klosterkirche Neustift, das Gemeinschaftswerk berühmter Künstler aus dem 18. Jh. Den Bau von G. A. Viscardi* haben J. B. Zimmermann* und F. X. Feuchtmayer* dekoriert. Glanzstück ist der Hochaltar aus der Werkstatt von I. Günther* (1765), von dem auch das geschnitzte Chorgestühl mit einem Reigen heiter bewegter Putten stammt.

Museen: Das *Museum des Historischen Vereins* (Marienplatz) bietet Beiträge

Rechter Lettner, Dom

Johanneskapelle, Dom in Freising

zur Vor- und Stadtgeschichte. – Das *Diözesanmuseum* hinter der Residenz (Domberg 27) enthält wertvolle gotische Skulpturen und Gemälde.

Außerdem sehenswert: Bei Freising befindet sich in der ehemaligen Benediktinerabtei *Weihenstephan* mit der bereits im Jahre 1040 begründeten Braustätte die älteste Brauerei der Welt.

Freudenstadt 7290

Baden-Württemberg S. 420 □ E 18

Marktplatz: Auf Befehl Herzog Friedrichs ist 1599 der Ort als Wohnstätte der im Silberbergbau Beschäftigten, seit 1603 auch als Kolonialstatt für vertriebene Protestanten aus Österreich, auf dem Reißbrett entworfen und 740 m hoch mitten im Schwarzwald erbaut worden. Von dem Plan, der nach Art alter Römerlager ein freies Quadrat von 225 × 225 m vorsah, um das sich dann wie bei einem Mühlespielbrett parallel die Straßenzüge legen, ist allerdings nur ein Teil verwirklicht worden. Von den an den vier Ecken des Platzes vorgesehenen öffentlichen Gebäuden wurden nur die Kirche und diagonal gegenüber das Rathaus gebaut. Die niedrigen Häuser um den Platz sind untereinander mit Laubengängen verbunden. Inmitten des Platzes sollte sich ein Schloß erheben. Es wurde jedoch nicht gebaut. – Die Stadt, seit dem 19. Jh. ein beliebter Kurort, erlitt 1945 schwere Zerstörungen, die jedoch vollständig behoben werden konnten.

Stadtkirche (Marktplatz): Die im Krieg zerstörte, jedoch wieder aufgebaute Kirche besteht aus zwei Flügeln, die der Lage am Platz entsprechend im rechten Winkel zusammenstoßen. Einer war für die Männer, der andere für die Frauen

Freudenstadt

bestimmt. Die Anlage kann als kuriosester Kirchenbau der Renaissance gelten. Ein flaches Scheingewölbe aus Bohlen und Stuck überspannt die beiden Flügel zu einer Einheit. – Für die nüchterne Predigtkirche wurde die Ausstattung aus anderen Kirchen zusammengetragen. Das hervorragendste Stück ist das *Lesepult* (um 1150) mit den vier Aposteln. Es ist noch in der alten bunten Bemalung erhalten und stammt vermutlich aus → Alpirsbach. Zu vielen Deutungen gibt der Reliefkranz verschlungener Tiere auf dem *Taufstein* (12. Jh.) Anlaß.

Außerdem sehenswert: Das *Heimatmuseum* und das der Geschichte des Steuerwesens gewidmete *Steuermuseum* (Musbacher Str. 33).

Umgebung: Lohnende Ausflüge von Freudenstadt kann man nach → Alpirsbach → Balingen → Rottenburg oder → Rottweil unternehmen.

Freystadt 8431

Bayern S. 422 □ K 16

Wallfahrtskirche Maria-Hilf: Von 1700–10 errichtete G. A. Viscardi diesen Rotundebau mit seiner mächtigen Kuppel. Die schönen Stukkaturen stammen von F. Appiani (1707), H. G. Asam* und seine später berühmten Söhne Cosmas Damian und Egid Quirin haben die Fresken geschaffen (die übermalt waren, im Zuge einer weitreichenden Restaurierung 1950–59 jedoch wieder aufgedeckt wurden). Auffallend sind die Stuckfiguren an den Schmalwänden der Kreuzarme.

Friedberg 8904

Bayern S. 422 □ I 19

Friedberg, überragt von seiner Burg aus der Zeit nach dem 30jährigen

Krieg, steht trotz des reizvollen altertümlichen Stadtbilds immer im Schatten des nahen, an Kunstschätzen überreichen → Augsburg.

Wallfahrtskirche zu Unseres Herrn Ruhe: Zu der barocken Kirche östlich der Stadt führt eine dichte Allee. Der breitgelagerte Bau aus dem 18. Jh. wirkt derb und gedrungen, ist jedoch ein einheitliches künstlerisches Ganzes. Der weite helle Innenraum verrät das Vorbild von → St. Michael in München. – Ungewöhnlich reich ist die *Ausstattung:* Mächtige, rötlich-graue Stuckmarmorsäulen mit goldenen Kapitellen, zartrosa Stukkaturen von F. X. Feuchtmayer* und eine vorspringende Orgelempore mit Halbkuppel darüber. Das Kuppelgemälde im Chor ist von C. D. Asam* (1738), die Langhausdekkenbilder stammen von seinem Schüler M. Günther*. Der nördliche Seitenaltar enthält ein spätgotisches Gnadenbild.

Rathaus: Der zweigeschossige Bau steht frei auf dem Marktplatz und ist an den prächtigen Bauten E. Holls* im nahen → Augsburg orientiert. Er stammt aus der 2. Hälfte des 17. Jh.

Burg: Von dem ursprünglichen Bau aus dem 13. Jh. ist kaum etwas erhalten geblieben. Nur der Mauergürtel könnte aus der Gründungszeit stammen. Der Turm kam im Jahr 1552 hinzu, der Rest in der Mitte des 17. Jh. Heute befindet sich dort das *Heimatmuseum.*

Friedberg 6360

Hessen

S. 416 □ E 13

An der Stelle eines Römerkastells ließ Kaiser Barbarossa im 12. Jh. eine Reichsburg errichten. Sie wurde zum Ausgangspunkt für eine schnell aufblühende Reichsstadt, die in ihrer Glanzzeit dem nahen → Frankfurt nicht nachgestanden hat.

Ev. Stadtkirche/Ehem. Unserer Lieben Frau: Die außergewöhnlich weiträumige Kirche, eine der größten hessischen Hallenkirchen, zeugt vom Ehrgeiz der Bürger dieser kleinen Stadt. Daß die W-Fassade, die eigentlich zwei Türme erhalten sollte, ein Torso geblieben ist, liegt an einem Befehl König Ruprechts v. d. Pfalz. Er hat 1410 die Höherführung verboten, da die Türme als Bollwerk gegen die Burg hätten dienen können. Die Bauzeit für das Langhaus zog sich von 1260–1370 hin. Im Inneren wurden Bündelpfeiler sowie Gewölberippen durch rote Farbgebung und weiße Fugen betont. Kapitelle und Schlußsteine sind bunt. Am spätgotischen Lettner steht die in der Kunstgeschichte als *Friedberger Madonna* bekannte mittelrheinische Sandsteinplastik aus dem 13. Jh. Ein frühgotisches *Altarziborium,* ein *Sakramentshäuschen* und ein gotisches *Taufbecken* sind

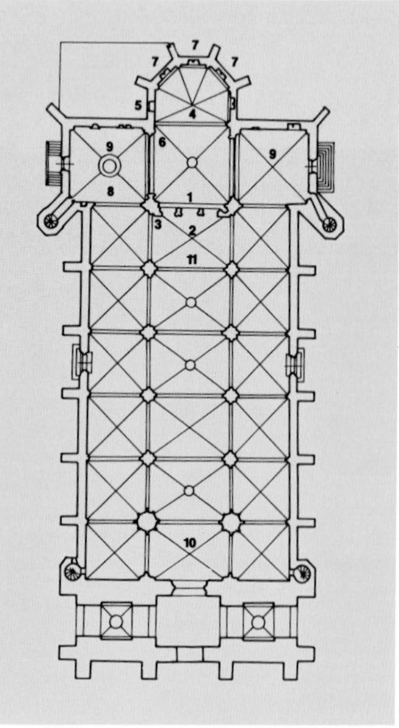

Friedberg, Stadtkirche U. L. Frau **1** Lettner **2** Kruzifix auf dem Lettner, vor 1500 3 Madonna, um 1280 **4** Hochaltarmensa, 1306 **5** Sakristeitür **6** Sakramentshaus, 1482–84 **7** Chorfenster mit Glasmalerei, 1472–82 **8** Taufstein, um 1230–60 **9** Messinglüster **10** Orgel, 1964–65 **11** Bronzekreuz von Karl Hemmeter, 1971

weitere herausragende Stücke der reichen Ausstattung.

Burg: Die Burg wurde auf dem rechteckigen Grundriß eines alten Römerkastells im 12. Jh. gebaut. Die starken Wehranlagen aus dem 14. bis 16. Jh. mit Toren, Türmen und Zwingern sind noch erhalten. Die *Burgmannshäuser*, Wohnbauten, die zur inneren Burg gehören, wirken wie eine Stadt für sich (16.–18. Jh.). Wahrzeichen der Burg und der Stadt Friedberg ist der *Adolfsturm*, der vom Lösegeld des einst hier gefangen gehaltenen Grafen Adolf von Nassau erbaut wurde. Der Turm ist 50 m hoch und hat über den vier Erkertürmchen noch einen zweiten Wehrgang. Der spitze Turmhelm wurde im 19. Jh. hinzugefügt.

Judenbad (Judengasse 20) Das rituelle Frauenbad, etwa 25 m tief in der Erde verborgen, ist ein quadratischer, bis zum Grundwasserspiegel reichender Schacht mit einer an der Wand in sieben Läufen hinunterführenden Treppe. Ihre Bögen ruhen auf Säulen mit feinen Blattkapitellen. Laut Inschrift wurde das Bad 1260 erbaut. Es ist ein besonders schönes Beispiel der wenigen erhaltenen Judenbäder in Deutschland.

Außerdem sehenswert: Das *Wetterau-Museum* (Haagstraße 16) zeigt interessante Funde und Objekte zur lokalen Geschichte.

Friedrichshafen 7990

Baden-Württemberg S. 420 □ G 21

Der *Bodensee*, der sich hier in Friedrichshafen besonders attraktiv erweist, hat viele Besucher zu Gedichten animiert. Der ganz in der Nähe wohnende Schriftsteller Martin Walser schrieb: »Es ist doch erstaunlich, wie viele Menschen, die überhaupt keine Lyriker waren, Gedichte geschrieben haben über den Bodensee. Und das nicht nur einmal, sozusagen im ersten Hinsinken, sondern wiederholt, lebenslänglich,

Schloßkirche, Friedrichshafen

hoffnungslos.« Der Reiter, der über den zugefrorenen Bodensee geritten war (eine Möglichkeit, die sich nur sehr selten bietet), ist in zahlreichen Dichtungen verewigt worden.

Ev. Schloßkirche (im Schloß): Die ehemalige Benediktiner-Prioratskirche St. Andreas gehörte ursprünglich zu einem Kloster, das 1824–30 in ein Schloß umgewandelt wurde. Die Kirche entstand 1695–1701, vom Baumeister C. Thumb nach Vorarlberger Schema entworfen (ein Langhaus mit Seitenkapellen, Emporen zwischen den Wandpfeilern und einer Doppelturmfassade im Westen). Die *Stuckdekoration* stammt von J. Schmuzer* und seinen beiden Söhnen, alle Meister der berühmten → Wessobrunner Schule. Blüten, Girlanden, Fruchtkränze, Weinlaub und Muscheln in blendendem Weiß und frühbarocken Formen überziehen die Gewölbe wie ein dicht gewebter Teppich.

Museen: Im Rathaus befinden sich das *Zeppelinmuseum* sowie das *Bodensee-Museum* mit Kunstschätzen aus Oberschwaben.

Friedrichstadt 2254

Schleswig-Holstein S. 412□F 2

Herzog Friedrich III. von Gottorf gründete im 17. Jh. die nach ihm benannte Stadt für Holländer, die ihres Glaubens wegen vertrieben worden waren.

Stadtbild: Der zum großen Teil von niederländischen Handwerkern erbaute Ort erweckt noch heute den Eindruck eines nordholländischen Landstädtchens mit baumumstandenen Grachten und Backsteinhäusern (mit Treppengiebeln und großen Fenstern), die jetzt allerdings häufig verputzt sind. Die reichste Fassade zeigt die sog. *Alte Münze* (Mittelburgwall 2) von 1626, ein schmaler Bau mit Ziegelornamenten und plastischem Schmuck. Ganz anders das *Paludanushaus* (Prinzenstraße 28), 1637 erbaut, mit barocken Voluten am dreigeschossigen Giebel und einer breiten, von Fenstern regelmäßig gegliederten hellen Front, die dem Bau den Charakter eines vornehmen Bürgerhauses gibt. In der 1853 erbauten *kath. Kirche* befindet sich ein wertvolles *Kruzifix* aus dem 13. Jh.

Fritzlar 3580

Hessen S. 416□F 11

Der Platz über der Eder erhielt unter Karl d. Gr. eine Königspfalz. Später entstand hier ein befestigter Stützpunkt des Mainzer Erzbischofs für seine Fehden mit den hessisch-thüringischen Landgrafen. Davon sind noch Wehrmauerwerk und eine Anzahl Wehrtürme erhalten.

Dom St. Petri / Kath. Pfarrkirche (Domplatz): In der Burg der Mainzer Erzbischöfe wurde nach der Zerstörung 1079 ein Kirchenneubau errichtet, von dem im heutigen Dom noch die drei *Krypten* mit ihren Apsiden erhalten sind. Sechzig Jahre später erfolgte (ca. 1120–1230) der Umbau des Doms zur heutigen Gestalt. Unmittelbar danach wurde das *Paradies* gebaut, eine offene Vorhalle in romanisch-gotischen Mischformen. Zur Zeit der Gotik wurden im S noch ein zweites Seitenschiff und im N die Marienkapelle hinzugefügt. Das 15. Jh. brach in den Chor im O ein langes gotisches Fenster. Der Vorbau *Roter Hals* (ehem. stand dort die Kapelle für Johannes d. T., dem das Haupt abgeschlagen worden ist) vor dem Nordeingang wurde im 18. Jh. errichtet. Die spitzen Helme der hohen Türme stammen aus dem 19. Jh.

Dom, Fritzlar

Der Gesamteindruck des Doms ist spätromanisch, auf der Ostseite erkennt man jedoch am Chor mit den beiden erhaltenen Apsiden den Zusammenstoß romanischer Zierformen (Zwerggalerie) mit gotischer Wandöff-

Kaiser-Heinrich-Kreuz, Dom

Kelch mit Patene, Dom

nung (Fenster) und Renaissancearchitektur (Fachwerk).
Inneres und Ausstattung: Bedeutsam ist vor allem die weiträumige Anlage der drei *Krypten* mit ihren kurzen stämmigen Säulen. In dieser Unterkirche stehen der Schrein des hl. Wigbert mit einer Sitzfigur (1340) sowie ein überlebensgroßes Relief des hl. Petrus mit Schlüssel (12. Jh.). – Romanisch ist auch ein steinerner Diakon als *Pultträger* vor dem Hochaltar. Aus verschiedenen Epochen der Gotik stammen das *Triumphkreuz* über dem Chor, das mehrgeschossige *Sakramentshaus* am nördlichen Querschiff, die freigelegten, wertvollen *Wandmalereien* am südlichen Querschiff, eine steinerne *Gnadenstuhl-Gruppe* sowie eine ausdrucksvolle *Pietà.* Die übrige Einrichtung ist barock. – In der *Schatzkammer* des Doms (Eingang durch eine eisenbeschlagene gotische Tür mit romanischem Löwenkopftürklopfer) sind als Hauptstücke zu nennen: Das *Kaiser-Heinrich-Kreuz,* das mit Edelsteinen, Perlen und Gemmen besetzt ist (12. Jh.), ein *Tragaltärchen* (12. Jh.) und ein *Scheibenreliquiar* mit vergoldeten Metallreliefen und Email.

Historisches Rathaus (Markt): Der Vorgängerbau wurde bei einem Brand im 15. Jh. weitgehend vernichtet; das heutige Rathaus wurde kurz darauf fertiggestellt. Es gehört zu den ältesten Rathäusern in Deutschland, die noch ihrer ursprünglichen Aufgabe dienen. – Es ist zugleich Mittelpunkt der mittelalterlich-romantischen Stadt, die mit ihrem unversehrt gebliebenen *Marktplatz* einen besonderen Anziehungspunkt hat. Der *Marktbrunnen* stammt aus dem Jahr 1564.

Stadtbefestigung: Von der Stadtmauer, die im 12.–14. Jh. entstanden ist, sind Teile erhalten geblieben, vor allem der *Graue Turm* am Burggraben aus dem 13. Jh.

Außerdem sehenswert: In der ev. *Fraumünsterkirche* befinden sich Wandmalereien aus der Zeit um 1300. – Auch die *Kirche des ehem. Minoritenklosters* birgt Wandgemälde des 14. Jh. – Die Altstadt ist überdies reich an hervorragenden *Kauf-* und *Bürgerhäusern.* – Das *Museum Fritzlar* im Hochzeitshaus aus dem 16. Jh. bietet Sammlungen zur Ur- und Frühgeschichte, bäuerlichen Hausrat sowie Truhen aus sechs Jahrhunderten.

Fulda 6400

Hessen

S. 416 □ G 13

Seit 1200 Jahren ist die Stadt am Rande der Rhön ein Mittelpunkt des religiösen Lebens in Deutschland. Vom hl. Bonifatius reicht diese geistliche Tradition bis zur heutigen katholischen Bischofskonferenz. Von Fulda ging im 8. Jh. die Christianisierung Mitteldeutschlands aus. Fuldas Klosterschule war zu jener Zeit ein europäischer Mittelpunkt der Handschriftenmalerei. Hier wurde auch das Hildebrandslied aufgeschrieben. Einhart, der Biograph Karls d. Gr., und Otfried von Weißenburg (Evangelienharmonie) kamen aus der Fuldaer Schule. Hrabanus Maurus war als Abt Initiator neuer Kirchen- und Klosterbauten in und um Fulda. Durch die Äbte, die zu Reichsfürsten erhoben wurden, erlebte Fulda im 18. Jh. eine neue Blütezeit, während der die Stadt ein festliches barockes Äußeres erhielt. Strenge, schwere Romanik und Vorromanik auf der einen, Glanz des Barock und Rokoko auf der anderen Seite markieren die architektonische Spannweite dieser Stadt.

Dom St. Salvator und Bonifatius (Domplatz): Auf dem weiten Platz unterhalb der Anhöhe mit der Michaelskapelle erhob sich vor dem vielgestaltigen Barockbau des Doms mit seinen Kuppeln, Kapellen und Türmen eine dreischiffige, flachgedeckte Basilika. Der Bau, riesig in seinen Ausmaßen, war aus zwei Kirchen zusammengewachsen und enthielt in seinem Westchor die Grabstätte des hl. Bonifatius (dessen Gebeine 819 hierher überführt worden waren). 1704 war die alte, vielfach umgebaute Basilika so baufällig geworden, daß Fürstabt Adalbert von Schleiffras seinen Hofbaumeister J. Dientzenhofer* mit einem Neubau be-

Dom, Fulda

auftragte. In Grundriß und Mauerführung folgte dessen Entwurf weitgehend dem Vorgängerbau.
Das Äußere mit seinen Doppeltürmen und der reichen Gliederung läßt an fränkische Barockkirchen denken. Der Bau entstand 1704–12, also in einer Zeit, die noch kein Rokokodekor, wie wir es von Kirchen des späteren 18. Jh. gewohnt sind, kannte. Für den Bau hatte man sich ein Modell der Peterskuppel aus Rom nach Fulda schicken lassen.
Inneres und Ausstattung: Das Innere wird beherrscht von der gewaltigen *Vierungskuppel,* durch die das Licht in den Raum stürzt. Die *Stuckdekorationen* werden von kraftvollen Profilen, Gesimsen und Bögen bestimmt. Italienische Meister haben daran mitgewirkt. Aus einer italienischen Werkstatt stammen auch die großen *Wandnischenfiguren. Hochaltar* und *Nebenaltäre* sind fast alle zwischen 1700 und 1715 entstanden. Die *Bonifatiusgruft* im W unter dem Mönchschor ist mit 16 Sandsteinfiguren und einem Altar ausgestattet, der den Tod und die Auferstehung des Heiligen zeigt. – Im *Domschatz* befindet sich eine Handschrift (um 700) aus dem Besitz des hl. Bonifatius.

Michaelskapelle am Michaelsberg: Nördlich über dem Domplatz liegt die kath. Propsteikirche St. Michael, die 820–22 vom Baumeistermönch Racholf gebaut wurde. Doch nur die Krypta stammt noch aus dieser Zeit. Neben der Basilika von → Seligenstadt, Teilen von St. Justinus in → Frankfurt-Höchst sowie den Kirchen der Insel → Reichenau und der Marienkapelle auf der Feste → Würzburg ist die Totenkapelle von St. Michael in Anlage und Kern das älteste Kirchenbauwerk auf deutschem Boden. Es handelt sich um einen Rundbau mit acht Säulen und einem ursprünglich eingeschossigen Umgang darüber – eine Nachbildung der Grabeskirche in Jerusalem. Der Bau wurde Ende des 11. Jh. nach dem karolingischen Plan erneuert. Die Kapitelle aus der ersten Kirche wurden wiederverwendet, jedoch noch ein zweites Geschoß zugefügt. Gleichzeitig wurde die Anlage um einen Wehrturm und das Langhaus im W erweitert. Erst im Barock setzte man über den Rundbau den inzwischen charakteristisch gewordenen spitzen Rundhelm.

Schloß/Ehem. Residenz der Fürstäbte (Schloßstraße): In der ursprünglich mittelalterlichen Abtsburg, die in der Renaissance zum Schloß umgebaut und

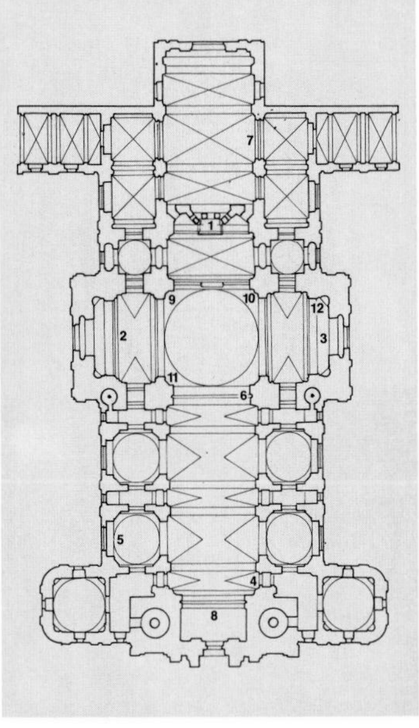

Fulda, Dom 1 Hochaltar mit geschnitzter Himmelfahrtsgruppe von Neudecker, darüber Dreifaltigkeitsgruppe in Stuck von Artari **2** Benediktusaltar; Alabasterstatue von Neudecker, übrige Gestaltung von Artari **3** Sturmiusaltar; Alabasterstatue von Neudecker, Altargestaltung von Artari **4** Relief Karls d. Großen, Anfang des 15. Jh. aus der früheren Stiftskirche **5** Dreikönigsaltar von Johann Wolfgang Fröhlicher mit Altarbild von J. Albin **6** Kanzel von Andr. Balth. Weber, um 1712 **7** Chororgel von Johannes Hoffmann, 1719 **8** Orgel von Adam Oehninger, 1708–13; Schnitzereien des Orgelprospektes von A. B. Weber **9** Grabmal des Adalbert von Schleiffras von J. H. E. Mockstatt, 1719–22 **10** Grabmal des Adolph von Dalberg von Chr. Jos. Winterstein, 1729–34 **11** Epitaph für Fürstabt Placidus von Droste von Joh. Valentin Schaum, 1741–43 **12** Epitaph für Amand von Buseck, 1756

St. Michael

Krypta

von J. Dientzenhofer* 1707–34 zu einer großartigen Barockanlage erweitert wurde, sind heute Teile des → *Vonderau-Museums* untergebracht. – Der Bau mit seinem offenen *Ehrenhof* nach der Stadtseite ist um einen *Innenhof* angeordnet, der auch von Dientzenhofer ins Barocke umgestaltet wurde. Selbst der alte Bergfried wurde in die neue Anlage übernommen. Im Erdgeschoß befindet sich der in schwerem Stuck dekorierte *Kaisersaal*. Über die Haupttreppe geht es zum *Fürstensaal* im 2. Stock (ehem. Festsaal), der üppig stuckiert und reich bemalt ist. Der interessanteste Raum des Schlosses ist das *Spiegelkabinett,* dessen Türen, Wand- und Spiegelflächen mit flackernden Rokokoornamenten und -rahmungen überzogen sind. – Dem Schloß gegenüber, an der Nordseite des *Parks,* baute Dientzenhofer nach Entwürfen des Mainzer Hofarchitekten M. von Welsch* das schönste Barockpalais Fuldas, die *Orangerie* (1722–30). Im Mittelpunkt der Stufenarchitektur wirkt J. Fr. Humbachs Floravase (1728) wie eine steinerne Fontäne.

Petersberg bei Fulda: Das weithin sichtbar auf einem Berg gelegene ehem. Benediktinerkloster ist eines der vier Klöster rings um Fulda (mit Andreasberg, Johannesberg, Frauenberg), die durch ihre Lage symbolisch die Form eines Kreuzes bezeichnen und z. T. auf Hrabanus Maurus zurückgehen. Aus karolingischer Zeit stammt allerdings nur noch die *Krypta* mit ihren drei Apsiden. Sie enthält die Gruft mit den Gebeinen der hl. Lioba, einer Verwandten und Mitarbeiterin des hl. Bonifatius.

Schloß Fasanerie b. Fulda: Im 18. Jh. ließen die Fürstäbte von Fulda ein älteres Schlößchen südöstlich der Stadt

Orangerie, Schloß ▷

Kaisersaal, Schloß

zum Lustschloß ausbauen. Eindrucksvoll ist die Steigerung vom *Vorhof* über den *Ehrenhof* und den großen *Mittelpavillon* zum *Alten Schlößchen.* Die Ausstattung vermittelt noch heute den barocken Reichtum. – Die Landgrafen von Hessen haben hier ihre Kunstschätze, von denen vor allem die *Antiken-* und die *Porzellansammlung* sehenswert sind, untergebracht.

Museen: Im *Vonderau-Museum* (im Schloß und im ehem. Jesuitenseminar am Universitätsplatz) findet man Sammlungen zur Vorgeschichte, einheimischen Volkskunde, zum Handwerk und zur Naturkunde; dazu Numismatik, Plastik, Malerei und Graphik, Fayencen und Porzellane sowie bürgerliche Wohnkultur. Das *Deutsche Feuerwehr-Museum* (im Schloß) zeigt die Geschichte des gesamten Feuerlöschwesens. Die *Schausammlung der Hessischen Landesbibliothek* (Heinrich-von-Bibra-Platz 12) spiegelt die Tradition Fuldas als Zentrum der Handschriftenmalerei (siehe Einleitungstext).

Außerdem sehenswert: An der Stelle der ursprünglichen Marktkirche entstand von 1771–86 im Zopfstil die *kath. Stadtpfarrkirche St. Blasien,* deren Inneres die Strenge des Klassizismus ahnen läßt. – An weltlichen Bauten sind das *Paulustor* (1771 hierher versetzt), die *Hauptwache* (1757–59), das *Palais Buseck* (1732) und das *Altensteinsche Palais* (1752) zu beachten.

Fürstenfeldbruck 8080

Bayern S. 422 □ K 19

Ehemal. Zisterzienserklosterkirche Mariae Himmelfahrt (Fürstenfeld): Die Klosterkirche, die zu den bedeutendsten Sakralbauten in Oberbayern gehört, ist aufschlußreich für das Verhältnis des bayerischen Barock zur italienischen Kunst. Die Entwürfe zum Neubau (1701) stammten von G. A. Viscardi*, der Chor und Turm aufzurichten begann. Der spanische Erbfolgekrieg brachte die Bautätigkeit jedoch zum Erliegen, so daß erst nach Viscardis Tod weitergebaut werden konnte (Weihe 1741), weshalb sich zunehmend deutsche Elemente durchsetzten. – Am Außenbau konzentriert sich die Repräsentationsfreude ganz auf die *Fassade*. Die beiden Geschosse sind durch je sechs Säulen aufgelockert. Darüber erhebt sich der von Voluten flankierte, säulengeschmückte Giebel. Auf der Balustrade stehen Figuren des St. Benedikt und St. Bernhard, und in einer Mittelnische ist die Gestalt des Erlösers dargestellt. – Der *Innenraum* besteht aus einem weiten tonnengewölbten Hauptschiff und einem halbrund geschlossenen Chor. Faszinierend ist die Vielfalt der Farben an Säulen, Wänden und Gewölben. Die *Stuckdekoration* stammt von den Brüdern Appiani, die *Gewölbemalerei* von C. D. Asam*. Die *Seitenaltäre* und wahrscheinlich auch den *Hochaltar* hat E. Q. Asam* entworfen. Von der prächtigen Ausstattung sollen auch das *Chorgestühl* und die *Kanzel* sowie die große *thronende Muttergottes* in der Sakristei (eine besonders qualitätvolle Holzplastik vom Ende des 15. Jh.) hervorgehoben werden.

Klosterkirche, Fürstenfeldbruck

Fürstenzell 8399

Bayern S. 422 □ O 18

Ehemal. Zisterzienserklosterkirche Mariae Himmelfahrt: Der berühmte bayerische Architekt J. M. Fischer* mußte einspringen, um zu retten, was ein Passauer Bildhauer 1739 über den Resten einer Kirche aus dem 14. Jh. höchst unvollkommen begonnen hatte. Fischer übernahm den bereits vorhandenen Rechteckbau und verwandelte ihn in einen lebendig geschwungenen Raum. Die Fassade ist ungewöhnlich breit, bietet aber durch die beiden Türme und den vorschwellenden Mitteltrakt trotzdem ausgewogene Proportionen. – Damit auch im Inneren das Rechteck überspielt wird, sind die Ecken abgeschrägt und gerundet. Die Emporen ziehen sich in konvexen Schwüngen von einem Wandpfeiler zum anderen. Die überreiche *Dekoration* mit Stuck und Fresken verstärkt den Eindruck des Schwingenden. Die Gewölbefresken schuf der Tiroler Maler J. J. Zeiller, der auch das Gemälde des *Hochaltars* mit Mariae Himmelfahrt malte. Der Altar selbst mit seinen gedrehten Säulen und den sehr schönen Tabernakelengeln stammt von dem Münchner Meister J. B. Straub*. – Zu den *Klosteranlagen*, die sich im S an die Kirche anschließen (1687 vollendet), gehört die *Bibliothek*, eine der Kostbarkeiten des bayerischen Rokoko. Die Emporen werden von Atlanten getragen. Die Gitter der Galerie sind geschnitzt. Ähnlich qualitätvoll wie die Bibliothek, aber nüchterner sind der *Fürstensaal* und der *Speisesaal*.

Füssen 8958

Bayern S. 422 □ I 21

Ehem. Benediktinerklosterkirche St. Mang (Magnusplatz): Der massige Turm des frühen Mittelalters bestimmt das Bild des hoch über dem Ort gelegenen Gotteshauses. Ein romanischer Bau (12. Jh.) über dem Grab des Apostels des Allgäus, des hl. Magnus, bestimmte die Anlage der heutigen Kirche, die der einheimische J. J. Herkomer 1701 entworfen hat (1717 geweiht). In Aufbau und Raumordnung der dreischiffigen Hallenanlage, vor allem in der Aneinanderreihung von hoher Vierungskuppel und kleineren Flachkuppeln, ist ein starker venezianischer Einfluß zu erkennen (Herkomer absolvierte seine Studienzeit in Venedig). Die halbkreisförmigen, dreigeteilten Fenster sind eine Eigenheit dieses Baumeisters. Er entwarf auch die *Stukkaturen* und *Fresken* aus dem Leben des Kirchenpatrons Magnus (St. Mang) und größtenteils auch die *Altäre*. Die Dekorationen mit dichtem Stuckgespinst und in Medaillons gefaßten Fresken weisen ebenfalls nach Oberitalien. – Das *Kloster* mitsamt seiner Innenausstattung stammt ebenfalls von Herkomer. Der schöne *Festsaal* darin ist ein Gegenstück zum → Ottobeurener Kaisersaal und beherbergt das *Heimatmuseum*.

Hohes Schloß am Magnusplatz 10: Aus der mittelalterlichen, wehrhaften Burganlage Herzog Ludwigs v. Bayern aus dem 13. und 14. Jh. wurde nach reger Bautätigkeit von 1490–1503 ein Schloß mit wohnlichem Charakter, das im 17. Jh. parallel zum Bau der *Kapelle St. Veit* z. T. eine neue Innenausstattung erhielt. Im Nordflügel befindet sich heute eine Filialgalerie der Staatlichen Bayrischen Gemäldesammlungen.

Spitalkirche: Die vollständig bemalte Fassade dieser kleinen barocken Kirche (1748/49) mit den Kolossalfiguren der Heiligen Florian und Christophorus ist ein schönes Beispiel bayerischer *Lüftlmalerei*.

Umgebung: Sicher wird man sich, wenn man schon in Füssen ist, auch die Königsschlösser in → Neuschwanstein und in → Hohenschwangau ansehen wollen.

Rokokofigur, Bibliothek, Fürstenzell

Spitalkirche, Füssen

Gaibach 8721

Bayern S. 418 □ H 15

Kath. Pfarrkirche: Kein geringerer als B. Neumann* hat die Kirche in den Jahren 1742–45 errichtet (im Auftrag von Fürstbischof Friedrich Carl von Schönborn). Der viergeschossige Turm stammt aus dem 16. Jh. und wurde in den Neubau einbezogen. Über einem kreuzförmigen Grundriß erhebt sich eine große Kuppel.

Schloß: Valentin Echter von Mespelbrunn ließ um die Wende zum 17. Jh. die Burg zum Renaissanceschloß umbauen. J. L. Dientzenhofer* lieferte die Pläne für den neuerlichen barocken Umbau (1694–1710). Nochmalige Umbauten zu Beginn des 19. Jh. veränderten die Anlage im klassizistischen Sinne. Im Park vor dem Schloß erinnert die von Klenze* entworfene und 1824–28 gebaute »Konstitutionssäule« an die 1818 von Max I. Joseph gegebene erste bayerische Verfassung.

Bad Gandersheim 3353

Niedersachsen S. 414 □ H 9

Bad Gandersheim ist die Stadt Roswithas von Gandersheim (um 935 bis nach 973), der ersten deutschen Dichterin, die hier als Nonne im Stift gelebt

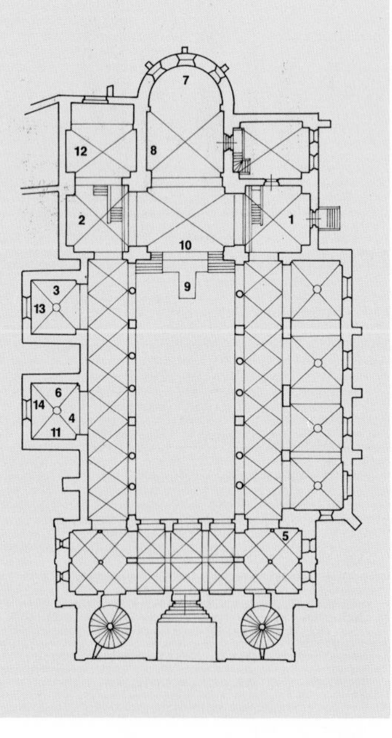

Bad Gandersheim, Stiftskirche **1** Stephanskapelle **2** Marienkapelle **3** Andreaskapelle **4** Antoniuskapelle **5** Relief mit segnender Hand Gottes **6** Stifterplastik Herzog Lindolfs, um 1300 **7** Fünfarmiger Leuchter, Anfang 15. Jh. **8** Bartholomäusaltar, um 1490 **9** Dreikönigsaltar, Ende 15. Jh. **10** Triumphkreuz, um 1500 **11** Marienaltar, 1521 **12** Grabdenkmal für zwei mecklenburgische Äbtissinnen, 1686 **13** Sarkophag der Äbtissin Elisabeth Ernestine Antonie von Joh. Kaspar Käse, 1748 **14** Roswithafenster

Marienaltar, Münster, Bad Gandersheim

hat und lateinische geistliche Dramen schrieb.

Münster / Ehem. Kanonissenstiftskirche St. Anastasius und Innocentius (Wilhelmsplatz): Das Stift wurde 852 von Liudolf, dem Großvater Heinrichs I., gegründet und nach verschiedenen Bränden immer wieder aufgebaut. Ihr unverwechselbares Aussehen bezieht die Stiftskirche aus den beiden achteckigen Türmen, die zusammen mit einem Mittelbau die Frontseite bilden. Die Türme sind wahrscheinlich in Verbindung mit Veränderungen im 15. Jh. entstanden, als mehrere gotische Kapellen dem ursprünglichen Bau aus dem 11. Jh. hinzugefügt worden sind. Wertvollste Teile der reichen Innenausstattung sind der *Bartholomäusaltar* (um 1490), der *Marienaltar* (1521), der *Dreikönigsaltar* (15. Jh.) und ein fünfarmiger *Bronzeleuchter* (um 1500). Ein *Schrein* für Herzog Liudolf (um 1300); in der Andreaskapelle ein *Sarkophag* für die Fürstäbtissin Elisabeth Ernestine Antonie (Mitte 18. Jh.) und in der Marienkapelle *Grabdenkmäler* für zwei Äbtissinnen. – Im Osten schließt sich dem Münster die *Michaelskapelle* an, die um 1050 entstanden ist und jetzt als kath. Kirche dient. Westlich von dieser Kapelle entstanden um 1600 die Abteigebäude im Stil der Renaissance. In einem um 1730 hinzugefügten Flügel ist der *Kaisersaal* besonders sehenswert. Er ist reich mit Stuckarbeiten und Bildern verschiedener Evangelisten und Herzöge ausgestaltet.

Georgskirche (am westlichen Stadtrande): Die Kirche ist in ihrer ursprünglichen Form lange vor der Stadtgründung entstanden. Wesentliche Teile stammen allerdings aus dem 15. Jh., der Fachwerkchor aus dem 16. Jh. – Eigenwillig ist die Ausgestaltung des dreischiffigen Innenraums, der mit bäuerlich-derbem Rankenwerk ausgemalt ist. Der Hochaltar stammt aus

Münster, Bad Gandersheim

dem Anfang des 18. Jh. Eine lebensgroße Holzplastik zeigt den hl. Georg (15. Jh.).

Rathaus (am Markt): Das Rathaus, eines der schönsten Renaissance-Rathäuser in Niedersachsen, hat die Moritzkirche, ursprünglich Filialkirche für die außerhalb des Stadtgebiets gelegene Georgskirche, in den Neubau (nach einem Brand 1580) einbezogen. Der westlich anschließende Teil ergänzt den Bau. – Rings um den Markt finden sich schöne, gut erhaltene Fachwerkhäuser (u. a. Häuser Markt 8 und 9).

Gandersheimer Domfestspiele: Jeweils im Juni finden seit 1959 die Gandersheimer Domfestspiele vor dem romanischen Westwerk des Münsters statt.

Umgebung: An einen Besuch in Gandersheim könnte sich eine Fahrt in das 22 Kilometer entfernte → Einbeck anschließen.

Garmisch-Partenkirchen 8100

Bayern S. 422 □ K 21

Garmisch-Partenkirchen ist einer der bedeutendsten Fremdenverkehrsorte in den deutschen Alpen. Eine vielschichtige Volkskunst spiegelt sich in romantischen Straßen und Winkeln. Bauerntheater und Trachtenfeste sind Höhepunkte volkstümlicher Traditionen. – In einer Villa der nach ihm benannten Straße lebte bis zu seinem Tod am 8. 9. 1949 der Opernkomponist Richard Strauss.

Alte Kirche St. Martin (Ortsteil Garmisch, Pfarrhausweg 2): Der ursprüngliche Bau aus der Zeit um 1280 ist nur in geringen Teilen erhalten (Turmunterbau). 1446 waren wesentliche Erweiterungen abgeschlossen, die der Kirche ihr heutiges Aussehen gaben (u. a. spitzer Turmhelm und das schöne Netzgewölbe im Schiff). Das Innere wird bestimmt von einem Mittelpfeiler, der wohl nach dem Vorbild der Rotunde in → Ettal entstanden ist. Kunsthistorisch bedeutungsvoll sind die *gotischen Wandmalereien,* u. a. eine überdimensionale Christophorusfigur, 13. Jh., und Szenen der Passion, 15. Jh.

Wallfahrtskirche St. Anton (Partenkirchen): Von 1704–1739 erstreckten sich die Bauarbeiten an dieser Kirche. Der ältere Teil ist achteckig, der Erweiterungsbau (wahrscheinlich von Jos. Schmuzer*) ist elliptisch (Südseite). Beide Bauteile stellen sich äußerlich als einheitliches Rechteck dar, ihr Inneres geht in einer architektonisch reizvollen Lösung ineinander über. Höhepunkt sind die Deckengemälde von J. E. Holzer* (1739).

Neue Pfarrkirche St. Martin (Garmisch): Berühmte Künstler haben diese von Jos. Schmuzer* in den Jahren 1730–34 errichtete Kirche ausgestaltet. Die Stuckdekorationen stammen von den Wessobrunnern Jos. Schmuzer, M. Schmidt und L. Bader. Die Deckenfresken hat M. Günther geschaffen, die Gemälde des Hochaltars lieferte M. Speer (in Anlehnung an van Dyck).

Jagdhaus Schachen (nördlich von Garmisch über die Elmau): Ludwig II. (1864–86) ließ sich dieses Jagdhaus als Refugium in malerischer Lage bauen. Sehenswert ist vor allem der *Maurische Saal.* Im Jagdschloß befindet sich heute ein heimatgeschichtliches Museum.

Werdenfelser Museum (Ludwigstraße 47): Das Museum wurde 1895 als Schulsammlung der Fachschule für Holzbildhauerei und Schreiner gegründet. Es umfaßt die Sammelgebiete bäuerliche Kultur, Trachten, Keramik, Glas, Fastnachtsbrauchtum, Graphik sowie Plastik des 16.–18. Jh.

Theater: Im *Großen Haus* (Dr.-Richard-Strauss-Platz) finden Gastspiele statt, das *Kleine Haus* in der Konzerthalle (Parkstraße) spielt ganzjährig (Schauspiel), im Gasthof »Zum Rassen« (Ludwigstraße 45) gibt es das ganze Jahr über Volksstücke.

Außerdem sehenswert: Pfarrkirche Mariae Himmelfahrt (Partenkirchen; 1865–1871 nach Brand) mit Gemälde des Venezianers B. Letterini, 1731; Pestkapelle (1634–37) mit Rochusfigur aus dem 16. Jh.

Umgebung: Neben den vielen Ausflugszielen rings um Garmisch-Partenkirchen (Zugspitze, Höllentalklamm, Kreuzeck, Partnachklamm, Eibsee, Burg Werdenfels) bieten sich auch zahlreiche kulturelle Sehenswürdigkeiten: → Linderhof, → Oberammergau, → Ettal, → Murnau, → Mittenwald.

Geilenkirchen 5130

Nordrhein-Westfalen S. 416 □ A 11

Schloß Trips: Die Anlagen, einst Stammsitz der Grafen Berghe von Trips, sind mit Hauptburg und mehreren Vorburgen vom 15.–18. Jh. entstanden. Zentrum der ausgedehnten Wasserburg ist das *Herrenhaus* mit seinem mächtigen Turm.

Schloß Breill: Die Gründung des Hauses geht auf das 16. Jh. zurück; Weiterbau und Vollendung im 18. Jh.

Außerdem sehenswert: *Pfarrkirche St. Mariae Himmelfahrt:* Auf kreuzförmigem Grundriß ist die Kirche als klassizistischer Zentralbau (1822–25) entstanden. *Burg Geilenkirchen* (Markt 1): Erhalten ist eine Ruine des Burgfrieds der ehem. Burg der Herren von Heinsberg aus dem 14. Jh.

Geisenheim 6222

Hessen S. 416 □ D 14

Geisenheim, am rechten Rheinufer gelegen, war einst Endpunkt des Kauf-

Epitaph Friedrich von Stockheims im Hl. Kreuz, Geisenheim ▷

CARBEN
ANNO DNI M D XXVIII DEN XXVIII DAG IVLII IST VER
SCHEIDEN DER EDEL VND ERNFEST FRIEDERICH VÕ STOCK
HEIM DER ELTER SEINS ALTERS IM 66 IAR DE GOT GENAD
ANNO CHRISTI M D XXIX DEN X DAG IVNII STARB
DIE EDEL VND DVGENTSAME FRAW IRMEL VON CAR
BEN IM XXXXV IAR IRES ALTERS VND IM XXVIII
IAR IRES ELICHEN STANTS SEIN ELICHER GEMAHEL DESER VND
ALLER CRISTGLAVBIGEN SELEN GOT GENEDIG VND BARMHERTZIG SI

Schloß Johannisberg bei Geisenheim

mannswegs, der von Lorch bis nach Geisenheim führte und die Stromschnellen bei Bingen umging. – In unseren Tagen hat der Weinbau der Stadt zu Wohlstand verholfen (heute Sitz der Forschungsanstalt und Fachhochschule für Wein-, Obst- und Gemüsebau).

Kath. Pfarrkirche Hl. Kreuz (Kirchplatz): Anstelle eines romanischen Vorgängerbaus entstand von 1510–20 die jetzige spätgotische Hallenkirche. 1838–41 veränderte ein Umbau unter der Leitung von P. Hoffmann den Bau erheblich. Die Doppelturmfassade, die neu eingezogenen Emporen und die Einwölbung des Langhauses wirkten sich dabei vorteilhaft aus. – Die Innenausstattung hat ihre wertvollsten Stücke in mehreren Altären und Grabmälern von Adeligen. Der barocke Hochaltar (1700, mit Kreuzigungsgruppe) steht jetzt an der Westwand des südlichen Seitenschiffs. Der neugotische Hochaltar ist eine Arbeit des 19. Jh. Mehrere Grabmäler und Epitaphe stammen aus dem 16., 17. und 18. Jh.

Ehem. Stockheimer Hof (Winkelerstraße 62): Der dreistöckige Steinbau aus dem Jahr 1550 entspricht dem Typ des offenen Herrenhauses, wie es an Main und Mittelrhein anzutreffen ist. Der Treppenturm an der Südseite, die Erkertürmchen an allen vier Ecken und der große Erker beleben das Bild. In diesem Hause wurde 1647 der Text für den Westfälischen Frieden, der ein Jahr später den 30jährigen Krieg beendet hat, entworfen.

Weitere Adelshöfe: Neben dem ehem. Stockheimer Hof sind in Geisenheim zahlreiche weitere Adelshöfe erhalten: Ehem. von der Leyenscher Hof (am westlichen Ortsausgang; 1581). Ehem. Ingelheimer Hof (Bahnstraße 1; 1681), Ehem. Ostein-Palais (Rüdesheimer Straße 34; 1766–71).

Schloß Johannisberg (4 km nordöstlich

von Geisenheim): Fürst Metternich erhielt dieses Schloß 1816 von Österreich geschenkt. Es ist bis heute im Besitz seiner Nachkommen (Teilbesichtigung möglich).

Umgebung: Kloster Eibingen (4 km nordwestlich); Kloster Marienthal (3 km nördlich): Seit 1313 Wallfahrtsort, Kirche im 19. Jh. erneuert.

Geislingen an der Steige 7340

Baden-Württemberg S. 420 □ G 18

Die Stadt hat sich von einem rechteckig angelegten Kern weiterentwickelt, der von der Marktstraße durchschnitten und von einer Stadtbefestigung umgeben war. Von diesem mittelalterlichen Zentrum sind heute allerdings nur noch Reste erhalten.

Ev. Stadtpfarrkirche (Kirchplatz 1): Die von 1424–1440 erbaute Kirche (eine spätgotische Pfeilerbasilika) ist wegen ihres Chorgestühls von 1512, das J. Syrlin* aus Ulm geschaffen hat (siehe Inschrift), und der Kanzel von D. Hennenberger (1621) sehenswert.

Burg Helfenstein (3 km östlich): Von der ehem. Burg sind beim Abbruch im 16. Jh. nur Reste geblieben. Dazu gehört der Ödenturm, der dem 14. Jh. zugeschrieben wird.

Museen: Das *Heimatmuseum* (Moltkestraße 11) mit Beiträgen zur Orts- und Landesgeschichte ist im ehem. Fruchtkasten der Stadt untergebracht. – *Besteckmuseum* im Haus der Württembergischen Metallwaren-Fabrik.

Gelnhausen 6460

Hessen S. 416 □ F 14

Als offizieller Stadtgründer wird Barbarossa genannt (1170). Die günstige Lage an der Kreuzung wichtiger Straßen trug dazu bei, daß die Stadt als Aufenthaltsort für Kaiser beliebt war

Marienkirche, Gelnhausen

(30 Besuche von Staufern sind bezeugt; 1180 fand hier ein Reichstag statt). Der Niedergang des Ortes, der mit dem der staufischen Macht parallel verlief, wurde durch eine Brandschatzung 1634–35 beschleunigt.

Ev. Marienkirche (oberhalb des Untermarktes): Die erhöhte Lage macht die Kirche mit ihren zahlreichen Türmen weithin sichtbar. In fünf Bauabschnitten ist sie entstanden. Am Anfang stand eine kleine einschiffige Kirche aus dem 12. Jh., an die im Laufe der Jahrhunderte weitere Teile angebaut wurden. Zuletzt kam die *Prozessionskapelle* südlich neben dem Chor hinzu (1467). Von der Innenausstattung ist vor allem der Hochaltar zu erwähnen. Auf einer Mensa aus dem 13. Jh. hat N. Schit aus Seligenstadt den Schrein (1500) gestellt. Er zeigt die Muttergottes mit vier Heiligen. Neben diesem Meisterwerk spätgotischer Schnitzkunst sind vier weitere Altäre *(Annen-*

Hochaltar, Marienkirche

Romanisches Haus

altar um 1500, nördlicher *Seitenaltar* um 1480, *Kreuzaltar* um 1500 und der Altar im südlichen *Seitenschiff* um 1490) erhalten. Sehenswert ist auch das reich geschnitzte *Chorgestühl* mit seinem ungewöhnlichen Sängerpult (14. Jh.). Zu der überaus reichen Ausstattung gehören auch der gut erhaltene Marienteppich (um 1500) und der Passionsteppich (15. Jh.). An den Außenwänden sind zahlreiche Wappensteine angebracht.

Ehem. Kaiserpfalz: Die Pfalz auf der Kinziginsel ist vermutlich zu Beginn des Gelnhausener Reichstags im Jahre 1180 fertiggestellt gewesen. Kaiser Barbarossa hatte sie persönlich in Auftrag gegeben – als wichtiges Glied in der Reihe seiner Pfalz-Bauten, die er damals in schneller Folge errichten ließ. Nach Barbarossa hat die Pfalz zahlreiche weitere Kaiser beherbergt, bevor sie im 15. Jh. zu verfallen begann. Umfassende Restaurierungsarbeiten haben die Anlage jedoch heute so weit wiederhergestellt, daß die ursprüngliche Beschaffenheit deutlich wird. Umgeben ist die Pfalz von einer Ringmauer, die aus teilweise 1,50 m langen Quadersteinen errichtet wurde, einzigartig auch die reiche Ornamentik. Der Hauptburg vorgelagert waren die Vorburg und das ehem. Rathaus.

Romanisches Haus (Am Untermarkt): Das Haus ist um 1180 wahrscheinlich als Amtssitz für den kaiserlichen Beamten erbaut worden (im 19. Jh. wiederhergestellt), diente jedoch später als Rathaus und ist heute ev. Gemeindehaus. Wichtigster Teil des dreigeschossigen Steinbaus ist der fünf Meter hohe Saal im ersten Geschoß.

Heimatmuseum (Kirchgasse 2): Gezeigt werden Beiträge zur Stadtgeschichte, vorgeschichtliche Bodenfunde und Sammlungen, die an Hans Jakob Chr. von Grimmelshausen

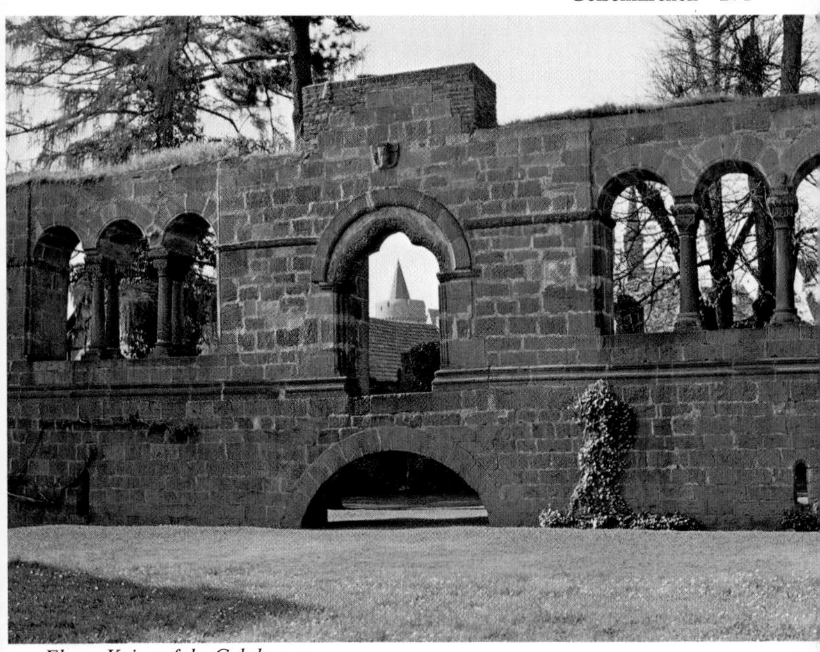

Ehem. Kaiserpfalz, Gelnhausen

(1622–1676; Der abenteuerliche Simplicissimus) und an den Lehrer und Erfinder Philipp Reis (1834–1874; erfand 1861 den ersten Fernsprecher) erinnern, die beide in Gelnhausen geboren sind.

Außerdem sehenswert: *Kath. Peterskirche* (Am Obermarkt): Ursprungsbau aus dem 13. Jh., zwischenzeitlich zweckentfremdet, Ausbau zu kath. Kirche in den Jahren 1932–38; *Johanniterhof* (Holzgasse): Ordenshaus aus der 1. Hälfte des 14. Jh.; *Arnsburger Klosterhof* (Lange Gasse). 1743 im Stil des Barock erneuerter Steinbau mit schönem Säulenportal; *Rathaus* (14. Jh.); *Stadtbefestigung:* Die Stadtmauer aus der Zeit der Staufer ist mit Hexenturm (15. Jh.), Halbmond (16. Jh.) und einigen Toren gut erhalten.

Umgebung: Von Gelnhausen aus kann man interessante Ausflüge nach → Büdingen, → Bad Orb, → Hanau oder auch → Aschaffenburg unternehmen.

Gelsenkirchen 4650

Nordrhein-Westfalen S. 414 □ C 10

Die Industriestadt im Zentrum des Ruhrgebiets verfügt heute über sieben Häfen und ist zu einem Zentrum für den Steinkohlenbergbau, für die Eisen- und Stahlindustrie und für Großunternehmen der Mineralölverarbeitung und Chemie geworden.

Wasserschloß Horst (Stadtteil Horst, Schmalhorststraße): Der Renaissancebau aus dem Jahr 1570 ist Vorbild für zahlreiche andere Wasserschlösser in Westfalen gewesen. Vom kurkölnischen Statthalter Rutger von der Horst in Auftrag gegeben, bestand der Bau ursprünglich aus vier Flügeln, die einen großen Innenhof eingeschlossen haben. Im 19. Jh. mußte das größtenteils verfallene Schloß abgetragen werden. Erhalten blieben nur der Dienerflügel und das Erdgeschoß des ehem. Herrenhausflügels. Einige der schönen alten Kamine wurden in das Schloß Hugenpoet in → Kettwig übertragen.

Künstlersiedlung Halfmannshof (Halfmannsweg): Die Künstlersiedlung Halfmannshof wurde 1931 um einen alten Bauernhof gegründet. Regelmäßig Ausstellungen.

Museen: *Städtische Kunstsammlung* (Horster Straße 5–7): Wechselnde Ausstellungen moderner Kunst, außerdem Kunst des 20. Jh. in einer ständigen Ausstellung; Spezialabteilung für Kinetik. – *Heimatmuseum* Gelsenkirchen-Buer (Horster Straße 5–7): Sammlung zur Stadt- und Landesgeschichte.

Theater: *Musiktheater im Revier* (Kennedyplatz): Das alte Stadttheater wurde 1944 zerstört und durch den modernen Bau nach Plänen eines Architektenteams unter Leitung von W. Ruhnau 1959 neu errichtet. Das *Große Haus* hat 1050 Plätze, das *Kleine Haus* 350 Plätze. Seit Oktober 1965 arbeiten die Städte Gelsenkirchen und Bochum zusammen: Während das Musiktheater (Oper, Operette, Musical) regelmäßig im Schauspielhaus in → Bochum gastiert, ist das Bochumer Ensemble regelmäßig in Gelsenkirchen zu Gast.

Außerdem sehenswert: *Schloß Berge* (Buer, Adenauerallee) ist ein schlichter Dreiflügelbau (Wasseranlage) aus dem 16. Jh. (bereits im 13. Jh. bezeugt) mit Parkanlagen.

Gelting, Angeln 2341

Schleswig-Holstein S. 412 □ H 1

Ev. Kirche: Einschiffiger Backsteinbau der Spätgotik (1793 zur frühklassizistischen Saalkirche erweitert mit fünfachsiger Altarwand und einer geschnitzten Taufe (1653 von H. Gudewerdt d. J.). Sehenswert sind verschiedene Grabsteine und vier reich beschlagene Metallsärge (17./18. Jh.) in der Von-Rumohr-Gruft sowie drei Sandsteinsarkophage im Stil des Régence und Rokoko.

Herrenhaus Gelting: Die Geschichte des Gutes läßt sich bis ins 13. Jh. zurückverfolgen. Um 1770 erhielt es die heutige Gestalt. Namhafte Künstler

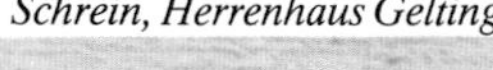

Schrein, Herrenhaus Gelting

haben bei der Ausgestaltung mitgewirkt. Wertvolles Mobiliar und eine Gemäldesammlung haben dem Herrenhaus seinen kunsthistorischen Rang verschafft (Privatbesitz; Besichtigung nur nach Voranmeldung).

Umgebung: Interessante Ausflugsziele von Gelting aus bieten → Glücksburg, → Flensburg oder → Eckernförde.

Germerode = 3447 Meißner bei Eschwege 2

Hessen S. 416 □ G 11

Ehem. Prämonstratenserinnenkloster und ehem. Klosterkirche St. Maria und Walburg: Nach der Klostergründung (1144–45) begann man 1150 mit dem Bau der dreischiffigen Pfeilerbasilika, die nach der gründlichen Restaurierung in den fünfziger Jahren ihren ursprünglichen Charakter zurückerhalten hat. Die Krypta, einzige in Nordhessen, besteht aus vier Schiffen. Aus der Innenausstattung ragen die eichenen Emporen an der West- und Nordseite hervor. Das Orgelgehäuse, um 1700 von Orgelbaumeister Altstetter aus Mühlhausen geschaffen, ist vom Knorpelstil geprägt.

Prämonstratenserinnenkirche, Germerode

Geseke 4787

Nordrhein-Westfalen S. 414 □ E 10

Am Hellweg, einem der wichtigsten mittelalterlichen Verkehrswege zwischen Ost und West in Deutschland, wuchs die Stadt auf achteckigem Grundriß.

Kath. Pfarrkirche St. Peter/Stadtkirche (Marktplatz): Die Kirche geht auf eine Pfeilerbasilika aus dem 12. Jh. zurück, wurde jedoch in ihren wichtigsten Zügen erst im 13. Jh. und 14. Jh. geschaffen und später mehrmals umgebaut. Wichtigstes Stück der Innenausstattung ist die Kanzel (18. Jh.), die mit Reliefs und Figuren reich geschmückt ist, der achteckige Taufstein (1576) und ein Reliquiar aus dem 12. Jh.

Kath. Pfarrkirche St. Cyriakus/Stiftskirche (Auf dem Stift): Die Kirche ist in mehreren Abschnitten zwischen dem 10. und 13. Jh. entstanden, erhebliche bauliche Veränderungen ergaben sich im Zuge von Wiederherstellungsarbeiten im 19. Jh. Der mächtige Westturm und der wehrhafte Ostbau mit seinen zwei Türmen blieben jedoch bei allen Veränderungen weitgehend verschont und geben der Kirche ihre architektonische Bedeutung. Älteste Teile der Innenausstattung sind das *Sakramentshäuschen* (Anfang 16. Jh.) und ein *Vesperbild* aus Holz (1. Hälfte des 15. Jh.). Die Aufmerksamkeit des Besuchers ziehen der *Hochaltar* (1727) und die beiden *Seitenaltäre* (1729 und 1731) auf sich: Aufwendige Arbeiten in Marmor und Alabaster mit Säulenaufbauten und reichem Figuren- und Reliefschmuck. – Von den ehem. *Klostergebäuden* ist u. a. der romanische Kapitelsaal erhalten, der jetzt als Sakristei dient.

Wohnhäuser: Böddeker-Scheune (Wigburgastraße 2): Dieser älteste profane Steinbau der Stadt wurde zwischen 1350 und 1450 erbaut. Schöne Fachwerkhäuser sind u. a. mit den Häusern Markt 1, Hellweg 13 (jetzt Museum, siehe unten), Hellweg 40, Kleiner Hellweg 10 und Kirchplatz 6 erhalten.

Städtisches Heimatmuseum – Hellweg-Museum (Hellweg 13): In dem Dickmannschen Haus, das 1664 als Handelshaus erbaut worden ist und in dessen Innerem der Richtersaal, eine Küche mit Kaminen und tonnengewölbte Keller erhalten sind, befindet sich jetzt das Heimatmuseum mit Sammlungen zur Orts- und Landesgeschichte.

Gettorf 2303

Schleswig-Holstein S. 412 □ H 2

Ev. Kirche: Die Kirche (Baubeginn im 13. Jh., 1424 vollendet) hat eine wertvolle Innenausstattung: Ein spätgotischer Schnitzaltar (um 1510) und eine reich geschnitzte Renaissancekanzel von H. Gudewerdt d. Ä. (1598). Beachtenswert ist auch die Bronzetaufe (1424).

Gießen 6300

Hessen S. 416 □ E 13

Die alte Universitätsstadt (die heute nach Justus Liebig benannte Universität wurde 1607 gegründet) an der Lahn wurde im 2. Weltkrieg stark zerstört. Die wichtigsten Bauten wurden jedoch nach alten Vorlagen originalgetreu wieder errichtet.

Ehem. Augustinerchorherren-Stiftskirche (in Schiffenberg, 5 km südöstlich): Gleich nach der Gründung des ehem. Augustinerchorherrenstifts im Jahre 1129 ist vermutlich auch die Kirche entstanden, die seither in ihren wesentlichen Teilen unverändert erhalten geblieben ist. Die Kirche ist flachgedeckt und hat im Ostchor schöne gotische Gewölbe. Jeweils sieben Arkaden zu beiden Seiten prägen das Innere. Im Süden des Hofes die ehem. *Komturei* (1493). Nach Westen wurde der *Neue Bau* angegliedert (um 1700). Nach Westen hin schließt der Hof mit der alten *Propstei* ab (1463). – Seit 1809 Staatsdomäne; 1972 übernahm die Stadt G. die Gebäude vom Land Hessen.

Neues Schloß (Brandplatz): Unweit dem Alten Schloß, das nur als Ruine erhalten ist (Bestand hatte der Bergfried, um 1330, der »Heidenturm« genannt wird), ist das Neue Schloß als Fachwerkbau im 16. Jh. entstanden (1899–1907 restauriert). Fünf Erker und ein Treppenturm (auf der Hofseite) setzen die Akzente. Im großen Saal im Erdgeschoß (heute unterteilt) befindet sich jetzt ein Universitätsinstitut. Im NO begrenzt das *Zeughaus* (1586–90) den Hof des Neuen Schlosses.

Museen: *Liebigmuseum* (Liebigstraße 12): In den Räumen des »Chemischen Laboratoriums«, das 1824 im ehem. Wachhaus der Stadt eingerichtet worden war, befindet sich heute die Liebig-Gedenkstätte. – *Oberhessisches Museum* (Asterweg 9): In einem Bürgerhaus aus der Biedermeierzeit sind Beiträge zur Ur- und Frühgeschichte Hessens, zur Volkskunde sowie Münzen, Gemälde, Graphik (Impressionismus und Jugendstil) und das Werk des Kupferstechers J. G. Wille (1715–1808) gesammelt.

Stadttheater Gießen (Berliner Platz): Das Theater beschäftigt eigene Ensembles für Schauspiel und Oper/Operette. Es wurde 1907 erbaut und bietet 673 Plätze. – Das *Theaterstudio* entstand in einer alten Zigarrenfabrik am Kennedy-Platz. Es wurde 1974 eröffnet und bietet bis zu 200 Besuchern Platz.

Außerdem sehenswert: Das *Leibsche Haus* (Georg-Schlosser-Straße 2) ist im

Kanzel, ev. Kirche Gettorf ▷

14. Jh. als Burgmannenhaus der ehem. Gleibergschen Burg (1197) erbaut worden und gehört zu den ältesten Fachwerkbauten in Deutschland (14. Jh.; 1944 stark beschädigt; 1976/77 wiederhergestellt). – *Universität:* Im Süden der Stadt liegt die 1607 gegründete und 1880 neuerbaute Justus-Liebig-Universität.
Das 1944 ausgebrannte Gebäude wurde in den Jahren 1950–55 wiedererrichtet. – Die *Universitätsbibliothek* umfaßt weit mehr als 400000 Bände, darunter wertvolle Handschriften, Inkunabeln und Erstausgaben. – Das *Röntgendenkmal* (neben dem Stadttheater) wurde 1962 von E. F. Reuter geschaffen. Wilh. Conrad Röntgen (1845–1923) war 1879 als Professor nach Gießen berufen worden und ist auf dem *Alten Friedhof* begraben.

Gifhorn 3170

Niedersachsen S. 414 □ J 7

Dort, wo Aller und Ise zusammenfließen, am Schnittpunkt der Salzstraße (von Lüneburg nach Braunschweig) mit der Kornstraße (von Magdeburg nach Celle), entwickelte sich seit dem 13. Jh. die Stadt Gifhorn.

Schloß (Schloßstraße): Fast 50 Jahre dauerte der Bau des großzügig geplanten Schlosses, mit dem 1533 unter Herzog Ernst dem Bekenner begonnen worden war. Baumeister waren M. Claren und dessen Sohn, die sich zuvor um das Schweriner Schloß und den Fürstenhof in Wismar verdient gemacht hatten. Die Anlage war durch breite Wallgräben und starke Verteidigungsmauern geschützt, die jedoch bereits nach zwei Jahrhunderten verfallen waren. Erhalten sind das *Torhaus*, an dem sich der Übergang von der Gotik zur Renaissance dokumentiert, der *Treppenturm* (1568), die *Schloßkapelle* (um 1547) und das anschließende *Kommandantenhaus* (im Stil der Frührenaissance). – Sehenswert sind auch das Kavalierhaus (1540) und mehrere Bürgerhäuser aus dem 16.–18. Jh.

Kreisheimatmuseum (im Schloß): Es werden Sammlungen zur Vor- und Frühgeschichte, Geologie, Naturkunde, zur Entwicklung des Handwerks und der Industrie, Trachten sowie Gläser, Jagd- und Wandwerk gezeigt.

Wasserschloß, Glücksburg

Glücksburg 2392
Schleswig-Holstein S. 412 □ G 1

Schloß: Wo sich heute die weißen Mauern des stolzen Wasserschlosses erheben, war seit 1210 ein Kloster gestanden. Herzog Johann d. J. von Sonderburg ließ die alten Gebäude 1583 abbrechen und bis 1587 das heutige Gebäude durch N. Karies errichten. Das Schloß war vorübergehend auch Sommerresidenz des dänischen Königs Friedrich VII., der hier 1863 gestorben ist. – Der Bau wird von den drei Giebelhäusern bestimmt, die sich von der sonst strengen Fassade abheben. Die Repräsentationsräume befinden sich im mittleren Teil, und die Wohnräume schließen sich rechts und links daran an. Die Räume im Innern wurden zum größten Teil barock umgestaltet (Kapelle 1717) und enthalten bedeutende Sammlungen. Sie sind innerhalb des hier eingerichteten *Schloßmuseums* zum größten Teil zugänglich. Hervorzuheben sind die *Bildergalerie*, eine Sammlung von *Ledertapeten*, eine erstklassige *Gobelinsammlung* sowie Beiträge zur Entwicklung des Kunstgewerbes. Die *Schloßbibliothek* umfaßt ca. 10000 Bände.

Glückstadt 2208
Schleswig-Holstein S. 414 □ G 4

Der dänische König Christian IV., der Glückstadt im Jahr 1617 gegründet hat, wollte damit endlich Hamburg den Rang ablaufen. Das gelang jedoch trotz der Ansiedlung von zahlreichen Ausländern, die die Stadt schnell wachsen ließen und zu einem Handelszentrum machten, nicht.

Ev.-luth. Kirche / Stadtkirche (Am Markt): An dem kubischen Westturm ist die 1619 geweihte Kirche leicht zu erkennen. Nach dem Einsturz einiger Teile im Jahr 1648 wurde der Bau um den südlichen und nördlichen Anbau erweitert. Den barocken Charakter der Kirche unterstreicht die Innenausstattung, aus der hier hervorgehoben werden sollen: Der Altar mit Alabasterarbeiten von H. Röhlke (1696), das Chorgitter (1708), die Kanzel (17. Jh.), eine Holztaufe aus dem Jahr 1641 sowie mehrere Kronleuchter aus Messing

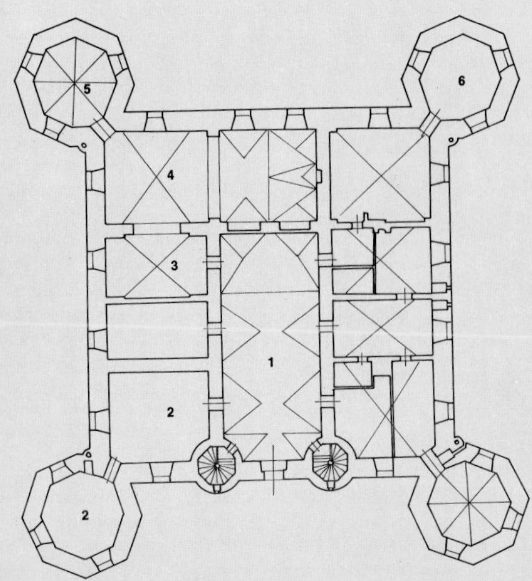

Glücksburg, Schloß **1** Gründiele **2** Büro **3** Kirchenstuhl der herzoglichen Familie **4** Schloßkapelle, Ausgestaltung von 1717 **5** Archiv **6** Fürstengruft im Keller

Roter Saal, Schloß Glücksburg

(um 1650). Die Emporen sind im 17. Jh. bemalt worden.

Wasmer-Palais (Königstraße 36): Unter den Adels- und Beamtenhäusern nimmt dieses Palais eine Sonderstellung ein. Die dreiflügelige Anlage entstand 1728 und hat ihre architektonischen Höhepunkte im barocken Treppenhaus und dem Festsaal (1729). Die Stukkaturen hat der Tessiner A. Maini geschaffen. *Sehenswert auch:* Königshof (17. Jh., Neubau 1867), Ehem. Provianthaus (1705), Toll- und Zuchthaus (1738).

Detlefsen-Museum (Am Fleth 43): Das Museum ist in einem 1631–32 errichteten Adelssitz, dem *Brockdorff-Palais,* untergebracht. Es ist der Stadtgeschichte, der Volkskunde der Kremper Marsch, dem Handwerk sowie dem Walfang und der Schiffahrt gewidmet.

Umgebung: → Itzehoe.

Gmund am Tegernsee 8184

Bayern S. 422 □ L 20

Pfarrkirche St. Ägidius: Nach den Schäden, die der Vorgängerbau im 30jährigen Krieg erlitten hat, entstand die heutige Kirche in den Jahren 1688–93 (nach Plänen von L. Sciasca). Berühmte Künstler haben daran mitgewirkt: Die Gemälde des Hochaltars stammen von G. Asam (1692), das vergoldete Holzrelief, das sich im nördlichen Seitenaltar befindet, hat I. Günther* geschaffen (1763). Die Pläne für den Neubau lieferte L. Sciasca.

Goch 4180

Nordrhein-Westfalen S. 414 □ A 9

Die Stadt ist an einem Schnittpunkt mehrerer Römerstraßen, die über das Flüßchen Niers führten, entstanden.

Pfarrkirche St. Maria Magdalena (Kirchhof 10): Die Kirche war in ihren wichtigsten Teilen 1323 vollendet, erhielt jedoch erst in einem zweiten Bauabschnitt gegen Ende des 14. Jh. und bei einem Umbau um 1460 ihr heutiges Aussehen. Sie gehört neben den Kirchen in → Kalkar und → Kleve zu den bedeutendsten Backsteinkirchen am nördlichen Niederrhein. Im Westen beherrscht der fünfgeschossige Turm den Bau. An der Nordseite sind fünf Giebel aneinandergereiht. Hauptkirchenraum ist heute das 1460 hinzugekommene Seitenschiff (52 m lang). Spätgotische Pfeiler tragen das Sterngewölbe. Bemerkenswert ist das *Sakramentshäuschen* in Sandstein (15. Jh.).

Außerdem sehenswert: Das *Steintor*, im 14. Jh. gebaut, ist das letzte von ursprünglich 28 Toren und Türmen der *Stadtbefestigung* und beherbergt heute das *Steintormuseum* mit prähistorischen und römerzeitlichen Funden, Zinngerät, kirchlicher Kunst, gotischen Holzschnitzfiguren sowie seltenen Buntglasbildern. *Haus zu den fünf Ringen* (Steinstraße 1): Die dreigeschossige Backsteinfassade dieses Hauses aus dem 16. Jh., in dem sich heute eine Brauerei befindet, wird von einem Treppengiebel gekrönt und ist von ekkigen Türmchen flankiert.

Gödens → Wilhelmshaven

Bad Godesberg → Bonn

Göppingen 7320

Baden-Württemberg S. 420 □ G 18

In Göppingen an der Fils hat Hermann Hesse einen Teil seiner Schulzeit verbracht (1890–91). Zerstörungen in den Jahren 1425, 1782 und 1945 haben viele Bauten vernichtet und das Stadtbild auf diese Weise immer wieder neu geformt.

Oberhofenkirche/Ehem. Stiftskirche St. Martin und Maria (Ziegelstraße): Baubeginn war das Jahr 1436, die ursprünglichen Pläne sind jedoch nicht verwirklicht worden. Der Einfluß der

Gmund, Panorama

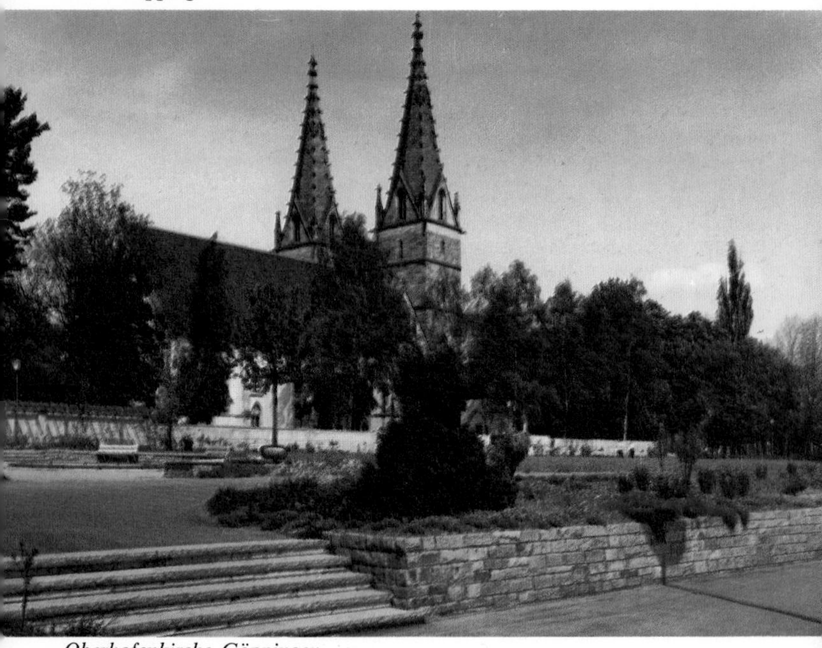

Oberhofenkirche, Göppingen

Ulmer Schule (→ Ulm) ist in vielen Details zu erkennen. Verschiedene Ausbauten und Renovierungen (insbesondere 1853, Turmbauten, Holzempore) haben die Kirche stark verändert. Aus der Gründungszeit der Kirche sind Wandgemälde im Chor (1449), Chorgestühl (1500) und ein geschnitzter Kruzifixus (um 1520) erhalten.

Museum: *Städtisches Museum* (Wühlestraße 36): Im ehem. Stadtschloß des Freiherrn von Liebenstein, einem Fachwerkbau aus dem Jahr 1535, ist das Museum mit seinen Spezialsammlungen zur Staufer- und Stadtgeschichte untergebracht. – *Museum Dr. Engel* (Boller Straße 102): In der ehem. Badherberge des Sauerbrunnenbades Jebenhausen, einem Fachwerkhaus aus dem Jahr 1610, werden Sammlungen zur Geologie und Paläontologie der Schwäbischen Alb gezeigt.

Stadthalle (Blumenstraße 41): Im Großen Saal mit 905 Plätzen und im Kleinen Saal mit 541 Plätzen finden Aufführungen benachbarter Bühnen statt.

Außerdem sehenswert: *Ev. Stadtpfarrkirche* (Friedrichstraße): Die schlichte Kirche entstand nach Plänen von H. Schickhardt* in den Jahren 1618–19. Die Holzdecke, die das Schiff vom Dachstuhl trennt, ist bemalt. Der Turm kam erst 1838 hinzu. – *Schloß* (Pfarrstraße 25): Der vierflügelige Renaissancebau stammt aus den Jahren 1555–68 und wurde von A. Tretsch* und M. Berwart errichtet. (Die Fassaden wurden im 18. Jh. stark verändert.) Von den vier Treppentürmen sind drei erhalten. Die Haupttreppe oder »Rebenstiege« (1562) zeigt reiche Pflanzen- und Tierreliefs und ist eine Mischung aus den Kunstformen der Gotik und der Renaissance. – Das zweiflügelige *Rathaus* (1783) folgt den Linien des Klassizismus.

Umgebung: Im 3 km westlich gelegenen → Faurndau besitzt die Ev. Pfarrkirche St. Marien (13. Jh.) eine sehenswerte Innenausstattung. Die Zierplastik, die früher den Ostgiebel schmückte, befindet sich heute im Städtischen Museum.

Goslar 3380

Niedersachsen S. 414 □ H 9

Goslar, heute ein vielbesuchter Urlaubsort im Harz, hat eine große Tradition und war Schauplatz vieler historischer Ereignisse. Ausschlaggebend für die Errichtung einer Kaiserpfalz (siehe unten) war das Silbervorkommen im Rammelsberg, das 968–70 entdeckt wurde und Goslar zur »Schatzkammer der deutschen Kaiser« werden ließ. Nach den Kaisern beherrschten Bürger die Stadt (bereits 1290 Reichsvogtei, 1340 freie Reichsstadt). Sie aktivierten den Bergbau und leiteten eine zweite große Bauperiode ein, die um 1500 eine Reihe wichtiger Bauwerke hervorbrachte. Die Stadt geriet in wirtschaftliche Schwierigkeiten, als die Welfen einen Pfandbesitz einlösen wollten und Brände in den Jahren 1728 und 1780 die Stadt trafen.

Ehem. Zisterziensernonnen-Klosterkirche Neuwerk (Rosentorstraße): Die ältesten Teile der Kirche (im Osten) stammen aus dem 12. Jh. Um 1200 kamen Langhaus und Seitenschiffgewölbe hinzu. Geprägt wird die Kirche durch die beiden Türme im Westen. Mit reichem Bauschmuck und der ungewöhnlich starken plastischen Durchgliederung gehört die Kirche zu den schönsten in Niedersachsen. Wichtigste Teile der Innenausstattung sind die spätromanische Malerei im Chor (1225) und der Lettner (um 1225, erhaltene Reste wurden 1950 in die Brüstung der Orgelempore einbezogen). Das Konventsgebäude – ein schöner Fachwerkbau – entstand 1719.

Ev. Pfarrkirche Peter und Paul (auf dem Frankenberg): Die Pfarrkirche wurde dem Maria-Magdalenen-Kloster (1235) einverleibt. Eine Vorgängerkirche wurde 1140–50 durch einen Neubau ersetzt, der später mehrfach verändert, erweitert und 1786 durch den Abbruch der Türme entstellt worden ist. Links und rechts vom West-

Zisterzienserinnenkloster Neuwerk

Marktkirche

bau läßt sich der Anschluß an die alte Stadtmauer erkennen (1493). – An die erste Bauphase (romanische Epoche) erinnern das Tympanon des Südportals, die Säulen der Nonnenempore und die in Konturen erhaltenen Wandmalereien am Obergaden des Langhauses. Den barocken Altar hat H. Lessen d. Ä. 1675 geschaffen. 1690 war die Emporenbrüstung fertiggestellt. J. H. Lessen d. J. schuf 1698 die Kanzel.

Kath. Pfarrkirche St. Jakobi (St.-Jakobi-Kirchhof): An eine Basilika aus dem Jahr 1073 wurde um 1140 der Westturm und zu Beginn des 16. Jh. das südliche und nördliche Seitenschiff angebaut. Die ursprünglich romanischen Formen wurden dabei weitgehend durch gotische Elemente ersetzt. Aus der Innenausstattung ragt das berühmte *Vesperbild* von H. Witten (um 1510) hervor. Bemerkenswert sind auch die Wandbilder im Chor (um 1250), das Steinrelief an der Westwand des südlichen Seitenschiffs (Marienkrönung, um 1513), Orgel und Taufe (1592) sowie das reich geschnitzte Stuhlwerk.

Domvorhalle, Kaiserstuhl

Ev. Pfarrkirche St. Cosmas und Damian/Marktkirche (Hoher Weg): Die Türme, die erst 1593 (nach dem großen Brand) ihre Helme erhielten und nach dem Brand von 1844 nochmals erneuert werden mußten, lassen nicht erkennen, daß die Basilika schon um 1170 entstanden ist. Wichtigste Teile der Ausstattung sind die Glasmalereien der Chorfenster mit dem Martyrium der Heiligen Cosmas und Damian (um 1250). Erwähnenswert sind das bronzene Taufbecken von M. Karsten (1573), die Renaissancekanzel (1581) und eine schöne Altarwand (1659).

Kaiserpfalz mit Ulrichskapelle und Domvorhalle (Kaiserbleek): Am Fuße des Rammelsberges entstand im 11. Jh. als Zeichen kaiserlicher Macht die Pfalz. Auf Einladung Heinrichs II. fand hier 1009 die erste Fürstenversammlung statt. Das imponierende Ausmaß der Anlage, die in den Grundzügen bis heute erhalten geblieben ist, geht jedoch auf Kaiser Heinrich III. (1017–56) zurück. Glücklicherweise wurde der Plan, die Pfalz abzureißen (1865), nicht verwirklicht. – Die Pfalz ist ein besonders typisches Werk der Romanik. Zentrum ist der *Reichs- und Kaisersaal*, der das gesamte Obergeschoß des einstigen Palas einnimmt und als der größte Saal in den zahlreichen deutschen Kaiserpfalzen gilt. Historienbilder (von H. Wislicenus, 1879–97) zeigen Etappen aus der Geschichte der Kaiserpfalz. – Im Süden schließt sich an die Pfalz die Doppelkapelle *St. Ulrich* (um 1125) an, ebenfalls ein Meisterwerk der Romanik. Das Untergeschoß stellt ein Kreuz dar, das Obergeschoß ist als Achteck gestaltet. Unter dem Stifterdenkmal (um 1300) für Heinrich III. wird das Herz des Kaisers aufbewahrt. – In den Pfalzkomplex einbezogen war neben der eigentlichen Pfalz und der St.-Ulrichs-Kirche auch der Dom, »des Reiches Kapelle«. Vom Dom, der 1820 abgebrochen wurde, ist

Kaiserpfalz mit Ulrichskapelle

nur die Vorhalle erhalten, in der der Kaiserstuhl zu besichtigen ist. Der Stuhl gilt als Meisterwerk mittelalterlicher Handwerkskunst (Bronzelehnen). 1871 nahm Kaiser Wilhelm I. auf diesem Stuhl Platz, als er in Goslar den ersten Reichstag des neuen Deutschen Reiches eröffnete.

Rathaus (Markt): Das Rathaus (15. Jh.) spiegelt die Macht des Bürgertums, das in Goslar zu dieser Zeit an die Stelle der Kaiser getreten war. Kernstück ist das spätgotische *Ratsherrenzimmer*, das mit seinen einzigartigen Wandmalereien zu den bedeutendsten Kunstwerken in Niedersachsen zu zählen ist. Das Obergeschoß ist über eine Freitreppe (1537) und die Ratslaube zu erreichen. – Vor dem Rathaus verdient der romanische *Marktbrunnen* Beachtung (zwei große Bronzeschalen, die von einem Reichsadler bekrönt werden), der vermutlich für die Kaiserpfalz bestimmt war.

Museen: *Goslarer Museum* (Königstraße 1/2): Kunst- und Kulturgeschichte, Tierwelt des Harzes; Münzkabinett. – *Sammlung Adam* (Gemeindehof 1): Handschriften, Bilder, Münzen und Urkunden des 5.–20. Jh.; Sammlungen zum Bergbau und Hüttenwesen (Silberbergbau in Goslar). – *Mönchehaus – Jagd- und Forstmuseum* (Mönchestraße): Sammlung von Jagd- und Tierbildern, Geschichte der Jagd und des Forstwesens.

Außerdem sehenswert: *Siemenshaus* (Schreiberstraße 12): Das prachtvolle, 1693 erbaute Gebäude ist das Stammhaus der Industriellenfamilie Siemens. Es ist das älteste der erhaltenen Handelshäuser in Goslar. Von den *Gildehäusern*, die zur Glanzzeit des Bürgertums in Goslar entstanden sind, blieben nur zwei fast unversehrt erhalten: das Haus der Gewandschneider (*Kaiserworth*, am Markt) und das *Bäkkergildehaus* (Ecke Markt-/Bergstraße), beide um 1500 entstanden. Das Haus Kaiserworth verdankt seinen Namen jenen geschnitzten Kaiserfiguren, die auf Konsolen in schmalen spätgotischen Nischen stehen. Die Konsolen werden von verschiedenen Figuren getragen, von denen der nackte Mann am Pranger (»Dukatenmännchen«) besonders originell ist. – Aus dem mittelalterlichen Goslar sind viele schöne alte *Wohnhäuser* erhalten. Sie finden sich vor allem in der Marktstraße, Münzstraße, Schreiberstraße und Königstraße (vorrangig Steinhäuser). Schöne Fachwerkhäuser sind u. a. in der Schreiberstraße, Gosestraße, Bergstraße, Bäckerstraße, Kreuzstraße und Kornstraße zu bewundern. – *Stadtbefestigung:* Die mächtigen Befestigungsanlagen mit dem *Breiten Tor* und *Rosentor* aus der Zeit um 1500 sind entstanden, um die Stadt vor den Herzögen von Braunschweig-Wolfenbüttel zu schützen (die den Bergzehnten, der mit den Bürgern der Stadt für die Nutzung der Silberminen vereinbart worden war, gewaltsam eintreiben wollten).

Umgebung: *Ehem. Chorherrenstift St. Peter* (auf dem Petersberg, östlich von Goslar): Fundamente eines Chorherrenstifts aus der Zeit um 1050. – *Ehem. Augustiner-Chorherrenstift St. Georg* (auf dem Georgenberg, nördlich von Goslar): Fundamente eines 1150 fertiggestellten Augustiner-Chorherrenstifts mit einem nach Aachener Vorbild konzipierten Münster. – *Ehem. Augustiner-Chorherrenstiftskirche St. Maria und Georg* (in Grauhof). – *Ruine der ehem. Augustiner-Chorherrenstiftskirche St. Maria* (12. Jh.) (in Riechenberg).

Gößweinstein 8551

Bayern S. 418 □ K 15

Kath. Pfarr- und Wallfahrtskirche (Balthasar-Neumann-Straße): 1739 ist die mächtige Kirche nach nur neunjähriger Bauzeit nach Plänen von B. Neumann* geweiht worden. Sie entstand in Verbindung mit einer Wallfahrt zur Hl. Dreifaltigkeit, die sich bis ins 15. Jh. zurückverfolgen läßt. Bedeutendster Teil der Ausstattung sind die Stukkaturen des Bamberger Meisters F. J. Vogel. Den Hochaltar hat J. M. Küchel* entworfen. Sehenswert sind auch der Kreuz- und der Marienaltar, ferner der Pfarrhof (ebenfalls nach Plänen Küchels) und der angrenzende Friedhof mit dem mächtigen Denkmal für die Eltern des Fürstbischofs Ernst v. Mengersdorf.

Burg (Burgstraße 1): Die ursprünglich gotische Burg erhielt ihr heutiges (neugotisches) Gesicht bei einer Überarbeitung Ende des 19. Jh.

Umgebung: 10 km östlich von Gößweinstein liegt bei Pottenstein die Teufelshöhe, 12 km nordwestlich die Binghöhle.

Göttingen 3400

Niedersachsen S. 418 □ H 10

Göttingen ist an der Kreuzung zweier alter Handelsstraßen (Hellweg und Königsstraße) entstanden. 1737 wurde die Stadt durch die von Kurfürst Georg August von Hannover gegründete und nach ihm benannte Universität zu einem geistigen Zentrum, das viele berühmte Geister in die Stadt gebracht hat, so die Mathematiker und Physiker Abraham Gotthelf Kästner und Georg Christoph Lichtenberg, die Lyriker Gottfried August Bürger und Friedrich Wilhelm Gotter, den Homerübersetzer Johann Heinrich Voß, aber auch Wilhelm und Alexander von Humboldt, Clemens Brentano, die Brüder Jacob und Wilhelm Grimm, Heinrich Heine und Hoffmann von Fallersleben. – Göttingen war auch das Zentrum des Hain-Bundes (1772), der sich als Protestbewegung gegen den Rationalismus der Aufklärung verstanden hat. Betonte Gefühlsaussagen verbanden ihn mit dem Sturm und Drang.

Huldigungssaal, Rathaus Goslar ▷

Flügelaltar, Jakobikirche Göttingen

Ev. Jakobikirche (Jakobikirchhof): Der Bau der Kirche wurde 1350 begonnen und war 1433 mit dem Ausbau des 74 m hohen Turms abgeschlossen. Korrekturen brachte ein Umbau im Jahre 1555 (nach einem Brand). Wichtigstes Stück innerhalb der reichen Ausstattung ist ein *Flügelaltar* (1402).

Ev. Albanikirche (Geismarstraße, Nähe Stadthalle): Das Hauptaugenmerk in dieser Kirche, die in ihren wesentlichen Teilen im 15. Jh. entstanden ist, sollte dem *Flügelaltar* (Enthauptung des Albanus und 8 Szenen aus dem Marienleben) gelten, den H. v. Geismar 1499 geschaffen hat.

Ev. Johanniskirche (am Markt): Eindrucksvollster Teil dieser Kirche, mit deren Bau im 13. Jh. begonnen wurde (Fertigstellung der beiden Türme zu Beginn des 15. Jh.), ist die mächtige, schmucklose Westfassade, bei der erst in Höhe der Langhausmauern das Mauerwerk unterbrochen war (das Portal wurde später gebrochen).

Ev. Marienkirche (Groner Torstraße): Der einschiffige Bau aus dem 14. Jh. wurde später mehrfach erweitert und erhielt erst im 15. Jh. den heutigen Glockenturm. Hervorzuheben ist der *Wandelaltar*, der im 16. Jh. in der Werkstatt B. Kastrops entstanden ist und von dem einzelne Teile an verschiedenen Stellen der Kirche aufgebaut worden sind. Zwischen der Kirche und einer im 14. Jh. errichteten Kommende (für die Deutschordensritter) steht ein Torturm.

Paulinerkirche/Ehem. Dominikanerkloster (Paulinerstraße): 1304 war der Klosterbau, 1331 die Klosterkirche vollendet. 1737 zog die Universität in die Klostergebäude ein (später nur Universitätsbibliothek). Die Kirche hat einen ungewöhnlich großen Innenraum, der streng gegliedert ist und

Ähnlichkeit mit den mitteldeutschen Kirchen des Bettelordens erkennen läßt.

Rathaus (Markt): Das historische original erhaltene Rathaus (1366–1403) ist das beherrschende Gebäude des Marktplatzes. Der größere Nordteil und der südliche Erweiterungsbau sind deutlich voneinander abgesetzt. Hervorzuheben ist die Eingangslaube vor dem südlichen Bauteil. Im Inneren sind die Rathaushalle, der Ratskeller und die Scharwache sehenswert. Vor dem Rathaus steht der 1901 aufgestellte Gänseliesel-Brunnen.

Universitätsbauten: Der Neubau der Universität im Norden der Stadt hat viele Institute und Einrichtungen der 1734 gegründeten und 1737 eingeweihten Universität zusammengefaßt. Nachdem anfangs die *Collegiengebäude* des Dominikanerklosters (siehe Paulinerkirche) als Sitz der Universität dienten, kamen Ergänzungsbauten an verschiedenen Stellen der Stadt hinzu. 1816 war die *Sternwarte* abgeschlossen, 1837 wurde das *Aulagebäude* (Wilhelmsplatz 1) eingeweiht. 1865 folgte das *Auditoriengebäude* (Weender Landstraße 2).

Niedersächsische Staats- und Universitätsbibliothek (Prinzenstraße): Mit einem Bestand von weit mehr als 1,5 Millionen Bänden (darunter mehr als 10000 Handschriften und 6000 Inkunabeln, u. a. Gutenberg-Bibel um 1455) gehört die Bibliothek zu den größten im gesamten deutschsprachigen Raum.

Museen: *Städtisches Museum* (Ritterplan 7): Im Hardenberger Hof, einem Adelspalais aus der Zeit der Renaissance, sind Sammlungen zur Ur- und Frühgeschichte, Landes-, Stadt-, Universitäts- und Studentengeschichte, Fayencen, Porzellan, Zinn, Waffen, Musikinstrumente und Graphik zu besichtigen. – *Kunstsammlung der Universität Göttingen* (Hospitalstraße 10): Bedeutende Werke der Malerei, Graphik und Plastik aus Italien, den Niederlanden und Deutschland vom 14. bis zum 20. Jh.

Theater: *Deutsches Theater* (Theaterplatz 11): Das Theater wurde nach Plänen von Hofbaumeister Schnittger (Oldenburg) in den Jahren 1889–90 errichtet. – *Junges Theater* (Hospitalstraße 1): In dem ehem. Otfried-Müller-Haus (Mitte 19. Jh.) wurde das heutige Kommunikations- und Aktionszentrum mit einem großen und einem kleinen Saal eingerichtet. Hier ist auch das 1957 gegründete *Junge Theater* zu Hause. – Alljährlich im Juni finden in Göttingen die *Händel-Festspiele* statt.

Außerdem sehenswert: *Wohnhäuser:* Das älteste, noch erhaltene Wohnhaus steht in der Paulinerstraße 6 (15. Jh.); schöne Häuser sind aber auch in der Johannisstraße (Haus Nr. 33), Burgstraße (Haus Nr. 1) und in der Barfüßerstraße (Haus Nr. 12) anzutreffen. Sie entstanden alle um 1540 und sind in ihren Grundzügen bis heute erhalten geblieben. – *Bismarckhäuschen und Wallbefestigung* (Wall): Von der Wallbefestigung ist nur dieser Turm erhalten, in dem der spätere Kanzler Otto von Bismarck im Jahr 1833 als Student gewohnt hat.

Umgebung: *Nikolausberg* (6 km nordöstlich): Aus dem 12. Jh. stammen die ältesten Teile der ehem. Augustinerinnen-Klosterkirche. Zur Ausstattung gehören der stark restaurierte Hauptaltar (um 1490) sowie der gemalte Altar im nördlichen Nebenchor (um 1400). – Burgruine Plesse (8 km nördlich).

Greifenstein 8551 → Heiligenstadt

Greifenstein Kr. Wetzlar 6331

Hessen S. 416 □ E 12

Burg Greifenstein: Die Burg, die nur als Ruine erhalten ist, hat ursprünglich aus einer Haupt- und zwei Vorburgen bestanden. Der Kern der Anlage geht auf das 12. Jh. zurück. Ihr jetziges Aussehen erhielt die Burg bei Umbauten im Jahr 1919. Seit 1973 Dt. Glockenmuseum. Der Schloßgarten ist mehrfach umgestaltet worden. – Die *Burgkapelle St. Katharina* (1448–76) ist heute ev. Pfarrkirche.

Grömitz → Cismar

Groß-Gerau 6080

Hessen S. 416 □ E 14

Ev. Pfarrkirche / Ehem. St. Maria (Kirchplatz): Der Neubau aus den Jahren 1470–90 ist im 2. Weltkrieg niedergebrannt, unter Verwendung der alten Außenmauern jedoch wieder aufgebaut worden. Bemerkenswert ist das Westportal mit Muttergottes (15. Jh., mittelrheinisch) auf Mittelpfeiler.

Rathaus (Frankfurter Straße): Fachwerkbau aus den Jahren 1578–79. Mehrere Ergänzungsbauten und Renovierungen haben den ursprünglichen Eindruck stark verändert. – Weitere *Fachwerkbauten* sind u. a. in der Mainzer Straße, am Burggraben und in der Kirchstraße zu sehen. – Im Rathaus befindet sich das *Heimatmuseum* mit Beiträgen zur Ortsgeschichte, Bodenfunden sowie einer Sammlung von Haushaltsgeräten.

Umgebung: Ehem. Wasserburg (Ortsteil Dornberg): Die Anlage aus dem 12. Jahrh. dient heute als *Jugendherberge.*

Großgründlach = 8500 Nürnberg 1

Bayern S. 422 □ K 16

Pfarrkirche: Aus dem Zyklus von Glasfenstern, die nach Entwürfen von H. B. Griens ab 1504 ursprünglich für den Kreuzgang des Nürnberger Karmeliterklosters geschaffen wurden, befinden sich heute acht in der Pfarrkirche (1681). – Sehenswert ist auch das *Barockschloß* am Ortsrand, das in den Jahren 1685–95 geschaffen wurde und von einem Landschaftspark umgeben ist.

Günzburg 8870

Bayern S. 422 □ H 19

Frauenkirche (Frauenplatz): D. Zimmermann* hat die Kirche von 1736–41 erbaut. In vielen Details lassen sich Parallelen zur Wieskirche feststellen. Für die Ausgestaltung des Kirchenraums wurden Künstler von Rang verpflichtet: Die umfangreiche Freskenmalerei stammt von A. Enderle (1741).

Außerdem sehenswert: Über der Stadt liegt das *Schloß* (1609), in dem bis 1805 die österreichische Verwaltung untergebracht war. Kunsthistorisch bemerkenswert ist die westlich der Schloßkapelle liegende *Kapelle* (1754), die vom Zimmermann-Schüler J. Dossenberger errichtet wurde. Die Fresken stammen von A. Enderle. – Auch die *ehem. Münze* (dem Schloß gegenüber) sowie einige *Bürgerhäuser* sind von Dossenberger entworfen worden. – Das *Heimatmuseum* (Rathausgasse 2) zeigt Beiträge zur Vor- und Frühgeschichte, Keramik, Plastische Kunst.

Gutach/Schwarzwaldbahn 7611

Baden-Württemberg S. 420 □ D 19

Freilichtmuseum Vogtsbauernhof: Um ein strohgedecktes Schwarzwaldhaus aus dem Jahr 1570 sind weitere Schwarzwald-Bauernhöfe gruppiert. Die Häuser stammen zumeist aus dem 16. und 17. Jh. und sind mit Einrichtungsgegenständen aus der Entstehungszeit ausgestattet. Alle Maschinen innerhalb dieser Siedlung werden von Wasser angetrieben und können in Betrieb gesetzt werden.

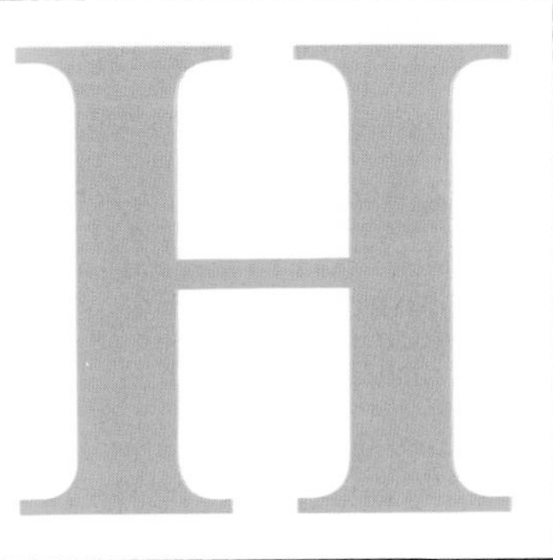

Haddeby = Schleswig 2380
Schleswig-Holstein S. 412 □ G 2

Frühgeschichtliche Denkmäler (2 km südlich von Schleswig): Haddeby, die niederdeutsche Abwandlung des altnordischen *Haithabu,* dem Namen der alten Wikingerstadt, ist eine der bedeutendsten frühgeschichtlichen Anlagen in Nord- und Mitteleuropa. Haithabu war ein Zentrum für den Ost-West-Seehandel, ein Umschlagplatz für Waren aus dem fränkisch-deutschen Raum nach Ostskandinavien und umgekehrt. Der Ort, der im 9. und 10. Jh. seine wirtschaftliche Blüte erlebte, stand abwechselnd unter dänischer, schwedischer und deutscher Oberhoheit. Von der ursprünglichen *Siedlung auf der Heide* (= Haithabu) gibt es heute noch einen *Schutzwall* in Form eines Halbringes (5–10 m hoch) und im N niedrigere Wallreste einer Fluchtburg. Südwestlich vor Busdorf steht noch einer der vier bei Haithabu gefun-

Gotischer Schnitzaltar in der ev. Kirche, Haddeby

denen *Runensteine,* die zum Gedenken für Könige und Gefolgsleute errichtet wurden. Die übrigen drei befinden sich im Landesmuseum für Vor- und Frühgeschichte (Schloß Gottorf) in → Schleswig. Auch vom frühmittelalterlichen *Danewerk,* der dänischen Grenzbefestigung, welche die Schleswiger Landenge sperren sollte, sind Wälle und Feldsteinmauern aus dem 10. und 11. Jh. erhalten geblieben.

Ev. Kirche: Nicht weit von dieser frühgeschichtlichen Siedlung hat man um 1200 eine *spätromanische* Feldsteinkirche gebaut, ein langgestrecktes Schiff mit Rechteckchor und rundem *Westturm,* der einmal als Wehrturm gedient hat. Sehenswert sind der dreiflügelige gotische *Schnitzaltar,* eine gotländische *Kalksteintaufe* und die *Kreuzigungsgruppe* mit überlebensgroßem Christus und auffallend schmal stilisierten Begleitfiguren (13. Jh.).

Hagen 5800

Nordrhein-Westfalen S. 416 □ C 10

Jugendstilbauten: Hagen war zu Beginn dieses Jh. durch die Initiative des Industriellen und Mäzens Karl Ernst Osthaus ein Zentrum der beginnenden modernen Kunst mit Architekten wie H. van de Velde und P. Behrens, dem Maler J. Thorn Prikker u. a. Das Stadtbild ist von der Baugesinnung und künstlerischen Haltung dieser Männer an vielen Stellen geprägt. So zum Beispiel der *Hauptbahnhof* mit dem monumentalen *Glasfenster* in der Eingangshalle (»Huldigung der Gewerbe vor dem Künstler«, das Erstlingswerk von Thorn Prikker als Glasmaler, 1910/11) und das *Eduard-Müller-Krematorium,* der bedeutende Jugendstilbau von Peter Behrens (in Hagen-Delstern).–Auf dem Friedhof befindet sich das Grab des Malers Ch. Rohlfs mit einem schlichten Stein von E. Mataré und einer Bronzeplastik des lehrenden Christus von E. Barlach. – In Hagen-Eppenhausen sind in der *Gartenstadt Hohenhagen* Städtebaugedanken des Werkbunds verwirklicht worden. Die bedeutendsten Architekten der Zeit haben mitgewirkt. Osthaus' eigenes Wohnhaus, der *Hohenhof* (heute in Stadtbesitz) ist ein 1906 entstandenes Frühwerk van de Veldes und bildet den baulichen Mittelpunkt der Kolonie. Die dekorative Ausgestaltung ist durch Beiträge von Hodler, Vuillard und Matisse bestimmt. Die Ausmalung des Arbeitszimmers wurde nach Entwürfen Thorn Prikkers vorgenommen. Von ihm stammt auch die Treppenhausverglasung.

Museen: Das *Karl-Ernst-Osthaus-Museum* (Hochstr. 73) war zunächst als Museum Folkwang von Osthaus mit privaten Mitteln gegründet worden. Die Sammlung hervorragender moderner Kunst wurde jedoch 1922 von der Stadt → Essen erworben. Das heutige Museum enthält Kunst des 20. Jh. Vom Innenausbau van de Veldes ist die *Eingangshalle* erhalten. Das *Heimatmuseum* im selben Haus bietet Beiträge zur Kultur- und Stadtgeschichte. – Im *Freilichtmuseum Hagen* (in Hagen-Selbecke) sind auf einem 34 ha großen Gelände technische Kulturdenkmale aus verschiedenen Teilen Deutschlands zusammengetragen worden. – Handlicheren Objekten widmet sich das *Spielkartenarchiv* (Birkenstr. 39).

Theater: Die *Städtischen Bühnen* (Elberfelder Str. 65) unterhalten ein eigenes Ensemble für Opern- und Operettenaufführungen auf einer Bühne mit bemerkenswerten technischen Einrichtungen vor einem Zuschauerraum mit 808 Plätzen.

Haigerloch 7452

Baden-Württemberg S. 420 □ E 19

Schloß und Schloßkirche: Die einfache, fast schmucklose Anlage wirkt allein durch ihre Lage auf ansteigendem Gelände und ihre ungewöhnliche Gruppierung. Aus einer um 1200 erbauten Burg entstanden um 1580 die Hauptteile des Schlosses, das allerdings erst

Schloßkirche, Haigerloch

durch barocke Umbauten sein heutiges Gesicht erhielt. – Die *Schloßkirche* (jetzt kath. Pfarrkirche St. Trinitatis) wurde 1584-1609 in gotisierenden Formen erbaut. Die ausgezeichneten *Rokokostukkaturen* im Innenraum hat ein Wessobrunner Meister geschaffen. Von der alten Ausstattung blieb nur ein schmiedeeisernes *Chorgitter* erhalten, davor ein *Kruzifix* (um 1500). Der *Hochaltar* zeigt die überladenen Formen des Frühbarock. Die übrigen sieben Stuckaltäre sind Mitte des 18. Jh. hinzugekommen.

Wallfahrtskirche St. Anna: Die Kirche wurde 1753–55 auf einer am Ostrand der Oberstadt gelegenen künstlichen Terrasse errichtet, wahrscheinlich nach Plänen J. M. Fischers*, der in Schwaben auch die berühmten Barockbauten von → Zwiefalten und → Ottobeuren geschaffen hat. Es ist ein turmloser Saalbau mit wenig vorspringendem Querschiff und kurzem, halbrund geschlossenen Chor. J. M. Feuchtmayer* ist der Schöpfer der ausgezeichneten *Stuckdekoration* sowie der Entwürfe für die Seitenaltäre. Die *Fresken* malte M. v. Ow. Im *Hochaltar* steht ein Wallfahrtsbildwerk der hl. Anna Selbdritt aus der 2. Hälfte des 14. Jh.

Hamburg 2000

Freie und Hansestadt Hamburg S. 412 □ H 4

Dort, wo andere Städte ein Zentrum haben, aus dem sich die Stadt heraus entwickelte und auf das sich alles bezieht, hat Hamburg einen See: die schon im 13. Jh. aufgestaute Alster, um die sich Kunsthalle, St. Jacobi, St. Petri, Rathaus, Jungfernstieg, Gänsemarkt und Oper gruppieren. Hamburg, ursprünglich »Hammaburg«, wurde im 9. Jh. von Kaiser Ludwig d. Frommen auf dem sandigen Landrücken zwischen Elbe und Alster, wo sich heute das

Pressehaus, St. Petri und St. Nicolai befinden, gegründet. Hier stand auch der Wohnturm des Bischofs Bezelin (11. Jh.), dessen Fundamente heute noch zu sehen sind (im Keller des Hauses Speersort 10). Aus der Interessengemeinschaft mit Lübeck entwickelte sich im 13. Jh. die Hanse. Als internationale Handelsmetropole war Hamburg im 17. Jh. die stärkste Festung Europas. Ihren Ruf als Welthandelsplatz festigte die Stadt im 19. Jh., obwohl ein Viertel der alten Hansesiedlung 1842 beim »Großen Brand« vernichtet wurde. Auch der 2. Weltkrieg hat großen Schaden angerichtet. – Mit Hamburg sind viele große Namen verbunden: G. E. Lessing, an den ein Denkmal am Gänsemarkt erinnert, war ab 1767 Dramaturg am Deutschen Nationaltheater. M. Claudius brachte hier von 1771–75 seinen »Wandsbeker Boten« heraus. F. G. Klopstock vollendete in Hamburg 1773 den »Messias«, und H. Heine erlernte im Geschäft seines Onkels von 1816–18 den Bankberuf. Hier schloß F. Hebbel seine Tragödien »Judith« und »Genoveva« ab, und H. H. Jahnn spielte im 20. Jh. eine entscheidende Rolle im literarischen Leben. C. v. Ossietzky, der Herausgeber der pazifistischen »Weltbühne«, und W. Borchert sind in Hamburg geboren, ebenso die Komponisten F. Mendelssohn-Bartholdy und J. Brahms. Lange vor ihnen wirkten G. F. Händel, Ph. Telemann und Ph. E. Bach in dieser Stadt, die sich auch heute neben der 1919 gegründeten Universität besonderer kultureller Aktivitäten rühmt.

Ev. Hauptkirche St. Petri (Mönckebergstraße): Diese älteste Kirche Hamburgs ist mit ihrem spitzen, grünen Helm über roten Backsteinmauern zu einem Wahrzeichen der Stadt geworden. In ihren wesentlichen Teilen ist sie freilich ein gelungener Bau der Neugotik (1844–49). Eine schöne alte *Steinmadonna* (um 1470) ist aus der alten Ausstattung, zu der auch der berühmte *Grabower Altar* des Meisters Betram von Minden gehört (1379), übriggeblieben. Der Altar befindet sich heute in der Hamburger → Kunsthalle.

Ev. Hauptkirche St. Jacobi (Steinstraße): Auf dem gleichen sandigen Landrücken wie die Petrikirche und nur wenige hundert Meter davon entfernt entstand vom 13. – 15. Jh. eine gotische Hallenkirche, die zur Zeit der

Lukasaltar, St. Jacobi

St. Michaelis

Dreifaltigkeitskirche

Renaissance und des Barock mehrere Anbauten erhielt. Bis auf die Umfassungsmauern und den Turmstumpf fiel im 2. Weltkrieg alles in Schutt und Asche. – Die *Ausstattung* war jedoch ausgelagert und blieb erhalten, darunter die barocke *Kanzel,* drei spätgotische *Altäre* (der beste ist der Lukas-Altar) und die wiedereingebaute einzigartige *Orgel* (1689–93) von Arp Schnitger. Der barocke Prospekt dieses Meisterwerkes mußte erneuert werden.

Ev. Hauptkirche St. Katharinen (Bei den Mühren): Die Kirche, im 13. Jh. erstmals erwähnt, war im Grunde ein Bau des 14. und 15. Jh. Er ist in der Renaissance und im Barock üppig ausgestattet worden. 1944 brannte die Kirche völlig aus. Das städtebauliche Charakteristikum, der Turm mit seinen grünen Kupferhelmen, wurde jedoch originalgetreu nach dem Vorbild aus dem 16. Jh. wiederaufgebaut. Die *moderne Ausstattung* wurde durch einige alte Kunstwerke ergänzt (Kruzifix um 1300, eine Katharina um 1400).

Ev. Hauptkirche St. Michaelis (Neanderstraße): Der weite ovale Bau mit dem mächtigen Turm (der *Michel* ist 132 m hoch und ein Wahrzeichen Hamburgs) ist die bedeutendste, noch erhaltene protestantische Predigtkirche in Deutschland. Sie stammt aus dem Barock. Nach dem Brand im Jahr 1906 und der Zerstörung im 2. Weltkrieg ist sie zum dritten Mal nach den alten Plänen der Baumeister J. L. Prey und E. G. Sonnin* (1754–57) wiederaufgebaut worden.

Turm St. Nicolai (Ost-West-Straße): Nur der neugotische Turm der ehem. ev. Hauptkirche St. Nicolai (1882 vollendet), der in nationalromantischer Begeisterung den Kölner Domtürmen und dem Vorbild des Freiburger Münsters nachgebaut worden ist, blieb von der Zerstörung im 2. Weltkrieg verschont. Mit 145 m ist er einer der höchsten Kirchtürme Deutschlands. – Die Turmhalle ist ein *Mahnmal für Opfer von Verfolgung und Krieg 1933–45.*

Ev. Dreifaltigkeitskirche (Horner Weg): Eine alte Dorfkirche, die den Bomben des 2. Weltkriegs zum Opfer gefallen ist, wurde durch einen *modernen Bau* ersetzt, der jeden Anklang an den konventionellen Kirchenbaustil bewußt vermeidet. Eine flache, kupfergedeckte Ovaltrommel, die schräg ansteigt, wird von einem hohen Betongestell in A-Form als Glockenturm ergänzt (1953–57 von dem Münchner Architekten R. Riemerschmid erbaut).

Ev. Dreieinigkeitskirche (Billwerder, Allermöhe): Die Saalkirche aus dem 17. Jh. ist in Fachwerk aufgeführt und mit einer Holztonnendecke ausgestattet, was typisch für eine Vielzahl von *Dorfkirchen* rings um Hamburg ist. Die *Holztonnendecke* wurde im 18. Jh. mit Wolken, Engeln und Gleichnisszenen bemalt. Ein originelles Stück des Manierismus ist der *Flügelaltar* mit einer Haupt- und sieben Nebenszenen, die nach Kupferstichen in Reliefschnitzerei übertragen wurden.

Christianskirche (Klopstockplatz in Altona): Die Kirche am Anfang der Elbchaussee ist ein *Backsteinbau* mit abgerundetem Mansardendach aus dem 18. Jh. Sie liegt mitten in einem stimmungsvollen *Friedhof,* der zu einer öffentlichen Anlage umgewandelt wurde. Unter den schönen klassizistischen *Grabdenkmälern* findet man die Grabstätte des Dichters F. G. Klopstock (1727–1804) und seiner beiden Frauen.

Krameramtshäuser (Krayenkamp 11): Hier ist ein altes Stück Hamburg erhalten geblieben, wie es vor dem 2. Weltkrieg und der großen Altstadtsanierung in den 30er Jahren noch an vielen Stellen anzutreffen war. Die *Ziegelfachwerkhäuser* wurden 1676 für die Witwen ehemaliger Mitglieder des Krameramts errichtet.

Nicolaifleet (Deichstraße 35–49): Eine geschlossene Reihe alter Giebelhäuser aus dem 17. und 18. Jh. wird an der *Wasserseite* von Speichern bestimmt und ist in *Fachwerk* ausgeführt. Die Straßenfronten sind massiv in Stein errichtet und z. T. mit einfachen Ziergiebeln versehen.

Panorama mit Rathaus

Rathausmarkt: Auf dem Gelände zweier abgerissener Klöster entstand an der Kleinen Alster ein Ensemble von Gebäuden, das ein wenig dem Markusplatz von Venedig nachempfunden ist. Das *Rathaus* (1886–97 von einer Architektengemeinschaft erbaut) ist ein in kostbaren Materialien aufgeführtes Repräsentations- und Amtsgebäude. Treppenhäuser und Festsäle sind historisierend in verschiedenen Stilen gestaltet. Architektonisch befriedigender ist das Gebäude der *Börse* dahinter (Adolphsplatz), das 1839–41 in spätklassizistischem Stil erbaut wurde.

Kontorhäuser: Zwischen Steinstraße und Meßberg entstand nach dem 1. Weltkrieg ein von Stadtbaurat F. Schumacher geplantes Kontorhausviertel. Bedeutsam war dabei die Mitwirkung von F. Höger, der die traditionelle Backsteinbauweise auf das moderne, vielstöckige Bürohaus übertrug. Das hervorragendste Beispiel dieses norddeutschen Klinkerexpressionismus ist das *Chilehaus*. Es wurde von F. Höger 1922–24 als zehngeschossiger Ziegelbau errichtet, der nach dem Buchardplatz spitz zuläuft und damit dem Bug eines gewaltigen Ozeandampfers gleicht.

Gasthof Stadt Hamburg (Hbg.-Bergedorf, Sachsentor 2): Um 1600 wurde das Haus als Herrenherberge angelegt (heute Restaurant). Das *Fachwerk* ist mit Rosetten und Figuren reich geschnitzt, die Ziegel bilden schöne Füllmuster. Ein Giebelhaus mit Dielendurchfahrt wurde um 1700 angebaut, das ganze Haus 1958–59 aus Verkehrsgründen um sieben Meter zurückversetzt.

Palmaille (in Altona): Von der Randbebauung einer ursprünglich 650 m langen Bahn für das »palla a maglio« (eine Art italienisches Krocketspiel) blieben einige der *klassizistischen Palais* erhalten, die vor allem der Däne C. F. Hansen um 1800 gebaut hat (die Häuser 49, 112, 116 und 120).

Elbvororte: Entlang der *Elbchaussee* in *Othmarschen, Kleinflottbek, Nienstedten* bis hinaus nach *Blankenese* entstanden vom Anfang bis zur Mitte des 19. Jh. meist hoch über dem Elbufer in parkähnlichen Gärten große, weiß getünchte Villen und Landhäuser rei-

Totenmal von G. Marcks, Ohlsdorfer Friedhof

cher Hamburger Bürger. Viele hat der Architekt C. F. Hansen entworfen. Eines der schönsten ist das *Jenischhaus* im Jenischpark (Baron-Voght-Str. 50), das nach einem abgewandelten Entwurf von K. F. Schinkel erbaut wurde. Heute *Museum* für bürgerliche Wohnkultur des 16. bis 20. Jh.

Friedhöfe: Der *Ohlsdorfer Friedhof* ist einer der größten Parkfriedhöfe der Welt (3,5 km lang, 1,3 km breit). In der heutigen Gestalt wurde er 1897–1913 angelegt (mehrfach erweitert). Unter den vielen Mausoleen, Grabdenkmälern und plastischen Gruppen ragt das *Totenmal für die Hamburger Bombenopfer* von G. Marcks (1950/51) heraus. – Der *Judenfriedhof* in Altona (Königstraße) hat auch den 2. Weltkrieg überstanden (1611 angelegt). Die Grabmäler sind in den Stilmoden der verschiedenen Epochen dekoriert.

Museen: *Kunsthalle* (Glockengießerwall). Der alte Ziegelbau auf einem ehemaligen Befestigungswall ist ein gutes Beispiel nachempfundener italienischer Renaissance (1863–68). Die Erweiterungsbauten in Richtung Hauptbahnhof entstanden 1914–19. Die Gemäldesammlung zeigt Meisterwerke vom 14. Jh. bis zur Gegenwart und gehört zu den besten in Deutschland. Im gleichen Haus befinden sich eine bemerkenswerte Plastik- sowie eine Münzsammlung und ein reichhaltiges Graphikkabinett. – *Museen für Kunst und Gewerbe* (Steintorplatz). Hier findet man Bildwerke vom Mittelalter bis zum Rokoko, antike Kunst, prähistorisches und europäisches Gerät sowie exotisches und asiatisches Kunstgewerbe. Besonders qualitätsvoll ist die Teppich- und Textilsammlung. – *Museum für Hamburgische Geschichte* (Holstenwall 24). Das Museum wurde 1914–23 vom Hamburger Stadtbaumeister F. Schumacher gebaut, dessen vorbildliche städtebauliche Planung und Arbeit ganzen Stadtteilen ein eigenes, unverwechselbares Gesicht gegeben hat. Das Museum am Holstenwall enthält Sammlungen zur lokalen Geschichte, Bahn- und Hafenmodelle, Kostüme, Zeugnisse der Hamburger Zunftordnung, Wohnkultur, Theater- und Geistesgeschichte. – *Hamburgisches Museum für Völkerkunde und Vorgeschichte* (Rothenbaumchaussee 64, beim HSV-Platz) mit den Abteilungen Prähistorie, Afrika, Eurasien, Mit-

Staatsoper

tel- und Südamerika, Ostasien und Indo-Ozeanien. – *Barlach-Museum* (Jenischpark) mit der berühmten Sammlung von H. F. Reemtsma. – *Altonaer Museum* (Altona, Museumstr. 23). Hier liegt der Schwerpunkt auf nordwestdeutscher Volkskunst und auf der Schiffahrt. – Beachtenswerte *Freilichtmuseen:* Rieck-Haus (Curslacker Deich 284), Museumsdorf Volksdorf (Im alten Dorfe 46) und Freilichtmuseum am Kiekeberg (Ehestorf).

Theater: *Staatsoper* (Große Theaterstraße 34): In Hamburg wurde im Jahr 1678 die erste ständige Oper in Deutschland (am Gänsemarkt, ganz in der Nähe des heutigen Hauses) eröffnet. Das neue, 1953–55 gebaute Haus zeichnet sich durch eine vorzügliche Akustik und durch seine originell gestaffelten Balkone in dem sonst sachlich nüchternen Zuschauerraum aus. – Das *Deutsche Schauspielhaus* (am Hauptbahnhof, Kirchenallee 39) setzt die Tradition des 1767 in Hamburg gegründeten Deutschen Nationaltheaters fort, für das G. E. Lessing 1767–69 seine berühmte »Hamburger Dramaturgie« schrieb. – Ferner: *Thaliatheater* (Raboisen 67), *Kammerspiel* (Hartungstr. 9), *Theater im Zimmer* (in einem hübschen, klassizistischen Haus an der Alsterchaussee 30) und das populäre *Ohnsorg-Theater* (Große Bleichen 23–25).

Außerdem sehenswert: *Hagenbecks Tierpark* in Stellingen. – *Pöseldorf* mit seinen alten Villen, Antiquitätenläden und hübschen Lokalen. – Elbabwärts von Blankenese die bekannte *Schiffsbegrüßungsanlage Schulau* in *Wedel,* dem Geburtsort Barlachs, mit einem *Roland* aus dem 16. Jh. – *In der Umgebung* ferner: Vierlande mit reichen Obst- und Gemüsekulturen; Altes Land (elbabwärts) mit alten Bauernhäusern; Altengamme, Neuengamme, Ochsenwerder mit schönen Dorfkirchen.

Umgebung: Man kann Ausflüge nach → Ahrensburg, → Bad Segeberg oder nach → Buxtehude unternehmen.

Rattenfängerhaus, Hameln

Hameln 3250

Niedersachsen S. 414 ☐ G 8

Die mittelalterliche Stadt am rechten Weserufer verdankt ihren wirtschaftlichen Aufstieg und ihre frühe Bedeutung der günstigen geographischen Lage. Ausgangspunkt war ein Kloster aus dem 8. Jh., dem sich bald eine Handels- und Marktsiedlung angegliedert haben. Um 1200 begann der planmäßige Ausbau der Stadt. – Der Wohlstand vom Mittelalter bis zur Reformationszeit führte zu einer regen Bautätigkeit und einem eigenen Baustil: Die *Weserrenaissance* erreichte hier in Hameln ihren Höhepunkt (→ Osterstraße, Bauwerke von 1600). – In die Literatur eingegangen ist die Stadt durch die Rattenfänger-Sage.

Ev. Münsterkirche St. Bonifatius (am Münsterkirchhof): Zum ältesten Bestand des häufig umgebauten und erweiterten Münsters gehören der achteckige romanische *Vierungsturm* vom Ende des 12. Jh. und die *Krypta,* die schon 100 Jahre früher entstanden sein muß. Der Umbau des Langhauses zur einheitlichen gotischen *Halle* begann um die Mitte des 13. Jh. Zu dieser Zeit ist auch dem Querschiff die *Elisabethkapelle* angefügt worden. Von der alten *Ausstattung* sind nur erhalten: Der Stifterstein am Vierungspfeiler mit dem legendären Gründungsdatum (712), eine Reliefplatte mit der von Engeln gekrönten Maria (1415) und ein gotisches Sakramentshäuschen auf dem Hochaltar.

Ev. Marktkirche St. Nikolai (Markt): Die ursprünglich romanische Kirche wurde im 13. Jh. wesentlich erweitert und 1511 mit einem steilen Turmhelm versehen. Nach der Zerstörung im 2. Weltkrieg ist sie dem Original folgend wieder aufgebaut worden.

Die Osterstraße: Die Osterstraße ist Zentrum der schönen alten *Bürgerhäuser,* die in kaum einer anderen deutschen Stadt in solcher Pracht und Vollständigkeit erhalten geblieben sind wie in Hameln. – Das *Hochzeitshaus* (Osterstraße 2) wurde in den Jahren 1610–17 als Fest- und Feierhaus der Bürgerschaft errichtet. Im Erdgeschoß befanden sich Ratswaage, Apotheke und Weinschenke, im 3. Stock die Rüstkammer der Stadt. Seine Akzente erhält der Bau durch die mit Voluten geschmückten Giebelaufbauten. Von Ende Mai bis Ende September finden hier jeweils sonntags die *Rattenfängerspiele* statt. – Das *Rattenfängerhaus,* seinen Namen erhielt es erst im 19. Jh., ist besonders reich und plastisch gegliedert und verziert. Vor allem der Giebel ist dicht überzogen von allen möglichen Arten von Schmuckformen (heute Gastwirtschaft). – Ganz anders das strengere *Demptersche Haus* von 1607. Das hohe glatte Giebeldreieck aus Fachwerk mit symmetrisch geschnitzten Füllungen hat nur an der Bekrönung des zweigeschossigen Erkers üppige Bildhauerarbeit. – Im *Leistschen Haus* (1589) ist das *Heimatmuseum* (Osterstr. 9) untergebracht. Der Bau erhält seine Betonung durch einen zweigeschossigen Erker (Utlucht). Im Giebelaufbau steht die Figur der Lucretia, in einem Reliefband zwischen den Stockwerken sind die Tugenden dargestellt. Wichtigster Bestand des Museums sind Beiträge zur Rattenfängersage.

Theater: Theateraufführungen verschiedener Gastspielensembles finden in der *Weserbergland-Festhalle* am Rathausplatz statt.

Hämelschenburg = Emmerthal 3254

Niedersachsen S. 414 □ G 9

Schloß: Die Hämelschenburg ist der repräsentativste Bau der *Weserrenaissance.* In der 1588 begonnenen, hufeisenförmigen Anlage ist der zur Straße gewandte *Südflügel* der architektonisch interessanteste: Horizontale Bänder unterstreichen die Geschoßbildung, ein Erker betont die Mitte, Quaderornamente und kupferne Wasserspeier beleben die Front. Den *Hof* mit den achteckigen *Treppentürmen* erreicht man über eine ansteigende Brücke und durch ein *prachtvolles Tor* (1613) mit Namen und Wappen des Bauherrn v. Klencke. – Die frühere, ebenfalls aus dem 16. Jh. stammende Schloßkapelle ist heute *ev. Dorfkirche.* Im Altarraum befindet sich das hölzerne *Renaissance-Epitaph* für den Bauherrn des Schlosses (das bis heute im Familienbesitz ist). Über der Mensa befindet sich eine spätgotische Darstellung des *Paradiesgärtleins* aus Lindenholz: Die Muttergottes von sechs hl. Frauen umgeben (Ende 15. Jh.).

Hanau 6450

Hessen S. 416 □ F 14

Hanau, dessen alte Substanz im 2. Weltkrieg weitgehend zerstört wurde, war Sitz der ersten deutschen Fayencemanufaktur. Der Geburtsort der Brüder Grimm (Bronzedenkmal auf dem Neustädter Marktplatz) ist seit Jahrhunderten Zentrum des Goldschmiedegewerbes.

Ev. Marienkirche (Altstädter Markt): Die ehemalige Zisterzienserklosterkirche ist nach der Zerstörung im 2. Weltkrieg wieder aufgebaut worden, wobei der Eindruck der gotischen Halle aus dem 15. Jh. allerdings nicht ganz erreicht wurde. Gerettet sind die wertvollen *Glasgemälde* mit Darstellungen des hl. Georg, der hl. Sippe, der Muttergottes und anderer Heiligen. Im Chor befinden sich sehenswerte *Grabsteine.*

Deutsches Goldschmiedehaus (Altstädter Markt): Das ehem. *Altstädter Rathaus* wurde 1537/38 errichtet. Über dem massiven Erdgeschoß befinden sich zwei Fachwerkgeschosse mit Erkern und hohen steinernen Treppengiebeln an der Seite. Das schöne *Rokokosandsteinportal* gehörte früher zu einem anderen Haus. Ursprünglich hatte das Erdgeschoß eine offene Halle mit Mehl- und Tabakwaagen und einer Tabakpresse. – Im Deutschen Goldschmiedehaus befindet sich ein *Kunsthandwerkmuseum* mit interessanten Ausstellungsstücken.

Wilhelmsbad (2 km nordwestlich in einem Park gelegen): Über einer 1709 entdeckten Heilquelle ließ Erbprinz Wilhelm v. Hessen-Kassel in den Jahren 1777–82 das Wilhelmsbad errichten. Es gilt heute als das besterhaltene Beispiel einer Kur- und Badeanlage des 18. Jh. in Deutschland. – Zentrum ist das *Kurhaus* mit symmetrisch angeordneten Nebengebäuden, daran schließt sich der *Englische Park* mit originellen historisierenden Bauten an: künstliche Burgruine, Kettenbrücke über einer Schlucht, Eremitage und Karussell. Künstlerisch wertvoll ist der klassizistische *Brunnentempel* (1779) mit Figurenschmuck auf Dach und Balustrade.

Schloß Philippsruhe (im Vorort Kesselstadt): Im Schloß befindet sich heute das *Historische Museum* mit heimat- und kulturgeschichtlichen Sammlungen sowie Hanauer Fayencen. Es wurde 1701–12 nach französischem Vorbild als zweigeschossige, hufeisen-

Altstädter Rathaus, Hanau

Schloß Philippsruhe, Hanau

förmige Barockanlage erbaut, die jedoch im 19. Jh. einschneidend verändert worden ist. Sehenswert der *Weiße Saal* mit Stukkaturen.

Hannover 3000
Niedersachsen S. 414 □ G 8

Die Hauptstadt Niedersachsens ist Sitz einer bekannten Technischen Universität sowie einer human- und veterinärmedizinischen Hochschule. Als ein wichtiges kulturelles Zentrum in Deutschland trat Hannover erstmals hervor, als die Stadt im 17. Jh. Sommersitz der Welfen wurde und den ersten Musenhof in Deutschland erhielt. Das Kurfürstentum Hannover wurde 1705 mit dem Fürstentum Lüneburg vereinigt. Von 1714 bis 1837 war die Würde eines Kurfürsten von Hannover in Personalunion identisch mit der englischen Königswürde. Hannover ist u. a. die Geburtsstadt von A. W. Iffland (1759–1814, Schauspieler und Dramatiker), von F. Schlegel (1772–1829, Dichter und Literaturwissenschaftler), F. Wedekind (1864–1918, Dramatiker) und vielen anderen berühmten Männern. In die Literatur eingegangen sind auch die beiden Damen Charlotte Kestner, geb. Buff, und Julie Schrader. Die eine wurde von Goethe in den »Leiden des jungen Werthers« verewigt und diente Thomas Mann als Vorlage für »Lotte in Weimar«, die andere war als »Welfischer Schwan« der Schwarm einiger Dichter und Künstler zu Beginn dieses Jahrhunderts. – Das Stadtbild haben zwei berühmte Städtebauer geprägt: G. F. Laves, der im 19. Jh. die klassizistischen Akzente setzte, und R. Hillebrecht, der die Stadt nach dem 2. Weltkrieg neu konzipierte. An vielen Stellen sind historische Bau-

Herrenhausen, Hannover ▷

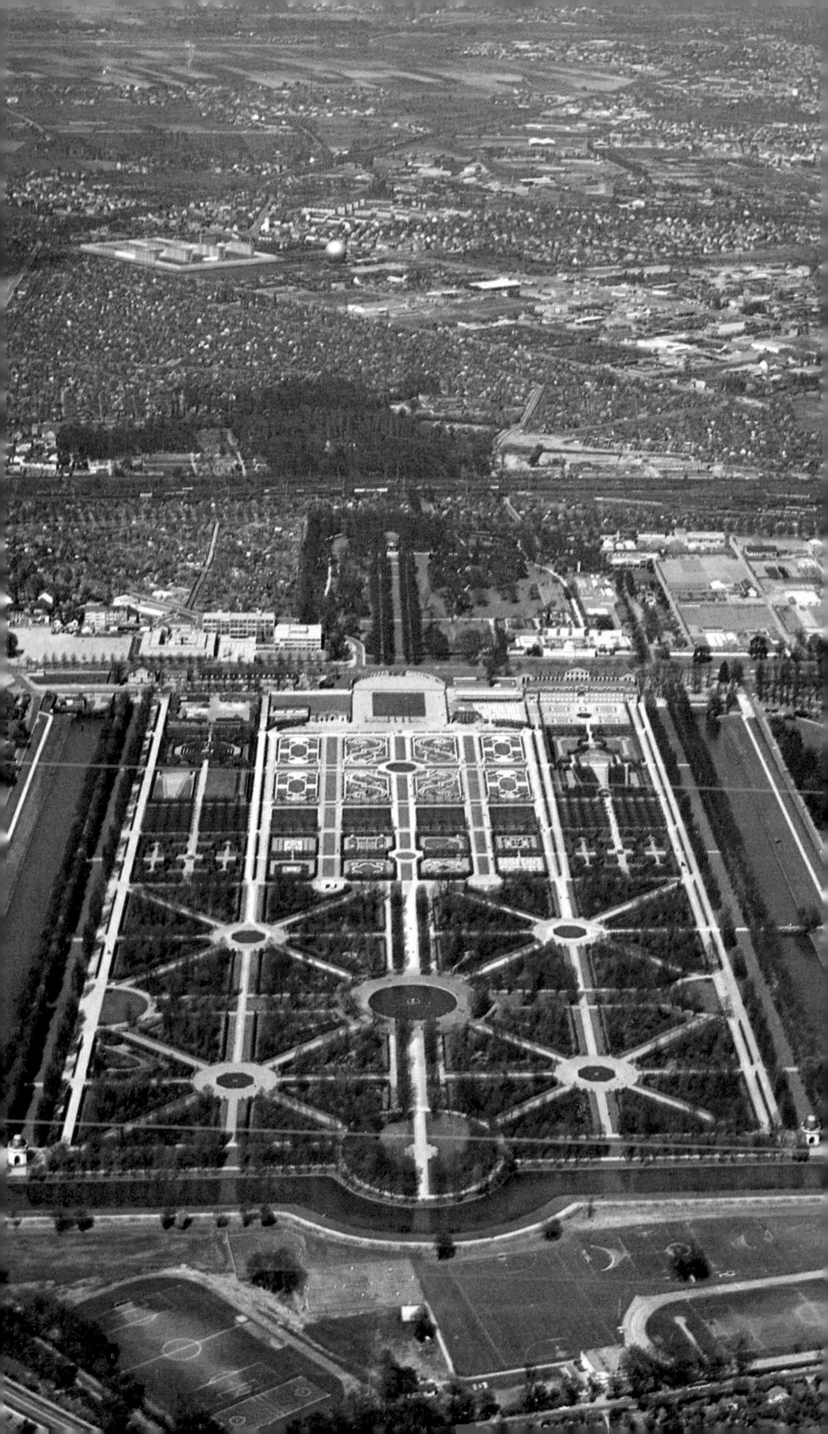

Evangelische Marktkirche St. Georg und St. Jacobus

ten nach den Originalen neu errichtet worden. – Jeweils Ende April/Anfang Mai ist Hannover Schauplatz der größten Industriemesse der Welt.

Ev. Marktkirche St. Georg und St. Jacobus (Am Markt 2): Die Kirche gehört zu den wichtigsten Bauten der norddeutschen *Backsteingotik* (14. Jh.). Nach 1945 ist sie originalgetreu wiederaufgebaut worden. Drei *Chöre* schließen die *Hallenkirche* nach O ab. Ihr wesentlicher Schmuck im Inneren ist ein spätgotischer *Schnitzaltar* (um 1490) im Hauptchor. Der *Turm* mit den steilen Giebeldächern an allen vier Seiten und dem Dachreiter darüber ist ein Wahrzeichen des alten Hannover.

Ev. St.-Johannis-Kirche (Rote Reihe 5): Kurz nach Gründung der Neustadt entstand als protestantischer Mittelpunkt diese *Neustädter Hof- und Stadtkirche* nach einem Entwurf des aus Venedig stammenden Hofbaumeisters H. Sartorio. Sie wurde als Saalkirche mit gewölbter Holzdecke und zwei Emporen gebaut. Auf diese Emporen, die bei einem Umbau um 1870 herausgenommen wurden, weisen noch die Fenstergeschoßreihen an der Ostseite hin.

Panorama mit Rathaus

Beim Wiederaufbau (bis 1958) wurde das Äußere mit dem Westturm rekonstruiert, der Innenraum jedoch modernisiert. – In dieser Kirche ist *Leibniz* beigesetzt. Die Gruft ist heute verschüttet, die geborstene Grabplatte wurde in der Südostecke der Kirche aufgestellt.

St.-Clemens-Kirche (Clemensstraße): Diese katholische Propsteikirche wurde nach Plänen des Venezianers T. Giusti zu Beginn des 18. Jh. errichtet. Die Kuppel wurde jedoch erst beim Wiederaufbau nach dem 2. Weltkrieg aufgeführt. Das Modell Giustis befindet sich im → Historischen Museum.

Altstädter Rathaus (Marktstraße): Der ausgebrannte Bau aus dem 15. Jh. ist äußerlich in alter Form wiederhergestellt worden. Die *Fassade* gehört mit ihrem *Staffelgiebel* zu den wichtigsten Profanbauten der Gotik im norddeutschen Raum. Vor allem die Farbigkeit der Ziegelwände (mit roter und grüner Glasur) und das Formenspiel der verschiedenen Muster und Friese finden sich nirgendwo in solcher Vollendung.

Leineschloß (am Friederikenplatz): An der Südecke der Altstadt, auf dem Gelände des ehemaligen Minoritenklosters, baute Herzog Georg von Calenberg 1640 ein erstes Schloß mit drei Höfen; Theater, Kirche und ein Rittersaal kamen später hinzu. G. Laves hat den Bau um 1826 im Stil des Klassizismus verändert und erweitert. Das Gebäude wurde 1959–62 aus Trümmern wiederaufgebaut und für den *Niedersächsischen Landtag* modernisiert.

Opernhaus (Opernplatz 1): Das Haus, das heute rund 1500 Zuschauer faßt, wurde um 1850 in einer Mischung aus Klassizismus und Renaissance von G. Laves als *Königliches Hoftheater* errichtet. Im 2. Weltkrieg brannte das Gebäude nieder. Das repräsentative Äußere wurde jedoch wiederhergestellt, das Innere ist entsprechend den heutigen Theateransprüchen modern gestaltet worden.

Wangenheim-Palais (Friedrichstraße 17): Das ausgewogenste Werk des hannoverschen Baumeisters G. Laves ist dieses 1832 erbaute Palais. Der Mittelbau mit seinem antikisierenden Giebel und dem Säulenzug im Erdgeschoß ist vollendeter Klassizismus.

Leineschloß, Portikus

Anzeigerhochhaus

Moderne Architektur: Zu Beginn des 20. Jh. und in den 20er Jahren sind in Hannover einige beispielgebende Bauten moderner Architektur entstanden. So die *Stadthalle* (Corvinusplatz), ein mächtiger Rundbau mit asymmetrischen Flügeln, der 1914 nach Plänen von P. Bonatz fertiggestellt wurde. Das zehnstöckige *Anzeigerhochhaus* (Goseriede 9) ist ein Stahlbetonbau mit Klinkerverkleidung und gotisierenden, expressionistischen Detailformen. Mit der runden Kupferkuppel ist dieser 1927–28 von F. Höger geschaffene Bau zu einem modernen Wahrzeichen der Stadt geworden.

Herrenhausen (Herrenhäuser Straße): Eine 2 km lange, vierreihige *Lindenallee* führt vom Königsworther Platz schnurgerade auf die Herrenhäuser Gebäude zu. Im Jahr 1726 sind dafür mehr als 1400 Linden gepflanzt worden. Die Allee mündet in den berühmten, rechteckigen *Großen Garten.* Die Anlage, die zu den bedeutendsten ihrer Art in Europa gehört, ist nach holländischem Vorbild angelegt und hat einen streng geometrischen Grundriß. Sie blieb bis heute unverändert erhalten. Zählt man die Länge aller Hecken zusammen, so ergibt sich eine 21 km lange Strecke. Verschiedene Wasserspiele (darunter die höchste Fontäne des Kontinents), Grotten, Plastiken und Schmuckvasen setzen die Akzente in dieser gewaltigen Barockanlage. Im einstigen *Gartentheater,* dem ersten in Deutschland, finden im Sommer Theateraufführungen und Konzerte statt. – Von den Gebäuden ist nur das *Galeriegebäude* erhalten, ein langgestreckter Bau, der nach dem letzten Krieg als Behelfsopernhaus diente. Die Wände hat T. Giusti mit Szenen aus der Aeneassage ausgemalt. Die Muster der Stuckdecken spiegeln kunstvolle Beetemuster wider (1694–1700). – Im *Berggarten* (heute *Botanischer Garten*) jenseits der Herrenhäuser Straße steht ein frühes Werk von G. Laves: der *Bibliothekspavillon* (1817–20). Das *Mausoleum* schuf er rund 25 Jahre später. – Im Südosten liegt der *Georgengarten,* ein Park im englischen Landschaftsstil (1779 angelegt und 1816 vergrößert). Ein *Leibniztempel* aus dem Jahr 1790 wurde aus der Stadt nach hier versetzt. Das mitten im Park liegende *Georgenpalais* (1780–96) enthält heute das → *Wilhelm-Busch-Museum.*

Museen: Das *Niedersächsische Landesmuseum* (Am Maschpark 5) zeigt Werke der bildenden Kunst aus dem 11. Jh. bis zur Gegenwart. Besonders hervorzuheben ist die Abteilung deutscher Impressionisten, die beste und reichhaltigste in Deutschland. Außerdem enthält das Museum Abteilungen für Urgeschichte, für Natur- und Völkerkunde. – Im *Kestner-Museum* (Trammplatz 3) werden neben den ständigen Ausstellungen antiker griechischer, römischer und ägyptischer Kunst mittelalterliches Kunstgewerbe, Miniaturen sowie Münzen gezeigt. Dazu gibt es wechselnde Sonderausstellungen von hohem Niveau. – Die

Kestner-Gesellschaft (Warmbüchenstr. 16) widmet sich mit Wechselausstellungen vor allem moderner und modernster Kunst. – Das *Herrenhausen-Museum* (Alte Herrenhäuser Str. 14) im *Fürstenhaus* (1721) bietet Gemälde und Möbel aus dem Besitz des Hauses Braunschweig-Lüneburg. – Das *Wilhelm-Busch-Museum* (Georgengarten 1) im ehem. → Georgenpalais ist vorrangig dem im Hannoverschen geborenen W. Busch gewidmet, zeigt jedoch außerdem Werke von H. Zille sowie moderne Karikaturen. – Das *Historische Museum am Hohen Ufer* (Pferdestr. 6) bietet einen Überblick über die lokale Geschichte und Volkskunst.

Bibliotheken: Die *Niedersächsische Landesbibliothek* hat einen Bestand von 600000 Bänden. Unter den Handschriften befindet sich auch ein Exemplar der ältesten deutschen Bibelübersetzung (um 800). – Die *Stadtbibliothek* verfügt über einen Bestand von rund 400000 Bänden, dazu viele Handschriften und Inkunabeln.

Theater: Die *Oper* des *Niedersächsischen Staatstheaters* (Opernplatz 1) ist seit 1950 wieder im alten → Opernhaus. Im *Ballhof* (Ballhofstr.), dem alten Ballspielhaus, das bald nach dem 30jährigen Krieg gebaut wurde, und im *Theater am Aegi* (Aegidientorplatz 2) spielt das staatliche *Schauspiel.* Auf der letzteren Bühne sowie im *Gartentheater Herrenhausen* und in der *Galerie Herrenhausen* gastiert auch die städtische *Landesbühne Hannover.* – Ferner: *Neues Theater* (Georgstr. 54) und *Kammerspiele im Künstlerhaus* (Sophienstr. 2) sowie das städtische *Theater für Kinder* (Maschstr. 22–24).

Außerdem sehenswert: Ein beliebtes Erholungszentrum ist der von 1934–36 künstlich angelegte *Maschsee* südlich des *Neuen Rathauses* (Ausblick von der Kuppel).

Umgebung: Von Hannover aus kann man interessante Ausflüge nach → Wunstorf, → Loccum, → Nienburg oder → Stadthagen unternehmen.

Hannoversch Münden 3510

Niedersachsen S. 418 □ G 10

A. v. Humboldt (1769–1859) zählte Münden, wo sich Werra und Fulda zur Weser vereinen, zu den sieben am schönsten gelegenen Städten der Welt. Viele sehenswerte Fachwerkhäuser von der Spätgotik bis herauf zum Biedermeier sind erhalten. An ihren Giebeln befanden sich Auslegebalken und Seilrolle, mit deren Hilfe Vorräte auf die Dachböden befördert wurden.

Ev. St.-Blasii-Kirche (Kirchplatz): Die ausgedehnte Hallenkirche, im 12. Jh. auf der Basis einer karoling. Kapelle aus dem 8. Jh. begonnen und im 15. Jh. weiter ausgebaut, beherrscht mit ihrem steilen Satteldach und der glockenförmigen barocken Haube das Stadtbild. Strebepfeiler und hohe Maßwerkfenster sowie die Kreuzrippengewölbe im Inneren zeugen vom gotischen Umbau der Kirche. – Seit 1700 steht im Chor ein pompöser *Barockaltar* mit sechs gewundenen Säulen. Der *Taufkessel* (1392) ist von einer merkwürdigen, schwer zu deutenden Symbolik (dargestellt sind vier Löwen, auf die Drachen herabschießen). Das wertvollste plastische Werk ist der *Epitaph* Herzog Erichs von Braunschweig-Lüneburg (gest. 1540). Es zeigt den knienden Herzog mit seinen beiden Frauen unter dem Kreuz.

Rathaus (Am Markt): Der gotische Kern des doppelgeschossigen, rechteckigen Saalbaus wird von frühbarocker Bildhauerarbeit aus dem Anfang des 17. Jh. überspielt (»Weserrenaissance«). Vor allem die Giebel sind mit Ornamenten und Obelisken verziert.

Schloß (Burgstraße): Das Schloß, seit 1861 Sitz von Behörden und heute auch Unterkunft des städtischen *Heimatmuseums,* entstand um 1500 aus einer Burg des 11. Jh., die einmal Heinrich dem Löwen gehörte. Der Bau, von dem nur noch der viergeschossige Nordflügel mit seinen zierlichen Dachausbauten und der 1788 teilweise neu errichtete Ostflügel erhalten sind, ist durch einen gotischen *Treppenturm* mit Wendeltreppe zugänglich. Teile einer spätgotischen *Kapelle* sind im Nordflügel eingebaut. Dort befinden sich innerhalb des Museums verschiedene sehenswerte Räume. Das *Römergemach* und das *Gemach zum weißen Roß* bieten prächtige Kamine und Fresken, die zu den wertvollsten Raumausmalungen der Renaissance in Deutschland gehören (um 1560).

Außerdem sehenswert: An der *Aegidienkirche* ist der Grabstein des berühmt-berüchtigten, 1727 verstorbenen Dr. Eisenbarth zu bewundern. – Sehenswert ist auch die alte *Werrabrücke,* in der noch fünf Bogen der 1329 gebauten Anlage enthalten sind.

Harburg, Schwaben 8856

Bayern S 422☐I 18

Schloß: Die Burg über dem Wörnitztal gehörte um 1150 den staufischen Kaisern, 1295 kam sie an die Grafen Oettingen, deren fürstliche Nachkommen noch heute die Besitzer sind. Einstmals diente die Anlage, die von einer ungewöhnlich hohen Mauer umschlossen ist und an der gefährdeten Seite noch durch eine zweite Zwingmauer gesichert wird, zum Schutz der Reichsstraße von Nördlingen nach Donauwörth. Baudaten sind nicht bekannt, doch kann man für die *innere Mauer,* den alten *Bergfried,* Reste des *Palas* und den *Ziehbrunnen* auf einen Baubeginn im 12. und 13. Jh. schließen. Die vorgelagerte *Zwingmauer* mit den halbrunden Türmen im Südwesten kam im 14./15. Jh. dazu. Um die Mitte des 16. Jh. entstanden die *Burgvogtei,* der *Nordostturm,* der *Neue Bau* (auch »Kastenhaus« genannt), der *Fürstenbauerker* und der *Röhrenbrunnen.* – Vom 2. Obergeschoß des Fürstenbaus führt ein gedeckter Gang zur *Schloßkirche St. Michael.* Ihre Anfänge sind romanisch, im 14. Jh. wurde sie erweitert und in barocker Zeit vollendet und stukkiert. An den Chorwänden befinden sich hervorragende *spätgotische Schnitzwerke:* Eine Muttergottes (1480) und der hl. Michael (um 1510). Einzelne bedeutende Arbeiten sind auch unter den zahlreichen Grabmälern der Oettinger zu finden. – Der Fürstenbau beherbergt die *Bibliothek und*

Panorama mit Schloß, Harburg

Kunstsammlung, deren berühmteste Stücke ein elfenbeinernes Kruzifix des 12. Jh. und der Seitenflügel eines Sippenaltars von T. Riemenschneider* sind.

Haßfurt 8728
Bayern S 418 □ I 14

Die Stadt zwischen den Haßbergen und dem Steigerwald läßt mit ihrer regelmäßigen Straßenführung (rechtwinklig kreuzende Gassen) auf einheitliche Planung (13. Jh.) schließen. Eine *Mauerstrecke* und drei *Stadttore* aus dem 16. Jh. sind noch von der alten Anlage erhalten, dazu *Fachwerkhäuser* und das *Rathaus* (1521).

Kath. Pfarrkirche: Der Bau der dreischiffigen Halle mit dem von zwei Türmen flankierten Chor zog sich von 1390 bis zum Ende des 15. Jh. hin. Im 19. Jh. wurde die barocke Innenausstattung entfernt und der Bau neugotisch verändert. An der nördlichen Chorwand stehen drei sehenswerte spätgotische Holzfiguren (Hl. Kilian und seine Gefährten, um 1500). Die Figur am Chorbogen zeigt *Johannes den Täufer,* eine hervorragende Arbeit T. Riemenschneiders*.

Ritterkapelle (im Ort hinter dem Bamberger Tor): Bei dieser Kirche, die für eine fränkische Adelsbruderschaft zur gleichen Zeit wie die Pfarrkirche gebaut wurde, ist der ganze Reichtum künstlerischer Ausgestaltung auf den *Chor* konzentriert. Unter dem gefüllten Rundbogenfries am Dachfirst läuft ein dreifacher, 248 Schilde zählender *Wappenfries* entlang. Zahlreiche Wappen befinden sich auch im Inneren, z. B. an den Schlußsteinen. Die Ritterkapelle enthält viele gotisierende Zutaten des 19. Jh., so Galerie und Fialen am Chor sowie den Dachreiter. Über dem südwestlichen *Portal* ist das Relief einer Kreuzigung erhalten (1455).

Havixbeck 4401
Nordrhein-Westfalen S. 414 □ C 9

Haus Havixbeck (1 km südwestlich von Havixbeck): Die *Wasserburg,* ein schlichtes Herrenhaus, ist in ihrer Grundform aus dem westfälischen

Wasserburg, Haus Havixbeck

Bauernhaus entwickelt und mit Renaissancezieraten versehen worden. Eine *Dreibogenbrücke* führt über den Wassergraben zum *Torhaus*. Die nach S geöffnete Dreiflügelanlage ist aus Bauteilen verschiedener Entstehungszeiten zusammengewachsen. Zum Kernbau von 1562 gehört der achteckige *Treppenturm*. In der westlichen Hälfte des Hauses liegt der *Rittersaal* mit einem prachtvollen Wappenkamin nach niederländischem Muster und offener Balkendecke aus der Erbauungszeit. Um 1733 entstanden die barocken *Brücken-* und *Gartenpfeiler* mit Putten und Vasen sowie die geschwungene Stützmauer der Insel nach Entwürfen des berühmten Münsteraner Architekten J. C. Schlaun*.

Haus Stapel (2 km nördlich von Havixbeck): Haus Stapel entstand aus einer schon 1211 genannten Wasserburg. Die *Vorburg* und das klassizistische *Herrenhaus* (1819–27) liegen auf einer großen Insel. Die breitgelagerte Vorburg (1719 vollendet) ist ein Frühwerk Schlauns* und typisch für seinen Baustil. Seit 1801 war die Anlage im Besitz der Freiherren von Droste zu Hülshoff, Verwandten der Dichterin, die selbst hierher zu Besuch kam. Im Haus Stapel befand sich bis 1970 ihr Nachlaß. Heute sind hier ein *Puppenmuseum* und eine *Naturaliensammlung* ihres Vaters zu sehen. → Rüschhaus.

Außerdem sehenswert: Die *kath. Pfarrkirche St. Dionysius* (Westturm aus dem 12. Jh., Langhaus 14. Jh.) mit reicher Innenausstattung. – *Pestkapelle* auf dem Kirchplatz mit Inschrift 1664.

Hechingen 7450

Baden-Württemberg S. 420 □ F 19

Burg Hohenzollern (6 km südlich von Hechingen): Seit dem 13. Jh. sind die Zollernschen Grafen in Hechingen nachgewiesen. Ab 1623 residierten sie als Fürsten von Hohenzollern auf der Burg, die 1850–67 vom Festungsbaumeister v. Prittwitz und dem Architekten Stüler nach altem Lageplan romantisch-historisierend mit Zinnen und sieben Türmen wieder aufgebaut wurde. Auf einem hohen Bergkegel ist sie wundervoll gelegen und weithin sichtbar. – Von der alten Burg ist nur die *kath. St.-Michaels-Kapelle* (15. Jh.) mit

Burg Hohenzollern

Burg Hohenzollern, Grafenhalle ▷

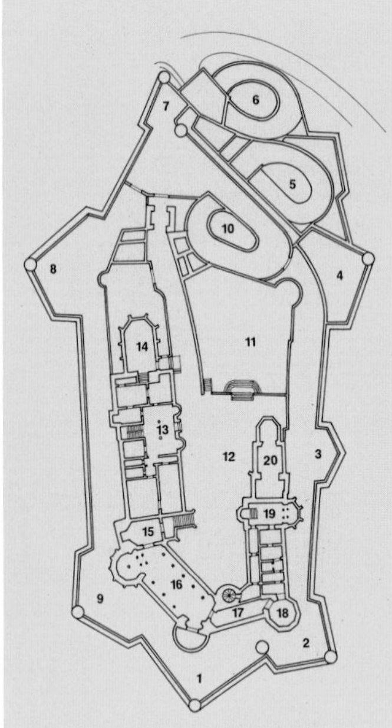

Burg Hohenzollern 1 Der Spitz **2** Scharfeckbastei **3** Gartenbastei **4** St.-Michaels-Bastei, Kronprinzengrabstätte **5** Niederes Vorwerk **6** Wilhelmsturm **7** Schnarrwachtbastei **8** Neue Bastei **9** Fuchslochbastei **10** Rampenturm **11** Burggarten **12** Burghof **13** Burgwirtschaft **14** Evangelische Kapelle **15** Stammbaumhalle **16** Grafenhalle **17** Bibliothek **18** Markgrafenturm **19** Königinzimmer **20** Michaelskapelle

drei romanischen Sandsteinreliefs und gotischen Glasgemälden erhalten. In der neugotischen *ev. Kapelle* stehen jetzt die Särge Friedrichs des Großen und Friedrich Wilhelms I. (von Potsdam hierher überführt). – Die *Hohenzollerische Landes-Sammlung* befindet sich ebenfalls im Schloß. Neben der preußischen Königskrone von 1889 enthält es viele persönliche Erinnerungsstücke.

Ehem. Stiftskirche St. Jakob (Kirchplatz): Die jetzige kath. Pfarrkirche, von dem französischen Architekten M. d'Ixnard entworfen und 1783 geweiht, ist ein Musterbeispiel des frühen *Klassizismus.* – Beim Außenbau sind noch die traditionellen barocken Formen gewahrt, doch in der Dekoration mit Urnen und Girlanden (vor allem am Westturm) zeigt sich der neue, strengere Stil. – Der Innenraum, ganz in vornehmem Weiß-Gold gehalten, ist nüchtern, ohne Schwingungen und malerische Überschneidungen. Überbleibsel barocker Formsprache sind die *Atlasfiguren,* welche die Fürstenloge tragen, sowie die *Deckengemälde* der Seitenkapellen. Die *Altäre* bestehen aus einer einfachen Mensa mit Tabernakel, nur auf dem nördlichen Seitenaltar steht eine Muttergottes (um 1500). Im *Chor* befindet sich ein bedeutendes Bronzegußwerk der frühen deutschen Renaissance, die *Grabplatte* Graf Eitelfriedrichs von Zollern und seiner Gemahlin (1512). Wahrscheinlich wurde sie von P. Vischer* aus Nürnberg geschaffen.

Ehem. Franziskanerklosterkirche St. Luzen (St.-Luzen-Weg): Am Nordrand der Unterstadt führt ein Stationsweg des 17. Jh. zur Klosterkirche, einem sehr einfachen langgestreckten Bau aus den Jahren 1586–89. Der *Innenraum* gehört zu den interessantesten Zeugnissen der *Spätrenaissance.* In der Gewölbedekoration mit Rippen und Schlußsteinen leben noch Erinnerungen an die Gotik. Darunter liegt ein Gebälk, das von reich verzierten Halbsäulen und Pilastern in reinem Renaissancestil getragen wird. Zwischen den Säulen sind Muschelnischen mit Apostelfiguren in die Wand eingelassen. Sie zeigen ebenso wie auch die Ornamente der Stuckdekoration niederländischen Einfluß. Kanzel und Chorgestühl (1587–89) stammen von H. Amann aus Ulm.

Villa Eugenia: Der Bau an der Zollstraße wurde 1786–87 als »Lustgartenhaus« errichtet. An den schönen Mittelbau fügte man im neunzehnten Jahrhundert die nüchternen Seitenflügel, die den Charakter der Anlage sehr stark beeinträchtigen. – Weitere klassizistische *Parkbauten* stehen im *Fürstengarten.*

Heidelberg 6900
Baden-Württemberg S. 420 □ E 16

Vom frühesten Bewohner dieser Gegend ist nur noch ein Unterkiefer vorhanden: vom Homo heidelbergensis, dem Menschen der Zwischeneiszeit vor etwa 500000 Jahren. Im 1. Jh. v. Chr. gab es auf dem Heiligenberg, wo sich heute eine Freilichtbühne befindet, ein Keltenheiligtum, später eine römisch-heidnische Kultstätte. Die eigentliche Geschichte Heidelbergs begann, als der Wittelsbacher Ludwig der Kelheimer 1226 Pfalzgraf wurde. Die Wittelsbacher Linie behielt bis zur Übersiedlung in das neuerbaute Mannheim (1720) hier ihre Residenz. Kurfürst Ruprecht III. gründete 1386 in Heidelberg die (nach Prag) zweite deutsche Universität. Die Krone Heidelbergs, das rote Sandsteinschloß, erlebte drei große Epochen: die gotische (bis etwa 1500), die erste Renaissance-Epoche und schließlich die wohl bedeutendste, die dritte Epoche (1544–1632), in der sich die Burg zum Fürstenschloß wandelte, das dem Stadtbild Heidelbergs Weltruhm gebracht hat. – Stellvertretend für das literarische Leben Heidelbergs sei die Sammlung »Des Knaben Wunderhorn« genannt, die A. v. Arnim und C. Brentano von 1805–08 im Haus Hauptstraße 151 redigierten und edierten. – Alt-Heidelberg wurde im 2. Weltkrieg verschont; nur ein paar Brücken wurden beim Rückzug routinemäßig gesprengt.

Schloß (Schloßberg): Das älteste Stück des Burgschlosses sind die römischen Granitsäulen in der *Brunnenhalle* (rechts nach dem Durchschreiten des *Torturms*), die Kurfürst Philipp (1476–1508) aus der Kaiserpfalz Karls d. Gr. in Ingelheim herbeischaffen ließ. Zuvor war die Burg schon von Kurfürst Ruprecht, dem späteren deutschen Kaiser und Gründer der Universität, militärisch gesichert und um die drei *Osttürme* bereichert worden. Aus dieser Zeit stammt auch der *Ruprechtsbau* (links nach dem Durchschreiten des Tors), für den man den Frankfurter Baumeister M. Gerthener* holte (im 16. Jh. Renaissanceumgestaltung). Die kriegerische Atmosphäre zur Zeit der Bauernkriege und Reformation ließ weitere Befestigungen entstehen. Gleichzeitig wurde die Anlage an der

Heidelberg, Panorama mit Schloß

Südseite um den *Bibliotheksbau* und an der Ostseite um den *Frauenzimmerbau* erweitert. Auch der sog. *Gläserne Saalbau* (nach den Spiegeln genannt, die in die Pfeiler eingelassen wurden) gehört in diese Epoche. Die Zeit, in der die alte Feste zur prächtigen Residenz aufblühte, begann 1530 und endete mit dem Ausbruch des 30jährigen Krieges. In dieser Phase entstand der *Ottheinrichsbau* (1556–59), jener erste Palastbau der deutschen Renaissance, in dem sich die italienische Horizontalordnung der Geschosse und die niederländisch-deutsche Schmuckfreude verbindet. Der Baumeister ist unbekannt. Im Ottheinrichsbau befindet sich heute das → *Deutsche Apotheken-Museum.* Ein halbes Jahrhundert später bekam dieses Glanzstück im *Friedrichsbau* (1601–07) eine gewichtige Konkurrenz. Hier wird die Schmuckfreude bis ins Bombastische gesteigert, wozu der Ausbau der Ruine um 1900 noch ein übriges getan hat. Interessant ist die Figurenreihe in den Nischen, welche die fürstliche Ahnenreihe von Karl d. Gr. bis zum Erbauer Friedrich IV. (rechts unten) zeigt. Der Friedrichsbau hat zwei Schauseiten (zum Hof und nach der Stadt hinunter) und im N eine breite Terrasse. Den Ausklang der Renaissancebaufreude bildet der *Englische Bau* (im Nordwesten der Anlage, neben dem gesprengten *Dicken Turm*), den der »Winterkönig« Friedrich V. für seine englische Gemahlin errichten ließ. Aus England brachte er auch den Gartenarchitekten mit, der auf den Terrasssen den berühmten *Hortus Palatinus,* eine mathematische Gartenanlage im Stil der italienischen Spätrenaissance, geschaffen hat. Das vielbesungene *Heidelberger Faß,* in einem Gebäude neben dem Englischen Bau, wurde erst 1751 unter Karl-Theodor aufgestellt. Mit seinem über 220 000 Litern Rauminhalt sollte es den Zehnten der Weinernte im Pfälzer Land als kurfürstlichen Anteil aufnehmen.

Haus zum Ritter (Hauptstraße 178): Die Renaissancebauweise hat vom Schloß auf die Stadt ausgestrahlt. Der Hugenottenkaufmann Bélier ließ sich

Haus zum Ritter

1592 nach dem Vorbild des Ottheinrichsbaues sein Haus zum Ritter (mit dem Ritter St. Georg als Bekrönung) entwerfen. Zwei Erkerzüge gliedern die fünfgeschossige Fassade mit ihrem vielfältig geschwungenen Giebel.

Hl.-Geist-Kirche (Hauptstraße): Bei der Universitätsgründung begann man auch mit dem Bau der Kirche. Zwischen den Strebepfeilern ist die Kirche von einem Kranz idyllischer Verkaufsläden umgeben. – In den Seitenschiffen der Halle gibt es eigenartige *Emporenaufbauten.* Diese waren als Bibliotheksraum der Universität gedacht und sollten die berühmte *Bibliotheca Palatina* aufnehmen, die jedoch 1622 als Kriegsbeute und Schenkung nach Rom kam (800 deutsche Handschriften gab Papst Pius VII. im 19. Jh. zurück). Die gotische Kirche, deren Innenraum wegen der Reformation bis zum Jahr 1936 durch eine Mauer geteilt war (hier Katholiken, dort Protestanten), erhielt

1698 das *Mansardendach* und Anfang des 18. Jh. die charakteristische barokke Haube als *Turmhelm.* – Von der Ausstattung der Kirche ist die *Grabplatte* des Universitätsgründers Ruprecht III. (gestorben 1410) und seiner Gemahlin Elisabeth von Hohenzollern von Interesse.

Ehem. Jesuitenkirche (Schulgasse): Im Jahr 1712 wurde die heutige kath. Pfarrkirche nach einem Entwurf von J. A. Breunig errichtet. Diesem Heidelberger Baumeister sind alle wesentlichen Bauwerke zu Anfang des 18. Jh. in Heidelberg zu verdanken; z. B. das benachbarte *Jesuitenkolleg,* das *Hospital mit Annakirche* (Plöck 104), *Universitätsbauten,* das Haus des → *Kurpfälzischen Museums* (Hauptstraße 97) und das *Haus zum Riesen* (Hauptstraße 52). Für die barocke Entstehungszeit ist eine *dreischiffige offene Halle* wie hier selten. Der Raum wirkt kühl, fast klassizistisch. Schön sind die *Stuckkapitelle* mit Rokokodekor. Von den *Plastiken* werden ein Salvator mundi und zwei Heilige dem Mannheimer Barockbildhauer P. Egell (1691–1752) zugeschrieben.

Kath. Pfarrkirche St. Vitus (in Handschuhsheim): In der um 1200 erbauten, während der Gotik und später vielfach veränderten Kirche gibt es eine Anzahl bedeutender *Grabdenkmäler.* An erster Stelle ist jenes zu nennen, das Johann von Ingelheim und Margarete von Handschuhsheim (im östl. Seitenschiff) zeigt. Der Bildhauer dieses Grabmals, der sein Werk mit Buchstaben signiert und datiert hat (M.LSP. VH 1519), kommt aus dem Kreis H. Backoffens* aus Mainz. Hervorragend sind die Porträtköpfe der beiden Dargestellten.

Alte Brücke (Karl-Theodor-Brücke): Die Brücke, die in sanftem Bogenschwung über den Neckar nach Neuheim und Handschuhsheim führt, ist mindestens die fünfte an dieser Stelle. Sie wurde 1945 gesprengt, jedoch nach altem Vorbild wiederaufgebaut. Das *Brückentor* mit den beiden Rundtürmen wurde 1786–88 unter Kurfürst Karl Theodor errichtet, dessen Namen die Brücke auch trägt.

Bergfriedhof: Auf dem stimmungsvollen Friedhof, der 1844 angelegt wurde, sind zahlreiche berühmte Persönlichkeiten beigesetzt, z. B. der Chemiker R. W. Bunsen (gest. 1899), der Dichter J. H. Voss (gest. 1826) und der Dirigent W. Furtwängler (gest. 1954).

Universitätsbibliothek: Mit einem Bestand von 1 120 000 Bänden und einer berühmten Handschriftensammlung (tägl. zu besichtigen) gehört die Bibliothek zu den bedeutendsten im deutschsprachigen Raum. Neben der *Manessischen Liederhandschrift* mit den 137 Miniaturen der Minnesänger (um 1320) gehören auch die zweite Fassung der *Evangelienharmonie* des Otfried von Weißenburg (9. Jh.) und der *Sachsenspiegel* (13. Jh.) zu den Beständen.

Museen: Das *Kurpfälzische Museum* (Hauptstraße 97) im schon erwähnten Barockbau des Heidelberger Baumeisters Breunig (1712) zeigt vor allem Bilder jener Künstler, die das romantische Heidelberg entdeckt haben (Fohr, Rottmann, Fries, Blechen). Das plastische Hauptwerk ist der Windsheimer Zwölfbotenaltar von T. Riemenschneider*, der von einer dicken Ölfarbenschicht bedeckt war und erst nach dem 2. Weltkrieg als Werk des großen Bildschnitzers erkannt wurde. – Das *Deutsche Apotheken-Museum* im Schloß bietet einen Überblick von der altertümlichen Kräuterkammer bis zur modernen Pharmazie.

Theater: Die früheren »Heidelberger Festspiele« im Schloßhof haben Heidelberg den Ruhm als Theaterstadt gebracht. Heute pflegen die *Städtischen Bühnen* (Theaterstraße 6) Oper, Operette und Schauspiel.

Umgebung: Von Heidelberg aus kann man schöne und interessante Ausflüge unternehmen, so nach → Schwetzingen, → Speyer, → Lorsch, → Bruchsal, → Mannheim und → Ludwigshafen.

Heidenheim an der Brenz 7920

Baden-Württemberg S. 422 □ H 18

Schloß Hellenstein: Obwohl die Burg auf steilem Felsen hoch über der Stadt errichtet wurde und uneinnehmbar erscheint, hat sie viele Stürme und Zerstörungen über sich ergehen lassen müssen. Im 30jährigen Krieg wurde sie vollständig verwüstet und 1820 plante man sogar den Abbruch der Ruinen. Das malerische Bild, das von den *Umfassungsmauern, Geschütztürmen, Treppengiebeln* und einem *Achteckturm* mit geschwungener Haube bestimmt wird, blieb jedoch erhalten. Am *Oberen Schloß* sind noch mittelalterliche Mauerreste (13. Jh.) zu sehen. Die Gebäude stammen größtenteils aus dem 17. Jh. – In der 1605 geweihten *Schloßkapelle,* einer der frühesten ev. Kirchen in Württemberg, wurde 1956 ein Heimatmuseum eingerichtet.

Heilbronn am Neckar 7100

Baden-Württemberg S. 420 □ F 17

Eine heilige Quelle (Helibrunne), die ehemals nahe der Kirche des hl. Kilian floß, gab der Stadt den Namen. Dank seiner günstigen Lage am Kreuzungspunkt zweier wichtiger Handelsstraßen kam Heilbronn rasch zu Macht und Reichtum. Vom ursprünglichen Bild der wohlhabenden Stadt ist im 2. Weltkrieg allerdings nur wenig erhalten geblieben. Die alten Wohnhäuser wurden fast alle zerstört. Nur die bedeutendsten Gebäude wurden neu aufgeführt.

Ev. Pfarrkirche St. Kilian (Kaiserstraße): Die originalgetreue Rekonstruktion der Kirche, mit deren Bau Ende des 13. Jh. begonnen worden war und die im 2. Weltkrieg zerstört wurde, ist besonders schwierig gewesen. Die gotischen Ornamente, die mit antikisierenden Renaissanceformen abwechseln, erforderten mühevolle Kleinarbeit. – Der *Turm* ist nicht von einem festen Helm bekrönt, sondern mündet in einem Kranz von sich ständig verjüngenden Balustraden. Auf der Turmspitze steht anstelle des Kreuzes ein Landsknecht als Bannerträger der Stadt. 1508–29 wurde der Originalturm von H. Schweiner von Weinsberg errichtet. – Das bedeutendste Stück der Ausstattung ist der *Hochaltar* von 1498, von

Schloß Hellenstein, Heidenheim

Rathaus, Heilbronn ▷

dem 13 Figuren und die Flügel im Krieg ausgelagert waren und deshalb erhalten blieben. Der Schrein mußte erneuert werden.

Rathaus (Marktplatz): Das Rathaus ist ein gotischer Bau, der 1417 errichtet wurde, seine prächtige Fassade im Renaissancestil jedoch erst Ende des 16. Jh. erhielt. Eine Freitreppe führt zu einem Balkon, der die ganze Breite des Baus einnimmt und auf 5 Arkaden mit ionischen Säulen ruht. Stolz der Stadt ist die *Rathausuhr,* eine Kunstuhr mit zwei Zifferblättern, von J. Habrecht, dem Schöpfer der berühmten Uhr im Straßburger Münster.

Götzenturm: (Untere Neckarstraße): Der Turm ist ein Überbleibsel der alten Stadtbefestigung. Nach der Überlieferung war hier Götz von Berlichingen im Jahre 1519 gefangen, doch diente damals der ebenfalls erhaltene *Bollwerksturm* als Gefängnis.

Käthchenhaus (Marktplatz): An der Westseite des Marktplatzes ist ein mehrfach umgebautes Patrizierhaus, in dem das Vorbild zu Heinrich von Kleists »Käthchen von Heilbronn« gewohnt haben soll, nach der Zerstörung im 2. Weltkrieg wieder aufgebaut worden.

Historisches Museum (Kramstraße 1): Das kleine Museum zeigt kulturgeschichtliche Sammlungen unter besonderem Bezug auf Heilbronn und Umgebung.

Heilbronner Theater GmbH. (Gartenstr. 64): Das Theater, das 1951 unter dem Namen Kleines Theater Heilbronn eröffnet worden war, wird von einem eigenen Schauspielensemble bespielt.

Heiligenberg 7799

Baden-Württemberg S. 420 □ F 20

Schloß: Nördlich von Überlingen, hoch über der weiten Bodenseelandschaft, liegt das Schloß der Fürsten von Fürstenberg, das auf alten Fundamenten im 16. Jh. ausgebaut wurde und dabei seine heute charakteristischen Renaissancezüge erhielt. Dem gotischen *Kemenatenflügel* wurden zur Hofseite hin in vier Geschossen rundbogige *Arka-*

St. Kilian, Heilbronn

Kassettendecke, Schloß Heiligenberg ▷

dengänge vorgelegt (1594–1604). – Gegenüber dem Wohntrakt entstand von 1580–84 der *Rittersaal,* einer der prächtigsten Festsäle der deutschen Renaissance. Neben dem Goldenen Saal im → Augsburger Rathaus kommt diesem Rittersaal als Stil- und Zeitdokument eine exemplarische Bedeutung zu. Die reich geschnitzte Kassettendekke (36 × 11 m) ist im Dachstuhl aufgehängt und ruht auf den Pfeilern zwischen den hohen Rundfenstern. Sandsteinkamine mit Nischen- und Säulenfiguren stehen sich an den Schmalseiten des festlichen Saals als Raumabschluß gegenüber (1584). – Die schmale und hohe *Schloßkapelle* (17. Jh.) im Westflügel erstreckt sich über drei Geschosse und erinnert mit ihren Emporen- und Logenöffnungen an den Zuschauerraum eines alten Theaters. Neben *Fenstern* aus dem 14. Jh. (aus der Dominikanerkirche in Konstanz übernommen) verdienen vor allem die reichen *Schnitzereien* und die *Wandmalereien* besondere Beachtung.

Heiligenstadt 8551

Bayern S. 418 □ K 15

Schloß Greifenstein (2 km nördlich Heiligenstadt): Das Schloß liegt 502 m hoch und ist nur über einen Fußweg zu erreichen. Barockbaumeister L. Dientzenhofer* hat die Pläne für diese eindrucksvolle Anlage geliefert. Hervorzuheben sind eine imponierende *Waffensammlung* mit Handwaffen vom Mittelalter bis zur Gegenwart sowie der berühmte *Wappensaal,* wo die Wappen aller Frauen, die in die Familie von Stauffenberg eingeheiratet haben, gezeigt werden.

Heiligkreuztal = Altheim 7940

Baden-Württemberg S. 420 □ F 19

Ehem. Zisterzienserinnen-Klosterkirche: Die Kirche wurde 1256 geweiht, jedoch bis 1319 zur dreischiffigen Basilika umgewandelt. Es folgten weitere Umbauten im 16., 17. und 18. Jh. Hervorzuheben ist die *Innenausstattung:* Das große, farbenprächtige Glasfenster im O ist eine der bedeutendsten, bis heute erhaltenen hochgotischen Arbeiten dieser Art. Die Chorwände tragen Fresken des Meisters von Meßkirch (1533). Unter den zahlreichen plastischen Kunstwerken soll hier die sehr feine, buntbemalte Gruppe Christus und Johannes in einer Nische der Chorostwand hervorgehoben werden (um 1340). Sie zeigt Christus und an dessen Brust den ruhenden Johannes. Aus der Klosterkirche stammt auch die heute in Nürnberg im Germanischen Nationalmuseum gezeigte Anbetung der Könige von M. Schaffner, um 1515 (eine Kopie befindet sich auf einem der Nebenaltäre).

Heilsbronn 8802

Bayern S. 422 □ I 16

Ehem. Zisterzienserklosterkirche: Die 1150 geweihte Kirche gehörte einst zu einem Kloster, das ab 1581 als Fürstenschule diente und später mit dem Gymnasium Ansbach vereinigt wurde. Bauherr war der mächtige Bischof Otto von Bamberg. 1333 übernahmen die Zollernschen Burggrafen von Nürnberg die Schirmherrschaft über das Kloster. Über 20 von ihnen sind hier bis ins 18. Jh. hinein beigesetzt worden. Die Kirche wurde nach dem 2. Weltkrieg wieder aufgebaut und dabei, soweit wie möglich, in den originalen stilistischen Zustand zurückversetzt. Das *Mittelschiff* ist mit viel Mauerwerk, klobigen Würfelkapitellen und kurzen, stämmigen Säulen von urtümlicher Schwere. Im Kontrast dazu stehen der helle frühgotische *Ostchor* (um 1280) und das südliche *Seitenschiff* (1412–33). Die Apsis der *Heideckkapelle* (am südlichen Querschiff, Ende 12. Jh.) zeigt ebenfalls die robust-einfachen Formen der Frühzeit. – Von den ehemals 29 *Altären* sind heute noch neun erhalten. Der Hochaltar, eine geschnitzte spätgotische Anbetung der Könige, ist die Arbeit eines Nürnberger Meisters

(1502–22). In teilweiser Anlehnung an Arbeiten von A. Dürer* sind die Nebenaltäre (z. B. Marter der 11000 Jungfrauen, Maria mit Heiligen, 1511) entstanden. – Die zahlreichen *Grabmäler* geben dem Raum einen musealen Charakter. Das Wandgrab der Markgrafen Friedrich und Georg (gest. 1543) gehört zu den nobelsten und feinsten der deutschen Renaissance (im südlichen Seitenschiff). – Die 12 Apostel, die das Bild der *Kanzel* bestimmen, sind gute spätgotische Schnitzereien. Im Chor steht ein *Sakramentshäuschen* (1515). – Im N der Kirche liegt das *ehem. Refektorium.* Dieser spätromanische Saal stammt aus der Mitte des 13. Jh. Das reiche Portal zur heutigen Kirche befindet sich im Germanischen Nationalmuseum in → Nürnberg.

Heisterbach = 5330 Königswinter 21

Nordrhein-Westfalen S. 416 □ C 12

Ruine der Zisterzienserkirche: Die Lage der Kirche im abgelegenen Waldtal ist charakteristisch für die Haltung der weltabgewandten Zisterzienser. Weithin bekannt wurde die Ruine durch die deutschen Romantiker, welche die Legende vom »Mönch von Heisterbach« in vielen Fassungen überliefert haben. 1809 sprengte man die 1202 begonnene und 1237 geweihte, mächtige Basilika mitsamt dem Kloster. Apsis und Chorumgang blieben jedoch erhalten, weil der Sprengsatz nicht zündete. An der Ruine läßt sich noch die Großartigkeit der spätromanischen Kathedrale, die sich mit den berühmten → Kölner Kirchen vergleichen ließ, erkennen. – Außen bauen sich die drei Teile der Choranlage klar übereinander auf: der *Kapellenkranz,* von innen in die starke Mauer eingelassen, als Sockel mit kleinen Fensteröffnungen und Dach, darüber die Fenster des *Umgangs* und im dritten Geschoß die hohen *Rundbogenfenster* des Hochchors. Von innen erscheint alles leichter und zierlicher. – Heute steht nahe

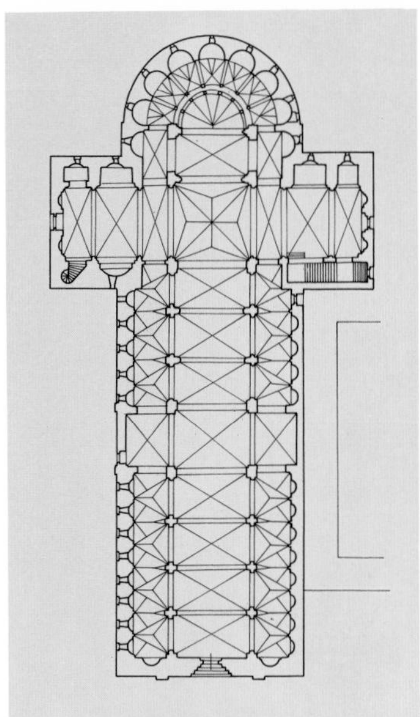

Zisterzienserkirche Heisterbach

der Ruine ein *Zellitinnenkloster.* Die Gebäude stammen aus dem 18. Jh.

Helmarshausen → Karlshafen

Helmstedt 3330

Niedersachsen S. 414 □ I 8

Helmstedt ist heute das Nadelöhr im Verkehr zwischen der Bundesrepublik und Berlin. Ihre historische Bedeutung erhielt die Stadt in den Jahren 1576 bis 1810, als hier eine der wichtigsten deutschen Universitäten der Nachreformationszeit, die Academia Julia (die Welfenuniversität), ihren Standort hatte. Die Geschichte des Orts reicht freilich noch weiter bis in die Epoche der Ostmissionierung zurück. Im Hof des Kloster St. Ludgeri erinnert die alte Missions- und Taufkapelle an das 9. Jh.

Juleum, Helmstedt

St. Ludgeri

Juleum (Juliusplatz): Welfenherzog Heinrich Julius gründete 1576 die Academia Julia zunächst im alten Stadthof des aufgehobenen Zisterzienserklosters, dem Grauen Hof, ließ aber zugleich mehrere neue Bauten für die Alma mater errichten. 1592–97 kam das Aulagebäude mit dem *Auditorium maximum* hinzu. Der *Bibliothekssaal* im Obergeschoß wurde erst im 18. Jh. eingebaut und enthält heute das → *Kreisheimatmuseum.* Die hellen Sandsteinrahmungen an Fenstern, Portalen und Turm stehen in einem wirkungsvollen Kontrast zum dunklen Anstrich des Baukörpers. Das Portal, das einst als *Studenteneingang* diente, zeigt Simson und den Löwen als Universitätswappen. Am *Turmportal,* durch das die Nichtakademiker gingen, ist das Herzogwappen zu erkennen. – Im Keller der Universität ließ der Herzog eine *Trinkstube* einrichten, damit die Studenten lernen sollten, »daß Bacchus mit den Füßen getreten werden muß«.

Ehem. Klosterkirche St. Ludgeri und Doppelkapelle St. Petrus und St. Johannes d. T. (Eingang Ostendorf): Das alte, reichsunmittelbare Benediktinerkloster wurde im 9. Jh. in enger Verbindung mit der Abtei in → Essen-Werden gegründet und bestand bis zur Säkularisation 1803. Heute ist die Kirche, die schweren Zerstörungen ausgesetzt war (1942 ausgebrannt), katholische Pfarrkirche. An den Ostteilen des Baues kann man die frühe Entstehung (11. Jh.) noch erkennen. – Bedeutendster Teil ist die *Felicitaskrypta* unter dem Ostbau, ein fast quadratischer, halb unter der Erde liegender Raum, der in der Mitte von Säulen und übereck gestellten Pfeilern gestützt wird. Interessant sind die *Kapitellformen* und an der Westwand der Rest eines *Gipsfußbodens* mit der Darstellung der sieben Weisen des Altertums. – Die *Doppelkapelle* im Hof des ehemaligen Ludgeriklosters (der obere Teil ist Johannes, der untere Petrus geweiht) ist wohl der älteste Bau der Anlage. Bei Grabungen fand man Mauern, die ins 9. Jh. weisen. Die Doppelkapelle in ihrem heutigen Äußeren – ohne die barocke Haube mit Laterne (1666) – ist aus der Mitte des 11. Jh. Im Inneren ist das romanische Gewölbe mit barocken Stuckornamenten überzogen. Die Säulen haben noch die alten *Kapitelle* aus der Entstehungszeit.

Ehem. Kloster Marienberg (Klosterstraße): Das *romanische Langhaus* der Kirche erhielt im 14. Jh. einen gotischen *Chorraum,* der jedoch 1488 wieder umgestaltet wurde. Schöne *Portale* mit Rankenornamenten stammen wie das Langhaus aus dem späten 12. Jh. Aus gotischer Frühzeit (1256) sind die *Wandmalereien* in den beiden Kapellen unter den unvollendeten Türmen. Im nördlichen Querschiff sind *romanische Glasfenster* (Apostel) erhalten. – Das kostbarste Stück unter den Bildstickereien des ehemaligen Augustinerchorfrauenstifts im *ehem. Konventsgebäude* ist das gestickte Leinenantependium mit Christus, Aposteln, Heiligen und Symbolen (um 1250).

Stadtbefestigung: An der Neumärker Straße ist mit dem *Hausmannsturm* eines der alten Stadttore erhalten.

Lübbensteine (Braunschweiger Landstraße): Die beiden *Großsteingräber* stammen aus der jüngeren Steinzeit.

Kreisheimatmuseum (Bötticherstr. 2): Im Mittelpunkt der kulturgeschichtlichen Sammlungen im Juleum stehen die Paläontologie, Biologie und Münzen.

Brunnentheater (Brunnenweg 7): In dem 1815 eröffneten (und 1924–27 neu erbauten Theater, 837 Plätze) finden heute nur noch Gastspiele statt.

Herborn (Dillkreis) 6348

Hessen S. 416 □ E 12

Herborn, ehemals ein wichtiger Verkehrspunkt, gewann an Bedeutung, als hier 1584 eine ev. theologische Universität gegründet wurde, die seit 1886 im Schloß untergebracht ist.

Schloß (Am Schloßberg): Es wurde in der 2. Hälfte des 13. Jh. angelegt und später erweitert. Die malerische Baugruppe erhebt sich mit ihren hohen *Satteldächern* und drei schlanken runden *Ecktürmen* über dem Ort und schließt das Stadtbild ab.

Ehem. Hohe Schule (Schulhofstr.5): Diese war bis 1588 Rathaus und ist heute *Heimatmuseum.* Es handelt sich um einen zweigeschossigen Steinbau mit einem schönen *Fachwerkgiebel* und einem ausgeprägten Erker. Die Hoffront wird von drei *Zwerchhäusern* und einem runden *Treppenturm* charakterisiert. Von der alten Bestimmung zeugt im Untergeschoß die große *Aula* mit Fürsten- und Professorenbildnissen.

Rathaus (Marktplatz): An dem 1589–91 errichteten Renaissancebau verläuft unter den Fenstern im zweiten Geschoß eine Galerie von geschnitzten Bürgerwappen (Originale im Heimatmuseum).

Außerdem sehenswert: Die *Altstadt* mit ihren mittelalterlichen Gassen und vielen schieferverkleideten Fachwerkhäusern sowie Resten der Stadtbefestigung bildet das Kernstück des reizvollen Ortes. Am interessantesten ist der *Kornmarkt.*

Herford 4900

Nordrhein-Westfalen S. 414 □ E 8

Die Stadt ist aus vier Siedlungen zusammengewachsen, von denen jede ein großes Gotteshaus besaß. So war der Ort schon im Mittelalter reich an Kirchen und Klöstern und wurde deshalb »heiliges Herford« genannt. Heute sind die Hauptkirchen protestantisch. Herford ist Geburtsort des großen Barockbaumeisters Pöppelmann, der u. a. den Dresdner Zwinger gebaut hat.

Münsterkirche, Herford

Johanneskirche

Ev. Münsterkirche (Münsterkirchplatz): Die ehemalige Stiftskirche eines 790 gegründeten hochadeligen Damenstifts ist die Urpfarrei des Ortes. Sie wurde von einem Neubau abgelöst, mit dem 1220 begonnen wurde. 1270–80 entstand als letzter Teil die Zweiturmfassade, von der allerdings nur der Südturm fertig geworden ist. Die spätromanische Kirche ist das älteste Beispiel der großen westfälischen *Hallenkirchen.* Im Inneren läßt sich an Stützen, Gewölben, Fenstern und vor allem an den *Kapitellen* ablesen, wie die stilistische Entwicklung während der Bauzeit fortgeschritten ist. Im O finden sich noch Kelchblockkapitelle romanischer Prägung. Im Langhaus und im südlichen Querschiff bestimmen kelchförmige Knospen- und Blattkapitelle (z. T. mit Maskenköpfen) das Bild. Vom gotischen Ausbau zeugen auch einige besonders reiche *Maßwerkfenster.* – Bedeutendstes Stück der Ausstattung ist der *Taufstein* (1500) mit Heiligenstatuetten und sehr lebendig gestalteten biblischen Szenen in den Reliefs.

Ev. Marienkirche (Stiftberg): Der ursprünglich ebenfalls zu einem Frauenstift gehörende Bau ist als *hochgotische Hallenkirche* auf fast quadratischem Grundriß von 1290–1350 entstanden. Im Äußeren wird sie durch quergestellte Satteldächer charakterisiert. Der weite Innenraum wirkt mit seinen schlanken, fast schwerelos aufsteigenden Pfeilern ungemein licht. Als Hochaltaraufsatz dient ein spätgotisches *Reliquientabernakel* in der Art eines Sakramentsturms. Aus der Ausstattung sei auch die stehende *Muttergottes,* eine Steinfigur von 1330–40, hervorgehoben.

Ev. Johanneskirche (Neuer Markt): In dieser gotischen Hallenkirche verdienen vor allem die *Glasmalereien* der Chorfenster Beachtung: 18 Medaillonbilder (um 1300) berichten aus der Geschichte Jesu; die Fenster der beiden Schrägseiten enthalten Gemälde der Hochgotik. Im Mittelfenster ist eine Kreuzigung dargestellt (mit den Bildern der Stifter; 1520). Beachtenswert sind auch das *Gestühl* und die *Emporen.*

Außerdem sehenswert: Die gotische *ev. Jakobikirche* besitzt eine einheitliche Ausstattung mit Holzschnitzereien der Spätrenaissance, einer Kanzel mit Einlegearbeit und Wandvertäfelungen. – *Alte Fachwerkbauten* aus der Mitte des 16. Jh. sind u. a. in der Elisabethstraße (Nr. 2), Brüderstraße (Nr. 26 und 28) sowie am Neuen Markt (Nr. 5) erhalten. – Das *Städtische Museum* (Deichtorwall 2) zeigt Sammlungen zur lokalen Kulturgeschichte.

Hermannstein (über Wetzlar) 6331

Hessen S. 416 □ E 13

Burgruine: Die 1373–79 für Landgraf Hermann I. von Hessen erbaute *Oberburg* ist das typische Beispiel einer gotischen Wohnturmanlage nach französischem Vorbild. Der sehr unwohnlich anmutende Bau, an der höchsten Stelle einer Felsenklippe errichtet, diente als Grenzfeste gegen die benachbarten Grafschaften. Die Angriffsseite im Nordosten erscheint völlig uneinnehmbar, denn der Mauer ist nochmals ein massiver Halbturm vorgelegt. – Im Inneren befinden sich zwei hohe Geschosse mit je einem Repräsentationsraum unter Kreuzgratgewölbe. Vom ehemaligen Dachgeschoß sind zwei lange, grotesk aufragende Schornsteine übriggeblieben. – Die nicht mehr befestigte *Unterburg* enthält kleinere, intimere Wohnräume und eine große Küche. Gut erhalten sind ein kleiner Kapellenraum und der Treppenturm.

Bad Herrenalb 7506

Baden-Württemberg S. 420 □ E 18

Ehem. Zisterzienserklosterkirche: Das Kloster Herrenalb ist als Gegenstück

Tumba des Markgrafen Bernhard von Baden (Straßburger Raum um 1431) in der ehemaligen Zisterzienserklosterkirche in Bad Herrenalb

zum benachbarten Frauenalb gegründet worden. Vom alten Bau aus der Zeit um 1200 ist nur die Vorhalle, das *Paradies,* erhalten geblieben. Zur Zeit der Gotik ist auf die Eingangsseite ein steiler *Giebel* mit gotischem Fenster und kleinem Dachreiter aufgesetzt (1462) und ein stiller Gebetsort, ein *Oratorium,* eingerichtet worden. Im romanischen Paradies sind neben dem abgetreppten Portal im W die freistehenden *Säulengruppen* bemerkenswert. Von der Kirche selbst, die 1428 verändert wurde, sind nur noch der *Chor* und die dazugehörende *Nebenkapelle* erhalten. Der Turm und das Langhaus stammen aus dem 18. Jh. Seitwärts, im gotischen Chor, befindet sich die *Tumba* des Markgrafen Bernhard von Baden (1431), die wahrscheinlich von Künstlern des Straßburger Raums geschaffen worden ist.

Herrenchiemsee = Prien 8210
Bayern S. 422 ☐ M 20

Auf der Insel befand sich ehemals ein Chorherrenstift (als Pendant zum Nonnenkloster der benachbarten Insel → Frauenchiemsee), das jedoch im Zuge der Säkularisation weitgehend zerstört wurde. Übrig blieben die kleine *Pfarrkirche* und der Osttrakt des Klosters, das sog. *Alte Schloß* (mit Bibliothek und Kaisersaal um 1700), sowie Teile des *Langhauses* der ehem. Klosterkirche und der Gruft dienten nach dem Abbruch als Brauhaus und Bierkeller.

Neues Schloß: Ludwig II., der die Insel vor der Nutzung durch Spekulanten bewahren wollte, kaufte sie auf und verwirklichte hier nach dem Vorbild Ludwigs XIV. und dessen Schloß Versailles seinen Traum vom Sonnenkönigtum in der Formensprache des französischen Barock. Der König, bei dessen Tod (1886) der Bau aus Finanzgründen sofort eingestellt wurde, hat selbst nie in den Repräsentationsräumen, sondern nur in einem seitlichen Nebenflügel gewohnt. Neben dem handwerklich vorzüglich ausgeführten Prunk der Räume *(Schlafzimmer, Spiegelgalerie)* ist die *Gartenanlage* mit dem Latonabrunnen (nach Versailler Vorbild) besonders hervorzuheben. – Was Ludwig an zusätzlichen Bauten projektiert hatte, wird in Entwürfen und Modellen im angeschlossenen *König-Ludwig-II-Museum* gezeigt. – Im Sommer finden im Schloß *Kammerkonzerte* bei Kerzenlicht statt.

Hersbruck 8562
Bayern S. 422 ☐ K 16

Ev. Stadtpfarrkirche (Untere Lohe): Die im 10. Jh. gegründete Kirche erhielt ihr heutiges Aussehen im 15. und 18. Jh. Wichtigstes Teil der *Ausstattung* ist der Hochaltar, der nach seinem Standort dem »Hersbrucker Meister« zugeschrieben wird (vermutlich Nürnberger Schule). Die Deckengemälde hat der einheimische J. C. Reich geschaffen. In den Chorfenstern sind einige alte gemalte Scheiben aus dem 15. Jh. bis 17. Jh. erhalten.

Heimat- und Hirtenmuseum (Eisenhüttlein 7): An erster Stelle stehen

Herrenchiemsee, Neues Schloß

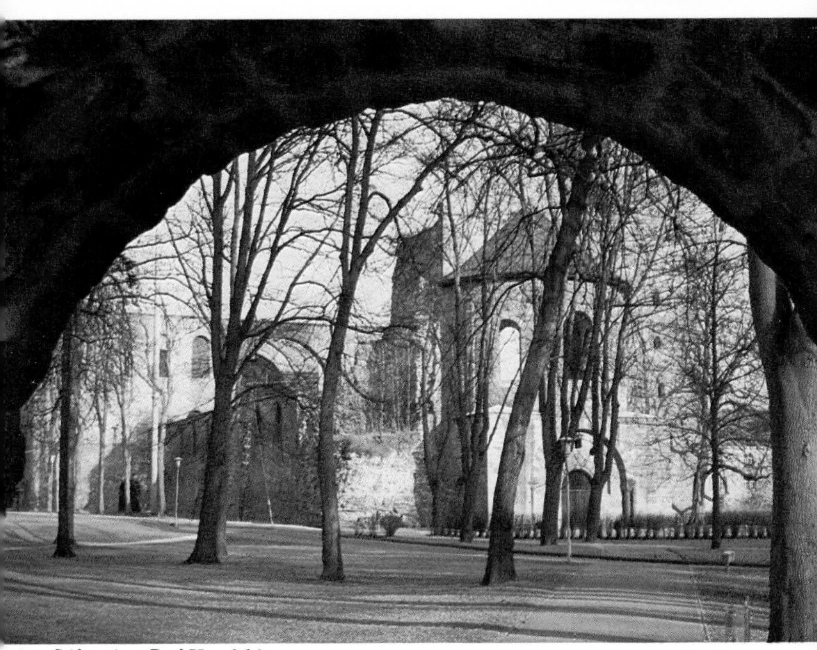

Stiftsruine, Bad Hersfeld

die einzigartigen Sammlungen zur Hirtenkultur. Weitere Sammelgebiete: Stadtgeschichte, Zunft und Gewerbe, Volkskunst, Handwerk.

Außerdem sehenswert: Die *Ehem. Spitalkirche* (Spitaltor), 1406–1423 erbaut, wurde später in den Mauerring einbezogen; sehenswerter barocker Hochalter. – *Schloß* (Unterer Markt): Ein Bau aus den Jahren 1618–22 mit einer in dieser Zeit noch nicht üblichen Ehrenhofanlage.

Bad Hersfeld 6430

Hessen S. 416 □ G 12

Stiftsruine: Es war eine glückliche Idee, alljährlich im Juli *Festspiele* in der 1000jährigen Stiftsruine zu veranstalten (jetzt wettersicher). – Stünde die Kirche noch, so wäre sie heute der größte romanische Kultbau in Deutschland. Nachdem die mehrfach erweiterte alte Kirche einem Brand zum Opfer gefallen war, begann man um 1040 mit der Errichtung der riesigen Säulenbasilika mit weit ausladendem Querschiff. 1761 wurde die Kirche im Siebenjährigen Krieg von den Franzosen niedergebrannt. Sie ist seitdem Ruine. – In einem ehemaligen *Klostergebäude* des 16. Jh. befindet sich heute ein *Heimatmuseum*. Zum ehemaligen Kapitelsaal führte das sog. *Stiftsportal* (Mitte 12. Jh.). – Im *Katharinenturm* (12. Jh. erbaut, im 19. Jh. restauriert) ist die 900jährige Lullusglocke sehenswert.

Rathaus: Der ursprünglich gotische Bau wurde 1597 zu einer repräsentativen dreigeschossigen Zweiflügelanlage umgebaut. Große Steingiebel in den Formen der Weserrenaissance verdekken das hohe Dach. Der *Ratssaal* enthält eine schöne Stuckdecke und eine reich mit Intarsien geschmückte Tür.

St. Cäcilia und St. Barbara, Heusenstamm

Altstadt: Vom alten Stadtkern sind noch einige Steinbauten der Gotik und Renaissance sowie zahlreiche *Fachwerkhäuser* (15.–19. Jh.) erhalten.

Außerdem sehenswert: Die gotische *ev. Stadtkirche St. Vitus und Antonius* (1330 bis um 1500), welche nach einem Brand (1952) gründlich restauriert wurde.

Herten 4352
Nordrhein-Westfalen S. 414 □ C 10

Wasserschloß: Das Backsteinschloß, das zwischen 1530 und 1702 wiederholt ausgebrannt ist, wurde immer wieder neu aufgebaut. Charakteristisch sind die drei dicken Türme an den Ecken des Kastellbaus, der – seinerzeit eine Novität – heizbare Räume besaß. – Das Schloß liegt in einem großen englischen Park, in dem sich auch der langgestreckte Bau einer hübschen *Rokoko-Orangerie* (1725) befindet.

Heusenstamm 6056
Hessen S. 416 □ E 14

Kath. Pfarrkirche St. Cäcilia und St. Barbara: Bedeutende Künstler haben an dieser Kirche, die ursprünglich als Begräbnisstätte für die Familie von Schönborn in den Jahren 1738–44 errichtet wurde, mitgearbeitet. B. Neumann* lieferte den Entwurf des einschiffigen barocken Langbaus mit dem für ihn charakteristischen, in die Fassade eingestellten *Frontturm.* Der Wappenschmuck am *Portal,* die *Erlöserstatue* und die *Vasen* an der Frontseite stammen von dem Würzburger Bildhauer J. W. van der Auwera*. Er schuf auch die *Kanzel* und den *Hochaltar* in dem sehr weiträumig wirkenden Innenraum. Die *Deckengemälde* mit der Auferweckung des Lazarus, der Auferstehung Christi und der Anbetung des Lammes sind in ihrer Thematik auf die Funktion als Begräbniskirche abgestimmt. – Den barocken *Torbau* neben der Kirche ließ Erwin v. Schönborn speziell für einen Besuch von Kaiser Franz I. und dessen Sohn König Josef II. errichten.

Das Schönbornsche Schloß: Es war als große quadratische Wasserburganlage geplant, aber nur die vordere Front mit zwei kräftigen runden Ecktürmen unter geschweiften Hauben wurde ausgeführt (1663–68). Der ernste, festungsartige Charakter ist typisch für die Zeit nach dem 30jährigen Krieg.

Hiddesen = Detmold 4930

Nordrhein-Westfalen S. 414 □ F 9

Hermannsdenkmal: Die Berghöhe des Teutoburger Waldes, auf der sich heute das Denkmal erhebt, soll der Ort gewesen sein, an dem Arminius (Hermann der Cherusker) 9 n. Chr. die Römer unter Varus besiegt hat. 1838–46 wurde hier ein massiver Rundtempel mit romanischen Arkaden und Kuppeldach errichtet. Er dient als Sockel für die 1875 aufgestellte Kolossalfigur des Arminius (Höhe mit Unterbau 34 m).

Hildesheim 3200

Niedersachsen S. 414 □ H 8

Das Bild der Stadt ist geprägt von den romanischen Kirchen, unter denen *St. Michael,* ein Musterbeispiel klassischer niedersächsischer Romanik, und der *Dom* herausragen. Beide stehen mit dem hl. Bernward (um 960–1022) in nachweisbarem Zusammenhang. Er war Initiator dieses neu entwickelten, mathematisch strengen Baustils und Begründer einer Werkstatt für Plastik, Malerei, Erzguß und Goldschmiedekunst, in der äußerst bedeutende Werke entstanden sind. Berühmt ist auch der *Tausendjährige Rosenstock* an

Bronzetür (1015), Dom

der Domapsis. Er geht zurück auf die sagenhafte Gründung Hildesheims durch Ludwig den Frommen (Sohn Karls d. Gr., der bei »Hildwins Heim« jagte und dort das wundersame Zeichen bekommen haben soll, die neue Bischofsstadt zu gründen.

Dom St. Mariae (Domhof): Die kath. Kirche wurde mit der barocken Ausstattung im 2. Weltkrieg völlig zerstört, jedoch nach alten Plänen wiederaufgebaut, so daß sie heute dem Zustand des 15. Jh. vergleichbar ist. Für den Innenausbau der Basilika, die beim Wiederaufbau mit einer flachen Holzdecke versehen wurde, begnügte man sich mit kargen romanisierenden Formen. – Bis auf die *Kapellen* in den Seitenschiffen (14. Jh.) und das *Paradies* am nördlichen Querarm ist der Baustil romanisch. Die Abmessungen sind streng mathematisch. Das Quadrat der Vierung wiederholt sich in Chor, Querarm und Langhaus insgesamt sechsmal;

dazu kommt der sog. niedersächsische Stützenwechsel (Pfeiler-Säule-Säule). Im doppelgeschossigen Kreuzgang (1321) grünt an der Chorapsis noch immer der *Tausendjährige Rosenstock,* der seit dem 15. Jh. nachweisbar ist. – Am kostbarsten ist die Ausstattung des Doms mit den Hauptwerken der Hildesheimer Erzgießerwerkstatt des 11. bis 13. Jh. Am Westportal befinden sich die unter Bischof Bernward eigentlich für St. Michael geschaffenen *Bronzetüren* mit alt- und neutestamentarischen Darstellungen in 16 Reliefs. Diese Meisterwerke der Gußtechnik (je 4,70 × 1,15 m) wurden 1015 ausgeführt. Als eine Art Nachbildung der Trajanssäule in Rom ist die 3,80 m hohe *Christussäule* (ebenfalls von Bernward) mit dem spiralförmig ansteigenden Reliefband (Szenen aus dem Leben Christi) zu sehen. Ein Nachfolger Bernwards stiftete um 1061 den nach ihm benannten *Hezilo-Leuchter,* einen mächtigen Radleuchter von 6 m Durchmesser mit Zinnen und Türmen des himmlischen Jerusalem aus Silber-, Gold- und Kupferblech getrieben. Das *Bronzetaufbecken* (13. Jh.), von vier knienden Männern mit Wasserkrügen (den Paradiesströmen) getragen, zeigt biblische und symbolische Taufszenen. – Vom *Domschatz,* der zu den kostbarsten in Deutschland gehört, sind als Hauptstücke zu erwähnen: Bernwards Silberkreuz (1007), das Oswaldreliquiar (um 1160), Scheibenkreuze, Evangeliare und Kultgeräte (meist Werke der bernwardischen Werkstatt).

St. Michael (Michaelisplatz): Die eigentliche ev. Hauptkirche von Hildesheim ist von Bischof Bernward auf einem Hügel am Nordrand der Siedlung erbaut und nach der Zerstörung im 2. Weltkrieg in originaler Gestalt rekonstruiert worden. Mit sechs Türmen und zwei Apsisabrundungen nach O und W ist sie in ihrer jetzigen Erscheinung der Inbegriff einer »Gottesburg«, wie sie an der Ostgrenze des ottonischen Kaiserreichs als Symbol gegen die andringenden Heiden gebaut wurde.

Baugeschichte: Bischof Bernward legte 1007 den Grundstein. Die Krypta wurde 1015, der ganze Bau elf Jahre nach Bernwards Tod (1033) vollendet. Zu den späteren Veränderungen zählen das Auswechseln der kraftvollen Würfelkapitelle (nur noch zwei vorhanden), die Errichtung der Engels-

St. Godehard

Rechts: Romanisches Scheibenkreuz, um 1120, Domschatz

schranken (nur die nördliche erhalten) und die Abdeckung des Raumes mit einer vollständig bemalten Holzdecke. *Baustil und Baubeschreibung:* Der romanische Stil der Kirche wird in zwei verschiedenen Stufen sichtbar, am deutlichsten in den unterschiedlichen *Kapitellen* (Würfelkapitelle wechseln mit Blattkapitellen). Über der *Krypta* mit dem berühmten *Sarkophag* des heiliggesprochenen Bernward (1193 erweitert) entstand ein verlängerter *Hochchor.* Die *Chorschranken* der westlichen Vierung gehören zu den bedeutendsten Werken der deutschen Stuckplastik (Ende 12. Jh.). Die Abmessungen des Raumes fußen auf mathematischen Berechnungen. Das Vierungsquadrat kehrt in Langhaus, Seitenarmen und im verlängerten Chor insgesamt sechzehnmal wieder. Die gleichen harmonischen Abmessungen herrschen auch in der Höhe des Raumes, der aus der Rot-Weiß-Bemalung der tragenden Bögen und Bauglieder seine besondere Wirkung bezieht. Von vollendeter Schönheit ist der dreigeschossige Aufbau der *Nordempore.* In das südliche Seitenschiff wurden im 15. Jh. spätgotische *Maßwerkfenster* eingesetzt. Einzig in ihrer Art ist die *bemalte Decke,* deren acht Felder die Heilsgeschichte vom Sündenfall über die »Wurzel Jesse« bis zu Maria illustrieren, ein seltenes Beispiel spätromanischer Monumentalmalerei.

St. Godehard (Godehardsplatz): Als Gedächtniskirche für Godehard, den ebenfalls heiliggesprochenen Nachfolger Bernwards, wurde die kath. Basilika 1133–1172 erbaut. Sie blieb im wesentlichen vom Krieg verschont und stellt ein besonders reines Beispiel romanischer Architektur dar. Das Äußere wird bestimmt durch den achteckigen, spitz ausgezogenen *Vierungsturm.* Der hohe, schlanke Raum ist flach gedeckt, der *Ostchor* wurde nach französischem Vorbild (Godehards Heiligsprechung erfolgte in Reims) durch einen Umgang mit Altarnischen erweitert. Besonders reich sind die *Kapitelle* mit Figuren, Szenen und Ornamenten verziert. Im Westteil sind zwischen den Türmen zwei *Kapellen* übereinander eingebaut. Das *Chorgestühl* (um 1466) ist eine gute Arbeit der Spätgotik. Ein berühmtes Stück der europäischen Buchmalerei des 12. Jh. liegt mit dem *Albani-Psalter* in der sehenswerten *Schatzkammer.*

St. Michael

St. Mauritius (Moritzberg): In der westlichen Vorstadt errichtete Hezilo, einer der Nachfolger Bernwards, von 1058–68 die Mauritiuskirche. Über dem *Chor* dieser kath. Basilika erhebt sich gegen die übliche Gepflogenheit der *Turm* im O; darunter befindet sich die *Krypta*. Der romanische Bau, zu dem ein sehr schöner *Kreuzgang* (aus dem 12. Jh. mit leichten späteren Veränderungen) gehört, wurde im 18. Jh. mit einer barocken Dekoration ausgekleidet. Unter der Westempore steht der *Sarkophag* des Gründers der Kirche.

Kath. Heiligkreuzkirche (Kreuzstraße): Diese Kirche war ursprünglich ein Stadttor mit Öffnungen nach O und W. Der Würfel wurde unter den Bischöfen Bernward, Godehard und Hezilo (11. Jh.) aus- und umgebaut und erhielt durch die romanischen Emporen, das Querhaus und den Chor seine heutige Gestalt. Dem romanischen Ostteil der Kirche steht die barocke Orgelwand im W gegenüber. 1712 wurde dem romanischen Bau nach dem Vorbild der Hauptkirche des Jesuitenordens, Il Gesù in Rom, eine barocke Fassade vorgeblendet.

Ev. St.-Andreas-Kirche (Andreasplatz): Die Kirche brannte mit ihrem hohen Turm im 2. Weltkrieg völlig aus und erstand beim Wiederaufbau in eindrucksvoller, neuer Gestalt. Der steile Ostchor (14. Jh.) erinnert mit seinem Chorumgang, dem Kapellenkranz und einer Gesamthöhe von 27 m an französische Kathedralen. Vom *Turm* ist ein romanischer Unterteil erhalten, der in der Spätgotik erhöht wurde; seine Gesamthöhe aber erhielt der Turm erst im 19. Jh. (118 m).

St. Magdalena (Mühlenstraße): Die nach der Zerstörung im 2. Weltkrieg wiederaufgebaute gotische Kirche besitzt in ihrem *Kirchenschatz* das berühmte Bernwardskreuz, das der Bischof eigenhändig geschaffen haben soll. Die beiden Bernwardsleuchter (in Silberguß, um 1000) stammen aus dem Grab des Heiligen.

Tempelhaus am Markt

Rathaus und Tempelhaus (Markt): Von der alten Stadt haben nur wenige Häuser die Zerstörungen des 2. Weltkriegs überstanden. Dem *Rathaus* hat man beim Wiederaufbau die alten Proportionen und das gotische Äußere wiedergegeben. Das sog. *Tempelhaus* erhielt seinen Namen von einer Synagoge in der Nähe. Der 1457 in Haustein errichtete Bau blieb wie ein Wunder verschont. Der hochgezogene Mittelteil ist von zwei zierlichen Rundtürmen gerahmt. Der Renaissance-Erker kam 1591 dazu.

Roemer-Pelizaeus-Museum (Am Steine 1): Am bedeutendsten ist die Sammlung *ägyptischer Altertümer*.

Theater: Das *Stadttheater Hildesheim GmbH* verfügt über ein Großes Haus (Marienstr. 6) und über eine Studiobühne (Güntherstr. 21).

Klosterruine, Hirsau ▷

Hirsau = Calw 7260
Baden-Württemberg S. 420 □ E 18

Hirsau im dunklen Schwarzwaldtal der Nagold ist im 11. Jh. unter Abt Wilhelm Ausgangspunkt einer Reformbewegung gewesen, die als *Hirsauer Reform* in der Geschichte bekannt geworden ist. Diese ging von einer vollkommenen Unabhängigkeit des Klosters gegenüber allen weltlichen Mächten und der völligen Unterordnung gegenüber dem Papst aus. Die Hirsauer Reform wurde beispielgebend für viele schon bestehende und neu gegründete Klöster.

Klosterruine St. Peter und Paul: Unter Abt Wilhelm wurde die *Kirche* 1082–91 auf einer Erhöhung links der Nagold als eine Art Modellbau für die von Cluny ausgehende Reform errichtet. Erhalten blieb u. a. nur der nordwestliche Turm (der sog. »Eulenturm«), der um 1110 entstand. Im Grundriß, der nach umfangreichen Ausgrabungen deutlich zu erkennen ist, läßt sich die Weitläufigkeit der Anlage gut erkennen. Den Raumeindruck einer Kirche im Hirsauer Stil erhält man am besten in → Alpirsbach. – Ungewöhnlich sind die Maße der Hirsauer Anlage. Sie war 96 m lang und mehr als 22 m breit. Von gotischen Anbauten sind Teile des *Kreuzgangs* (um 1490) und die *Marienkapelle* (1508–16) an der Südostecke des Baus erhalten.

Kreuzgang, Klosterruine Hirsau

St.-Aurelius-Kirche: Im unteren Ortsteil, auf der rechten Nagoldseite, liegt die ältere der beiden Hirsauer Kirchen. Sie wurde im 11. Jh. auf karolingischen Grundmauern erbaut, im 16. Jh. z. T. abgebrochen und im 19. Jh. als Scheune und Turnhalle verwendet. Seit dem Jahre 1955 steht sie wieder für den katholischen Gottesdienst zur Verfügung.

Herzogliches Jagdschloß: Das Renaissanceschloß, das G. Beer von 1586–92 errichtet hat, zeigt die typischen Formen der Stuttgarter Renaissance. Es wurde 1692 zerstört und ist heute nur als Ruine erhalten.

Hirschhorn 6932
Hessen S. 420 □ F 16

Friedhofskapelle: Die zwischen Neckarufer und einem steilen Berghang dicht zusammengedrängte Altstadt war so eng, daß die Kirche auf der anderen Neckarseite in Ersheim errichtet werden mußte. Das einschiffige *Langhaus* mit spätgotischem Fenstermaßwerk und hoher Balkendecke wurde 1355 geweiht. 1517 wurde der *Chor* mit reichem Maßwerk und üppigem Netzgewölbe hinzugefügt. Zur Ausstattung gehören eine spätgotische *Sakramentsnische,* mehrere *Holzbildwerke* und zahlreiche *Grabmäler* des 14.–17. Jh. Bedeutende gotische *Wandmalereien* sind in Resten erhalten.

Ehem. Karmeliterklosterkirche: Das Karmeliterkloster liegt am Hang über dem Städtchen. Die *Wandmalereien* der Kirche wurden Ende des 19. Jh. stark restauriert. Im neugotischen Hochaltar steht eine gotische *Mutter-*

gottes, eine ausgezeichnete Nürnberger Arbeit (1510–20). Gut erhalten blieb die *Annakapelle* an der Südseite. Sie ist ebenfalls reich ausgestattet und besitzt u. a. eine überlebensgroße *Kreuzigungsgruppe* (um 1520–30), eine Holzplastik der *Anna Selbdritt* und eine *Steinkanzel* auf gedrehter Säule (1618).

Burg und Schloß: Burg und Schloß, einst von den Herren von Hirschhorn errichtet (jetzt Hotelrestaurant), vereinen sich zu einer gut erhaltenen Anlage. Ältester Teil ist die starke *Schildmauer* (um 1200). Der frühgotische *Palas* wurde 1583–86 zu einem stattlichen Renaissancebau erweitert. Bemerkenswert ist die ehem. *Burgkapelle* (1346) mit Resten von Wandmalereien.

Hirzenhain, Wetteraukreis 6476

Hessen S. 416 □ F13

Ev. Pfarrkirche/Ehem. Klosterkirche St. Maria: Ausgehend von einer Kapelle vom Ende des 14. Jh. erweiterten die Augustinerchorherren seit 1431 den Bau um das heutige Langhaus. Sehenswert ist vor allem der spätgotische Lettner. Besondere Glanzpunkte sind die vier Steinfiguren des Lettners (Petrus, Paulus, Muttergottes, Augustinus), die den Lettner zu einem der wichtigsten aus dieser Zeit in Deutschland machen. Unter den zahlreichen Skulpturen befindet sich eine Madonna auf der Mondsichel (um 1460).

Höchst → Frankfurt

Hof 8670

Bayern S. 418 □ L13

An einer wichtigen Straßenkreuzung legten hier die Frankenkaiser einen »Hof« an. Schon damals war der Grenzort zu den benachbarten Slawen von Bedeutung. Heute ist Hof Relaisstation für die Reisen zwischen beiden Teilen Deutschlands. Der Dichter Jean Paul besuchte in Hof von 1789–90 das Gymnasium (Albertinum) und lebte später auch einige Jahre hier.

St. Lorenz (Pfarrstraße): Die älteste Kirche in Hof geht auf das 11. Jh. zurück. Sie wurde frühgotisch überholt und im 16. Jh. wesentlich verändert. Von der Ausstattung ist ein Kaiser Heinrich und Gemahlin Kunigunde (Ende 15. Jh.) geweihter *Flügelaltar* zu nennen.

Theater: Das in Hof stationierte *Städtebundtheater* (Schützenstraße 8) bespielt mit Oper, Operette und Schauspiel neben Hof auch andere Orte.

Außerdem sehenswert: Die *Spitalkirche* (Unteres Tor 9), deren Kassettendecke und Emporen mit Gemälden des Hofer Malers A. Lohe geschmückt (Ende 17. Jh.) sind. – Im *Städtischen Museum* (Hallplatz 3) Sammlungen zur lokalen Geschichte.

Hofgeismar 3520

Hessen S. 416 □ G 10

Die Stadt, die vermutlich aus einem fränkischen Königshof hervorgegangen ist, wurde schon früh zu einem Zentrum des Protestantismus in Deutschland. Nach 1685 entstanden hier selbständige Hugenotten- und Waldensersiedlungen.

Ehem. Stiftskirche Liebfrauen (Kirchplatz): Die heutige ev. Pfarrkirche, eine dreischiffige gotische *Hallenkirche,* geht mit dem hohen *Westturm* und dem rundbogigen Säulenportal im W auf einen spätromanischen Bau zurück. Auch im Inneren zeigen die Mittelschiffpfeiler, verzierte *Konsolen* (an der südlichen Adam und Eva zu erkennen) sowie *Kapitelle* in Würfelform noch den ursprünglichen Stil. Dagegen sprechen die hohen, drei- und vierteiligen *Maßwerkfenster,* das zierliche *Säulenportal* mit der Marienkrönung (um

1330) sowie die *Kreuzgewölbe* vom gotischen Umbau. – Besonders sehenswert in dieser Kirche ist der *Hofgeismarer Altar,* ein Hauptwerk der frühen deutschen Tafelmalerei. Erhalten sind allerdings nur die beiden Seitenflügel, die zu einer Tafel vereint worden sind. Sie zeigen Passionsszenen (um 1310), in Farbe und Form von hoher Qualität.

Gesundbrunnen: Der Stadtteil Gesundbrunnen erinnert daran, daß Hofgeismar bis 1866 Badeort war. Die Pläne zu einem *Rundtempel* (1792) lieferte S. L. du Ry*. Symmetrisch dazu liegen im W das *Wilhelmsbad* (1960–63 für die benachbarte Ev. Akademie erweitert) und im O das *Friedrichsbad* (heute ein ev. Predigerseminar). Im *ehem. Marstall* (1747) ist ein Altenheim untergebracht. Im schönen englischen Park liegt das *Schlößchen Schönburg,* ein hervorragend proportionierter klassizistischer Bau von S. L. du Ry (1787–89). Die symmetrisch angeordneten Innenräume sind gut ausgestattet.

Heimatmuseum: Das *ehem. Hochzeitshaus* in der Marktstraße enthält Beiträge zur Geologie und Vorgeschichte.

Höglwörth = Anger 8233

Bayern S. 422 □ N 20

Ehem. Augustinerchorherren-Stift St. Peter u. Paul: Das reizvoll auf einer Halbinsel (einst Insel) gelegene Kloster wird 1125 vom Salzburger Erzbischof Konrad neu gegründet. Es verfällt aber wieder und entsteht im 17. Jh. neu. 1689 Weihe der *Kirche,* in der die Stukkaturen des Wessobrunners B. Zöpf (1765) und die Deckengemälde von F. N. Streicher (1765) hervorzuheben sind. – Das Kloster wurde 1817 aufgehoben.

Umgebung: *Anger,* das König Ludwig I. als das »schönste Dorf« Bayerns bezeichnet haben soll.

Hohenkirchen = 2941 Wangerland 1

Niedersachsen S. 412 □ D 4

Ev. Pfarrkirche: Im 13. Jh. entstand diese typisch *friesische Granitquaderkirche,* die in ihrem Inneren einige bemerkenswerte Kunstwerke birgt. An

Gesundbrunnen, Hofgeismar

Schloß Hohenschwangau ▷

erster Stelle ist ein *Taufbecken* mit Relieffiguren (Maria und Könige) zu nennen. Der Steintrog, der auf vier stark bemähnten Löwen ruht, steht seit der Gründung der Kirche (um 1250) am gleichen Platz. Den *Altar* (1620) und die *Kanzel* (1628) hat L. Münstermann geschaffen, ein Meister zwischen manieristischer Renaissance und beginnendem Barock.

Hohenlimburg 5850

Nordrhein-Westfalen S. 416 □ D 10

Schloß (Alter Schloßweg 20): Das Schloß entstand aus einer 1230 gegründeten Burganlage, die in vielen Teilen im heutigen Bau noch zu erkennen ist. Das Schloß wurde häufig umgebaut, vor allem um die Mitte des 18. Jh. Aus dem 14. Jh. stammt die *Vorburg* mit dem unregelmäßig umbauten und ummauerten äußeren Hof. Kernstück ist der *innere Hof*, der von einer hohen Ringmauer mit *Wehrgang* und *Ecktürmen* umgeben ist. Der innere Hof umfaßt auch den *alten* und den *neuen Palas*, in dem sich heute das *Heimatmuseum* befindet. Malerische Akzente setzen der schöne *Fachwerk-Erker* und der schmiedeeiserne *Brunnen*.

Hohenschwangau = Schwangau 8959

Bayern S. 422 □ IK 21

Schloß: Hohenschwangau ist im Kern ein Bau aus dem 13. Jh., der jedoch verfallen war. Erst 1832 wurde das Schloß vom Theatermaler und Bühnenarchitekten D. Quaglio für Kronprinz Maximilian von Bayern als Sommersitz im englischen Tudorstil neu aufgebaut und im romantischen Geschmack der Zeit ausgestattet. Hervorzuheben ist die *Ausmalung* der Säle mit Rittergeschichten und Sagenstoffen nach Entwürfen von M. v. Schwind.

Außerdem sehenswert: Nördlich des Schlosses in Richtung Schwangau liegt die Wallfahrtskirche *St. Koloman* (1673; Stukkaturen von J. Schmuzer*).

Holtfeld = Borgholzhausen 4807

Nordrhein-Westfalen S. 414 □ E 8

Schloß (8 km südlich von Borgholzhausen): Das *Wasserschloß* liegt auf zwei Inseln und wurde 1599–1602 im Stil der Lippe-Renaissance erbaut. Bemerkenswert ist das *Herrenhaus* mit seinem nach S gerichteten Schaugiebel. Zu beachten sind die schönen *Wappensteine* an den verschiedenen Baulichkeiten und Torhäusern.

Homberg an der Efze 3588

Hessen S. 416 □ G 11

Ev. Stadtkirche/ehem. St. Maria: Die Kirche liegt auf einer Terrasse erhöht über dem Markt. Von ihrem romanischen Vorgängerbau sind nur die Fundamente übernommen worden. Die wesentlichen Teile des Baus entstanden im 14. Jh. Der Turm wurde später vollendet. Auch diese Hallenkirche ist wie viele andere in Hessen der → Marburger Elisabethkirche verwandt. – Im Inneren wurde anhand alter Farbspuren der *ursprüngliche Anstrich* wiederhergestellt. Interessant sind die *Reliefköpfe* (Gottvater, Hl. Geist, Lamm Gottes) an den Schlußsteinen der Gewölbe und die *Kapitelle* mit reichen Blattkränzen. Im nördlichen Seitenschiff sind sieben spätgotische *Kreuzwegstationen* zu sehen, die früher an der Rathausterrasse angebracht waren. Bemerkenswert sind auch die reiche Dekoration des *Orgelprospektes* (18. Jh.) und verschiedene *Grabmäler*.

Stadtbild: Homberg hat eines der eindrucksvollsten Stadtbilder in Hessen. Unter den vielen schönen, vor allem am *Marktplatz* gelegenen *Fachwerkbauten* aus dem 15.–19. Jh. fällt das *Gasthaus zur Krone* (1480) besonders auf. Im *Hochzeitshaus* ist das *Heimatmuseum* untergebracht.

Bad Homburg vor der Höhe 6380

Hessen S. 416 □ E 14

Schloß (Schloßplatz): Als Ergänzung zum kleinen mittelalterlichen Stadtkern gründete Landgraf Friedrich II. von Homburg eine Neustadt für die aus Frankreich geflüchteten Hugenotten. Er selbst bewohnte das neue Schloß, das er 1678 anstelle der alten Burg errichten ließ. Von der ursprünglichen Anlage des 14. Jh. ist noch der freistehende Bergfried, der *Weiße Turm,* erhalten. Das Schloß ist ein weitläufiger Komplex von bescheidenen Formen. Einziger Schmuck sind die drei reichen *Portale.* In einer Nische des Portals zum Archivgebäude steht eine von A. Schlüter* 1704 modellierte *Bronzebüste* Friedrichs II., der Kleist für seinen »Prinzen von Homburg« als historisches Vorbild diente. – An der Westseite des oberen Hofes befindet sich eine 1900 angefügte Halle, in die 10 *Doppelsäulen* aus dem 12. Jh. eingebaut wurden. Sie stammen aus einem abgebrochenen Kreuzgang des Klosters Brauweiler.

Ev. Erlöserkirche (Dorotheenstraße 1): Das Hauptportal des in neuromanischen und neubyzantinischen Formen 1902–08 errichteten zentralen Kuppelbaus wurde dem von St. Gilles bei Arles nachgebildet. Der Innenraum ist nach dem Vorbild der Markuskirche in Venedig gestaltet. Goldmosaiken und Marmorarbeiten gehören zur kostbaren Innenausstattung.

Limeskastell Saalburg: 7 km nordwestlich von Bad Homburg liegt das besterhaltene römische Limeskastell in Deutschland. Es wurde um 120 n. Chr. zur Sicherung eines wichtigen Tauneuspasses angelegt und konnte eine Kohorte (ca. 500 Mann) aufnehmen. Die anfänglichen Holzbauten wurden Anfang des 3. Jh. durch ein Steinkastell ersetzt. 1898–1907 stellte man im Zuge des Historismus unter Förderung Kaiser Wilhelms II. den letzten römischen Bauzustand wieder her: eine steinerne Ringmauer mit vier Toren, in der Lagermitte das Hauptgebäude mit zwei Höfen, Verwaltungsräumen und Fahnenheiligtum. Anstelle des Magazins und Getreidespeichers steht jetzt ein *Museumsbau* mit Ausgrabungsfunden. Im Umkreis des Kastells findet man noch Reste des Lagerdorfs und des Kastellbads.

Außerdem sehenswert: Das *Heimatmuseum* (Luisenstr. 120) und spätklassizistische *Wohn- und Kurbauten.*

Höxter 3470

Nordrhein-Westfalen S. 414 □ G 9

In Konkurrenz zum mächtigen Kloster → Corvey, das den Verkehr auf dem alten Handelsweg zwischen Rhein und Elbe über eine eigene Weserbrücke leiten wollte, ist Höxter groß geworden. Es trat der Hanse bei und wurde eine blühende Handelsstadt. Heute ist das Kloster Corvey, dessen eigene Stadtsiedlung unterging, ein Stadtteil von Höxter.

Ev. Kilianikirche (An der Kilianikirche): Der heutige Bau entstand im 11.

Kilianikirche, Höxter

Jh., als Höxter eine eigene städtische Verfassung bekam, Befestigungen gegen das Kloster anlegte und die Brücke über die Weser baute. Architektonisch wertvollster Teil ist die *Westfassade* mit dem hochgezogenen Mittelteil. Sie sollte das Westwerk des nachbarlich-feindlichen Corvey übertrumpfen. Die beiden *Türme* aus dunkelrotem Sollinger Sandstein sind erst später mit spitzen Helmen versehen worden. Das südliche Seitenschiff wurde im 15. Jh. durch eine *zweischiffige Halle* ersetzt. Als Altarschmuck eine spätgotische *Kreuzigungsgruppe* (um 1500).

Stadtbild: Alte Amtsgebäude und eine große Zahl prächtiger Bürgerhäuser sind aus der Blütezeit der Stadt erhalten geblieben. – Das in Fachwerk gebaute *Rathaus* (1610–13) mit reich geschnitztem Erker zeigt in der Eingangshalle ein *romanisches Relief* mit dem städtischen Waagemeister. – Zu den schönsten Fachwerkbauten in Deutschland gehört die *Dechanei* mit Doppelgiebel, Erker und Auslucht (Markt). – Weitere Gebäude (vor allem aus der Renaissancezeit) findet man in der *Westerbachstraße* (Häuser 2, 10 und 34), in der *Nikolai-, Markt-* und *Stummrigestraße.*

Außerdem sehenswert: Das *Museum Höxter-Corvey* im Schloß von → Corvey.

Umgebung: Holzminden, Polle.

Hugenpoet (bei Kettwig) = Essen 4300

Nordrhein-Westfalen S. 416 □ B 10

Schloß Hugenpoet: Das Wasserschloß im Ruhrtal wurde 1647–96 auf den Fundamenten eines älteren Baus errichtet und im frühen 19. Jh. weitgehend überarbeitet. Im Erdgeschoß sind *Renaissancekamine* aus Schloß Horst a. d. Emscher beachtenswert. Die drei schönsten werden nach ihrem Themenkreis Kain-Abel-Kamin, Loth-Kamin und Troja-Kamin genannt.

Husum 2250

Schleswig-Holstein S. 412 □ F 2

Die »graue Stadt am Meer« ist durch zwei Männer berühmt geworden: durch Th. Storm, der hier begraben liegt, und durch den führenden Architekten des dänischen Klassizismus, C. F. Hansen, dessen Familie aus Husum stammte.

Marienkirche: Die Stadt besaß mit der Marienkirche eines der bedeutendsten Bauwerke der Spätgotik in Schleswig-Holstein. Die Kirche wurde jedoch 1807 abgerissen und durch eine *klassizistische,* im architektonischen Bild streng protestantische *Predigtkirche* ersetzt. Ihr Erbauer war der oben genannte C. F. Hansen (1829–33). Von der 1807 versteigerten Ausstattung der alten Kirche blieb nur eine *Bronzetaufe* (1643) erhalten.

Schloß (Schloßstraße): Das Schloß war einst eine große Anlage mit Gebäuden im Stil der niederländischen Renaissance, die jedoch im 18. Jh. weitgehend abgebrochen wurden. Erhalten blieben u. a.vier prächtige *Sandsteinkamine* mit Alabasterreliefs. Gut erhalten ist das *Torhaus* (Cornilssches Haus, 1612).

Museen: Ein nordfriesisches Heimatmuseum ist im sog. *Nissenhaus* (Herzog-Adolf-Str. 25) untergebracht. – Das *Freilichtmuseum Osterfelder Bauernhaus* (Nordhusumer Str. 11) bietet Beiträge zur bäuerlichen Wohnkultur und zum bäuerlichen Handwerk.

Außerdem sehenswert: Neben dem umgestalteten *Rathaus* findet man noch weitere schöne alte *Kaufmannshäuser* in der Großen Straße (Nr. 15 und 30), Norderstraße (21), Hohlen Gasse (3, eine der Wohnungen Theodor Storms) und am Markt (das Doppelhaus 1/3). – Auf dem *St.-Jürgen-Friedhof* liegt Th. Storm, für dessen Novellen Husum oft das Szenarium geliefert hat, begraben.

Schloß in Bad Homburg, Oberes Portal ▷

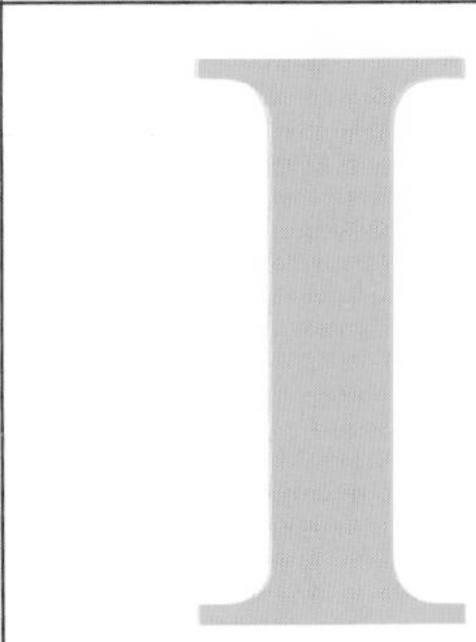

Bad Iburg 4505

Niedersachsen S. 414 □ D 8

Bischöfliches Schloß und Benediktinerkloster: Schloß und Kloster bilden eine Doppelanlage. Auf dem einzigen Bergkegel in diesem flachen Landstrich ließ Benno II., Bischof von Osnabrück, im 11. Jh. die Reste einer vorgeschichtlichen Burg zu einer mächtigen Residenz ausbauen und gründete das Kloster Iburg. Dem ausgedehnten Komplex – bischöfliches Schloß im Westen, Klosteranlage im Osten, in der Mitte die Klosterkirche – ist ein Turnierplatz (Klotzbahn) vorgelagert. – Das *bischöfliche Schloß* hat burgartige Dimensionen, und im Laufe der Zeit wurde der wehrhafte Charakter noch betont (Bischof Konrad von Rietberg, 1482–1508, hat den Bergfried erhöhen lassen). Hauptanziehungspunkt im Schloß ist heute der *Rittersaal,* der nach Plänen von J. Crafft ab 1656 entstanden ist und für den der italienische Ma-

Bad Iburg, Schloß und Benediktinerkloster

Rittersaal, Schloß Iburg

ler A. Aloisi eines der ersten perspektivischen Deckenbilder in Deutschland geschaffen hat. – Die *Klosterkirche* stammt in ihren wesentlichen Teilen ebenfalls aus dem 11. Jh. Letzte Veränderungen waren im 13. Jh. und (nach einem Brand 1349) im 15. und 16. Jh. zu verzeichnen. Aus der Ausstattung ist der barocke *Sandsteinsarkophag des Stifters* Benno II. hervorzuheben. Kunsthistorisch bedeutender sind die *Grabsteine* für Gottschalk von Diepholz (12. Jh., im nördlichen Arm des Querschiffs) und das Epitaph für Ritter Amelung von Varendorf und dessen Gattin (14. Jh.). – Die *Klostergebäude* mit der dreiflügeligen Schauseite zur Stadt hin sind in ihrer heutigen Form und Ausdehnung 1751–53 nach Plänen von J. C. Schlaun* entstanden. Kirche und Klostergebäude sind durch den Kreuzgang verbunden. Überlebensgroße Sandsteinfiguren (hl. Clemens und Benno II.) schmücken die Fassade. Die schönen Stuckdecken stammen von J. Geitner. Sehenswert ist die *Kapelle,* die Ernst August von Braunschweig-Lüneburg, der erste ev.-luth. Bischof, 1665–67 errichten ließ. Über den Gründer der Anlage in Bad Iburg, Fürstbischof Benno II., hat Abt Norbert von Iburg die Biographie »Vita Bennonis II.«, die zu den wichtigsten Bischofsbiographien aus dieser Zeit gehört, geschrieben.

Außerdem sehenswert: Abseits vom Schloß liegt das kleine *Jagdschloß Freudenthal,* das 1594 fertiggestellt war. – *Kath. Fleckenskirche* aus dem 13./14. Jh. mit einem Taufstein aus dem 13. Jh. sowie mittelalterlichen Plastiken und Epitaphen aus dem 17. Jh.

Idar-Oberstein 6580

Rheinland-Pfalz S. 416 □ C 15

Seit 1933 ist Idar-Oberstein an der

Mündung des Idarbaches in die Nahe zu einer Doppelstadt vereint. Das Ortsbild wird von geographischen Gegebenheiten bestimmt: Zwischen Nahe und Burgberg stand für den Ausbau der Stadt nur wenig Platz zur Verfügung, so daß sich die Häuser dicht aneinander drängen und in vielen Fällen kunstvoll verschachtelt sind.

Ev. Felsenkirche (Ortsteil Oberstein): In einer aus dem Fels herausgebrochenen Nische ist der Bau 1482–84 errichtet worden, an dem wegen des herabstürzenden Gesteins 1742 und in den Jahren 1927–29 grundlegende Erneuerungsarbeiten notwendig wurden. – Der wertvolle *Flügelaltar* auf Goldgrund ist um 1420 entstanden. – Unterhalb der Felsenkirche sind eine Reihe von Wohnhäusern aus dem 16.–18. Jh. erhalten. Besonders hervorzuheben ist das Haus Nr. 468–70 mit seinem ausgeprägten Giebel.

Burgruinen: Noch oberhalb der Felsenkirche stehen auf schroffem Fels die Ruinen des Alten Schlosses (um 1000; Bergfried und Rest der Ringmauer erhalten) und des Neuen Schlosses (um 1200; Umfassungsmauern der Wohngebäude und Teile von Rundtürmen erhalten). Ein Brand machte das Neue Schloß 1865 zur Ruine.

Außerdem sehenswert: Die *Weiherschleife* (Tiefensteiner Straße) ist die letzte Edelsteinschleiferei, die noch vom Wasser angetrieben wird. Geschliffen wurden hier vornehmlich Achate, die nach jüngsten Forschungen bereits zu römischer Zeit hier gefunden wurden. Seit die natürlichen Vorräte erschöpft sind, werden eingeführte bzw. synthetische Edelsteine verarbeitet. – *Heimatmuseum* (Hauptstraße 440) mit Beiträgen zur Schmuckwaren- und Edelsteinindustrie. – *Deutsches Edelsteinmuseum* (im 1. Stock der 22stöckigen Diamant- und Edelsteinbörse, Schleiferplatz): Alle bekannten Edelsteine werden in dieser größten Ausstellung ihrer Art in Europa sowohl in rohem wie auch in geschliffenem Zustand gezeigt.

Idar-Oberstein mit Felsenkirche

Idstein 6270

Hessen S. 416 □ E 14

Ehem. Stiftskirche St. Martin/Ev. Pfarrkirche/Unionskirche (Kirchgasse): Die Kirche hat eine wechselvolle Baugeschichte. Grundlage war eine Anlage des 12./13. Jh., von der nur noch der Unterbau des Turms an der Chornordseite erhalten ist. Die wesentlichen Teile des heutigen gotischen Baus resultieren aus einem Neubau 1328–40. Später kamen das *Reiterchörlein* (Familiengruft am Ostende des südl. Seitenschiffs, 15. Jh.) und die *Sebastianskapelle* (jetzt Sakristei, 1509) hinzu. Graf Johann ließ die Kirche sodann in den Jahren 1655–77 zur Predigt- und Hofkirche umbauen und gab damit dem Bau eine ungewöhnlich reiche Innenausstattung. In der Art einer barocken Gemäldegalerie ist der gesamte Raum von *Leinwandbildern* aus der Antwerpener Schule des Peter

Unionskirche, Idstein

Paul Rubens überzogen. Die Deckengemälde wurden 1725 von M. Pronner (Gießen) hinzugefügt. – Hervorzuheben sind auch die zahlreichen *Grabdenkmäler* im Stil der Gotik, Renaissance und des Barock. An der Chornordwand befindet sich das monumentale Grabmal des Fürsten Georg August Samuel (gest. 1721) und seiner Gemahlin Henriette Dorothea, das nach einem Entwurf von M. v. Welsch* durch den Mainzer Hofbaumeister M. Hiernle in den Jahren 1728–31 geschaffen wurde. – Den *Hauptaltar* hat A. Harnisch 1673 errichtet. Das schmiedeeiserne *Chorgitter* stammt aus dem Jahr 1726 und ist eine Arbeit aus der Werkstatt von J. U. Zais. Der berühmte Orgelbaumeister J. H. Stumm hat die Orgel (mit Vororgel) geliefert.

Ehem. Burg und Schloß (Schloßgasse): Die Gründung der *Burg* geht auf das 12. Jh. zurück. Der mächtige Torbau war 1497 fertiggestellt, der Bergfried (»Hexenturm«) gehört zum Kanzleigebäude (1565), das durch seinen Renaissance-Fachwerkgiebel auffällt. Die Burg dient heute als *Jugendherberge.* – Das *Schloß* wurde in den Jahren 1614–34 erbaut und erhielt 1717 die Hofkapelle. Im Inneren des Schlosses ist vor allem die Stukkierung in den beiden Kaiserzimmern reich ausgefallen. Das ehem. Schlafzimmer ist im pompejanischen Stil mit Alkoven und reicher Deckenmalerei ausgestaltet. – Das Schloß dient heute als *Museum.*

Außerdem sehenswert: *Rathaus* (Gustav-Adolf-Platz): Das 1698 erbaute Rathaus wurde 1928 durch einen Felsrutsch zerstört, ist jedoch 1933–34 wieder aufgebaut worden. *Fachwerkbauten:* Unter den zahlreichen Fachwerkbauten, die oft aus dem 16., vor allem aber aus dem 17. Jh. stammen, sind die Häuser auf dem König-Adolf-Platz (Häuser 2, 5 und 7, das sog. *Killinger-*

Ehemalige Klosterkirche, Ilbenstadt

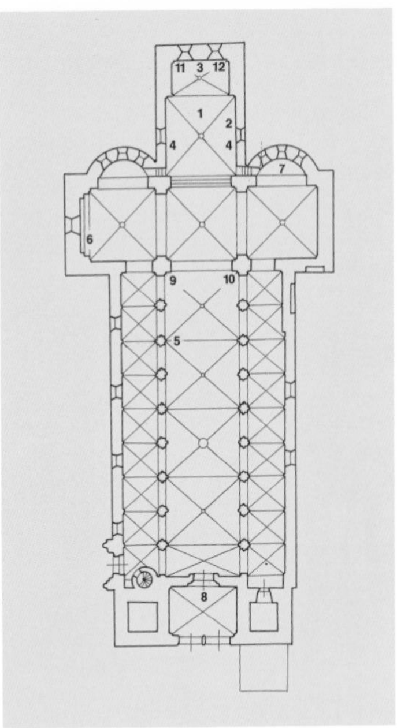

Ilbenstadt, ehemalige Klosterkirche 1 Hochgrab des Gottfried von Kappenberg, spätes 13. Jh. **2** Reste von Wandmalerei des 14. Jh. **3** Sitzende Muttergottes, 1. Hälfte 14. Jh. **4** Chorgestühl, 1677 **5** Kanzel, 1690; Figuren von Joh. Wolfgang Fröhlicher **6** St. Gottfried von J. W. Fröhlicher, 1695 **7** Kreuzigungsgruppe von J. Friedrich Straßmayer, 1700 **8** Orgel von Johann Onymus, 1733–35; Gehäuse von Franz Voßbach **9** Lukas von M. Bitterich, 1742 **10** Markus von M. Bitterich, 1742 **11** Augustinus von B. Zamels, 1744 **12** Norbert von B. Zamels, 1744

haus mit symbolischen Schnitzereien an den Erkern und an der Giebelspitze), in der Obergasse (1, 2, 4, 5, 14, 15, 18, 20, 24), in der Borngasse und auf der Weiherwiese besonders hervorzuheben.

Ilbenstadt = Niddatal 6361

Hessen S. 416 □ F 14

Ehem. Prämonstratenserkloster mit Klosterkirche St. Maria und St. Petrus, St. Paulus: Gottfried von Kappenberg hat das Kloster – eines der ersten dieses Ordens in Deutschland – 1123 gestiftet. Es erlebte seine Blüte im 12. und 13. Jh. – Die *ehem. Klosterkirche* gehört zu den bedeutendsten romanischen Kirchen in Deutschland. Mit ihrem Bau wurde um 1139 begonnen, die Weihe erfolgte 1159. Die hervorragenden Steinmetzarbeiten (so der Kampf zwischen Löwen und Kentauren) gehen auf jene italienischen Handwerker zurück, die im 12. Jh. auch an den Kaiserdomen in Speyer und Mainz mitgearbeitet haben. In höchster Vollendung zeigt sich die Romanik in den beiden Türmen, die in ihren Obergeschossen bemerkenswerte Ecklisenen, Rundbogenfresken und jeweils doppelte Schallarkaden besitzen. – Von der Ausstattung sind die Wandmalereien an der Südseite des Chors aus dem 14. Jh. (u. a. der Stifter Gottfried von Kappenberg) erwähnenswert. Das *Grabmal* des Stifters war Ende des 13. Jh.

fertig, wurde jedoch später überarbeitet. An den Langhauspfeilern sind große *Apostelfiguren* und eine *Maria* aufgestellt (von C. L. Werr; 1700). Erwähnt werden muß auch die *Orgel* mit ihrem prächtigen, 1733–35 von J. Onymus (Mainz) geschnitzten Prospekt. Orgelempore und Brüstung hat F. Voßbach geschaffen (1732). – In den *Klostergebäuden* befindet sich jetzt das Caritaswerk St. Gottfried (das Kloster wurde 1803 aufgehoben).

Außerdem sehenswert: 1742 ist der *Ritterhof* entstanden. 1745 war die *Nidda-Brücke* fertiggestellt.

Indersdorf = Markt Indersdorf 8062

Bayern S. 422 □ K 19

Ehem. Augustinerchorherrenstift mit Kirche: Die Gründung des Augustinerchorherrenstifts war 1120 vom Papst als Gegenleistung für die Aufhebung des Banns über Pfalzgraf Otto IV. verlangt worden. 1128 war die Kirche bereits fertiggestellt (die nach einem Brand im Jahr 1264 wiederhergestellt und im Barock umgestaltet wurde). Bedeutend sind die reichen Stuck- und Freskenarbeiten von F. X. Feuchtmayer* bzw. von M. Günther* (1755), der Szenen aus dem Leben des hl. Augustinus dargestellt hat. An das südliche Seitenschiff wurde zur Zeit der barocken Umgestaltung eine *Rosenkranzkapelle* angebaut, die 1755 ebenfalls reichen Stuck- und Freskenschmuck erhalten hat. Trotz dieser barocken Überarbeitung ist die Romanik in dieser langgestreckten Basilika noch gut zu erkennen. – Zum Komplex der Klostergebäude (1693–1704) gehört die *Nikolauskapelle.*

Ingelheim 6507

Rheinland-Pfalz S. 416 □ D 14

Ev. Burgkirche: Die gotische Kirche aus dem 14./15. Jh. (Turm 12. Jh.) kann in ihrer guten Erhaltung als ein Musterbeispiel eines kirchlichen Wehrbaus gelten. Sie ist von einem Friedhof umgeben, und der ganze Komplex ist durch acht bis neun Meter hohe Mauern und Türme geschützt. Das Äußere der Kirche ist von den vier unterschiedlich hohen und abweichend gestalteten Dächern bestimmt. Zur reichen Ausstattung gehören *Glasgemälde* (Mittelfenster im Chor; 15. Jh.) und zahlreiche *Grabmäler* des heimischen Adels (an den Wänden des Langhauses). In den Gewölben sind bei Restaurierungsarbeiten *spätgotische Rankenmalereien* entdeckt worden.

Kaiserpfalz (Im Saal): Ingelheim gilt als Geburtsort von Karl dem Großen, von dem es heißt, er habe die Kaiserpfalz besonders groß und prächtig gebaut, um damit seiner Geburtsstadt eine Reverenz zu erweisen. Von dem Bau, der im Mittelalter mehrfach Tagungsort für wichtige Zusammenkünfte gewesen ist, sind heute nur unbedeutende Reste erhalten. Eine Rekonstruktion der Anlage, die 1689 von den Franzosen niedergebrannt wurde, befindet sich heute im Städtischen Museum (Rathausplatz).

Außerdem sehenswert: Der romanische Bau der *ev. Pfarrkirche* aus der Zeit um 1100 wurde mehrfach verändert. Eine letzte Erweiterung begann 1961.

Ingolstadt 8070

Bayern S. 422 □ K 18

806 ist Ingolstadt erstmals urkundlich erwähnt. Nach 1255 baute Herzog Ludwig der Strenge eine Burg. Und 1472 gründete Herzog Ludwig der Reiche die Universität und verhalf der Stadt schon früh zu einer Sonderstellung auf geistigem und kulturellem Sektor. Ingolstadt galt (unter Führung von Petrus Canisius) auch als ein Zentrum der Gegenreformation. Seine wirtschaftliche Bedeutung bezog die Stadt bis ins 17. Jh. hinein aus ihrer

Lage an der Donau. Heute gilt Ingolstadt als bedeutende Industriestadt (u. a. Automobilindustrie, Großraffinerien).

Stadtbefestigung: Seit 1430 ist Ingolstadt von drei Mauerringen umgeben, die ihm den Ruhm eingebracht haben, die am besten befestigte Stadt in Süddeutschland gewesen zu sein. Selbst Gustav Adolf bestürmte im 30jährigen Krieg die Stadt vergebens. Die Mauer, die an vielen Stellen mit halbrunden Ziegeltürmen besetzt ist, blieb bis heute in ihren wesentlichen Teilen erhalten. Von den großen Haupttoren ist allerdings nur noch das Hl.-Kreuz-Tor (Kreuzstraße) zu sehen. Es gehört zu den markantesten Toranlagen dieser Zeit. Zum Stadtinneren hin erhebt sich direkt hinter diesem Tor die Liebfrauenkirche.

Stadtpfarrkirche zu Unserer Lieben Frau/Liebfrauenmünster (Kreuzstraße 1): Der kaum gegliederte Backsteinbau gehört zu den schönsten Leistungen der Spätgotik in Bayern. Mit dem Bau der Kirche wurde 1425 unter Herzog Ludwig dem Gebarteten begonnen, die Arbeiten dauerten bis 1536. Das Mittelschiff ist 82 m lang, 31 m breit und 27,5 m hoch. Pfeiler und Netzrippengewölbe zeigen charakteristische Formen der Spätgotik. – Aus der *Innenausstattung* ist der *Hochaltar* (1572; Spätgotik und Renaissance) von dem Münchner Maler H. Mielich hervorzuheben. Er ist 9 m hoch und zeigt 91 Gemälde. Sehr gute Schreinerarbeiten stellen das *Chorgestühl* und die *Kanzel* dar, die vermutlich von einem Münchner Schreiner namens Wenzel stammen. Die einzelnen *Seitenkapellen* sind ebenfalls reich ausgestattet.

Stadtpfarrkirche St. Moritz (Moritzstraße 4): Die erste Kirche wurde hier bereits in karolingischer Zeit gebaut. Ein 1234 geweihter Bau in spätromanischem Stil wurde in die Neubauten des 13. und 14. Jh. einbezogen. Während des 18. Jh. erhielt die Kirche hochwertige Stukkaturen von J. B. Zimmermann* und Fresken von P. Helterhof (im 19. Jh. entfernt, nach 1946 z. T. erneuert). Im Inneren der dreischiffigen Basilika verdient der *Hochaltar* mit Tabernakel (1765) besondere Beachtung. Außerdem zahlreiche Figuren aus Holz und Stein. An der Ostwand des nördlichen Seitenschiffs trägt der

Liebfrauenmünster, Ingolstadt; Rechts: Ausschnitt aus dem Hochaltar

dortige Altar eine sehr feine Silberstatuette der *Immaculata* (1760 von J. F. Canzler, München).

Minoritenkirche (Harderstraße): Die Basilika, deren Baugeschichte sich bis in das 13. Jh. zurückverfolgen läßt, wird wegen der zahlreichen Grabdenkmäler und des mächtigen Hochaltars gerühmt. Zu den besten *Epitaphen* gehören das Grabmal für Elisabeth und Dorothea Esterreicher (am Eingang; um 1522) und für das Ehepaar Esterreicher (in der Montfortkapelle, die um 1700 angebaut wurde). Von dem berühmten Bildhauer L. Hering aus Eichstätt stammen die an der Südwand aufgestellten Epitaphe Tettenhammer (1543) und Helmhauser (1548). Der *Hochaltar* (1755) erreicht eine den Innenraum beherrschende Größe. In der *Lichtenauer Kapelle* (1601 angebaut) sind seit dem 2. Weltkrieg das Gnadenbild der Schutter-Muttergottes (15. Jh.) und das Preysing-Epitaph, das I. Günther* 1770 für die (zerstörte) Franziskanerkirche geschaffen hat, zu sehen.

Asamkirche Maria Viktoria (Neubaustraße 1): Der Bau wurde 1736 als Betsaal der Marianischen Studentenkongregation geweiht (ähnliche Säle auch in München, Augsburg, Landshut, Amberg und Dillingen). Nicht geklärt ist, ob der berühmte C. D. Asam* selbst der Baumeister gewesen ist, als sicher gilt jedoch, daß er die Fresken geschaffen hat. (Asam soll für alle Fresken nur acht Wochen gebraucht und dafür 10000 Gulden erhalten haben, die er allerdings anschließend als Spende zurückgegeben haben soll.) Im Zentrum das riesige *Deckengemälde,* ein Fresko von ungewöhnlicher Farbenpracht. An den Wänden sind mehrere hervorragende *Ölgemälde* aufgehängt. Der *Hochaltar* stammt von J. M. Fischer* (Dillingen, um 1763). Zu erwähnen sind auch das *Wandgestühl* (1748) und die mit zahlreichen Intarsien versehenen *Schranktüren.* – Ein besonders wertvolles Stück ist die *Türkenmonstranz* (1708), in der die Seeschlacht von Lepanto dargestellt ist.

Neues Schloß (Paradeplatz): Das 1418–32 im Auftrag von Ludwig dem Gebarteten erbaute Schloß erhielt in den folgenden Jahrhunderten mehrere Ergänzungsbauten, und 1539 wurden die vorhandenen Grabenwälle durch

Liebfrauenmünster, Chor

wehrhafte Bastionen verstärkt. Nach dem 2. Weltkrieg erfolgte eine durchgreifende Restaurierung. Heute befindet sich in diesem Schloß das *Bayerische Armeemuseum.*

Altes Schloß/Herzogskasten (Hallstraße): An der Südostecke der Siedlung ließ Herzog Ludwig der Strenge nach 1255 eine erste Burg errichten. Als Altes Schloß bzw. Herzogskasten ist die Anlage in ihren Grundzügen erhalten geblieben. Nach der Fertigstellung des Neuen Schlosses (siehe zuvor) wurde der Herzogskasten als Getreidespeicher verwendet.

Bayerisches Armeemuseum (Neues Schloß, Paradeplatz 4): Das ursprünglich im Zeughaus am Münchner Oberwiesenfeld gegründete Museum (1881) wurde nach dem 2. Weltkrieg nach Ingolstadt verlegt. Die Sammlungen zeigen Waffen und Uniformen seit 1500 sowie mannigfaltiges Kriegsgerät und Sekundärbeiträge zum Thema (Graphik, Gemälde, Zinnfiguren).

Stadttheater und Werkstattbühne (Schloßländle 1): Das Ingolstädter Theater, das in dem 1966 eröffneten und nach Plänen von H.-W. Hämer errichteten Haus spielt, hat ein eigenes Ensemble. Den 671 Plätzen, die das Große Haus zu bieten hat, stehen 99 Plätze der Werkstattbühne gegenüber.

Außerdem sehenswert: Die Gnadentalkapelle (1487) in der Harderstraße, die Spitalkirche Hl. Geist in der Donaustraße aus dem 14. Jh., die 1438 erbaute Hohe Schule, das Gebäude der Anatomie (nach 1723), der Konviktbau des Jesuitenkollegs (1583), Bürgerhäuser sowie das Alte und das Neue Rathaus.

Irsee (über Kaufbeuren) 8951

Bayern S. 422 □ I 20

Ehem. Benediktinerklosterkirche Mariae Himmelfahrt: Anstelle einer mittelalterlichen Kirche wurde von 1699–1702 nach Plänen des Vorarlberger Baumeisters F. Beer* die heutige Kirche errichtet. Gut 50 Jahre später waren auch die beiden Türme fertig. – Der Innenraum wird von der reichen Stuckverkleidung bestimmt, den Mit-

Altes Schloß / Herzogskasten

glieder der berühmten Wessobrunner Künstlerfamilie Schmuzer* geschaffen haben. Die originelle Kanzel (1725) erhielt die Gestalt eines Schiffes. Als Schalldeckel dient ein geblähtes Segel. In der Takelage sind Putten zu erkennen.

Umgebung: In Eggenthal (nördlich von Irsee) wurde 1697 eine Rotunde als Wallfahrtskapelle Mariae Seelenberg errichtet. Auch hier findet sich reicher Stuck der Wessobrunner Schule.

Isen 8254

Bayern S. 422 □ L 19

Ehem. Kollegiats-Stiftskirche: Der heutigen Kirche vorausgegangen ist eine Klosterstiftung im 8. Jh. Die dreischiffige Pfeilerbasilika, die in ihren Grundzügen spätromanisch ist, wurde 1699 mit reichem Stuck- und Freskenschmuck ausgestattet; im 18. Jh. kamen zwei weitere Stuckaltäre hinzu. Aus älterer Zeit ist ein überlebensgroßer *Kruzifixus* (1530) erhalten. Sehenswert ist auch die *Krypta.*

Marienaltar, Kloster Isenhagen

Isenhagen = Hankensbüttel 3122

Niedersachsen S. 414 □ I 7

Kloster: Westlich von Wittingen liegt zwischen Gifhorn und Uelzen das ehem. Zisterzienserkloster (1243 gegründet), das seit 1540 als ev. Damenstift geführt wird. – Wertvoll ist die vielfältige Ausstattung des Klosters (Fresken, Stickereien, alte Möbel). In der *Stiftskirche* sind der Hochaltar (Flügelaltar um 1420), eine Renaissancekanzel (1683), der Marienaltar (um 1520) und ein Lesepult (um 1200) die überragenden Ausstattungsstücke. Sehenswert sind auch der Kreuzgang und die Bibliothek.

Iserlohn 5860

Nordrhein-Westfalen S. 416 □ D 10

Die eisenverarbeitende Industrie, die heute noch einen wichtigen Teil der Wirtschaft Iserlohns ausmacht, hat hier eine bis ins Mittelalter zurückreichende Tradition.

Oberste Stadtkirche/St. Marien (Am Poth): Die wesentlichen Teile der spätgotischen Hallenkirche stammen aus dem 14. Jh. Hervorzuheben ist der Schnitzaltar (um 1400; wahrscheinlich aus niederländischer Werkstatt), der zu den bedeutendsten Werken dieser Epoche in Westfalen gehört.

Ev. Pankratiuskirche / Bauernkirche (Inselstr. 3): Die ursprüngliche romanische Pfeilerbasilika wurde spätgotisch verändert. Hauptstück der Ausstattung ist ein Altarschrein (Mitte 15. Jh.).

Haus der Heimat (Fritz-Kühn-Platz): In der Nähe der Pankratiuskirche ist 1763 ein Patrizierhaus mit Freitreppe errichtet worden (Veränderungen im 19. Jh.), in dem die Stadtverwaltung und das sehenswerte *Heimatmuseum* untergebracht sind.

Parktheater (Alexanderhöhe): Das

1964 eröffnete Haus bietet 805 Plätze. Iserlohn hat kein eigenes Ensemble.

Isny 7972

Baden-Württemberg S. 422 □ H 21

Die ehem. Reichsstadt ist heute heilklimatischer Kur- und Wintersportort. Im 13. Jh. bekam Isny den heute noch zu großen Teilen erhaltenen Mauerring. Der Blaserturm auf dem Marktplatz war ursprünglich als Stadtturm gedacht und mit dem (abgebrannten) Rathaus verbunden.

Ehem. Benediktinerklosterkirche St. Jakob und Georg/Kath. Pfarrkirche (Schloß): Die Vorgängerbauten aus dem 11. Jh. wurden 1631 durch Brand vernichtet und ab 1661 durch die bis heute erhaltene Kirche ersetzt. Entstanden ist eine Hallenanlage mit ungewöhnlicher Gleichförmigkeit. Die üppige Rokokodekoration stammt aus dem 18. Jh. (Stuck von H. G. Gigl, Fresken von J. G. Holzhey). Der mächtige Hochaltar ist das Werk von J. Ruetz (1758), der auch die Nebenaltäre und die Kanzel geschaffen hat. In den ehem. Klosterbauten (17. Jh.; mit Refektorium und Marienkapelle) befindet sich heute ein *Krankenhaus.*

Ev. Pfarrkirche St. Nikolaus: Der Turm läßt an seinen romanischen Formen erkennen, daß er noch vor der gotischen Basilika (1288; Chor 1508) entstanden ist. Sehenswert ist vor allem die *Kirchenbibliothek,* die sich im Obergeschoß der Sakristei befindet und knapp 2000 Hand- und Druckschriften vom 12.–18. Jh. enthält. Aus der Erbauungszeit (1480) sind einige Fresken erhalten.

Rathaus (Espantor): Anstelle des 1731 abgebrannten alten Rathauses wurden mehrere Bürgerhäuser zu einem neuen Rathaus zusammengefaßt. Sie sind teilweise sehr gut ausgestattet. Im Rathaus befindet sich das *Heimatmuseum.*

Umgebung: → Leutkirch.

Itzehoe 2210

Schleswig-Holstein S. 412 □ G 3

Ein Brand im Jahr 1657 hat große Teile der traditionsreichen Stadt zerstört. Der Reichtum Itzehoes begründete sich im Mittelalter auf die günstige Verkehrslage. Im 17. Jh. wurde der Ort zur Garnisons- und Festungsstadt. 1627 bereitete Wallenstein von Itzehoe aus die Eroberung der Breitenburg vor.

Ev. Kirche St. Laurentius (Kirchenstraße): Der mächtige Backsteinbau entstand 1716. Bemerkenswert sind die zahlreichen *Gruftkammern,* in denen holsteinische Adelige in Metallsarkophagen begraben sind. Ein spätgotischer Kreuzgang hat die Kirche mit dem ehem. *Zisterzienserinnenkloster* verbunden. Aus der Ausstattung sind vor allem der Schnitzaltar (1661), die Holzkanzel (1661) und der Orgelprospekt (1718).

St.-Jürgen-Kapelle (Sandberg): Nach dem Stadtbrand 1657 wurde die Kapelle neu aufgebaut. Die Ausmalung aus den Jahren 1657/72 ist vollständig erhalten.

Schloß Breitenburg (4,5 km südöstlich von Itzehoe): Das Schloß, das einst von Wallenstein angegriffen worden ist, wurde im 18./19. Jh. neu erbaut. Erhalten sind ein Brunnen aus dem Jahr 1582 und die *Schloßkapelle* von 1634 (sehenswerter Altar und Sarkophag).

Außerdem sehenswert: *Heimatmuseum Prinzeßhof* (Viktoriastraße 2): Das zweigeschossige Adelshaus aus dem 17. Jh. war 1804 Residenz des Kurfürsten Wilhelm I. Heute werden hier Sammlungen zur Heimatgeschichte sowie vorgeschichtliche Funde und Ausgrabungen gezeigt. – *Germanengrab* (Am Lornsenplatz): Steingrab aus der Bronzezeit. – *Rathaus* (Neustädter Markt) von 1695, *Bürgerhäuser* (vornehmlich in der Breiten Straße, Krämer- und Kapellenstraße).

St.-Jürgen-Kapelle, Itzehoe ▷

Jagsthausen 7109

Baden-Württemberg S. 420 □ G 16

Schloß: Im 14. Jh. übernahmen die Herren von Berlichingen eine alte Burg und den damit verbundenen Besitz. 1480 wurde hier Götz von Berlichingen (der »Ritter mit der eisernen Hand«) geboren, dem Goethe mit seinem Schauspiel »Götz von Berlichingen« ein literarisches Denkmal gesetzt hat. – Palas, Rittersaal und fast alle anderen Räume der *Götzenburg* sind bestens erhalten. Im Sommer finden auf dem Schloßhof alljährlich erstklassig besetzte Festspiele statt. – Neben der Götzeburg existieren das rote und das neue Schloß, die jedoch von geringerer Bedeutung sind.

Umgebung: 6 km nordöstlich liegt die Abtei → Schöntal.

Jever 2942

Niedersachsen S. 414 □ D 4

Die kleine Stadt (heute 12000 Einwohner) hatte wegen ihrer Nähe zum Meer schon zur Zeit der Römer besondere Bedeutung. Später spielte sie in der Küstenschiffahrt der Friesen eine nicht unbedeutende Rolle. Devise in harten Zeiten: »Godes fründ, aller wereld fiand.«

Ev. Stadtkirche (Kirchplatz 16): Die erste Anlage aus dem 10. Jh. brannte ebenso wie mehrere mittelalterliche Nachfolgebauten nieder. Nach einem weiteren Brand im Jahre 1728 entstand ein Neubau, der 1959 jedoch ebenfalls ein Opfer der Flammen wurde. Der Neubau unter D. Oesterlen bewahrte erhaltene Reste und bezog auch die *Grabkapelle* ein, in der sich das *Grabmal* für den Friesenhäuptling *Edo Wiemken d. J.* (gest. 1511) befindet. Dieses monumentale Werk ist eine

Grabmal für Edo Wiemken, Jever

seltene Kombination aus Holz und Stein von Antwerpener Künstlern (1561–64). Beeindruckend ist die Fülle der Einzelfiguren, die sich in diesem Reichtum kaum an einem anderen Grabmal findet.

Schloß: Mit den ersten Bauarbeiten wurde im 14. Jh. begonnen, die heutigen Anlagen sind jedoch zum größten Teil im 15./16. Jh. entstanden. Das Schloß besteht aus vier unregelmäßigen Flügeln um einen weithin sichtbaren Bergfried (Barock-Aufsatz 1736). Besonderes Interesse verdient der Audienzsaal mit farbigen Ledertapeten aus dem 18. Jh. und einer prächtigen Kassettendecke (1560–64). Im Schloß befindet sich heute das *Heimatmuseum.*

Außerdem sehenswert: Das *Rathaus* (Markt): A. v. Bentheim hat den Bau als Rat- und Weinhaus errichtet (1609–16). Der Sitzungssaal besitzt eine schöne Vertäfelung (1619). Die auffallenden Vorbauten stammen größtenteils aus späterer Zeit. – Das *Stadtbild* wird von vielen alten Häusern mit schönen, oft bunt gestrichenen Portalen bestimmt.

Umgebung: Wasserschloß Gödens (11 km südlich), → Wilhelmshaven.

Johannisberg 6225

Hessen S. 416 □ D 14

Schloß Johannisberg (4 km nordöstlich von Geisenheim): Benediktinermönche haben an der Stelle des heutigen Schlosses im 11. Jh. ein Doppelkloster gegründet, dessen letzter Abt 1563 abtrat. Die Fürstbischöfe von Fulda ließen die Anlage 1718–25 im Stil des Barock ausbauen und erweitern. Im deutsch-französischen Krieg war das Schloß vorübergehend in französischem Besitz und fiel bei Friedensschluß 1815 an Österreich, das es dem Fürsten Metternich schenkte. – Bei einem Umbau 1826 erhielten Schloß und Kirche klassizistische Formen. Nach der Zerstörung im 2. Weltkrieg wurde die Anlage wieder aufgebaut. Im Schloß, das von Weinbergen umgeben ist, wird jener »Schloß Johannisberger« ausgeschenkt, der zu den Spitzenlagen des Rheingaus gehört.

Ehem. Klosterkirche: Beim Wieder-

Audienzsaal im Schloß zu Jever

aufbau nach dem 2. Weltkrieg wurden weitgehend jene Formen berücksichtigt, die auf das 11./12. Jh. zurückgehen, im Laufe der Jahrhunderte gegenüber zahlreichen Veränderungen jedoch weitgehend in den Hintergrund getreten waren.

Jork 2155

Niedersachsen S. 414 □ G 5

Die reizvolle, kleine Gemeinde (8500 Einwohner) ist Mittelpunkt des »Alten Landes«, einem Gebiet im Kreis Stade, das für seinen Obstbau bekannt ist.

Bauernhäuser: Die Fachwerkhäuser, fast alle mit Reet gedeckt, stammen größtenteils aus der Zeit vor 1800. Sehenswert sind oftmals die Eingangstüren, die prunkvoll gestaltet und mit reichen Schnitzereien versehen sind. Gelegentlich sind auch die reich ornamentierten Brauttüren erhalten. Eine alte Sitte will es, daß diese Türen nur zum Einlaß der frisch vermählten Braut und bei deren Tod geöffnet werden. – Die mit Holztonne versehene *Backsteinkirche* ist erstmals im 13. Jh. erwähnt.

Jülich 5170

Nordrhein-Westfalen S. 416 □ A 11

Das römische Kastell Juliacum lag an der wichtigen Kreuzung der Straßen Köln-Aachen und Köln-Tongern-Bavai. Später stritten sich die Normannen ebenso wie Welfen und Staufer und der Kölner Erzbischof um den Ort. Neben den Folgen dieser Auseinandersetzungen richteten schwere Brände die Stadt mehrfach nieder, im November 1944 wurde sie bei einem Bombenangriff fast völlig zerstört.

Propsteikirche (Marktplatz): Der Westturm erinnert an die ursprüngliche Anlage aus dem 12. Jh., die 1878 durch einen neugotischen Bau ersetzt worden ist. Das Erdgeschoß des Turms führt als Portal ins Kirchenschiff, die beiden Obergeschosse sind zu einem hohen Kuppelraum zusammengefaßt.

Zitadelle und Schloß (Schloßstraße): Die weitläufige Anlage wurde vom 16. bis 18. Jh. errichtet, dann verändert, teils abgebrochen und im 2. Weltkrieg dann endgültig zerstört. Die Konzeption dieses einst berühmten Festungsbaus der Renaissance ist jedoch noch gut zu erkennen.

Römisch-Germanisches Museum (Altes Rathaus, Kölnstraße): Funde aus der Römerzeit stehen im Mittelpunkt der Sammlungen.

Umgebung: Von Jülich aus kann man eine ganze Reihe kulturhistorisch interessanter Ausflüge unternehmen, so zum Beispiel in die Kaiserstadt → Aachen oder nach → Bedburg, nach → Düren oder auch nach → Neuss.

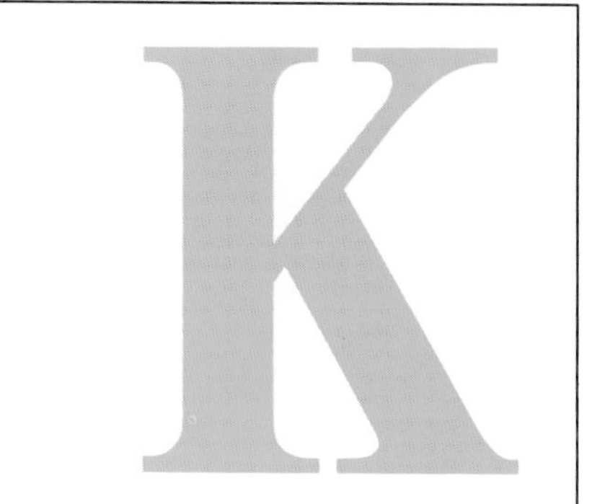

Kaiserslautern 6750

Rheinland-Pfalz S. 416 □ D 16

Der Zusatz »Kaiser« im Namen der Stadt geht wohl auf Kaiser Friedrich Barbarossa zurück, der hier 1152 eine – von der Lauter umflossene – Burg (Barbarossaburg) baute, die im Spanischen Erbfolgekrieg 1703 von den Franzosen gesprengt wurde. Diesem Angriff fiel auch das Schloß des Pfalzgrafen Johann Casimir (1570–80), das dicht neben der alten Stauferburg lag, zum Opfer.

Ehemalige Prämonstratenserkirche / Stiftskirche St. Martin und Maria (Marktstraße 13): Der schmale, einschiffige Chor wurde 1250/90 im Stil der Frühgotik für die Klosterkirche gebaut. Das dreischiffige Langhaus – die älteste Hallenkirche der Pfalz – kam als Pfarr- und Gemeindekirche erst um 1320 hinzu. Über dem Westteil des alten Chorraums erhebt sich – wiederaufgebaut nach Bombenschäden – ein achteckiger frühgotischer Turm. Die Westtürme wurden im 16. Jh. hinzugefügt.

Ehem. Minoritenkirche / St.-Martins-Kirche (Klosterstr. 4): Die ehem. Minoritenkirche und heutige kath. Pfarrkirche St. Martin wurde um 1300 erbaut. Als Bettelordenskirche ist sie von größter Schlichtheit. Die flache Stuckdecke des Langhauses wurde 1710 geschaffen.

Fruchthalle an der Fruchthallstraße: 1843–46 von A. v. Voit erbaut. Der dreigeschossige Bau mit Rundbogenfenstern war nach der Revolution 1848 vorübergehend Regierungssitz der provisorischen Regierung. Im Obergeschoß befindet sich ein großer Festsaal.

Rathaus (Rathausplatz): Mit 24 Stockwerken und 84 m Höhe ist das Rathaus das höchste in Europa und zugleich ein Wahrzeichen der Stadt. Eingegliedert in den Rathauskomplex ist der *Casimirsaal,* der zum einstigen Schloß des Pfalzgrafen Johann Casimir gehörte und auf dem Fundament der noch älteren Barbarossaburg entstanden ist.

Die Pfalzgalerie in der Pfälzischen Landesgewerbeanstalt (Museumsplatz 1): Beiträge zur Kunst des 19. und 20. Jh. und Wechselausstellungen.

Theater: *Pfalztheater am Fackelrondell* mit Oper, Operette und Schauspiel. *Kammerbühne im Rathaus.*

Kaisheim 8851

Bayern S. 422 □ I 18

Ehemal. Zisterzienserklosterkirche: Dieser Bau (84 m lang, 24 m breit) der späten Hochgotik (1352–87) ist der schönste seiner Art in der bayerisch-schwäbischen Ebene. Ursprünglich hatte man getreu den Ordensregeln auf Türme an der Westfront verzichtet, ein Jahrhundert später fügte man jedoch den breiten Vierungsturm hinzu (1459). Die Spitze des Turms und das Innere wurden im 18. Jh. barockisiert. Von besonderem Interesse ist der Chor mit seinem doppelten Umgang. – Wertvollstes Stück der Innenausstattung war einst der spätgotische Altar von H. Holbein* d. Ä., (jetzt in der Alten Pinakothek in → München), den seit 1673 der heutige barocke Altar ersetzt. Die Wände sind mit einer Serie dekorativ gerahmter Apostelbilder geschmückt. Beachtung verdient die *Grabplatte* für den Klostergründer Heinrich von Lechsgemünd (1434). In den angrenzenden *Klostergebäuden* ist der prachtvoll ausgemalte Kaisersaal eine besondere Sehenswürdigkeit.

Kalkar 4192

Nordrhein-Westfalen S. 414 □ A 9

Im späten Mittelalter war Kalkar ein bedeutender Handelsplatz und Mitglied der Hanse, zugleich entwickelte es sich zu einem Zentrum der Kunst (Schnitzaltäre der »Kalkarer Schule«).

Pfarrkirche St. Nikolai (Jan-Joest-Straße): Der mit drei parallelen Satteldächern gedeckte, dreischiffige Backsteinbau ist ein niederrheinischer Typus der gotischen Hallenkirche (→ Kleve). Die hohen schmalen Fenster und abgestuften Strebepfeiler betonen die Vertikale der Gotik. Anfang des 15. Jh. wurde mit dem Bau begonnen, doch verging mehr als ein Jahrhundert, bis die verschiedenen Kapellen, Vorhallen und die Sakristei vollendet waren. – Die eigentliche Bedeutung der Kirche liegt in der Ausstattung. An erster Stelle ist der *Hochaltar* (1498–1501) zu nennen, ein Schnitzwerk von Meister Loedewich u. a. mit 208 plastischen Figuren. Die 20 Bilder der von J. Joest aus Wesel gemalten Flügel sind sowohl in ihrer Farbigkeit als in der lebendigen Schilderung der Passionsgeschichte von hohem Rang. – Der zentrale Name der Kalkarer Schule ist H. Douvermann*. Sein *Sieben-Schmerzen-Mariae-Altar* entstand 1518–22 und steht im südlichen Nebenchor. Mittelpunkt des Schnitzaltars ist eine wundervolle Pieta, umrahmt mit Szenen aus dem Marienleben, wie in → Xanten umgeben von reichem Rankenwerk. Eines der Spätwerke Douvermanns, der *Dreifaltigkeitsaltar* (1528), steht am Eingang zum südlichen Nebenchor. – Die Kirche enthält außerdem viele hervorragende Bildwerke: So u. a. den *Sieben-Freuden-Altar* (1488–1492), den *Annenaltar* und *Johannisaltar,* eine *Kreuzigungsgruppe* und den zierlichen *Marienleuchter* mit der Doppelfigur der Madonna.

Rathaus: Der schlichte gotische Backsteinbau (1438–46) erhält durch den Zinnenkranz mit Ecktürmen, das hohe Walmdach und den die Mitte betonenden rechteckigen Treppenturm schloßähnlichen Charakter. Das Renaissanceportal (1558) wurde nach schweren Kriegszerstörungen rekonstruiert.

Karden = Treis-Karden 5402

Rheinland-Pfalz S. 416 □ C 14

Karden, das heute zusammen mit Treis den Doppelort Treis-Karden bildet, erstreckt sich rechts und links der Mosel. Karden (am linken Moselufer) soll als Vicus Cardena einst Stützpunkt des hl. Castor und seiner Gefährten bei der Missionierung des Gebietes um Trier gewesen sein.

Ehem. Stiftskirche St. Castor: Die heutige kath. Pfarrkirche läßt drei Bauabschnitte erkennen. Von der 1121 geweihten ersten Anlage sind noch drei Geschosse des Westturms und der Unterbau der Kirche erhalten. 1183 erneuerte man nach schweren Brandschäden Chor, Querschiff und Osttürme, 1260 wurde das Langhaus zur gotischen, kreuzrippengewölbten Basilika

Hochaltar in St. Nikolai, Kalkar

umgebaut. – Im Inneren läßt sich die Entwicklung von frühromanischen Formen im Osten über spätromanische in der Chorapsis bis zu frühen gotischen Elementen im Langhaus verfolgen. – Das kostbarste Werk der Ausstattung ist der *Hochaltar* (Anfang 15. Jh.), der ganz aus gebranntem Ton gefertigt ist. – Vom einstigen *Stiftsbereich* sind neben Resten des *Kreuzgangs* noch verschiedene Gebäude erhalten, als wertvollstes das spätromanische *Propsteihaus* (um 1200, genannt »Korbisch«, weil dort einmal der Trierer Chorbischof residiert hat). Kulturhistorisch interessant sind die Wandmalereien im *Haus Boosfeld*, der ehem. Stiftsschule. In acht Bildfeldern ist die Sage von Heinrich dem Löwen nach einem Gedicht vom Michael Wyssenhere illustriert, in neun Bildern die Geschichte der Susanna im Bade dargestellt.

Umgebung: → Cochem, → Maria Laach, → Mayen, → Moselkern.

Karlshafen 3522

Hessen S. 414 □ G 10

Karlshafen, an der Mündung der Diemel in die obere Weser, wurde 1699 von Landgraf Carl von Hessen-Kassel als Weserhafen gegründet und mit Hugenotten und Waldensern besiedelt. Es ist die besterhaltene planmäßig angelegte Barockstadt in Hessen. Landgraf Carl soll die Pläne für Karlshafen mit seinem Hugenotten-Architekten Paul du Ry* eigenhändig entworfen haben. – Das rechteckige Hafenbecken bildet das Stadtzentrum, an dessen Längsseiten große rechteckige Häuserblocks mit schlichten zweigeschossigen Wohnhäusern anschließen.

Rathaus: An der Südseite des Hafens liegt das Rathaus (1715–17), ehemals Packhaus und landgräfliches Absteigequartier, das einen Festsaal mit schönen Stukkaturen hat.

Weitere Häuser aus der ehem. Stadtanlage: Das *Invalidenhaus,* südöstlich vom Hafen gelegen, ist in drei Geschossen angelegt und umgibt einen schönen Binnenhof. Gegenüber liegt das *Freihaus.* Im Nordosten ist das *Thurn-und Taxissche Postgebäude* Abschluß der Altstadt. Darüber hinaus sind zahlreiche weitere Bauten aus der Gründerzeit erhalten. Im Stil sind sie alle der Gesamtkonzeption untergeordnet.

Krukenburg: 3 km südlich in Helmarshausen (= Karlshafen 2) liegt die Ruine der Krukenburg, die um 1220 von Erzbischof Engelbert von Köln errichtet wurde. Der hohe runde *Bergfried,* große Teile der *Ringmauer* mit den mächtigen Flankentürmen sowie der mehrgeschossige *Wohnturm* vom Anfang des 15. Jh. stehen noch. Als Ruine ist auch die *Johanniskapelle,* ein romanischer Zentralbau, erhalten. Der ursprünglich von einem Kuppelgewölbe überdeckte Bau mit den vier niedrigen tonnengewölbten Kreuzarmen geht auf kleinasiatische Vorbilder zurück (Grabeskirche in Jerusalem).

Außerdem sehenswert: Ehem. Benediktinerabtei St. Petrus (12. Jh.) mit Resten der Klostergebäude in Helmarshausen.

Karlsruhe 7500

Baden-Württemberg S. 420 □ E 17

Nachdem 1689 die Burg der badischen Markgrafen in Durlach von den Franzosen zerstört worden war, legte Markgraf Karl Wilhelm 1715 im Hardtwald, seinem Jagdrevier unterhalb Durlachs, den Grundstein für seine neue Residenz: Mittelpunkt sollte das Schloß sein, für das zuerst der achteckige Turm errichtet wurde und von dem 32 Straßen strahlenförmig ausgehen. Nur neun dieser Straßen führen in das Stadtgebiet, die 23 weiteren erschließen fächerförmig das angrenzende Waldgebiet. An die weitausgreifenden Schloßflügel und die Nebengebäude schließen andere Gebäude an, für die Höhe und Bauweise ebenfalls genau vorgeschrieben waren. In dieses »Carols Ruhe« lud Stadtgründer Karl Wilhelm Siedler aller Bekenntnisse aus ganz Deutschland ein. Der vorgeschriebene Städtebauraster bestimmte auch nach seinem Tod (1738) den wei-

Krukenburg bei Karlshafen

teren Ausbau von Karlsruhe durch seinen Nachfolger Karl Friedrich (1738–1811), der 1800 den Architekten F. Weinbrenner* in seine Dienste nahm. Auf Weinbrenner geht die *Kaiserstraße* zurück, die – wie mit dem Lineal gezogen – parallel zum Schloß verläuft. Vom Schloß aus stößt die *Karl-Friedrich-Straße* rechtwinklig auf die Kaiserstraße und führt dort weiter über den Rondellplatz bis zum *Ettlinger Tor.* Auf dem *Marktplatz* steht die *Pyramide*, die ursprünglich in Holz ausgeführt war, später jedoch in Stein erneuert wurde und unter der sich die Gruft des Stadtgründers Karl Wilhelm befindet. – Zu den Berühmtheiten, die Karlsruhe hervorgebracht hat oder die hier längere Zeit gelebt haben, gehören u. a. Johann Peter Hebel und Joseph Victor von Scheffel (1826–1886). Neben Scheffel sind auch die Maler Karl F. Lessing, W. Trübner und H. Thoma im *Hauptfriedhof* in Karlsruhe begraben. Ferner der Schauspieler Eduard Devrient, der das Badische Hoftheater von 1852–70 zu einer der ersten Bühnen Deutschlands machte. – In Karlsruhe wird seit 1956 alle drei Jahre der *Hermann-Hesse-Preis* vergeben, der erzählende und geisteswissenschaftliche Werke auszeichnet und mit 10000 DM dotiert ist.

Ehemal. Großherzogliches Schloß (Schloßplatz): Nur der Schloßturm (1715), der Mittelpunkt des städtebaulichen Zirkelschlags, blieb vom alten Schloß erhalten. Die übrigen Bauten wurden 1749–81 durch Um- oder Neubauten, die jedoch die Grundrisse des alten Plans genau befolgten, abgelöst. Entwürfe vieler Architekten (darunter mehrere Projekte von B. Neumann*) wurden in den endgültigen Plan von F. v. Keßlau einbezogen. Die Flügel des Schlosses, die einen rechten Winkel bilden, umfassen mit den anschließenden Nebengebäuden die große Gartenanlage vor dem Schloß. Nach schweren Zerstörungen im 2. Weltkrieg wurde das Schloß in seiner äußeren Gestalt originalgetreu wiederhergestellt. Das Innere wurde für ein modernes Museum großzügig neu gegliedert (siehe unten).

Kath. Stadtpfarrkirche St. Stephan (Erbprinzenstraße): Der Architekt F. Weinbrenner* orientierte sich bei seinen Plänen für diese Kirche (1808–14) am Pantheon in Rom. Über einem kur-

Panorama mit Großherzoglichem Schloß, Karlsruhe

zen griechischen Kreuz errichtete er einen Zentralbau mit gewaltiger hölzerner Kuppel (30 m Spannweite) und einen Säulenportikus. Die Kirche wurde nach dem 2. Weltkrieg vereinfacht wiederaufgebaut. Die Kuppel ist jetzt in Stahlbeton ausgeführt.

Ev. Stadtkirche (Marktplatz): Von 1807–11 errichtete Weinbrenner parallel zu St. Stephan die Kirche für die Protestanten mit einem Säulenportikus nach Art römischer Tempel. Das Innere, das nach dem Krieg modern gestaltet wurde, war dreischiffig und hatte rechts und links zweigeschossige Emporen.

Weitere Weinbrenner-Bauten: Von Weinbrenner, dessen Bauten von einer harten Formensprache geprägt sind, stammen auch das ehemalige *Markgräfliche Palais* am Rondellplatz (1803–14), das nach dem Wiederaufbau mit einer Bank verbunden ist, das *Rathaus* (Marktplatz, gegenüber der Stadtkirche), und die *Münze* (Stephanienstraße), die 1826, nach seinem Tod, fertiggestellt wurde.

Museen: Das *Badische Landesmuseum* (im Schloß, Schloßplatz) bietet u. a. Sammlungen zur Vor- und Frühgeschichte, Volkskunde, griechische, etruskische, römische und ägyptische Kunst, Skulpturen und Kunsthandwerk vom Mittelalter bis zur Gegenwart. – Die *Kunsthalle* (Hans-Thoma-Straße), in einem Bau aus den Jahren 1838–46, gehört zu den wichtigsten deutschen Gemäldegalerien mit bedeutenden Werken altdeutscher Malerei, des Barock und der Romantik (u. a. Grünewald, Holbein d. J., Lucas Cranach, Dürer, H. B. Grien, Boucher und vor allem Chardin). Für das Treppenhaus hat Moritz von Schwind ein großes Wandgemälde geschaffen. Hans Thoma, dem eine eigene Abteilung gewidmet ist, war von 1899 bis 1919 Direktor der Galerie. – In der benachbarten *Orangerie* ist die Neue Abteilung untergebracht mit Werken von Courbet, Manet, Monet, Cézanne, Trübner, Liebermann, Kokoschka, den Brücke-Künstlern und anderen Modernen. – *Verkehrsmuseum* (Werderstraße 63): mit der Laufmaschine von Drais, dem Erfinder des Fahrrads. – *Oberrheinisches Dichtermuseum* (Röntgenstraße 6): mit dem Nachlaß des Dichters Joseph Victor von Scheffel. Inzwischen

Marktplatz mit Pyramide, Karlsruhe

wurde der Bestand der Bibliothek auf fast 5000 Bände erweitert und um Gemälde, Illustrationen, Handschriften und Bücher ergänzt.

Theater: Das *Badische Staatstheater* (Ettlinger Tor) wurde 1975 eröffnet und ist heute Heimat für Oper und Schauspiel. Das *Große Haus* bietet Platz für 1002 Personen. Das angrenzende *Kleine Haus* nimmt maximal 500 Besucher auf. – *Die Insel* (Wilhelmstraße 14–16) (180 Plätze) ist dem Schauspiel vorbehalten. – Das *Kammertheater* (Waldstraße 79) ist in privatem Besitz und steht unter künstlerischer Leitung und Direktion von W. Reinsch.

Außerdem sehenswert: Karlsruhe-Durlach: Das ehem. Markgrafenschloß (16. Jh.) mit Prinzessinnenbau und Schloßkapelle (heute Pfinzgaumuseum).

Kassel 3500

Hessen S. 416 □ G 11

Schon seit 1277 war die Stadt Fürstensitz. Der Enkel der hl. Elisabeth baute auf dem hohen Fulda-Ufer seine Burg (am »Rondell« sieht man noch Reste der Befestigungsanlagen eines Nachfolgebaus). – Und der Slogan »Ab nach Kassel« ist keine Erfindung der modernen Tourismuswerbung, sondern die barsche Order des Landgrafen Friedrich II. von Hessen-Kassel (1760–85), der 12000 seiner Landeskinder als Söldner in den nordamerikanischen Freiheitskriegen an die Engländer vermietete – nur weil er Geld für seine Bauten brauchte. Mit der Karlsaue, der Orangerie, mit dem Park Wilhelmshöhe, der Gemäldegalerie, dem Friedrichsplatz, zahlreichen Palais und Adelshäusern haben Friedrich II. und seine Vorgänger Wilhelm VIII. und Landgraf Karl Kassel zu einer der schönsten Residenzen in Europa gemacht. – Durch die schweren Zerstörungen im letzten Krieg hat die Stadt ihr Gesicht zwar verändert, aber nicht verloren. Die großen Akzente der Stadtlandschaft – vom Herkules in Wilhelmshöhe bis zum Friedrichsplatz und der Karlsaue – sind geblieben.

Ev. Brüderkirche (Brüderstraße): Die Kirche (Bauzeit 1292–1376) gehörte zum ehem. Karmeliterkloster (1292)

St. Stephan, Karlsruhe

Löwenburg, Wilhelmshöhe

und ist ein typischer Bau des Bettelordens: Neben dem Hauptschiff gibt es nur ein Seitenschiff im Norden. Über dem Nordportal ist ein schönes Relief mit der Beweinung Christi erhalten (um 1500).

Ehem. Stiftskirche St. Martin und St. Elisabeth (Luther-Platz): Die heutige ev. Pfarrkirche war einst Hauptkirche in der vom Landgrafen neu gegründeten »Freiheit«. Der gotische Chor war 1367, der ganze Bau erst 1462 vollendet. Im letzten Krieg brannte die Kirche bis auf die Mauern nieder, wurde aber wieder aufgebaut. Der Chor ist als Gottesdienstraum mit einer Glaswand abgeschlossen, das Langhaus, mit neuen Faltgewölben versehen, für musikalische Feiern eingerichtet. – Von der Innenausstattung erhalten ist nur das 12 m hohe prunkvolle *Alabastergrabmal* für Landgraf Philipp den Großmütigen (der in Kassel die Reformation einführte) und seine Gemahlin Christine (1567–72). Die Künstler sind E. Godefroy und sein Schüler A. Liquier Beaumont. – In der *Gruft* unter der Sakristei befindet sich der Prunksarg des Schöpfers der barocken Residenz von Kassel, des Landgrafen Karl (gest. 1730).

Karlskirche (Karlsplatz): Inmitten des völlig zerstörten alten Hugenottenviertels, das Landgraf Karl für die Protestanten aus Frankreich nach einem Gesamtplan Paul du Rys* in der Oberneustadt angelegt hatte, liegt – seit dem Wiederaufbau ziemlich verloren – die reformierte Karlskirche. Der achteckige Zentralbau wurde 1698–1710 von P. du Ry geschaffen. Beim Wiederaufbau bekam die Kirche statt der Kuppel ein einfaches Zeltdach mit einem käfigartigen Glockentürmchen darauf.

Elisabeth-Hospital (Oberste Gasse): Am Südwestrand der mittelalterlichen Stadt und schon außerhalb der alten

Ottoneum, Kassel

Mauern entstand um 1300 das Hospital, das nach dem Krieg originalgetreu wiederaufgebaut wurde und heute weitläufige Weinstuben beherbergt. In einer Wandnische die Sandsteinfigur der hl. Elisabeth (frühes 15. Jh.).

Ottoneum (Steinweg): Gegenüber dem Elisabeth-Hospital liegt das sog. *Kunsthaus,* das seit 1884 als *Museum für Naturkunde* dient. Es wurde 1602–06 als erstes deutsches Schauspielhaus gebaut und nach dem Landgrafensohn Otto benannt. Der Renaissancebau von W. Vernukken imponiert durch die Vielfalt seiner Fenstergruppierung (Umbau durch P. du Ry) und die geschwungenen Giebelvoluten.

Fridericianum (Friedrichsplatz): Am Rande des Friedrichsplatzes ließ sich Landgraf Friedrich II. für seine Kunstsammlungen und seine Bibliothek von S. L. du Ry* dieses frühklassizistische Gebäude (1769–79) errichten. In die

Alabastergrabmal für Landgraf Philipp den Großmütigen und seine Gemahlin Christine, St. Martin und St. Elisabeth, Kassel

ausgebrannte Ruine des Fridericianums zog 1955 die erste *documenta* ein – eine richtungweisende Ausstellung moderner Kunst, die inzwischen zu einer periodisch wiederkehrenden Einrichtung geworden ist (1959, 1964, 1968, 1972).

Friedrichsplatz und Karlsaue: Der Friedrichsplatz (350 m lang, 150 m breit) ist einer der größten Plätze in Deutschland. Zu ihm gehört auch der später hinzugefügte Opernplatz, der sich als Terrassenbalkon über der tiefer liegenden Karlsaue erhebt (heute durch die Frankfurter Straße abgeschnitten). Die Gesamtanlage war ursprünglich als Grünfläche gedacht, in deren Mitte das Marmordenkmal des Landgrafen Friedrich II. stehen sollte. – Die *Karlsaue* ist eine von Landgraf Karl ausgebaute symmetrische Gartenanlage. Von der *Orangerie* (1702–10), deren Ruine zusammen mit dem Rasenparterre davor für Freiplastik-Ausstellungen im Rahmen der »documenta« benutzt wird, strahlen fünf Achsen aus. Der Mittelzug stößt auf einen wiederum symmetrisch angelegten Teich. Dahinter folgt – genau in der Achse – ein aufgeschüttetes Quadrat (heute »Siebenbergen« genannt), das zu einem Garten- und Blumenparadies ausgestaltet wurde. Die ganze Anlage hatte ehemals Grotten, Kaskaden, Heckenlabyrinthe und Gartentheater, im 19. Jh. ging jedoch der französische Gartenstil verloren. – Neben der Orangerie steht das wiederhergestellte *Marmorbad* (1722–28), ein quadratischer Kubus, der von einer Figurenbalustrade bekrönt wird. Im Inneren befindet sich ein tiefer gelegtes Marmorbassin, um das ein figuren- und reliefgeschmückter Umgang läuft.

Wilhelmshöhe, Park und Schloß (Wilhelmshöher Allee): Der Park im Stadtteil Wilhelmshöhe, von Landgraf Karl und Architekt G. F. Guerniero geplant, ist eine einmalige Anlage unter den europäischen Barockgärten. Ursprünglich war vorgesehen, daß Wasserfluten von der höchsten Stelle des Habichtswaldes, wo ein gewaltiges Oktogon mit der Riesenfigur des *Herkules* aufgerichtet wurde (Gesamthöhe 72 m), in einer Kaskadentreppe bis zum Schloß hinunterstürzen sollten (Höhenunterschied 236 m). Unter Karl konnte jedoch nur ein Drittel dieser Planungen ausgeführt werden. Der engliche Park-

Fridericianum, Kassel

Schloß Wilhelmshöhe ▷

stil, der in der 2. Hälfte des 18. Jh. den französisch-geometrischen Stil ablöste, veränderte die Planung: Über das ganze Gelände wurden sentimental-romantische Kapellen, Ruinen, Wasserfälle, Pyramiden, Aquädukte, Pavillons und Fontänen verteilt. Den Schlußpunkt dieser Entwicklung bildete die *Löwenburg*, eine von vornherein als Ruine konzipierte Burganlage, die sich der spätere Kurfürst Landgraf Wilhelm 1793–1801 durch H. C. Jussow bauen ließ. In die reich und ritterlich ausgestatteten Räume pflegte sich Wilhelm zu einem zeitweiligen Eremitendasein zurückzuziehen. – Kurfürst Wilhelm war auch der Erbauer von Schloß *Wilhelmshöhe* (1786–1803) durch S. L. du Ry und H. C. Jussow. Der klassizistische Bau – ursprünglich ein Hauptbau und zwei schräg gestellte Flügelbauten, die durch Terrassen lose mit dem Hauptbau verbunden waren – wurde durch die Aufstockung der Terrassen stark beeinträchtigt. In dem Haus ist jetzt die berühmte *Staatliche Gemäldegalerie* (nach einem langen Provisorium im Landesmuseum am Brüder-Grimm-Platz) untergebracht. Neben den Münchner, Dresdner und Berliner Galerien ist es eine der bedeutendsten Galerien in Deutschland und besitzt Gemälde von Rembrandt (18), Rubens (21), van Dyck (12), Tizian, Frans Hals, Terborch, Poussin, Dürer, H. B. Grien, Altdorfer u. v. a. Die *Antikenabteilung* mit dem berühmten »Kasseler Apoll« rangiert nach Berlin und München an dritter Stelle.

Wilhelmshöher Allee: Habichtswald und Residenz, Park und Stadt wurden unter Landgraf Friedrich II. durch die schnurgerade Wilhelmshöher Allee (1781 von S. L. du Ry entworfen) miteinander verbunden. Die *Herkules-Figur* hoch über der Parkanlage von Wilhelmshöhe ist ihr Point de vue. Ausgangspunkt ist der Brüder-Grimm-Platz am Königstor mit den beiden Wachhäusern, in dessen nördlichem die Brüder Grimm von 1814–22 gewohnt und ihre Kinder- und Hausmärchen aufgezeichnet haben. Die *Murrhardsche Bibliothek*, schräg gegenüber (324 000 Bände und 4500 Handschriften) besitzt das älteste deutsche Literaturdenkmal, die Handschrift des »Hildebrandsliedes« (um 800).

Museen: Das *Brüder-Grimm-Museum* (Brüder-Grimm-Platz 4 a): Autogra-

Ehem. Benediktinerklosterkiche St. Peter, Kastl

phen, Druckschriften und Sekundärliteratur aus dem Werk der Brüder Jacob und Wilhelm Grimm. – *Naturkundemuseum* (Steinweg 2): Im Ottoneum (siehe dort). – *Staatliche Kunstsammlungen:* Im Schloß Wilhelmshöhe (siehe dort). – documenta: Im Fridericianum (siehe dort). – *Deutsches Tapetenmuseum* (in den Räumen des Hessischen Landesmuseums) mit Exponaten aus sieben Jahrhunderten.

Theater: Die *Oper* des Staatstheaters (Friedrichsplatz 15) hat, seitdem Ludwig Spohr hier Kapelleister war (1784–1859), einen erstklassigen Ruf. Ihre modernen Inszenierungen haben oft Aufsehen erregt. Im gleichen Bau ist auch das *Schauspiel* zu Hause. Die *Komödie* spielt in der Friedrich-Ebert-Straße 39 (145 Plätze).

Außerdem sehenswert: Schlößchen *Bellevue* (Schöne Aussicht 2). – Reste der alten *Stadtbefestigung.*

Umgebung: 9 km nördlich von Wilhelmshöhe, über die Rasenallee zu erreichen, liegt das Rokokoschlößchen *Wilhelmsthal,* das einst für Landgraf Wilhelm VIII. erbaut worden ist. Entwerfender Architekt war der Münchner F. Cuvilliés* d. Ä., der hier eines seiner schönsten elegantesten Bauwerke geschaffen hat.

Kastellaun 5448

Rheinland-Pfalz S. 416 □ C 14

Bei dem 1968 zur Stadt erhobenen Ort handelt es sich wahrscheinlich um das schon 820 erwähnte Trigorium. Sehenswert ist u. a. die Ruine der *Burg* (Palas-Westwand der Oberburg), die 1689 den Franzosen zum Opfer fiel.

Kastl bei Amberg 8455

Bayern S. 422 □ L 16

Ehem. Benediktinerklosterkirche St. Peter: Hochschiff und Hauptapsis der 1129 geweihten Kirche wurden um 1400 gewölbt. Anbauten und Veränderungen kamen im 15. und 16. Jh. hinzu. Der gut erhaltene Mauergürtel und die exponierte Lage auf einer Felsburg erinnern an stürmische Zeiten, in denen die Benediktinermönche hier gelebt und sich gegen alle Angriffe verteidigt haben. Die dreischiffige Basilika ist im Kern romanisch, die Apsiden jedoch teilweise schon gotisch. Das Tonnengewölbe über dem Hochschiff des Chors gehört zu den ältesten in Bayern. Sehenswert sind die zahlreichen *Grabmäler* (seit 1964 in der Paradiesvorhalle). Der weitaus überwiegende Teil der Ausstattung kam erst im 18. Jh. in die Kirche. Von L. Hering stammen die beiden Denkmäler für Abt Menger (gest. 1554), die ihn zu Füßen der Muttergottes und betend vor dem Kruzifixus zeigen. Von den ehem. Klostergebäuden sind nur Teile erhalten geblieben. Einige baufällige Trakte wurden abgerissen und 1963 neu errichtet.

Umgebung: Pfaffenhofen (Schweppermannburg).

Kaub 5425

Rheinland-Pfalz S. 416 □ D 14

Burg Gutenfels (oberhalb des Ortes): Vom 12.–19. Jh. wurde an der Engstelle des Rheins bei Kaub den Schiffern Zoll abverlangt, der den häufig wechselnden Herren der Burg Gutenfels zugute kam. Die Burg (mit Kern aus dem 13. Jh.), in der Gustav Adolf während des 30jährigen Kriegs längere Zeit wohnte, wurde Ende des 19. Jh. wiederaufgebaut. Es ist eine stattliche Anlage mit zwei langen parallelen Flügeln, Zinnenbekrönung, Torbau, Bergfried und hölzernen Lauben im Hof.

Pfalzgrafenstein: Berühmt wurde der Ort durch die Burg, die unter dem Namen »Pfalz bei Kaub« bzw. »Steinernes Schiff« bekannt ist und auf einer Insel im Rhein liegt. 1327 errichtete man hier zunächst einen fünfeckigen Zollturm, um den in spätgotischer Zeit eine

Hochaltar von J. Lederer (1436) in St. Blasius, Kaufbeuren

dreigeschossige Wehrmauer gebaut wurde. Mit der 1607 angesetzten Bastion gleicht die Anlage einem steinernen Schiff im Strom. – Durch Blüchers Rheinübergang bei Kaub auf seinem Feldzug gegen Napoleon wurde die »Pfalz« zu einem historischen Begriff.

Blüchermuseum (Metzgergasse 6): An Blüchers Rheinübergang (siehe oben) und an das Leben des Feldmarschalls erinnert eine Sammlung, die hier seit 1935 in drei Abteilungen zusammengetragen worden ist.

Kaufbeuren 8950

Bayern S. 422 □ I 20

In Kaufbeuren, ehemals Reichsstadt, ist 1731 Sophie von La Roche geboren. Sie war mit Ch. M. Wieland verlobt und galt als »Erzieherin von Teutschlands Töchtern« sowie als »Dichtermutter« für die Literaturepoche des Sturm und Drang. Kaufbeuren ist aber auch Geburtsstadt von Ludwig Ganghofer (1855–1920), der mit seinen Alpenromanen zu den erfolgreichsten deutschen Schriftstellern aller Zeiten ge-

Pfalzgrafenstein, Kaub

hört; an ihn erinnern Sammlungen im *Heimatmuseum* (Kaisergässele) und eine Gedenktafel an seinem *Geburtshaus* (Kirchplatz).

St.-Blasius-Wehrkirche (Blasiusberg 13): Die Kapelle (1319) auf einer Anhöhe im NW der Stadt ist auf der alten Stadtmauer errichtet. Der ursprüngliche Wehrgang führt durch das Langhaus (1484) hindurch, und der Turm ist eigentlich ein Wehrturm. – Der *Hochaltar*, von J. Lederer für den Chor (1436) geschaffen, gilt als eines der Hauptwerke oberschwäbischer Spätgotik (1518). Die Figuren sind z. T. aus einem älteren Schrein übernommen, die Flügel hat J. Mack gemalt. – Die Wände der Kirche sind mit *spätgotischen Gemäldezyklen* in fünf Gruppen geschmückt. Aus der wertvollen Ausstattung der stilistisch einheitlichen Kapelle sind ferner das *Chorgestühl* und ein ausdrucksvoller *Kruzifixus* auf einem Vortragekreuz (um 1350) hervorzuheben.

Außerdem sehenswert: Ehem. Franziskanerkirche (1315, mehrmals stark verändert); St. Cosmas und Damian (1494; Ausgestaltung im 17./18. Jh.).

Kelheim 8420

Bayern

S. 422 □ L 17

Zeugnisse von der Besiedlung des Gebietes reichen bis in die Altsteinzeit zurück. 866 ist »Cheleheim« zum erstenmal beurkundet. Die Stadt in ihrer heutigen Anlage (um 1206) ist freilich erst das Werk Herzog Ludwigs II., des Strengen. Die rechtwinkligen Straßen und die rechtwinklige Ummauerung ist als sog. Wittelsbacher Stadtgründungstyp in die Geschichte des Städtebaus eingegangen. Am Schnittpunkt der wichtigsten Quer- und der Längsachse stand bis 1824 das Rathaus (heute im ehem. Gebäude der Stadtschreiberei am Nordosteck der Kreuzung). Von der alten Stadtmauer sind nur geringe Reste erhalten. Dagegen konnten die drei Stadttore (Donautor, Altmühltor, Mittertor) aus dem 13./14. Jh. bis in unsere Zeit gerettet werden.

Befreiungshalle: Auf dem 100 m hohen Michelsberg, dem Platz einer alten keltischen Kultstätte, ist der 45 m hohe Monumentalbau errichtet worden. Er soll an die Freiheitskriege 1813–15 gegen Napoleon erinnern und wurde von

Befreiungshalle bei Kelheim

Ludwig I. von Bayern nach dessen Griechenlandreise 1836 initiiert. Der Bau, zunächst von F. Gärtner* im byzantinischen Stil begonnen (1842), wurde nach dessen Tod von L. v. Klenze* »römisch-antik« verändert (beendet 1863). Im Äußeren spürt man Anklänge an das Theoderichgrab in Ravenna, im Innern an das Pantheon in Rom. Die beiden riesigen Pfeiler- und Säulengänge sind von einer Kassettenkuppel überwölbt. 34 Viktorien in Marmor (für die 34 deutschen Staaten) bilden einen weiten Kreis und halten zwischen sich 17 Tafeln mit den Namen der Schlachten (Figuren von L. v. Schwanthaler*). Über der Empore, die von 72 Granitsäulen getragen wird, stehen im Architrav die Namen (rück)eroberter Städte. Das Innere ist mit edelstem Material ausgekleidet, der Bau selbst wurde in verputztem Ziegel aufgeführt.

Außerdem sehenswert: Die *Pfarrkirche Mariae Himmelfahrt* (im Nordosten des Marktplatzes) stammt aus dem 15. Jh. und besitzt eine spätgotische Muttergottes (um 1440, über dem südlichen Seitenportal). – Die *Spitalkirche St. Johannes/Ottokapelle* geht auf den Mord (1231) an Herzog Ludwig (»Der Kelheimer«) zurück. Sie wurde vom Sohn des Ermordeten errichtet. – Der sog. *Herzogskasten* ist aus dem Mittelalter erhalten geblieben. Er dient heute als Gymnasium.

Stadtmuseum (im Deutschen Hof): Das Museum ist der Vor- und Frühsowie der Landes- und Ortsgeschichte gewidmet.

Kempen 4152

Nordrhein-Westfalen S. 416 □ B 10

Der kleine Ort am Niederrhein wurde bekannt durch seinen großen Sohn Thomas a Kempis (1380–1471), den Theologen, Mystiker und Verfasser der »Nachfolge Christi«, einer der bedeutendsten Schriften der spätmittelalterlichen geistlichen Literatur.

Kath. Pfarrkirche St. Maria/Propsteikirche (Kirchplatz): Im Zentrum der kreisförmig angelegten Stadt steht die Marienkirche. Im 13. Jh. entstanden der vierkantige romanische Westturm mit seinem rundbogigen Portal und das Langhaus (auf den Fundamenten einer alten Anlage, um 1200). Das südliche Seitenschiff, der Hallenchor und das Gewölbe des Mittelschiffs wurden im 14. Jh. in gotischen Formen gebaut. 1453–60 kam das nördliche Seitenschiff hinzu. – Die reiche spätgotische Ausstattung stammt aus den Kunstzentren Köln, Antwerpen und dem Niederrhein. Bedeutende Stücke sind: Das turmartige *Sakramentshaus* (1461), geschnitztes, besonders wertvolles *Chorgestühl* (1493) und ein prächtiger schmiedeeiserner *Marienleuchter* (1508). Von 20 urkundlich bezeugten Altären sind noch drei aus der Antwerpener Schule vorhanden (Hochaltar, 1513; Georgsaltar, 1525, und Antoniusaltar, 1540).

Städtisches Konrad-Kramer-Museum (Burgstraße 19): Das Museum befindet sich im ehem. Klosterbau der Franziskanerkirche (17. Jh., im 18. Jh. restauriert). Hauptsammelgebiet ist die niederrheinische Plastik.

Außerdem sehenswert: Die *Stadtbefestigung* (um 1370) ist in der Kuhstraße (Kuhtor), im Möhlenring und im Hessenring noch in Teilen erhalten. – Die ehem. kurkölnische *Burg* (1396–1400) wurde mehrfach verändert, ist als niederrheinischer Backsteinbau jedoch trotzdem von Bedeutung. – *Peterskapelle* (12. Jh.) und *Heiliggeist-Kapelle* (1421).

Kempten 8960

Bayern S. 422 □ H 21

An die Zeit der Römer erinnern Mauerreste der untergegangenen Römerstadt (Basilika, Thermen, Forum usw.), die man bei Grabungen im Stadtteil Lindenberg fand. Die spätere Geschichte der Stadt wurde entscheidend

Prunksaal, Residenz Kempten

vom Streit der protestantischen Reichsstadt mit der Benediktiner-Reichsabtei bestimmt. – Die Altstadt wurde zum Zentrum der Protestanten, das Gebiet um das Benediktinerkloster (Neustadt) zum Zentrum der Gegenseite. Im 30jährigen Krieg zerstörten die Schweden mit Hilfe der Bürger das Kloster und die Klosterkirche, die Truppen der Liga legten die Stadt in Schutt und Asche.

Stiftskirche St. Lorenz (Stiftsplatz): Es ist der erste große Kirchenbau in Deutschland nach dem 30jährigen Krieg. M. Beer aus Bregenz wollte 1651 nach oberitalienischem Vorbild einen gewaltigen, freistehenden Baukörper schaffen. J. Serro führte ab 1654 den Bau zu Ende. – Im Innern der Kirche zieht das Gewölbe die Aufmerksamkeit des Besuchers auf sich. Der *Stuck* stammt von G. Zuccalli*, die *Malereien* von A. Asper. Das wertvolle *Chorgestühl* (1669) ist mit Scagliola-Arbeiten ausgeschmückt. Die Altäre stammen aus dem 17. und 18. Jh. Unter der Westempore befindet sich ein *Gabelkruzifixus* (um 1350): Baum des Lebens.

Ehem. fürstäbtliche Residenz (Residenzplatz): Zugleich mit der Kirche ließ Fürstabt Roman Giel von Gielsberg von M. Beer eine neue Residenz bauen (1651–74). Von Bedeutung sind vor allem die prächtigen Innenräume. Der *Fürstensaal* im 1. Stock (heute Betsaal) hat reichen Stuck. Im 18. Jh. wurde die Anlage um die Prunkräume im Stil des süddeutschen Rokoko erweitert (1734–42). Als Meister wird J. G. Üblherr* genannt, der sich Dekorationselemente von Meistern wie Cuvilliés und J. B. und D. Zimmermann entliehen hat.

Museen: Das *Allgäuer Heimatmuseum* (Großer Kornhausplatz 1) befindet sich im ehem. *Kornhaus,* das im 18. Jh.

im Stil des Barock erbaut wurde. – Die *Römische Sammlung* (Residenzplatz 31) befindet sich im *Zumsteinhaus*, einem klassizistischen Gebäude aus dem Jahr 1802.

Außerdem sehenswert: *St. Mang*, die alte städtische Kirche, wirkt neben der beherrschenden Stiftskirche bescheiden. Es ist ein spätgotischer Ziegelbau (1427), dessen Langhaus (flache Basilikadecke) eingewölbt und im Rokokostil verstuckt wurde (1767/68). – Das gotische *Rathaus* (1474) mit seinem Zwiebelturm und der doppelläufigen Treppe beherrscht den Rathausplatz. – Den *Rathausbrunnen* hat der in Augsburg und München tätige Erzgießer H. Krumper* geschaffen (1601). – Außerdem: Der *Londoner Hof* mit Treppenhaus (Rathausplatz 2), das spätgotische *Weberhaus* (Gerberstraße 20) und das schöne *Ponikau-Haus* (Rathausplatz 10) haben ihre reizvolle Rokokoausstattung ebenfalls von I. G. Üblherr erhalten.

Kevelaer 4178

Nordrhein-Westfalen S. 414 □ A 10

Gnadenkapelle (Kapellenplatz): Seit dem 30jährigen Krieg ist die Gnadenkapelle das Ziel ungezählter Wallfahrten zur »Muttergottes von Kevelaer«. Für das Gnadenbild, einen kleinen Antwerpener Kupferstich mit einer sog. Luxemburger Muttergottes, ließ der Hausierer Hendrick Busman im Jahr 1642 nach einer Vision ein Heiligenhäuschen errichten. Dieses wurde 1654 mit einem kleinen sechseckigen Kuppelbau in schlichten ländlichen Barockformen umbaut. – 1643–45 baute H. van Arssen eine erste Wallfahrtskirche, die sog. *Kerzenkapelle*. – 1858–64 entstand im Stil der Neugotik die neue *Wallfahrtskirche St. Maria*, eine 5000 Personen fassende Basilika, die alljährlich von mehr als einer halben Million Wallfahrern besucht wird.

Museum für niederrheinische Volkskunde (Hauptstraße 18): In einem niederrheinischen Bürgerhaus aus dem Jahre 1704, mit Sammlungen zur Vorgeschichte, Volkskunst sowie niederrheinischen Plastiken.

Kiedrich 6229

Hessen S. 416 □ D 14

Neben dem Rathaus (1585) und den zahlreichen Adelshöfen in der Markt-, Kammer-, Sutton-, Scharfenstein- und Oberstraße ist der von einer hohen Mauer umgebene Kirchenbezirk mit Pfarrkirche, Totenkapelle und den schönen Fachwerkhäusern der stimmungsvolle Mittelpunkt des ehem. Wallfahrtsortes.

Pfarrkirche St. Dionysius und Valentinus: In verschiedenen Bauabschnitten ist die Kirche im 14. und 15. Jh. entstanden, sicher unter Einfluß des Frankfurter Baumeisters M. Gerthener*. Bemerkenswert sind die Sterngewölbe im Chor (Einwölbung 1481 durch einen bayerischen Meister aus der Schule H. Stethaimers*) und über dem Langhaus. Die Steinmetzarbeiten sind von einem im Rheingau sonst kaum anzutreffenden Reichtum. Das Relief über dem schönen Westportal, »Mariens Verkündigung und Krönung«, ist ein anmutiges Werk des Weichen Stils (um 1420). J. Sutton ließ die Kirche 1857–76 stilgerecht restaurieren. – Innerhalb der vielfältigen, kostbaren Ausstattung sind eine *Sitzmadonna* (kölnisch um 1330, unter dem Lettner), das original erhaltene *Gestühl* im Schiff (um 1510) und die wiederhergestellte *Orgel* mit dem verschließbaren Gehäuse (um 1500) die schönsten Stücke.

Totenkapelle St. Michael: Ein schlanker steiler Bau (um 1440) mit dem Totenhaus im niedrigen Erdgeschoß. Im Obergeschoß hängt ein schöner schmiedeeiserner *Kronleuchter* mit einer lebensgroßen *Doppelmadonna* auf der Mondsichel (um 1520), ein Schnitzwerk aus der Backoffen*-Werkstatt. Von der Kapelle aus betritt

Westportal, Pfarrkirche, Kiedrich

Marine-Ehrenmal in Laboe bei Kiel

man eine Art Loggia mit gotischem Maßwerkgitter in Sandstein, von der aus die Reliquien des hl. Valentinus den Wallfahrern gezeigt wurden.

Burgruine Scharfenstein: 1211 erstmals genannt, einst von Mainzer Erzbischöfen bewohnt, seit dem 17. Jh. verfallen.

Kiel 2300

Schleswig-Holstein S. 412 ☐ H 2

Im Mittelalter und in den Jahrhunderten danach bedeutete der Seehandel wenig für die Stadt, die im Schatten von Hamburg und Lübeck blieb. Erst im 19. Jh., als Kiel an Preußen fiel und bald Kriegshafen des Reiches wurde, setzte ein rasches Wachstum ein. Am Ostufer der Förde entstanden Werften, und der Nord-Ostsee-Kanal wurde gebaut. Das veränderte das alte Stadtbild. Nach dem 2. Weltkrieg erhielt Kiel, die Landeshauptstadt von Schleswig-Holstein, eine neue, großzügige Raumordnung. – Die Kulturgeschichte Kiels ist – abgesehen von den Bauten, von Museen und Theatern und der alljährlich stattfindenden »Kieler Woche« – mit Namen wie dem impressionistischen Dichter Detlev von Liliencron (sein Geburtshaus stand Herzog-Friedrich-Straße 12), dem des Erzählers Timm Kröger, Theodor Storms und der Brüder Tycho und Theodor Mommsen verbunden, die in Kiel mit Storm das »Liederbuch dreier Freunde« verfaßten. – Der *Kulturpreis der Stadt Kiel* wird alljährlich zur Zeit der »Kieler Woche« für das kulturelle Gesamtwerk an einen bedeutenden Künstler oder Schriftsteller verliehen. In unregelmäßigen Abständen wird hier der *Internationale Scheersbergpreis* für Spiel- und Amateurtheater vergeben.

Ev. Nikolaikirche (Alter Markt): Der

ab Mitte 13. Jh. errichtete gotische Hallenbau wurde 100 Jahre später nach dem Muster der Lübecker Petrikirche (→ Lübeck) umgestaltet und mit einem langen Chor versehen. Im 19. Jh. bekam die Kirche eine neugotische Außenhaut, nach dem 2. Weltkrieg wurde sie in z. T. neuzeitlichen Formen mit Betonpfeilern und Stahlbetondecke wiederaufgebaut. – Von der Ausstattung ist der geschnitzte und gemalte *Hochaltar* gerettet, der sog. Erzväteraltar (1460), das *Bronze-Taufbecken* (1344), ein monumentales *Triumphkreuz* (1490) und die barocke Kanzel (1705). – Vor der Nordwestecke der Kirche steht der »Geistkämpfer« von E. Barlach*.

Rathaus (Fleethörn 9): Der 1907–11 errichtete Bau hat eine Werksteinfassade im Jugendstil und einen wuchtig aufragenden Turm mit spitzer Kupferhaube. Er wurde nach den Kriegszerstörungen originalgetreu wieder aufgebaut.

Franziskanerkloster (Falckstraße): Von diesem ältesten Gebäude der Stadt (1240–46) stehen noch das *Refektorium* (heute theologisches Studienhaus) und der Westflügel des *Kreuzgangs*. In die Wand des Kreuzgangs ist der Grabstein des Stadtgründers, Graf Adolf IV. von Schauenburg (gest. 1261), eingelassen.

Ehem. Schloß (Schloßstraße): Die schauenburgische Burg aus dem 13. Jh. wurde im 16. Jh. zu einem Renaissanceschloß umgestaltet. Nach der Zerstörung im 2. Weltkrieg wurde ein Trakt in Anlehnung an die alte Form wiederaufgebaut (1961–65). Er beherbergt eine landesgeschichtliche Sammlung und ein Kulturzentrum (siehe unten).

Museen: Die *Landesgeschichtliche Sammlung* (im Westflügel des Schlosses, Schloßstraße) ist Teil eines Kulturzentrums, zu dem u. a. auch noch die *Landesbibliothek* und ein *Konzertsaal* gehören. Landes- und Stadtgeschichte, Graphik und Gemälde, Waffen und Uniformen, Münzen und Medaillen werden gezeigt. – Die *Kunsthalle Kiel* (Düsternbrooker Weg) zeigt vorwiegend Werke schleswig-holsteinischer Künstler aus dem 19./20. Jh. – Das *Marine-Ehrenmal Laboe* mit *Schiffahrtsmuseum* (nördlich von Kiel im

Marienaltar (ca. 1515) der Nikolauskirche, Kiel

Badeort Laboe), von G. A. Munzer in den Jahren 1927–36 errichtet, ist zu einem Wahrzeichen der Kieler Förde geworden. – Das *Schleswig-Holsteinische Freilichtmuseum* (bei Rammsee, 6 km südwestlich von Kiel) zeigt Bauernhäuser und Höfe und landwirtschaftliches Gerät aus Schleswig-Holstein.

Theater: *Opernhaus am Kleinen Kiel:* Nur noch die Umfassungsmauern sind vom alten Theaterbau (1905–07) übriggeblieben, der 1952–53 vom Hamburger Theaterarchitekten W. Kallmorgen innen völlig neu gestaltet wurde und jetzt 984 Plätze hat.

Außerdem sehenswert: Kath. Nikolauskirche (1891) mit Marienaltar von etwa 1515.

Kirchheim am Ries 7081

Baden-Württemberg S. 422 □ H 17

Der kleine Ort hat heute noch drei Kirchen: die große Kirche des ehem. Zisterzienserinnenklosters, die ev. Pfarrkirche St. Jakob (15. Jh.) und die Kirche St. Martin (heute ev. Friedhofskapelle), in deren Wände Steine aus der Römerzeit eingemauert sind.

Kath. Pfarrkirche / Ehem. Zisterzienserinnen-Klosterkirche Mariae Himmelfahrt: Der für die Hochgotik typische Bau entstand um 1310. Im 18. Jh. wurden Rokokodekore angebracht und barocke Altäre aufgestellt. Vor allem der Hochaltar (1756) steht in starkem Gegensatz zur linearen Strenge der gotischen Architektur. Auch die Seitenaltäre mit ihren gedrehten Säulen sowie die Kanzel sind barock (17. Jh.). Bemerkenswert ist eine *Pieta* des Weichen Stils (um 1420).

Kirchheim, Schwaben 8949

Bayern S. 422 □ I 19

Fuggerschloß: Auf der sanften Uferhöhe über der Mindel stand bereits eine Ritterburg, die sich Hans Fugger, der Erbe aus der reichen Fuggerfamilie in → Augsburg, 1578–85 als Stammschloß ausbauen ließ. Die besten Künstler der Zeit haben hier ein fürstliches Domizil geschaffen, das zu den besterhaltenen Renaissancebauten in Schwaben gehört. – Bedeutendster Teil der Anlage ist der *Festsaal.* Für ihn hat W. Dietrich* prunkvolle Türrahmen und die reiche *Kassettendecke* geschreinert. Das Glanzstück ist neben den dunklen Nischenfiguren an den Wänden der *Kaminaufbau* mit Sitz- und Liegefiguren, ein Werk H. Gerharts und C. Pallagos (1582–85), das sich an die florentinischen Medicigräber Michelangelos anlehnt. Die Raumwirkung erinnert an → Heiligenberg und an den vernichteten Goldenen Saal des Rathauses von → Augsburg. – Hans Fugger bestellte bei H. Gerhart* und A. Colin für sich eine pompöse *Grabtumba* aus verschiedenfarbigem Marmor. Diese stand lange Zeit in St. Ulrich zu Augsburg, wurde jedoch vor kurzem in der *Schloßkapelle* (16. Jh.) von Kirchheim aufgestellt.

Umgebung: Fuggerstadt → Augsburg, → Landsberg.

Klosterkirche, Kirchheim am Ries

Kirchheimbolanden 6719

Rheinland-Pfalz S. 416 □ D 15

Ein Schloß des 18. Jh., zwei Kirchen, eine Reihe einheitlich gediegener Barockhäuser und Reste einer Stadtbefestigung mit drei Türmen und zwei Stadttoren umreißen das Bild der Stadt Kirchheim, die im 19. Jh. den Zusatz »Bolanden« erhalten hat.

Ehem. lutherische Schloßkirche / Ev. Pfarrkirche St. Paul (Marktplatz): Die Kirche wurde zusammen mit dem Schloß 1739–44 erbaut. Es ist ein quergestellter Saalbau mit einem kolossalen, 19 m hohen Muldengewölbe und Emporenausbauten an den schmalen Querenden. An den Breitseiten stehen sich Altar und Fürstenloge gegenüber. Auf der Orgel (1745) von Orgelbaumeister J. M. Stumm hat anläßlich eines Besuches 1778 W. A. Mozart gespielt.

Schloß (Marktplatz): Der Architekt des Mannheimer Schlosses, G. d'Hauberat*, hat diesen nur teilweise erhaltenen und stark veränderten Bau 1738–40 geschaffen. Einige schöne Portale im Garten (um 1750), Nebengebäude wie Kutschenremise, Orangerie und ehem. Ballhaus lassen die Ausmaße und den Stil der Anlage erkennen.

Ev. Pfarrkirche St. Peter/Ehem. St. Remigius: Der Bau geht bis ins 12. Jh. zurück (Chorturm). Die Anlage wurde im 18. Jh. barock ausgestattet, der Turm mit einer Haube versehen. An der Südwestecke des Turms befindet sich eine interessante Sonnenuhr (wohl 13. Jh.).

Außerdem sehenswert: *Stadtbefestigung:* Apothekerturm, Grauer und Roter Turm gehören zu der ehem. Stadtbefestigung. Auch das Obere und Untere Stadttor befinden sich in gutem Zustand. – Die zweigeschossigen *Bürgerhäuser* in der Amtsstraße, alle aus dem 18. Jh., ordnen sich in bürgerlicher Gleichberechtigung nebeneinander. – Das *Heimatmuseum* (Amtsstraße 14) in einem der alten Bürgerhäuser zeigt u. a. Erinnerungsstücke an die Freischarenzeit 1848/49.

Kißlegg 7964

Baden-Württemberg S. 420 □ G 20

Altes Schloß: Das Schloß der Fürsten von Waldburg-Wolfegg ist eine sog. Tiefburg (zu ebener Erde) mit hohen getreppten Giebeln zu beiden Seiten und vier runden Ecktürmen (Anfang 16. Jh.). Im nordöstlichen Eckturm wurden schöne Wandmalereien (um 1580) freigelegt. Während des Barock erhielt das Schloß in vielen Räumen eine neue Innenausstattung durch J. G. Fischer*.

Neues Schloß: Unter den Künstlern, die den dreigeschossigen Bau von 1721–27 nach dem Entwurf J. G. Fischers* erbaut und gestaltet haben, wird auch der berühmte J. M. Feuchtmayer genannt. Von ihm stammen die acht Figuren im Treppenhaus. Bemerkenswert ist auch die *Kapelle.* Das Schloß ist mit seinen historischen Beständen als *Museum* eingerichtet.

Pfarrkirche St. Gallus: Der aus Füssen stammende Maurermeister J. G. Fischer hat auch diese Kirche auf alter Grundlage (Untergeschoß des Turms 13. Jh., Langhaus-Mauern 16. Jh.) geschickt um- und aufgebaut (1734–38). – Reiche *Stukkaturen* umrahmen das Deckenbild und klettern an den Arkaden und Wandflächen entlang (1740 von J. Schütz). Hervorragende Stücke sind *Kanzel* und *Schalldeckel* sowie der *Taufstein* (alles Arbeiten von J. M. Hegenauer, um 1740–45). Zum *Silberschatz* der Sakristei gehören 21 Plastiken und Reliefs, die von den Augsburger Goldschmieden Mittnacht und Mader angefertigt worden sind.

Gottesackerkapelle St. Anna (im NW oberhalb des Ortes): Der einheitlich ausgestattete Bau (1718/19) geht wahrscheinlich ebenfalls auf J. G. Fischer zurück.

Kath. Pfarrkirche St. Johann Bapt. mit Altstadt

Kitzingen 8710
Bayern S. 418 □ H 15

Kitzingen gehört zu den ältesten Städten an den Ufern des Mains. Ursprung war das 745 gegründete Benediktinerinnenkloster, um das sich eine Siedlung mit Mauerring entwickelte. Die planmäßige, rechtwinklige Anlage der Stadt geht auf das 12./13. Jh. zurück und steht in Verbindung mit der Sicherung des Mainübergangs. Dieser jüngere Teil der Stadt wurde von einem 1443 angelegten Mauerring umgeben, von dem Reste erhalten sind.

Protestantische Pfarrkirche (Kaiserstraße): Der deutsch-italienische Baumeister A. Petrini*, der in → Würzburg wirkte, errichtete 1686–99 für die Benediktinerinnen die Kirche im Stil italienischer Barockbauten. Die wuchtig gegliederte Fassade wird überragt von einem hohen, mehrgeschossigen Turm, der heute als Gegenstück zu dem später entstandenen Turm der Kapelle Hl. Kreuz (siehe unten) wirkt. Nach der Säkularisation wurde die Klosterkirche 1817 von der protestantischen Gemeinde übernommen.

Kapelle Hl. Kreuz (Balthasar-Neumann-Straße in Etwashausen): Die Kapelle, die B. Neumann* 1741–45 am Brückenkopf Kitzingens baute, ist unter dem Eindruck der Petrini-Kirche am anderen Mainufer entstanden. Der Turm schwingt sich aus der Fassade in mehreren Absätzen und wird von einem wulstigen Helm bekrönt. Neumann wollte die architektonischen Formen für sich allein wirken lassen und verzichtete deshalb auf reichhaltigen Schmuck, wie er im Spätbarock üblich war.

Kath. Pfarrkirche St. Johann Bapt. (Obere Kirchgasse 7): Die dreischiffige Hallenkirche aus dem 15. Jh. hat bei

Restaurierungen Ende der 50er Jahre viel von ihrer Ursprünglichkeit zurückerhalten. So wurde nicht nur die neugotische Ausstattung des 19. Jh. entfernt, sondern es wurden auch *spätgotische Wandmalerein* im nördlichen Seitenschiff freigelegt und das *Sakramentshaus* (1470–80) in seinen ursprünglichen Zustand versetzt. Aus dem 15. Jh. stammt das bemerkenswerte *Chorgestühl.* Die *Passionsdarstellungen,* die über dem modernen Hochaltar angebracht wurden, sind Teile eines Altars aus der Zeit um 1480.

Museum: Das *Deutsche Fastnachtsmuseum* im Falterturm gehört dem Bund Deutscher Karneval und zeigt Masken, Kostüme und Requisiten zum Themenkreis sowie die einschlägige Literatur. – Das *Städtische Museum* und das *Städtische Archiv* (Landwehrstraße 23) zeigen u. a. Beiträge zur Stadtgeschichte, zu Weinbau und Handwerk.

Außerdem sehenswert: Neben Resten der Stadtbefestigung aus dem 15. Jh. sind der *Falterturm* und das *Großlangheimer Tor* (1565) (in Etwashausen) erhalten geblieben. Die *Mainbrücke,* die in ihrer heutigen Form auf das 17./18. Jh. zurückgeht, ist zum ersten Mal um 1300 erwähnt. Das *Rathaus* (Untere Marktgasse) ist ein schöner dreigeschossiger Renaissancebau (1561–63) mit einem reich gegliederten Giebel.

Kleve, Niederrhein 4190

Nordrhein-Westfalen S. 414 □ A 9

Ehem. Stiftskirche St. Mariae Himmelfahrt: Meister Konrad von Kleve war der Architekt der dreischiffigen gotischen Kirche, deren Chor 1356 geweiht wurde und deren Langhaus und Westtürme 1426 vollendet waren. Mit dem stark überhöhten (ursprünglich fensterlosen) Mittelschiff ist es das erste Beispiel der sog. *Klevischen Stufenhalle.* Beim Wiederaufbau der im 2. Weltkrieg fast völlig vernichteten Kirche erhielt das Innere eine neue Raumordnung. Von der einst reichen Ausstattung blieben der *Marienaltar* von H. Douvermann* und J. Dericks (1510–13) mit einer Madonnenfigur aus dem 14. Jh. erhalten, außerdem verschiedene Grabmäler aus dem 14.–16. Jh. *Kirchenschatz.*

Marienaltar der Stiftskirche in Kleve

Ehem. Minoritenkirche St. Mariae Empfängnis (Tiergartenstraße): Die heutige kath. Pfarrkirche aus der Zeit um 1440 ist charakteristisch für die gotische Bettelordenarchitektur: zweischiffig, sehr langgestreckt und einfach in den Maßwerk- und Detailformen. Außergewöhnlich reich geschmückt ist dagegen das zweireihige eichene *Chorgestühl* (1474).

Schwanenburg: Von der Burganlage der Grafen von Kleve aus dem 11./12. Jh. ist nichts erhalten. Vom Ausbau des Schlosses Anfang des 15. Jh. stammt der Schwanenturm (1453), ein gotischer Bau mit Wehrgang, Ecktürmen und spitzem Helm und der im Süden gelegene Spiegelturm. Fragmente eines 1771 abgebrochenen romanischen Flügels wurden in neuere Trakte des Schlosses eingebaut. Im inneren Schloßhof steht der römische *Mars-Camulus-Altar* (1. Jh.). Das Schloß ist heute Sitz des *Landgerichts.*

Tiergarten: Außer den schönen Garten- und Parkanlagen im SO der Stadt gibt es im NW den neuen Tiergarten, zu dem – strahlenförmig angelegt – zwölf Alleen führen. Darunter liegt in einer natürlichen Bergschlucht das sog. *Amphitheater*, ein an italienischen Vorbildern orientierter Terrassengarten. Die ganze Anlage (1656) geht auf Johann Moritz von Nassau zurück.

Städt. Museum (Kavarinerstraße): Das Museum ist im Haus des Landschaftsmalers Koekkoek (19. Jh.) untergebracht und enthält niederrheinische Kunst vom Mittelalter und der Neuzeit.

Theater am Niederrhein (in der Stadthalle): Das Theater (730 Plätze), das über ein eigenes Schauspiel-Ensemble verfügt, wird auch von der Burghof-Bühne Dinslaken bespielt.

Klosterlechfeld 8933

Bayern S. 422 □ I 19

Wallfahrts- und Klosterkirche Maria Hilf: Auf dem historischen Boden der Ungarnschlacht (955), auf dem später auch die deutschen Kaiser ihre Heere für ihre Italienzüge sammelten, stiftete die Augsburger Patrizierswitwe Regina Imhoff eine Votivkapelle, die der Augsburger Baumeister E. Holl*

Klosterlechfeld, Wallfahrtskirche

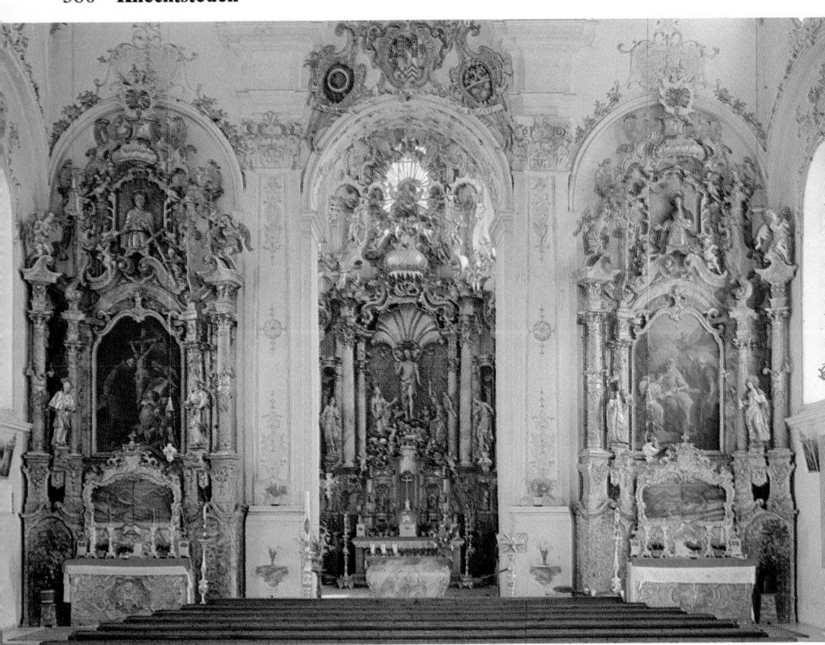

Klosterlechfeld, Kirche Maria Hilf

(1603) errichtete. Als Vorbild und Muster schwebte das Pantheon in Rom vor, dessen zylindrische Form mit der Halbkuppel darüber Holl übernahm. Ein Langhaus wurde in den Jahren 1656–59 angefügt, zwei Rundkapellen kamen 1690/91 hinzu. Alle Bauteile sind mit den im Schwäbischen beliebten Zwiebelhauben abgeschlossen. Kirche und Klosterbauten (Franziskaner bauten 1666–69 ein Kloster neben die Kapelle) bilden eine weithin sichtbare Gruppe. – Das Innere wurde im Stil des Rokoko einheitlich verstuckt und ausgemalt. *Kanzel* des Augsburger Bildhauers E. B. Bendel.

Knechtsteden = 4047 Dormagen 6

Nordrhein-Westfalen S. 416 □ B 11

Ehem. Prämonstratenserkirche St. Maria und St. Andreas: Die romanische Gewölbebasilika des 1132 gegründeten Klosters ist mit ihrem Doppelchor (im Osten und Westen) als Stifts- wie auch als Pfarrkirche angelegt (1138–62). Die Westteile sind erhalten, der Ostchor ist gotisch erneuert (1477). Das Wandgemälde in der Apsisrundung ist 1162 entstanden und gehört zu den bedeutendsten Monumentalgemälden dieser Zeit. Das Innere der Kirche ist mit den Rund- und Halbrundsäulen von eindrucksvoller Einfachheit. Künstlerischer Hauptschmuck bei der Ausgestaltung ist die *Kapitellplastik* am Südportal und an den Chorschranken.

Kobern = Kobern-Gondorf 5401

Rheinland-Pfalz S. 416 □ C 13

Matthiaskapelle: Über dem Ort, wo einst zwei Burgen (die *Oberburg* und die *Niederburg*) standen, liegt die Matthiaskapelle (1230–40), in der das Haupt des Apostels Matthias, das wahrscheinlich Heinrich II. von Isenburg-Kobern von einem Kreuzzug mitgebracht hatte, bis 1422 (da kam die Reliquie nach Trier) aufbewahrt war. Der ungewöhnlich kleine Innenraum der Kapelle, die deutlich an Grabeskirche und Felsendom in Jerusalem erinnert, wird von insgesamt 30 Säulen, die zu sechs Gruppen zusammengefaßt sind, getragen. Nach der Außenmauer zu sind sie tief heruntergezogen, so daß man wie unter einem Spinnennetz zu gehen meint. Kobern gilt als das schönste Beispiel einer romanischen Kapelle im Mittelrheingebiet.

Dreikönigskapelle: Auf dem Friedhof steht die Dreikönigskapelle aus der Zeit von 1426/30, deren originale Ausmalung (um 1450) von hoher Qualität ist.

Goloring: Außerhalb der Ortschaft befindet sich eines der merkwürdigsten prähistorischen Denkmäler, der sog. Goloring: ein Ringgraben von 200 m Durchmesser aus der Zeit 1200–600 v. Chr. Er diente vermutlich als Kultstätte (heute Munitionslager).

Koblenz 5400

Rheinland-Pfalz S. 416 □ C 13

Wo Mosel und Rhein zusammenfließen, entstand unter Kaiser Tiberius (14–37 n. Chr.) ein Römerlager, neben dem sich eine römische Handelsstadt entwickelte, die zur Zeit der Völkerwanderung zerstört wurde. Im Pfarrhaus der Liebfrauenkirche und unter dem Chor von St. Florin sind Reste der Siedlung erhalten. An der Stelle des Römerkastells entstand 1276–89 die *Burg*, die später zum kurfürstlichen Schloß erweitert wurde (heute Stadtbibliothek). Dicht daneben wurde zwischen 1332 und 1338 die viel bewunderte *Balduinsbrücke* gebaut, von deren 14 Bögen über die Mosel als Folge der Moselregulierung einige abgebrochen sind. Glanzzeit der Stadt Koblenz war das 12. bis 14. Jh., als die großen, heute noch das Bild der Stadt bestimmenden Sakralbauten errichtet wurden. Im 17. Jh. erlebte Koblenz mit dem Umzug der Kurfürsten von Trier nach Ehrenbreitstein eine zweite barocke Blüte.

Deutschordenskommende (Rhein-

Panorama, Koblenz mit Ehrenbreitstein

ufer): Den Namen »Deutsches Eck« erhielt die Landzunge zwischen Mosel und Rhein durch eine Niederlassung der Deutschordensritter (1216). Von dieser Anlage, die im letzten Krieg schwer getroffen wurde, ist der Renaissancebau der *Komturswohnung* mit dem reizenden Blumenhof dahinter in alter Form wiederaufgebaut worden.

Ehem. Stiftskirche St. Florin/Ev. Pfarrkirche (Florinsmarkt): Um 1100 entstand (nach einem Vorgängerbau im 10. Jh.) der romanische Bau, der 1356 um einen gotischen Chor erweitert wurde. Weitere Veränderungen im Sinne der Gotik erfolgten im 17. Jh. (flache Decke durch gotische Gewölbe abgelöst; gotisches Fenster in westlicher Turmfront). Dunkle Basaltbänder gliedern die Turmwände, im fünften Obergeschoß öffnen sich die Schallarkaden unter Bögen, die im Südturm hell-dunkel abgesetzt sind. Bemerkenswert sind die gotischen Wandmalereien in den Nischen des Vorchors (14. Jh.).

Ehem. Stiftskirche St. Kastor/Kath. Pfarrkirche (Kastorstraße 7): Auf der Landzunge zwischen Mosel und Rhein, dicht beim Deutschordenshaus, liegt St. Kastor, die künstlerisch bedeutendste Kirche in Koblenz. In den beiden Untergeschossen der Westtürme sind Reste des Vorgängerbaus, einer alten karolingischen Kirche, zu erkennen. Die jetzige Kirche ist im Laufe des 12. Jh. entstanden und wurde 1208 geweiht. 1496–99 wurden Mittelschiff und Vierung eingewölbt. Die viertürmige Anlage erinnert in ihrer Westfront an die Nachbarkirche St. Florin. – Das Innere der Kirche zeigt einen Dop-

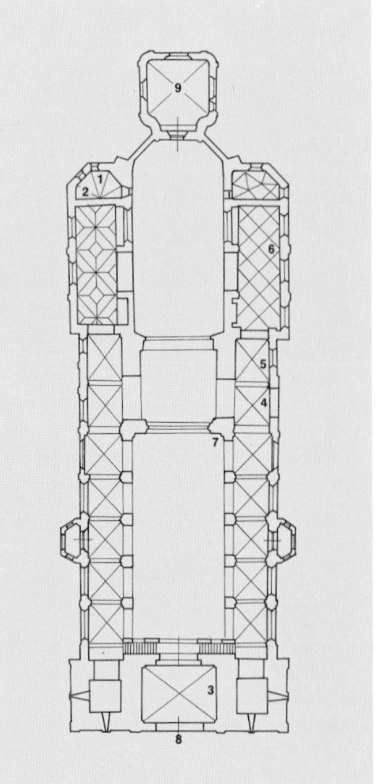

Liebfrauenkirche, Koblenz 1 Kruzifix, Mitte 14. Jh. **2** Glasfenster mit Kreuzigung, um 1460–70 **3** Drei Grabsteine der Familie von dem Burgtorn **4** Altaraufsatz von Silvester Baumann, 1680 **5** Stifterbüste des Johann Crampich von Cronefeld (1693 gestorben) von Jan Blommendael **6** Epitaph Langnas (1711 gestorben) **7** Immaculata, Mitte 18. Jh., am Chorbogen **8** Nische mit Muttergottes am Westbau, 1702 **9** Sakristei von Nikolaus Lauxem, 1776

Grabmal Kuno von Falkensteins

pelklang von Romanik und Gotik: Den romanischen Arkaden folgen die weit gespannten gotischen Sterngewölbe (1496–99). Im Chor rechts und links stehen zwei *Grabtumben* unter gotischen Wandbaldachinen. In der Nische hinter dem Grab Kuno von Falkensteins (mit der Liegefigur des Toten, gest. 1388) sind frühe *gotische Wandmalereien* erhalten. Den ausdrucksvollen *Kruzifixus* auf dem Hochaltar schuf G. Schweiger aus Nürnberg (1685). Die *Kanzel* mit den vier Evangelisten stammt wahrscheinlich von dem Koblenzer Künstler P. Kern (1625).

Liebfrauenkirche (Am Plan): Seit dem Mittelalter ist sie die Hauptpfarrkirche der Stadt. Sie wurde auf römischen und karolingischen Fundamenten errichtet (1180 bis ins frühe 13. Jh.). Drei Stilepochen sind deutlich zu erkennen: An den romanischen Westteil, der im Inneren mit dem Langhaus bis zum Vorchor reicht, schließt sich ein schöner spätgotischer Chor an (15. Jh.). Aus der Zeit des Barock stammt die Bekrönung der beiden Türme (1693–94). Aus der kargen Ausstattung sind einige schöne *Renaissance-Grabsteine* sowie eine elegante *Immaculata* und ein *hl. Joseph* (beide um 1750) hervorzuheben. Im südlichen Seitenschiff steht neben einem Altar eine Marmorbüste des *Altarstifters* holländisch (1693).

Ehem. Residenzschloß (Clemensplatz): Clemens Wenzeslaus von Sachsen, der letzte Trierer Kurfürst und Erzbischof, der in Ehrenbreitstein residierte, ließ sich in der Neustadt von Koblenz nach Plänen des Architekten P. M. d'Ixnard* ein Stadtschloß errichten. Der klassizistische Säulenbau war 1791 vollendet, doch schon drei Jahre später floh der Kurfürst vor den französischen Revolutionsheeren nach Augsburg (dieselben Heere, die der 1776 in Koblenz geborene J. Görres, der große Publizist der Napoleonzeit, als Befreier begrüßte). Das Schloß wurde bis 1813 französisches Lazarett, war dann Kaserne, Gerichtsgebäude und Residenz für König Friedrich Wilhelm IV. von Preußen. 1944 brannte der Bau völlig aus. Im Inneren ist nur das Treppenhaus in alter Form wiederhergestellt. Alle übrigen Teile wurden den Bedürfnissen der hier untergebrachten Behörden angepaßt.

Ehrenbreitstein: Auf dem ausgedehn-

Residenzschloß

ten Bergrücken wurden schon um 1100 erste Befestigungsbauten errichtet. Im 16. Jh. entstanden die ersten Bastionen, die im 17. und 18. Jh. noch ausgebaut wurden, so daß Ehrenbreitstein im 19. Jh. zur stärksten deutschen Festung wurde, sie wurde niemals erobert, jedoch wiederholt ausgehungert. Im Stil der alten barocken Bauten kamen Forts und Batterien hinzu, die große Teile des Bergrückens einschlossen. Architektonisch sehenswert ist die *Festungskirche*, ein riesiger, kasemattenartiger Bau mit Emporen und Tonnengewölbe. In den Gebäuden der Festung sind heute das *Museum für Vorgeschichte und Volkskunde* und die größte *Jugendherberge* der Bundesrepublik untergebracht.

Adelshöfe und Bürgerhäuser: Neben dem *Bürresheimer Hof* (17./18. Jh.) ist das *Dreikönigshaus* (Kornpfortstraße 15) zu erwähnen, ein Barockbau aus dem Jahre 1701. Von dem *von der Leyenschen Hof* (Kastorstraße 2) ist der Südflügel noch alt (16. Jh.), die linke Hälfte im 18. Jh. umgestaltet. Die anschließende Kapelle *St. Jacob* (jetzt dem altkath. Gottesdienst eingeräumt), ehemals Friedhofskapelle, stammt aus dem 14. Jh. (nach dem Krieg wiederaufgebaut). Im *Metternichschen Hof* (Münzplatz 8) wurde der große Diplomat des Wiener Kongresses, Clemens Wenzeslaus von Metternich, 1773 geboren. Die sog. *Vier Türme* (Ecke Löhr- und Marktstraße), im 17. Jh. erbaut, sind nach ihren doppelgeschossigen Steinerkern benannt. Die *Clemensstraße*, bei der Stadterweiterung im 18. Jh. entstanden, zeigt in ihren Bauten einheitlich schöne frühklassizistische Formen, vor allem sind das Haus Nr. 2 (heute eine Bank), ein nobler dreigeschossiger Eckbau mit reich geschnitzter Tür, und das Balkongitter zu erwähnen. Das älteste noch erhaltene Haus, Deutscher Kaiser, um 1520, ist das Haus *Kastorstraße 2.* Aus dem Mittelalter stammt auch der heutige Gasthof *Deutscher Kaiser* (Kornpfortgasse), ein turmartiges, fünfstöckiges Haus, für den Münzmeister des Erzbischofs im 16. Jh. errichtet.

Kurfürstliche Residenz: In der Hofhaltung der kurfürstlichen Residenz (1626–32 für Kurfürst Philipp Christoph von Soetern errichtet), unterhalb der Feste am Rhein gelegen, herrschte in den letzten Jahrzehnten des 18. Jh. reges geistiges Leben. Goethe und Wieland waren hier Gäste der Schriftstellerin Sophie von la Roche, Beethovens Mutter gehörte zum Hofpersonal und Clemens Brentano ist hier 1778 geboren. Von den Bauten der Residenz, die der letzte Kurfürst nach Koblenz hinüber verlegte (s. o.), ist als wesentlicher Teil das sog. *Dikasterialgebäude* geblieben, Tagungsort für das Gericht (heute Finanzamt), dessen Mittelbau (von Balthasar Neumann, 1739) an die → Würzburger Residenz und an fränkische Barockschlösser erinnert.

Deutsches Eck (Moselstraße am Rhein): Auf der Landspitze, an der sich Mosel und Rhein vereinen, ist 1897 ein Reiterstandbild von Kaiser Wilhelm errichtet worden. Nach der Zerstörung in den Kriegswirren des Jahres 1945 wurde nur der Sockel wieder errichtet und zu einem Mahnmal der Deutschen Einheit gestaltet.

Schloß Stolzenfels (5 km von Koblenz, im Ortsteil Stolzenfels): K. F. Schinkel* hat die Pläne für den Neuaufbau des Schlosses geliefert, das 1836 an der Stelle entstand, an der eine alte Ritterburg aus dem Jahr 1242 durch die Franzosen zerstört worden war (1688). König Friedrich Wilhelm IV. hat hier gewohnt und viele große Empfänge gegeben. Das Schloß, durch seine reiche Ausstattung ausgezeichnet, hat seine Höhepunkte in dem großen *Rittersaal*, im *Wohnbereich* des Königs und im Schloßhof mit *Kapelle.*

Koblenz-Moselweiß: Eine Flußschleife moselaufwärts liegt, heute schon in den städtischen Bereich einbezogen, die kath. Pfarrkirche *St. Laurentius*, eine romanische Basilika (13. Jh.) mit zeitgenössischer Ausmalung (frei erneuert) und als schönstem Stück *eine Steinkanzel* mit den Gestalten von Christus

Rittersaal, Schloß Stolzenfels

und den Evangelisten – eine hervorragende Bildhauerarbeit aus dem Jahr 1467.

Museen: Das *Mittelrhein-Museum* (Florinmarkt 15), ursprünglich im Schloß, ist im Bürresheimer Hof, dem Alten Kaufhaus der Stadt, untergebracht. Sammelgebiete: Vor- und Frühgeschichte, Kunst des mittelrheinischen Raums aus der Zeit des Mittelalters, rheinische Kunst des 20. Jh. und moderne Grafik. – Das *Mittelrheinische Postmuseum* (Friedrich-Ebert-Ring 14) zeigt Beiträge zur Geschichte des Verkehrs, des Post- und Fernmeldewesens.

Theater: Zeitgleich mit dem Schloß (s. o.) wurde das Theater mit seiner schönen klassizistischen Fassade errichtet (Deinhardsplatz 2). Das Haus hat 500 Plätze. Die *Studiobühne* spielt im Bürresheimer Hof (Florinmarkt 13).

Köln 5000

Nordrhein-Westfalen S. 416 □ B 12

Köln war schon in der Römerzeit die Hauptstadt am Rhein. Abgesehen von einer Eingeborenensiedlung (Oppidum Ubiorum) wurde hier jenes Legionslager, das etwa 1 qkm groß war und dessen mittlere Lagerstraße genau dort zu suchen ist, wo heute in der Fußgängerzone die Hohe Straße verläuft, angelegt. Aus dem Lager machte die in Germanien geborene Kaiserin Agrippina (Gemahlin des Claudius) um 50 n. Chr. eine »Colonia«, eine Veteranenstadt, für ausgediente Legionäre, und gab ihr den Namen Colonia Claudia Ara Agrippina. Das CCAA, Monogramm der Stadt, erscheint immer wieder auf alten Römersteinen und Inschriften. Der Umfang der Römerstadt ist heute noch an Befestigungsresten deutlich abzulesen. So steht an Zeughaus- und St.-Apern-Straße der *Rö-*

merturm aus dem 1. Jh. (er bildete einst die Nordwestecke der Stadt). Von St. Aposteln den Bachstraßen-Zug entlang bis zu Maria im Kapitol verlief die Südgrenze der Stadt. Das auf der anderen Rheinseite liegende Kastell Divitia (Deutz) war mit der Stadt durch eine Brücke verbunden. Unter dem Rathaus haben sich Reste des *Prätoriums* und des *Kaiserpalastes* erhalten (Kleine Budengasse). Der mittelalterliche Stadtbereich aus der Zeit nach 1200 ist von »Wall«-Straßen gekennzeichnet (Eigelsteintor, Hahnentor, Severinstor). Etwa 40000 Menschen haben im 12./13. Jh. in Köln gewohnt, und etwa 150 Kirchen sind entstanden (47 davon wurden allein während der Säkularisation abgebrochen). Die »Ring«-Straßen markieren den Verlauf jenes alten Befestigungsrings, der die Stadt in der Stauferzeit umgeben hat und erst 1881 niedergerissen wurde. Noch weiter draußen umfaßt ein 500 m breiter, 10 km langer Grüngürtel die Stadt: Es ist das Gelände der alten preußischen Festungsbauten, die 1919 geschleift wurden. Als die Stadt im 19. Jh. über die Ringe hinauswuchs, erlebte sie einen neuen Aufschwung. Die Vollendung des Doms nach 600 Jahren Bauzeit wirkte 1880 wie ein Signal. Zwischen Wallstraßen und dem Festungsring entstand die Neustadt. Nach 1919 wurde die alte Universität wiedergegründet, die älteste in Deutschland (1388–1798). – Der 2. Weltkrieg hat die Innenstadt Kölns zu 90 Prozent zerstört, aber fast alle wertvollen Baudenkmäler sind wiederhergestellt worden. Mit seinen Museen, Sammlungen, Theatern, Auktionshäusern und den Kunstmärkten ist Köln heute kulturell gesehen eine der bedeutendsten Städte in der Bundesrepublik. Zahlreiche namhafte Gelehrte, Kirchenmänner

Dom, Blick in den Chor ▷

Köln, Dom 1 Hochchor **2** Kreuzkapelle **3** Sakramentskapelle **4** Engelbertuskapelle **5** Maternuskapelle **6** Johanneskapelle **7** Dreikönigskapelle **8** Agneskapelle **9** Michaelskapelle **10** Stephanuskapelle **11** Marienkapelle **12** Schatzkammer **13** Petrusportal **14** Gerokreuz, um 970 gestiftet **15** Sarkophag des Erzbischofs Gero, um 970 **16** Chorschranken **17** Altar **18** Dreikönigsschrein, 12.–13. Jh. **19** Chorgestühl, um 1320 **20** Mailänder Madonna **21** Denkmal des Erzbischofs Konrad von Hochstaden, um 1320 **22** Grabmal des Erzbischofs Philipp von Heinsberg, um 1360 **23** Dombild von Stephan Lochner, um 1440 **24** Agilolphusaltar, um 1520 **25** Georgsaltar, Anfang 16. Jh. **26** Epitaph des Erzbischofs Anton von Schauenburg (1558 gestorben)

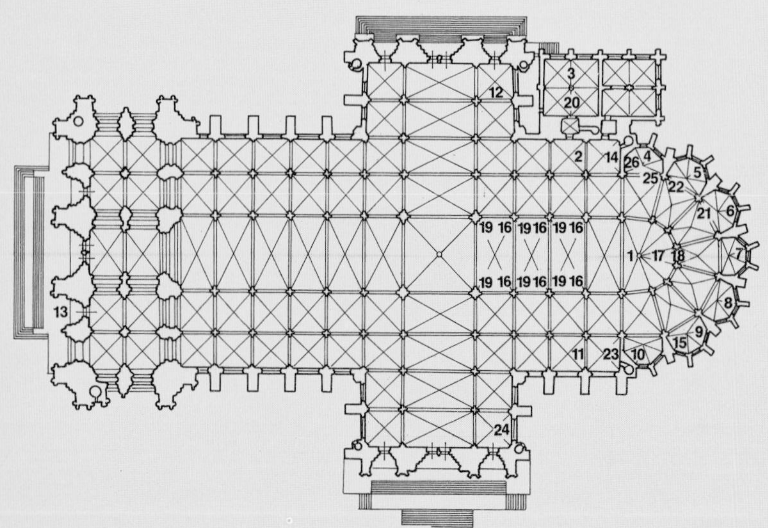

Kölner Dom, ein Juwel der Gotik in Deutschland

und Künstler haben in Köln gelebt und gearbeitet: Albertus Magnus, einer der größten Gelehrten des 13. Jh., Thomas von Aquin, Meister Eckhart, aber auch Karl Marx (in den Jahren 1848/49 Redakteur der »Neuen Rheinischen Zeitung«) und der Literatur-Nobelpreisträger Heinrich Böll. – Der Westdeutsche Rundfunk, der Deutschlandfunk und die Deutsche Welle haben Köln nach dem 2. Weltkrieg zu einem Zentrum und Treffpunkt bekannter Künstler und Journalisten gemacht.

Dom St. Peter und Maria: *Baugeschichte:* Der Schrein mit den Gebeinen der Heiligen Drei Könige, der 1164 als Geschenk Kaiser Barbarossas von Reinald von Dassel aus Mailand nach Köln überführt wurde, machte die Stadt zu einem in ganz Europa äußerst beliebten Wallfahrtsort. An Stelle des alten Doms wollte man ein Heiligtum im Stile der Hochgotik Nordfrankreichs errichten. Die Stadt berief mit Meister Gerhard einen Architekten dieser neuen gotischen Schule. Seine Nachfolger waren Meister Arnold (1271 bis 1308) und dessen Sohn Johann (1308–1331). Nachdem im August 1248 der Grundstein gelegt war, konnte 1322 endlich der Chor geweiht werden. Anschließend wurde das Querschiff begonnen, am Langhaus gebaut und der Südturm bis zum Glokkenstuhl aufgeführt – bis 1559 alle Arbeiten eingestellt wurden. Der Ostchor, der 1322 nach Westen hin mit Brettern verschlossen war, blieb das nächste halbe Jahrtausend in diesem provisorischen Zustand, Der Kran auf dem halbvollendeten Südturm gehörte jahrhundertelang zur Stadtsilhouette von Köln. Anfang des 19. Jh. sorgten die romantische Begeisterung für das fromme Mittelalter und für den »deutschen Stil« (wofür man die Gotik hielt) für neuen Schwung. Man fand 1814 auf dem Speicher des Gasthofs »Zur Traube« in Darmstadt und zwei Jahre

Dom, Südportal

Dom, Blick nach Osten

später in Paris die Originalrisse für die Westfassade des Doms wieder, und 1842 wurde der Bau endlich fortgesetzt. Am 15. Oktober 1880 konnte der Dom in Gegenwart Kaiser Wilhelms I. geweiht werden. – Mit den 156 m hohen Türmen war der Dom nicht nur das damals höchste Bauwerk der Welt, sondern er ist auch eine der größten Kirchen der Christenheit. Die Maße: 144 m Länge, 45 m Breite, 43 m Innenhöhe und 75 m Länge der Querschiffe.

Baustil und Baubeschreibung: Der Kölner Dom ist nach dem Vorbild der Kathedrale von Amiens angelegt, jedoch mit fünf Schiffen (auch im Langhaus) und einem dreischiffigen Querhaus und einem zweischiffigen Umgang um den Chor, der im Chorhaupt in einen Umgang mit einem Kranz von sieben Kapellen mündet, an die sich zwei weitere im Vorchor anschließen. Die Weite der Räume und Umgänge war auf die Pilgerströme ausgerichtet, die den Dreikönigenschrein in der Kreuzung von Langhaus und Querarm umwandern sollten. Der Chor ist unverändert aus der Entstehungszeit erhalten (nur außen mußten von der Industrieluft zerstörte Steine ausgewechselt werden). – Der Dom erhielt anstatt der ursprünglich geplanten fünf Portale nur drei. Diese drängen sich eng zwischen den gewaltigen Türmen, in denen ein Turmgeschoß das nächste mit seinen Giebeln überschneidet.

Inneres und Ausstattung: Im Langhaus – für den von Westen Eintretenden eine lange schmale Schlucht, da das Mittelschiff dreimal so hoch wie breit ist – ist (bis auf fünf spätgotische Farbfenster) die Ausstattung aus dem 19. Jh. Dagegen stammt die Ausstattung des Hochchors mit den Plastiken an den Pfeilern und den hohen Fenstern aus dem 13./14. Jh. Auch der Querarm hat alte Stücke, so die Steinfiguren an den Domchorpfeilern (um 1320) und die sog. *Mailänder Madonna* (in der Sakristei). Die Glasfenster in Hochchor und Kapellenkranz sind ab 1260 entstanden. Im Chor steht das *Chorgestühl,* das mit 104 Sitzen in zwei Reihen das größte des deutschen Mittelalters ist (mit Sondersitzen für Papst und Kaiser). Über dem Gestühl befinden sich alte Wandmalereien (um 1330). Der *Hochaltar* (um 1320) ist ein Block mit allseitigem Figurenschmuck. An Stelle des fehlenden Altarbildes (jetzt in der Marienkapelle) ist der kostbare *Dreikönigenschrein* aufgestellt. Dieser berühmteste Reliquienschrein des Mittelalters (1181 von N. v. Verdun* begonnen und erst um 1220 vollendet), ein Holzkern mit Gold- und Silberblech überzogen (2,10 m lang), hat die Form einer Basilika mit Haupt- und Nebenschiffen und ist mit getriebenen Figurenszenen und Ranken an Stirnwänden, Langseiten und Dächern reich verziert. Das *Gerokreuz* in der *Kreuzkapelle* (erste im nördlichen Chorumgang) ist eines der ältesten und bedeutendsten Werke der europäischen Monumentalplastik (um 970 von Erzbischof Gero gestiftet). In der *Marienkapelle* (letzte am südlichen Chorumgang) findet man das berühmte *Dombild Stephan Lochners,* die Anbetung der Könige mit den Heiligen Gereon und Ursula und ihren Jungfrauen (1440). Davor befindet sich das *Grabmal des Erzbischofs Friedrich von Saarwerden* (gest. 1414). Im Querhaus (Süden) steht die pathetische Steinfigur eines *Christophorus* von dem Kölner Meister T. van der Burch (um 1470), außerdem eine *Madonna* (um 1420) und der *Agilolphusaltar* (um 1520). P. P. Rubens* hat für den Dom elf *Teppiche* entworfen (»Triumph der Eucharistie«), die aber nur zu Pfingsten und Weihnachten im Langhaus aufgehängt werden. Die *Schatzkammer* gehört mit ihren Handschriften, Gewändern und dem Gerät aus allen Jahrhunderten zu den reichsten in Europa.

St. Andreas (Komödienstraße): Nach verschiedenen Vorgängerbauten entstand an der nördlichen Mauer der alten Römerstadt im Stadtgraben um 1200 die spätromanische Basilika mit dem gewaltigen Vierungsturm. Die gotische Halle, die einen eindrucksvollen Kontrast zum romanischen Langhaus bildet, wurde 1414/20 anstelle eines Chors errichtet. In einer *Grabkapelle,* die an die wieder freigelegte *Krypta* anschließt, liegen in einem römischen Sarkophag die Gebeine des *hl. Albertus Magnus,* des großen Scholastikers und Universalgelehrten (gest. 1280). Die Westvorhalle, von gezackten Gurtbögen überwölbt, und das *Löwenportal* (jetzt in der gotischen Sakristei) mit alten Dekorationen (um 1200) sind romanisch. Das schöne zweireihige *Chorgestühl* entstand in der Zeit des Weichen Stils (um 1420/30). Der *Hochaltar* ist ein Spätwerk des Kölner Malers B. Bruyn d. J. (um 1550). Sehenswert ist in der westlichen Seitenkapelle der *Flügelaltar der 1474 gegr. Rosenkranzbruderschaft* des Kölner »Meisters von St. Severin« (1474).

St. Aposteln (Neumarkt): An der westlichen Peripherie der alten Stadt entstand die Kirche (Vorgängerbau um 1030) mit den drei Konchen (Nischen an Chor und Querarmen). Diese Konchen und das Ensemble der Türme bieten vom Neumarkt aus ein ungewöhnliches Bild romanischer Architektur (1192–1240). Byzantinische Kuppelkirchen haben offenbar als Vorbild gedient. Diesem Baukörper folgt das westliche Langhaus mit seinem gewaltigen Turm (»Apostelklotz« genannt). Unter dem Westturm wurde beim Wiederaufbau 1955 eine alte Krypta (um 1150) freigelegt. Am südlichen Seitenschiff entstand 1956 eine moderne Werktagskapelle, deren Altar von zwölf Apostelstatuetten (aus einem Altaraufsatz der Kirche) gebildet wird (um 1330). – Im *Kirchenschatz* ist das wertvollste Stück der *Heribertskelch* (um 1190).

St. Georg (Georgsstraße): Die Kirche am Südtor der Römerstadt Colonia ist über den Ruinen eines römischen Tempels errichtet worden. Ein späterer merowingischer Bau wird mit der Gründung eines Chorherrenstifts durch eine

Dreikönigenschrein, Dom ▷

Römisches Nordtor mit Blick auf den Dom

Das Chorgestühl im Dom ist mit 104 Sitzen eines der größten in seiner Art

neue Kirche abgelöst (1059–67). Ostchor und Querschiff mit der darunterliegenden fünfschiffigen *Krypta* stammen aus dieser Bauperiode. Hundert Jahre später (1188) kam der quadratische Westchor hinzu. Der von außen plumpe Bauwürfel, der ursprünglich als Untergeschoß eines Turmes gedacht war und eine Mauerstärke von 5 m hat, überrascht im Inneren durch reiche Gliederung und ausgewogene Proportionen. – Das *Gabelkreuz* im Westchor ist ein Zeugnis aus der Zeit der Mystik (um 1380). Der *Beweinungsaltar* (vor 1558) stammt von B. Bruyn d. J., und der *Taufstein* ist aus der Zeit um 1240. Der *Glasfensterzyklus* von J. Thorn Prikker (1930) ist nach dem letzten Krieg nach den Originalentwürfen erneuert worden.

St. Gereon (Gereon-/Christophstraße): In der Römerzeit befand sich an dieser Stelle ein Gräberfeld. Im 4. Jh. wurde hier eine christliche Märtyrerkirche erbaut. Heute noch ist dieser spätantike Ovalbau mit den zehn Nischen das Kernstück der Kirche. Im Zuge einer Erweiterung wurden im 11. und 12. Jh. Chor und Krypta hinzugefügt. Von 1219–27 wurde der antike

Ovalbau, der ehemals mit Goldmosaiken ausgekleidet war, zu einem gewaltigen viergeschossigen Zehneck vergrößert. Zehn freistehende Pfeiler mit Strebebögen umklammern statisch den turmartigen Bau und stützen die 34 m hohe Sternkuppel (Außenmaß: 48 m). Das zehneckige Zeltdach darüber war ursprünglich vergoldet. – St. Gereon ist einer der ungewöhnlichsten und großartigsten mittelalterlichen Bauten des Abendlandes, zu vergleichen mit dem Florentiner Dom (Kuppel) oder der Hagia Sophia in Istanbul. Im Inneren sind noch Teile des römischen Mauerwerks zu sehen. In der *Krypta* sind die Fußbodenmosaiken (1067–69, jetzt erneuert) bemerkenswert. Gleichzeitig mit der Aufstockung des Römerbaus wurde die *Taufkapelle* gebaut. Die berühmten *Wandmalereien* dieser Kapelle (St. Gereon und andere Märtyrer der thebaischen Legion) sind wenig später entstanden. Die hochgotische *Sakristei* (1315) hat bedeutende *Glasmalereien,* deren Heiligengestalten in ihren feinen Formen an die Figuren der gleichzeitig entstandenen Domchor-Plastik erinnern. Der französische Maler A. Manessier hat beim Wiederaufbau der im 2. Weltkrieg schwer getrof-

Severinstor

Ausschnitt aus Stephan Lochners »Anbetung der Könige«, um 1440, in der Marienkapelle des Doms

St. Gereon, Wandmalerei in der Taufkapelle in St. Gereon

Wandmalereien in der Taufkapelle St. Kunibert

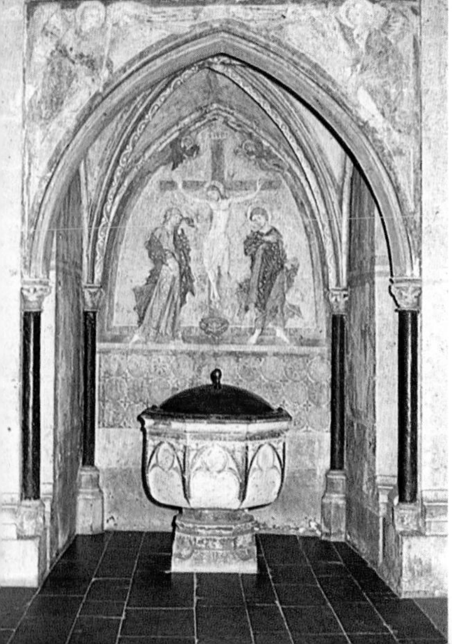

fenen Kirche für das ganze Haus neue moderne Glasfenster geschaffen.

Jesuitenkirche / St. Mariae Himmelfahrt (Marzellenstr.): Im ersten Jahr des 30jährigen Krieges nach Plänen des Aschaffenburgers C. Wamser begonnen (1618), 1678 geweiht und 1689 beendet, ist die Kirche der bedeutendste Jesuitenbau in Nordwestdeutschland. Die Fassade mit dem großen »gotischen« Mittelfenster und den »romanischen« Türmen zeigt die Tendenz der Gegenreformation, die »heilige« Bauformen wieder beleben wollte. Spitzbogengewölbe, Maßwerkfenster und Arkaden im Innern sind der Gotik nachempfunden. Die barocke Ausstattung wurde im 2. Weltkrieg größtenteils vernichtet. Einige Altäre wurden rekonstruiert. Das künstlerisch beste Stück ist die *Kanzel* des Augsburger Bildhauers J. Geisselbrunn (1634). Der in der französischen Revolution zum »Tempel der Vernunft« erklärte Bau ist heute kath. Pfarrkirche.

St. Kunibert (Kaiser-Friedrich-Ufer): Diese Kirche, ein Jahr vor dem Baubeginn am Kölner Dom vollendet (1247), ist die letzte und reichste der spätromanischen Kirchen der Stadt, entstanden in der Nachfolge von St. Gereon und St. Aposteln. Wie dort, so ist auch hier der dekorative Chor von Türmen flankiert. Die Formen sind jedoch schlanker und schmaler als in St. Aposteln: Frühgotisches klingt an. – Das Innere bestimmt der *Glasfensterzyklus* in Chor und östlichem Querschiff (1220–30), der bedeutendste der Spätromantik in Deutschland. Beachtenswert sind auch die *Wandmalereien* im südlichen (in der Taufkapelle) und nördlichen Chorraum (um 1250, im knitterigen »Zakkenstil«). Mit der *Marienverkündigung* (an den Pfeilern in der Vierung) besitzt die Kirche ein bedeutendes Werk gotischer Plastik (Engel und Maria am Lesepult, 1439 von dem Kanoniker Hermanus de Arcka gestiftet). – Zum *Kirchenschatz* gehören u. a. ein sassanidischer Seidenstoff mit Jagdszenen (7.

St. Mariae Himmelfahrt ▷

Jh.) und die Ewaldidecke (10. Jh.), das Bahrtuch der hl. Ewalde, das einst als Altartuch verwendet wurde.

Maria im Kapitol (Pipinstraße/Hohe Pforte): An der Stelle der heutigen Kirche stand in der Römerzeit ein Tempel der kapitolinischen Gottheiten Jupiter, Juno und Minerva. Im 7. Jh. gründete hier die hl. Plektrudis, deren Grabplatte aus der Zeit um 1060 heute in der Vierung aufgestellt ist, ein Damenstift. Der heutige Westbau mit dem Mittelbau und den Treppentürmen (und einer Damenempore im Inneren) stammen wohl aus dem 10. Jh. Der übrige Bau mit dem Langhaus und dem Kleeblattchor (nach Osten, Süden und Norden) wurde im 11. Jh. errichtet. Der Chor wurde zum Vorbild für mehrere Kirchen in Köln (St. Aposteln, Groß St. Martin) und im Nordwesten des Reiches. Die *Krypta* ist die größte deutsche nach → Speyer. Zur Zeit der Gotik wurden neben den Ostchor Kapellen gesetzt und an verschiedenen Stellen gotische Fenster eingebrochen. Die Wiederherstellung der im 2. Weltkrieg schwer getroffenen Kirchen hat alte Formen z. T. vereinfacht; anstelle der Gewölbe wurde im Langhaus eine Flachbogendecke eingespannt. – In der Ausstattung stehen an vorderster Stelle die beiden hölzernen *Türflügel* (4,85 m), deren Holzreliefs ursprünglich bemalt gewesen sind (um 1050). Im Westteil, der an die Rotunde des → Aachener Münsters erinnert, wurde der 1523 gestiftete *Lettner* des belgischen Meisters J. van Roome aus schwarzem Marmor und Alabaster aufgestellt. Neben der *Grabplatte* der Plektrudis ist ein *Gabelkreuz* zu erwähnen (1304). Von Bedeutung sind auch die *Thronende Madonna* um 1160 in Stein und eine stehende *Madonna* (byzantinisch um 1180/90). – Für die Hardenrathkapelle (in der Südostecke des Chors) schuf ein Meister aus der Werkstatt des großen Straßburger Bildhauers N. G. von Leyden* die Marienkrönung (1466). Im erneuerten Kreuzgang wurde die 1949 von G. Marcks* geschaffene *Trauernde* als Totenmal für die Kriegsopfer der Stadt Köln aufgestellt.

Türflügel, Maria im Kapitol

St. Maria Lyskirchen (Am Leystapel): Diese Kirche, auch »Kirche der Rheinschiffer« genannt, entstand im 13. Jh. (Vorgängerbau im 10. Jh.) Der 2. Weltkrieg hat den Bau fast verschont, aber er ist durch gotisierende Fenstereinbrüche und Einwölbungen (17. Jh.) und durch neuromanische Restaurierungen (19. Jh.) wesentlich verändert worden. Das Wichtigste an diesem Bau sind die *Malereien* in den Gewölben des Mittelschiffs (um 1250): 24 Bildfelder mit Szenen aus der Bibel. Die Anbetung der Könige über dem Haupteingang und die Szenen aus der Nikolauslegende im südlichen Turmgewölbe sind etwas früher entstanden. Das plastische Hauptwerk der Kirche ist die sog. *Schiffermadonna,* eine über 2 m hohe, neu gefaßte Figur, ein Werk des sog. Weichen Stils (um 1420). Sehenswert auch die *Glasmalereien* (1520/30) im nördlichen Nebenschiff und der *Kirchenschatz.*

Groß St. Martin (Am Fischmarkt): Der Bau der Kirche, die im Osten wieder die typisch kölnische Dreikonchenanlage aufweist (vgl. Maria im Kapitol, St.

Aposteln), ist in ihrer heutigen Ausführung nach einem Brand 1150 begonnen worden. Der mächtige Vierungsturm (84 m hoch) wurde zusammen mit dem Langhaus zwischen 1185 und 1220 aufgeführt und gilt als eines der Wahrzeichen der Stadt. Der spitze Helm wurde in der Gotik aufgesetzt (und auch so erneuert), während die vier Begleittürme die alten romanischen Faltdächer erhielten.

Ehem. Minoritenkirche Mariae Empfängnis (Breite Straße): Parallel zum Bau des gotischen Doms begannen die Minoriten ihre turmlose Kirche gleichfalls im gotischen Stil nach dem Vorbild der Elisabeth-Kirche in → Marburg. Obwohl der Bau wie aus einem Guß erscheint, ist daran von 1244 bis Mitte des 14. Jh. gebaut worden. Tuffstein und Trachyt wurden als ausdrucksvolles Material verwendet. Das Strebewerk über den Seitenschiffen stellt eine Frühstufe des gotischen Systems dar. Die Bettelordenkirche ersetzt auch hier den (nicht erlaubten) Turm durch einen zierlichen Dachreiter. Pfeiler und Gewölbe sind von großer Schlichtheit. – In der Kirche ist der Theologe und Gelehrte *Duns Scotus* (1260–1308) beigesetzt. Der moderne Sarkophag für den »Doctor subtilis« ist eine moderne Schöpfung von J. Höntgesberg (1957). Auch der katholische Gesellenvater *Adolf Kolping* (1803–65) hat hier seine letzte Ruhestätte gefunden.

St. Pantaleon (zwischen Am Weidenbach und Waisenhausgasse): Das Bauwerk gehört zu den großen kaiserlichen Architekturen des späten ersten Jahrtausends, zu vergleichen mit → Corvey oder → Essen-Werden. Der zweigeschossige Bau mit dem monumentalen Westwerk diente nicht nur dem Gottesdienst, sondern war gleichzeitig Gerichtsort, Taufkapelle und Sängertribüne. Dem Westturm, der im Inneren wie ein Schacht bis unter das Dach aufstieg, schloß sich ein flachgedeckter Saalbau an, der 1152 Seitenschiffe erhielt. Die neugotischen Gewölbe der Barockzeit (17. Jh.) wurden beim Wiederaufbau nach dem 2. Weltkrieg durch die ursprüngliche flache Decke ersetzt. Der spätgotische Lettner im Osten der Kirche zeigt einen vielfigurigen Zyklus. – Zu den bedeutendsten Teilen der Ausstattung gehören der römische *Sarkophag* mit den Gebeinen von Erzbischof Bruno (in der *Krypta)* und zwei kostbare *Reliquienschreine* für die Heiligen Maurinus und Albinus (1170/90, heute in der Domschatzkammer).

St. Peter (Jabachstraße): Die spätgotische Basilika (1515–30, nach einem Vorgängerbau aus dem 12. Jh.) hat über den niedrigen Seitenschiffen an drei Seiten breite Emporen. Nach den schweren Zerstörungen im 2. Weltkrieg wurde die Kirche nicht wieder eingewölbt, sondern flach gedeckt. – Das wertvollste Stück der Ausstattung ist ein Werk von P. P. Rubens*, das – ursprünglich für den Hochaltar gemalt – jetzt an der Ostwand des nördlichen Seitenschiffs zu sehen ist. Diese *Kreuzigung Petri* ist eines der letzten Werke des großen Malers (um 1639/40), der in der Pfarrei St. Peter aufgewachsen ist und dessen Vater hier begraben liegt. Sehenswert ist auch der Kirchenschatz. – Die Kirche war früher mit Cäcilienstift und -kirche (heute befindet sich darin das Schnütgen-Museum) durch einen Gang verbunden.

St. Severin (Severinskirchplatz): Der Chor der Kirche ist spätromanisch (1230–37), das Langhaus spätgotisch. Bei Grabungen wurden Fundamente einer alten Grabeskirche aus dem 4. Jh. entdeckt. Sie wurde vermutlich für den hl. Severin, Bischof von Köln, errichtet, der um 400 gelebt hat und in dieser Kirche begraben ist. Die *Krypta* unter dem Hochchor entstand 1043 und ist zugleich mit dem Ausbau des Chors (1230–37) erweitert worden. Die Grabstätte des hl. Severin ist hier durch eine Gedenktafel markiert. – Von der spätromanischen Ausstattung ist im Gewölbe des Chors eine *Kreuzigungsdarstellung* erhalten (um 1260). Das zweireihige *Chorgestühl* mit Tieren, Menschenköpfen und Laubwerk ist Ende des 13. Jh. aus hartem Eichenholz geschnitzt worden. Die zwanzig

Bilder darüber zeigen die *Severins-Legende* und stammen aus der Werkstatt des Kölner »Meisters der Ursulalegende« (um 1500). In der angebauten gotischen *Sakristei* (Margarethenkapelle) befindet sich ein *Wandgemälde* mit Kreuzigung, das Werk des berühmten Kölner »Veronika-Meisters« (1441). Im gleichen Raum sind Tafeln jenes »Meisters von St. Severin« zu sehen, von dem auch die *Glasgemälde* (Kreuzigung) im südlichen Seitenschiff stammen. Die große Kalksteinfigur einer *Madonna* (um 1290) kommt aus dem Bereich französischer Kathedralenplastik. Ein *Kruzifixus* am Gabelkreuz ist um 1330 entstanden.

Trinitatiskirche (Filzengraben): Die ev. Kirche wurde nach dem Entwurf des spätklassizistischen Berliner Architekten F. A. Stüler im Stil altchristlicher Basiliken errichtet, um einem »Vergleich mit den ausgezeichneten Werken romanischen und gotischen Styls in Coeln auszuweichen« (1857–60). Die Kirchenfassade ist zwischen die Häuserfronten der Straße eingeklemmt. Im Inneren öffnen sich über einer engen Säulenstellung im Erdgeschoß an drei Seiten weitgespannte Emporenbögen. Der Bau, im 2. Weltkrieg bis auf die Mauern zerstört, ist in den sechziger Jahren in seiner kühlen, festlichen Helle wieder aufgebaut worden.

St. Ursula (Ursulaplatz): An der Südwand des hochgotischen Chors (1287) ist die Inschrifttafel eines Bürgers Clematius angebracht, der hier um 400 die Kapelle an der Stelle wiederherstellen ließ, »wo heilige Jungfrauen für den Namen Christi ihr Blut vergossen haben«. Ursprünglich waren es elf Jungfrauen, in der Legende wuchs ihre Zahl jedoch auf elftausend – an ihrer Spitze St. Ursula. – Der neue Westbau war 1135 fertiggestellt, der Turm darüber im 13. Jh. (im 15. Jh. »romanisch« erneuert). Neben der romanischen Vorhalle im Westen steht im Süden das hohe zweite Seitenschiff mit gotischen Formen. – Von der Ausstattung sind die überlebensgroßen Steinfiguren der Schutzmantel-Ursula (nördliche Nebenapsis), der Maria und des Salvator (Südschiff) zu nennen (um 1490). Als Meister wird der Kölner Steinmetz T. van der Burch genannt. In der *Goldenen Kammer* (südliches Querschiff) sind alle Wände mit Reliquiennischen und Menschengebeinen überzogen, die zu Inschriften und Symbolen ornamental zusammengefügt sind. Das bedeutendste Stück der Kammer ist der romanische *Aetherius-Schrein* (um 1170; Aetherius war – so die Legende – der Bräutigam der hl. Ursula).

Gürzenich (Gürzenichstraße): Das städtische Fest- und Tanzhaus, 1441–1447 erbaut, zeigt über einem derben Untergeschoßsockel eine feingliederige Maßwerkfront. Diese Fassade wurde nach der Zerstörung im 2. Weltkrieg originalgetreu wieder aufgebaut, das Innere dagegen modern gestaltet.

An den Gürzenich schließt die Ruine von *Alt St. Alban* an (11. Jh., mit zahlreichen Umbauten bis ins 17. Jh.), in der zum Gedächtnis an die Kölner Toten des letzten Krieges das *Trauernde Elternpaar* von Käte Kollwitz* in einer Kopie aufgestellt worden ist.

Gürzenich

Altes Rathaus (Alter Markt): Der fünfgeschossige *Rathausturm,* der nach dem Sieg der Zünfte aus dem eingezogenen Vermögen der Patrizier errichtet wurde (1407–14), ist im 2. Weltkrieg völlig zerstört worden. Dagegen blieben Teile des *Hansa-Saals* (um 1330) mit den steinernen Figuren der *Neun Guten Helden* (um 1360) erhalten. Unversehrt blieb auch die zweigeschossige reiche Vorhalle, das sog. *Doxal,* am Rathausplatz, ein Loggienprachtbau im Stil der an Italien geschulten »niederländischen Renaissance« (1569 bis 1573).

Overstolzenhaus (Rheingasse 8): Das spätromanische Wohnhaus mit Treppengiebel (13. Jh.) ist nach dem Krieg wiederhergestellt worden. Im Inneren ist ein frühgotisches Fresko (Turnier) erhalten. Der Bau dient heute der Stadt zu Ausstellungszwecken.

Museen: Das *Wallraf-Richartz-Museum* (An der Rechtschule) hat den Grundstock seiner Bilder einer Stiftung des Kanonikus Ferdinand Franz Wallraf (1748–1824) zu verdanken und dem Kaufmann Joh. Heinrich Richartz (1795–1861), der den Bau ermöglichte. Heute umfaßt es europäische Malerei mit Hauptwerken von Rembrandt, Courbet, Manet, Corot, Renoir, Sisley, dem in Köln 1844 geborenen W. Leibl (30 Gemälde), Liebermann, Slevogt u. a. Hier befindet sich auf die Expressionistensammlung Haubrich. Für die moderne Sammlung Dr. Ludwig ist ein eigenes neues Haus geplant. – Im *Schnütgen-Museum* (Cäcilienkloster 19) werden Plastiken, Geräte, Glasfenster, Gläser und kirchliche Gewänder aus dem Raum Köln vom Mittelalter bis ins 18. Jh. gezeigt. Die ehem. romanische Cäcilienkirche (12. Jh.) ist zum Hauptsaal für diese einzigartige Übersicht umgewandelt worden. – *Römisch-Germanisches Museum* (Roncalli-Platz 4): Der Neubau von H. Röcke und Kl. Renner (1970–74) ist museumstechnisch eine der besten Leistungen der Nachkriegszeit in Deutschland. Wichtigste Ausstellungsstücke sind das Dionysosmosaik und das durch mehrere Geschosse aufragende Poblicius-Grabmal. Die Sammlung konnte nach dem Krieg stark ausgebaut werden, da unter den Bombentrümmern viele neue Funde gemacht worden sind. – Das *Rautenstrauch-Joest-Museum für Völkerkunde* (Ubierring) bietet 60000

Rathauslaube

Overstolzenhaus

Schnütgen-Museum

Objekte exotischer Kunst aus allen Erdteilen, vor allem präcolumbianische Kunst Amerikas und Afrika-Kunst (Benin-Bronzen). – Das *Museum für Ostasiatische Kunst* am Hansaring zeigt eine der reichsten Sammlungen chinesischer, japanischer und koreanischer Kunst. – Das *Kölner Stadtmuseum* im Renaissance-Ziegelbau des alten Zeughauses (1594) bietet Dokumente zur Stadtgeschichte vom 14. bis zum 20. Jahrhundert; eines der interessantesten Stücke ist das Stadtmodell nach Mercator aus dem Jahre 1571.

Außerdem sehenswert: Bastei (Aussichtsrestaurant auf einem alten Stadtturm; am Kaiser-Friedrich-Ufer); Messegelände in Köln-Deutz (für die »Pressa« 1925–27 erbaut von A. Abel); Städtische Bühnen, Großes und Kleines Haus (Offenbachplatz). Erbaut wurde das Theater 1954–62 von W. Riphahn.

Königsbach = Königsbach-Stein 7535

Baden-Württemberg S. 420 □ E 17

Ev. Pfarrkirche/Ehem. St. Maria: An einen frühgotischen Wehrturm wurde im späten 15. Jh. ein Kirchenbau angefügt (Chor 1625–27 erneuert, oberes Turmgeschoß 1782). Auch die Kirchhofsmauer hat wehrhaften Charakter und stammt z. T. noch aus romanischer Zeit. – Schöne *Grabmäler,* insbes. das der Venningen (1599–1602) und das des späteren Schloßherrn Oberst Rollin v. St. André (1661–68).

Wasserschloß: Die drei Flügel des Renaissancebaus, im 16. Jh. an die Stelle einer Wasserburg des 15. Jh. gesetzt, (1623–50 z. T. barock umgebaut) mit vier runden Ecktürmen umschließen einen Innenhof. Das Tor mit dem großen Wappen des Schloßgründers Erasmus von Venningen ist unverändert erhalten (1551–86). Das Hauptportal stammt aus dem 18. Jh.

Rathaus: Der Fachwerkbau aus dem 18. Jh. beeindruckt durch den originellen Giebel, der von hölzernen Säulen getragen wird.

Königsberg in Bayern 8729

Bayern S. 418 □ I 14

In dem 3500 Einwohner zählenden Ort am Rand der Haßberge, der vermutlich auf fränkisches Königsgut zurückgeht und 1358 Stadtrecht erhielt, sind viele alte Fachwerkhäuser und alte Stadttore erhalten und zu einem malerischen Stadtbild zusammengefügt. Sie gruppieren sich um den Mittelpunkt des Ortes, den Salzberg. Eines der schönsten Häuser steht in der Marienstraße 111 (Uhrmacherhaus). Vor dem Rathaus erinnert ein Denkmal an den berühmtesten Sohn der Stadt, den hier geborenen Astronomen Johann Müller (Regiomontanus; 1436–76).

Außerdem sehenswert: Ev. Pfarrkirche (Am Markt): Mit dem Bau der hochgotischen Kirche, die zu den ansehnlichsten fränkischen Hallenkirchen gehört, wurde 1397 begonnen. Nach einem Brand 1640 mußten Holzeinbauten genügen, ehe die Kirche 1894 ausgebaut wurde.

Königslutter 3308

Niedersachsen S. 414 □ I 8

Ehem. Benediktinerabteikirche St. Peter und Paul/Kaiserdom: Nicht weit von seiner Stammburg Süpplingenburg gründete Kaiser Lothar III. im Jahr 1135 ein Benediktinerkloster. Die Bauplastik in den Ostteilen, der Kreuzgang und das Löwenportal im Norden wurden noch zu Lebzeiten des Kaisers (er starb 1137) gearbeitet. Auf das kahle romanische Westwerk, das nur von drei Fensterhöhlen aufgebrochen ist, wurden Mitte des 15. Jh. Türme gesetzt und – ebenso wie der romanische Vierungsturm – mit spitzen gotischen Helmen versehen. Die Seitenschiffe wurden bereits Mitte des 14. Jh. eingewölbt. Das Langhaus bekam seine gotisierenden Gewölbe (nach Einsturz einer flachen Decke) Ende des 17. Jh. Im Innenraum hat das Westwerk – ein Bauteil aus der Karolingerzeit, ehemals vielleicht Wehrkirche, Tauf- oder Begräbnisstätte – über einem niedrigen Durchgang zur Kirche eine Empore mit weiter Öffnung zum Schiff: der Platz für den Kaiser und sein Gefolge beim Gottesdienst. Im Osten hat der Dom fünf Apsiden. Die Hauptapsis in der Mitte ist mit Blattfries, Maskenkonsolen und symbolischen Jagdgruppen reich verziert. Für diese Arbeiten und auch für das Löwenportal an der Nordseite hatte der Kaiser oberitalienische Steinmetzen nach Königslutter geholt. Der Ostteil ist mit den fünf Apsiden und den Durchgängen zwischen Chor, Nebenapsiden und Querhaus das eindrucksvollste Stück des Inneren. Die Wölbungen in diesem Teil sind romanisch, die der Seitenschiffe gotisch, die des Langhauses (mit den originellen Kopfkonsolen) barock. Die Wandmalereien, mit denen die Kirche 1894 ausgestattet wurde, gehen auf erhaltene Reste zurück. Das *Grab von Kaiser Lothar* und seiner Gemahlin (das beim Deckeneinsturz 1690 zerstört wurde) ist eine historisierende Nachbildung (1708) des Barock. – Der Nordtrakt des *Kreuzgangs,* von zehn Mittelsäulen getragen, ist zweischiffig angelegt. Er ist das bedeutendste Meisterwerk der Steinmetzen von Königslutter. Kein Motiv wiederholt sich.

Museum: *Sammlung Klages:* Die kleine Sammlung, in den Räumen eines ehem. Brauhauses aufgestellt, zeigt Mineralien und Versteinerungen.

Königstein im Taunus 6240

Hessen S. 416 □ E 14

Kath. Pfarrkirche St. Marien: Königstein, beliebter Villenort, hat seit 1313

Steinerne Muttergottes, Königstein i. T.

Stadtrechte. Aus dieser Zeit stammt die Pfarrkirche, die sich heute als barocker Saalbau mit doppelter Westempore präsentiert (erbaut 1744–46). An der Nordwestecke und Nordwand sind noch romanische Mauern erhalten, im Chor und im Turm finden sich Teile aus einem spätgotischen Umbau (vermauertes Spitzbogenportal). *Hochaltar* und *Kanzel* zählen zu den besten Leistungen des Rokoko am Mittelrhein. Vom alten Bestand ist eine *steinerne Muttergottes* (1440) mit der ursprünglichen Bemalung erhalten. Die Grabmäler stammen aus dem 15.–18. Jh.

Burgruine (Oberstadt): Die Burg war die größte und eindrucksvollste Wehranlage im Taunusgebiet, bis sie 1796 von den Franzosen gesprengt und im 19. Jh. als Steinbruch benutzt wurde. Vermutlich entstand sie in der 2. Hälfte des 12. Jh. Der Unterbau der Kernburg ist romanisch, die mächtigen Außenbefestigungen sind nach 1535 angelegt worden, die übrigen Gebäude stammen aus dem 14. und 15. Jh.

Königswinter 5330

Nordrhein-Westfalen S. 416 □ C 12

Haupterwerbszweig des Orten waren einmal die Trachytsteinbrüche am → Drachenfels, die bis zur Mitte des 17. Jh. das Material für viele bedeutende Kirchenbauten des Rheinlandes lieferten, u. a. für den Kölner Dom. 1836 wurden die Steinbrüche stillgelegt, um die Burgruine → Drachenfels zu erhalten.

Kath. Pfarrkirche St. Remigius: 1779 wurde anstelle einer romanischen Kirche ein dreischiffiger Neubau mit Halbkreisapsis und fünfgeschossigem Ostturm aufgeführt. Das Innere – von klassizistischen Bauformen geprägt – ist in der Hauptsache neubarock ausgestattet. Aus der Erbauungszeit sind nur der Hochaltar, Teile der barocken Kanzel und des Orgelprospekts erhalten. Ein seltenes Stück ist das Armreliquiar der hl. Margaretha (14. Jh.)

Siebengebirgsmuseum (Kellerstraße): In dem vornehmen zweigeschossigen Bau (1732) befinden sich u. a. Architekturfragmente aus dem Kloster → Heisterbach (4 km nördlich von Königswinter) und ein Missale (13. Jh.) mit reichen Initialornamenten aus der Burgkapelle auf dem Drachenfels.

Konstanz 7750

Baden-Württemberg S. 420 □ F 21

Kaiser Constantius Chlorus, der Vater Konstantins des Großen, soll die Stadt im späten 3. Jh. n. Chr. gegründet haben. (Mauerfunde auf dem Münsterplatz.) Um 600 wurde Konstanz Bischofssitz, von 1192–1548 war der Ort am Bodensee freie Reichsstadt. 1414–18 fand hier das erste Konzil auf deutschem Boden statt, das den Reformator Joh. Hus als Ketzer zum Scheiterhaufen verurteilte und 1415 vor den Toren der Stadt verbrennen ließ.

Münster Unser Lieben Frau (Münsterplatz): Die Kathedrale steht auf dem Boden eines versunkenen Römerkastells und hat eine lange, komplizierte Baugeschichte. Zu den ältesten Teilen (10. Jh.) gehört die *Krypta*, die dazugehörende Kirche stürzte 1052 ein und wurde gleich danach durch den Neubau der heutigen Kirche ersetzt (geweiht 1089). Es war eine große flachgedeckte romanische Säulenbasilika mit Querschiff und geschlossenem Chor. Das Mittelschiff wurde erst 1679–83 eingewölbt. Die Kapellen entlang der Seitenschiffe stammen aus dem 15. Jh. Die westliche Doppelturmfassade entstand im 12. Jh. Nord- und Südturm wurden mehrfach verändert. – Im *Inneren* fallen der 1775–77 klassizistisch umgestaltete Chor und die Stuckdekorationen in Chor und Querschiff aus dem Rahmen des insgesamt mittelalterlichen Bildes. Erhalten blieben der *Große Herrgott von Konstanz*, ein Kruzifix des 15. Jh., geschnitzte *Türflügel* (1470) mit je 10 Darstellungen aus der Heilsgeschichte sowie eine reichgestaltete *spätgotische Treppe* (1438) im nördlichen Querschiff. Sie ist burgundisch beeinflußt und zeigt Darstellungen aus dem Alten und Neuen Testament. Das berühmteste Stück ist das *Heilige Grab* in der *Mauritiuskapelle*, ein zwölfeckiger 5 m hoher Sandsteinbau (um 1280) in hochgotischen Formen mit Maßwerkfenstern, 12 Apo-

Heiliges Grab, Münster, Konstanz

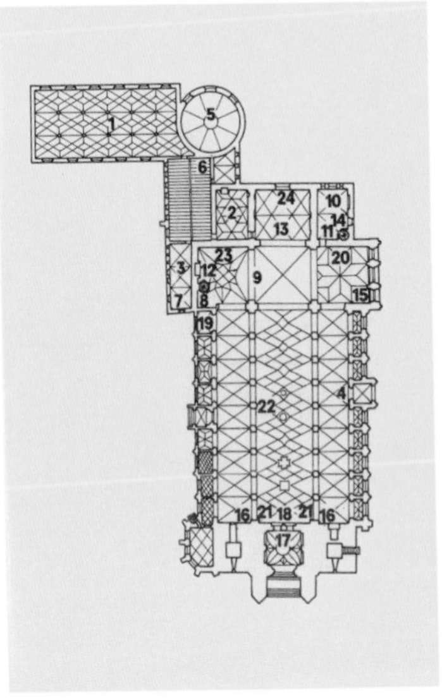

Konstanz, Münster 1 Kapitelsaal **2** Sakristei **3** Alte Nikolauskapelle **4** Goldscheiben, 11.–13. Jh. **5** Heiliges Grab in der Mauritius-Rotunde, 1303 **6** Kreuzigungsbild, 1348 **7** Wandmalereien, um 1425 **8** Schnegg (Treppenturm), 1438 **9** Chorgestühl, 1465–70 **10** Glasfenster, Mitte 15. Jh. **11** Wandbild, Mitte 15. Jh. **12** Marientodgruppe, 1460 **13** Grabplatte des Erzbischofs von Salisbury (1417 gestorben) **14** Grabmal Bischof Otto von Hachberg (1434 gestorben) **15** Grabmal Bischof B. v. Randeck (1466 gestorben) **16** Christophorusbilder, 15. Jh. **17** Hauptportal, 1519 **18** Orgel, 1517–20; Entwurf wahrscheinlich von Peter Flötner **19** Flügelaltar, 1524 **20** Mariae-End-Altar, 1637; Altarbild von Joh. Rieger, 1710 **21** Totenbild, 1659 **22** Kanzel, 1680 **23** Thomasaltar, 1682 **24** Hochaltar mit Mariae Himmelfahrt, 1774

stelfiguren und Gestalten aus der Kindheit Jesu. Im Inneren des Baus befindet sich das eigentliche Grab, das von Wächtern umgeben ist.

Ehem. Dominikanerkloster (heute Inselhotel, Auf der Insel): Um die vier Arme des Kreuzgangs gruppiert, schließt der Klosterbau gegen Süden an die Kirche an, die heute ebenfalls in das Inselhotel einbezogen ist. Der Kreuzgang zeigt sehr schöne frühgotische Formen (1260–70). In der Vorhalle zum Kreuzgang, in dem sich jetzt das Hotelbüro befindet, sind noch Wandmalereien des 16. Jh. zu sehen (Totentanz und Tugendspiegel).

Ehem. Augustinerkirche zur Hl. Dreifaltigkeit (Rosgartenstraße): Die in der 2. Hälfte des 13. Jh. errichtete gotische Basilika (mit barocken Zutaten) ist berühmt durch den Zyklus ihrer Wandfresken von 1417 zur Geschichte des Augustinerordens. Der urkundlich nachgewiesene Auftraggeber, Kaiser Sigismund, ließ in den Bogenzwickeln Heilige seiner böhmischen Lande anbringen, auch stilistisch ist in den hervorragenden Arbeiten eine enge Verbindung nach Böhmen spürbar.

Kaufhaus am Hafen/Konzilsgebäude (Am Hafen): Das Gebäude, das einst dem Leinwandhandel diente, wurde 1388 erbaut. Der mächtige Bau mit zwei übereinanderliegenden Hallen im Inneren, großem Walmdach und Kranerkern an den Ecken gilt fälschlich als Konzilshaus, weil hier angeblich 1417 anläßlich der Papstwahl (Martin V.) ein Kardinalskonklave stattgefunden haben soll. Tatsächlich tagte das Konzil jedoch im Münster.

Museen: Im *Bodensee-Naturmuseum* (Katzgasse 5–7) findet man Beiträge zu Geologie, Mineralogie, Paläontologie, Zoologie und Botanik. – *Kunstverein Konstanz/v. Wessenberg-Gemäldegalerie* (Wessenbergstraße 41) mit Malerei und Grafik aus der Bodensee-Region (19./20. Jh.). Das *Rosgartenmuseum* (Rosgartenstraße 3–5) bietet Vor- und Frühgeschichte, Kulturgeschichte, Volkskunst, Kunsthandwerk und Numismatik.

Stadttheater (Konzilsstraße 11): In dem Gebäude eines ehem. Klosters wurde 1609 mit der Comico-Tragödie »Von dem Leben und Tod des heiligen Knaben und Märtyrers Justi« das älte-

Kaufhaus am Hafen, Konstanz

ste Theater in Deutschland eröffnet. Heute verfügt das Haus über ein eigenes Schauspiel-Ensemble. Das Theater hat 400 Plätze.

Außerdem sehenswert: Pfarrkirche *St. Stephan*, ein spätgotischer Neubau (1428; vollendet erst 1845) nach Vorgängerbau aus dem 12. Jh.; ehem. Jesuitenkirche *St. Konrad* (1604–07), das *Rathaus* aus dem späten 16. Jh., das ehem. *Kanonikushaus* des Chorherrenstifts St. Johann (Münsterplatz 5) mit Fresken aus dem 14. Jh. und das *Haus zum Schafhirten* (Zollernstraße 6).

Umgebung: → Mainau.

Korbach 3540

Hessen S. 416 ☐ F 11

Die Handwerkerstadt Korbach gehörte zeitweise zur Hanse. Die günstige Lage an der alten Straße von Köln nach Kassel und von Frankfurt nach Westfalen förderte die Entwicklung. Durch schwere Zerstörungen im 30jährigen und 7jährigen Krieg verlor Korbach jedoch wieder an Bedeutung.

Ev. Pfarrkirche St. Kilian (Altstadt, Kilianstraße 5): Die weiträumige spätgotische Hallenkirche (1335–1450) ist vom Stil westfälischer Kirchen beeinflußt. Alle drei Schiffe sind gleich breit. Die auf vier Pfeilern ruhende Halle hat einen fast quadratischen Grundriß. An der Südseite liegt die 1340 erbaute *Marienkapelle*, die seit 1958 Kriegergedächtnisstätte ist. Beachtung verdienen die mit gotischen Zierformen reich umrahmten Portale an der Nord-, West- und Südseite, besonders das südliche Figurenportal (Anfang 15. Jh.) mit dem Jüngsten Gericht im Bogenfeld. Im Inneren wurde die alte Farbigkeit in Rot, Gelb und Grün 1957 im Zuge einer Restaurierung wiederhergestellt. Im südlichen Seitenschiff ist die *Anbetung der Könige* (Anfang 15. Jh.) hervorzuheben, außerdem der große gemalte *Flügelaltar* (1527) mit Selbstporträt des Malers am Fuß des Kreuzes.

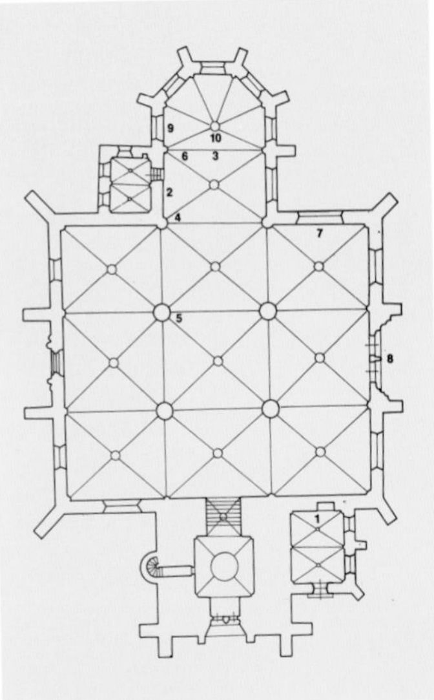

Korbach, Pfarrkirche St. Kilian 1 Marienkapelle **2** Kruzifix, Anfang 14. Jh. **3** Hochaltarmensa, um 1340 **4** Taufstein, 14. Jh. **5** Kanzel, Ende 14. Jh. **6** Pultträger, Anfang 15. Jh. **7** Anbetung der Könige, Anfang 15. Jh. **8** Südportal mit Figurenschmuck, Anfang 15. Jh. **9** Sakramentshaus von Bernd und Johann Bunkeman, 1525 **10** Flügelaltar, 1527

Südportal von St. Kilian, Korbach

Ev. Nikolaikirche (Neustadt): Um die Mitte des 15. Jh. wurde diese langgestreckte spätgotische Hallenkirche errichtet. Nur der Westturm stammt von einem älteren Bau (1359). Reich verziert ist das Westportal. Im südlichen Seitenschiff sind Wandmalereien (15. Jh.) erhalten. Der große *Flügelaltar* (1518) wurde vom gleichen Meister gemalt wie der in der Kilianskirche. Originell ist das 12 m hohe prunkvolle *Wandgrab* des Fürsten Georg Friedrich von Waldeck (1692) aus Alabaster, Kalkstein und Marmor.

Außerdem sehenswert: Als Alt- und Neustadt zusammengeschlossen wurden, entstand genau an der Grenze das *Rathaus* mit seinem schönen Staffelgiebel (1377). Die Rolandsfigur kam 1470 hinzu, die Arkaden und der Turm erst 1930. – *Gymnasium Fridericianum*, ein Barockbau von J. M. Kitz (1770–74). Die sog. ehem. *Steinkammern*, drei spätgotische Steinhäuser (Enser Tor 7; Kirchplatz 2), in deren einem (Violinenstraße 3) sich heute das *Heimatmuseum* befindet, zahlreiche *Fachwerkhäuser* des 17. und 18. Jh. und Reste der *Stadtbefestigung*. – 12 km südlich liegt die *Edertalsperre*, 20 km nordwestlich die *Diemel-Talsperre*.

Krefeld 4150

Nordrhein-Westfalen S. 416 □ B 10

Die Einführung der Seidenweberei durch Adolf von der Leyen im Jahre 1656 ist Grundstock für den wirtschaftlichen Aufstieg der Stadt gewesen. Heute sind in Krefeld auch wichtige Firmen der Metallindustrie zu Hause. Der Rheinhafen Uerdingen erschließt die Stadt auf dem Wasserweg.

Kath. Pfarrkirche St. Matthias (Krefeld-Hohenbudberg): Die Kirche, malerisch über dem Rheinufer gelegen, ist neugotisch. Nur der romanische Westturm (12. Jh.) wurde 1852–54 beim Abbruch der mittelalterlichen Kirche verschont. Bedeutend ist die Ausstattung, die aus westfälischen Kirchen zusammengetragen wurde: *Spätgotischer Schnitzaltar* mit bemalten Flügeln (15. Jh., Unterbau neugotisch) sowie *Schnitzschreine* des 15. und 16. Jh. auf den beiden Seitenaltären und ein hölzerner *Kruzifixus* (um 1250).

Kath. Pfarrkirche St. Klemens (Krefeld-Fischeln): Der dreigeschossige Westturm stammt aus dem 12. Jh., das Mittelschiff und nördliche Seitenschiff entstanden im 14. Jh., und das Südschiff wurde im 17. Jh. angefügt. 1867/68 wurde der alte Ostteil abgebrochen und neugotisch erweitert.

Burg Linn (Ortsteil Linn, Albert-Steeger-Straße): Der älteste Teil dieser Wasserburg war ein Wohnturm auf künstlich aufgeschüttetem Hügel (um 1200), der im 14. Jh. mit Ringmauer und sechs Ecktürmen umgeben wurde und in frühgotischer Zeit zur Wohnburg umgestaltet worden ist. Von diesem Bau sind heute nur noch die an den Torbau anschließenden Flügel, Palas und Wohngebäude erhalten. Nach Zerstörungen im Spanischen Erbfolgekrieg (1701–04) war die Burg nur noch Ruine. Als Ersatz wurde 1740 ein klei-

Wandgrab Georg Friedr. von Waldeck in der Nikolaikirche, Korbach

nes *Jagdschloß* im Bereich der Vorburg errichtet. Burg Linn ist heute Ausflugsort und Heimat des *Landschaftsmuseums* für den Niederrhein (siehe Museen).

Museen: Das *Landschaftsmuseum des Niederrheins* ist in dem 1740 erbauten Jagdschlößchen auf der Burg Linn untergebracht und zeigt Beiträge zur Vor- und Frühgeschichte, zur Geschichte der Stadt Krefeld und zur Volkskunde des Niederrheins. – *Museum Haus Lange* (Wilhelmshofallee 91), 1928 von L. Mies* van der Rohe als Privathaus für den Kunstsammler Hermann Lange erbaut, ging 1955 in den Besitz der Stadt über und zeigt eine Sammlung moderner Kunst und Entwürfe Mies van der Rohes. – Das *Kaiser-Wilhelm-Museum* (Karlsplatz 35) bietet Gemälde und Plastik vom Mittelalter bis zur Moderne, außerdem Möbel aus der näheren Heimat, aus Italien und Holland. – Die *Gewebesammlung* (Frankenring 20) ist mit Stoffen aller Völker und Zeiten, mit kirchlichen Gewändern und Kostümen die größte Sammlung dieser Art in Deutschland.

Theater (am Theaterplatz): Hier spielen die Vereinigten Bühnen Krefeld/Mönchengladbach (Schauspiel, Oper/Operette).

Außerdem sehenswert: *Rathaus* (Von-der-Leyen-Platz 1): Das ehem. *Schloß von der Leyen* wurde 1791–94 gebaut und nach schweren Kriegsschäden aus dem 2. Weltkrieg 1955 wiederhergestellt. – *Haus Neuleyental* (Cracauerstraße 32): Der in Empireformen dekorierte Dreiflügelbau ist Ende des 18. Jh. als Sommersitz für die Familie von den Leyen errichtet worden. – In den sog. *Herberzhäusern* (am Marktplatz in Krefeld-Uerdingen), einem 1832 von A. v. Vagedes gebauten, klassizistischen Häuserblock für die Kaufmannsfamilie Herberz, sind heute Rathaus, Apotheke und Amtsgericht untergebracht.

Krempe 2209

Schleswig-Holstein S. 412 □ G 4

Rathaus: Der zweigeschossige Bau (1570) auf einem fast quadratischen Grundriß mit seinem hohen Giebel gehört zu den stattlichsten Renais-

Burg Linn, Krefeld

sance-Rathäusern in Schleswig-Holstein. Nur die Fassade ist in Backstein aufgeführt, die übrigen Seiten sind Fachwerk mit vorkragendem Obergeschoß über geschnitzten Schwellen. Im *Ratssaal* sind die barocken Reliefs am Kamin, mehrere Truhen und »Gildeladen« besonders sehenswert. Der gemalte Türhüter hat die Gestalt des »Wilden Mannes« (1570). Im Rathaus befindet sich eine *Stadtgeschichtliche Sammlung.*

Bad Kreuznach 6550

Rheinland-Pfalz S. 416 □ D 15

Burgruine Kauzenburg: Die im 12. Jh. erbaute Burg wurde auf Betreiben einer Bürgerinitiative umgestaltet und ist heute ein beliebtes Ausflugsziel (mit Restaurant; Spezialität: Essen nach mittelalterlichen Rezepten).

Außerdem sehenswert: Die »Brückenhäuser« in der Nahe, ein Wahrzeichen der Stadt, die 1495 erstmals erwähnt werden. – *Salinental:* Über mehrere Kilometer ziehen sich die Gradierwerke, in denen früher Salz gewonnen wurde, hin.

Kronach 8640

Bayern S. 418 □ K 14

In Kronach wurde 1472 der Maler Lucas Cranach d. Ä. geboren. Heute ist der Ort vor allem durch seine Porzellanfabriken bekannt.

Veste Rosenberg: Die Burg ist eine der besterhaltenen Festungsanlagen in Deutschland. Ursprung des Baus ist jenes *Steinerne Haus mit Turm* gewesen, das 1125 über der Stadt zwischen den Flüßchen Kronach und Haslach von Bischof Otto von Bamberg errichtet wurde. Es entspricht dem bis heute erhaltenen, unregelmäßigen viereckigen Kernbau. In der 2. Hälfte des 14. Jh. wurde die Veste als Eckpfeiler des Bamberger Hochstifts stark ausgebaut und im späten 15. Jh. von einigen der berühmten Festungsbaumeister der Renaissance zu einer massiven Festung erweitert. Nach Zerstörung im 30jährigen Krieg entstand der ausgedehnte barocke Bastionsgürtel, der die Anlage als ein Fünfeck umgibt. Daran haben im 18. Jh. u. a. M. v. Welsch* und B. Neumann* mitgearbeitet. Bis 1866 diente die Burg als Festung, jetzt beherbergt sie das beachtenswerte *Frankenwald-Museum* und eine *Jugendherberge.*

Kath. Pfarrkirche St. Johannes Baptist: Die dreischiffige gotische Halle (um 1400) wurde im frühen 16. Jh. um den westlichen Teil, der den älteren Bau an Höhe überragt, erweitert. Bemerkenswert ist das reichverzierte spätgotische *Portal* an der Nordseite des Westbaus (später eingebaut) mit einer Johannesfigur. Originell ist die kleine spätgotische *Annenkapelle* (1513) im Osten des Chors, dessen Grundmauern romanisch sind.

Außerdem sehenswert: Im *Haus zum scharfen Eck*, einem Fachwerkbau aus dem 16. Jh., soll Lucas Cranach d. Ä. geboren sein. – Das *ehem. Kommandantenhaus* (Marktstraße) ist ein stattliches Bürgerhaus aus dem 16. Jh. – *Ferner* Rathaus (1583), Spitalkirche (1467), Hl.-Kreuz-Kapelle am Kreuzberg (17. Jh.), Klosterkirche St. Petrus von Aleantara (1670–72) und die Melchior-Otto-Säule (1654).

Kronberg im Taunus 6242

Hessen S. 416 □ E 14

Burg: Die ältesten Teile der Anlage sind die Ringmauer und der quadratische Bergfried (dessen schmaler Aufsatz, »Butterfaßform«, nebst Wehrgang erst um 1500 hinzugefügt wurde) aus der *Oberburg.* – In der *Mittelburg* befindet sich das *Schloß*, ein zweiflügeliger, in der 1. Hälfte des 15. Jh. begonnener Wohnbau mit geschweiften, obeliskengeschmückten Renaissancegiebeln (1626), das als *Schloßmuseum* zugänglich ist. Sehenswert ist die Küche mit gotischem Herdmantel und einem alten Brunnen (ursprünglich Ziehbrunnen). – In der südöstlich vorgelegten *Unterburg*, in die man durch einen Torbau von 1692 gelangt, ist die *Burgkapelle* (1350) hervorzuheben.

Ev. Johanniskirche: In die Südseite des Chors dieses spätgotischen Saalbaus wurde ein Turm der ersten Stadtbefestigung einbezogen. Den kulturhistorischen Rang dieser Kirche bestimmt die wertvolle Ausstattung, u. a. die Reste spätgotischer Ausmalung (1483), ein Votivaltar mit einer Terrakotta-Gruppe (mittelrheinisch um 1440–50), vier Doppelgrabmäler im Langhaus sowie das Epitaph für Walter von Kronberg (im Chor), das zu den Spätwerken H. Backoffens* (1517) zählt.

Kulmbach 8650

Bayern S. 418 □ K 14

Berühmtester Sohn der Stadt ist der 1476 geborene Hans von Kulmbach, Schüler und Freund von Albrecht Dürer. Literarische Bedeutung aber hat Kulmbach durch die Plassenburg erhalten: In Ludwig Bechsteins Roman »Grunbach« (1839) ist der Held Burghauptmann auf der Plassenburg, und Jakob Wassermann hat der berühmten Renaissance-Anlage seine Novelle »Die Gefangenen auf der Plassenburg« (1911) gewidmet.

Plassenburg: Die Plassenburg, bedeutendste Schloßburg der Renaissance in Franken, überragt als weithin sichtbares Wahrzeichen die Stadt. Die erste Burg ließ hier, auf dem Berg nahe dem Zusammenfluß des Roten und Weißen Mains, Graf Berthold II. von Andechs bauen (um 1135). Von den Bayern ging die Burg in den Besitz der thüringischen Grafen von Orlamünde über (1260–1340) und gelangte schließlich – über die Burggrafen von Nürnberg – an die Hohenzollern. Ihr heutiges Gesicht erhielt die Plassenburg durch den Wiederaufbau 1559 unter Markgraf Georg Friedrich (nach einem Brand). Von hervorragenden Baumeistern wie G. Beck (1559) und C. Vischer* (1561) geplant, entstand eine ausgedehnte Anlage mit Vor- und Hauptburg. Das Äußere der Anlagen ist sehr schlicht. Überwältigend ist der sog. *Schöne Hof*,

Terrakotta-Gruppe »Maria-Schlaf« im Chor der Johanniskirche, Kronberg

der innere Hof der Hauptburg, der zu den reichsten Außendekorationen der deutschen Renaissance zählt. Das unregelmäßige Viereck wird von Türmen in den Ecken bestimmt und ist an drei Seiten von offenen Arkadengängen in zwei Geschossen umgeben. Reicher ornamentaler und figürlicher Skulpturenschmuck überzieht Brüstungen, Bögen und Pfeiler. In Medaillons sind die Ahnen der Hohenzollern dargestellt. – Von Beginn des 19. Jh. bis 1928 diente die Burg als Zuchthaus. Heute beherbergt sie eine der größten *Zinnfiguren-Sammlungen* der Welt, ferner eine *Filialgalerie* der Bayer. Staatsgemäldesammlung sowie Städtische Sammlungen (Naturwissenschaft).

Außerdem sehenswert: *Ev. Pfarrkirche St. Petri* mit einem fast 15 m hohen Choraltar (1650–53); *ehemal. Langheimer Klosterhof* (Finanzamt), der als dreigeschossiger Quaderbau mit hoher Giebelfront auf einem Vorsprung des Schloßberges entstanden ist (1691–95); die *ehem. Kanzlei* (1563, im 17. Jh. umgebaut) dient heute als Landratsamt; das *Rathaus* entstand 1752 und hat eine Rokokofassade.

Kusel 6798

Rheinland-Pfalz S. 416 □ C 15

Burg Lichtenberg: Die Anlage ist aus zwei ursprünglich getrennten Burgen zusammengewachsen (15. Jh.), woraus sich auch ihre ungewöhnliche Längsausdehnung (425 m) erklären läßt. Von der *Unterburg* an der Spitze des Bergrückens sind nur die Umfassungsmauern und ein Torbogen (13. Jh.) erhalten. Die *Oberburg* wurde Ende des 13. Jh. angelegt und im 14. und 15. Jh. mehrfach erweitert. Mittelpunkt der weitläufigen Anlage ist der mächtige Bergfried. Zwei Palasgebäude mit Kapelle (um 1230; Wandmalereien) werden durch einen Batterieturm (sog. Roßmühle) aus dem 16. Jh. voneinander getrennt. Im Osten wird die Anlage durch einen Zwinger mit drei großen Rundtürmen abgeschlossen. 1799 wurde die Burg durch Brand zerstört, im 19. Jh. als Steinbruch benutzt, 1894 in Staatsbesitz übernommen, restauriert und teilweise wiederaufgebaut. Über den Grundmauern von zwei einstmaligen »Burgmannenhäusern« wurde 1922 eine *Jugendherberge* gebaut. Zwischen Ober- und Unterburg liegt die *Ev. Kirche*, ein einfacher Saalbau (1755).

Kyllburg 5524

Rheinland-Pfalz S. 416 □ B 14

Kyllburg, schon um 800 als »castrum Kiliberg« bekannt, ist heute Luftkurort in waldreicher Umgebung.

Ehem. Kollegiatstift und Kath. Pfarrkirche St. Maria: Zu dieser vollständig erhaltenen, auf einer Höhe über dem Flüßchen Kyll gelegenen kleinen Stiftsanlage aus dem 14. Jh. gehört die Kirche *St. Maria* mit ihrem einschiffigen Langhaus, dem wesentlich niedrigeren Chor und ihren reichen Maßwerkfenstern und schönen Portalen. Den Chorschluß beleben drei *Glasgemälde* (1534). Hinter dem Hochaltar steht eine steinerne *Muttergottes* (Trierer Arbeit 14. Jh.), an der Südwand das ehem. *Triumphkreuz* (um 1300). Erwähnenswert sind auch die Bildnisgrabsteine, ein schönes Chorgestühl (14. Jahrh.) sowie Kanzel und Beichtstühle (im Rokokostil). An die Südseite schließt sich der spätgotische *Kreuzgang* mit der Steinfigur der Maria lactans an, parallel dazu liegt das ehemalige *Kapitelhaus* (14. Jahrhundert); in der Nordwestecke, das heute als Sakristei dient. Im Obergeschoß befand sich früher der Schlafsaal des Stifts.

Umgebung: 1 km talab liegt Schloß *Malberg* (Barockbau aus dem Jahr 1710, heute Hotel) mit Schloßkapelle. 4 km talauf lohnt ein Besuch des Zisterzienserinnenklosters St. Thomas (Kirche 1222; Klosteranlage 18. Jh.).

Laboe → Kiel

Ladenburg 6802

Baden-Württemberg S. 420 □ E 16

Die Stadt am Neckar hat ihr mittelalterliches Stadtbild mit ihrer Stadtmauer (12. Jh.), vielen alten Adelshöfen und Bürgerhäusern erhalten können.

Krypta, St. Gallus in Ladenburg

Sie geht auf eine bedeutende keltische Siedlung mit dem Namen »Lopodunum« zurück, die seit dem 5. vorchristlichen Jh. hier bestanden hat. An das römische Militärlager, das im 1. Jh. n. Chr. hier existierte, erinnern Funde, die im Museum gezeigt werden. Im 6. Jh. n. Chr. geht der Ort in den Besitz der Franken über und wird alsdann zum Hauptort des »Lobdengaues«.

Kath. Stadtpfarrkirche St. Gallus (Kirchenstraße): Die gotische Basilika aus dem 14. Jh. ist auf den Fundamenten älterer Bauten errichtet worden. Erhalten ist die *Krypta* aus der ersten Hälfte des 11. Jh. Bei Renovierungen wurden Fundamente einer Basilika freigelegt, die vermutlich aus dem 3. Jh. stammen und von den Römern ursprünglich wohl als Grundstein für eine Markthalle gedacht gewesen sind.

Sebastianskirche (Lustgartenstraße): Die Kirche, die häufig (12. bis 18. Jh.) verändert und erweitert wurde und keinen einheitlichen Stil erkennen läßt, umschließt Reste aus karolingischer Zeit. Der Turm aus dem 12. Jh. ist romanisch, der Chorbau spätgotisch und das Langhaus wurde im Jahre 1737 umgestaltet.

Außerdem sehenswert: Das heutige *Rathaus* wurde 1777 als Schloß errichtet (Hauptstraße 39). – Unter den zahl-

ZEICHEN-ERKLÄRUNG
beschriebener Ort im Text
Autobahn
Hauptstraße
Nebenstraße
Eisenbahn
Staatsgrenze
Landesgrenze
Flughafen
E
F
1
2
3
4
5
Sylt
Föhr
Nieblum
Wyk
Amrum
Wittdün
Seebüll
Niebüll
Leck
Flensburg
Langenhorn
Nordfriesland
Haselund
Halligen
Schleswig
Pellw.-Waldhusen
Pellworm
Husum
Treene
Nordstrand
Friedrichstadt
Sankt Peter-Ording
Eider
Wesselburen
Heide
Helgoland
Helgoland
NORDSEE
Meldorf
Dithmarschen
Helgoländer Bucht
Brunsbüttel
Itzehoe
Cuxhaven
Elbe
Wangerooge
Wangerooge
Otterndorf
Glückstadt
Hadeln
Hemmoor
Hohenkirchen
Jever
Wilhelmshaven
Weser
Bremerhaven
Bassenfleth
Stade
Oste
Nordenham
Gödens
Jadebusen
Bremervörde
Varel
Ostfriesland
Brake
Westerstede
Rastede
Zeven
Bremen
Oldenburg
Worpswede

G
H
I
Glücksburg
Gelting
Satrup
Angeln
Aerø
Kleiner Belt
Langeland
Langelands Belt
Lolland
OSTSEE
Fehmarnbelt
Schlei
Schleswig
Dannewerk
Haddeby
Eckernförde
Kieler Bucht
Fehmarn
Petersdorf
Burg
Gettorf
Nord-Ostsee-Kanal
Laboe
Heiligenhafen
Rendsburg
Kiel
Selenter See
Oldenburg
Emkendorf
Lütjenburg
Preetz
Bordesholm
Plön
Cismar
Eutin
Neustadt
Bosau
Neumünster
Lübecker Bucht
Holstein
Ratekau
Bad Segeberg
Breitenburg
Greves-
mühlen
Stockelsdorf
Lübeck
Stormarn
Elmshorn
Ratzeburger
See
Norderstedt
Elbe-Lübeck-Kanal
Ratzeburg
Pinneberg
Ahrensburg
Wedel
Mölln
Borstel
Elbe
HAMBURG
DDR
Jork
Ladekop
Aumühle
Buxtehude
Hamburg
Hagenow
Lauenburg
Boizenburg
N
Buchholz
Bardowick
Elbe
20 km
Lüneburg
Dahlenburg

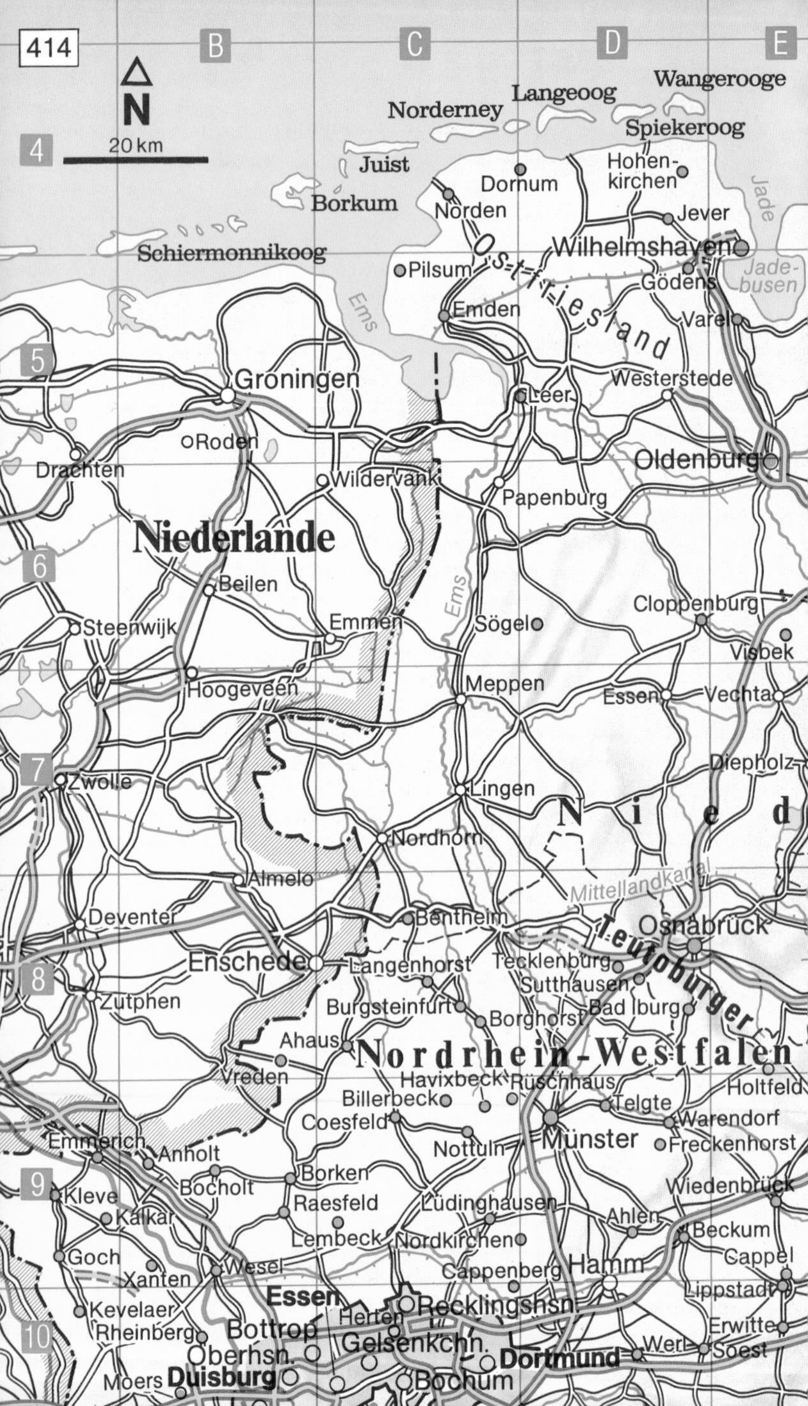
B
C
D
E
N
20 km
4
5
6
7
8
9
10
Wangerooge
Langeoog
Norderney
Spiekeroog
Juist
Borkum
Schiermonnikoog
Hohenkirchen
Dornum
Norden
Jever
Jade
Ostfriesland
Wilhelmshaven
Pilsum
Gödens
Jadebusen
Emden
Ems
Varel
Groningen
Westerstede
Leer
Roden
Oldenburg
Drachten
Wildervank
Papenburg
Niederlande
Beilen
Ems
Cloppenburg
Steenwijk
Emmen
Sögel
Visbek
Hoogeveen
Meppen
Essen
Vechta
Diepholz
Zwolle
Lingen
N i e d
Nordhorn
Almelo
Mittellandkanal
Deventer
Bentheim
Osnabrück
Teutoburger
Enschede
Langenhorst
Tecklenburg
Sutthausen
Zutphen
Burgsteinfurt
Bad Iburg
Borghorst
Ahaus
Nordrhein-Westfalen
Vreden
Havixbeck
Rüschhaus
Holtfeld
Billerbeck
Telgte
Coesfeld
Warendorf
Emmerich
Anholt
Nottuln
Münster
Freckenhorst
Borken
Bocholt
Wiedenbrück
Kleve
Raesfeld
Lüdinghausen
Kalkar
Ahlen
Beckum
Lembeck
Nordkirchen
Goch
Cappel
Xanten
Wesel
Hamm
Cappenberg
Essen
Lippstadt
Kevelaer
Recklingshsn.
Herten
Rheinberg
Bottrop
Erwitte
Gelsenkchn.
Werl
Soest
Oberhsn.
Dortmund
Moers
Duisburg
Bochum

F
G
H
Itzehoe
Bad Segeberg
Lübeck
Elbe
Cuxhaven
Oste
Krempe
Glückstadt
Elmshorn
Norderstedt
Ratzeburg
Ahrensburg
Stade
Wedel
Mölln
Bremerhaven
HAMBURG
Jork
Aumühle
Buxtehude
Hamburg
Boizenburg
Buchholz
Bardowick
Lüneburg
Worpswede
Bremen
Rotenburg
Lüneburger
Bremen
Ebstorf
Soltau
Uelzen
Weser
Wildeshausen
Verden
Bassum
Walsrode
Heide
Bücken
Isenhagen
Sulingen
Marklohe
Nienburg
Celle
Wienhausen
ersachsen
Aller
Steinhude
Gifhorn
Loccum
Hannover
Fallersleben
Wunstorf
Wolfsburg
Stadthagen
Königslutter
Minden
Obernkirchen
Braunschweig
Bückeburg
Helmstedt
Hildesheim
Salzgitter
Küblingen
Enger
Rinteln
Fischbeck
Herford
Wolfenbüttel
Hameln
Weserbergland
Schöppenstedt
Bielefeld
Lemgo
Brüggen
Hämelschenburg
Alfeld
Bruhausen
DDR
Hiddesen
Amelungsborn
Glus
Wald
Detmold
Schwalenberg
Bad Gandersheim
Harz
Goslar
Brocken
1142
Marienmünster
Polle
Bevern
Holzminden
Einbeck
Clausthal/Zellerfeld
Höxter
Corvey
Paderborn
Fredelsloh
St. Andreasberg
Osterode
Neuenheerse
Geseke
Karlshafen
Helmarshausen
Nikolausberg
Walkenried
Büren
Göttingen

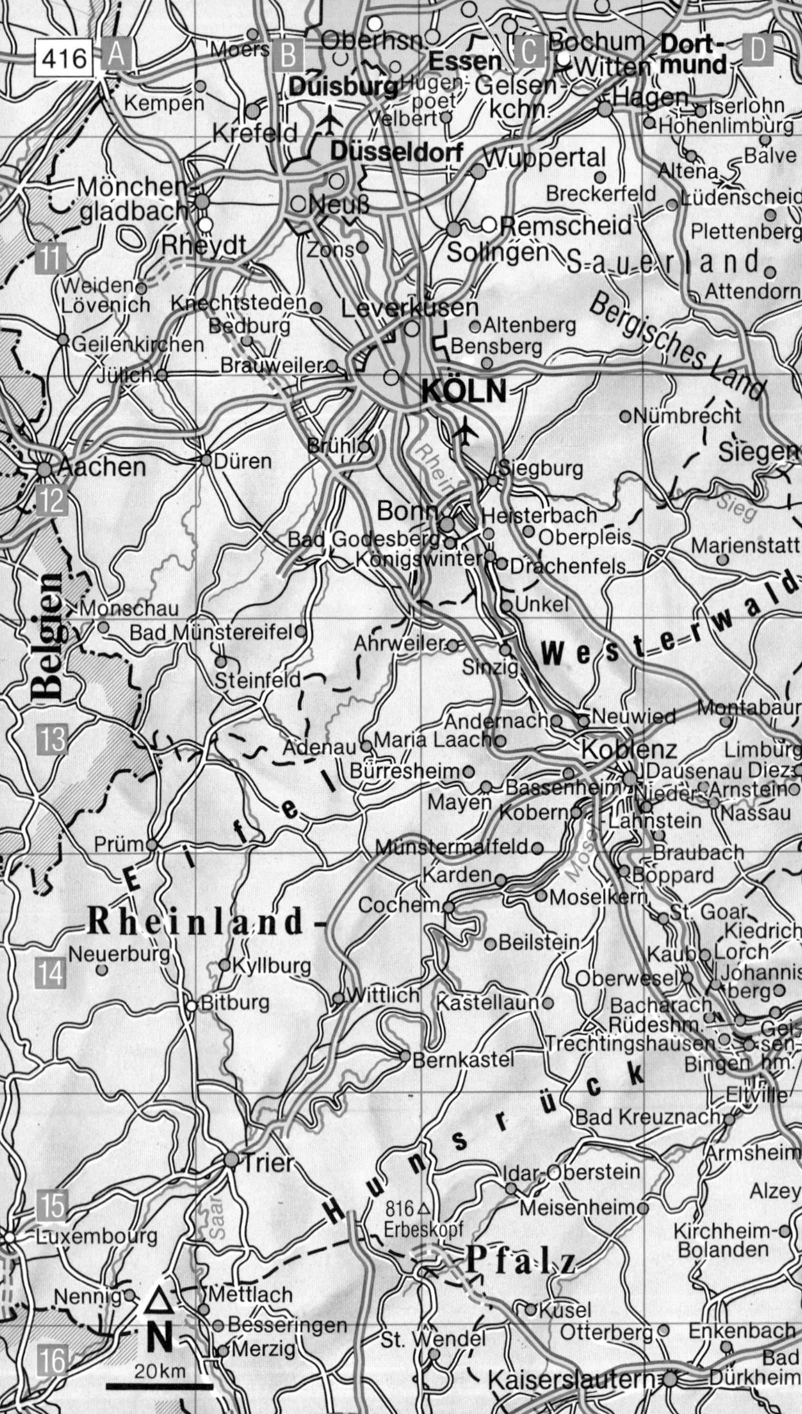

A
B
C
D
Moers
Oberhsn.
Bochum
Dort-
mund
Essen
Witten
Duisburg
Hugen-
poet
Gelsen-
kchn.
Hagen
Iserlohn
Hohenlimburg
Kempen
Velbert
Krefeld
Düsseldorf
Wuppertal
Balve
Altena
Mönchen-
gladbach
Neuß
Breckerfeld
Lüdenscheid
Rheydt
Remscheid
Plettenberg
11
Zons
Solingen
Sauerland
Weiden
Lövenich
Attendorn
Knechtsteden
Leverkusen
Bergisches Land
Bedburg
Altenberg
Geilenkirchen
Bensberg
Brauweiler
Jülich
KÖLN
Nümbrecht
Aachen
Düren
Brühl
Rhein
Siegen
Siegburg
12
Bonn
Heisterbach
Sieg
Bad Godesberg
Oberpleis
Marienstatt
Königswinter
Drachenfels
Belgien
Monschau
Unkel
Bad Münstereifel
Ahrweiler
Westerwald
Sinzig
Steinfeld
Montabaur
Neuwied
Andernach
13
Maria Laach
Koblenz
Limburg
Adenau
Bürresheim
Dausenau
Diez
Bassenheim
Arnstein
Mayen
Nieder-
Nassau
Kobern
Lahnstein
Eifel
Prüm
Münstermaifeld
Mosel
Braubach
Karden
Boppard
Cochem
Moselkern
St. Goar
Rheinland-
Kiedrich
Beilstein
Kaub
Lorch
Neuerburg
Kyllburg
14
Oberwesel
Johannis-
berg
Wittlich
Kastellaun
Bitburg
Bacharach
Rüdeshm.
Geisen-
hm.
Trechtingshausen
Bernkastel
Bingen
Eltville
Hunsrück
Bad Kreuznach
Trier
Armsheim
Idar-Oberstein
Saar
15
Alzey
816
Erbeskopf
Meisenheim
Luxembourg
Kirchheim-
Bolanden
Pfalz
Nennig
Mettlach
N
Kusel
Besseringen
Otterberg
Enkenbach
St. Wendel
Merzig
16
20 km
Bad
Kaiserslautern
Dürkheim

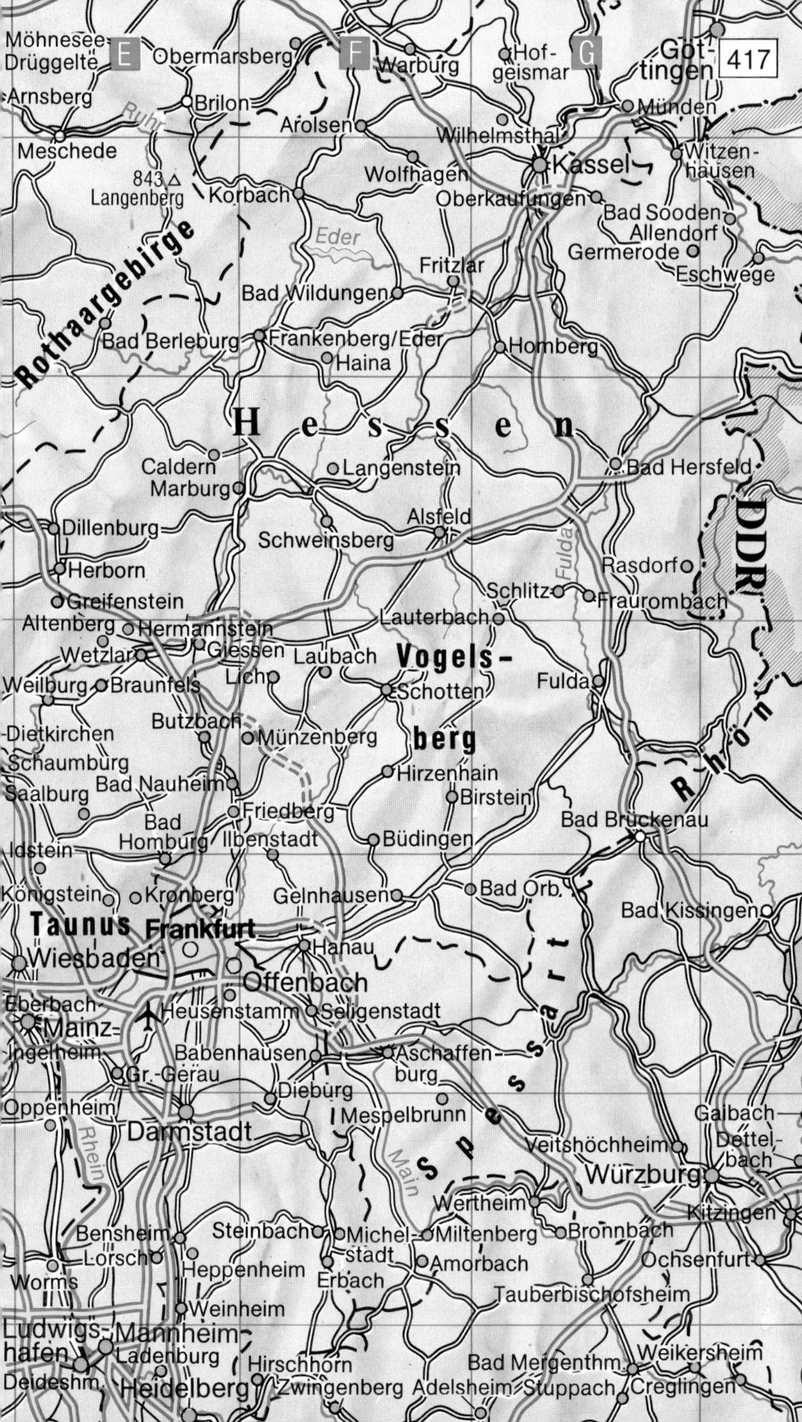

E
F
G
Möhnesee-Drüggelte
Obermarsberg
Warburg
Hof-geismar
Göt-tingen
Arnsberg
Brilon
Ruhr
Arolsen
Münden
Meschede
Wilhelmsthal
Kassel
Witzen-hausen
843 △ Langenberg
Wolfhagen
Korbach
Oberkaufungen
Bad Sooden-Allendorf
Eder
Germerode
Rothaargebirge
Fritzlar
Eschwege
Bad Wildungen
Bad Berleburg
Frankenberg/Eder
Haina
Homberg
Hessen
Caldern
Marburg
Langenstein
Bad Hersfeld
Dillenburg
Alsfeld
Schweinsberg
DDR
Fulda
Herborn
Rasdorf
Greifenstein
Schlitz
Fraurombach
Altenberg
Hermannstein
Lauterbach
Wetzlar
Giessen
Laubach
Vogelsberg
Weilburg
Braunfels
Lich
Schotten
Fulda
Butzbach
Dietkirchen
Münzenberg
Rhön
Schaumburg
Bad Nauheim
Hirzenhain
Saalburg
Birstein
Bad Homburg
Friedberg
Bad Brückenau
Idstein
Ilbenstadt
Büdingen
Königstein
Kronberg
Gelnhausen
Bad Orb
Bad Kissingen
Taunus
Frankfurt
Hanau
Wiesbaden
Offenbach
Spessart
Eberbach
Heusenstamm
Seligenstadt
Mainz
Ingelheim
Babenhausen
Aschaffen-burg
Gr.-Gerau
Dieburg
Oppenheim
Mespelbrunn
Galbach
Darmstadt
Veitshöchheim
Dettel-bach
Rhein
Main
Würzburg
Wertheim
Kitzingen
Bensheim
Steinbach
Michel-stadt
Miltenberg
Bronnbach
Lorsch
Heppenheim
Amorbach
Ochsenfurt
Worms
Erbach
Tauberbischofsheim
Weinheim
Ludwigs-hafen
Mannheim
Weikersheim
Ladenburg
Hirschhorn
Bad Mergenthm.
Deideshm.
Heidelberg
Zwingenberg
Adelsheim
Stuppach
Creglingen

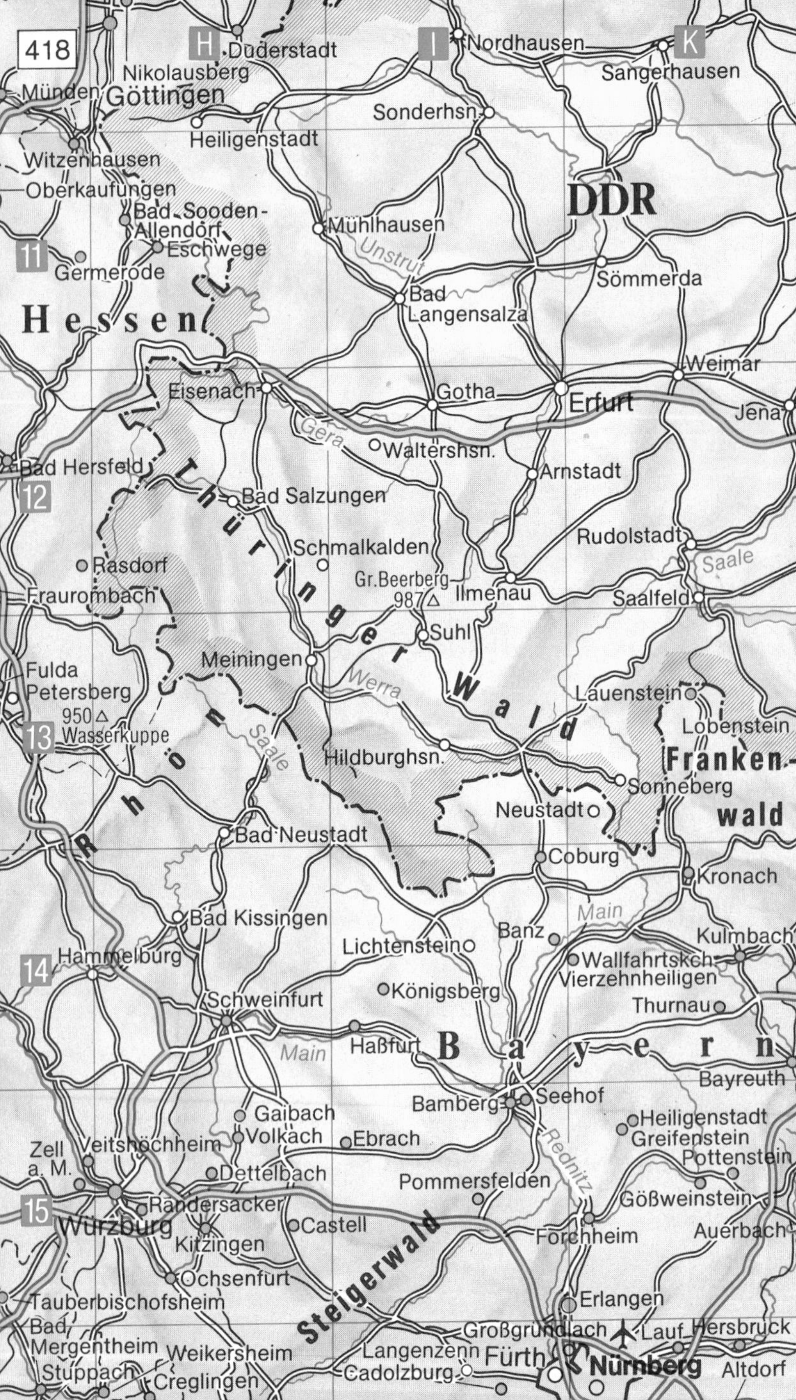
H
Duderstadt
I
Nordhausen
K
Sangerhausen
Nikolausberg
Münden
Göttingen
Sonderhsn.
Heiligenstadt
Witzenhausen
Oberkaufungen
DDR
Bad Sooden-
Allendorf
Mühlhausen
11
Eschwege
Unstrut
Germerode
Sömmerda
Bad
Langensalza
Hessen
Weimar
Eisenach
Gotha
Erfurt
Jena
Gera
Waltershsn.
Bad Hersfeld
Thüringer Wald
Arnstadt
12
Bad Salzungen
Rudolstadt
Schmalkalden
Rasdorf
Saale
Gr.Beerberg
987
Ilmenau
Saalfeld
Fraurombach
Suhl
Meiningen
Fulda
Werra
Petersberg
Lauenstein
950
Lobenstein
13
Wasserkuppe
Rhön
Saale
Hildburghsn.
Franken-
wald
Sonneberg
Neustadt
Bad Neustadt
Coburg
Kronach
Main
Bad Kissingen
Banz
Kulmbach
Lichtenstein
Wallfahrtskch.
Vierzehnheiligen
14
Hammelburg
Königsberg
Schweinfurt
Thurnau
Main
Haßfurt
Bayern
Bayreuth
Bamberg
Seehof
Gaibach
Heiligenstadt
Greifenstein
Volkach
Ebrach
Zell
a. M.
Veitshöchheim
Pottenstein
Dettelbach
Pommersfelden
Rednitz
15
Randersacker
Gößweinstein
Würzburg
Castell
Kitzingen
Steigerwald
Forchheim
Auerbach
Ochsenfurt
Erlangen
Tauberbischofsheim
Bad
Mergentheim
Großgründlach
Lauf
Hersbruck
Weikersheim
Langenzenn
Fürth
Stuppach
Cadolzburg
Nürnberg
Altdorf
Creglingen

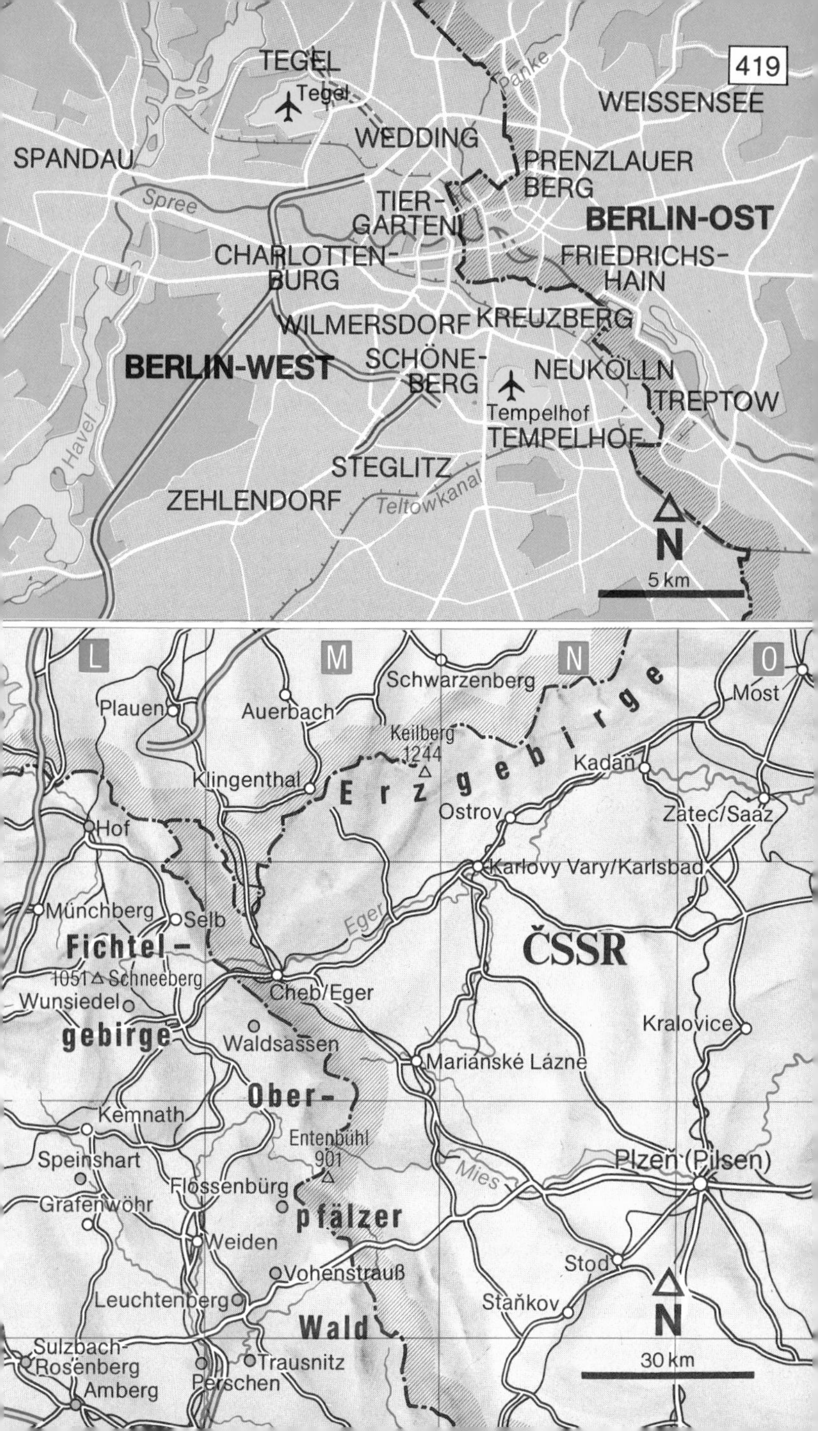
TEGEL
Tegel
WEISSENSEE
Panke
WEDDING
SPANDAU
PRENZLAUER BERG
TIER-GARTEN
Spree
BERLIN-OST
CHARLOTTEN-BURG
FRIEDRICHS-HAIN
WILMERSDORF
KREUZBERG
BERLIN-WEST
SCHÖNE-BERG
NEUKÖLLN
TREPTOW
Tempelhof
TEMPELHOF
Havel
STEGLITZ
ZEHLENDORF
Teltowkanal
N
5 km
L
M
N
O
Schwarzenberg
Erzgebirge
Most
Plauen
Auerbach
Keilberg 1244
Kadaň
Klingenthal
Ostrov
Zatec/Saaz
Hof
Karlovy Vary/Karlsbad
Münchberg
Selb
Eger
Fichtel-gebirge
ČSSR
1051 Schneeberg
Cheb/Eger
Wunsiedel
Waldsassen
Kralovice
Mariánské Lázne
Ober-pfälzer Wald
Kemnath
Entenbühl 901
Speinshart
Plzeň (Pilsen)
Mies
Flossenbürg
Grafenwöhr
Weiden
Stod
Vohenstrauß
Leuchtenberg
Staňkov
Sulzbach-Rosenberg
Trausnitz
30 km
Perschen
Amberg

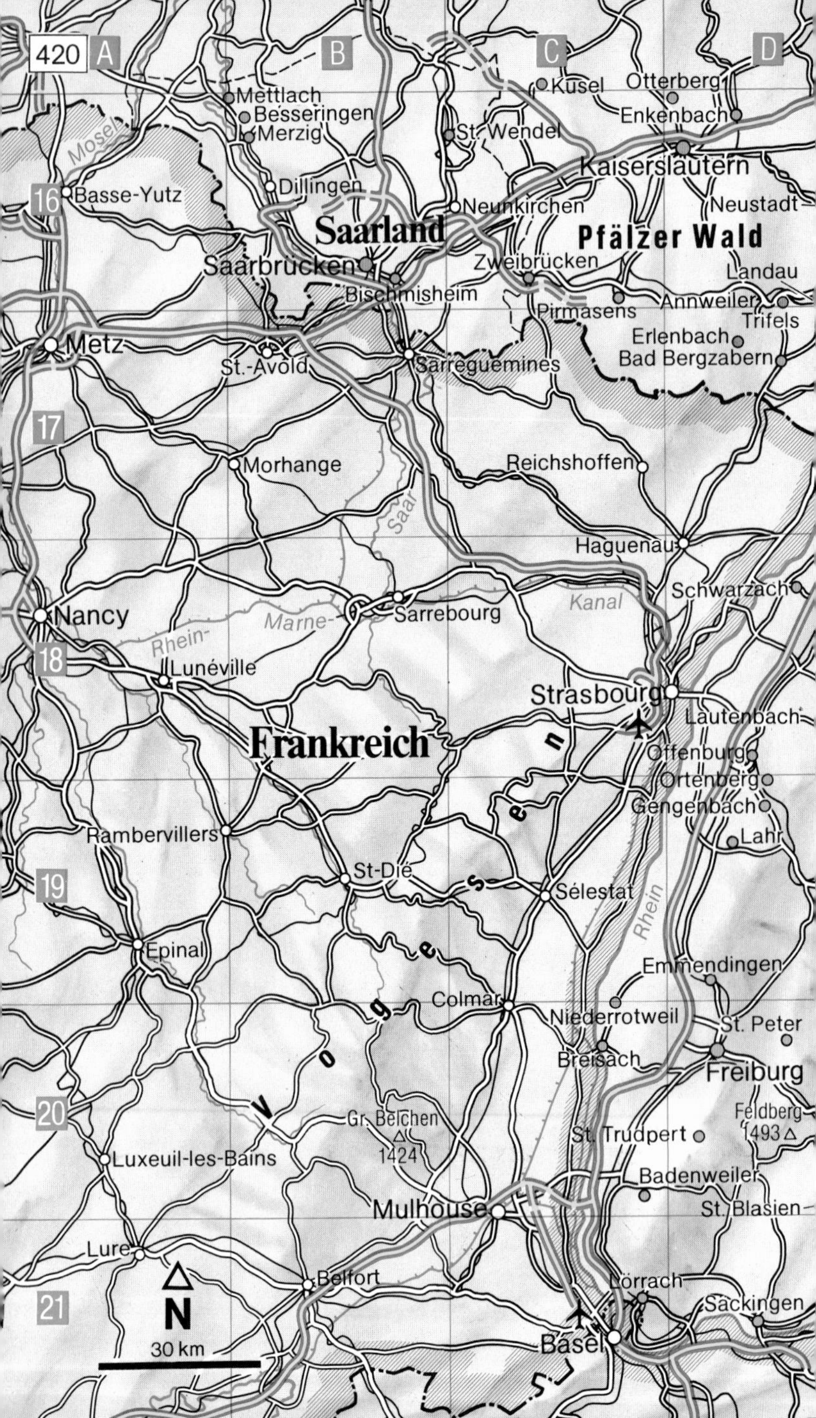
A
B
C
D
16
17
18
19
20
21
Mettlach
Besseringen
Merzig
Mosel
Kusel
Otterberg
Enkenbach
St. Wendel
Kaiserslautern
Basse-Yutz
Dillingen
Neunkirchen
Neustadt
Saarland
Pfälzer Wald
Saarbrücken
Zweibrücken
Landau
Bischmisheim
Pirmasens
Annweiler
Trifels
Metz
Erlenbach
Bad Bergzabern
St.-Avold
Sarreguemines
Morhange
Reichshoffen
Saar
Haguenau
Schwarzach
Kanal
Nancy
Marne-
Sarrebourg
Rhein-
Lunéville
Strasbourg
Lautenbach
Frankreich
Offenburg
Ortenberg
Gengenbach
Lahr
Rambervillers
St-Dié
Sélestat
Rhein
Epinal
Emmendingen
Colmar
Niederrotweil
St. Peter
Breisach
Freiburg
Feldberg
1493
Gr. Belchen
1424
St. Trudpert
Luxeuil-les-Bains
Badenweiler
Mulhouse
St. Blasien
Lure
Belfort
Lörrach
Säckingen
N
30 km
Basel
V o g e s e n

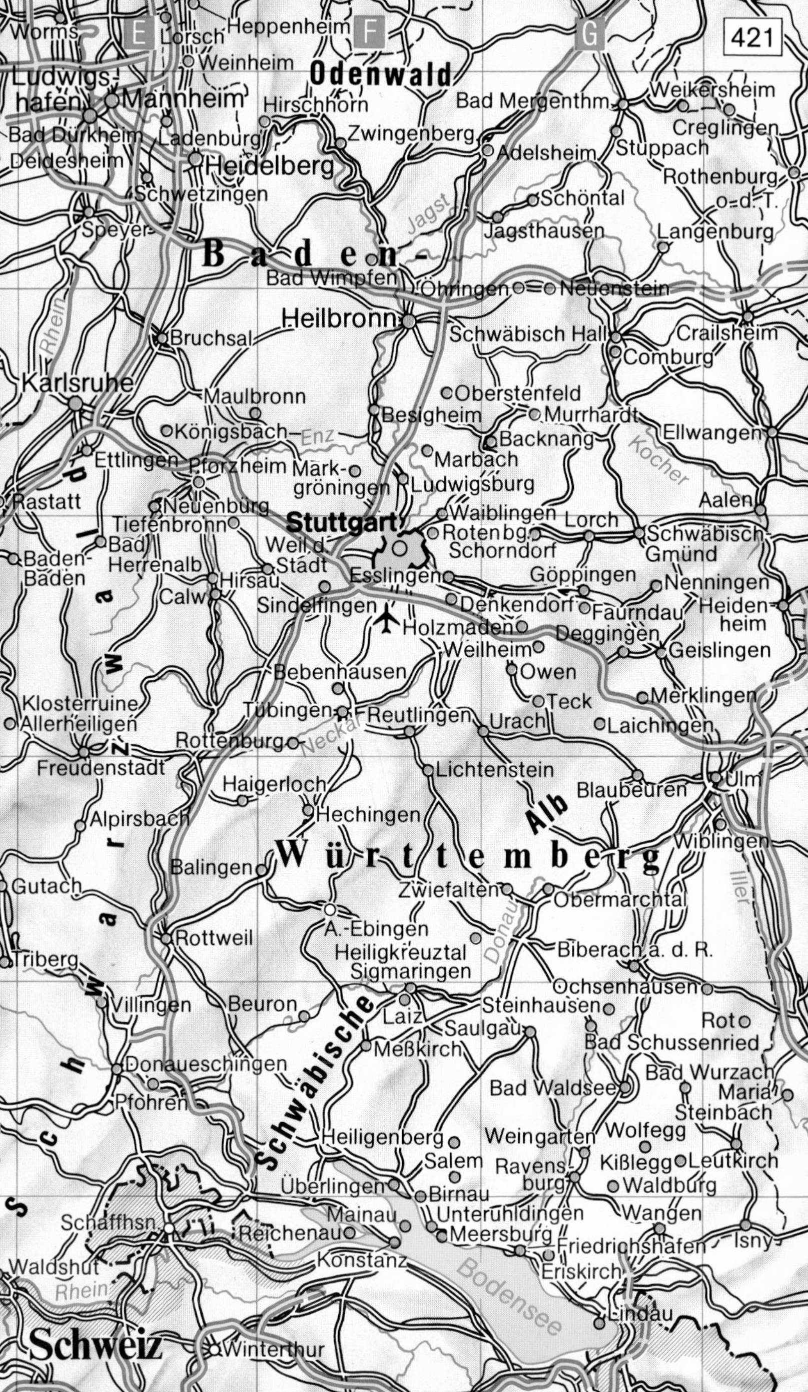

421
E
F
G
Worms
Lorsch
Heppenheim
Weinheim
Odenwald
Ludwigshafen
Mannheim
Hirschhorn
Bad Mergenthm.
Weikersheim
Creglingen
Bad Dürkheim
Ladenburg
Zwingenberg
Stuppach
Adelsheim
Deidesheim
Heidelberg
Rothenburg o. d. T.
Schwetzingen
Jagst
Schöntal
Speyer
Jagsthausen
Langenburg
Baden-
Bad Wimpfen
Öhringen
Neuenstein
Rhein
Heilbronn
Bruchsal
Schwäbisch Hall
Crailsheim
Comburg
Karlsruhe
Maulbronn
Oberstenfeld
Besigheim
Murrhardt
Königsbach
Enz
Backnang
Ellwangen
Kocher
Marbach
Ettlingen
Pforzheim
Mark-gröningen
Ludwigsburg
Rastatt
Neuenbürg
Aalen
Tiefenbronn
Stuttgart
Waiblingen
Lorch
Rotenbg.
Schorndorf
Schwäbisch-Gmünd
Bad Herrenalb
Weil d. Stadt
Baden-Baden
Hirsau
Esslingen
Göppingen
Nenningen
Calw
Sindelfingen
Denkendorf
Faurndau
Heidenheim
Holzmaden
Deggingen
Weilheim
Geislingen
Bebenhausen
Owen
Teck
Merklingen
Klosterruine Allerheiligen
Tübingen
Reutlingen
Urach
Laichingen
Neckar
Rottenburg
Freudenstadt
Lichtenstein
Haigerloch
Blaubeuren
Ulm
Alb
Hechingen
Alpirsbach
Wiblingen
Württemberg
Balingen
Iller
Zwiefalten
Obermarchtal
Gutach
A.-Ebingen
Donau
Rottweil
Heiligkreuztal
Biberach a. d. R.
Triberg
Sigmaringen
Ochsenhausen
Villingen
Beuron
Laiz
Steinhausen
Rot
Saulgau
Meßkirch
Bad Schussenried
Donaueschingen
Bad Wurzach
Bad Waldsee
Maria Steinbach
Pfohren
Schwäbische
Heiligenberg
Weingarten
Wolfegg
Salem
Ravensburg
Kißlegg
Leutkirch
Überlingen
Waldburg
Birnau
Unteruhldingen
Schaffhsn.
Mainau
Wangen
Reichenau
Meersburg
Isny
Friedrichshafen
Konstanz
Waldshut
Eriskirch
Rhein
Bodensee
Lindau
Schweiz
Winterthur
Schwarzwald

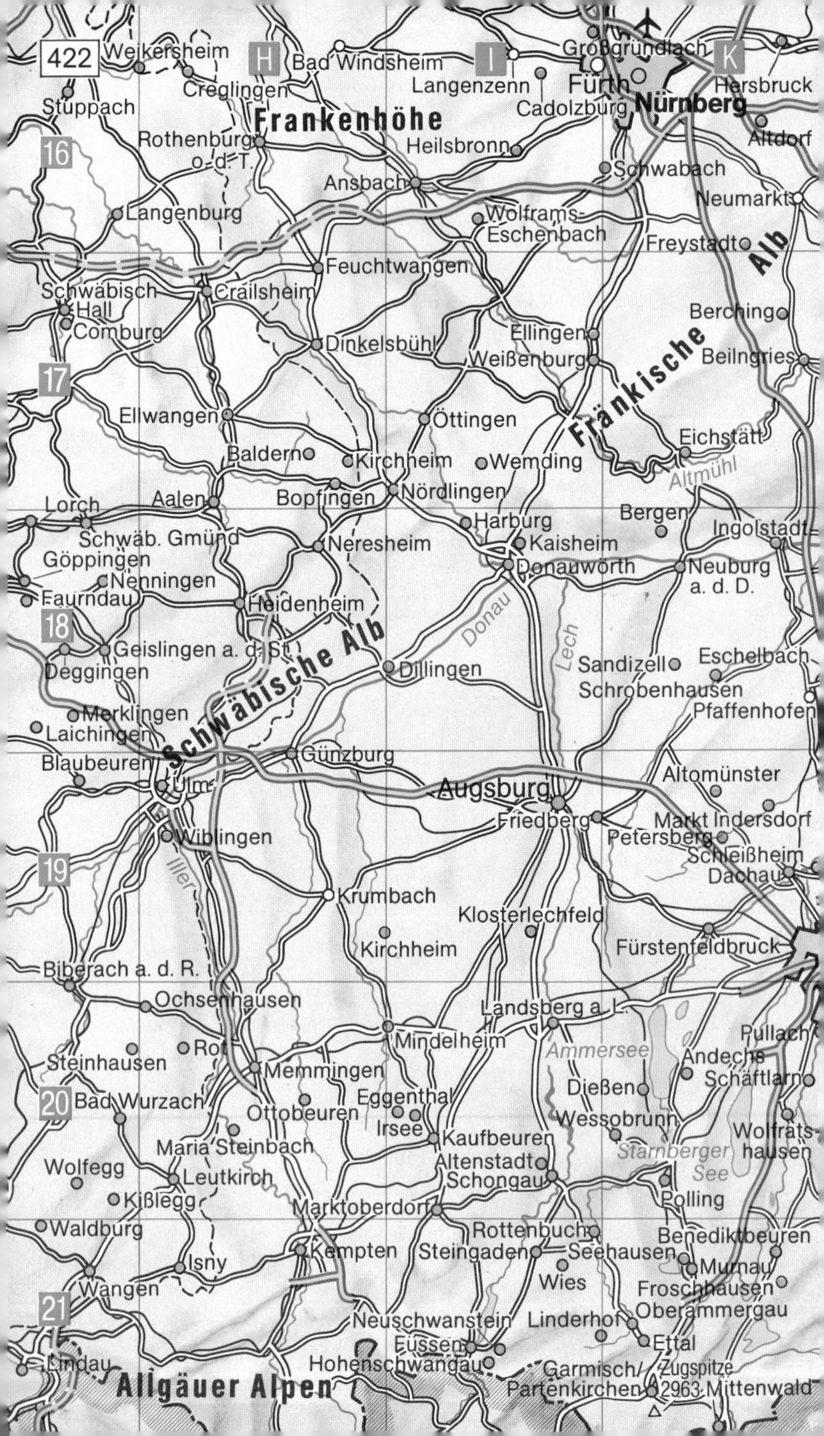

H I K

Weikersheim
Bad Windsheim
Großgründlach
Creglingen
Langenzenn
Fürth
Hersbruck
Stuppach
Cadolzburg
Nürnberg
Frankenhöhe
Altdorf
16
Rothenburg o. d. T.
Heilsbronn
Schwabach
Ansbach
Neumarkt
Langenburg
Wolframs-Eschenbach
Freystadt
Alb
Feuchtwangen
Schwäbisch Hall
Crailsheim
Comburg
Berching
Dinkelsbühl
Ellingen
Weißenburg
Beilngries
17
Fränkische
Ellwangen
Öttingen
Eichstätt
Baldern
Kirchheim
Wemding
Altmühl
Bopfingen
Nördlingen
Lorch
Aalen
Harburg
Bergen
Schwäb. Gmünd
Ingolstadt
Neresheim
Kaisheim
Göppingen
Donauwörth
Neuburg a. d. D.
Nenningen
Faurndau
Heidenheim
18
Donau
Geislingen a. d. St.
Lech
Sandizell
Eschelbach
Deggingen
Dillingen
Schrobenhausen
Schwäbische Alb
Pfaffenhofen
Merklingen
Laichingen
Günzburg
Blaubeuren
Altomünster
Ulm
Augsburg
Friedberg
Markt Indersdorf
Petersberg
Wiblingen
Schleißheim
19
Iller
Dachau
Krumbach
Klosterlechfeld
Kirchheim
Fürstenfeldbruck
Biberach a. d. R.
Ochsenhausen
Landsberg a. L.
Pullach
Mindelheim
Rot
Ammersee
Andechs
Steinhausen
Memmingen
Schäftlarn
Dießen
20
Bad Wurzach
Eggenthal
Ottobeuren
Irsee
Wessobrunn
Wolfrats-hausen
Maria Steinbach
Kaufbeuren
Starnberger See
Wolfegg
Altenstadt
Leutkirch
Schongau
Kißlegg
Polling
Marktoberdorf
Waldburg
Rottenbuch
Benediktbeuren
Kempten
Steingaden
Seehausen
Isny
Murnau
Wies
Wangen
Froschhausen
21
Oberammergau
Neuschwanstein
Linderhof
Füssen
Ettal
Lindau
Hohenschwangau
Garmisch-Partenkirchen
Zugspitze 2963
Mittenwald
Allgäuer Alpen

L
M
N
Trausnitz
Perschen
Sulzbach-Rosenberg
Amberg
Kastl
Pfaffenhofen
Schwandorf
Domažlice
Klatovy
ČSSR
Burglengenfeld
Cham
Reichenbach
Großer Arber 1456
Bayrisch Eisenstein
Viechtach
Bayerischer Wald
Großer Rachel 1453
Naab
Regensburg
Donaustauf
Prunn
Kelheim
Oberaltaich
Windberg
Weltenburg
Eining
Straubing
Metten
Aufhausen
Deggendorf
Donau
Rohr
Niederaltaich
Bayern
Osterhofen
Landau
Mainburg
Dingolfing
Aldersbach
Isar
Passau
Arnstorf
Gelbersdorf
Landshut
Ortenburg
Fürstenzell
Moosburg
Pfarrkirchen
Freising
Groß-Thalheim
Neumarkt-St. Veit
Weihenstephan
Eschelbach
Inn
Erding
Oppolding
Simbach
Altenerding
Mühldorf
Hörgersdorf
Altötting
Isen
Burghausen
Raitenhaslach
MÜNCHEN
Österreich
Ebersberg
Wasserburg a.I.
Salzach
Rabenden
Baumburg
Rott a. I.
Alten-hohenau
Seeon
Laufen
Chiemsee
Dietramszell
Prien
Frauenchiemsee
Anger
Rosenheim
Herrenchiemsee
Höglwörth
Urschalling
Salzburg
Hohenaschau
Ruhpolding
Gmund
Bad Reichenhall
Tegernsee
Rottach-Egern
Berchtesgaden
Mangfallgebirge
N
Kufstein
Watzmann 2713
Österreich
30 km

reichen, gut erhaltenen *Bürgerhäusern* und *Adelshöfen* seien hier nur der Wormser Bischofshof (Am Hof 1) und das Neunhellersche Haus erwähnt.

Lahnstein 5420

Rheinland-Pfalz S. 416 □ C/D 13

Die Stadt Lahnstein entstand im Jahre 1969 durch Zusammenschluß der beiden Ortsteile Oberlahnstein (Stadtrechte 1324) und → Niederlahnstein (Stadtrechte 1332); dieser letztere Ort geht auf einen römischen »Burgus« des 4. Jh. zurück.

Pfarrkirche St. Martin (Oberlahnstein): Die beiden Osttürme, die verschiedene Veränderungen und Umbauten überstanden haben, stammen von einem spätromanischen Vorgängerbau. Gotischer Chor und die Sakristei kamen im 14. Jh. hinzu. Das Langhaus ist als ein einfacher Saalbau 1775–77 entstanden.

Martinsburg (Oberlahnstein): Die Burg, 1244 als Wasserburg angelegt, war zunächst Zollburg und stammt in ihrem heutigen Zustand im wesentlichen aus dem 14./15. und 18. Jh. Das Hauptaugenmerk beansprucht der fünfgeschossige Turm an der Südecke. Im Nordflügel befindet sich die sehenswerte *Kapelle.* Sie ist ihrerseits mit dem *Wohnturm* aus dem 14. Jh. verbunden.

Burg Lahneck (Oberlahnstein): Die im 13. Jh. erbaute Burg wurde 1688 zerstört, 1860 jedoch durch einen Neubau im Stil englischer Neugotik ersetzt.

Altes Rathaus (Oberlahnstein, Hochstraße 34): Das gotische Fachwerkhaus stammt aus dem 16. Jh. Das Erdgeschoß ist aus Stein gemauert.

Lahr, Schwarzwald 7630

Baden-Württemberg S. 420 □ D 19

Von der traditionsreichen Stadt, deren bewegte Geschichte sich bis ins 13. Jh. zurückverfolgen läßt, ist wenig erhalten geblieben. Von der Tiefenburg, die Walter von Geroldseck an der Paßstraße vom Elsaß ins Kinzigtal 1250 erbauen ließ, ist heute nur noch der Storchenturm vorhanden.

Ev. Kirche/Ehem. St.-Peters-Kirche (Ortsteil Burgheim): An der gleichen Stelle ist schon im frühen 8. Jh. eine fränkische Saalkirche bezeugt. 1035 erfolgte die Weihe eines Neubaus. Weitere Änderungen im 12.–15. Jh. Bei Ausgrabungen fand man unter der Kirche einen Friedhof mit Reihengräbern. Für das Grab einer Edelfrau (7. Jh.) wurde vermutlich römisches Bauwerk verwendet. Im Lagerhaus sind Wandmalereien aus dem 15. Jh. erhalten.

Ehem. Stiftskirche/Ev. Pfarrkirche: Eineinhalb Jahrhunderte (1260–1412) wurde an dieser Kirche gebaut. Bei einer sehr unkritischen Restaurierung in den Jahren 1848–51 wurden charakteristische Elemente beseitigt und das Gesamtbild des Baus stark verändert. Erhalten blieb der Chor aus dem 13. Jh.

Außerdem sehenswert: Das *Neue Rathaus* mit einer schönen Säulenhalle im Obergeschoß ist ursprünglich als Stadtpalais der Familie Lotzbeck entstanden (1808). Unter den *Wohnhäusern* sind Spätbarock, Rokoko, Klassizismus und Biedermeier vertreten. Zu den wichtigsten Häusern gehört das Stössersche Haus (Kaiserstraße 41; 1783). Im Storchenturm der ehem. Tiefburg befindet sich das *Geroldsecker Museum.*

Laichingen 7903

Baden-Württemberg S. 420 □ G 18

Höhlenmuseum (Beurer Steig 47): Zeigt Beiträge zur Urgeschichte der Schwäbischen Alb, insbesondere Versteinerungen, Tropfsteine, Skelette von Höhlentieren sowie alte Pläne und Urkunden. In der Nähe befindet sich eine ca. 100 m tiefe Schachthöhle.

Landau an der Isar 8380

Bayern S. 422 □ N 18

Pfarrkirche Mariae Himmelfahrt: Beim Neubau der heutigen Barockkirche (1726 geweiht) wurde der Turm eines mittelalterlichen Vorgängerbaus erhalten und in den Neubau einbezogen. Hervorzuheben ist die reiche Ausstattung (vor allem der *Hochaltar*, 1725, und zwei *Rokokoaltäre* in den Seitenkapellen). Die drei Schnitzfiguren an den Pfeilern wie der Chorbogenkruzifixus sind spätgotisch.

Außerdem sehenswert: *Ehem. Herzogliches Schloß:* In der hoch gelegenen Südwestecke des Berings entstand im 13. Jh. auch das Schloß. Nach einem schweren Brand im 16. Jh. wurde es im 18./19. Jh. wieder aufgebaut. – Die *Steinfelskirche* wurde um 1700 über einer natürlichen Grotte errichtet. – Von der *Friedhofskirche Hl. Kreuz* (15. Jh., mit barocker Flachdecke) sind die drei gut erhaltenen spätgotischen Altäre sehenswert. – Im Weißgerberhaus (Hökkinger Straße 9; 17. Jh.) befindet sich das im Jahre 1957 gegründete *Heimatmuseum.*

Ehem. Stiftskirche, Landau i. d. Pfalz

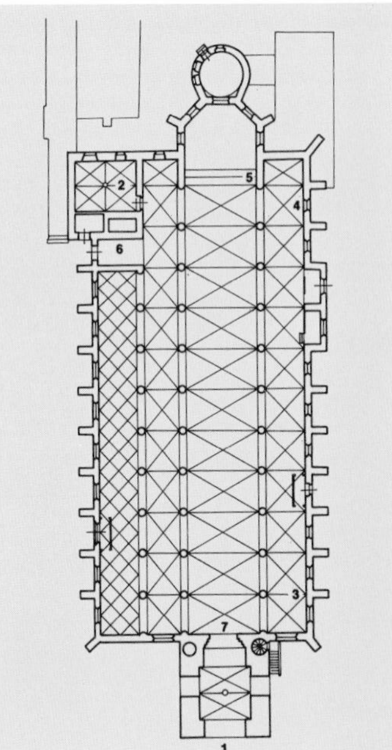

Landau, Stiftskirche 1 Hauptportal, 1. Hälfte 14. Jh. **2** Sakristei mit Resten von Wandmalerei, 1. Hälfte 14. Jh. **3** Ölbergnische mit Christusfigur, 1441 **4** Steinfigur des hl. Johannes, um 1525 **5** Grabstein des Ritters Hartung Fuchs von Dornheim (1512 gest.) **6** Epitaph für Marie Elisabeth de Tarade (1688 gest.) **7** Orgelprospekt von Ignaz Seiffert, 1772

Landau in der Pfalz 6740

Rheinland-Pfalz S. 420 □ D 16

Die mittelalterliche Stadt wurde 1689, im Zuge der Festungsbauten Vaubans, des Festungsbaumeisters Ludwigs XIV., zu drei Vierteln niedergebrannt. Von den Festungsanlagen sind noch erhalten: das Deutsche u. das Französische Tor, das Kronwerk im NW der Stadt, die Wasserbauten an der Einlaß- und Auslaßschleuse und der Überschwemmungskessel Nr. 80.

Ev. Pfarrkirche/Ehem. Stiftskirche Unserer Lieben Frau (Marktstraße): Ausgehend von einem 1276 angesiedelten Augustinerchorherrenstift, entstand im 14. Jh. die heutige Kirche. Bemerkenswert an diesem ungewöhnlich großen, langgestreckten Bau ist vor allem der *Turm,* der zusätzlich zu den drei quadratischen Untergeschossen der ersten Baustufe (1349) ein achtekkiges Glockengeschoß (1458) erhielt. Chor und Hauptschiff wurden bei der Restaurierung 1897/98 mit einem Kreuzrippengewölbe versehen.

Kath. Pfarrkirche Hl. Kreuz/Augustinerkirche (Königstraße): Die 1405–13 erbaute Kirche wurde im 2. Weltkrieg beschädigt (Chor), jedoch nach den alten Maßen wieder hergestellt. Aus der Innenausstattung ragten als alte Stükke ein *Taufstein* von 1506 und die aus Holz geschnitzte *Landauer Madonna* (17. Jh.) heraus (seit 1893 in Hl. Kreuz). – Im Norden schließen sich die *Klostergebäude* an (1740–50; der Osttrakt im 2. Weltkrieg vernichtet).

Außerdem sehenswert: Einige *Häuser* in der Martin-Luther-Straße (Haus Nr. 17), Kaufhausgasse (Nr. 9) und am Max-Josephs-Platz (Nr. 1) stammen aus dem 17. und 18. Jh. und verraten französischen Einfluß. Das Haus der Kommandantur (Marktstraße 50) wurde 1827 erbaut und ist von klassizistischen Elementen geprägt (heute Rathaus) – *Städtisches Heimatmuseum.*

Mariae Himmelfahrt, Landsberg

Landsberg am Lech 8910

Bayern S. 422 □ J 20

Pfarrkirche Mariae Himmelfahrt (Ludwigstraße): Die mächtige Basilika entstand im 15. Jh. anstelle eines Vorgängerbaus aus dem 13. Jh. Baumeister war V. Kindlin aus Straßburg, der auch an St. Ulrich in→ Augsburg mitgewirkt hat. – Die Innenausstattung ist barock und von einem selten anzutreffenden Reichtum. In den reichen Stuck der Decke sind sehr sparsam Freskenmedaillons eingearbeitet. Das Hauptaugenmerk beansprucht der gewaltige *Hochaltar* von J. Pfeiffer aus Bernbeuren. Die Plastik (Figuren von Joseph und Joachim sowie von den drei Erzengeln) stammt von J. Luidl, einem Landsberger Meister. Er hat auch die Heiligenfiguren geschaffen, die an den Wänden des Mittelschiffs zu sehen sind. Die *Chorfenster* aus dem 16. Jh. gehören zu den wichtigsten aus dieser Zeit in Bayern (Augsburger Werkstatt). Hinter dem Hochaltar befindet sich das *Grabdenkmal* für den Arzt Cyriacus Weber (von H. Reichle*, 1572). In den Seitenkapellen sind weitere bemerkenswerte Altäre (meist 18. Jh.) zu sehen. Das reiche Schnitzwerk der *Orgel* stammt von L. Luidl (1696). *Chorgestühl* und *Kanzel* wurden zu Beginn des 18. Jh. ergänzt.

St.-Johannes-Kirche (Vorderanger): Die Kirche entstand nach Plänen von D. Zimmermann* (1741). Ungewöhnlich ist die hufeisenförmige Gliederung des Chors, der von einem Hoch- und zwei Nebenaltären beherrscht wird (Figuren von J. Luidl, 1760). Bemerkenswert auch die Nebenaltäre und die Malerei (von K. Thalhammer) über der Flachkuppel, die den Laienraum überspannt.

Marktplatz mit Rathaus ▷

Ehem. Jesuitenklosterkirche Hl. Kreuz (Malteserstraße): Der berühmte Augsburger Baumeister H. Holl* hatte die Pläne für den ersten Bau (1580–84) an dieser Stelle geliefert. 1752–54 wurde die Kirche jedoch durch den heutigen Bau ersetzt. Die äußerlich fast schmucklose Kirche schließt in ihrer Raumaufteilung an das Schema der Studienkirche Mariae Himmelfahrt in → Dillingen an (emporenlose Wandpfeilerkirche). Die Ausgestaltung erfolgte in Rokoko (Fresken von C. T. Scheffler, zum kleineren Teil von G. B. Götz). Im Mittelpunkt des Hochaltars steht ein großes Gemälde von J. B. Bader (Kreuzigung, nach einer Vorlage von Bergmüller, 1758). Bemerkenswert sind das Schnitzwerk der Beichtstühle, die Kanzel und mehrere schmiedeeiserne Gitter. Die Stukkaturen in der Sakristei stammen von D. Zimmermann*.

Außerdem sehenswert: Der Marktplatz, einer der schönsten in Deutschland, wird von dem 1699–1702 errichteten *Rathaus* bestimmt. Die erstklassigen Stukkaturen hat D. Zimmermann* geschaffen, der von 1759–64 Bürgermeister von Landsberg war und auch die Innenräume des Rathauses gestaltet hat. Vor dem Rathaus steht der 1783 errichtete *Brunnen* mit einer Marienstatue von J. Streiter. Im Rathaus befindet sich eine *Galerie* mit Werken des Malers H. Herkomer* (1849–1914). – Das schnelle Wachsen der Stadt hat dazu gezwungen, die *Stadtbefestigung* mehrfach zu erweitern. Das *Bayertor* stammt aus dem 15. Jh.

Stadtmuseum (von-Kühlmann-Straße): Funde aus der Bronzezeit, Beiträge zur Stadtgeschichte sowie Zunft- und Militaria-Sammlungen.

Landshut 8300

Bayern S. 422 □ M 18

Das von der Gotik bestimmte Stadtbild von Landshut gehört zu den schönsten in Deutschland. In den wesentlichen Teilen des mittelalterlichen Stadtgebiets hat sich seit dem 16. Jh. kaum etwas verändert. Hauptachsen sind die beiden Straßenzüge Altstadt und Neustadt, die – fast parallel zueinander – von Süden nach Norden verlaufen. Die Altstadt gilt als schönste Straße in Deutschland. Sie wird im Süden von der St.-Martins-Kirche, im Norden von der Spitalkirche Hl. Geist begrenzt. Im Norden stoßen Alt- und Neustadt jeweils auf die Isar. Zweimal war Landshut Residenzstadt: Ludwig der Kelheimer gründete hier 1204 die wittelsbachische Residenz, und nach dem Landshuter Erbfolgekrieg (1504–05) machte Ludwig X. die Stadt zur zweiten bayrischen Residenz. – Ein Vierteljahrhundert zuvor (1475) hatte Ludwig der Reiche seinem Sohn Georg eines der aufwendigsten Feste organisiert: Die Landshuter Fürstenhochzeit. In Erinnerung an die achttägigen Festlichkeiten, mit denen man die Hochzeit Georgs mit der polnischen Königstochter Jadwiga beging, findet alle drei Jahre die »Landshuter Hochzeit« statt. – Zu literarischem Ruhm kam Landshut, als im Jahr 1800 die Landesuniversität von Ingolstadt hierher verlegt wurde. Zu dem Romantikerkreis, der sich um Joh. Michael Sailer in Landshut bildete, gehörten Bettina und Clemens Brentano, Achim von Arnim und andere bekannte Schriftsteller der Zeit.

Stadtpfarr- und Kollegiatsstiftskirche/ Münster St. Martin (Altstadt): H. von Burkhausen (bis zu seinem Tod 1432) und H. Stethaimer* sind die Baumeister dieses mächtigen Münsters, das mit seinem 133 m hohen Turm das höchste Backsteinbauwerk der Welt ist. Die Kirche, die zu den kunsthistorisch bedeutendsten Werken der Spätgotik zählt, wird von außen her durch den mächtigen Turm bestimmt, der auf einem quadratischen Unterbau errichtet ist und sich von Geschoß zu Geschoß verjüngt. – Die fünf Portale weisen alle überreichen Figurenschmuck auf. An der Südwand befindet sich zwischen zwei Portalen das *Grabdenkmal* für Baumeister Hans von Burkhausen, das in der Werkstatt seines Nachfolgers entstanden ist und den greisen Meister zeigt. – Das Innere des Münsters hat gewaltige Ausmaße: Einschließlich Turm ergibt sich eine Gesamtlänge von 92 m. Kernstück dieser Hallenkirche ist das Mittelschiff (29 m hoch, 11 m breit), das seine Fortsetzung im Chor (27,8 m hoch, 11,25 m breit) findet. An die Seitenschiffe schließen jeweils flache Kapellen an. – An erster Stelle bei der sehr reichen Ausstattung ist die *Landshuter Madonna* zu nennen, eine überlebensgroße Schnitzfigur von H. Leinberger* (1518). Das *Epitaph* in Sandstein (Krönung Mariens) in der mittleren Seitenkapelle zwischen den beiden Nordportalen stammt ebenfalls von Leinberger. Zahlreiche weitere Grabdenkmäler zählen zu den besten Arbeiten der Zeit. – Der *Hochaltar* ist ein Werk H. Stethaimers (1424), von dem wahrscheinlich auch die Kanzel (1422) stammt. Zu den kostbarsten Schätzen von St. Martin gehört das *Chorgestühl* (um 1500). Der *Kruzifixus* (1495) wird dem Ulmer Meister M. Erhart zugeschrieben.

Ehem. Dominikanerkirche St. Blasius (Freyung): Die im 13. Jh. erbaute und 1386 geweihte Kirche wurde im 18. Jh. teilweise umgebaut und neu ausgestattet, dabei erhielt sie auch ihre klassizistische Westfassade. Die Ausstattung hat ihre Höhepunkte in wertvollen Stukkaturen. Mit dem umfangreichen Freskenzyklus hat D. Zimmermann* (1749) eine seiner besten Arbeiten geliefert.
Der *Altar* spiegelt das Leistungsvermögen Landshuter Schnitzerwerkstätten aus dem 18. Jh. Im Mittelpunkt steht ein Altarblatt von J. B. Zimmermann*. Erwähnt sei auch das reich geschnitzte *Chorgestühl*. – In den angrenzenden *Klostergebäuden*, in denen einst die Universität (vor dem Wechsel nach München) angesiedelt war, ist heute die *Regierung von Niederbayern* untergebracht.

Ehem. Jesuitenkirche St. Ignatius (Neustadt): Im Süden der Neustadt entstand 1631–41 in Anlehnung an St. Michael in → München der turm- und fassadenlose Bau, den der Jesuitenpater J. Holl leitete. – Zu den Höhepunkten der Ausstattung gehören die Stukkaturen des Wessobrunner Meisters M. Schmuzer* (1640/41). Dem Weiß der Stukkaturen stehen die dunkelfarbigen

St. Martin, Landshut

Hl.-Geist-Kirche

Altäre als wirkungsvoller Kontrast gegenüber. Mittelpunkt des Hochaltars (1663–65) ist ein Gemälde von J. C. Storer (Christus erscheint dem hl. Ignatius).

Zisterzienserinnenkloster Seligenthal (jenseits der Isar): An die Gründungszeit des Klosters (1231) erinnert heute nur noch die *Afrakapelle.* Die 1259 geweihte Klosterkirche wurde – abgesehen von den Umfassungsmauern – durch einen Neubau aus dem 18. Jh. ersetzt. Im Inneren gehören die Stukkaturen zu den besten Arbeiten von J. B. Zimmermann*, der auch die reichen Fresken geschaffen hat. In der Kuppelschale ist die Krönung Mariens dargestellt. Unter den mächtigen Altären, die von K. Grießmann entworfen und von J. W. Jorhan ausgeführt wurden (14./15. Jh.), nimmt der St.-Anna-Altar mit seiner Mittelgruppe eine Sonderstellung ein (Maria von Engeln umschwebt).

Burg Trausnitz (Hofberg): Die Burg Trausnitz, im Jahre 1204 von Herzog Ludwig dem Kelheimer gegründet, gehört zu den besterhaltenen und kunsthistorisch bedeutendsten Burganlagen in Deutschland. Die ursprüngliche Form wurde im Laufe der Jahrhunderte allerdings stark verändert. Vom 14. bis zum 16. Jh. wurden Wehr- und Wohnbauten hinzugefügt. In den Jahren 1568 bis 1578 erfolgte der Ausbau zum Schloß (*Fürstenbau*). In dieser Zeit entstanden auch die doppelten Arkadenreihen, die – von italienischen Handwerkern geschaffen – zu den wichtigsten Werken der Renaissance in Deutschland gehören. Hervorzuheben ist auch die Treppe in der Westecke des Schloßhofes. Unter Herzog Wilhelm V. wurde die Burg Trausnitz zu einem Treffpunkt von Künstlern, Komödianten und Musikanten (u. a. waren Tannhäuser und Neidhardt von Reuenthal zu Gast). Von dem Italiener A. Scalzi stammt die gemalte »Narrentreppe«, die ungewöhnlich plastisch Figuren der Commedia dell'arte darstellt. – Eine besondere Kostbarkeit ist die *Burgkapelle St. Georg* (Doppelkapelle aus dem 13. Jh., mit spätgotischem Gewölbe 1518). Die Brüstung zeigt Christus inmitten von Aposteln und Heiligen (Stuckarbeit). Die Figuren von Maria und Johannes darüber und der Kruzifixus sind erstklassige Schnitzarbeiten (um 1250).

Burg Trausnitz

Narrentreppe, Burg Trausnitz ▷

Stadtresidenz (Altstadt): Angeregt durch einen Besuch im italienischen Mantua (1536) ließ Herzog Ludwig X. in der Altstadt den einzigen Palazzo nördlich der Alpen errichten (1537–43). Zur Altstadt hin ist der *Deutsche Bau*, zur Ländgasse der *Italienische Bau* gerichtet. Die Räume sind von großer Pracht, wobei die Westhalle des Italienischen Baus und der *Italienische Saal* (mit einem mit Bildern geschmückten Tonnengewölbe und Rundbildern an den Wänden) die kunsthistorischen Höhepunkte darstellen.
Die anschließenden Prunkgemächer zeigen in ihren Gewölbeausmalungen Szenen und Figuren aus der antiken Götterwelt. Maler waren H. Bocksberger d. Ä. (Salzburg), L. Refinger (München) und H. Posthumus (Herkunft unbekannt). – Die Stadtresidenz ist heute *Museum* (Wohnkultur des 18. Jh., europäische Malerei des 16.–18. Jh.). – In der Stadtresidenz befindet sich auch das *Stadt- und Kreismuseum.*

Außerdem sehenswert: *St. Jodok* (1338–68 erbaut, nach Brand im 15. Jh. erneuert und erweitert); *Hl.-Geist-* oder *Spital-Kirche* (1407–61) mit dem gegenüberliegenden *Spitalgebäude,* das 1722–28 sein heutiges Aussehen erhielt; das sog. *Herzogsschlößchen* südlich der Trausnitz und das *Rathaus* (Altstadt), das 1380 erbaut, im 15. und 16. Jh. umgebaut und 1860/61 in die heutige Form gebracht wurde. – In der Altstadt sind zahlreiche Giebelhäuser aus dem 15./16. Jh. erhalten, u. a. das *Pappenbergerhaus* (Altstadt 81), Grasbergerhaus (Altstadt 300) sowie die Häuser Altstadt 69, 299, 369 und Haus 570.

Südostbayerisches Städtebundtheater (Ländtorplatz 2–5): Aufführungen dieses Theaters (Oper, Operette, Schauspiel) finden im 1836 erbauten und 1947 umgebauten Stadttheater statt. 406 Plätze.

Langenburg 7183

Baden-Württemberg S. 420 □ G 16

Ev. Stadtkirche: Die Kirche aus dem 16. Jh. wurde mehrfach verändert und vergrößert, so daß sie keiner einzelnen Epoche zuzuordnen ist. Erwähnenswert sind der Altaraufsatz (17. Jh.;

Hof der Stadtresidenz in Landshut

Abendmahl und Taufe) sowie das Grabdenkmal für Graf Philipp Ernst (1629 von M. Kern).

Schloß: In seinen ältesten Teilen geht das Schloß, das auf einer Anhöhe über der Jagst liegt, auf das 13. Jh. zurück (Haspel-, Archiv-, Hexenturm und Bastion Lindenstamm). Seine heutige Form erhielt es im 15. und vor allem im 16. Jh., als G. Kern (Forchheim) die Anlage im Stil der deutschen Renaissance umgestaltete. Der Ostflügel wurde später barockisiert. Die Schäden eines Brands 1963 sind fast vollständig beseitigt. – Unter den vielen großen Räumen des Schlosses nimmt der *Rittersaal* mit seinem reichen Stuckdekor (1686) eine Sonderstellung ein. Außerdem Waffensammlung, Porzellane und Automobilmuseum.

Langenhorst, Kr. Steinfurt = Ochtrup 4434

Nordrhein-Westfalen S. 414 □ C 8

Ehem. Nonnenstift: Die Burg Langenhorst war Ausgangspunkt einer Klostergründung durch den späteren

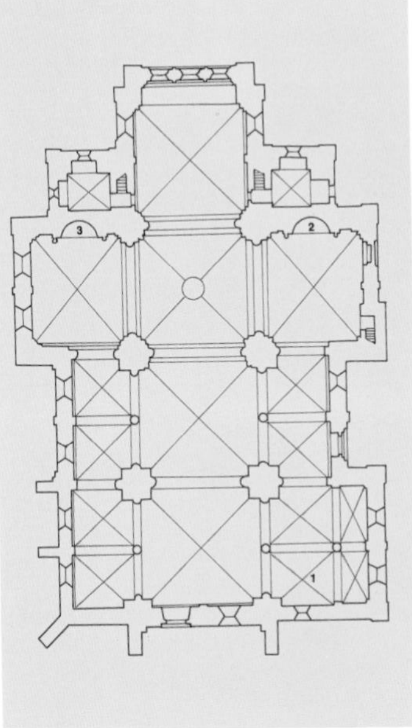

Langenhorst, Pfarrkirche St. Johannes der Täufer 1 Taufstein, 2. Viertel 13. Jh. **2** Südlicher Seitenaltar mit Kruzifixus, 1. Hälfte 14. Jh. **3** Vesperbild, 2. Hälfte 15. Jh.

Schloß Langenburg

münsterschen Domdechanten Franko von Wettringen im Jahre 1178. Rund 50 Jahre später war die Klosterkirche, die den Übergang von der Romanik zur Gotik erkennen läßt, fertiggestellt. Neben der Kirche sind Teile des ehem. Klosters, der Stiftsgebäude und der Abtei (1722) erhalten. – Die Kirche, heute katholische Pfarrkirche St. Johannes der Täufer, gehört zu den bedeutendsten Hallenkirchen im Münsterland.

Langenstein = 3575 Kirchhain 1

Hessen S. 416 □ F 12

Ev. Pfarrkirche St. Jakob: Ihre kunsthistorische Bedeutung bezieht die Kirche (13. Jh.) aus dem spätgotischen Gewölbe des Chors, das 1522 eingezogen wurde. Das doppelte Netzgewölbe liegt über einer spätgotischen Gewölbebemalung. Die übrigen Teile der Kirche sind im bäuerlichen Barock gestaltet.

St. Jakob, Langenstein

Laubach 6312

Hessen S. 416 □ F 13

Ev. Stadtkirche: Ältester Teil der Kirche ist der Ostbau (13. Jh.) mit schönen Ecklisenen und einem Spitzbogenfries. Das Langhaus wurde 1700–02 hinzugefügt – ohne jedoch zu einer Einheit mit dem vorhandenen Bau zu verschmelzen. Wichtigste Teile der Innenausstattung sind die Orgel (1747–51) von J. C. Beck und J. M. Wagner sowie mehrere Grabmäler (vorwiegend aus dem 16./17. Jh.) und spätgotische Wandmalereien im Chor und Querhaus im N.

Schloß: Die Kernburg des malerisch auf einem Hang im Tal der Wetter gelegenen Schlosses wurde um 1400 errichtet, der Bergfried stammt wahrscheinlich sogar aus dem 13. Jh. Diese ältesten Teile der Anlage sind mit den zahlreichen und umfangreichen Neubauten verbunden, die bis ins 19. Jh. hinzukamen. Glanzstück der Innenausstattung ist der barocke *Große Saal* (1739) mit seiner verschwenderischen Fülle an Spiegeln und Wandvertäfelungen. Im *Treppenhaus* dominieren die reich ausgeschmückten schmiedeeisernen Gitter. Ein Teil des Schlosses ist heute als Museum zu besichtigen, der Wohncharakter vergangener Jahrhunderte ist jedoch beibehalten worden. – Das Schloß ist von zahlreichen *Nebengebäuden* umgeben (Beamtenhäuser und Wirtschaftsgebäude). Im englischen Garten ist die sog. *Untermühle* aus dem 16. Jh. erhalten.

Außerdem sehenswert: Der *Grünemannsbrunnen* (westlich der Kirche; 1588–89) und der *Engelsbrunnen* (Markt; 1780) sind gute Beispiele für den Brunnenbau der jeweiligen Zeit. An die *Stadtbefestigung*, die im 15./16. Jh. angelegt worden ist, erinnern der *Krieger-* und der *Bürgerturm* im Westen des Orts.

Lauenstein 8642

Bayern S. 418 □ K 13

Burg Lauenstein: An der Grenze nach Thüringen entstand oben auf einem Felsen im 14. Jh. der Palas, die wesentlichen Teile des übrigen Baus kamen erst im 16. Jh. hinzu. Nach umfangreichen Restaurierungsarbeiten bietet sich heute wieder das Bild einer mittelalterlichen Burg. Unter den vielen schönen Innenräumen ist der riesige *Festsaal* (in der Längsausdehnung mißt er 40 m) mit seiner beispielhaften *Kassettendecke* besonders hervorzuheben. In der Burg befinden sich heute u. a. ein Hotel und eine Gartenwirtschaft.

Umgebung: Aussichtsturm Thüringer Warte (678 m hoch, 2 km westlich von Lauenstein).

Lauf an der Pegnitz 8560

Bayern S. 418 □ K 16

Eine Stromschnelle (im Mittelhochdeutschen »Loufe«) war Ausgangspunkt für die Ortsgründung und Namensgebung der Stadt. An der Pegnitz entstanden schon im 13. Jh. mehrere Mühlen, die zum wirtschaftlichen Aufschwung des kleinen Ortes beigetragen haben. Die günstige Lage an der Handelsstraße Nürnberg – Böhmen trug ihrerseits zum schnellen Wachsen des Ortes bei. – Die Hammerwerke an der Pegnitz wurden später zur Keimzelle bedeutender Industriebetriebe.

Kaiserburg/Wenzelsschloß (Schloßinsel 1): Kaiser Karl IV. ließ die Burg 1357–60 auf einer Pegnitzinsel errichten. Durch P. Beheim* wurde sie 1526/27 umgestaltet. Aus der ersten Bauphase ist der berühmte *Wappensaal* (mit mehr als 100 Wappen von böhmischen Adeligen in Stein, die zur Hausmacht des Kaisers gehörten) erhalten, der Kaiser Karl IV. einst als Wohnraum diente (heute Sitzungssaal des Amtsgerichts). – In der Burg befinden sich heute das *Stadtarchiv* und die *städtischen Sammlungen* (Landes- und Ortsgeschichte und Volkskunst des 15./16. Jh.).

Außerdem sehenswert: Die 1553 errichtete, später mehrfach veränderte *ev. Stadtpfarrkirche* (Markt) besitzt eine sehenswerte Barockausstattung (Ende des 17. Jh.). Der Kruzifixus über dem Chorbogen stammt aus dem Jahr 1498. – Die *Pfarrkirche St. Leonhard* ist nur als Ruine (seit 1553) erhalten. Das angrenzende *Spital* entstand 1374, wurde jedoch mehrfach verändert.

Laufen a. d. Salzach 8229

Bayern S. 422 □ N 20

Die traditionsreiche Stadt verdankt ihre frühe Bedeutung (wichtiger Handelsplatz, insbesondere für Salz) vor allem ihrer günstigen geographischen Lage an einer Schleife der Salzach.

Pfarrkirche Mariae Himmelfahrt (Spandrucker Platz 1): Die Pfarrkirche (Baubeginn 1332), die den Einfluß österreichischer Zisterzienserbauten deutlich erkennen läßt, ist die älteste erhaltene gotische Hallenkirche in Süddeutschland. – Im Inneren dominieren die beiden kraftvollen Säulenreihen. Aus der reichen Ausstattung ist das *Gemälde* hervorzuheben, das der in Laufen geborene (und in Wien verstorbene) Maler J. M. Rottmayr* 1690 geschaffen hat. Es ist in einen Seitenaltar einbezogen (unter der Orgelempore). Der *Hochaltar* ist ein Werk von H. Fiegl und J. Gerold (1654). Außerdem sind einige bemerkenswerte *Grabmäler* (15./16. Jh.) zu sehen, insbesondere unter dem Arkadengang (schönes Netzgewölbe mit Fresken). Im SW führt dieser Arkadengang zur *Michaelskapelle* (14. Jh., später z. T. erneuert) und zum *Friedhof*.

Schiffertheater: Das Theater geht auf eine alte Tradition der Salzach-Schiffer zurück, die in Laufen und benachbarten Orten sich als Wanderschauspieler Anerkennung und Rang erspielten.

Außerdem sehenswert: An der Stelle, an der 790 zum erstenmal eine Burg erwähnt worden ist, entstand durch erhebliche Um- und Neubauten in den Jahren 1424 und 1606 der heutige Bau des *Schlosses.* – Seine heutige Fassade erhielt das *Rathaus* (16. Jh.) erst 1865. – Die ehem. *Stadtmauern* aus dem 14. Jh. sind bis auf einige später hinzugekommene Türme (Oberes Tor, Unteres Tor, Zinkenturm) verschwunden.

Lautenbach im Renchtal 7606

Baden-Württemberg S. 420 □ D 18

Wallfahrtskirche Mariae Krönung: Die gotische Kirche (1493 geweiht) steht in enger Verbindung mit der Wallfahrt, die sich bis in das 14. Jh. zurückverfolgen läßt. Zwei zusätzliche Joche und der Turm kamen erst im 19. Jh. hinzu. – Im Inneren beherrscht das Netzgewölbe die überreiche Ausstattung. Architektonisch verselbständigt haben sich der ungewöhnlich große *Lettner* (1488), der von vier Säulen getragen wird, und die *Gnadenkapelle* (1485), in der das Gnadenbild (Muttergottes in Holz, 16. Jh.) aufbewahrt wurde. Ungewöhnlich ausdrucksstark sind die Bilder des *Choraltars* (1483 und 1510–20). Bemerkenswert sind die *Glasgemälde,* auf denen adlige und bürgerliche Stifter und Stifterinnen dargestellt sind (15. Jh.). Aus der Erbauerzeit ist das *Chorgestühl* erhalten.

Lauterbach 6420

Hessen S. 416 □ G 12

Ev. Stadtkirche (Marktplatz): Die 1763–67 entstandene Kirche gehört zu den schönsten Rokokokirchen in Hessen und war Vorbild für mehrere Kirchen im Gebiet des Vogelsberges. Turmaufsatz und Haube wurden 1820/21 im Stil des Klassizismus ausgeführt. – Höhepunkte der Innenausstattung sind die reich mit Stuck verzierte *Kanzelwand* (farbig polierter Stuckmarmor) und die *Orgelempore* (Orgel von J. M. Östreich). Unter den zahlreichen Grabdenkmälern sticht das des Ritters Hermann hervor.

Ehem. Schloß Hohhaus (Eisenbacher Tor 1–3): General Freiherr Friedr. Gg. Riedesel ließ das Schloß in den Jahren 1769–73 erbauen. Glanzpunkte der Innenausstattung sind die großartigen Stukkaturen, die der Fuldaer Meister A. Wiedemann geschaffen hat (insbesondere im großen Saal des Obergeschosses). Im Schloß befindet sich heute das *Heimatmuseum.*

Umgebung: Schloß Eisenbach (4 km südlich von Lauterbach).

Leer 2950

Niedersachsen S. 414 □ D 5

Die Nähe der niederländischen Grenze (20 km) hat Geschichte und Entwicklung der Stadt stark beeinflußt. Die Einwanderung von Religions-Flüchtlingen aus den Niederlanden im 16. Jh. ließ Leer zu einem Zentrum der Leinenweberei in Ostfriesland werden. Die Entwicklung zur Hafenstadt begann im späten 18. Jh. In Konkurrenz mit der aufblühenden Stadt Emden kämpfte Leer um die Unabhängigkeit, die sie in den Jahren 1749–65 erlangte. – Auch auf das Stadtbild hat das Nachbarland »abgefärbt«: Der holländische Barock spiegelt sich in vielen der roten Backsteinbauten.

St. Michael (Kirchstraße): Das Rokoko bestimmt die Kirche aus dem 18. Jh., deren Portal mit einem schönen Sandsteinrelief geschmückt ist.

Krypta (Plytenbergstraße): Reste einer im 13. Jh. erbauten (1785 abgebrochenen) Kirche sind in Verbindung mit dem alten Friedhof der Stadt erhalten geblieben. Die Krypta wurde 1958 als *Ehrenmal* für die Gefallenen der Stadt wiederhergestellt. Außen finden sich *Grabplatten* aus dem 16. Jh.

Wenzelsschloß, Lauf an der Pegnitz ▷

Wohnbauten: Die *Waage* (Neue Straße 1), ein Doppelwalmhaus, wurde im Stil des holländischen Klassizismus erbaut und bildete ehemals den Mittelpunkt der Stadt. – In der Rathausstraße findet sich das *Haus Samson* (Häuser 16–18), das 1643 fertiggestellt und heute Zentrum für bemerkenswerte Sammlungen ist (Hausrat, Möbel, Porzellan, Kacheln).

Heimatmuseum (Neue Straße 14): In einem klassizistischen Traufenhaus, dessen Fassade Beachtung verdient, findet sich das Heimatmuseum mit Beiträgen zur Stadt- und ostfriesischen Geschichte, zur Schiffahrt, zu Malerei und Graphik.

Umgebung: *Drehbrücke über die Ems* (3 km westlich), *Ledasperrwerk* (2 km südlich).

Lembeck = 4270 Dorsten 12

Nordrhein-Westfalen S. 414 □ C 9

Schloß: Gegen Ende des 17. Jh. ließ Dietrich Konrad Adolf von Westerholt (an der Stelle eines Vorgängerbaus aus dem 14. Jh.) das Schloß als Wasserburg in einem großen Teich anlegen. Es weicht in der Konzeption (die eine enge Verbindung zur Umgebung hat) von den zahlreichen anderen Wasserschlössern in Westfalen stark ab. Im Nordflügel erreicht die erstklassige Ausstattung mit dem von J. C. Schlaun* ausgestalteten *Großen Saal* ihren Höhepunkt. Eichenholzvertäfelung und feine Stukkaturen sind hier harmonisch aufeinander abgestimmt. Das barocke Mobiliar ist erhalten geblieben. – Heute befindet sich im Schloß ein Hotel.

Außerdem sehenswert: Die St.-Michaelis-Kapelle wurde 1726 von J. C. Schlaun* im Auftrag der Witwe des letzten Grafen von Westerholt erbaut. Im Inneren sind das mit Stuck verschönte Tonnengewölbe, einige Gemälde sowie Schnitzwerke aus dem 15.–18. Jh. bemerkenswert. – Die *Kath. Pfarrkirche St. Laurentius* aus dem 15. Jh. (Erweiterungsbau 1936) hat eine Anna selbdritt aus dem 15. Jh. und Epitaphe aus dem 16. Jh.

Umgebung: → Bottrop, → Gelsenkirchen, → Raesfeld.

Schloß Lembeck

Lemgo 4920

Nordrhein-Westfalen S. 414 ☐ F 9

Wegen seiner leistungsfähigen Druckereien und in Anspielung an das Druck- und Buchzentrum Leipzig wurde Lemgo im 18. Jh. das »westfälische Leipzig« genannt. An die ehem. Hansestadt erinnert das Stadtbild, das z. T. unverändert aus dem 16. Jh. erhalten geblieben ist.

Marienkirche (Stiftstraße): Bei Restaurierungsarbeiten in den Jahren 1964–67 hat man den Zustand der Kirche in der Entstehungszeit (1280 bis 1330) zugrunde gelegt. – Die Innenausstattung ist reich an bedeutenden Kunstwerken. Eine *Bildnisplatte* (um 1390) zeigt den Edelherrn Otto zur Lippe und seine Gemahlin Ermgard v. d. Mark. Der spätgotische gemalte *Flügelaltar* stammt vermutlich vom Niederrhein (um 1470). Die *Orgel* an der Ostwand des nördlichen Seitenschiffs wurde 1612 von dem berühmten sächsischen Orgelbaumeister G. Fritzsche* aus Meißen erbaut und ist mit reichen Schnitzereien geschmückt. Sie gehört zu den ältesten wie wohlklingendsten Orgeln in Deutschland.

Nikolaikirche (Papenstraße 15): Die Nikolaikirche in → Lippstadt diente als Vorbild für diese spätromanische Kreuzbasilika (1220–50), die später mehrfach erweitert wurde und seither starke gotische Elemente aufweist (14. Jh.). Aus dem 13. Jh. sind mehrere Steinskulpturen erhalten (u. a. *Tympanon* im südlichen Seitenschiff, *Marien-Retabel* in der Wand des Querschiffs). Der einheimische G. Crossmann hat die *Renaissance-Taufe* geschaffen (1597). Der *Hochaltar* entstand im Knorpelstil (1643). Das Epitaph des Raban von Kerssenbrock ist mit Gemälden von N. Boumann geschmückt (1617).

Rathaus (Marktplatz): Das Rathaus, (1490) bildet zusammen mit der *Ratsapotheke* (1559), mit der *Ratslaube* (1490) und der *Kornherrenstube*

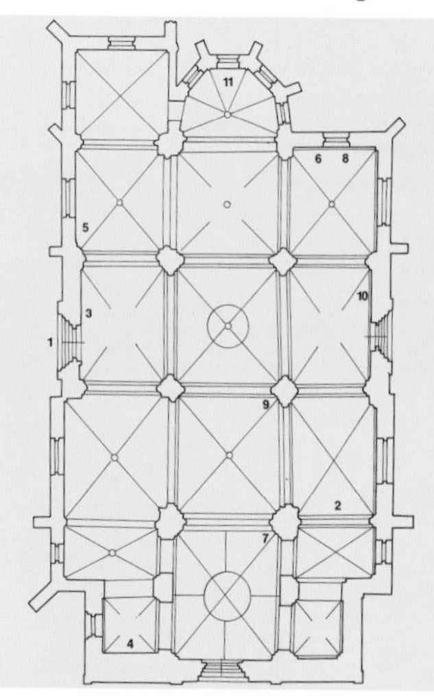

Lemgo, Nikolaikirche 1 Nordportal, um 1230 **2** Ehem. Portaltympanon mit Deesis, um 1230 **3** Marien-Retabel **4** Kruzifix, um 1470 **5** Sakramentshäuschen, 1477 **6** Epitaph für Franz von Kerssenbrock (1576 gestorben) von Hermann Wulff **7** Epitaph für Moritz von Donop von Georg Crossmann, 1587 **8** Taufe von Georg Crossmann, 1597 **9** Kanzel, um 1600 **10** Epitaph für Raban von Kerssenbrock, 1617 **11** Hochaltaraufsatz von Hermann Voß, 1643; Gemälde von Berendt Wottemann

Orgel der Marienkirche, Lemgo

Rathaus

Hexenbürgermeisterhaus, Lemgo

(1589) eine geschlossene Front zum Marktplatz. Insgesamt sind acht verschiedene Baukörper zu diesem Rathauskomplex zusammengefaßt. Die Giebel sind unterschiedlich gestaltet und beeindrucken durch das formenreiche Schnitzwerk und die Steinmetzarbeiten. Die Ratsapotheke trägt die Reliefporträts berühmter Naturwissenschaftler und Ärzte. Im Mittelpunkt steht die alte *Ratkammer* mit einem offenen Laubenhaus, wo einst die Hexenprozesse, die der Stadt einen zweifelhaften Ruhm verschafften, stattgefunden haben.

Fachwerkbauten und Hexenbürgermeisterhaus (Breite Straße 19): Das *Hexenbürgermeisterhaus* gehört zu den bedeutendsten Bauten der sog. »Weser-Renaissance«. Es war bereits 1568 fertiggestellt, erhielt jedoch erst 1571 seine berühmte Fassade mit einer Fülle erstklassiger Schnitzarbeiten, die für die Patrizierhäuser dieser Zeit einzigartig sind. Hermann Cothmann, der als Bürgermeister in den Jahren 1666–81 etwa 90 Menschen in den sog. Hexenprozessen verurteilen ließ, verhalf dem Haus zu seinem Namen. Heute befindet sich darin das *Heimatmuseum* (u. a. Sammlungen zur Hexenjustiz). – Unter den vielen *Fachwerkbauten* (meist 16. und Beginn des 17. Jh.) ragen die Häuser 17, 24, 27 und 36 in der Mittelstraße hervor. – Sehenswert sind außerdem das *Wipermannsche Haus* (Kramerstraße 5; Steinbau 1576) das *Zeughaus* (1548) am Rathaus, das *Ballhaus* (1611) am Markt, der *Lippehof* (1734), in dem zur Zeit das Gymnasium untergebracht ist.

Umgebung: Nahe bei Lemgo liegt *Schloß Brake*. Die Wasserburg am Flußübergang der Bega hat Vorgängerbauten im 12. Jh. 1584 wurde sie ausgebaut und diente vorübergehend als Residenz.

Leuchtenberg 8481
Bayern S. 418 □ M 15

Burgruine: Anfang des 14. Jh. ist vermutlich der Bau entstanden, an den heute nur noch eine Ruine (Vorburg, Bergfried, Burgkapelle und Teile des Palas erhalten) erinnert (Vorgängerbauten waren von geringer Bedeutung und sind bei mehreren Angriffen wahrscheinlich zerstört worden). 1621 wurde das Schloß überfallen und ausgeplündert, 1634 überfielen es die Schweden, kurz darauf die kaiserlichen Truppen. Mehrere Brände richteten weiteren Schaden an. Trotzdem ist der bollwerkhafte Charakter der Burg erhalten geblieben. Ein Besuch der Anlage lohnt wegen des guten Ausblicks.

Leutkirch 7970
Baden-Württemberg S. 422 □ H 20

Leutkirch, einst im Besitz Friedrichs II., war von 1293–1802 freie Reichsstadt. An diese Zeit erinnern viele gut erhaltene Bürgerhäuser.

Kath. Stadtpfarrkirche St. Martin (Marienplatz): Die dreischiffige Hallenkirche aus den Jahren 1514–19 besitzt ein schönes Netzgewölbe. Die Ausstattung ist in allen wesentlichen Teilen neu. – Die ev. *Stadtpfarrkirche zur Hl. Dreifaltigkeit* (Ev. Kirchgasse) ist eine dreischiffige Predigtsaalkirche, die 1615 gebaut und 1857 stark umgebaut wurde.

Außerdem sehenswert: Das *Rathaus* (1739–43) am Marktplatz besitzt bemerkenswerte Stukkaturen von J. Schütz aus Landsberg. – Der *Neue Bau* (1620) war einst Zunfthaus der Leinwandhändler. – Das *Schlößchen Hummelsberg* (Patrizierhaus südöstlich der Stadt), 1636 erbaut, hat schöne Rokokostukkaturen. – Reste der spätmittelalterlichen *Stadtbefestigung* mit Bläser- und Pulverturm. – Das *Heimatmuseum* (Marktplatz) befindet sich im ehem. Kornhaus (um 1500).

Umgebung: Ein interessantes Ausflugsziel von hier ist Schloß Zeil (8 km nordwestlich).

Leverkusen 5090
Nordrhein-Westfalen S. 416 □ B 11

Schloß Morsbroich: In dem ehem. Schloß befindet sich heute das *Städtische Museum* mit Ausstellungen zur Malerei, Graphik und Skulptur des 20. Jh. und regelmäßigen Wechselausstellungen.

Friedenberger Hof (im Stadtteil Opladen): Ritterburg des 16. Jh.; in den Räumen »Kölner Decke« des 18. Jh.

Theater: Das *Forum* hat 977 Plätze und kein festes Ensemble. Das Haus hat u. a. einen Theater- und Konzertsaal mit 360 Plätzen, einen Vortragssaal mit 160 Plätzen und ein Filmstudio mit 144 Plätzen. – *Festhalle am Opladener Platz:* Theatersaal mit 630 Plätzen.

Lich 6302
Hessen S. 416 □ F 13

Ehem. Stiftskirche St. Maria/Ev. Pfarrkirche (Kirchplatz): Die Kirche ist 1510–37 (nach einem Vorgängerbau aus dem 13. Jh.) als letzte mittelalterliche Hallenkirche in Hessen erbaut worden. Hervorzuheben ist die reiche Ausstattung: *Renaissancemalerei* findet sich an den Arkaden und im Chor (1594), aus der Zeit des Rokoko stammt die Bemalung an den vier westlichen Langhausjochen (1760). Die *Rokokokanzel* (1767–74) kommt aus Kloster Arnsburg. Der lebensgroße *Kruzifixus* aus Holz ist um 1500 entstanden. Der *Orgelprospekt* gehört zu den ältesten in Hessen (1621–22). Das *Chorgestühl* stammt aus der ersten Hälfte des 16. Jh. Unter den zahlreichen *Grabdenkmälern* nimmt das Grabmal für Kuno von Falkenstein und Anna von Nassau eine Sonderstellung ein (14. Jh.).

Rokokokanzel, Stiftskirche in Lich

Schloß in Lich

Schloß (Schloßgasse): Die einstige Wasserburg aus dem 14. Jh. ist in den Jahren 1673–82 und 1764–68 zu ihrer heutigen Erscheinung umgestaltet worden. An den Außenecken sind die mittelalterlichen Rundtürme erhalten. Der Querbau mit einem Altar auf dorischen Säulen stammt aus den Jahren 1833–37, der neubarocke Anbau an der Nordostecke wurde 1911–12 angefügt.

Außerdem sehenswert: Das *Rathaus* (Unterstadt 1) wurde in Palazzo-Art und in romanisierenden Formen 1848–49 errichtet. – Zahlreiche *Fachwerkbauten* (meist 16. und 17. Jh.) und Teile der *Stadtbefestigung* sind erhalten. Hervorzuheben ist der *Stadtturm* (um 1500), der zugleich als Turm für die ehem. Stiftskirche dient und deren Glocken aufgenommen hat.

Umgebung: → Butzbach, → Friedberg, → Gießen und → Bad Nauheim.

Burg Lichtenberg → Kusel

Lichtenstein 7414

Baden-Württemberg S. 420 □ F 19

Schloß Lichtenstein: Der historische Roman »Lichtenstein« von Wilhelm Hauff (1826) hat die (1802 abgebrochene) Burg berühmt gemacht und dazu geführt, daß der Bau in Anlehnung an die Hauffsche Beschreibung neu aufgeführt wurde. Das burgartige Schloß liegt auf einer Felskuppe (813 m).

Außerdem sehenswert: Im Umkreis von Lichtenstein gibt es mehrere Höhlen, so u. a. die Nebelhöhle, in der – nach W. Hauff – Herzog Ulrich einst Zuflucht gefunden haben soll (9 km westlich vom Ortsteil Honau). Die Karlshöhe mit Bärenhöhle liegt 12 km südwestlich von Honau.

Petri-Stab-Reliquiar und Limburger Staurothek, Diözesan-Museum, Limburg

Limburg an der Lahn 6250

Hessen S. 416 □ D 13

Wo sich wichtige Straßen kreuzten (Köln – Frankfurt, Hessen – Koblenz) und ein Übergang über die Lahn führte, entwickelte sich mit Beginn des 9. Jh. die heutige Stadt Limburg. Die planmäßige Stadterweiterung setzte im 13. Jh. ein. 1821 wurde das Bistum Limburg eingerichtet.

Dom/Ehem. Stifts- und Pfarrkirche St. Georg und Nikolaus (Domplatz): Auf einer felsigen Anhöhe über der Lahn stand vermutlich schon im 9. Jh. eine Kirche. Der heutige Bau wurde 1235 geweiht und war in der Mitte des 13. Jh. endgültig vollendet. Große frühgotische Bauten in Nordfrankreich (u. a. St. Remi in Reims) und berühmte rheinische Kirchen (u. a. St. Gereon in → Köln) waren Vorbild. Mitbestimmend war auch der Wunsch, die Kirche möglichst eng mit der Landschaft zu verbinden. Charakteristisch für den heutigen Dom ist das Bruchsteinmauerwerk aus Kalkstein, Tonschiefer und Schalstein. Der siebentürmige Bau vermittelt von jeder Seite ein anderes Bild. Geprägt von der Spätromanik, läßt er in seinen zahlreichen Arkaden und Gliederungen in den Spitz- und Kleeblattbogen und seinen Knospenkapitellen bereits die gotischen Formen aufscheinen. Auch in der Ausmalung zeigt sich der Übergang von der Romanik zur Gotik: Der figürliche Wandschmuck wechselt über zu den in der Gotik bevorzugten Ornamenten (1875–76 und 1934–35 restauriert). Unter den Altären ist der dreiflügelige *Annenaltar* (Anfang 16. Jh.) besonders zu erwähnen. Das *Sakramentshäuschen,* ein schlanker, fünfeckiger Turm mit feinem Gesprenge, entstand 1496. Die steinernen *Chorschranken* stammen aus der Zeit um 1235. Hervorzuheben ist auch der sehr wertvolle *Taufstein* (um 1235), der jetzt in der Kapelle am südlichen Seitenschiff steht. Unter den zahlreichen *Grabdenkmälern* erreichen die Grabmale für Kirchenstifter Graf Konrad (gest. 948) und Daniel von Mudersbach (gest. 1477) den höchsten Rang. Der *Domschatz* wird heute im Bischöflichen Ordinariat (Roßmarkt 4) aufbewahrt.

Ehemal. Franziskanerkloster / Kath. Pfarrkirche St. Sebastian: In Limburg errichteten die Franziskaner 1223 eine ihrer ersten Niederlassungen in Deutschland. Gemäß der Bettelordensregel wurde auch hier auf die Wölbung und auf Schmuckformen verzichtet (die Spiegeldecke wurde erst 1743 eingezogen). Zur Ausstattung gehören zwei *spätgotische Seitenaltäre,* ein *Vesperbild* des Weichen Stils (15. Jh.), eine *Rokokokanzel* und die 1685 von A. Oehninger eingebaute *Orgel.* Unter den *Grabdenkmälern* steht die Grabplatte für Johannes von Limburg (gest. 1312) an erster Stelle. Daneben gibt es mehrere erstklassige Epitaphe aus der Zeit der Renaissance und des Frühbarock.

Schloß mit Diözesan-Museum (Domplatz): Der fast quadratische Wohnturm ist der älteste Teil der ehem. Burg (Mitte 13. Jh.), die zum Lahnufer hin steil abfällt. Die Burgkapelle war 1298 fertiggestellt, die restlichen Bauten kamen vom 14. bis 16. Jh. hinzu. – Im Schloß befindet sich heute das *Diözesan-Museum.* Kostbarster Besitz ist die *Limburger Staurothek,* ein byzantinisches Kreuzreliquiar, das 1204 aus der Hagia Sophia in Konstantinopel geraubt wurde (seit 1827 in Limburg). – Ein weiteres Meisterwerk der Goldschmiedekunst ist das mit Edelsteinen besetzte und mit Goldfiligran verzierte *Petri-Stab-Reliquiar,* das laut Inschrift 988 in Trier gefertigt worden ist.

Außerdem sehenswert: Der *Walderdorffer Hof* (Fahrgasse 5) ist eine malerische Renaissance-Anlage aus dem

Limburger Dom ▷

Limburg, ehemalige Stiftskirche 1 Hauptportal **2** Erasmuskapelle **3** Heiliggrabkapelle **4** Sakristei **5** Taufstein, um 1235 **6** Vesperbild, Ende 15. Jh. **7** Grabmal des Grafen Konrad, 13. Jh. **8** Chorschranken, um 1235; Außenfelder mit Malereien, Ende 16. Jh. **9** Grabmal des Daniel von Mudersbach (1477 gestorben) und Frau Jutta (1461 gestorben) **10** Sakramentshäuschen, 1496; restauriert 1628 **11** Annenaltar, Anfang 16. Jh. **12** Südlicher Seitenaltar, 1675 **13** Nördlicher Seitenaltar, 18. Jh. **14** Hochaltar, 1977 **15** Bischofsgruft **16** Sakramentskapelle

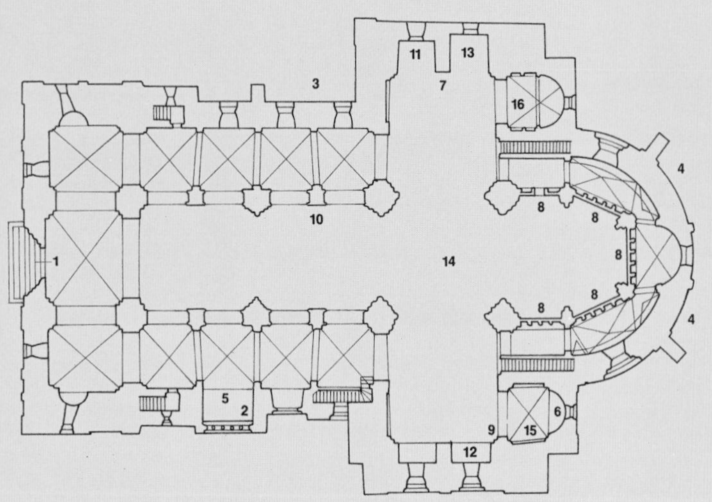

Jahr 1665, die sich mit vier Flügeln (zwei- und dreigeschossig) um einen Binnenhof gruppiert. – Zahlreiche Straßenzüge in Limburg haben ihr Bild seit dem 17. Jh. kaum verändert. Besonders typisch sind die *Bauten* in der Barfüßerstraße, in der Salz-, Fahr- und Brückengasse sowie am Domplatz, am Fischmarkt und am Bischofsplatz. – In sechs großen Halbkreisbögen spannt sich die *Lahnbrücke* (1255 zum erstenmal genannt, damals noch aus Holz) über den Fluß (Kruzifixus 1657). – Von der *Stadtbefestigung*, die in den Jahren 1225–30 angelegt wurde, sind nur geringe Teile erhalten, so unter anderem der quadratische Brückenturm und der Katzenturm.

Umgebung: → Diez, → Montabaur, → Lahnstein, → Braubach.

Lindau 8990

Bayern S. 420 □ G 21

»Behütet von den ausgestreckten Bergen zu beiden Seiten des Rheintals, schwimmt es angekettet im Wasser«, schrieb René Schickele 1921 über Lindau. Heute gehört die Stadt zu den bekanntesten Fremdenverkehrsorten am Bodensee. Die Altstadt liegt auf einer Insel, die durch eine Straßen- und Eisenbahnbrücke mit dem Ostufer verbunden ist.

Ev. Stadtpfarrkirche St. Stephan (Marktplatz): Die Kirche, im 12. Jh. gegründet, wurde zweimal (1506 und 1781–83) durchgreifend verändert und umgestaltet, so daß die ehemals romanischen Grundelemente nur noch vereinzelt zu erkennen sind. Die äußeren Formen sind überwiegend barock, die Stuckdekorationen und die wesentlichen Teile der Ausstattung stammen aus dem späten 18. Jh.

Kath. Pfarrkirche St. Maria/Ehem. Frauenstiftskirche (Marktplatz): Die äußerlich schlichte Kirche wurde an der Stelle eines Vorgängerbaus (12. Jh.), der bei einem Brand vernichtet wurde, 1748–51 errichtet. Sie hält sich an das Vorarlberger Wandpfeilerschema (→ Obermarchtal, → Friedrichshafen). Die Ausstattung trägt spätbarocke Züge. Im angrenzenden *ehem. Damenstift* ist heute das *Landratsamt* untergebracht. Die zweiflügelige Anlage

Lindau, Hafeneinfahrt mit altem Leuchtturm

wurde 1730–36 gebaut und ist in ihrer Originalausstattung erhalten. Hervorzuheben ist ein erstklassiges *Deckengemälde* von F. J. Spiegler.

Ehem. St.-Peters-Kirche (Schrannenplatz): In dieser ältesten Kirche Lindaus (Chor- und Ostteile 11. Jh., Turm 1425) befinden sich Wandmalereien aus dem 13.–16. Jh., von denen die Passionsfolge im Osten von Hans Holbein* d. Ä. signiert ist. Die Kirche ist jetzt *Kriegergedächtniskapelle.*

Altes Rathaus (Hauptstraße): In den Jahren 1422–36 wurde das Haus mit seinem Staffelgiebel (mit zierlichen Voluten geschmückt) und der Ratslaube vor dem 1. Obergeschoß errichtet. Umgestaltungen im 16. Jh. veränderten den Erkervorbau und fügten das Portal unter der Ratslaube hinzu. Im Inneren ist der große Ratssaal mit einer gewölbten *Holzdecke* sehenswert. Der Rittersaal hat eine wertvolle Vertäfelung (mit Einbauschrank 16. Jh.).

Stadtmuseum (Marktplatz 6): Das Museum ist im *Haus zum Cavazzen,* einem prächtigen Barockbau aus den Jahren 1728/29, untergebracht. Sammelgebiete: Vor- und Kulturgeschichte der Stadt, Gemälde, Plastik des 15. bis 20. Jh., Münzen, Siegel.

Stadttheater (Fischergasse 37): In dem 1951 erbauten Stadttheater (808 Plätze) finden Gastspiele verschiedener Bühnen statt.

Außerdem sehenswert: Alter und Neuer Leuchtturm, zahlreiche gut erhaltene Wohnbauten aus dem 16./17. Jh., Stadtbefestigung mit Teilen aus dem 12. Jh. (Heidenmauer).

Umgebung: Insel → Mainau, → Meersburg.

Linderhof = Oberammergau 8103

Bayern S. 422 □ I 21

Schloß Linderhof: König Ludwig II. wählte für das Rokokoschloß die Sphäre des französischen Sonnenkönigs Ludwig XIV. zum Vorbild. In abgeschiedener Bergeinsamkeit ließ er 1874–78 das Schloß nach Plänen von G. Dollmann bauen. Höhepunkte der prunkvollen Innenausstattung sind die Zimmer im ersten Stock, in denen Bil-

Schloß Linderhof

der französischer Berühmtheiten aus der Zeit Ludwigs XIV. und XV. zu sehen sind. Hinter dem Schloß folgt ein großzügig angelegter Park mit vielen Zielpunkten (Grotte mit kleinem See, Maurischer Kiosk). – Die Wasserfälle schließen den Neptunbrunnen ein, der eine 32 m hohe Fontäne aussendet.

Lippstadt 4780

Nordrhein-Westfalen S. 414 □ E 10

Ev. Große Marienkirche (Markt): Die Kirche, 1222 durch den Stadtgründer Bernhard II., Bischof von Semgallen, geweiht und 1250 vollendet, ist einer der wichtigsten Bauten westfälischer Spätromanik. Dominierender Teil ist der Westturm. Langhaus, Chor und Osttürme treten dagegen stark zurück. Das Innere ist bereits von der Gotik geprägt. Höhepunkt der Ausstattung ist das *spätgotische Sakramentshäuschen* (1523). Spätromanisch die Wandmalereien (um 1250) im Zwischenchor.

Lippstadt, St. Marien 1 Wandmalerei im Zwischenchor, um 1250 **2** Sakramentshäuschen, 1523 **3** Heiliges Grab, Rest **4** Hochaltar, 2. Hälfte 17. Jh.

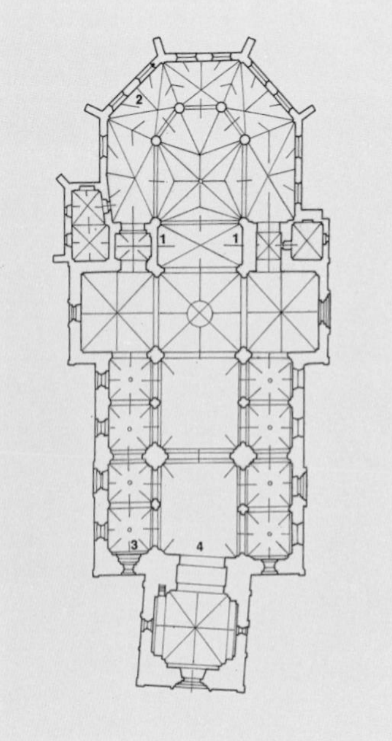

Ruine der Stiftskirche St. Marien (Stiftsstraße): Die Kirche stammt aus der Zeit um 1240, wurde jedoch 1831 wegen Baufälligkeit geschlossen und sollte abgerissen werden. König Friedrich Wilhelm IV. verfügte 1855, daß dieses bedeutende Werk der Frühgotik als Baudenkmal erhalten bleiben solle.

Kreisheimatmuseum (Rathausstraße 13): In einem Bürgerhaus aus dem 17. Jh. (im 18. Jh. mit Rokoko-Stuckdekken versehen) bietet das Museum Sammlungen zur lokalen Geschichte sowie sakrale Kunst des 14.–19. Jh.

Außerdem sehenswert: *Jakobikirche* (Lange Straße): Frühgotische Hallenkirche (um 1300). – *Kath. Nikolaikirche* (Klosterstraße): Von der Kirche aus dem 12. Jh. sind nach einem teilweisen Abbruch im Jahre 1872 nur der mächtige Westturm sowie ein Teil des südlichen Mittelschiffs erhalten.

Umgebung: Wasserschlösser Overhagen (17. Jh.; 4 km südwestlich) und Schwarzenraben (16. Jh., Neubau 1765–68; 6 km südöstlich).

Loccum = 3056 Rehburg-Loccum 2

Niedersachsen S. 414 □ F 7

Ehemal. Zisterzienserkloster und Klosterkirche: Der Großteil der Bauten des 1163 gestifteten Klosters stammt aus dem 13. Jh. und ist bis heute erhalten. Neben dem Kloster ist auch der äußere Klosterbezirk von einer Mauer umgeben. Sehenswert sind vor allem der *Kreuzgang* und der *Kapitelsaal*. – Die *Klosterkirche* wurde von 1240–80 errichtet. Im Inneren vermitteln Mauern, Pfeiler und Bögen ein strenges, noch an die Romanik erinnerndes Bild. Zu den bedeutenden Stücken der Ausstattung gehört der hölzerne *Reliquienschrein* (13. Jh.) mit einer doppelgeschossigen Arkadengliederung, der als Aufsatz für den Hauptaltar aufgestellt ist. Zu erwähnen sind außerdem: Reste des alten *Chorgestühls* (13. Jh.), *Triumphkreuz* (gemalt; 13. Jh.), *Zelebrantenstuhl* (um 1300), reich geschmücktes *Sakramentshäuschen* (15. Jh.) und *Grabsteine.* Im Epitaph des Abtes Stracke (1611) findet sich ein gemaltes Bild.

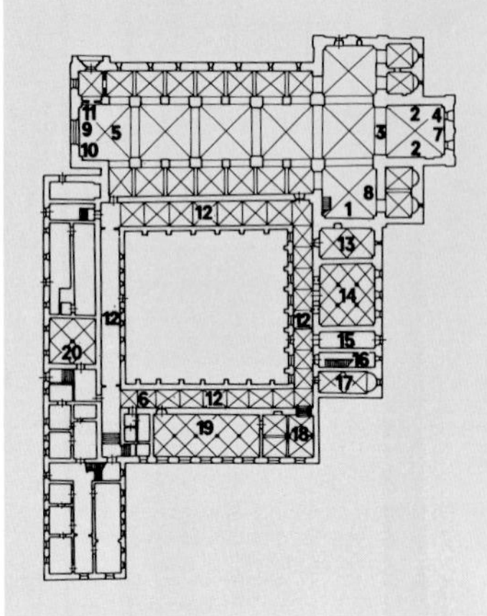

Loccum, Kloster 1 Aufsatz des Hauptaltars, 13. Jh. **2** Chorgestühl, Reste, 13. Jh. **3** Triumphkreuz, 13. Jh. **4** Sakramentshäuschen, 2. Hälfte 15. Jh. **5** Taufstein, 1601 **6** Epitaph Stracke mit gemaltem Bildnis, 1611 **7** Laienaltar, 16. Jh. **8** Marienaltar, 16. Jh. **9** Grabmal des Abtes Molanus, 18. Jh. **10** Grabmal des Abtes Böhmer, 18. Jh. **11** Grabmal des Abtes Ebell, 18. Jh. **12** Kreuzgang **13** Johanneskapelle **14** Kapitelsaal **15** Donnergang **16** Pilgerzelle und Aufgang zum Dormitorium **17** Benedictuskapelle **18** Kalfaktorium **19** Refektorium; Tür mit Klopfer aus der Mitte des 13. Jh. **20** Laienrefektorium; Wandgemälde von Eduard von Gebhardt, 1885–91

Lorch 7073

Baden-Württemberg S. 420 □ G 18

Lorch darf sich rühmen, zwei große Dichter in seinen Mauern gehabt zu haben: Friedrich Schiller verbrachte hier von 1764 bis 1766 zwei Jahre seiner Kindheit, und Eduard Mörike lebte von 1867–69 in Lorch.

Ehem. Benediktinerklosterkirche St. Petrus und Paulus: Auf dem Frauenberg entstand 1102 ein erstes Kloster. Die Gebäude wurden 1469 erneuert, 1525 von den Bauern zur Zeit der Bau-

Zisterzienserkloster, Loccum

ernkriege teilweise zerstört, später jedoch abermals erneuert. Aus dem 15. Jh. sind die Nordflügel des Kreuzgangs (sehenswertes Netzrippengewölbe) und das Konventsgebäude (um 1470) mit zwei Erdgeschoßsälen erhalten. – Die Kirche erinnert stark an → Hirsau, weist jedoch auch eigene, schwäbische Elemente auf. Vom ursprünglichen Bau ist ein Teil des Westbaus erhalten. Im Langhaus verdient die *Tumba* des Stifters besondere Aufmerksamkeit (1474). J. Syrlin* zugeschrieben wird das *Altarkreuz* (im Chor aufgerichtet). An den Pfeilern sind Kaiserbilder zu sehen (die Stauferfürsten tragen Trachten der Zeit um 1500).

Ev. Pfarrkirche (Kirchplatz): Die Kirche aus dem Jahr 1474 wurde 1728 mit den heutigen Emporeneinbauten ausgestattet. Die Bemalung stammt aus dem Jahr 1775.

Lorch am Rhein 6223

Hessen S. 416 □ D 14

Kath. Pfarrkirche St. Martin (Am Markt): Die Kirche liegt auf einer Terrasse über dem Rhein. Sie wurde gegen Ende des 13. Jh. begonnen und gehört zu den bedeutendsten gotischen Kirchen im Rheingau. Im 14. und 15. Jh. wurde der Bau ergänzt, seine Gesamtkonzeption dadurch jedoch kaum beeinflußt. Berühmt ist die Kirche vor allem wegen ihres gotischen *Hochaltars* (1483) – des reichsten Flügelaltars am Mittelrhein. In zwei Geschossen stehen Statuen in zehn Nischen. Noch älter ist das *Chorgestühl*, das am Ende des 13. Jh. entstanden ist und Tier- und undefinierbare Fabelgestalten zeigt. Unter den *Grabsteinen* nimmt das Renaissancedenkmal für Johann Hilchen von Lorch (gest. 1550) den ersten Rang ein.

Außerdem sehenswert: Von der spätmittelalterlichen *Stadtbefestigung* sind nur geringe Reste erhalten geblieben (an der Wispermündung, am Weiseler Weg und am Obertor). – Von den *Wohnbauten* sind das *Hilchenhaus*, das Johann Hilchen von Lorch als prächtigen Renaissancebau (mit der Schauseite zum Rhein) errichten ließ (1573), der spätgotische Zehnthof und zahlreiche *Fachwerkhäuser* zu erwähnen.

Umgebung: *Heiligkreuzkapelle* (2 km von Lorch im Wispertal): Die 1677 geweihte Wallfahrtskirche erhielt eine barocke Ausstattung und besitzt mit der Madonna (18. Jh.) und dem »Heiligkreuzer Bäuerche« (gotisch) zwei schöne Holzplastiken.

Lörrach 7850

Baden-Württemberg S. 420 □ C 21

Am »Dreiländereck«, wo sich die Schweiz, Frankreich und Deutschland im wahrsten Sinne des Wortes »nahekommen«, hat sich aus dem »ordentli Städtli«, wie Johann Peter Hebel den Ort nannte, eine Industriestadt entwikkelt. – Von 1783 bis 1791 lebte hier Johann Peter Hebel als Präzeptoratsvikar am Pädagogium. Heute ist ein Denkmal nach ihm benannt, und der Hebel-Bund hat seinen Sitz in Lörrach.

St.-Fridolins-Kirche (Lörrach-Stetten): C. Arnold, ein Schüler Weinbrenners*, hat die Kirche 1821/22 errichtet. Die typisch klassizistischen Linien werden im Inneren durch die Stukkaturen unterbrochen, die J. Wilhelm – als Nachklang zum Spätbarock – angebracht hat. Von außen her wird das Bild der Kirche durch die beiden Türme bestimmt, die die Portalwand im Westen einrahmen.

Ev. Stadtkirche (Burghof): Bis auf den Turm (1514) ist die Kirche in den Jahren 1815–17 von W. Frommel, einem Schüler Weinbrenners, neu errichtet worden. Das Innere zeigt einen klassizistischen Saal, dessen Empore von dorischen Säulen getragen wird.

Schloßruine Rötteln (4 km nördlich): Die ältesten Teile dieser heute zerfallenen Burg sind romanisch (Bergfried), wesentliche Teile wurden jedoch erst im 14. Jh. hinzugefügt und sind von der Gotik geprägt. 1678 wurde die Burg zerstört. Seither Ruine.

Heimatmuseum: Malerei des 17.–20. Jahrh., Skulpturen, Drucke, Kartographie, Stadtgeschichte, Wohnkultur vergangener Jahrhunderte.

Außerdem sehenswert: Verschiedene schöne *Brunnen* (aus weißem Solothurner Kalkstein). – In der *kath. Pfarrkirche St. Peter* sind vier der Pfeiler in Beton-Relieftechnik gestaltet.

Umgebung: Sehenswert ist auch das Wasserschloß Reichenstein in Inzlingen (6 km südöstlich).

Lorsch 6143

Hessen S. 416 ☐ E 15

Torhalle der ehem. Benediktinerabtei (Nibelungenstraße): Von dem einstigen Kloster, das 764 gegründet wurde und seit Karl dem Großen von außerordentlichem kulturellen und politischen Rang war, ist nur die Torhalle erhalten. Nach Niedergang im 12. Jh. vernichtete ein Brand im Jahr 1556 den ehemals mächtigen und repräsentativen Komplex vollends. Übrig blieb nur die zweigeschossige Torhalle (Lorscher Halle), die einst Auftakt eines Triumphweges war, der quer durch den Klosterbezirk zum Heiligtum mit den Reliquien führte. Hier waren Ludwig der Deutsche und andere Mitglieder des karolingischen Königshauses begraben. – Die Torhalle, ein typisches Bauwerk der karolingischen Zeit, ist kunstgeschichtlich von außerordentlicher Bedeutung. Die Fassaden sind reich gegliedert. Die Außenflächen werden von roten und weißen Steinplatten, die mosaikartig eingesetzt sind, bestimmt. Das gotische Dach kam im 14. Jh. hinzu. Zu dieser Zeit wurde das Obergeschoß zu einer *Marienkapelle* umgestaltet. 1697 erfolgte der Umbau zur erzbischöflichen Privatkapelle. Restaurierungen in den Jahren 1934–36 haben den Zustand des 14. Jh. wiederhergestellt.

Außerdem sehenswert: Gut erhaltene *Fachwerkhäuser* am und um den Markt (18. Jh.). – *Barockbau* des Freiherrn von Hausen (Bahnhofstraße 18). – In dem 1715 erbauten *Rathaus* befindet

Schloßruine Rötteln, Lörrach

Torhalle der Benediktinerabtei, Lorsch

Sakramentshaus, Marienkirche, Lübeck ▷

sich das *Heimatmuseum* (Vor- und Frühgeschichte, römische Funde).

Lübeck 2400
Schleswig-Holstein S. 412 □ I 4

Die Gründung der Stadt geht auf Heinrich den Löwen zurück (1158/59). 1226 erhielt Lübeck die Reichsfreiheit. Zu jener Zeit kamen Kaufleute aus dem Rheinland und Westfalen hierher und trugen dazu bei, daß sich die Stadt zu einem entscheidenden Umschlagplatz zwischen den Rohstoffmärkten des Ostens und Nordostens entwickelte und gleichzeitig Anlaufstelle für die Gewerbezentren im Westen wurde. Der Altstadtkern erinnert noch heute an jene Glanzzeit, in der Lübeck die Führung der deutschen Städtehanse übernahm (1356) und neben Köln zur größten Stadt Deutschlands aufstieg. Auch als die Hanse langsam zerbrach, konnte Lübeck seine Schlüsselstellung halten. Der Bau des Stecknitzkanals in den Jahren 1390–98 war nicht nur eine technische Großtat ohne Beispiel, sondern zugleich auch entscheidender Fortschritt für die Beförderung des Handelsobjektes Salz. Im 15. Jh., als sich das hansische Handelssystem endgültig auflöste, erlebte die Stadt eine Kunstblüte sondergleichen: Unter Führung von H. Rode*, B. Notke* und H. v. d. Heide* befriedigten die Schnitzer- und Malerwerkstätten den neu aufgekommenen Bedarf an Flügelaltären, die für bürgerliche Stiftungen in großen Stückzahlen gesucht waren. – Parallel zur wirtschaftlichen Entwicklung der Stadt besaß Lübeck auch im kulturellen Bereich eine Sonderstellung. Davon zeugen die bedeutenden Bauten, und dazu trugen Künstler von Rang mit ihren Werken bei. Zu den berühmtesten Söhnen der Stadt gehören die Brüder Heinrich (1871–1950) und Thomas Mann (1875–1955).

Dom (Mühlendamm): Mit der Verlegung des Bischofssitzes von Oldenburg nach Lübeck (1160) stand auch der Bau eines Domes an. Heinrich der Löwe legte 1173 den Grundstein für einen Bau, der nach dem Vorbild von → Braunschweig als romanische Pfeilerbasilika entstehen sollte. Nach Fertigstellung zu Beginn des 13. Jh. waren mehrere Um- und Erweiterungsbauten notwendig, die jedoch das Gesamtbild nicht beeinträchtigen konnten. Die Zerstörungen im 2. Weltkrieg wurden bis 1959 beseitigt. – Die feierlich-schwere Wirkung, die vom Innenraum des Doms ausgeht, ist in dem klaren Aufbau und in der straffen Gliederung begründet. Aus der einst reichen Ausstattung sind viele Teile dem Brand zum Opfer gefallen. Erhalten blieb eine *Triumphkreuzgruppe* von B. Notke* (1477), eines der wichtigsten Werke des Lübecker Meisters, von dem auch die großartig geschnitzte Bühne des Lettners stammt. Im südlichen Querschiff ist die *Schöne Madonna* (1509), im nördlichen *Maria mit der Sternenkrone* (um 1450–60) hervorzuheben.

Ev. Marienkirche (Markt): Die Kirche war von den wohlhabenden Bürgern als Gegenstück zum bischöflichen Dom geplant. Die ursprüngliche Konzeption (1200), eine romanische Basilika zu errichten, die den Dom an Größe übertreffen sollte, wurde vielfach geändert und die Fertigstellung zog sich mehr als 150 Jahre hin. Beim Luftangriff im Jahr 1942 brannte die Kirche, eines der wichtigsten Werke der Backsteingotik, bis auf die Grundmauern nieder und drohte ganz einzustürzen. In einer hervorragend gelungenen Restaurierung (unter B. Fendrich) ist der Bau jedoch bis 1959 wiederhergestellt worden. – Die kostbare *Innenausstattung* ist beim Brand fast vollständig verlorengegangen, so auch der gemalte *Totentanz* von B. Notke* (1463), mehrere *Overbeck*-Gemälde,* der *Lettner,* 14. Jh., und jene Orgel, 16. Jh., an der u. a. J. S. Bach gespielt hat. Dagegen konnte eine alte *Bemalung* (13./14. Jh.), die sich unter alter Kalkfarbe fand, freigelegt werden. Erhalten blieben das 10 m hohe *Sakramentshäuschen* (1476–79) und der *Marienaltar* aus dem Jahr 1518.

Ev. Petrikirche (Holstenstraße): Auch die im 14. Jh. als dreischiffige Hallenkirche erbaute und im 16. Jh. auf fünf

Passionsaltar, Dom

Petrikirche ▷

Schiffe erweiterte Petrikirche brannte 1942 aus, wurde aber ebenfalls originalgetreu wiederhergestellt. Von der 50 m hohen Plattform des Turms (Aufzug) bietet sich ein großartiger Blick.

Ev. Jakobikirche (Koberg): Im Norden der Stadt liegt die 1334 vollendete Kirche, die von den Zerstörungen des 2. Weltkriegs verschont geblieben ist und viele bedeutende Kunstschätze birgt. An erster Stelle ist der *Brömbse-Altar* (15. Jh.) zu nennen. Die Mitteltafel (in Sandstein) zeigt eine Kreuzigungsszene. Die Innenbilder des Hauptflügels stellen die Familie des Stifters, des Bürgermeisters Brömbse, dar. Aus gotischer Zeit stammen auch der *Vorsteherstuhl* (Mitte 15. Jh.), eine von K. Grude gegossene *Taufe* (1466) und zwei sog. Lichterbäume (gotisch). Das Hauptwerk der *Orgel* stammt aus dem Jahr 1504. Das *Renaissancegestühl* und die Vertäfelung der Pfeiler geben der Kirche eine besondere Atmosphäre. Erwähnenswert sind die *Heiligenfiguren* an den Pfeilerflächen (um 1130–40 gemalt; nur Reste erhalten).

Weitere sehenswerte Kirchen: *Ägidienkirche* (Ägidienstraße): Kirche aus dem 13. Jh., die später mehrfach vergrößert und verändert wurde. Sehenswert sind die Orgel mit ihrem frühbarocken Prospekt und das barocke Prunkgitter (1710) im Mittelschiff. – *Ehemal. St.-Katharinen-Kloster der Franziskaner* (An der Mauer): Der älteste Teil der heutigen Kirche geht bis ins 13. Jh. zurück. Der Innenraum zeigt die für die Lübecker Architektur typische Strenge. Zur Ausstattung gehören u. a. eine spätgotische Triumphkreuzgruppe an der Brüstung des Hochchors (1489), das gotische Chorgestühl und eine Reihe von Grabsteinen. – *Ehem. Burgkloster der Dominikaner:* Das Kloster wurde zum Dank des Sieges der Lübecker über die Dänen (1227) gestiftet und 1229 von den Dominikanern bezogen. Vom ehem. Kloster und von der Kirche sind nur Teile erhalten. – *Hl.-Geist-Hospital* (Königstraße): Dieser mittelalterliche Hospitalbau steht im Schatten der Kirche (fertiggestellt um 1286). Sehenswert Gewölbe- und Wandmalereien (13./14. Jh.).

Rathaus (Markt): Nachdem Lübeck 1226 die Reichsfreiheit erhalten hatte, begann man mit dem Bau des Rathauses. Nach vielen Ergänzungen und Veränderungen war der Bau jedoch erst 1484, als der nördliche Kanzleitrakt aufgeführt war, weitgehend fertig. In

Burgtor ▷

Lübeck, Dom 1 Portal, um 1260 **2** Wandmalerei, Fragment, 14. Jh. **3** Grab des Bischofs Albert von Cremon (1377 gestorben) **4** Müllerkrone, 1. Hälfte 15. Jh. **5** Taufe von L. Grove, 1455 **6** Marienrelief, 1459 und Bronzeampel, 1461 **7** Triumphkreuzgruppe von Bernt Notke, 1477 **8** Lettner; Bühne 1477; Uhr 1627–28 **9** Lichthaltender Engel, Ende 15. Jh. **10** Madonna aus Stuck, um 1500 **11** Schöne Madonna, 1509 **12** Grabkapelle der Großherzöge von Oldenburg **13** Lesepult, spätgotisch, 1530 **14** Grabplatte des Bischofs Johann Tydemann, 1561 **15** Böttcherkerze, 2. Hälfte 16. Jh. **16** Kanzel, 1568–72 **17** Messingkronleuchter, 1661 **18** Gemälde des heiligen Christophorus, 1665 **19** Altarmensa **20** Orgel **21** Fenster von Lothar Quinte, 1963

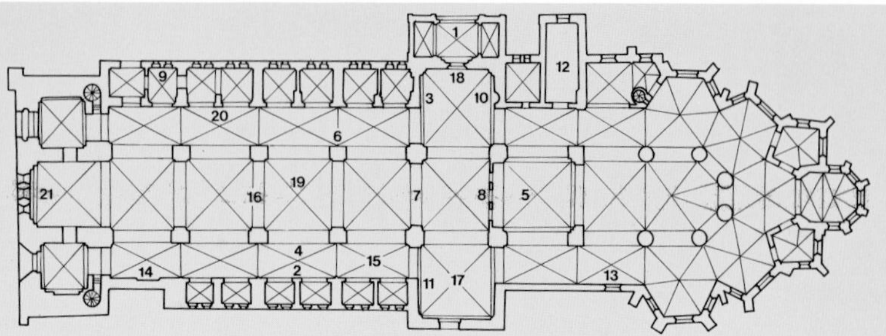

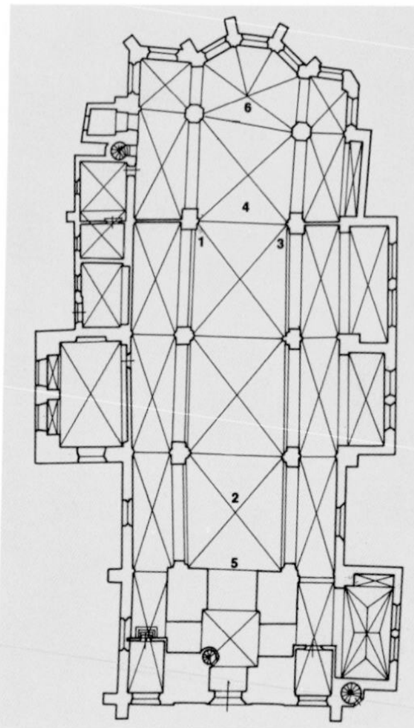

Lübeck, Ägidienkirche 1 Segnender Christus, 2. Hälfte 13. Jh. **2** Bronzetaufe von H. Gerwiges, 1453; Taufdeckel von H. Freese, 1709–10 **3** Pastorenstuhl, um 1500 **4** Singechor (Lettner) von Tonnies Evers d. J., 1586–87 **5** Orgelprospekt von M. Sommer nach Angaben von H. Scherer, 1624–26 **6** Altaraufbau, 1701 **7** Holzkanzel, Entwurf von C. Krieg, Bildhauer H. Freese, 1706–08

den folgenden Jahrhunderten ergaben sich nur noch geringfügige Veränderungen. – Das Rathaus gehört zu den bedeutendsten in Deutschland und spiegelt – wie die Marienkirche – Macht und Stolz der Lübecker Bürger wider. Im Inneren sind *Eingangshalle, Audienzsaal,* ehem. *Rathaussaal* und *Ratskeller* sehenswert.

Haus der Schiffergesellschaft (Breite Straße 2): In dem einstigen Gildehaus (1535) – dem einzigen, das erhalten geblieben ist – befindet sich heute eine Gaststätte. Die 1880 erneuerte Fassade zeigt bereits die Stilelemente der Renaissance.

Holstentor (Holstentorplatz): Das Holstentor (1478) sicherte die Stadt nach außen ab. Es wird von zwei Rundtürmen bestimmt, die einen imposanten Staffelgiebel einschließen. Direkt am Holstentor liegen die alten, original erhaltenen Salzspeicher (16.–18. Jh.), in denen das Salz, das über die

Holstentor

Salzstraße aus Lüneburg nach Norden gekommen war, gelagert wurde.

Burgtor (Große Burgstraße): Das Burgtor, im 13. Jh. erbaut und 1444 um ein Geschoß erhöht, schloß die Stadtbefestigung nach innen ab. Wer die Stadt betreten wollte, mußte durch dieses Tor. Zur Stadtseite hin ist das Burgtor mit den angrenzenden Häusern reizvoll verbunden.

Bürgerhäuser: Die *Mengstraße* ist besonders reich an Bürgerhäusern (weitere Bürgerhäuser u. a. *Gr. Petersgrube, Wahmstraße, Königstraße, Breite Straße*). Das Haus Mengstraße 4 ist als »Buddenbrookhaus« bekannt geworden. Es gehörte früher der Familie Mann. Die Häuser Nr. 48/50, das Schabbelhaus, wurden nach dem 2. Weltkrieg eingerichtet.

Museen: Das *St.-Annen-Museum* (St.-Annen-Straße 15), im Komplex einer spätmittelalterlichen Klosteranlage, bietet Lübecker Kunst und Wohnkultur. – Das *Behnhaus-Museum* (Königstraße 11), in einem alten Patrizierhaus aus dem Jahre 1779 (mit sehenswerter klassizistischer Fassade), zeigt Gemälde des 19./20. Jh. (vorwiegend deutsche Romantik und Expressionismus). – Das *Museum Im Holstentor* (Holstentorplatz) zeigt Beiträge zur Stadtgeschichte (Modelle, Stadtansichten, Schiffsmodelle, Folterkammer). – *Naturhistorisches Museum* (Mühlendamm 1–3) mit 100000 Insekten, 100000 Mollusken und 100000 Herbarpflanzen. Dazu eine bemerkenswerte Vogelsammlung.

Theater: Zu den *Bühnen der Hansestadt* (Beckergrube 10) gehören das Große Haus (923 Plätze), die Kammerspiele (325 Plätze) und das Studio (117 Plätze). – *Kammerspielkreis Lübeck* (Moislinger Allee): Schauspiel.

Lüdenscheid 5880

Nordrhein-Westfalen S. 416 □ D 11

Schloß Neuenhof (3 km südlich von Lüdenscheid): Das ursprüngliche Schloß ist 1638 abgebrannt; 1643 wurde der heutige Hauptbau des Wasserschlosses errichtet. Seit 1693 besteht das Schloß in seiner heutigen Form. Die Wirtschaftsgebäude stammen aus

Petrikirche, Rathaus, Marienkirche und Holstentor

dem 18. und 19. Jh. Stuck und reiche Schnitzereien im Inneren.

Außerdem sehenswert: Erlöserkirche (Ev. Pfarrkirche) / Ehem. Medarduskirche (Wilhelmstraße). An der Stelle, wo einst eine Basilika des 12. Jh. stand, wurde 1826 der heutige klassizistische Saalbau errichtet. An die alte Anlage erinnert der roman. Westturm (um 1200). – Das *Städtische Museum* (Liebigstraße 11).

Lüdinghausen 4710

Nordrhein-Westfalen S. 414 □ C 9

Kath. Stadtkirche: Die großzügig angelegte spätgotische Hallenkirche (1507–58) hat im Mittelschiff Sterngewölbe, in den Seitenschiffen Kreuzgewölbe. Zu den bemerkenswerten Stücken der Ausstattung gehören ein spätgotisches *Sakramentshäuschen* und die Holzfigur der *hl. Felizitas,* die mit ihren sieben Söhnen dargestellt ist (niederrheinische Arbeit, um 1520).

Burg Vischering (am nördlichen Stadtrand): Die älteste Wasserburg Westfalens ist in allen wesentlichen Teilen unverändert aus dem 16. Jh. erhalten. Kriegsschäden aus dem Jahr 1944 sind inzwischen behoben. Die Hauptburg geht auf eine Ringmantelburg aus dem 13. Jh. zurück. Die Vorburg mit dem großen Bauhaus war 1584 fertiggestellt. In der Burg ist heute das *Kreisheimatmuseum* untergebracht.

Ehem. Amtshaus: Das Haus, in dem sich seit 1869 die Landwirtschaftsschule befindet, geht in seinem Kern auf eine Burg aus dem 12. Jh. zurück, ist jedoch in seinen entscheidenden Teilen im 16. Jh. stark verändert und neu gebaut worden.

Ludwigsburg 7140

Baden-Württemberg S. 420 □ F 17

Den Anstoß zur Gründung lieferte jenes prunkvolle Versailles, mit dem Ludwig XIV. vor den Toren von Paris die Baulust vieler europäischer Fürsten angeregt hat. Diese Baubegeisterung erfaßte auch den württembergischen Herzog Eberhard Ludwig. Er bot für alle, die sich für Ludwigsburg erwär-

Burg Vischering, Lüdinghausen

Schloß Ludwigsburg, Ordenshalle

men wollten, den Bauplatz und alle Baustoffe gratis und gewährte überdies Steuerfreiheit für volle 15 Jahre.

Schloß (Schloßplatz): 18 Bauten mit mehr als 400 Räumen gehören zu dem gewaltigen Komplex, der ab 1704 entstanden ist und 1733, im Todesjahr von Herzog Eberhard Ludwig, endgültig fertiggestellt war. An der Planung waren P. J. Jenisch*, Hofarchitekt des Herzogs, J. F. Nette* und D. G. Frisoni* (ab 1714) beteiligt. Die immer neuen Ideen, die von jedem der drei Baumeister ins Gespräch gebracht und von Eberhard Ludwig allzugern aufgenommen wurden, überforderten allerdings die wirtschaftliche Kraft des Herzogs. So konnte er zwar noch die Fertigstellung der Bauten erleben, die Einrichtung wurde jedoch erst von Herzog Carl Eugen (1744–93) und Herzog Friedrich (1797–1806) besorgt. – Nach Süden hin bildet der *Fürstentrakt,* das *Neue Corps de logis,* den Schwerpunkt. Nach Norden wird die Anlage, die um einen großen Binnenhof gruppiert ist, durch das *Alte Corps de logis* abgeschlossen. An der Ostseite reihen sich (von Süden nach Norden gesehen) die *Familiengalerie,* der *Theaterbau,* die *Hofkapelle* und der *Riesenbau* aneinander. Auf der gegenüberliegenden Westseite folgen (wiederum von Süden nach Norden gesehen) der *Bildergalerie* ein *Festinhaus,* die *Ordenskapelle* und der *Ordensbau.* – Fast alle Räume sind reich stukkiert (Barock, Rokoko und Empire) und mit wertvollen Einrichtungen ausgestattet. Das Schloß ist insgesamt gesehen der größte deutsche Barockbau. Es ist heute mit seinem historischen Inventar und den Sammlungen zur höfischen Kunst des Barock sowie Ludwigsburger Porzellanen und Gemälden *Museum.* – Der angrenzende *Schloßpark* war als Fortsetzung des Palastes unter freiem Himmel konzipiert. Nach starken Zerstörungen wurde der südliche Teil nach den ur-

Schloßgarten, Ludwigsburg

sprünglichen Barockplänen neu bepflanzt. – Nördlich vom Schloß liegen das Schlößchen *Favorite* (1718–23 nach Plänen von J. F. Nette und D. G. Frisoni) und noch weiter nördlich das Schloß *Monrepos,* das 1760–64 errichtet wurde und von Herzog Carl Eugen als sogenanntes *Seehaus* genutzt worden ist.

Marktplatz: Der Marktplatz, von D. G. Frisoni als Mittelpunkt der künstlich angelegten Stadt konzipiert (im Gegensatz zu → Karlsruhe und → Mannheim, wo das Schloß Mittelpunkt der Stadt ist), trägt den *Marktbrunnen* mit dem Standbild des Stadtgründers Eberhard Ludwig. Die von Frisoni erbaute Stadtkirche (1718–26) und die (kleinere) reformierte Kirche, die später von der kath. Kirche erworben wurde und jetzt als katholische Stadtpfarrkirche dient (sie wurde 1727–32 erbaut), stehen sich auf dem Marktplatz gegenüber.

Ludwigshafen 6700

Rheinland-Pfalz S. 416 □ E 16

Kath. Pfarr- und Wallfahrtskirche Mariae Himmelfahrt (Stadtteil Oggersheim, Mannheimer Straße): Pfalzgraf Joseph Carl Emanuel ließ 1729–33 eine »Loretokapelle« errichten. Im Auftrag der Kurfürstin Elisabeth Auguste wurde darüber nach Plänen von P. A. Verschaffelt* (die Oggersheimer Kirche blieb sein einziger sakraler Bau) 1774–77 der heutige Kirchenbau darüber errichtet. Die offensichtliche Anlehnung an die Bauten des römischen Hochbarock wird deutlich. – Im Inneren ist der rechteckige Raum von einem Tonnengewölbe überdeckt (mit kräftigen Stuckkassetten). Eine hoch gelegene Fensterreihe sorgt für ungewöhnlich starken Lichteinfall. Höhepunkt der Ausstattung sind zwei *Engel,* die der Mannheimer Bildhauer P. Egell um 1730 geschaffen hat.

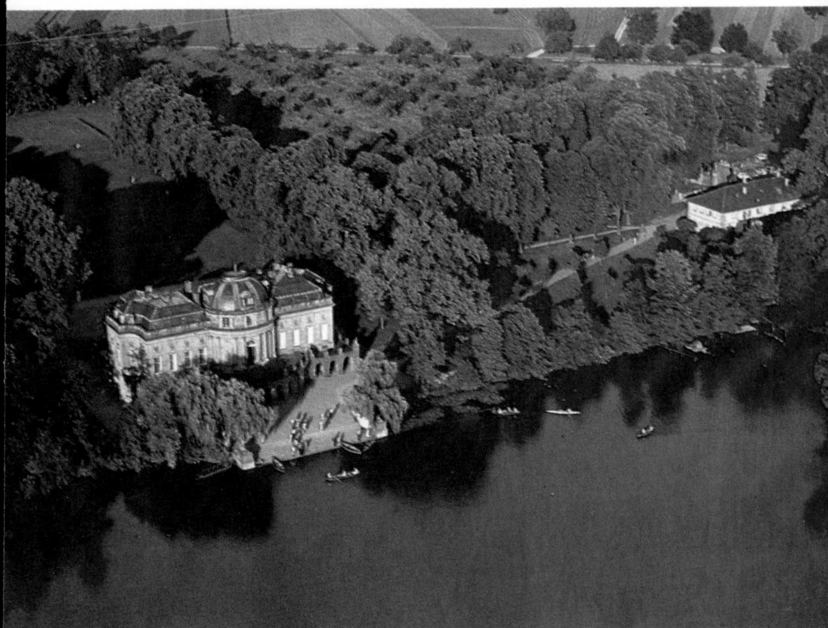

Schloß Monrepos, Ludwigsburg

Museen: *Stadtmuseum* (Rottstraße 17): In den Räumen eines ehem. Klosters werden Beiträge zur Orts- und Landesgeschichte gezeigt, außerdem Sammlungen zur Geschichte der Chemie (in Verbindung mit der in Ludwigshafen ansässigen BASF). – Das *K. O.-Braun-Heimatmuseum* (Stadtteil Oppau, Rathaus) geht zurück auf eine private Stiftung (Vor- und Frühgeschichte, bäuerliche und bürgerliche Wohnkultur, Volkskunde, Volkskunst, Waffen). – *Schillerhaus* (Stadtteil Oggersheim, Schillerstraße 6): In dem ehem. Wohnhaus des Dichters werden Erinnerungen an Schiller, Dokumente, Briefe und Erstdrucke gezeigt. – *Städtische Kunstsammlungen* (Verwaltung: Raschighaus, Jubiläumsstraße 5): Expressionistische u. a. Kunst.

Theater: Das Pfalzbau-Theater (Berliner Platz 30; 1174 Plätze) wird von verschiedenen Gastbühnen der näheren Umgebung bespielt.

Außerdem sehenswert: Die 1932 erbaute *ev. Friedenskirche* (Leuschnerstraße) gehörte zu wichtigsten Werken moderner Kirchenbaukunst. – Ihr Inneres stand im Zeichen eines 120 qm großen Gemäldes von Max Slevogt* (»Golgatha«), das ebenso wie die Kirche 1943 bei einem Bombenangriff zerstört wurde. In der von E. Zinsser (Hannover) wiederaufgebauten Kirche ist ein Glasmosaik von Harry MacLean aufgestellt. – *BASF-Hochhaus* (1957).

Lüneburg 3140

Niedersachsen S. 414 □ H 5

Das Salz hat die Geschichte der Stadt entscheidend beeinflußt. Dem »weißen Gold«, das hier seit 956 gewonnen wurde, verdankt die Stadt ihren Aufstieg im Mittelalter. – 1371 machten sich die Bürger von den welfischen

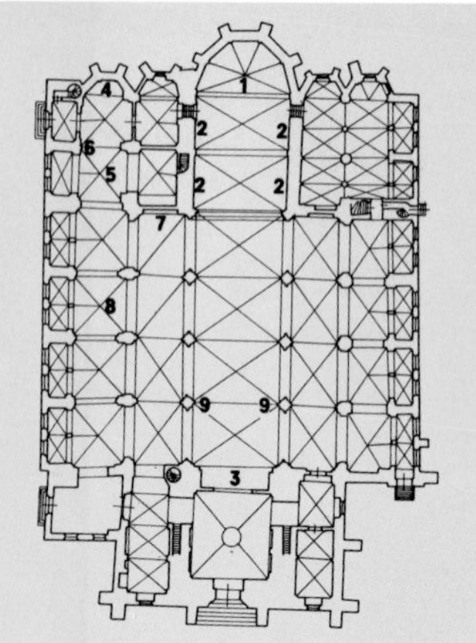

Lüneburg, Johanniskirche 1 Hochaltar, 1430 bis 85; Malerei der Flügelinnenseiten von Hinrik Funhof, 1482 **2** Reste des Chorgestühls von ca. 1420, in das Renaissancegestühl von Warnecke Burmester 1588 eingearbeitet **3** Orgel, erbaut durch Hendrik Nyhoff und Jaspar Johannsen in s'Hertogenbosch, 1551–52; Erweiterung von Mathias Dropa 1715 **4** Kreuzigungsaltar, Anfang 16. Jh. **5** Bronzefünte (Taufbecken), 1540 **6** Verkündigungsrelief, um 1520 **7** Epitaph des Stadthauptmannes Fabian Ludich von Meister Albert von Soest, 1571 **8** Marienleuchter, um 1490 **9** Denkmäler zweier Bürgermeister Stöterogge (1539 und 1561)

Altstadtpanorama mit St. Johannis

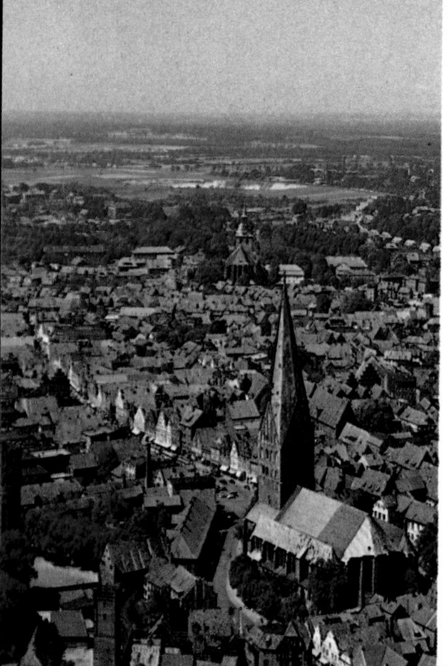

St. Johannis

Landesfürsten in Celle unabhängig, von 1445–62 beseitigten sie im Prälatenkrieg ihre stark angewachsene Schuldenlast und gelangten in der Folge zu Reichtum. Zentralfiguren waren die Sülfmeister, die allein privilegiert waren, den Rat der Stadt zu bilden (ein kulturhistorisch interessantes Bild hat Julius Wolff in seinem Roman »Der Sülfmeister« gezeichnet). Nach einer Blütezeit im 16. Jh., als Lüneburg zu den reichsten Städten in Norddeutschland gehörte, führten der Niedergang der Hanse und die Konkurrenz neuer Salzlieferanten zum Stillstand der Entwicklung. Das ausgehende 18. Jh. brachte noch einmal einen Aufschwung, als der Warenverkehr zunahm und ein ausgeprägtes Speditionswesen entstand. Später wurde Lüneburg Behörden- und Garnisonsstadt, heute hat es zusätzlich als Sol- und Moorbad Bedeutung. – Das Stadtbild ist über die Jahrhunderte hinweg fast unverändert erhalten geblieben. Es

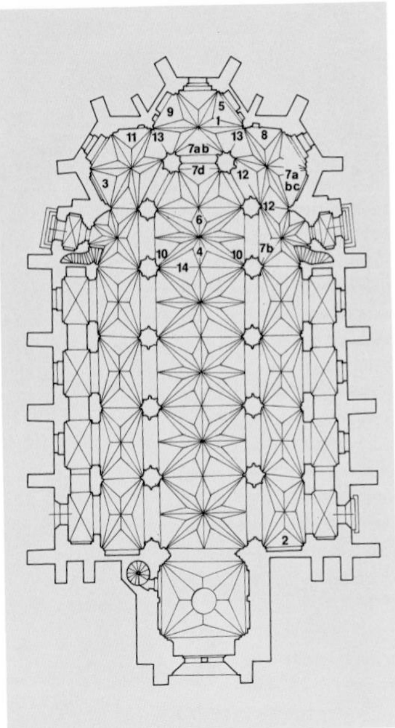

Lüneburg, St. Nikolai 1 Taufbecken von Ulricus, um 1325 **2** Gedenkstein des Heinrich Viskule, um 1371 **3** Pietà, um 1400 **4** Kruzifix vom Heiligenthaler Altar von Hermen Snitker, um 1425 **5** Taufaltar mit Reliefbildern vom Heiligenthaler Altar **6** Lambertialtar von Hans Snitker d. Ä., um 1440; Tafelbilder von Hans Bornemann, um 1450 **7** Tafelbilder aus der Werkstatt des Conrad von Vechta a) Laurentiuslegende b) Andreaslegende c) Stiftung des Heiligen Abendmahles d) Abraham und Melchisedek **8** Kreuzigungsgruppe von Volkmar Klovesten, um 1450 **9** Kruzifixus von Cord Snitker, 1470 **10** Chorgestühl, 15. Jh. **11** Alabasterrelief, um 1540 **12** Adam und Eva, Mitte 16. Jh. **13** Taufschranken, 1625 **14** Lesepult, 1954

Am Sande mit St. Johannis

wird von den Backsteinbauten bestimmt. Zentrum der Stadt ist der 275 m lange, 35–40 m breite Marktplatz, der auf einer der Sandbänke aus einem versumpften Flußgebiet angelegt wurde und in Erinnerung daran den Namen Am Sande erhielt. Um diesen Marktplatz gruppiert sich ein Teil der baulichen Sehenswürdigkeiten.

Ev. St.-Johannis-Kirche (Am Sande): Die fünfschiffige Hallenkirche ist die bedeutendste der Stadt. Chor, Apsis, das vierjochige Mittelschiff und der Westturm sind die ältesten Bauteile der heutigen Kirche (12. Jh.). Geweiht wurde St. Johannis erst um 1300 durch den Bischof von Verden. Kurze Zeit später kamen (zu den drei vorhandenen) zwei weitere Seitenschiffe nebst Kapellen und Apsiden hinzu. Nach einem Brand im Jahre 1406 wurde der gewaltige Turm neu aufgeführt. Er ist 108 m hoch (an der Spitze mehr als 2 m aus dem Lot). 32 gotische Fenster durchbrechen die Wände des Glockengeschosses. – Der *Hochaltar* stammt von drei (oder vier) Lüneburger Meistern (1430–85). Von hohem Rang sind die Malereien auf den Außenseiten der Flügel. Der Hamburger Maler H. Funhof* hat hier einige der wichtigsten Zeugnisse spätmittelalterlicher Malerei geliefert. Zu erwähnen sind ferner der *Orgelsprospekt* (1715), der die gesamte Westwand ausfüllt. Unter den schönen Leuchtern nimmt der *Marienleuchter* (15. Jh.) den ersten Rang ein (in einem Seitenschiff). Der größte Leuchter hängt in der Vorhalle: Eine Messingkrone mit 32 Lichtträgern (1586). Albert von Soest hat das gewaltige *Sandsteinepitaph* für den Bürgermeister Nikolaus Stöterogge und das Epitaph des Stadthauptmanns F. Ludich (16. Jh.) geschaffen.

Ev. St.-Michaelis-Kirche (Johann-Sebastian-Bach-Platz): Die 1418 geweihte Kirche (Grundsteinlegung 1376) ist Nachfolgebau der ersten Michaeliskirche, die auf dem Kalkberg gestanden hat und 1371 abgerissen werden mußte. Der zunächst unvollendet gebliebene Turm aus dem 15. Jh. wurde um 1765 mit einer kupfergedeckten Haube gekrönt. Von der Ausstattung zu erwähnen sind lediglich das steinerne *Grabmal* (1560) für Herbord von Holle, den ersten lutherischen Abt, die *Kanzel* (von D. Schwenke aus Pirna; 1602) und die *Orgel* (1708). Der Prospekt stammt von T. Götterling, das Werk von M. Dropa. In der *Unterkirche* soll Hermann Billung, der Gründer des Klosters, begraben sein (gest. 973).

Ev. St.-Nikolai-Kirche (Bardowicker Straße): Als Gegenpol zu den Lüneburger Kloster- und Bischofskirchen entstand die Nikolaikirche in den Jahren 1407–40 als reine Bürgerkirche. Der Turm, erst im Jahre 1587 fertiggestellt, mußte 1831 wegen Baufälligkeit wieder abgerissen und 1895 durch den jetzigen, neugotischen Turm ersetzt werden (98 m hoch). Höhepunkt der reichen Innenausstattung ist der *Lamberti-Altar* (um 1450). Er stammt aus der 1861 abgebrochenen Lamperti-Kirche. Geschnitzt hat ihn der einheimische Schnitzer H. Snitker d. Ä., die Tafelbilder auf den Flügeln und die Propheten auf der Predalla gehen auf H. Bornemann (1450) zurück. Von dem *Heiligenthaler Altar* sind Teile in der Kirche aufgestellt (Kruzifixus, 6 Tafelbilder und 19 der ehemals 28 geschnitzten Passionsszenen, jetzt an den Wänden des Chorumgangs; 1. Hälfte 15. Jh.). Erwähnenswert sind die beiden *schmiedeeisernen Türgitter* vor der Taufkapelle.

Kloster Lüne (2 km nordöstlich zwischen der Ilmenau und der alten Artlenburger Landstraße): Die heutige Anlage des ehem. Benediktinernonnenklosters wurde anstelle von Vorgängerbauten (erste Gründung einer klösterlichen Niederlassung um 1172) in den Jahren 1374–1412 errichtet. Die Wirtschaftsbauten (meist Fachwerkhäuser) kamen später hinzu, der Kreuzgang im 16. Jh. Das Kloster ist heute Damenstift für unverheiratete Angehörige des niedersächsischen Landadels. Die Kirche hat im Obergeschoß einen zweigeteilten Nonnenchor (15. Jh.). Hier sind bedeutende Kunstwerke zu sehen: Die *Beweinung Christi* aus der Werkstatt Lucas Cranachs* (1538), zwei Passionsfahnen (um 1400). Alljährlich im August werden auf dem Nonnenchor Weißstickereien aus dem 13. und 14. Jh. ausgestellt (Altardecken und sog. Hungertücher). Außerdem sind dann handgeknüpfte Bildteppiche und Banklaken aus der Zeit um 1500 zu sehen. Im polygonalen Chorabschluß der Kirche ist ein *Baldachinaltar* aufgestellt (1524). Die *Kanzel* steht im Zeichen der Renaissance (1608). Die *Orgel* ist von 1645.

Rathaus (Markt): Mit dem Bau begonnen wurde um 1200, es vergingen jedoch mehrere Jahrhunderte, bis der Rathauskomplex in seiner heutigen Gestalt fertiggestellt war. – Die *Gerichtslaube* wurde um 1330 errichtet. Wände und Gewölbe wurden mit Szenen aus der römischen Geschichte und Allegorien von M. Jaster bemalt (1530). Teile einer Fußbodenheizung aus der Erbauungszeit sind noch erhalten. In den drei seitlichen Wandschränken wurde früher das (inzwischen verkaufte) Ratssilber aufbewahrt. An der Nordseite steht eine Figur der hl. Ursula, der Schutzpatronin der Stadt (um 1500). An die Gerichtslaube schließen als Nebengemächer die *Alte Kanzlei* (1433), die *Körkammer* (1457) und das *Alte Archiv* (1521) an. Alle Räume haben ihre Originalausstattung erhalten. – Das ehem. *Gewandhaus* (15. Jh.)

Rathaus, Aufgang zum Fürstensaal ▷

Rathaus, Gerichtslaube

ist zu einem Museum für lüneburgisches Kunsthandwerk hergerichtet worden. Der darüber liegende *Festsaal* (15. Jh., heute meist »Fürstensaal« genannt) ist über einen reich geschmückten Aufgang zu erreichen und mit fünf Geweihleuchtern geschmückt. Die *Große Ratsstube* entstand in den Jahren 1566–84 anstelle der früheren Ratskapelle zum hl. Geist. Der reichgeschmückte Saal (mit Beiträgen von A. von Soest*, G. Suttmeyer und D. Frese) wurde als Sitzungssaal des Rates benutzt und gehört heute zu den bedeutendsten Renaissancesälen in Deutschland. Der *Huldigungssaal* wurde 1706 zur Huldigung des Kurfürsten Georg Ludwig als barocker Prunksaal geschaffen. Das allegorische Dekkengemälde stammt von dem einheimischen Maler J. Burmeister.

Bürgerhäuser Am Sande: Der Hauptplatz der Stadt ist von schönen Giebelhäusern aus verschiedenen Epochen umrahmt. Eines der bedeutendsten Häuser ist das *Schwarze Haus* (Nr. 1), das 1548 als Brauhaus errichtet wurde, heute jedoch Sitz der Industrie- und Handelskammer ist.

Museum für das Fürstentum Lüneburg (Wandrahmstraße 10): Stadt- und Landesgeschichte, kirchliche Kunst, Buchdruck und -einband, Raritätenkabinett.

Theater: *Stadttheater* (An den Reeperbahnen 3): Eigenes Ensemble für Oper, Operette, Ballett und Schauspiel. Das 1961 eröffnete Haus faßt 626 Besucher. – Die *Studio-Bühne* (Wandrahmstraße 10) wurde im Patriziersaal des Museums für das Fürstentum Lüneburg eingerichtet (siehe oben).

Außerdem sehenswert: Der *Alte Kran* (Am Fischmarkte) ist aus dem Jahr 1346 erhalten. Das gegenüberliegende

Kaufhaus diente einst als Heringsspeicher. – Das *Glocken- oder Zeughaus* (Glockenstraße), 1482 erbaut, 40 m lang, wurde zur Einlagerung des Korns errichtet. Sehenswerte Schauseite.

Umgebung: Lüneburger Heide mit dem *Naturschutzpark Lüneburger Heide* (ca. 35 km entfernt, für den motorisierten Verkehr gesperrt).

Lütjenburg 2322

Schleswig-Holstein S. 412 □ I 2

Michaeliskirche (Marktplatz): Die heutige einschiffige, gewölbte Backsteinkirche (Vorgängerbau 12. Jh.) entstand mit ihrem imposanten Westturm um 1220/30 (der Chor wurde 50 Jahre später erweitert). Berühmt ist der *Schnitzaltar* aus einer Lübecker Werkstatt (1467). Der hölzerne *Kanzelkorb* (1608) wird von einem Schalldeckel aus dem 19. Jh. überdacht. Die Figuren der *Triumphkreuzgruppe* (Anfang 16. Jh.) erreichen fast Lebensgröße. Neben den silbernen *Altarleuchtern* (1709) ist der *Messingkronleuchter* (1645) hervorzuheben. Von den Gruftanbauten, die nach der Reformation an Stelle der Nebenkapellen entstanden sind, ist die *Reventlow-Kapelle* mit dem Grabmal des Grafen Otto von Reventlow-Wittenberg besonders hervorzuheben (an der Nordseite des Schiffes; 1608). Erwähnenswert ist auch die *Neuhäuser Gruftkapelle* (Südseite des Schiffes), das *Epitaph Rantzau* (1618) sowie die

Grabmal des Grafen Otto von Reventlow-Wittenberg

fünf Sandsteinsarkophage und reich beschlagene Metallsärge im gewölbten *Gruftkeller.*

Bürgerhäuser: Am Markt, in der Oberstraße (Häuser Nr. 7, 12, 15) und in der Neuwerkstraße (Haus Nr. 15) sind schöne alte Häuser aus dem 15. bis 18. Jh. erhalten.

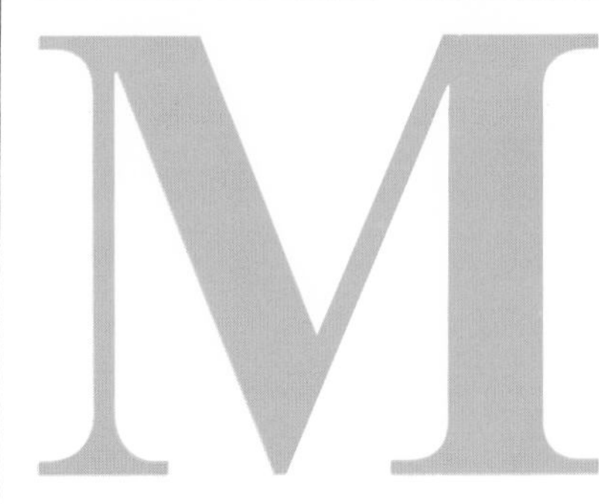

Mainau = Konstanz 7750
Baden-Württemberg S. 420 □ F 21

Das feuchtwarme Klima des Bodensees begünstigte die Idee des Großherzogs Friedrich I. von Baden, die Insel in ein exotisches Pflanzenparadies zu verwandeln (1853). Seit 1928 befindet sich die Insel im Besitz des schwedischen Königshauses.

Schloß: Der Baumeister des Deutschritterordens, J. K. Bagnato, hat die heutige Anlage 1739–46 geschaffen. Der *Weiße Saal* (Rokoko-Stukkaturen) nimmt eine Sonderstellung ein. Die *Schloßkirche* entstand 1734–39 (Fresken von F. J. Spiegler).

Mainz 6500
Rheinland-Pfalz S. 416 □ E 14

Mainz, das 1962 seine 2000-Jahr-Feier

Schloß und Schloßkirche, Mainau

Mainzer Dom ▷

WOHNHOF raumkunst
KNEWITZ

beging, gehört zu den ältesten Orten am Rhein. Das milde Klima, die Fruchtbarkeit des Bodens sowie die verkehrsgünstige Lage am Strom und an alten Handelsstraßen ermöglichten den frühen Aufschwung. Die Römer machten Mainz unter dem Namen Mogontiacum zur Hauptstadt ihrer Provinz Germania superior. Nach jahrhundertelangem Niedergang setzte eine abermalige wirtschaftliche Blüte ein, als Bischof Bonifatius 746/47 die Stadt zum Sitz seines Bistums erhob. Die Mainzer Erzbischöfe waren Reichserzkanzler und als Landesherren zugleich Kurfürsten. Im Jahre 1254 übernahm die Stadt die Führung im Rheinischen Städtebund. – In Mainz, der Wiege der Buchdruckerkunst, erfand Johann Gutenberg 1450 den Druck mit beweglichen Lettern. Seit 1477 ist Mainz Universitätsstadt (heute: Johannes-Gutenberg-Universität). Nach den Zerstörungen im 2. Weltkrieg wurde die Stadt zu großen Teilen originalgetreu wieder aufgebaut. Seit 1949 ist Mainz Landeshauptstadt des Bundeslandes Rheinland-Pfalz. – Zu den berühmten Persönlichkeiten, die in Mainz geboren wurden oder große Teile ihres Lebens hier verbrachten, gehören u. a.: Heinrich von Meißen (genannt Frauenlob), einer der zwölf Meister des Meistersangs, der Dramatiker und Schauspieler Curt Goetz, Carl Zuckmayer und die Schriftstellerin Anna Seghers.

Dom St. Martin und St. Stephan (Haupteingang zwischen den Häusern Markt 10 und 12): 975 wurde unter

Mainz, Dom St. Martin und St. Stephan 1 St.-Gotthard-Kapelle **2** Sakristei **3** Paradiespforte, nach 1200 **4** Memorie **5** Liebfrauenportal **6** Martinschor **7** Stephanuschor **8** Marktportal **9** Grabplatte Erzbischof Siegfried III. von Eppstein (1249 gest.) **10** Grabplatte Erzbischof Peter von Aspelt (1320 gestorben) **11** Denkmal Erzbischof Konrad II. von Weinsperg (1396 gestorben) **12** Denkmal Erzbischof Dieter von Isenburg (1482 gestorben) **13** Denkmal Administrator Adalbert von Sachsen (1484 gestorben) **14** Denkmal Erzbischof Berthold von Henneberg (1504 gestorben) von Hans Backoffen **15** Denkmal Erzbischof Jakob von Liebenstein (1508 gestorben) von H. Backoffen **16** Denkmal Erzbischof Uriel von Gemmingen (1514 gestorben) von H. Backoffen **17** Denkmal Erzbischof Albrecht von Brandenburg (1545 gestorben) von Dietrich Schro **18** Denkmal Erzbischof Sebastian von Heusenstamm (1555 gestorben) von Dietrich Schro **19** Denkmal Dompropst Heinrich Ferdinand von der Leyen zu Nickenich (1714 gestorben) von J. M. Gröninger **20** Chorgestühl von Franz Anton Hermann, 1760–67 **21** Kanzel, 1834 von J. Scholl erneuert **22** Hochaltar, 1960

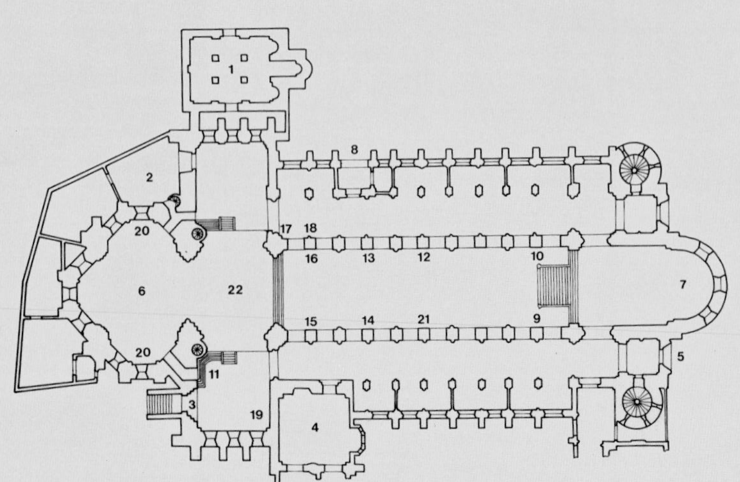

Erzbischof Willigis mit dem Bau begonnen (1975 feierte Mainz das 1000jährige Bestehen des Doms), in seiner heutigen Gestalt fertiggestellt war das Meisterwerk romanischer Baukunst jedoch erst 1239. Der mächtige Vierungsturm, der heute sein weithin sichtbares Wahrzeichen ist, wurde 1767 und die beiden flankierenden Türme wurden 1773 nach einem Brand durch F. I. M. Neumann, den Sohn des Würzburger Schloßbaumeisters B. Neumann*, im Barockstil vollendet.

Baustil und Baubeschreibung: Der Mainzer Dom gehört zusammen mit den Domen in Speyer und Worms zu den bedeutendsten Beispielen romanischer Baukunst am Oberrhein und darüber hinaus in Deutschland. Insgesamt sechs Türme, der umfangreiche Schmuck (Bogenfriese, Zwerggalerien, Fensterrosen) und die monumentale Größe demonstrieren die Sonderstellung. – Der Dom hat eine Gesamtlänge von 113 m (innen 109 m), der Westturm ist 82,50 m hoch, die Treppentürme erreichen je 55,50 m.

Inneres und Ausstattung: Der heutige Dom läßt sich als eine dreischiffige Pfeilerbasilika mit Chören im Westen (Martinschor) und Osten (Stephanschor) charakterisieren. Wer den Dom in der chronologischen Folge seiner Entstehung besichtigen möchte, sollte im Ostchor beginnen, dann das Mittelschiff, das nördliche Seitenschiff, das nördliche Querschiff, den Westchor, das südliche Querschiff und das südliche Seitenschiff aufsuchen. – *Ostchor:* Der Altar trägt einen goldenen *Reliquienschrein,* den der Mainzer Goldschmied R. Weiland geschaffen hat (1960). Auf ihm sind alle 22 Heiligen des Bistums Mainz dargestellt. – Im *Mittelschiff* finden sich zahlreiche *Grabdenkmäler* aus dem 13.–18. Jh. Die meisten sind Erzbischöfen, Domherren und Heiligen gewidmet. Kurz vor dem Westchor verdienen drei Grabmäler besondere Aufmerksamkeit: Der Mainzer H. Backoffen hat hier Denkmäler der Erzbischöfe Berthold von Henneberg (gest. 1504), Jakob von Liebenstein (gest. 1508) und Uriel von Gemmingen (gest. 1514) geschaffen. Insbesondere das letzte Grabmal, das den Erzbischof kniend vor dem gekreuzigten Jesus zeigt, ist eines der bedeutendsten Werke deutscher Bildhauerkunst. – Die *Domkanzel* auf der gegenüberliegenden Seite ist im Kern alt, wurde jedoch 1834 von J.

Dom, Chorgestühl mit Blick in den Ostturm

Scholl gotisierend erneuert. – *Nördliches Seitenschiff:* Auch hier finden sich vortreffliche Grabdenkmäler. In der *St.-Magnus-Kapelle* steht der *Bassenheimer Altar* (1610). Davor ist eine spätgotische Grablegung (um 1495) erhalten – ein Werk des Adalbertmeisters im monumentalen Stil. – *Nördliches Querschiff:* Durch ein Portal erreicht man die doppelgeschossige *St.-Gotthard-Kapelle* (Sakramentskapelle, die in den Jahren 1135–37 an den Dom angebaut worden ist). Sie diente einst als Hauskapelle des Erzbischofs. – Im *Westchor* verdient das Rokokochorgestühl des Wiener Hofschreiners F. A. Hermann (1760–67) besondere Beachtung. Es ist überreich verziert (Figurenschmuck von H. Jung), fügt sich aber trotzdem in die romanische Architektur des Chores ein. Der *Hochaltar* wurde 1960 aufgestellt. Das Bronzekreuz über dem Altar hat G. G. Zeuner 1975 geschaffen. – *Südliches Querschiff:* Unter den Grabdenkmälern muß das Denkmal für Dompropst Heinrich Ferdinand von der Leyen zu Nickenich (gest. 1714) hervorgehoben werden. Es wurde noch zu Lebzeiten des Propstes von J. M. Gröninger* geschaffen und erreicht eine Höhe von 8,33 m. – Vom *südlichen Seitenschiff* gelangt man durch das Memorienportal in die spätromanische *Totengedächtniskapelle* der Domherren. Der Raum ist mit einem weiten Kreuzgewölbe überspannt (12,20 m). An die Memorie schließen die Nikolauskapelle und der Kreuzgang an (Diözesanmuseum).

Ehem. Stiftskirche St. Johannis (Ecke Schöffer-/Johannisstraße): Die in unmittelbarer Nachbarschaft zum Dom gelegene Kirche wurde im 2. Weltkrieg schwer beschädigt, inzwischen jedoch weitgehend wieder aufgebaut und modern ausgestattet. Sie enthält Reste eines Kirchenbaus aus den Jahren 891–913, der vermutlich zum Vorgängerbau des heutigen Doms gehört hat.

Ehem. Stiftskirche St. Stephan (Stephansplatz): Ältere Bauten gingen in der Kirche, die ihre heutige Gestalt im 14. Jh. erhielt, auf. Nach der Zerstörung im 2. Weltkrieg erfolgte der Wiederaufbau bis 1961. Der Kirchenschatz birgt als kostbarstes Teil die Willigiskasel (byzantinischer Seidenstoff aus der Zeit um 1000).

Pfarrkirche St. Ignaz (Kapuziner-

Dom, Kanzel

Dom, St.-Gotthard-Kapelle

straße 40): Die Kirche wurde 1763–74 von J. P. Jäger errichtet und verdeutlicht den Übergang vom Rokoko zum Klassizismus. – Auf dem Ignazfriedhof (links von der Kirche) steht eine *Kreuzigungsgruppe* nach Entwürfen von H. Backoffen (1519), der sie als sein eigenes Grabmal stiftete.

Augustinerkirche (Augustinerstraße 34): Die Kirche ist eingeflochten in die Bauten der Augustinerstraße. Der heutige Bau wurde 1768–71 errichtet. Der Einfluß des Barock ist unverkennbar: Fassade und Innenausstattung (Stuck und Deckenmalerei) sind von großer Schönheit.

Kurfürstliches Schloß (Rheinstraße): An die Stelle von in napoleonischer Zeit zerstörten Vorgängerbauten trat der 1627 begonnene Palastbau, der als letztes bedeutendes Renaissancebauwerk in Deutschland gilt. Bis zu seiner Fertigstellung vergingen rund 100 Jahre, eine Zeitspanne, die sich in der Einheitlichkeit des Baus allerdings kaum bemerkbar macht. Die Innenausstattung, an der so renommierte Künstler wie B. Neumann* mitgearbeitet hatten, ging später verloren. Nach den Zerstörungen im 2. Weltkrieg wurde der äußere Bau originalgetreu wiederhergestellt. Im Ostflügel befindet sich heute das Römisch-Germanische Nationalmuseum (siehe Museen), der Nordflügel wurde zu Festsälen ausgebaut.

Deutschordenskommende/Landtagsgebäude (Rheinstraße): In unmittelbarer Nachbarschaft zum Schloß errichtete A. F. Freiherr v. Ritter zu Grünstein 1730–39 den palastartigen Bau der Deutschordenskommende. Von Interesse ist vor allem die zum Rhein gerichtete Fassade. Nach der Zerstörung im 2. Weltkrieg wurde die Kommende originalgetreu wieder aufgebaut. Das Innere wurde für den Landtag von Rheinland-Pfalz hergerichtet. – Das *Neue Zeughaus,* neben der Kommende gelegen, war 1958 wiederhergestellt und trägt jetzt die Bezeichnung *Europahaus*. Das dahinter liegende alte *Zeughaus* (»der Sautanz«) wurde 1604 errichtet, im 2. Weltkrieg zerstört und ebenfalls originalgetreu wiederaufgebaut.

Rathaus (Rheinstraße): Der dänische Architekt Arne Jacobsen lieferte die

Spätgotische Grablegung (um 1495)

Entwürfe für das Rathaus, das – nach seinem Tod – in den Jahren 1971–74 erbaut wurde. Das Gebäude entstand in Stahlbeton-Skelettbauweise und wurde anschließend mit norwegischem Marmor verkleidet.

Mainzer Adelshöfe: Unter den zahlreichen Adelshöfen nehmen der *Dalberger Hof* (Klarastraße), ein Barockbau aus den Jahren 1715–18, und der *Osteiner Hof* (Am Schillerplatz; Rokoko, doch auch schon Klassizismus) eine Spitzenstellung ein.

Museen: Das *Römisch-Germanische Zentral-Museum* (im kurfürstlichen Schloß): Neben Funden aus der Römerzeit werden in der Frühgeschichtlichen Abteilung auch Funde aus der Steinzeit gezeigt. – *Gutenberg-Museum* (Liebfrauenplatz): Im ehem. »Haus zum Römischen Kaiser«, das um 1660 errichtet wurde, befindet sich das Gutenberg-Museum. – *Naturhistorisches Museum* (Reich-Klara-Straße 1): In der ehem. Kirche des Reich-Klara-Klosters ist das Naturhistorische Museum untergebracht. Sammelgebiete sind Geologie und Paläontologie des Mainzer Beckens, Zoologie und Botanik, Mineralogie, eiszeitliche Fossiliensammlung. – *Bischöfliches Dom- und Diözesan-Museum* (Domstraße 3): An der Südseite des Doms im Bereich des doppelgeschossigen gotischen Kreuzgangs (1397–1410). Hier befinden sich außerdem der Domschatz, Fragmente des einstigen Lettners, Wandteppiche des 15./16. Jh.

Theater: *Städtische Bühnen* (Gutenbergplatz 7): Neben dem Haupttheater (949 Plätze) werden vom Ensemble der Städtischen Bühne auch das *Theater in der Universität* (350 Plätze), das *Theater im Gutenberg-Museum* (180 Plätze) und das *Theater der Jugend* (Emmerich-Josef-Straße 13, 125 Plätze) bespielt. – *Unterhaus* (Waldpodenstraße): Zeitkritisches Theater und literarisches Kabinett.

Außerdem sehenswert: Der 1526 errichtete *Marktbrunnen* ist der älteste Renaissancebrunnen in Deutschland. – *Stadtbefestigung:* Der Eiserne Turm (Rheinstraße) und der Holzturm (Rheinstraße) sind originalgetreu wiederhergestellt worden. – *Dativius-Victor-Bogen:* Aus der Römerzeit erhaltener Bogen.

Rathaus, Mainz

Schloß, Mannheim

Mannheim 6800
Baden-Württemberg S. 416 □ E 16

Kurfürst Friedrich IV. ließ 1606 den Grundstein für die befestigte Stadt Mannheim legen. Vorbild für seine Pläne waren Festungen in Holland, als Stadtplaner und Architekt setzte er den Niederländer Bartel Janson ein. In den folgenden Jahrhunderten wurde Mannheim zwar häufig erobert und stark zerstört, die schachbrettartige Anlage blieb jedoch erhalten und ist noch heute deutlich zu erkennen. Die Stadt wird an der Südseite durch das Schloß begrenzt und ist eingebettet in die Flußläufe von Rhein und Neckar. – Zu den berühmtesten Persönlichkeiten, deren Namen mit der Stadt Mannheim verbunden sind, gehören Friedrich von Schiller, August von Kotzebue, Verfasser von mehr als 200 vielgespielten Theaterstücken (1819 in Mannheim ermordet), Karl Drais von Sauerbronn, Forstmeister und Erfinder des Laufrades (1817 auf dem Weg nach Schwetzingen erprobt), und Carl Benz, der 1886 in Mannheim den ersten von ihm konstruierten Kraftwagen öffentlich vorstellte. – Heute ist Mannheim Sitz des Instituts für deutsche Sprache und der Humboldt-Gesellschaft für Wissenschaft, Kunst und Bildung. Seit 1959 wird der Schiller-Preis der Stadt Mannheim vergeben. Die Universität, die Städtische Hochschule für Musik und Theater, mehrere Fachschulen, bedeutende Ausstellungen und das Nationaltheater sind von überregionaler Bedeutung.

Ehem. Jesuitenkirche St. Ignatius und Franz Xaver (A 4): Die im 18. Jh. erbaute Barockkirche wird in ihrem Äußeren von einer mächtigen Fassade mit zwei seitlichen Türmen sowie einer hohen Vierungskuppel bestimmt. Kurfürst Karl Philipp, der mit dieser Kirche die Rückkehr seines Hauses zum Katholizismus bekunden wollte, gab 1733 den Auftrag zum Bau dieser bedeutendsten barocken Kirche in Südwestdeutschland. Den Entwurf lieferte der Bologneser A. Galli-Bibiena, vollendet wurde der Bau von F. Rabaliatti und P. A. von Verschaffelt* (Abschluß der Arbeiten um 1760). Die ursprüngliche Inneneinrichtung ist zum Teil zerstört und zum Teil ersetzt worden. Erhalten sind die *Spiegel* aus Stuckmarmor, die in der Kirche eine ungewöhnliche Raumwirkung verleihen. Die Deckengemälde von E. Q. Asam* und auch die einst gerühmten Erdteilbilder von P. H. Brinckmann gingen verloren (letztere, zu sehen in den Gewölbezwickeln der Kuppel, wurden jedoch rekonstruiert). Hochaltar und alte Kanzel wurden ebenfalls zerstört. An der linken Seite des kleinen Altars, der den Hochaltar von Verschaffelt abgelöst hat, ist die bemerkenswerte *Silbermadonna im Strahlenkranz* erhalten geblieben. Die Kanzel wurde durch eine Barockkanzel aus St. Leon bei → Heidelberg ersetzt. Zu den wesentlichen Teilen der Ausstattung gehört die vergoldete *Barockorgel.* Über einer Seitenkapelle ist eine zusätzliche kleine Orgel aufgebaut. In der *Krypta* der Kirche sind 34 Jesuitenpatres beigesetzt. – Von der einstigen Verbindung zum Schloß ist heute nur noch der Achteckturm der Sternwarte erhalten, die einst von Rabaliatti für den Hofastronomen Pater Christian Mayer errichtet wurde.

Altes Rathaus und Untere Pfarrkirche (Marktplatz): »Iustitia et Pietati« (der Gerechtigkeit und Frömmigkeit) ist der Zweiflügelbau am Marktplatz gewidmet. 1700 wurde mit dem Bau begonnen, der endgültig 1723 fertiggestellt wurde. Ein Turm wurde zum Verbindungsglied der beiden Bauteile. Im Inneren der Kirche fehlt heute der Hochaltar, der durch eine moderne Mensa ersetzt worden ist. Links davon ist der Theodor-Altar erhalten (von P. S. v. Verschaffelt, 1778). Erwähnenswert ist die Kanzel (1742).

Weitere sehenswerte Kirchen: *Ev. Trinitatiskirche* (G 4), *ev. Konkordienkirche* (R 2), eine Doppelanlage für die wallonische und die deutsch-reformierte Gemeinde, und die *kath. Bürgerspitalkirche* (F 6) mit klassizistischer Säulenfront.

Schloß (B 3): Von den schweren Schäden aus dem 2. Weltkrieg ist nichts mehr zu spüren. Die gewaltige Anlage wurde originalgetreu wiederhergestellt (bis 1962). Heute dient sie in ihren wesentlichen Teilen der Universität. – Den Auftrag zum Bau des Schlosses, das zu den größten Schloßbauten aus der Zeit des Barock gehört, gab 1720 Kurfürst Carl Philipp in Verbindung mit der Verlegung seiner Residenz von Heidelberg nach Mannheim (damit war der Beginn einer Blütezeit verbunden, die Mannheim zu einem der bedeutendsten wirtschaftlichen und kulturellen Zentren in Deutschland machte; sie endete erst, als Karl Theodor 1778 Kurfürst von Bayern wurde und seine Residenz deshalb nach → München verlegen mußte). Italienische und französische Architekten und Künstler waren an den Entwürfen der Bauten und ihrer Ausgestaltung maßgebend beteiligt. 40 Jahre (von 1720–60) wurde an der Anlage gebaut (1731 waren wesentliche Teile bezugsfertig). Das Schloß hat eine Gesamtausdehnung von rund 500 m, besitzt mehr als 400 Räume mit 2000 Fenstern. Den Grundriß hat J. C. Froimont geschaffen, an der Planung und Bauausführung waren außerdem G. de Hauberat, A. Galli-Bibiena sowie die Bildhauer P. A. v. Verschaffelt* und P. Egell und C. D. Asam* (Wandmalerei) beteiligt. – Das Schloß bildet die Basis der schachbrettartigen Stadtanlage und ist Endpunkt von sieben der jeweils schnurgerade angelegten Straßen. Beeindruckend ist der große, fast quadratische *Ehrenhof.* Der Mittelbau enthält die verschiedenen Repräsentationsräume im Stil des Rokoko. Kunsthistorisch erstranging ist das *Treppenhaus,* in dem die berühmten Deckengemälde von C. D. Asam anhand von Fotografien nachgebildet worden sind (im 2.

Geburtshaus Schillers, Marbach ▷

Weltkrieg vernichtet). – Hervorzuheben ist auch der *Rittersaal,* in dem die Konzerte der Mannheimer Schule stattfinden. 1777 hat hier W. A. Mozart ein Konzert gegeben. Das großartige Parkett, die reichen Stuckdekorationen und ein erlesenes Mobiliar vermitteln einen Eindruck von der höfischen Pracht des 18. Jh. Zu besichtigen lohnt auch das *Bibliothekskabinett.* – Die *Schloßkirche* ist im 2. Weltkrieg ebenfalls zerstört, jedoch in erstklassiger Weise wiederhergestellt worden. Auch hier wurde ein *Deckengemälde* Asams nachgebildet. Der ebenfalls zerstörte *Hochaltar* wurde zwar neu gefertigt, geht jedoch auf die erhaltenen Pläne P. Egells zurück und entspricht in vorzüglicher Weise dem Original. In der *Kurfürstengruft* der Schloßkirche stehen die Prunksärge, die P. Egell für Carl Philipp und dessen 3. Gemahlin Violanta von Thurn und Taxis geschaffen hat. – Ein 38 Hektar großer Schloßgarten bildet den Bereich zwischen Schloß und Rhein.

Friedrichsplatz: Zur 300-Jahr-Feier der Stadt Mannheim wurde der Platz im Jahr 1907 im Jugendstil erbaut. Der Wasserturm, der als Wahrzeichen der Stadt gilt, wurde 1884–86 von G. Halmhuber im typischen Stil d. Gründerzeit erbaut. Im Norden grenzt der sog. *Rosengarten,* in dem sich eine Festhalle befindet, an.

Museen: Im *Städtischen Reiss-Museum* (C 5), das im ehem. kurpfälzischen Zeughaus (1777–79) untergebracht ist, wurden die Bestände des ehem. Mannheimer Schloßmuseums und des Mannheimer Völkerkundemuseums zusammengefaßt. Neben Beiträgen zur Stadtgeschichte, zur spätmittelalterlichen und barocken Plastik sowie Malerei des 17./18. Jh. sind vor allem die Porzellan- und Fayencesammlungen hervorzuheben. Erwähnenswert sind die Sammlungen des Mannheimer Nationaltheaters, die ebenfalls hier gezeigt werden. – Die *Städtische Kunsthalle Mannheim* (Moltkestraße 9) gehört zu den bedeutendsten Galerien mit Gemälden und Plastiken des 19. und 20. Jh. in Deutschland. Sie ist in einem Jugendstilbau von H. Billing aus dem Jahr 1907 untergebracht (errichtet als Ausstellungsgebäude zur 300-Jahr-Feier). Vor der Kunsthalle sind bedeutende Plastiken von Harth (»Löwe« und »Tiger«), Marcks (»Zwei Freunde«), Kolbe (»Stehendes Mädchen«), Scheibe (»Die Morgenröte«) und Lipsi (»Tektonisch«) aufgestellt.

Theater: *Nationaltheater* (Goetheplatz): *Großes Haus* mit 1154 Plätzen für Oper, Operette und Schauspiel, *Kleines Haus* mit 580 Plätzen für modernes Theater. – Am 13. 1. 1782 wurden hier »Die Räuber« von Friedrich von Schiller uraufgeführt. Im Januar 1784 folgte die Erstaufführung des »Fiesko«, im April 1784 die von »Kabale und Liebe«. – Abgesehen von mehreren Kurzaufenthalten lebte Schiller vom Juli 1783 bis zum April 1785 in Mannheim, zuerst als fest angestellter Theaterdichter, später als freier Schriftsteller. – *Freilichtbühne Mannheim* (Im Waldhof): An den Samstagen im Juli und August werden hier Jahr für Jahr von Laienschauspielgruppen (vor allem) historische Dramen aufgeführt.

Marbach am Neckar 7142

Baden-Württemberg S. 420 □ F 17

Ev. Alexanderkirche (Am Alten Markt): Die spätgotische Hallenkirche (15. Jh.) ist vor allem wegen ihrer original erhaltenen Deckenbemalung interessant. Sehenswert auch die spätgotische Steinkanzel (die beschädigt ist) und ein Kruzifixus aus dem 15. Jahrhundert.

Geburtshaus Friedrich Schillers (Niklastorstraße 31): Zu den zahlreichen Fachwerkbauten in Marbach gehört auch das Haus, in dem Friedrich Schiller 1759 geboren ist. Das Haus enthält eine Fülle von Dokumenten aus dem Leben und Werk des Dichters.

Alexanderkirche, Marbach ▷

Schiller-Nationalmuseum und Deutsches Literaturarchiv: In den Jahren 1900–03 als Museum für schwäbische Literatur erbaut, ist es inzwischen jedoch über dieses Sammelgebiet hinaus von Bedeutung. Angeschlossen ist das Deutsche Literaturarchiv (gegründet 1855/56), das auch bedeutende Sonderausstellungen veranstaltet.

Marburg 3550

Hessen

S. 416 □ F 12

Wesentlichen Einfluß auf die kulturelle Entwicklung der Stadt hatte die 1527 gegründete Universität. – In die Geschichte eingegangen sind die »Marburger Religionsgespräche« (1.–4. Oktober 1529), bei denen es um eine Einigung zwischen den ev. und reformierten Fürsten gehen sollte und an denen die Wittenberger Theologen Luther, Melanchthon und Krafft sowie die Straßburger und Schweizer Theologen Bucer, Hedio, Zwingli und Ökolampad teilgenommen haben.

Elisabethkirche/Ev. Pfarrkirche (Elisabethstraße): Über dem Grab der Landgräfin Elisabeth von Thüringen, der Stammesmutter des hessischen Landgrafenhauses, wurde ab 1235 die Kirche, die zum Wahrzeichen der Stadt geworden ist, errichtet. Die Elisabethkirche ist das erste rein gotische Bauwerk in Deutschland und gehört (wie die Liebfrauenkirche in → Trier) zu den bedeutendsten Sakralbauten der Gotik auf deutschem Boden. Sie sollte als Wallfahrtskirche (zum Grab der heiliggesprochenen Elisabeth) und als Grablege der Landgrafen dienen. Die Gesamtweihe erfolgte 1283, die Türme wurden jedoch erst wesentlich später fertiggestellt. Die Kirche hat im Inneren (ohne Turmhalle) eine Länge von 56 m, im Langhaus eine Breite von 21,55 m, sie mißt im Querschiff 39 m und hat eine Gewölbehöhe von rund 20 m. Die Türme erreichen eine Höhe von 80 m. – Im Inneren sind die farbige Ausmalung aus der Entstehungszeit der Kirche und die Wandmalereien (Anfang des 15. Jh.) zum großen Teil wiederhergestellt worden. Die Ausstattung ist in ungewöhnlicher Vollständigkeit aus der Entstehungszeit erhalten. An erster Stelle steht der *Elisabethschrein* (in der Sakristei). Dieses Meisterwerk eines unbekannten Goldschmieds aus dem 13. Jh. ist über und über mit Emaillen und Edelsteinen besetzt und mit einzigartigem Filigran geschmückt. Im nördlichen Kreuzarm befindet sich über ihrem ehem. Grab das *Mausoleum* der hl. Elisabeth. Der steinerne Baldachin ist um 1280 entstanden. In seinen ornamentalen Formen gleicht er dem Westportal und in einigen Teilen dem Hochaltar. Über dem Sarkophag hat früher der Elisabethschrein gestanden. Malereien und Eisengitter des Mausoleums stammen aus der Mitte des 14. Jh. – Der *Hochaltar* wurde 1290 geweiht. Er beeindruckt durch die in Stein geschlagene Retabelwand, die eine Gesamthöhe von 4,82 m erreicht. In den Nischen stehen jeweils drei Figuren. An den östlichen Querschiffwänden befinden sich wertvolle *Wandaltäre*. Im Südflügel sind Wandmalereien aus dem 16. Jh. erhalten. –

Elisabethkirche, Marburg

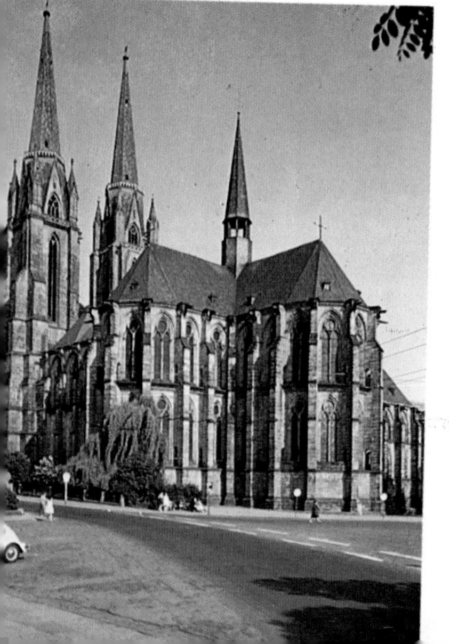

Hl. Elisabeth, um 1470 ▷

Der *Lettner* wurde zur Zeit der Bilderstürmer um einen Teil seines ehemals reichen Figurenschmucks beraubt. Auf dem Altar vor dem Lettner ein *Bronzekruzifixus* von E. Barlach* (1931). – Vor allem im südlichen Querhausarm sind zahlreiche *Grabdenkmäler* der thüringisch-hessischen Landgrafen zu finden (»Landgrafenchor«). Das bedeutendste Grabmal ist das für Heinrich I. (evtl. auch für seinen Sohn Otto I.), vermutlich von einem Meister französischer Schule.

St.-Michaels-Kapelle / »Michelchen« (westlich der Elisabethkirche, am Berghang): Die 1270 geweihte Kapelle war ursprünglich Friedhofskapelle des Deutschen Ordens und des Elisabeth-Hospitals (von der Anlage aus dem Jahr 1235 ist heute nur noch die Hospitalkapelle erhalten). Seit dem 16. Jh. fanden hier auch bürgerliche Begräbnisse statt. Die Maßwerkfenster gleichen denen der Elisabethkirche. Bemerkenswert ist das schöne frühgotische Rippengewölbe.

Weitere sehenswerte Kirchen: *Marienkirche* (Kircher Kirchhof): Nach rund 200 Jahren Bauzeit war die heutige Kirche 1473 endgültig vollendet. Der mächtige Turm macht die Kirche weithin sichtbar. Im Inneren sind der Altaraufsatz (1626) und die Doppelwandgräber für mehrere Landgrafen sehenswert. – *Dominikanerkirche/Universitätskirche* (Rudolphsplatz): Die 1320 fertiggestellte Kirche dient seit 1527 als Universitätskirche.

Gebäude des Deutschordens: Die Elisabethkirche (siehe zuvor) besaß einen von Mauern umschlossenen Ordensbe-

Schloß Philippsruh

Marburg/Lahn, Elisabethkirche 1 Westportal mit Marienfigur, ursprüngliche Türbeschläge **2** Prachtfenster über dem Westportal **3** Glasmalerei in den östlichen Chorfenstern, 13. und 14. Jh. **4** Hochaltar, 1290 **5** Wandaltäre an den östlichen Querhauswänden mit Wandmalereien (im Südchor z. T. verdeckt durch zwei Schnitzaltäre von Ludwig Juppe) **6** Schrein der heiligen Elisabeth, zw. 1235 und 1249, in der Sakristei **7** Grabmal Landgraf Konrad von Thüringen (1240 gestorben) **8** Einzelgrab, um 1308 **9** Lettner, vor 1343, mit Kreuzaltar und Kruzifix von Ernst Barlach **10** Mausoleum der heiligen Elisabeth, Baldachin Ende 13. Jh., Sarkophagrelief um 1350 **11** Zelebrantenstuhl, 1397, mit Elisabethstatue von Ludwig Juppe, um 1510 **12** Marburger Vesperbild, um 1400 **13** Grabmal Ludwig I., des Friedfertigen, von Meister Hermann, 1471 **14** Grabmal Wilhelm II. (1509 gestorben), wahrscheinlich von Ludwig Juppe **15** Schnitzaltäre von Ludwig Juppe, 1511 und 1513 **16** »Französische« Elisabeth

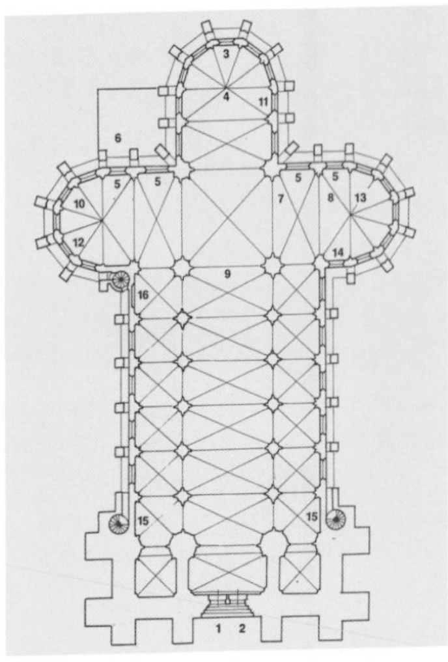

reich, der in verschiedene Bezirke unterteilt war. Die Verbindung zur Stadt war nur durch einige Tore möglich. Erhalten sind das *Herrenhaus* (1252/53), des *Brüderhaus* (um 1234 mit Ergänzungen um 1572), *Komturhaus* (etwa 1483), *Backhaus* (etwa 1515, später als Fruchtkasten benutzt).

Schloß (Schloßberg): Auf der höchsten Stelle der Stadt, dem sog. Schloßberg, begann Herzogin Sophie von Brabant, Tochter der hl. Elisabeth, im 13. Jh. auf der Stelle einer thüringischen Burg aus dem 12. Jh. mit dem Bau des Schlosses, das seine heutige Form nach Umbauten im 14. und 15. Jh. erhalten hat. Bis in das 17. Jh. hinein war das Schloß der bevorzugte Sitz der hessischen Landgrafen. – Der vielgestaltige Komplex wird gegen Norden von einem symmetrischen Saalbau (Ende 13. Jh.) gekennzeichnet. Sehenswert ist der große *Festsaal* im Obergeschoß. Im Südflügel befindet sich der einstige landgräfliche Wohnbau *Alte Residenz*. Am Ostende dieses Südflügels schließt sich die 1288 geweihte *Schloßkapelle* an. Das Innere der Kapelle läßt den Übergang von der Früh- zur Hochgotik deutlich werden. Beachtenswert sind die sehr schönen Kapitelle, das Fußbodenmosaik und Reste der alten Wandmalereien. Der östliche Teil des Hauptschlosses war vornehmlich für die Bediensteten bestimmt, der Westflügel ist als »Frauenbau« bekannt.

Alte Universität (Am Rudolphsplatz): Auf den Grundmauern eines Dominikanerklosters entstand in den Jahren 1874–78 der Komplex der alten Universität. Sehenswert sind die Aula mit monumentalen Wandgemälden von Prof. Janssen, Portahalle, Kreuzgang und Karzer.

Rathaus (Markt): Das Rathaus ist in den Jahren 1512–24 auf steilem Hang errichtet worden. Die Seite des Untergeschosses, die dem Tal zugewandt ist, liegt frei und war ursprünglich Kaufhalle für Fleisch. Das erste Obergeschoß wird vom Ratssaal bestimmt (beachtenswerte Wandvertäfelung). Rechts und links von dem steil aufsteigenden Satteldach wird das Rathaus durch Staffelgiebel bekrönt. Im Treppenturm Steinrelief des L. Juppe 1524, das der hl. Elisabeth gewidmet ist.

Museen: Das *Marburger Universitäts-*

Rathaus und Marktplatz

museum für Kunst- und Kulturgeschichte (Biegenstraße 11) zeigt Landes- und Kulturgeschichte Nordhessens, Malerei und Graphik des 19. und 20. Jh. – Ebenfalls in der Biegenstraße befindet sich die *Antiken- und Abgußsammlung der Philipps-Universität.* Zu der Studiensammlung gehören 600 Abgüsse von Werken griechischer und römischer Plastik sowie ca. 1800 Objekte antiker Kleinkunst (vor allem Keramik und Terrakotten). – *Religionskundliche Sammlung der Universität* (im Schloß).

Theater: Im 1969 erbauten *Marburger Schauspiel* (Biegenstraße 15; 579 Plätze) spielt ein eigenes Schauspielensemble. – Während des Sommers finden *Freilichtaufführungen* im Markgrafenschloß statt.

Außerdem sehenswert: *Universitätsbibliothek* mit mehr als 650000 Bänden (darunter wertvolle Inkunabeln, Handschriften und Autographen). – Von den zahlreichen *Fachwerkbauten* sind die Häuser Markt 14, 17 und 19 hervorzuheben. Unter den *Steinbauten* verdienen die Häuser Markt 18 (»Steinernes Haus«), Markt 16 (»Bückingsches Haus«) und am Barfüßer Tor (»Dernbacher Hof«) besondere Beachtung.

Umgebung: *Spiegelslust* (Kaiser-Wilhelm-Turm; 1 km östlich): 372 m hoch gelegener Aussichtsturm. – *Ruine Frauenberg* (8 km südöstlich gelegen): Von der 381 m hoch gelegenen Burgruine weiter Ausblick.

Maria Laach 5471

Rheinland-Pfalz S. 416 □ C 13

Abteikirche: Am Ufer des Laacher Sees begann der rheinische Pfalzgraf Heinrich von Laach 1093 mit dem Bau einer Abtei und dazugehöriger Kirche. Um 1230 war der Bau fertiggestellt. Trotz der langen Bauzeit ist die Abteikirche eines der reinsten Bauwerke deutscher Romanik. »Ein prächtigeres und festeres, reizender und friedlicher gelegenes Kloster gibt es nimmermehr«, schrieb der Humanist Johannes Butzbach, der hier 1516 gestorben ist, über die Benediktinerabtei. – Der Bau wird von zwei zentralen Türmen beherrscht, denen vier weitere flankierend zur Seite stehen. Die burgartige

Abteikirche, Maria Laach

Anlage entspricht der Auffassung der Gottesburg. Im Osten und Westen liegen je ein Querhaus und ein Chor. Die Vorhalle wurde 1225 hinzugefügt und gibt den Weg frei in den Westchor. – Ungewöhnlich reichhaltig sind die architektonischen Details. Lisenen, Rundbogenfriese und Blenden gliedern die Wände und werden durch die farbige Bemalung (nur teilweise erhalten) ergänzt. Einen Höhepunkt spätromanischer Steinmetzenarbeit bildet der *Atriumbau* der Abteikirche (»Paradies«), der als symbolische Darstellung des »Garten Eden« zu verstehen ist. Auf der Grundlage eines quadratischen Grundrisses (östlich begrenzt durch das Querhaus, zu den übrigen drei Seiten hin Arkadengänge) ist hier einer der schönsten Vorhöfe der Romanik entstanden. In der Mitte des Platzes steht der »Brunnen des Lebens«. – Das Innere wird von einem mächtigen Gewölbe überzogen – einem der ältesten in diesem Gebiet. Höhepunkt der Ausstattung sind der *Baldachin-Hochaltar* und das *Stiftergrab.* Sechs Säulen tragen einen kuppelartigen Baldachin, der von den ausgereiften Formen der Spätromanik gekennzeichnet ist. Im Westchor befindet sich das Grab für Pfalzgraf Heinrich, den Stifter der Kirche. Auf der steinernen, reich verzierten Tumba ist die lebensgroße Figur Heinrichs dargestellt, der in der rechten Hand ein Modell der Kirche hält.

Maria Steinbach → Steinbach

Marienmünster 3477

Nordrhein-Westfalen S. 414 □ F 9

Im Städtedreieck → Detmold, → Höxter und → Paderborn liegt – abseits der großen Straßen – ein an dieser Stelle kaum zu erwartender, erstklassiger romanischer Bau. Er stand wesentlich unter dem Einfluß sächsischer Baumeister. Leider wurde das Münster durch den Umbau im letzten Viertel des 17. Jh. stark beeinträchtigt. Die Umgestaltung im Stile des Barock bezog sich

Klosterkirche, Marienmünster

nicht nur auf die Gestaltung des Innenraums, sondern schloß auch Änderungen der Mittelschiffwände, eine Erhöhung des Vierungsraums und einen Neubau des Chors ein. Allerdings hat die Kirche durch die Veränderungen im Hinblick auf die Ausstattung gewonnen. Erwähnenswert sind vor allem die erstklassigen schmiedeeisernen Arbeiten, die als *Chorgitter* verwendet wurden. Die *Orgel* ist das Werk des berühmten Baumeisters J. P. Möller.

Umgebung: Nordöstlich von Marienmünster liegt die Oldenburg, die Stammburg der Grafen von Schwalenberg, deren Befestigungen vermutlich um 1100 angelegt wurden.

Marienstatt, Kloster 5239

Rheinland-Pfalz S. 416 □ D 12

Zisterzienserabteikirche: Im Tal der

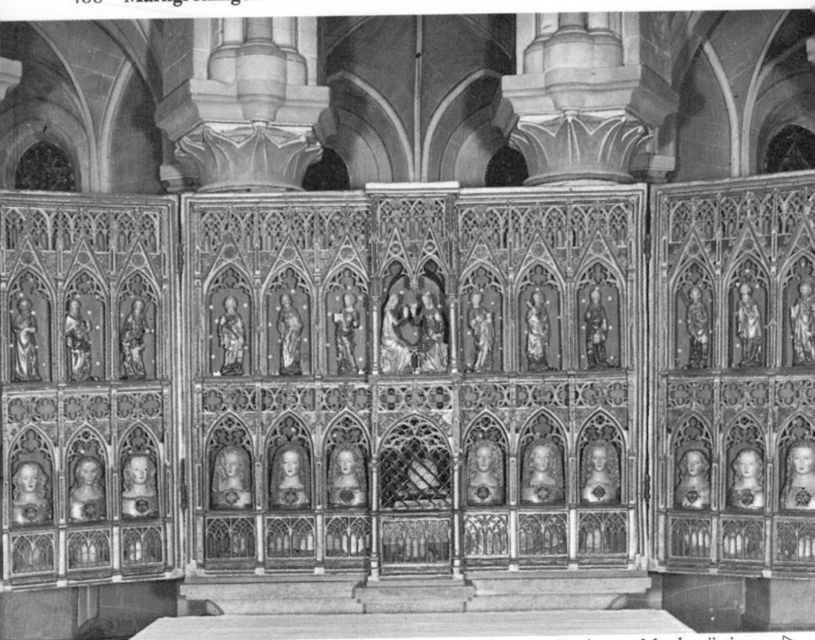

Ursula-Altar, Marienstatt

Rathaus, Markgröningen ▷

Nister entstand die heutige Kirche seit 1220, deren endgültige Fertigstellung sich jedoch bis in das 14. Jh. hinzog. Ungewöhnlich ist die Anordnung der Strebebögen, die von den Strebepfeilern zwischen den Kapellen ausgehen und zu den Streben des Hochchores übergreifen. Ein offenes Strebwerk findet sich auch über dem Langhaus. Im Südosten steht ein Treppenturm mit achteckigem Spitzhelm. Das Innere der Kirche wird von mächtigen Rundpfeilern bestimmt, hinter denen ein Kranz von Kapellen angeordnet ist. – Berühmt ist die Kirche wegen ihres *Ursula-Altars* aus dem 14. Jh., einem der ältesten Flügelaltäre in Deutschland. Jeweils unter sehr feinen, zierlichen Arkaden sind in der oberen Reihe die Apostel, in der unteren verschiedene Reliquienbüsten dargestellt. Das Mittelfeld ist der Marienkrönung gewidmet. Erwähnenswert ist auch das *Chorgestühl* (ebenfalls 14. Jh.). Die holzgeschnitzten Gestalten des Grafen Gerhard von Sayn und seiner Gemahlin finden sich auf einem *Tumbengrab,* das 1487 vom Meister Thilmann geschaffen wurde. Sehenswert ist schließlich das *Treppenhaus.* – Der heutige *Klosterbau* ist an die Stelle der ursprünglichen Bauten getreten und wurde Mitte des 18. Jh. vollendet.

Markgröningen 7145

Baden-Württemberg S. 420 □ F 17

Zwischen den Tälern der Enz, der Glems und des Leudelbaches hat sich Markgröningen am Rande des Strohgäus entwickelt. Stadtgründer war Kaiser Friedrich II. um 1240. Seit 1443 findet hier jedes Jahr am 24. August der Schäferlauf statt, das älteste Volksfest in diesem Gebiet.

Ev. Pfarrkirche St. Bartholomäus (Kirchplatz): Der Chor dieser Kirche,

die ihre Akzente durch die wuchtigen Westtürme erhält, wurde vom Baumeister A. Jörg* 1472 vollendet. Er ist mit seinem schönen Gewölbe und der ausgereiften gotischen Form der architektonisch wichtigste Teil des Baus. Die *Wand-* und *Deckenmalereien* stammen aus dem 14.–16. Jh. Ferner *Chorgestühl* (14. Jh.), *Taufstein* aus dem Jahr 1426 und spätgotisches *Triumphbogenkruzifix*. Im nördlichen Seitenschiff befindet sich das *Grabmal* des Grafen Hartmann von Gröningen (1280).

Außerdem sehenswert: Das *Rathaus* (Marktplatz), ein schöner Fachwerkbau aus dem 15./17. Jh., zeigt unterhalb des Türmchens einen Reichsadler, der an die Zeit, als Markgröningen freie Reichsstadt war, erinnert. 1336 gelangte die Stadt an Württemberg (württembergisches Wappen). Vor dem Rathaus steht der sehr schöne *Marktbrunnen* (1580).

Marktoberdorf 8952

Bayern S. 422 □ I 20

Pfarrkirche Hl. Kreuz und St. Martin: Der Füssener Baumeister J. G. Fischer*, der 1673 in der kleinen Stadt (heute 15000 Einwohner) geboren wurde, lieferte die Pläne für den Neubau von 1732. Erhalten geblieben sind die Umfassungswände des gotischen Vorgängerbaus und der 1680 errichtete Turm (der jedoch ein abschließendes Obergeschoß und eine neue Zwiebelhaube erhielt). Das Ziel Fischers, wesentliche Teile des Vorgängerbaus zu übernehmen, spiegelt sich u. a. im Chor, der auf Teile der kleinen gotischen Kirche in seiner Gestaltung erkennbar Rücksicht nimmt. Hervorzuheben sind Fenstergruppen mit fein gegliederten *Stukkaturen* von A. Bader (1733). F. G. Hermann hat die *Fresken* im Langhaus und in der Chorkuppel geschaffen (1735). Der stattliche *Hochaltar* war 1747 fertiggestellt. Die Figuren hat J. Stapf geliefert. Im Vorchor sind vier ausgezeichnete *Figuren* aus der Werkstatt A. Sturms* aufgestellt (1735). Die kleine *Grabkapelle* (1823) ist dem letzten Kurfürsten von Trier, Clemens Wenzeslaus Prinz von Sachsen, gewidmet.

Ehem. Jagdschloß: Direkt neben der Pfarrkirche steht das ehem. Jagdschloß

Pfarrkirche, Marktoberdorf

der Augsburger Bischöfe. Es wurde 1722–25 nach Plänen von J. G. Fischer errichtet und ist dann knapp 40 Jahre später zu seinem jetzigen Ausmaß erweitert worden.

Maulbronn 7133

Baden-Württemberg S. 420 □ E 17

Ehem. Zisterzienserkloster: Das 1147 gegründete Zisterzienserkloster hat sich in der Stille des Salzachtals fast unverändert bis heute erhalten, obwohl es bereits 1530 säkularisiert wurde. Die Legende berichtet von einer Mönchgruppe, die an der Stelle, an der heute das Kloster steht, haltgemacht habe (um die Maultiere zu tränken) und dann für immer dageblieben sei. In der Brunnenkapelle ist diese Überlieferung in einem Gewölbefresko dargestellt. – Die Anlage spiegelt in ihrer architektonischen Konzeption jene Reform wider, die im 12. Jh. von den Zisterziensermönchen des elsässischen Neuburg ausgegangen ist und in Bernhard von Clairvaux ihren Führer besaß. Aller Prunk und Luxus wurden zugunsten der ursprünglichen Ideale des Mönchtums aufgegeben. Statt dessen waren die Mönche gehalten, mit architektonischen Mitteln zu neuen Lösungen zu kommen. – Entstanden ist eine abseitsgelegene Klosterstadt, die darauf ausgerichtet war, unabhängig von allen äußeren Hilfen auszukommen. Seit 1538 befindet sich hier eine ev. Klosterschule, die heute in der Form eines ev.-theologischen Seminars weitergeführt wird.

Die Klosterkirche, 1178 geweiht, besticht durch die ungewöhnliche Sorgfalt bei der Auswahl und Aufschichtung der Quader – ein Indiz für die Auffassung der Bauherren, die den Prunk vorausgegangener Jahrzehnte durch größere Vertiefung in die baukünstlerischen Probleme ersetzen wollten. Der Baustil ist im Grunde romanisch, geht aber in einigen Details schon über in die Formen der Gotik. – Im Inneren stehen das bemalte Netzgewölbe und

Brunnenkapelle, Maulbronn

das Prachtfenster im Chor im Widerspruch zur asketischen Gesamtauffassung (beides später hinzugefügt). Auch die *Ausstattung,* zum größten Teil aus dem 15. Jh., bildet einen Gegensatz zu den sonst strengen Formen. Ein steinerner Kruzifixus hängt im Laienaltar (1473). Das überreich geschnitzte *Chorgestühl* war um 1470 fertiggestellt. Bedeutende Werke aus der Werkstatt der Familie Parler* sind die figurenreichen *Reliefgruppen* einer Kreuzaufrichtung, Kreuzigung und Grablegung (südliche Kapellen). Die Gruppe ist um 1370 entstanden und gehört zu den herausragenden Kunstwerken in Maulbronn. – Unter den Klosterbauten soll hier der *Kreuzgang* mit seiner *Brunnenkapelle* hervorgehoben werden. Der kleine Raum liegt gegenüber dem früheren Speisesaal und hat in seiner Mitte einen Brunnen, an dem die Mönche vor dem Essen die vorgeschriebenen feierlichen Waschungen vollziehen mußten.

Mayen 5440
Rheinland-Pfalz S. 416 □ C 13

Kath. Pfarrkirche St. Clemens (Marktstraße): Die gotische Hallenkirche löste im 14. Jh. einen romanischen Vorgängerbau aus dem 12. Jh. ab. Vom ersten Bau ist der südliche der beiden Türme erhalten.

Genovevaburg: Pfalzgraf Siegfried und seine Gemahlin Genoveva von Brabant, die der Burg ihren Namen gegeben hat, sollen die Burg im 8. Jh. erbaut und hier gewohnt haben – so will es die Legende. Später wurde die Burg zu einem Teil der Stadtbefestigung und dabei mehrfach umgebaut (zuletzt im 18. Jh.). Heute befinden sich in der Burg die sehenswerten *Sammlungen des Eifelvereins.*

Außerdem sehenswert: *Ober-* und *Brückentor* sind Reste der einstmaligen Stadtbefestigung. Auch die Wehrtürme *Vogels-* und *Mühlenturm* haben die Angriffe im 2. Weltkrieg überstanden.

Schloß Bürresheim (5 km nordwestlich von Mayen): Auf einem Felsen über dem Zusammenfluß von Nettebach und Nitzbach entstand die Burg (heute im Besitz des Landes Rheinland-Pfalz), deren ursprünglicher Bau nur zu sehr geringen Teilen erhalten ist. Dagegen ist das *Schloß* (östlicher Teil des Komplexes), das in der Zeit vom 15. bis 17. Jh. gebaut wurde, gut erhalten (Innenräume des 15.–18. Jh., namentlich *Hexensaal, Marschallzimmer* und *Roter Saal* mit frühbarockem Kamin). Die Anlage darf als typisch für die Entwicklung vom ursprünglichen Wehrbau zum Wohnbau gelten.

Schloß Bürresheim, Mayen

Meersburg 7758
Baden-Württemberg S. 420 □ F 21

An einem Hang über dem Bodensee gelegen, hat Meersburg einen großen Teil seiner Ursprünglichkeit bewahrt. Viele schöne alte Häuser zeugen von der Tradition dieser Stadt. Hier hat die Dichterin Annette von Droste-Hülshoff, die von 1841 bis zu ihrem Tod im Jahr 1848 hier gelebt hat, einige ihrer besten Arbeiten verfaßt. Sie wohnte ab 1843 im hoch gelegenen *Fürstenhäusle* (heute Gedenkstätte), nachdem sie sich zuvor (1841) im Turm an der Ostseite des Schlosses eingerichtet hatte.

Altes Schloß: Einst als militärischer Stützpunkt von strategischer Bedeutung, ist das Schloß heute wegen seines romantischen Aussehens und der schönen Aussicht Anziehungspunkt für Touristen. In der Burg, deren Kern bis in die Zeit um 700 zurückreicht (wesentliche An- und Umbauten im 16. Jh.), befindet sich heute ein *Museum* mit historischem Inventar, Gemälde-, Plastik- und Möbelsammlungen.

Neues Schloß: Berühmte Architekten haben an dieser Barockresidenz, die von den Fürstbischöfen von Konstanz in Auftrag gegeben wurde, mitgewirkt. Die ersten Entwürfe lieferte F. Pozzi, ein Mitarbeiter von J. K. Bagnato*, die entscheidende Überarbeitung erfolgte

Herrenrefektorium, Kloster Maulbronn ▷

Meersburg, Altes Schloß

Grab Herzog Wolfgangs, Meisenheim

jedoch durch B. Neumann*. Der berühmte Baumeister des 18. Jh. wirkte zwar nur »aus der Ferne« mit, hat aber doch wichtige Akzente gesetzt. Im Treppenhaus und im Festsaal sind große Deckengemälde von G. Appiani erhalten. Sehenswert ist die *Schloßkapelle* mit dem Stuck von J. A. Feuchtmayer* und der Deckenbemalung von G. B. Goetz (1741).

Außerdem sehenswert: Schloßapotheke (gegenüber dem Neuen Schloß), Spital, Rathaus (mit dem schön gestalteten Ratssaal von 1582), Wohnbauten aus dem 16./18. Jh.

Meisenheim, Glan 6554

Rheinland-Pfalz S. 416 □ C 15

Ev. Schloßkirche (Ehem. Johanniterkirche): Die dreischiffige Hallenkirche aus den Jahren 1479–1504 (vermutlich schon vor 1000 gegründet) ist nicht nur in ihrer Architektur einer der schönsten spätgotischen Bauten in diesem Gebiet, sondern lohnt auch wegen der vortrefflichen Steinmetzarbeiten einen Besuch. In der Grabkapelle, die von einem sehr fein ausgearbeiteten Rippengewölbe überzogen ist, finden sich *Grabmäler* des Hauses Pfalz-Zweibrücken, die zu den besten Steinmetzarbeiten dieser Zeit gehören. An erster Stelle ist das Doppelgrab zu nennen, das Herzog Wolfgang von Pfalz-Zweibrücken und seiner Gemahlin gewidmet ist (1577 von J. v. Trarbach geschaffen). Zu den bedeutenden Werken deutscher Renaissance-Bildhauerkunst gehört das Denkmal für Herzog Karl I. von Birkenfeld (1601).

Außerdem sehenswert: Vom ehem. *Schloß* (um 1200 errichtet, im 15. Jh. neu aufgebaut) ist nur noch der Magdalenenbau erhalten (1614). Das spätgotische Rathaus ist mit 1517 datiert.

Meldorf 2223
Schleswig-Holstein S. 412 □ F 3

Ev. Kirche: Die Kirche, allgemein »Dom der Dithmarscher« genannt, ist eine dreischiffige Basilika aus den Jahren 1250–1300 (Vorgängerbau aus karolingischer Zeit). Im 15. Jh. kam die zweischiffige Halle hinzu, 1868–71 entstand der jetzige Turm. An der Nordseeküste zwischen Hamburg und Ripen ist dieser »Dom« der bedeutendste mittelalterliche Kirchenbau. Während die äußeren Formen noch deutlich die neuromanische Form zeigen, spiegelt sich im Inneren die staufische Gotik. Die roten Backsteinwände geben der Kirche ein ebenso eigentümliches wie prägnantes Gepräge. Eine besondere Wirkung geht von dem großen Kuppelgewölbe aus, das einen großen Teil des Hauptraums überspannt. Im Querhaus sind *Gewölbemalereien* (um 1300) erhalten, die Szenen aus der Heilsgeschichte, der Christophorus- sowie der Nikolaus- und Katharinenlegende darstellen. Bei der Ausstattung hervorzuheben sind die *Kanzel* von 1601/02, der *Schnitzaltar* (um 1520), Reste des spätgotischen *Chorgestühls*, im nördlichen Querschiff Reste eines *Barockaltars* (1695–98) und mehrere *Epitaphe*.

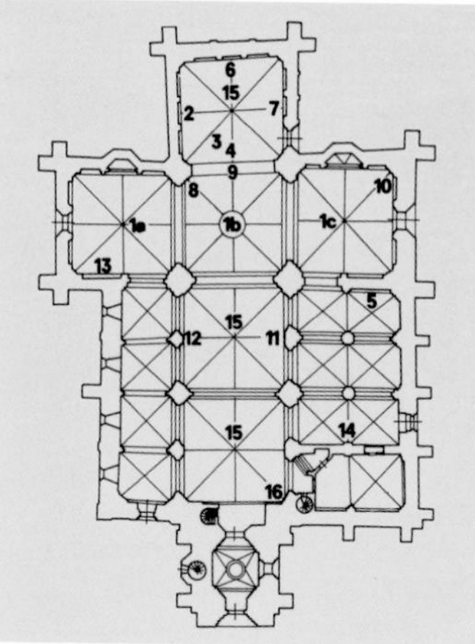

Kirche zu Meldorf **1** Gewölbemalereien im Querhaus, um 1300, 1890–94 restauriert a) Heilsgeschichte, sehr frei ergänzt b) Christophoruslegende c) Nikolaus- und Katharinenlegende **2** Chorgestühl, Reste, Mitte 15. Jh. **3** Messingtaufe, um 1300, Taufdeckel von 1688 **4** Kreuzgruppe, spätes 15. Jh. **5** Ehemalige Triumphgruppe, Ende 15. Jh. **6** Schnitzaltar, um 1520 **7** Dreisitz Boie, um 1570 **8** Kanzel, 1601–02 **9** Chorschranke von H. Peper, Schreiner T. Witt, 1603 **10** Epitaph Grevenstein, 1602 **11** Epitaph Steinhausen, 1602 **12** Epitaph Wasmer, 1605 **13** Barockaltar, Reste, 1695–98 **14** Marmorepitaph Klotz von Th. Quellinus, 1697 **15** Drei Kronleuchter, 17. Jh. **16** Johannes der Täufer, Mitte 15. Jh.

Häuser am Markt: An der südlichen Marktseite sind einige Kleinstadthäuser erhalten, die ein Bild vom Meldorf vergangener Jahrhunderte geben. Von ihnen sticht der Bau der Apotheke ab, die den Linien des Klassizismus folgt.

Museen: *Dithmarscher Landesmuseum* (Bütjestraße 4): Sammlungen zur Landesgeschichte, bäuerliche Wohnkultur, sakrale Kunst, Schiffahrt, Landschaftsgraphik. – Das *Dithmarscher Bauernhausmuseum* (Jungfernstieg 4 a) ist in einem niederdeutschen Bauernhaus aus dem 17./18. Jahrhundert als Außenstelle des Landesmuseums errichtet worden.

Chorgitter, Meldorf

Memmingen 8940

Bayern S. 422 □ H 20

In dem 1128 von Herzog Welf VI. gegründeten Memmingen erlebten Handel und Wirtschaft durch die günstige Lage am Kreuzungspunkt zweier großer Fernstraßen (Salzburg-Schweiz, Fernpaß-Ulm) schon früh eine Blütezeit. 1191 kam Memmingen in den Besitz der Staufer, wurde Ende des 13. Jh. Reichsstadt und ist heute Sitz einiger bedeutender Industrieunternehmen.

St.-Martins-Kirche (Martin-Luther-Platz): Die Chronik nennt zwar das 11. Jh. als Stiftungsjahr, erbaut wurde die Kirche jedoch erst im 15. Jh. Der Chor trägt die Jahreszahl 1499 und nennt M. Böblinger als Baumeister. Im Inneren finden sich unter prachtvollem Sterngewölbe das figurenreiche Chorgestühl der beiden Meister H. Stark und H. Dapratzhauser (1501–08) und die mit figürlicher Malerei bedeckten Pfeiler. Zu den besten Figuren im Chorgestühl zählt die des Kirchenpflegers Hans Holzschuher.

Frauenkirche (Frauenkirchplatz): Die im 15. Jh. erbaute Kirche ist wegen ihrer schönen *Fresken* berühmt. Sie wurden bei Restaurierungsarbeiten im Jahr 1891 wiederentdeckt und der Zeit um 1470 zugeordnet (Vervollständigungen wahrscheinlich im 16. Jh.). Dargestellt sind Propheten, Apostel, Engel und einige Kirchenväter sowie plastische Bauornamente. In den Leibungen der Chorbögen ist die Gruppe der klugen und törichten Jungfrauen dargestellt. Auch an fast allen anderen Wänden befinden sich gute Beispiele oberschwäbischer Malkunst im Zeitalter der Spätgotik.

Siebendächerhaus: Das Siebendächerhaus (1601) in Memmingen gehört unzweifelhaft zu den meistfotografierten Sehenswürdigkeiten in Bayern. Es hat sieben Dächer, die sich jeweils überlappen. Unterhalb der sich auf diese Weise ergebenden Vorsprünge hängten die Gerber, die dieses Haus für sich errichten ließen, die Felle zum Trocknen aus. Schäden, die 1945 bei einem Zusammensturz entstanden, wurden vollständig beseitigt.

Städtisches Museum (Zangmeisterstraße 8): In jenem Patrizierpalast, den

Siebendächerhaus, Memmingen

Rathaus ▷

RATHAUS

Freiherr von Hermann 1766 errichten und im Prunkstil des Rokoko einrichten ließ, ist das Städtische Museum mit Beiträgen zur Vor-, Früh- und Stadtgeschichte, Fayencen und Gemälden des 17.–19. Jh. untergebracht.

Außerdem sehenswert: Das *Rathaus* (Marktplatz), erbaut 1589, sehenswerte Fassade. – *Kinderlehrkirche* (Martin-Luther-Platz): Ehem. Kapelle des Antoniterklosters mit Fresken von B. Strigel, einem Mitglied der berühmten Memminger Künstlerfamilie. Sehenswerter spätgotischer Arkadenhof.

Bad Mergentheim 6990

Baden-Württemberg S. 420 □ G 16

Die Deutschordens-Hochmeister haben die Entwicklung der Stadt und die Entstehung wesentlicher Bauten entscheidend beeinflußt. Von 1527–1803 war Bad Mergentheim Residenz des Ordens. Die Regelmäßigkeit der Stadtanlage ist in ihren wesentlichen Teilen erhalten geblieben und läßt die beiden von Nord nach Süd und Ost nach West verlaufenden Achsen gut erkennen. Zu den bekanntesten Persönlichkeiten, deren Namen sich mit Bad Mergentheim verbinden, gehört Eduard Mörike, der hier Margarete von Speeth, die Tochter seines Hauswirts, heiratete. – Seine heutige Bedeutung als Heilbad verdankt Bad Mergentheim den 1826 entdeckten Heilquellen.

Schloß, Bad Mergentheim

Kath. Stadtpfarrkirche St. Johannes (Kirchstraße): Der schlichte, große Bau stammt in seinem Kern aus der Zeit um 1300. Die Wölbung erfolgte 1584, der Fürstenchor kam 1607 hinzu. Hervorzuheben ist das Marmorrelief, das als Grabmal für den Deutschordenskomtur Marquard von Eck im 17. Jh. errichtet wurde.

Ehem. Dominikanerkirche St. Maria (Hans-Heinrich-Erler-Platz): Die Kirche, deren Bau 1312 begonnen wurde und die 1388 vollendet war, hat durch einen Umbau im neugotischen Stil (1879) außerordentlich verloren. Von Interesse ist heute eigentlich nur noch das Bronzeepitaph für den Hochmeister Walther von Cronberg (gest. 1543). Als Meister dieses bedeutenden Kunstwerks wird H. Vischer aus Nürnberg vermutet. In der südlich angrenzenden Marienkapelle sind Fresken zu erwähnen, die im 14. Jh. entstanden sind und Themen aus der Dominikaner-Mystik zeigen.

Schloß: Die ehem. Wasserburg ist seit dem 13. Jh. im Besitz des Deutschen Ordens. Die Anlage in ihrer heutigen Form geht auf einen Um- und Erweiterungsbau in den Jahren 1565–70 zurück. Die verschiedenen Türme – der Eingangsturm aus dem Jahr 1626, Blaser- und Zwingerturm des Hauptgebäudes aus dem 16. Jh. und der Nordwestturm aus dem Jahr 1574 – bestimmen diesen sehr unterschiedlich gestalteten Komplex. Beachtenswert sind die feinen Spindeltreppen im nordwestlichen Turm, die zum größten Teil reich verziert sind. Über diese Treppen erreicht man den Saal im 2. Obergeschoß, den F. S. Bagnato* 1778–82 im Stil des Frühklassizismus ausgestattet hat. Im Schloß befindet sich heute das Heimatmuseum (siehe unten). – An der Entstehung der *Schloßkirche* (heute ev. Kirche) waren F. J. Roth, B. Neumann* und F. Cuvilliés* beteiligt (Neumann und Cuvilliés allerdings nur mit einigen Entwürfen). Aus der Innenausstattung sind die Fresken des Münchner Malers N. Stuber (1734) hervorzuheben. Eine Gruft birgt die Grabdenkmäler verschiedener Ordensfürsten.

Marktplatz mit Rathaus: Der Marktplatz, der von zahlreichen sehr schönen alten Wohnbauten umstanden ist, wird durch das Rathaus (1564) in einen oberen und einen unteren Teil unterteilt. Neben dem Rathaus sind die Engelapotheke und das Gasthaus »Straußen« hervorzuheben.

Deutschordens- und Heimatmuseum (im Schloß): Im westlichen Teil des Schlosses, der im Stil der Renaissance erbaut wurde, befindet sich in den früheren Wohnräumen des Hochmeisters das Museum. Neben den ausgestellten Sammlungen (u. a. Erinnerungsstücke an den Dichter Eduard Mörike) ist die Ausgestaltung der Ausstellungsräume durch F. Cuvilliés mit wertvollen Stuckarbeiten bemerkenswert.

Hochaltar, Pfarrkirche Merklingen

Merklingen, Alb 7901

Baden Württemberg S. 420 □ G 18

Ev. Pfarrkirche: Ältester Teil dieser Kirche in der kleinen Gemeinde des Alb-Donau-Kreises (1450 Einwohner) ist der Turm, der im 13. Jh. aufgerichtet wurde. Chor und Langhaus kamen im 15. Jh. hinzu, Oktogon und Haube waren 1798 vollendet. Künstlerischer Anziehungspunkt ist der Hochaltar, der auf das Jahr 1510 zurückgeht. Merkmale des ornamentalen Faltenstils, der seinen Höhepunkt während der Spätgotik in → Ulm hatte, sind unverkennbar. Im Mittelpunkt steht das schöne Relief einer Beweinungsgruppe. Für die Darstellung des Abschieds Christi von der Mutter diente die Arbeit Dürers als Vorbild (äußerer Teil der Flügelgemälde, innen Kreuztragung und Auferstehung).

Merzig 6640

Saarland S. 416 □ B 16

Ehem. Stiftskirche St. Peter (Propsteistraße): Die im 12. Jh. erbaute Kirche

Ehem. Stiftskirche, Merzig

wurde bis in das 19. Jh. hinein mehrfach umgebaut. Im östlichen Teil sind die Formen des spätromanischen Stils deutlich zu erkennen. Beherrschend ist der kräftige Westturm. – Das Innere wird von den Arkaden gekennzeichnet, die in ihrer starken Zuspitzung lothringischen Einfluß deutlich werden lassen. Aus der reichen Ausstattung sind der überlebensgroße *Kruzifixus* (um 1300) des Hochaltars und mehrere Figuren im Chor zu erwähnen. Die meisten dieser Figuren sind zur Zeit des Barock entstanden, einige wurden im 19. Jh. hinzugefügt.

Rathaus/Stadthaus (Poststraße 20): Das Haus wurde von 1647–50 ursprünglich als Jagdschloß für den Kurfürsten von Trier, Philipp von Soetern, errichtet, später jedoch mehrfach umgebaut. Im Zuge der tiefgreifenden Veränderungen wurden insbesondere auch die Freitreppe und das Hauptportal betroffen.

Mespelbrunn 8751

Bayern S. 416 □ F 15

Mespelbrunn ist der Geburtsort von Julius Echter (1545–1617), der später zum Fürstbischof von Würzburg aufstieg.

Wasserschloß Mespelbrunn: Das malerische Schloß entstand im 15. Jh. und wurde durch geschickte Ergänzungen und Renovierungen bis heute erhalten. Bestimmend für die Gesamtanlage ist der alles überragende Rundturm. Ihm zur Seite steht ein wesentlich kleinerer, ganz offensichtlich zu kurz geratener Turm, der eine verspielte Haube erhalten hat. Drei Flügel des Schlosses umstehen einen kleinen Hof. Von hier aus erreicht man den *Rittersaal,* der das Erdgeschoß beherrscht. Das Obergeschoß birgt im *Gobelinsaal* als besondere Kostbarkeit den großen Gobelin der Familie Echter (1564). Es schließen sich der *Ahnensaal,* der *Chinesische Salon* und einige weitere Räume mit interessanter Ausstattung an.

Meßkirch 7790

Baden-Württemberg S. 420 □ F 20

Stadtkirche St. Martin (Kirchstraße 3): Baumeister L. Reder aus Speyer errichtete 1526 die dreischiffige Basilika, deren ursprünglich spätgotische Formen bei einem Neubau durch F. A. Bagnato* frühklassizistisch ausgestaltet wurden (1770–82). Das späte Rokoko hat sich in den *Fresken* von A. Meinrad von Ow und den *Stukkaturen* von J. J. Schwarzmann erhalten. Aus der reichen Innenausstattung sind hervorzuheben: Die *Anbetung der Könige* (1538), geschaffen vom Meister von Meßkirch, früher als Mitteltafel des Hochaltars zu sehen, ist jetzt in einen Seitenaltar auf der Nordseite eingearbeitet worden. Neben diesem Bild gibt es einige weitere, kaum weniger kostbare. Das lebensgroße *Bronzeepitaph* für den Grafen Gottfried Werner von Zimmern hat der Nürnberger Meister P. Labenwolf geschaffen (1558). Ein noch größeres *Epitaph* erinnert an Wilhelm von Zimmern. Das 4 × 3 m große Mammutdenkmal wurde 1599 von W. Neidhart (Ulm) fertiggestellt. Hervorzuheben ist schließlich die *Johann-Nepomuk-Kapelle,* die von den Brüdern E. Q. und C. D. Asam* ausgestaltet wurde (1733–34).

Außerdem sehenswert: Die Mitte des 14. Jh. fertiggestellte *Liebfrauenkirche* (Mengener Straße 15) wurde 1576 durch J. Schwartzenberger* umgestaltet. Dabei erhielt sie auch ihre heutige Fassade und der Turm seine heutige Gliederung. – Das *Schloß* (Kirchstraße 7): Der Festsaal wurde von J. Schwartzenberger* (1557) geschaffen. Er erbaute mit diesem Saal einen Vorläufer des später von ihm gestalteten »Heiligenberger Rittersaals«. Die Anlage ist seit 1627 im Besitz der Fürsten zu Fürstenberg. Ein Teil des Festsaals wird heute als Gerichtssaal genutzt. – *Rathaus* (17. Jh.; Conradin-Kreutzer-Straße 1): Wappensteine der Meßkirchener Familien Henneberg und Zimmern.

Dreikönigsaltar, Meßkirch ▷

Metten 8354

Bayern S. 422 □ N 17

Benediktinerklosterkirche St. Michael: Anstelle eines mehrfach veränderten Vorgängerbaus wurde 1712 der heutige Bau begonnen. 1720 war das Langhaus mit seiner imposanten Vorhalle fertiggestellt. Man betritt die vierjochige Wandpfeileranlage durch ein Portal, das von den Figuren des hl. Joseph und des hl. Christophorus flankiert wird. In der prächtigen Vorhalle erinnern die Fresken (von J. A. Warathi aus Sterzing) an die legendenumwobene Klostergründung durch Karl den Großen. Im Langhaus ist die Begegnung Benedikts mit Totila und Christus dargestellt. Der *Hochaltar* (um 1720) enthält als Höhepunkt ein Gemälde von C. D. Asam* (»St. Michael stürzt Luzifer«). Im Regularchor, der von reich geschnitztem Gestühl umstellt ist, wird der berühmte *Uttostab* (13. Jh.) aufbewahrt. – Die *Klostergebäude,* die im Norden an die Klosterkirche angrenzen, entstanden im frühen 17. Jh. Im nördlichen Obergeschoß steht heute das *Hochgrab* für den seligen Utto, der das Kloster im 8. Jh. als Stiftung erhalten haben soll. Es wurde im 14. Jh. aus Granit gearbeitet und stand früher vor dem Hochaltar der Klosterkirche. Ein glanzvoller Höhepunkt bayerischen Barocks ist die *Klosterbibliothek,* die in den Jahren 1706–20 von F. J. Holzinger ausgestaltet wurde. Mächtige Gestalten tragen die Marmorgesimse und Gewölbe. Die farbenprächtigen Wandmalereien zeigen Themen aus Büchern, die in der Bibliothek aufbewahrt werden. Zwei *Festsäle* sind ähnlich üppig ausgestaltet. – Im *Binnenhof* der Klosteranlagen wurde im 18. Jh. ein Brunnen zu Ehren des Klostergründers Karls des Großen errichtet.

Mettlach 6642

Saarland S. 416 □ B 15

Ehem. Benediktinerabtei: Bei Grabungen wurden die Spuren von vier Vorgängerbauten und Beweise dafür gefunden, daß hier bereits um 700 eine kreuzförmige Anlage gestanden haben muß. Erhalten blieb der Alte Turm (um 1000), der vermutlich nach dem Vorbild der Pfalzkapelle zu → Aachen gestaltet wurde. Unter der großen Kuppel ist ein Kranz von Nischen gruppiert. – Die bedeutenden Teile der Innenausstattung werden heute in der kath. Pfarrkirche St. Liutwin aufbewahrt, so u. a. das berühmte *Kreuzreliquiar* in Triptychonform, das dem zu Trier ähnlich ist, um 1230. Die *Klostergebäude,* die ab 1728 von C. Kretschmar neu errichtet wurden und die an der Frontseite eine Länge von 112 m erreichen, dienen heute zum größten Teil als *Privatmuseum* für die bekannte Keramik-Fabrik Villeroy & Boch. – Am Eingang zum angrenzenden Park befindet sich ein *Brunnen,* der nach dem Entwurf des Architekten K. F. Schinkel* gearbeitet wurde.

Burgruine Montclair (2 km südlich von Mettlach): In zwei Anlagen auf steilem Felsen über der Saar. Reste der alten Burg gehen auf das Jahr 1000 zurück. Aus dem zweiten Neubau von 1428–39 stammt die heutige Ruine, verfallen mit dem 16. Jh.

Umgebung: *St. Gangolph* und *Pagodenburg* (westlich von Mettlach): Der achteckige Zentralbau wurde von C. Kretschmar 1745 errichtet. – *Ehem. Zehnthaus* (in Besseringen, südlich von Mettlach).

Michelstadt 6120

Hessen S. 416 □ F 15

Ev. Stadtkirche/Pfarrkirche St. Michael (Kirchenplatz): Alle wesentlichen Teile des Baus waren mit Ausnahme des hohen Turms an der Südseite des Chores wahrscheinlich im 15. Jh. bereits abgeschlossen, der Turm erst 1537. Höhepunkt der sehenswerten Ausstattung ist das *Doppelgrabmal* für

Marktplatz in Michelstadt ▷

Schenken-Doppelgrabmal, Michelstadt

die Schenken Philipp I. (gest. 1461) und Georg I. (gest. 1481). Es gilt als eine der bedeutendsten Leistungen der Bildhauerkunst des deutschen Mittelalters. Eine Reihe von Renaissancedenkmälern setzt die Tradition fort. Besondere Beachtung verdienen die erstklassigen *Alabasterarbeiten.* Zu den Meistern zählt u. a. der berühmte fränkische Bildhauer M. Kern. Im Turmobergeschoß befindet sich die berühmte, 1499 von dem in Michelstadt geborenen Freiburger Theologen N. Matz gestiftete *Kirchenbibliothek,* die eine große Zahl erstklassiger Handschriften und Inkunabeln aufweist.

Rathaus (Marktplatz): 1484 war das malerische Fachwerkhaus, das noch alle Züge der Gotik trägt, fertiggestellt. Über der offenen Ständerhalle im Erdgeschoß folgen zwei Fachwerkgeschosse, die von zwei Erkern begrenzt werden. Das extrem steile Walmdach hat einen Dachreiter, der zusammen mit den Türmen der beiden Erker ein charakteristisches Bild ergibt. – Am Marktplatz sind weitere bemerkenswerte *Fachwerkbauten* erhalten, von denen das Gasthaus *Zum Löwen* (1755) hervorgehoben werden soll. Der *Röhrenbrunnen* stammt aus dem Jahr 1575.

Schloß Fürstenau (1 km nordwestlich von Michelstadt): Ausgangspunkt für die verschiedenen Gebäude, die heute zum Schloßkomplex gehören, war das *Alte Schloß.* Es enthält einen Wehrbau aus dem 14. Jh. 4 Ecktürme sind die am besten erhaltenen Überreste. 1588 wurde das Wasserschloß zu einem schönen Renaissancebau umgestaltet. Neben diesem ältesten Teil gehören der Parkpavillon (1756), die Schloßmühle (Ende des 16. Jh.), der Schloßküchenbau (Ende des 16. Jh.) und das Neue Palais (1810) zu der sehenswerten Anlage. – *Einharts-Basilika:* → Steinbach.

Odenwaldmuseum (Braunstraße 7): Im Preußischen Hof, einem Gasthaus aus dem 16. Jh., befindet sich heute das Museum mit seinen seit 1913 aufgebauten und ergänzten Sammlungen.

Miltenberg 8760

Bayern S. 416 □ F 15

Marktplatz: Der ziemlich steil ansteigende Marktplatz wird oberhalb durch die Mildenburg begrenzt (siehe S. 506). Um den Marktplatz herum gruppieren sich erstklassig erhaltene *Fachwerkhäuser,* von denen das ehem. *Gasthaus zur Krone* an der Ostseite eine Sonderstellung einnimmt. Der *Brunnen* (1583) vollendet das stimmungsvolle Bild.

Hauptstraße: Die lange Hauptstraße steht ebenfalls im Zeichen zahlreicher alter Fachwerkhäuser. Besonders erwähnt sei hier das *Haus zum Riesen,* das bereits 1504 als Fürstenherberge

Marktplatz in Miltenberg ▷

diente und bis heute seine Funktion als Hotel und Restaurant behalten hat. – Das *Rathaus,* das zu Beginn des 15. Jh. zunächst als Mainzer Kaufhaus errichtet wurde und erst seit 1824 als Rathaus diente, wurde zwar im 18. und 19. Jh. nachteilig umgestaltet, gehört aber trotzdem zu den schönsten Fachwerkhäusern in Miltenberg.

Mildenburg: Die Mildenburg schließt den Marktplatz ab (siehe zuvor). Ein zusätzlicher Halsgraben sollte in kriegerischen Jahren zu dieser Seite hin Sicherheit geben, die drei übrigen Seiten fallen so stark ab, daß sie über den natürlichen Schutz hinaus kaum eine Befestigung brauchten. Ein Vorgängerbau aus Holz wurde im 14. Jh. durch den bis heute erhaltenen Bau ersetzt. In dieser Zeit entstand auch der Zwinger. Im Burghof befindet sich jener Monolith, über dessen Herkunft noch heute gerätselt wird. Er hat nadelförmige Gestalt und trägt die Inschrift »inter teitones«. Vermutungen gingen bis in die vorgeschichtliche Zeit zurück, wahrscheinlich ist er jedoch aus römischer Zeit erhalten.

Heimatmuseum (in der ehem. Amtskellerei): Die ehem. Amtskellerei (ebenfalls ein Fachwerkbau) stammt aus dem Jahr 1590 und dient seit 1903 als Museum.

Außerdem sehenswert: *Kath. Pfarrkirche St. Jakob* (Marktplatz): Im 18. und 19. Jh. umgestaltete Kirche mit wertvoller Innenausstattung. – *Laurentiuskapelle:* Außerhalb des Stadtgebiets gelegene Kapelle (15. bis 16. Jh.) mit Wandmalereien im Chor.

Umgebung: Abteikirche in → Amorbach (8 km südlich), Kloster Engelberg (5 km nordwestlich).

Mindelheim 8948

Bayern S. 422 □ I 20

Pfarrkirche St. Stephan (Kirchplatz): Der heutige Bau entstand zu Beginn des 18. Jh. und bezog den älteren Glokkenturm (Unterbau aus dem Beginn des 15. Jh.) in die Gesamtkonzeption ein. Die Ausstattung wurde 1933 durch Barock-Beiträge aus anderen Kirchen erweitert. In der Nordwand findet sich das wertvollste Teil der Innenausstattung, die *Grabplatte* für Herzog Ulrich von Teck (1432) und seine Gemahlin Ursula. Die Grabplatte für Anna von Teck, der ersten Frau Ulrichs, befindet sich in der südlichen Seitenkapelle.

Jesuitenkirche (Maximilianstraße): Der berühmte Ordensbaumeister J. Holl* hat die Kirche innerhalb von zwei Jahren 1625/26 fertiggestellt. Dabei konnte er allerdings Teile der zuvor hier stehenden Augustinerkirche übernehmen. Im Inneren ist der *Stuck* von großer Feinheit (im Gegensatz zu gotischen Akzenten im Äußeren, bereits vom Barock bestimmt). Das *Chorgestühl* ist aus der Zeit um 1625 erhalten, Altäre und Kanzel sind aus dem 18. Jh.

Liebfrauenkirche (Memminger Straße): Der heutige Bau war um 1455 fertiggestellt, erhielt jedoch nach einem Brand im 18. Jh. eine weitgehend neue Ausstattung. An der Südwand ist das spätgotische Schnitz-Relief eines unbekannten Meisters »Die Mindelheimer Sippe« aufgestellt (um 1510–20). Vor der Kirche steht ein sog. Fünfwundenbrunnen (1662).

Heimatmuseum (Hauberstraße 2): Schwerpunkte der Sammlungen sind Beiträge zur Stadtgeschichte, Volkskunst und Volkskunde, Krippen und Trachten.

Außerdem sehenswert: Teile des Mauergürtels aus dem 15. und 16. Jh. sind gut erhalten. – Die Mindelburg (südlich des Stadtgebiets) wurde um 1370 gegründet, jedoch oftmals verändert.

Minden, Westfalen 4950

Nordrhein-Westfalen S. 414 □ F 8

An der alten Weserfurt gründete Karl der Große um 800 einen der Bischofssitze im Sachsenlande. Er war Ausgangspunkt für die Entwicklung der Stadt, die heute am Wasserstraßenkreuz von Weser und Mittellandkanal mit 84 000 Einwohnern zu den wichtigsten Städten in Ostwestfalen zählt. Die schweren Zerstörungen aus dem 2. Weltkrieg sind weitgehend beseitigt worden, wobei viele alte Bauten getreu dem Original wieder errichtet worden sind.

Dom St. Peter und St. Gorgonius (Domhof): Kurze Zeit nach Gründung des Bischofssitzes wurde bereits mit dem Bau eines Doms begonnen, er wurde jedoch durch einen Neubau ab 915 ersetzt (Teile des kleinen Saalbaus wurden unter der Vierung des heutigen Doms bei Ausgrabungen entdeckt). Er war Ausgangspunkt für den bis heute erhaltenen Dom, der 952 geweiht, bei einem Brand im Jahre 1062 jedoch größtenteils vernichtet wurde. Das Westwerk erhielt im 12. Jh. seine heutige Form. Sie wird von dem hohen Glockenhaus bestimmt, das zu beiden Seiten von Treppentürmen flankiert ist. 1210 kam die spätromanische Ostpartie hinzu, 1290 war das Langhaus fertiggestellt, um 1340 waren die Bauarbeiten endgültig abgeschlossen. Im 2. Weltkrieg wurde der Dom zwar bei Bombenangriffen stark beschädigt, die Grundfesten trotzten jedoch den Bomben. – Wenn auch die Westseite des Doms besonders charakteristisch ist, so steht ihr doch das Langhaus mit seinen erstklassigen Maßwerkfenstern nicht nach. Arbeiten dieser Qualität und Erhaltung finden sich in Deutschland kaum noch. Die Ausstattung ging bei den Luftangriffen auf Minden zum Teil verloren und wurde durch die Arbeiten moderner Künstler unserer Zeit ersetzt. Bedeutendstes Stück aus der alten Ausstattung ist der *Bronzekruzifixus* am nordwestlichen Vierungspfeiler, eines der bedeutendsten Kunstwerke des 11. Jh. Hildesheimer Meister haben ihn in der Zeit um 1070–80 geschaffen. Der *Apostelfries,* der ursprünglich den Lettner schmückte (1250–70), ist jetzt an der Südwand des Querschiffs zu sehen. Der *Hochaltar* enthält heute eine Altartafel von G. van Loen (Ende 15. Jh.), die nach dem Krieg erworben und nachträglich eingesetzt wurde. Die moderne *Kanzel* haben W. March und Z. Szekessy geschaffen, der moderne Taufstein ist eine Arbeit von G. Leo-Stellbrink. –

Reliquienschrein des hl. Petrus, Domschatz in Minden

Im Nordturm wird der *Domschatz* aufbewahrt. Zu den bedeutendsten Stükken gehört der Reliquienschrein des hl. Petrus (um 1070). Ältestes Werk ist ein Elfenbein-Buchdeckel, auf dem die Himmelfahrt Jesu dargestellt ist (9. Jh.)

Ev. Martinikirche (Martinikirchhof): Die 1025 gegründete Kirche wurde mehrmals umgestaltet und erhielt bei einer Neugestaltung im 14. Jh. ihr heutiges Aussehen. Zur Ausstattung gehören u. a. eine *Bronzetaufe* (1583), das spätgotische, reich geschnitzte *Chorgestühl* (um 1500) und die *Kanzel* in Formen der Spätrenaissance. Das *Bulläus-Epitaph* (1615) hat der Osnabrücker Meister A. Stenelt geschaffen.

Weitere sehenswerte Kirchen: *Simeonskirche* (Simeonstraße): Kirche aus dem 13. Jh. mit romanischem Giebelrelief an der Nordseite (Hand Gottes zwischen Sternen). – *Mauritiuskirche* (Ritterstraße): Die 1474 errichtete Kirche wurde nach ihrer Profanierung im 19. Jh. 1946 wiederhergestellt. – *Ev. Marienkirche* (Marienkirchplatz): Durch Erweiterungen erhielt die Kirche aus dem 12. Jh. erst im 14. Jh. die heutige Form. Bemerkenswert sind die erstklassigen *Renaissance-Arbeiten,* so z. B. Taufe (1598) und einige Epitaphe.

Dom, Minden

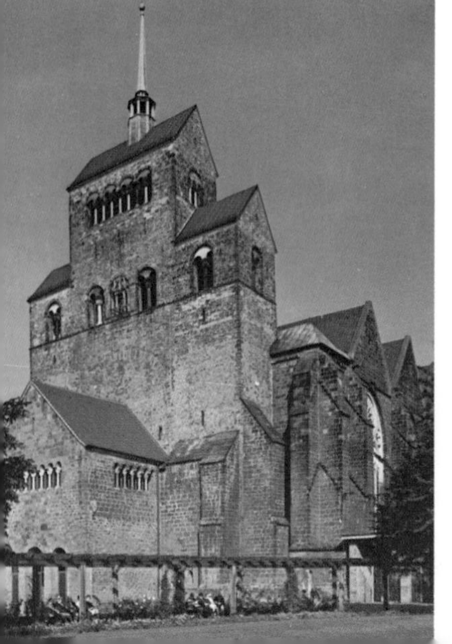

Rathaus (Markt): Das Erdgeschoß des Mindener Rathauses stammt aus dem 13. Jh. und zeigt deutlich erkennbare Zusammenhänge mit dem Langhaus des Doms. Es gehört zu den ältesten erhaltenen Rathausbauten in Deutschland. Der Laubengang ist in vier Jochen gewölbt und zeigt schöne Spitzbögen. Das Obergeschoß, das im 17. Jh. aufgesetzt (und im 2. Weltkrieg zerstört) wurde, ist neu errichtet.

Wohnbauten: Insbesondere zwei Häuser verdienen unter den vielen alten Häusern der Stadt Beachtung, das Haus in der Bäckerstraße 45, *Haus Hill,* und das Haus im Scharn, *Haus Hagemeyer.* Sie gehören zu den schönsten Renaissance-Wohnbauten in Deutschland und sind gegen Ende des 16. Jh. entstanden.

Museen: Das Mindener Museum (Ritterstraße 23–27) ist in einem Patrizierhaus des 17. Jh. untergebracht. Gezeigt werden Sammlungen zur Ur- und Frühgeschichte, zur Entwicklung der Stadt und zur Weserrenaissance.

Theater: Das Mindener Stadttheater (Tonhallenstraße 3), 1908 eröffnet, konzentriert sich auf Gastspiele.

Umgebung: Porta Westfalica (7 km südlich), → Detmold.

Mittenwald 8102

Bayern S. 422 □ K 21

Mittenwald, heute bedeutender Kur- und Wintersportort, gewann wegen seiner verkehrsgünstigen Lage an der Rottstraße (die Inn- und Isartal verbindet) schon früh an Bedeutung. Das Bild der Stadt ist geprägt durch die Bemalung vieler Bauten. Zu den renommierten Künstlern gehören M. Günther*, der sich der Pfarrkirche angenommen hat, der einheimische F. Karner und der Oberammergauer Lüftlmaler F.

Zwinck. – Berühmtester Sohn der Stadt ist der Geigenbauer Matthias Klotz (1653–1743), der wahrscheinlich bei N. Amati in Cremona in die Lehre gegangen war und die Stadt zum Zentrum deutscher Geigenbaukunst gemacht hat. An ihn erinnert u. a. ein Denkmal neben der Pfarrkirche.

Pfarrkirche St. Peter und Paul (Matthias-Klotz-Straße 2): Der berühmte J. Schmuzer* aus Wessobrunn hat sich hier als erfolgreicher Baumeister erwiesen. Unter seiner Ägide entstand in den Jahren 1738–40 die heutige Anlage (unter Einbeziehung des spätgotischen Chorbaus). Der Turm, den M. Günther bemalt hat, war 1746 vollendet. Einzigartig die *Ausstattung,* die Schmuzer nicht nur konzipiert, sondern zum größten Teil selbst geschaffen hat. Gitter- und Bandwerk, beides von Ranken und Blüten durchzogen und besetzt, zählen zu den Spitzenleistungen deutscher Stukkateure. Die Dekken- und das Hochaltargemälde hat ebenfalls M. Günther geschaffen (1740).

Geigenbau- und Heimatmuseum (Ballenhausgasse 5): Dieses in seiner Art einzigartige Museum ist vorrangig dem Geigenbau in Mittenwald gewidmet. Eine Musikinstrumentensammlung sowie Beiträge zur bäuerlichen Wohnkultur sind angeschlossen.

Moers 4130

Nordrhein-Westfalen S. 416 □ B 10

Zu den bekanntesten Persönlichkeiten, deren Namen mit der Stadt in Verbindung stehen, gehört der Kirchenliederdichter Gerhard Tersteegen (1697–1769); »Ich bete an die Macht der Liebe«).

Schloß: Die Ursprünge der heutigen Anlage lassen sich bis ins 12. Jh. zurückverfolgen, Umbauten und Ergänzungen im 15. und 16. Jh. haben den Bau jedoch wesentlich beeinflußt. Heute befindet sich im Schloß das Grafschafter *Heimatmuseum* mit Beiträgen zur Orts- und Religionsgeschichte.

Schloßtheater (Kastell 6): Das Ensemble des Schloßtheaters bespielt das 1975 eröffnete Kammertheater (150 Plätze), das Studio (80 Plätze) und die Freilichtbühne im Schloßhof.

Möhnesee 4773

Nordrhein-Westfalen S. 416 □ D 10

Zu der neu gebildeten Großgemeinde gehören die ehemals selbständigen Orte Delecke, Günne, Körbecke und Wamel. Sehenswert ist die Kapelle in Drüggelte.

Mölln 2410

Schleswig-Holstein S. 414 □ I 4

Till Eulenspiegel ist zu einem Aushängeschild der kleinen Stadt (15 700 Einwohner) im Herzogtum Lauenburg geworden. Er soll hier 1350 im Hl.-Geist-Hospital an der Pest gestorben sein. An ihn erinnert eine Grabplatte an der Außenwand von St. Nikolai (siehe unten), die ihn in der bekannten Narrentracht, mit Eule und Spiegel zeigt (um 1530). Auf dem Marktplatz ist der Brunnen nach Eulenspiegel benannt. Im *Heimatmuseum* (Am Markt 2) erinnern zahlreiche Dokumente an das Leben des mittelalterlichen Schelms. Gelegentlich finden Eulenspiegel-Festspiele statt.

St.-Nikolai-Kirche (Am Markt): Die verhältnismäßig lange Bauzeit (13. bis zum 15. Jh.) läßt ein gelegentliches Abweichen vom ursprünglichen Baustil erkennen. Die Ausstattung ist ungewöhnlich reichhaltig, sie geht jedoch nicht gänzlich auf die Entstehungszeit zurück. Zahlreiche Teile stammen aus dem 1554 geplünderten und dann niedergebrannten Kloster Marienwohlde. Wichtigste Teile der *Ausstattung:* Bronzetaufe von P. Wulf (1509), siebenarmiger Leuchter (1436), Triumphkreuz (1504 oder 1507), Kanzel (1743). Herausragend ist die von J. Scherer 1558 gebaute Orgel, deren barocker Klangkörper weitgehend erhalten geblieben ist. Bürgermeister und Ratsherren hatten eigene Stühle, die prächtige Schnitzereien zeigen.

Markt: Unter den zahlreichen Fachwerkhäusern, die teilweise noch aus dem 14. Jh. stammen, sind rund um den Markt besonders schöne Gruppierungen erhalten. Das Rathaus (Ostgiebel von 1373) ist ein gotischer Ziegelbau, der später erweitert wurde.

Umgebung: → Ratzeburg mit dem Ratzeburger See (10 km).

Mönchengladbach 4050

Nordrhein-Westfalen S. 416 □ A 11

Münsterkirche/Klosterkirche St. Vitus (Münsterplatz): Der heutige Bau war (nach mehreren Vorgängerbauten) 1275 endgültig fertiggestellt und ist nach den Zerstörungen im 2. Weltkrieg wiedererrichtet worden. In ihrer Gesamtanlage entspricht die Kirche der spätromanischen, dreischiffigen Gewölbebasilika. In Anlehnung an den Dom in → Köln ist der Chor der Münsterkirche gotisch. Schlichte Arkaden charakterisieren das Innere des Baus. Unterhalb des Chors befindet sich die ungewöhnlich große *Hallenkrypta,* die in ihrem Hauptteil 3 Schiffe und 5 Joche aufweist. Zu zwei Seiten schließen sich quadratische Räume an. Zu den wichtigsten Teilen der Ausstattung gehören die *Glasmalereien* des sog. Bibelfensters im mittleren Chorfenster, in tiefleuchtendem Grün aus dem Ende des 13. Jh. Sie knüpfen an die Tradition französischer Glasmalerei an. Dargestellt sind Szenen aus dem Alten und Neuen Testament. Der *romanische Taufstein,* der jetzt im südlichen Anbau steht, geht zurück auf das 12. Jh. Zum Kirchenschatz gehört ein *romanischer Tragaltar,* der um 1160 im Raum Köln entstanden sein dürfte. – Die ehem. Abteigebäude (1663–1705) wurden 1835 zum *Rathaus* umgestaltet.

Städtisches Museum (Bismarckstraße 97): Sammelgebiete sind Vor- und Frühgeschichte, Kunstgewerbe, Gewebesammlung, Kunst des 20. Jh.

Theater: Das Mönchengladbacher Stadttheater ist mit dem Stadttheater Krefeld verbunden.

Außerdem sehenswert: Kloster und Kirche *Neuwerk* (nördlich des inneren Stadtgebietes): Die Tuffsteinkirche im spätgotischen Stil war in der heutigen Form 1533 fertiggestellt, wobei der ursprüngliche Bau (1130–70) stark beeinträchtigt wurde. – Der Stadtteil *JHQ* (im Westen der Stadt) ist zu Beginn der 50er Jahre neu entstanden und ist Sitz der NATO-Armeegruppe Nord und d. 2. Alliiert. Takt. Luftflotte sowie Hauptquartier der britischen Streitkräfte in Deutschland. Die für jedermann offene Militärsiedlung, die mit eigener Kirche, eigenen Schulen, Clubs und Kaufhäusern völlig autark ist, darf als Beispiel zweckgebundener Stadtarchitektur gelten. – Das *Schloß Rheydt* (im Südosten) war in seiner heutigen Form 1501 fertiggestellt. Es entspricht in seinen Grundzügen der Renaissance, wurde jedoch im Laufe verschiedener Überarbeitungen und durch Zerstörungen im 30jährigen Krieg in Mitleidenschaft gezogen. – *Schloß Wickrath* (im Ortsteil Wickrath) ist im 18. Jh. von J. J. Couven* gebaut worden. Heute ist in dem großzügigen Komplex mit seinen angrenzenden Ländereien das Rheinische Landesgestüt untergebracht. – *Kaiser-Friedrich-Halle* (an der Hohenzollernstraße): Die 1900 fertiggestellte Jugendstilhalle wurde nach einem Brand im Jahr 1964 als Konzert- und Kongreßhalle neu gestaltet.

Montabaur 5430

Rheinland-Pfalz S. 416 □ D13

Kath. Pfarrkirche St. Peter (Kirchstraße): Die Kirche stammt mit den wichtigsten, noch heute erhaltenen Teilen aus dem 14. Jh. Sie entspricht dem Typ der Stufenhalle mit Emporen (das Licht fällt durch die Seitenschiffe ein). Hervorzuheben sind die Wandmalereien. Das große Fresko am Vierungsbogen über dem Langhaus stellt das Jüngste Gericht dar.

Schloß: Das Schloß, das in der Zeit vom 13. bis zum 17. Jh. entstanden ist, befindet sich heute in Privatbesitz. Um einen quadratischen Hof erstreckt sich der vierflügelige Bau, wobei vier Rundtürme zum Charakteristikum werden. Die Türme sind mit glockenförmigen Hauben geschmückt.

Großer Markt: Das gut erhaltene Stadtbild ist am wirkungsvollsten in den Häusergruppen, die den Großen Markt umstehen (außerdem Kirchstraße, Vorderer und Hinterer Rebstock).

Moosburg 8052

Bayern S. 422 □ L18

Ehem. Stiftskirche St. Kastulus (Auf dem Plan): Nach einem Brand im Jahre 1207 wurde die Kirche im erweiterten

Ehemalige Stiftskirche St. Kastulus in Moosburg

Katholische Pfarrkirche St. Peter, Montabaur, mit Fresko am Vierungsbogen

Umfang neu errichtet. Der Turm und das reich geschmückte Portal waren bei der Weihe 1212 als Neubauten hinzugekommen. Der aus Tuffstein und Ziegel errichtete Bau ist vor allem wegen seiner wertvollen Ausstattung bedeutsam. An deren Spitze steht der Hochaltar (1514 von H. Leinberger*), der 14,40 m hoch ist und bei einer Breite von 4,29 m ein ungewöhnliches Ausmaß erreicht. In der Predella befinden sich die Reliquien des Namenspatrons. In dem dreigeteilten Schrein sind die Gottesmutter sowie St. Kastulus und Kaiser Heinrich II., Stifter der Kirche, zu sehen. Unter Baldachinen sind die Figuren der beiden Johannes zu erkennen. Das große *Epitaph* aus rotem Marmor, das Propst Theodorich Mair gewidmet ist (an der südlichen Chorwand), wurde vermutlich ebenfalls von H. Leinberger beeinflußt. Auch das große Kreuz an der Westwand stammt von Leinberger, ebenso wie das Epitaph des Kanonikus Mornauer und der Christus in der Rast (am südlichen Fenster des Chorbogens). Zu erwähnen ist das reich verzierte *Chorgestühl* (um 1480). Auch die im Süden angrenzende *Ursulakapelle* und die verschiedenen Grabdenkmäler sind sehenswert.

St.-Johannes-Kirche (Stadtplatz): Die Kirche, die sich in unmittelbarer Nachbarschaft von St. Kastulus befindet, wurde ab 1347 errichtet und ist an dem hohen Turm leicht zu erkennen. Die Ausstattung wurde an St. Kastulus überführt.

Umgebung: *Schloß Isareck* (am Westufer der Isar): Das 1570 fertiggestellte Schloß (Brand- und Abbruchschäden) befindet sich heute in Privatbesitz. – Die kleine *St.-Georgs-Kapelle* in Gelbersdorf (nördlich von Moosburg) birgt einen bemerkenswerten Hochaltar aus dem 15. Jh.

Moselkern 5401

Rheinland-Pfalz S. 416 □ C14

Burg Eltz: 184 m oberhalb des Weinortes Moselkern liegt die Burg Eltz, die

Burg Eltz ▷

Burg Eltz **1** Äußerer Torbau **2** Talpforte **3** Zwinger **4** Inneres Burgtor **5** Innenhof **6** Rübenacher Haus **7** Terrasse **8** Platteltz **9** Amtmannsgärtchen, sog. »Alte Burg« **10** Kempenicher Häuser **11** Rodendorfer Häuser **12** Kapellenbau **13** Remisenbau **14** Goldschmiedehaus **15** Handwerkerhäuschen

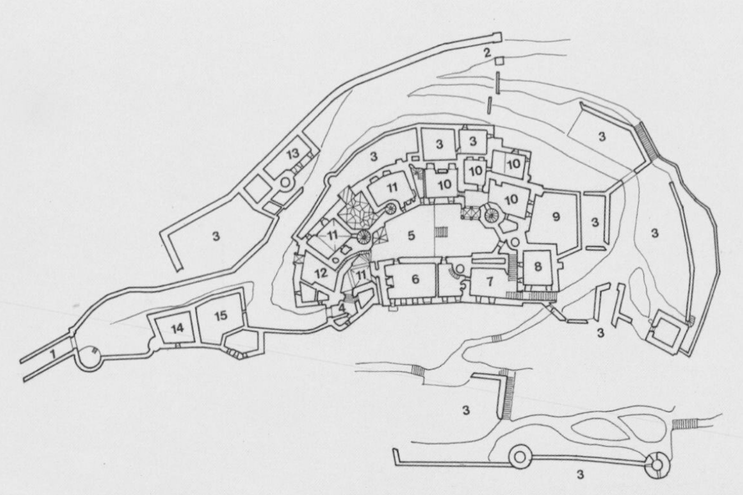

nach einer Meinungsumfrage zu den zehn sehenswertesten Reisezielen in Deutschland gehört und nur nach eineinviertelstündigem Fußmarsch zu erreichen ist. Die Geschichte der Burg (noch heute in Familienbesitz) läßt sich bis in das Jahr 1157 zurückverfolgen. Ihre heutige Form erhielt die Anlage bis zum Ende des 16. Jh. Schäden, die ein Brand im Jahr 1920 angerichtet hat, wurden beseitigt. Ihren architektonischen Höhepunkt hat die Burg in ihrem inneren Burghof, der die Vielfalt der Gebäude am deutlichsten werden läßt. Im Inneren ist in fast allen Räumen das historische Inventar erhalten.

Ruine Trutz-Eltz: Nördlich von Burg Eltz, in etwa 15 Minuten zu Fuß zu erreichen, liegt die Ruine der einstigen Burg Trutz-Eltz. Sie entstand in der ersten Hälfte des 14. Jh. und wurde von Erzbischof Balduin von Trier als Trutzburg für die Auseinandersetzung mit dem Geschlecht derer von Eltz errichtet.

München 8000

Bayern 422 □ L19

München, Hauptstadt von Bayern, mit 1,36 Millionen Einwohnern nach Berlin und Hamburg die drittgrößte Stadt der Bundesrepublik, ist Sitz der Landesregierung und des Regierungsbezirks Oberbayern, Sitz des Erzbischofs von München-Freising, Universitätsstadt und Stadt zahlreicher Hochschulen. Gleichzeitig ist München aber auch wirtschaftliches und kulturelles Zentrum in Süddeutschland und darüber hinaus eine der international bedeutendsten Städte in Deutschland und Europa. – Die Geschichte der Stadt begann im 12. Jh. Nach der Zerstörung des bischöflich-freisingischen Marktortes Föhring (Salzstraße und Isarbrücke bei Oberföhring) verlegte Herzog Heinrich der Löwe von Bayern und Sachsen im Jahre 1158 den Markt nach Munichen (= zu den Mönchen) und gab der Siedlung Zoll- und Münzrechte. Um 1214 erhielt München die Stadtrechte. 1255 wurde die Stadt Regierungssitz der Wittelsbacher (bis 1918), die schon seit 1180 als Herzöge von Bayern residierten. Der schnelle Aufstieg Münchens zu einer der bedeutendsten Städte im deutschen Mittelalter ging vor allem auf den umfangreichen Salz-, Tuch- und Weinhandel zurück. Später kamen die Lodenproduktion sowie Gold- und Waffenschmieden als bedeutende Wirtschaftsfaktoren hinzu. Zu einem Zentrum europäischer Kunst und Wissenschaft wurde München unter Herzog Wilhelm IV. (16. Jh.) und unter Ludwig I., Maximilian II. und Ludwig II. (alle im 19. Jh.). Zentrum der Wissenschaften wurde die Stadt durch die Verlegung der Universität von Landshut an die Isar (1800–02).

Historische Persönlichkeiten: München ist in allen Bereichen der Politik, der Kunst und der Wissenschaften mit den Namen vieler bekannter Persönlichkeiten eng verbunden. In der folgenden Übersicht können nur die wichtigsten genannt werden:
Geisteswissenschaften: Reichsgraf Sir Benjamin Thompson Graf von Rumford (1753–1814) lebte von 1784–99 als bayerischer Staatsrat in München, legte den Englischen Garten an und führte die Kartoffel in Bayern ein. Maximilian Joseph Graf von Montgelas (1759–1838) setzte sich als Staatsmann der Aufklärung für ein Bündnis mit dem napoleonischen Frankreich ein. Der Philosoph Friedrich Wilhelm Jos. von Schelling (1775–1854) war von 1826–40 Professor in München. Joseph von Görres (1776–1848), bedeutender kath. Schriftsteller (siehe → Koblenz), war ab 1827 Professor in München. Friedrich Wilhelm Thiersch (1784–1860) hatte als Altphilologe Verdienste um die Wiederbelebung humanistischer Studien. Johann Andreas Schmeller (1785–1852), der Begründer der deutschen Mundartforschung, war ab 1828 Professor in München. Georg Freiherr von Hertling (1843–1919), der kath. Philosoph, war

Panorama mit Frauenkirche ▷

1912–17 bayerischer Ministerpräsident und 1917/18 Reichskanzler. Adolf Furtwängler (1853–1907), Archäologe und Erforscher der frühen griechischen Kunst, lebte hier. Georg Kerschensteiner (1854–1932) war ab 1911 Professor in München, er gilt als Begründer der Gewerbeschulen.

Naturwissenschaften: Georg Simon Ohm (1787–1854) war ab 1849 Professor in München und entdeckte das nach ihm benannte Gesetz des elektrischen Widerstands. Joseph von Fraunhofer (1787–1826) begründete mit seiner optischen Anstalt (1819 nach München verlegt) den Weltruf der deutschen optischen Industrie. Justus von Liebig (1803–73), der ab 1852 Professor in München war, führte die künstliche Düngung ein. Max von Pettenkofer (1818–1901), 1847–94 Professor in München, gilt als Begründer der wissenschaftlichen Hygiene. Wilhelm Conrad Röntgen (1845–1923), 1900–20 Professor in München, Entdecker der nach ihm benannten Strahlen. Ferdinand Sauerbruch (1875–1951), 1918–27 Professor in München, ist der Begründer der Lungenchirurgie.

Dichter und Schriftsteller: Emanuel Geibel (1815–84), 1852–65 Professor der Ästhetik in München, war die Zentralfigur des klassizistischen Münchner Dichterkreises. Henrik Ibsen (1828–1906), norwegischer Dichter und Begründer des realistisch-psychologischen Dramas, lebte von 1877 bis 1891 in München. Paul von Heyse (1830–1914), der Meister der Novelle, lebte ab 1854 in München und gehörte zum (klassizistischen) Münchner Dichterkreis. Frank Wedekind (1864–1918), humoristisch-satirischer Schriftsteller und Mitarbeiter an den Zeitschriften »Jugend« und »Simplizissimus«, lebte überwiegend in München. Der Nobelpreisträger Thomas Mann (1875 bis 1955) lebte von 1893–1933 in München. Die Romanautorin Annette Kolb (1870–1967) lebte mit Ausnahme der Emigration (1933–39 in München. Joachim Ringelnatz (1883–1934), Autor skurriler Lyrik und Bänkelsänger, war von 1909–14 Mitglied des Münchner Kabaretts »Simplicissimus«. Lion Feuchtwanger (1884–1958), Autor biographischer Romane und bedeutender Dramen, und Oskar Maria Graf (1894–1967), Autor bayerischer Dorfgeschichten, lebten bis zu ihrer Emigration 1933 in München.

Die Komponisten: Richard Wagner (1813–83), der von 1864–65 in München lebte, wurde von Ludwig II. gefördert. Der Opernkomponist Richard Strauss (1864–1949) war 1886–89 und 1895–98 Kapellmeister in München. Max Reger (1873 bis 1916) lebte 1901–07 in München, schuf in der Nachfolge von Brahms den Übergang zur modernen Musik.

Maler: Cosmas Damian (1686–1739) und Egid Quirin (1692–1750) Asam* schufen die → Asamkirche in München. Josef Stieler (1781–1858), der bedeutende Bildnismaler der Romantik, schuf die Schönheitsgalerie für Ludwig I. Außerdem: Moritz von Schwind (1804–71), Carl Spitzweg (1808–85) sowie Arnold Böcklin (1827–1901), Franz von Lenbach (1836–1904), Hugo Freiherr von Habermann (1849–1929), der bekannteste Vertreter des Münchner Impressionismus, Wassily Kandinsky (1866–1944), der Begründer des Expressionismus, Olaf Gulbransson (1873–1958; Mitarbeit am »Simplizissimus«), Albert Weisgerber (1878–1915), Paul Klee (1879–1940), einer der bedeutendsten Vertreter des Expressionismus, August Macke (1887–1914) sowie Franz Marc (1880–1916), der 1911 gemeinsam mit Kandinsky die Künstlergemeinschaft »Blauer Reiter« begründete.

KIRCHLICHE BAUTEN

Franziskanerklosterkirche St. Anna im Lehel (St.-Anna-Straße): Die Kirche, von J. M. Fischer* errichtet und 1737 geweiht, wurde nach den Zerstörungen im 2. Weltkrieg wieder in ihrem ursprünglichen Zustand (im 19. Jh. waren Veränderungen vorgenommen worden) errichtet. Nicht zu ersetzen waren die Verluste im Bereich der Ausstat-

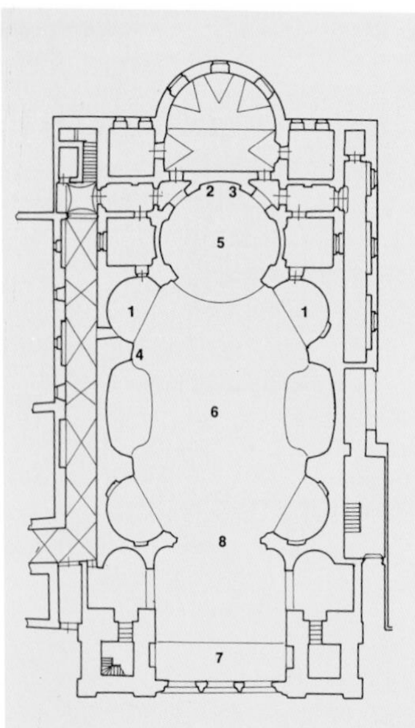

München, Klosterkirche St. Anna im Lehel 1 Seitenaltäre mit Gemälden von Cosmas Damian Asam 2 Hochaltarbild, Rekonstruktion des Bildes von C. D. Asam durch Karl Manninger, 1975 3 Tabernakel von Johann Baptist Straub, 1737 4 Kanzel von J. B. Straub 5 Hochaltarfresko, Rekonstruktion der Malerei von C. D. Asam durch Karl Manninger, 1967 6 Großes Mittelfresko, Rekonstruktion von Karl Manninger, 1972 7 Orgelfresko, Rekonstruktion von Karl Manninger, 1976 8 Schmiedeeisernes Gitter, Rokoko

tung (Stukkierungen und die Malerei). Die *Deckengemälde* von C. D. Asam* wurden 1971/72 rekonstruiert. Zum Teil erhalten blieben die von den Gebrüdern Asam geschaffenen *Altäre* sowie die *Kanzel* von J. B. Straub*. Die herkömmliche Kirchenarchitektur, die zwischen Zentral- und Langbau unterscheidet, ist hier zugunsten einer Mischung aus beiden Bauformen aufgegeben worden. Ein Muldengewölbe überspannt den ganzen Raum. Der kreisrunde Chor fügt sich nach Westen an. – Der Franziskanerklosterkirche direkt gegenüber liegt die *St.-Anna-Kirche,* die 1887–92 im neuromanischen Stil von G. v. Seidl errichtet wurde. Ziel war es, ein Kunstwerk in einheitlichem Stil zu schaffen. Die Kirche ist ein gutes Beispiel für den Drang des Großbürgertums nach Repräsentation.

Kath. Kirche St. Johann Nepomuk/ Asamkirche (Sendlinger Straße): Die Kirche (1733–46 erbaut) ist ein Beweis dafür, mit welcher Leidenschaft die Brüder Egid Quirin und Cosmas Damian Asam* die Aufgabe der künstlerischen Ausstattung von Kirchen verfolgt haben. Aus eigenen Mitteln erwarb Egid drei Grundstücke und errichtete mit seinem Bruder, wieder aus eigenen Mitteln, die Kirche St. Johann Nepomuk. Den Asams kam es darauf an, unbeeinflußt von den Wünschen der Bauherren die eigene Auffassung von der Anlage und künstlerischen Gestaltung einer Kirche durchzusetzen. Der Bau ist das letzte große Werk Egids, der hier die ausgereiften Formen des Barock in das Rokoko überfließen läßt. – Die *Fassade,* die auf eigenwillige Weise die Häuserzeile der 500 m langen, viel befahrenen Sendlinger Straße durchbricht, wird von riesigen Pilastern eingerahmt. In ihren Kapitellen sind die Porträtmedaillons des Papstes und des Freisinger Bischofs zu erkennen. Der Giebel wird vom großen runden Oberlichtfenster bestimmt. Über dem Fenster sind die Symbole der drei geistlichen Tugenden zu erkennen. Das *Portal* ist als Säulenportikus gestaltet und wird von einer Statue des hl. Nepomuk bekrönt. – Das Innere der Kirche wird durch die bescheidenen Maße des Grundrisses (28,2 × 8,8 m) und die eigenartigen Lichtverhältnisse bestimmt. Formen, Farben und Licht – so wollten es die Brüder Asam – spielen hier in bester Weise zusammen. Die Wände sind von rotem *Stuckmarmor* bedeckt. An der Schmalseite ist der mächtige *Hochaltar* aufgerichtet. Er wird von vier gewundenen Säulen eingeschlossen. Der unterste Teil des Altars zeigt den gläsernen *Sarkophag* mit der Wachsfigur des hl. Nepomuk. Rechts und links vom Altar sind die Porträtmedaillons der beiden Bauherren zu erkennen. Sie sind in Grisailletechnik dargestellt.

Ehem. Augustinerklosterkirche (Neuhauser Straße 53): Der Bau wurde in den Jahren 1291–94 errichtet und blieb in seinem Kern bis heute erhalten. Nach Erweiterungen im 14. und 15. Jh. erfolgte 1618–21 ein durchgreifender Umbau und bald darauf die zweckentfremdende Nutzung zunächst als *Mauthalle,* später als *Polizeipräsidium* und schließlich als *Deutsches Jagdmuseum* (→ Museen). – Wichtigster Teil der verlorengegangenen Ausstattung war das Gemälde, das Tintoretto* für den Hochaltar gemalt hat (Kreuzigung). Es befindet sich heute im Stift Haug in → Würzburg.

Bürgersaal (Neuhauser Straße): Aus dem übrigen Straßenbild hebt sich die Fassade des Bürgersaals, der 1709 von der Marianischen deutschen Kongregation in Auftrag gegeben worden ist, kaum ab. G. A. Viscardi* hat die Pläne für diesen zweistöckigen Bau geliefert. Man betritt das Untergeschoß durch ein Barockportal, über dem die Madonna (A. Faistenberger*) auf der Mondsichel (hinter Glas) zu sehen ist. Die Wände des Untergeschosses sind mit 15 Kreuzweg-Gruppen bedeckt (aus Holz und bunt bemalt). Vor dem Gnadenbild befindet sich die Grabplatte des Jesuitenpaters Rupert Mayer (1876–1945), der als Seelsorger und Widerstandskämpfer hervorgetreten ist. Im Obergeschoß befindet sich der Betsaal (Barock). Beachtenswert sind die 14 Ansichten altbayerischer Wallfahrtsorte, gemalt von F. J. Beich (um 1710). Die Schutzengelgruppe unter der Orgelempore stammt von J. Günther* (1762), die Laubwerkstukkaturen hat P. F. Appiani geschaffen.

Dreifaltigkeitskirche (Pacellistraße): Die Errichtung der Kirche geht auf eine Erscheinung der Münchner Bürgerstochter Maria Anna Lindmayr aus dem Jahre 1704 zurück: Über die Stadt München würde Unheil kommen, wenn nicht eine Kirche zu Ehren der Dreifaltigkeit errichtet würde. Stadt München und Stände finanzierten den Bau der Kirche gemeinsam und konnten nach siebenjähriger Bauzeit 1718 die Weihe feiern. Die Pläne lieferte G. A. Viscardi*, der hier ein Schulbeispiel des italienischen Barock vorexerziert hat. Die Ausstattung der Kirche lag in den Händen von Münchner Künstlern. – Das Innere der Kirche wird von einem Zentralraum bestimmt, der von 18 Wandsäulen umstellt ist. Er wird überspannt von einem *Kuppelfresko,* das zu den Frühwerken C. D. Asams* gehört und die »Huldigung der Dreifaltigkeit« darstellt. Die Stukkaturen stammen von J. G. Bader. Die barocken Altäre haben ihren Höhepunkt in dem *Hochaltar,* für den A. Wolff das Gemälde und J. B. Straub* das Tabernakelrelief geliefert haben (1760).

Frauenkirche / Metropolitan- und Stadtpfarrkirche Unserer Lieben Frau (Frauenplatz 1): Die Frauenkirche, ein spätgotischer Backsteinbau, ist mit seinen imposanten Ausmaßen (109 m Länge, 40 m Breite, Türme 99 m und 100 m hoch) zum Wahrzeichen der Stadt München geworden. Das Rot der Ziegel und die Patina der »welschen« Hauben, von denen die beiden Türme gekrönt werden, stehen in einem wirkungsvollen Kontrast zueinander. – Die Kirche in ihrer heutigen Form entstand an der Stelle älterer Bauten (13. Jh.) im 15. Jh. (Grundsteinlegung 1468 durch Herzog Sigismund). Baumeister ist Jörg von Polling (bzw. Halspach), der nach seinem Tod im Jahre 1488 durch L. Rottaler abgelöst wurde. 1494 wurde der Bau geweiht, ohne daß die Türme (Hauben 1524/25) fertiggestellt gewesen wären. Die Zerstörungen des 2. Weltkrieges wurden in einer beispielhaften Restaurierung beseitigt. – Seit 1821 ist die Frauenkirche Metropolitankirche der südbayerischen Kirchenprovinz (mit Augsburg, Passau und Regensburg). – Das Äußere der Kirche ist nur sparsam gegliedert und erzielt dadurch eine besondere Wirkung. Um so mehr treten die fünf *Portale* hervor. Die Grabsteine, die an den Außenwänden zu erkennen sind, stammen von dem 1774 aufgehobenen, ehemals angrenzenden Friedhof. – Im *Inneren* bietet sich dem Besucher ein dreischiffiger Hallenbau mit zehn Jochen, dazu ein Chor mit Umgang und ungewöhnlich hohen Seitenkapellen. 22 achtkantige Pfeiler trennen das Mittelschiff von den Seitenschiffen. – *Ausstattung:* Ein großer Teil des mittelalterlichen Inventars ist verlorengegangen, geraubt oder zerstört worden. Fast unverändert erhalten blieben die *Glasgemälde* der Chorfenster (14.–16. Jh.), das wichtigste ist das Scharfzandt-Fenster, das der Straßburger Meister P. Hemmel 1473 vollendet hat (in der Mitte des Chorschlusses). Das Schnitzwerk des alten *Chorgestühls,* das E. Grasser* geschaffen hat (1492–1503), ist für das neue Chorgestühl verwendet worden. Unter den zahlreichen plastischen Werken (siehe Grundrißskizze) nimmt das *Grabmal für Kaiser Ludwig* (im südlichen Seitenschiff) eine Sonderstellung ein. Das Grab aus schwarzem Marmor entstand nach einer Zeichnung von P. Candid und einem Entwurf von H. Krumper* 1619–22 über dem ursprünglichen Grabmal, das Herzog Albrecht IV. um 1480 errichten ließ. Die Figuren (von D. Frey und H. Gerhart, um 1595) sind aus Bronze gegossen (Putten, Allegorien und die Standbilder der beiden Wittelsbacher Wilhelm IV., dargestellt als Ritter des Goldenen Vlieses, und Albrecht V. im Ornat des Herzogs). Die rote Marmorplatte, die den Kaiser auf seinem Thron und die Versöhnung von Herzog Albrecht III. mit seinem Vater nach dem Tode der Agnes Bernauer zeigt, wird wohl zu Unrecht gelegentlich E. Grasser* zugeschrieben. Zu den zahlreichen Grabsteinen und Epitaphen gehört u. a. auch die Grabplatte für den berühmten bayrischen Baumeister *J. M. Fischer*,* der neben zahlreichen Palästen 32 Gotteshäuser und 23 Klöster gebaut hat.

Pfarrkirche Hl.Geist/Ehem. Spitalkirche Hl. Geist (Tal): Der Ursprung der heutigen Kirche, die im 2. Weltkrieg stark beschädigt wurde, reicht bis in das Jahr 1208 zurück. 1250 richtete Herzog Otto darin ein Spital ein. 1327 ging man an die Errichtung der Kirche, die allerdings erst 1392 vollendet war. 1723–30 wurde sie im Stil der damaligen Zeit umgebaut, 1885 um die drei westlichen Joche erweitert. – Von der ehemals reichen Ausstattung sind nur einige Teile erhalten. Der jetzige Stuck und die meisten Gemälde sind Rekonstruktionen. Das gilt auch für den *Hochaltar,* den N. Stuber und A. Mattheo in den Jahren 1728–30 geschaffen haben. Das Gemälde stammt von U. Loth (1661), die beiden Engel hat J. G. Greiff (um 1730) beigesteuert. Weitere sehenswerte Teile der Ausstattung:

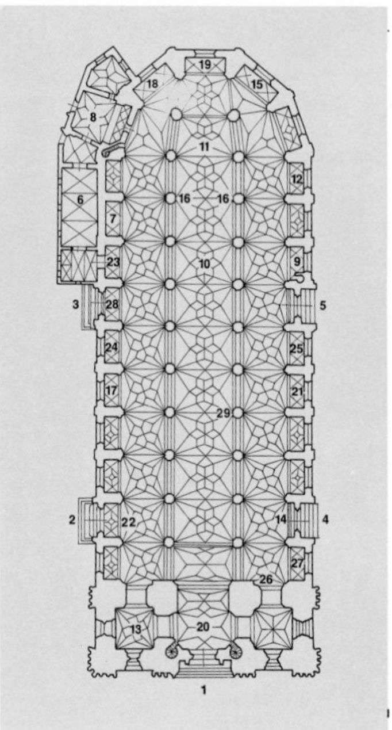

München, Frauenkirche 1 Hauptportal **2** Sixtusportal **3** Bennoportal **4** Arsatiusportal **5** Brautportal **6** Sakristei **7** Piuskapelle **8** Chorkapelle **9** Taufkapelle **10** Hauptaltar **11** Bischofskathedra **12** Ligsalcz-Grabstein, 1360 **13** Mariahilf-Altar, um 1473 **14** Heiliger Rasso, 15. Jh. **15** Große Domkreuzigung, um 1450 **16** Grasser-Figuren, 1502 **17** Grabstein des ersten Dompfarrers, 1502 **18** Taufe Christi, um 1510 **19** Schutzmantelbild, um 1510 **20** Heiliger Christophorus, 1520 **21** Patron der Bäcker, 16. Jh. **22** Heiliger Georg, 16. Jh. **23** Maria Himmelfahrt, 1620 **24** Ecce-Homo-Bild, 1640 **25** Heilige Drei Könige, um 1650 **26** Grabmal Kaiser Ludwig des Bayern, 1622 **27** Grab J. M. Fischer (1766 gestorben) **28** Heiliger Sebastian, 18. Jh. **29** Kanzel, 1959

Die *Hammerthaler Muttergottes* (aus Kloster Tegernsee, um 1450). An der Westwand findet sich das von H. Krumper* 1608 in Bronze gegossene *Grabmal* für Herzog Ferdinand von Bayern. Die *Kreuzkapelle* mit einem Kruzifixus aus der Zeit um 1510 dient jetzt als *Kriegerdenkstätte.* In den *Seitenkapellen* Gemälde von M. Steidl, J. H. Schönfeld, J. A. Wolf und P. Horemans.

St.-Jakobs-Kirche (St.-Jakobs-Platz): Der Neubau, der von F. Haindl 1956 errichtet wurde, löste die alte Klosterkirche ab, deren Ursprünge sich bis in das Jahr 1221 zurückverfolgen ließen.

Ehem. Karmelitenklosterkirche (Karmelitenstraße): Nachdem die 1629 nach München berufenen Karmeliten 1654 mit dem Bau von Kloster und Kirche begonnen hatten, konnte der Komplex 1660 geweiht werden. Die Pläne lieferte Hofbaumeister H. K. Asper, die Ausführung lag in den Händen von M. Schinagl. In den Jahren 1802–11 wurde die Kirche durch N. Schedel v. Greiffenstein klassizistisch umgestaltet. Das typische Karmelitenschema (dreischiffige kreuzgewölbte Basilika mit Querschiff und einem extrem langen Chor; Kappen in den Seitenschiffen) wurde dabei jedoch belassen. Bei einem der Luftangriffe auf München wurde die Klosteranlage völlig, die Kirche teilweise zerstört. Der Kirchenraum dient heute als *Bibliotheksraum* für das Erzbischöfliche Ordinariat, dessen Gebäude sich an der Stelle des ehem. Klosters befinden.

Kreuzkirche/Allerheiligenkirche am Kreuz (Kreuzstraße): Der gotische Backsteinbau (1478–85 imponiert mit seinem 58 m hohen Turm. Baumeister war wohl J. v. Halspach (Polling), der den Bau als Gottesackerkirche für die Pfarrei St. Peter konzipierte. – Der einschiffige Innenraum wurde 1772 im Zopfstil neu gestaltet. Zu den wichtigsten Stücken der Ausstattung gehören ein *Kruzifixus* von H. Leinberger (um 1520), die *Rottenhammer Madonna* (Hochaltarbild aus dem 18. Jh.) und das aus der Karmelitenkirche übernommene Tabernakel (um 1770). Der Bau, der im 2. Weltkrieg stark beschädigt wurde, gehört jetzt der russisch-orthodoxen Gemeinde.

Pfarrkirche St. Ludwig (Ludwigstraße): Als Pfarr- und Universitätskirche für den neu geschaffenen Stadtteil (die heutige nördliche Innenstadt) ließ König Ludwig I. in den Jahren 1829–44 die Kirche errichten. Es ist der Bau F. Gärtners*, der sich mit seiner romantisch-christlichen Bauweise gegenüber dem sonst von König Ludwig bevorzugten L. v. Klenze* durchgesetzt hat. P. Cornelius*, ein Meister der Monumentalmalerei des 19. Jh., schuf dic Bilder im Chor, in der Vierung und im Querschiff. Das Bild an der Chorwand erreicht ein Ausmaß von 18,3 × 11,3 m und gilt als eines der größten Bilder der Welt. Es stellt das Jüngste Gericht dar und ist – im Gegensatz zu den meisten anderen Bildern der Monumentalmalerei – künstlerisch bedeutend.

Jesuitenkirche St. Michael (Neuhauser Straße): Als ein geistiges Zentrum der kath. Erneuerungsbewegung des 16. Jh. ließ Herzog Wilhelm V., der Fromme, den Bau 1583–97 errichten. Als 1590 ein Turm der im Bau befindlichen Kirche einstürzte, sah Wilhelm V. darin einen Fingerzeig des Erzengels, die Kirche größer zu bauen – was dann auch geschah. – Die *Fassade,* die nach Zerstörung im 2. Weltkrieg erst 1972 in ihrer ursprünglichen Form wiederhergestellt wurde, zeigt im Giebel die Figur Christi. Darunter ist Kaiser Otto I. im Jahre 955 als Sieger auf dem Lechfeld dargestellt, darunter folgt die Reihe der Kaiser und Herzöge, die das Christentum in Bayern durchsetzten, und darunter schließlich Herzog Wilhelm V. und dessen Vater Albrecht zwischen den Kaisern ihrer Zeit. In einer Nische zwischen den beiden Portalen ist der hl. Michael dargestellt – eine Bronzearbeit von H. Gerhart (1592). – Das Innere wird von dem überdimensionalen Tonnengewölbe beherrscht, das eine Spannweite von 20 m erreicht und damit den 78 m langen und 31 m breiten Raum überspannt. Die reiche Ausstattung umfaßt u. a. 10 Altäre und rund 40 Terrakotta-Figuren. Hervorzuheben sind ferner der bronzene *Weihbrunnenengel* von H. Gerhart (1592), die *Orgelempore* (mit einer modernen Orgel aus dem Jahr 1965; 4100 Pfeifen) sowie wertvolle *Altäre* und *Gemälde* in den halbrunden und jeweils gewölbten Kapellen. Die *Kanzel* 1697. Die *Bronze-Kreuzigungsgruppe* (südliches Querschiff) geht auf Giovanni da Bologne und Hans Reichle zurück. *Marmorgrabdenkmal* des Eugen Beauharnais (1830) von B. Thorwaldsen. Unter dem Chor befindet sich eine (zugängliche) *Fürstengruft* mit den Gräbern für 30 Wittelsbacher (u. a. Wilhelm V., Maximilian I., Ludwig II.). Der mächtige Hochaltar (Michaelsaltar) ist das Werk von W. Dietrich* (1589).

Pfarrkirche St. Peter (Marienplatz): Die Peterskirche ist die älteste Münchner Pfarrkirche. Ein romanischer Bau aus dem 12. Jh. wurde 1278–94 durch einen gotischen Neubau ersetzt. Nach Zerstörung bei einem Stadtbrand 1327 Wiederaufbau mit Weihe 1368. Der Turm war in der heutigen Form 1386 fertiggestellt. Seine Kuppel ist zu einem der Wahrzeichen von München geworden. Die Pfeilerbasilika erstreckt sich über insgesamt 90 m. – Von der Ausstattung ist vor allem der *Hochaltar* nach einem Entwurf des Malers N. Stuber 1730 zu erwähnen, der nach der Kriegszerstörung originalgetreu wiedererrichtet wurde. Im Mittelpunkt steht die Holzfigur des Kirchenpatrons von E. Grasser* (1492). An der Ausstattung waren fast alle Münchner Künstler der Zeit – von E. Q. Asam* über J. G. Greiff* bis zu A. Faistenberger* – beteiligt. Daneben sind weitere spätmittelalterliche Kunstschätze zu erwähnen, so der steinerne *Schrenkaltar* (1407), die *Rotmarmorepitaphe* des U. Aresinger (E. Grasser 1482) und die fünf *Flügeltafeln* des spätgotischen Hochaltars von J. Pollak (1517).

Salvatorkirche (Salvatorstraße): Die 1494 errichtete Kirche diente ursprünglich als Friedhofskirche der Frauenpfarrei. Wie die Frauenkirche ist auch die Salvatorkirche ein unverputzter Ziegelbau. Das Äußere wird durch den mächtigen Turm bestimmt, der in insgesamt sechs Geschossen eine beträchtliche Höhe erreicht. Beach-

Ludwigskirche mit Universitätsbrunnen

tenswert ist das feine Netzrippengewölbe. – Die Ausstattung ist neu. Seit 1829 dient die Kirche der griech.-orthodoxen Gemeinde als Gotteshaus.

Theatinerkirche/Kath. Pfarrkirche St. Kajetan (Theatinerstraße): Nach der langersehnten Geburt des Erbprinzen Max Emanuel ließ Kurfürstin Henriette Adelaide aus Dankbarkeit die Theatinerkirche errichten. Die aus Italien stammende Fürstin wählte A. Barelli* (Bologna) als Baumeister, der 1663 mit dem Bau begann. Als Vorbild diente die Mutterkirche der Theatiner in Rom. Als Barelli 1674 durch den Graubündener E. Zuccalli* abgelöst wurde, stand die Fertigstellung der 71 m hohen Kuppel noch aus. Zuccalli fügte außerdem die ursprünglich nicht vorgesehenen Türme hinzu. Immer

München, Theatinerkirche 1 Sakristei **2** Kreuzabnahme von J. Tintoretto, 16. Jh. **3** Altarbild von A. v. Triva, um 1600 **4** Hochaltar mit Bild von Caspar de Crayer, 1646 **5** Kanzel von A. Faistenberger **6** Heiliger Andreas von K. Loth, 1677 **7** St. Cajetan und die Pest in Neapel von J. v. Sandrart, 17. Jh. **8** Schutzengelbild von A. Zanchi, 17. Jh. **9** Altarbild der vier Jungfrauen von P. Liberi, 17. Jh. **10** Muttergottesaltar mit Altarbild von C. Cignani, 18. Jh. **11** König-Max II.-Kapelle, darin Sarkophage des Königs und seiner Gemahlin Maria **12** Altarmensa

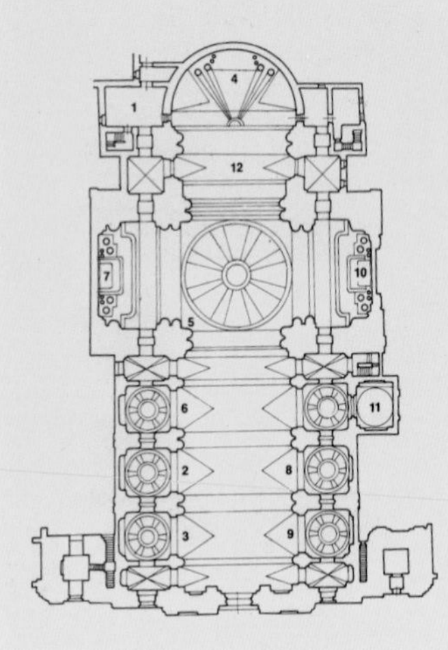

noch fehlte die Fassade, die von F. Cuvilliés* in den Jahren 1765–68 im Stil des späten Rokoko gestaltet wurde. In den Nischen sind Marmorfiguren (St. Ferdinand, St. Adelheid, St. Maximilian und St. Kajetan) von R. A. Boos aufgestellt. – Das Innere der Kirche wird von der mächtigen Kuppel beherrscht, die sich über der Vierung erhebt. Wichtigste Elemente der Ausstattung, die durch die Zerstörungen im Krieg beeinträchtigt wurde, sind die verschwenderisch reichen *Stukkaturen* von G. Viscardi* (nach Entwürfen von Barelli*). Sie bedecken – das Gewölbe ausgenommen – den gesamten Raum. Auf die Entwürfe Barellis gehen auch die drei dominierenden *Altäre* im Chor und im Querschiff zurück. Sie sind den üppigen Stuckdekorationen angepaßt und verschmelzen mit diesen zu einer ungewöhnlichen Einheit. Hervorzuheben sind die teilweise bedeutenden *Gemälde* (siehe Grundriß). Die Plastik der *Kanzel* hat A. Faistenberger* geschaffen (1681). Unter dem Hochaltar befindet sich die *Fürstengruft* für die Kurfürsten Ferdinand Maria, Max Emanuel, Carl Albrecht, Max III. Joseph, Carl Theodor, König Max I., König Otto von Griechenland und Kronprinz Rupprecht. – Das anschließende *Theatinerkloster,* das während des 2. Weltkriegs stark getroffen wurde, ist seit 1954 von Dominikanermönchen belegt.

SCHLÖSSER

Alter Hof (Burgstraße): Hier residierten von 1253, als Herzog Ludwig seine Residenz nach München verlegte, bis 1474 die Wittelsbacher Herrscher. Der Kaiser hatte ihnen Bayern schon im Jahre 1180 zugesprochen, doch erst die Teilung in Ober- und Niederbayern entschied über die Verlegung der Residenz von → Landshut nach München. – Der Alte Hof (diese Bezeichnung wurde erst im 19. Jh. gebräuchlich) entstand am damaligen Nordwestrand der Stadt auf einer leichten Anhöhe. Die Vier-Flügel-Anlage wurde durch teilweisen Abbruch im 19. Jh. und durch

Theatinerkirche ▷

Bombenschäden im 2. Weltkrieg stark zerstört, ist jedoch in den Jahren 1946–66 hervorragend renoviert worden. Am besten erhalten ist der südwestliche Teil. Der Südflügel besitzt einen reizvollen Erker aus Holz und mit spitzem Helm. Der Torturm, durch den man die Anlage betritt, ist im Zuge des Wiederaufbaus auf seine ursprüngliche Höhe hochgezogen worden. – Heute ist der Alte Hof Sitz von *Finanzbehörden.* – Nördlich an den Alten Hof schließt die *Münze* an (siehe dort).

Residenz (Residenzstraße 1, Eingang über Max-Joseph-Platz): Die Residenz wird von der Residenzstraße, der Hofgartenstraße, vom Marstallplatz, von der Maximilianstraße und vom Max-Joseph-Platz umgeben. Beginnend mit dem *Königsbau* am Max-Joseph-Platz umfaßt die Anlage (im Uhrzeigersinn beschrieben) die Komplexe *Goldene-Saal-Trakt, Alte Residenz, Festsaalbau, Cuvilliés-Theater, Allerheiligenhofkirche* (Ruine), *Residenztheater* und *Nationaltheater.* Zum *Marstallplatz* hin ist ein langgestreckter Verwaltungsbau des Nationaltheaters errichtet worden. – Die einzelnen Bauten sind durch acht Höfe verbunden. Die wichtigsten: Der *Königsbauhof* hat die Stelle des einstmaligen Residenzgartens eingenommen. Hier steht die Neptunstatue, die G. Petel 1641 geschaffen hat. Der *Grottenhof* (1581–86) ist ringsum von Arkaden umgeben. In der Mitte des Hofes steht der *Perseus-Brunnen,* den vermutlich F. Sustris* entworfen und H. Gerhart* in Bronze modelliert hat (um 1590). Dann folgen der *Kapellenhof,* der *Kaiserhof,* der *Apothekenhof* und der *Brunnenhof* (mit dem *Wittelsbacher Brunnen,* in dessen Gipfel die Figur Ottos von Wittelsbach zu erkennen ist, von H. Gerhart*). – Die wichtigsten Bauphasen fallen mit den Regierungszeiten besonders baulustiger Wittelsbacher zusammen. Baubeginn war 1385 mit der sog. *Neuveste.* Sie sollte als Residenz den Alten Hof ablösen (siehe zuvor), der von der schnell wachsenden Stadt umbaut worden war. Die Neuveste, die im Nordostbereich des heutigen Residenzkomplexes gelegen hat, ist 1750 abgebrannt (auf dem Apothekenhof sind Fundamente der Türme und Kasematten der vierflügeligen Wasserburg erhalten). Unter Albrecht V. (1550–79) entstand das noch heute erhaltene *Antiquarium,* Wilhelm V. (1579–97) ließ den Trakt um den

Residenz

Grotte mit Grottenhof in der Münchner Residenz, deren einzelne Bauten durch acht Höfe verbunden sind

Brunnenhof mit Wittelsbacher Brunnen (auf dem Sockel Otto von Wittelsbach) in der Münchner Residenz

Grottenhof errichten, Maximilian I. (1579–97) ließ mit der *Alten Residenz* ein bedeutendes Werk der Renaissance in Bayern errichten, unter Max Emanuel II. (1679–1726) erfolgten umfangreiche Umbauten im Stil des *Barock,* auf Carl Albrecht (1726–45) gehen u. a. die *Reichen Zimmer* zurück, unter Max III. Joseph entstanden die *Kurfürstenzimmer* und das *Residenztheater,* Ludwig I. (1825–48) ließ schließlich durch seinen Baumeister Klenze* den *Königsbau,* den *Festsaalbau* und die *Allerheiligenhofkirche* im Stil des Klassizismus hinzufügen.

Schloß Nymphenburg (über die nördliche Auffahrt): Ausgangspunkt der ausgedehnten Schloßanlage ist der *Mittelpavillon,* den Henriette Adelaide von Savoyen, Gemahlin des Kurfürsten Ferdinand Maria, nach der Geburt des Thronerben Max Emanuel durch den italienischen Architekten A. Barelli* von 1664–74 als Sommerschloß errichten ließ (der Kurfürst hatte ihr die *Schwaige Kemnathen,* das Gebiet des heutigen Schlosses, geschenkt). Unter den Wittelsbachern, die Ferdinand Maria folgten, wurde die Anlage erweitert: Max Emanuel ließ 1702 durch A. Viscardi* zu beiden Seiten des Mittelpavillons quadratische und dreigeschossige Pavillons anfügen, die durch zweigeschossige Riegelbauten mit dem Hauptblock verbunden sind. Französischer Einfluß spiegelt sich in den beiden von J. Effner* in den Jahren 1715/16 hinzugefügten Flügelbauten. Effner baute auch die *Pagodenburg* (1716–19), die *Badenburg* (1718–21) und die *Magdalenenklause* (1725–28). Unter Kurfürst Carl Albrecht (seit 1740 Kaiser Karl VII.) entstand zur Stadtseite hin das große Rondell, das von Wohnbauten umstellt ist. Carl Albrecht war auch Bauherr der *Amalienburg,* die er als letzte der sog. Burgen im ausgedehnten Park für seine Gemahlin Maria Amalia errichten ließ (1734–39 nach Plänen von F. Cuvilliés* d. Ä.). – Mittelpunkt des ausgedehnten Schloßkomplexes ist der Haupttrakt geblieben. Der *Festsaal* erhielt durch Cuvilliés seine heutige Wirkung. Die Fresken und Stukkaturen stammen von den Brüdern J. P. und F. Zimmermann* (1756/57). Es dominieren die Farben Weiß, Gold und Grün. Auch die anschließenden Zimmer (siehe Grundriß) sind kostbar ausgestattet. Im *Park,* den der berühmte

Spiegelsaal der Nymphenburger Amalienburg

Gartenarchitekt F. L. v. Sckell* in den Jahren 1804–23 vom geometrisch strengen französischen Charakter in eine malerische Parkanlage umgestaltet hat, nehmen die Lustschlösser des 18. Jh. eine zentrale Stellung ein. Die wichtigste der vier Burgen (Pagodenburg, Badenburg, Magdalenenklause und Amalienburg) ist die Amalienburg. Diese Glanzleistung des höfischen Rokoko erhielt ihre Akzente durch Künstler vom Range eines J. B. Zimmermann (Stukkaturen), J. Dietrich* (Holzarbeiten), P. Moretti* (Blaumalereien) sowie der Maler G. Desmareés und P. Hörmannstorffer.

München, Schloß Nymphenburg 1 Festsaal, Stuckarbeiten und Malereien von J. B. und Franz Zimmermann **2** Erstes Vorzimmer **3** Zweites Vorzimmer mit italienischem Prunktisch, 17. Jh. **4** Schlafzimmer **5** Chinesisches Lackkabinett mit Koromandellackplatten, 17. Jh. **6** Südliche Galerie mit Darstellungen bayer. Schlösser von F. J. Beich, N. Stuber und J. Stephan, um 1750–60 **7** Blauer Salon **8** Schlafzimmer, Geburtszimmer des Königs Ludwig II. **9** Schönheitsgalerie König Ludwigs I. **10** Kleine Galerie mit Stilleben von Jan Fyt **11** Maserzimmer, Einrichtung von 1810 **12** Kabinett, Ausmalung um 1770 **13** Erstes Vorzimmer; Kassettendecke von 1675 **14** Zweites Vorzimmer mit Wandteppichen von 1720 **15** Ehemaliges Schlafzimmer des Max Emanuel **16** Drechselkabinett mit Drechselbank von 1712 **17** Nördliche Galerie, Schlösseransichten von F. J. Beich, 1722–23 **18** Schönheitengalerie; fünf Portraits von P. Gobert, 1710 **19** Wappenzimmer **20** Karl-Theodor-Zimmer.

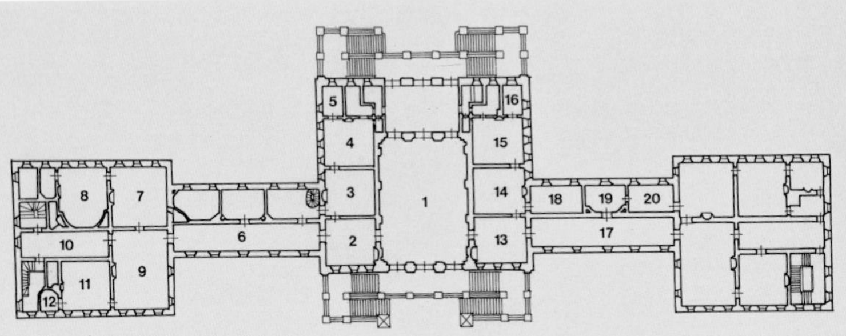

Schloß Nymphenburg

Im Zentrum des Schlosses steht der *Spiegelsaal,* an den sich verschiedene andere, jeweils ähnlich prunkvolle kleinere Wohn-, Schlaf- und Gesellschaftszimmer anschließen. – Über die heutige Verwendung einzelner Schloßteile siehe auch unter Museen.

Schloß Fürstenried (Olympiastraße): J. Effner* hat diesen Bau 1715–17 als Jagdschloß für Kurfürst Max Emanuel erbaut. Der kubische Mittelbau hat kleinere Pavillons, mit denen er durch Galerien verbunden ist, zu seinen Seiten. Als sog. »point de vue« ist die Anlage axial auf die Türme der Frauenkirche ausgerichtet.

PROFANE BAUDENKMÄLER

Alte Akademie (Neuhauser Straße): Der Komplex, der sich an die Michaelskirche anschließt, ist in den Jahren 1585–97 zunächst als *Jesuitenkolleg* und *Gymnasium* für 1500 Schüler entstanden, nach Aufhebung des Ordens jedoch unterschiedlich genutzt worden. Bis zu seiner Zerstörung im 2. Weltkrieg war es u. a. *Sitz der Akademie der Wissenschaften* (jetzt in der Residenz). Die Kriegsschäden sind inzwischen teilweise beseitigt worden. Die schöne Renaissance-Fassade ist ganz wiederhergestellt. Heute ist hier das *Statistische Landesamt* untergebracht. – Vor der Alten Akademie steht der *Richard-Strauss-Brunnen* (1961 von Henselmann), eine sechs Meter hohe Bronzesäule.

Altes Rathaus (Ostende des Marienplatzes): An den ursprünglichen Bau, der in den Jahren 1470–80 von J. v. Halspach (Frauenkirche) erbaut wurde, erinnert heute nur noch der neugotische Bau mit seinem mächtigen Staffelgiebel. Der 55 m hohe Rathausturm wurde nach dem Zweiten Weltkrieg wiederaufgebaut. Ein Meisterwerk mittelalterlicher Raumgestaltung ist der *Ratssaal,* für den E. Grasser* im Jahre 1480 die Folge der *Moriskentänzer* geschaffen hatte (jetzt im → Stadtmuseum). Der Saal ist von einem hölzernen Tonnengewölbe überspannt.

Altes Rathaus

An den Wänden ein Fries von 99 Wappen und Zierscheiben. Ab 1867, ebenfalls am Marienplatz, Bau des Neuen → Rathauses.

Bavaria mit Ruhmeshalle (Theresienhöhe): Die Bavaria gehört zu den Wahrzeichen der Stadt München. Sie wurde nach einem Modell Schwanthalers* (1844–50) von F. Miller in Bronze gegossen und 1850 im Rahmen eines Volksfestes enthüllt. Die 18,1 m hohe Figur erreicht mit dem Sockel eine Höhe von 30 m. Im Inneren führen 130 Stufen bis zur Augenhöhe (von dort Rundblick über einen großen Teil der Stadt). – Hinter der Bavaria (die einen Löwen zu ihrer Seite hat) steht die 1853 von L. v. Klenze* im Auftrag Ludwigs I. errichtete *Ruhmeshalle,* eine bayerische Walhalla (→ Regensburg). In der dorischen Säulenhalle sind die Büsten von 86 bedeutenden bayrischen Persönlichkeiten aufgestellt.

Bavaria mit Ruhmeshalle

Erzbischöfliches Palais (Kardinal-von-Faulhaber-Straße 8): F. Cuvilliés* hat dieses Palais 1733–37 errichtet und damit einen der schönsten Adelspaläste im Stil des Rokoko geschaffen. Der Aufbau folgt jenem Schema, das J. Effner* (→ Nymphenburg) vielfach praktizierte: Drei Geschosse bieten neun Fensterachsen, wobei die beiden oberen Geschosse durch ausgeprägte Pilaster zusammengefaßt werden. Das Palais ist heute Sitz des Oberhirten der Erzdiözese München-Freising. – Das benachbarte *Palais Porcia* (Kardinal-von-Faulhaber-Straße 10) wurde zwar schon 1693 durch E. Zuccalli* errichtet, durch Cuvilliés jedoch im ersten Drittel des 18. Jh. umgestaltet. Es diente als Vorbild für eine Reihe weiterer Adelssitze in München.

Feldherrenhalle (Odeonsplatz): Das → Siegestor im Norden und die Feldherrenhalle im Süden sind die Endpunkte der Ludwigstraße, die Ludwig I. als Prunkstraße errichten ließ (1816–50). Als Vorbild diente die Loggia dei Lanzi in Florenz. Erbaut wurde die Halle in den Jahren 1840–44 von F. v. Gärtner*. Die Standfiguren stellen die bayrischen Feldherren Tilly (1559–1632) und Wrede (1767–1838) dar und wurden beide von L. v. Schwanthaler geschaffen. Das Armeedenkmal (Mitte) ehrt die Gefallenen des Krieges 1870/71.

Fernsehturm (Olympiagelände): Der Fernsehturm (offiziell: Olympiaturm) wurde in den Jahren 1965–68 errichtet und gehört mit seinen 290 m Höhe zu den höchsten Stahlbetonkonstruktionen der Welt. In 198 m Höhe befindet sich eine (über Fahrstühle zu erreichende) Aussichtsplattform. Das Dachrestaurant dreht sich pro Stunde einmal um die eigene Achse.

Friedensengel (Luitpoldbrücke/Prinzregentenstraße): Das 18 m hohe Denkmal mit Friedensengel mit Palmzweig und Erdkugel wurde 1895 von der Stadt München in Erinnerung an den Frieden von Versailles und die folgenden »25 Jahre Frieden« gestiftet. Die Nachbildung der Nike von Olympia stammt von M. Heilmaier, H. Düll und G. Pezold.

Isartorplatz: Das Isartor, eines der ehem. Stadttore, ist erhalten geblieben (1972 erneuert). Es diente einst als Osttor innerhalb jenes Mauerrings, den Ludwig der Bayer 1314 errichten ließ. Seine heutige Form erhielt es bei einer Umgestaltung im Jahre 1815. An der Ostseite ist in einem Fresko Kaiser Ludwig der Bayer nach der Rückkehr von der siegreichen Schlacht bei Ampfing (1322) dargestellt (von B. Neher 1835 geschaffen). Im Südturm befindet sich das *Valentin-»Musäum«* (→ Museen).

Künstlerhaus (Lenbachplatz): G. v. Seidl hat den Festsaal in den Jahren 1896–1900 im Stil eines florentinischen Palazzos errichtet. Er wurde von dem Maler Franz von Lenbach* ausgestattet. Nach der Zerstörung im 2. Weltkrieg ist das Haus originalgetreu wieder aufgebaut worden. Heute finden hier kulturelle Veranstaltungen und Empfänge statt.

Maximilianeum (an der Maximilianbrücke): Jenseits der Maximilianbrükke, die F. Thiersch (1903–05) in zwei Bögen und mit einer Spannweite von 46 m aus Muschelkalk gebaut hat, entstand 1857–74 als Abschluß der als Prachtstraße konzipierten Maximilianstraße das Maximilianeum. Nach verschiedenen Entwürfen kamen schließlich die Pläne von G. Semper*, der vor allen Dingen die Terrakottafassade beisteuerte, zur Ausführung. Das Maximilianeum war ursprünglich als Gemäldegalerie und adeliges Erziehungsinstitut (»Pagerie«) bestimmt. Daran erinnert die *Stiftung Maximilianeum,* die begabten Schülern und Studenten freien Aufenthalt vermittelt. – Heute tagen in diesem Gebäude der *Bayerische Landtag* (Plenarsaal) und der *Senat* (Senatssaal). – Links und rechts von dem Gebäude schließen sich die *Maximiliansanlagen* an. Nördlich vom Maximilianeum wurde 1967 ein Denkmal von T. Rückel für *König Ludwig II.* errichtet, der hier ein Richard-Wagner-Opernhaus bauen wollte.

Maximilianeum

Münze (Hofgraben): Der Bau, der in seinen Ursprüngen auf das Jahr 1465 zurückgeht, ist vielfach umgestaltet und unterschiedlicher Nutzung zugeführt worden. Zunächst Marstallgebäude, wurde er nach dem Umbau der Jahre 1563–67 im Obergeschoß als *Kunstkammer* genutzt. Anfang des 19. Jh. erfolgte die Umgestaltung der Westfassade im klassizistischen Stil (weitere Veränderungen Mitte 19. Jh.). Sehenswert ist der schöne dreigeschossige *Arkadenhof* (16. Jh.), der als Turnierhof gedient hat.

Olympiapark mit Olympiastadion (Oberwiesenfeld): Die Anlagen für die XX. Olympischen Sommerspiele 1972 gelten heute in vielfacher Hinsicht als beispielgebend. Sie bescherten nicht nur Aktiven und Zuschauern das »Olympia der kurzen Wege«, sondern waren auch in ihrer Funktion auf die gestiegenen Anforderungen an die Technik und Wissenschaft abgestimmt. Darüber hinaus setzten die architektonischen Leistungen der beteiligten Architekten neue Maßstäbe im Bereich der Sportbauten. Kernstück der Anlagen ist das *Olympiastadion,* das nach Plänen der Architektengemeinschaft Behnisch & Partner entstanden ist. Unter einem gewaltigen, insgesamt 74 800 qm großen Zeltdach sind das Stadion, die große Sporthalle und die Schwimmhalle vereint. Das Dach wird von bis zu 80 m hohen Trägern gehalten und ist – über einem Stahlnetz mit einer Maschenweite von 75 × 75 cm – mit lichtdurchlässigen Acrylplatten eingedeckt.

Preysing-Palais (Residenzstraße 27): Das ehem. Adelspalais (1723–28) entstand im Stil des Rokoko und gehört zu den bedeutendsten Adelssitzen aus dieser Zeit in München.

Propyläen (an der Westseite des Königsplatzes): Das Eingangstor zur Akropolis in Athen gab nicht nur den Namen, sondern war auch in den Formen Vorbild für Hofbaumeister L. v. Klenze* (der auch die Gesamtanlage des *Königsplatzes* konzipiert hat; Glyptothek, Staatliche Antikensammlung, → Museen). Die Propyläen (1848–62) werden von zwei Tortürmen eingerahmt, wobei dem Mittelbau auf beiden Seiten dorische Säulenhallen vorgelagert sind. Die Skulpturen und Reliefs, die dem Freiheitskampf der Griechen gegen die Türken gewidmet sind, sollen

Olympiagelände mit Fernsehturm

Propyläen

an den Griechenkönig Otto (1832–62) erinnern, einen Sohn Ludwigs I., der Griechenland die Landesfarben Blau-Weiß gegeben hat (in Umkehrung der bayerischen Farben Weiß-Blau).

Rathaus (Marienplatz): Mit dem mächtigen Bau im Stil des Historismus folgte Architekt G. Hauberisser* dem Wunsch nach Repräsentation und Prunk. Der Bau entstand im wesentlichen in drei Etappen, von 1867–74 (der östliche Ziegelsteinbau), von 1888–93 und von 1899–1908 (westlicher Teil aus Muschelkalk). Bestimmend für den Bau ist der 85 m hohe Turm des Westbaus. Die Standbilder bayerischer Herzöge und Kurfürsten (an der Hauptfassade) sind nicht mehr vollständig erhalten. Jeweils um 11 Uhr (im Sommer um 17 Uhr) ist das *Glokkenspiel* im Turm zu hören. Dazu ist ein Reigen bunt bemalter Figuren (1,40 m groß) zu sehen, die Herzog Wilhelm V. bei seiner Hochzeit mit Renate von Lothringen darstellen. Im unteren Teil ist der *Schäfflertanz* zu sehen (dieser 1463 zum erstenmal erwähnte Tanz wird von Mitgliedern der Böttcherinnung alle sieben Jahre während des Faschings aufgeführt).

Siegestor (Ludwigstraße): Als Kontrapunkt zur → Feldherrenhalle, mit der die Ludwigstraße nach Süden hin abgeschlossen wird, bildet das Siegestor den Endpunkt dieser Prachtstraße zum Stadtausgang hin. Vorbild war der Konstantinsbogen in Rom. Das Siegestor wurde 1843–52 nach Plänen F. v. Gärtners* als Ehrenmal für die Leistungen der bayerischen Armee in den Freiheitskriegen 1813–15 errichtet.

Universität (Geschwister-Scholl-Platz 1): König Ludwig I. gab den Auftrag zum Bau jenes langgestreckten Dreiflügelbaus (1835–40), für den F. v. Gärtner* die Pläne geliefert hatte. Er war für die Aufnahme von 1500 Stu-

Rathaus

Glockenspiel, Rathaus

denten konzipiert und mußte deshalb schon bald durch einen Erweiterungsbau ergänzt werden. Die Universität war 1472 in → Ingolstadt gegründet worden und ist über → Landshut nach München gekommen (1826). Mit mehr als 26000 Studenten ist die Ludwig-Maximilian-Universität heute die größte Hochschule der Bundesrepublik. – Gegenüber der Universität wurde in den Jahren 1834–42 das *Georgianum,* ein kath. Priesterseminar, errichtet (nach Plänen Gärtners).

PARKS

Englischer Garten und Hirschau (über Prinzregentenstraße): Reichsgraf Sir Benjamin Thompson von Rumford hat gemeinsam mit dem beratenden Gartenarchitekten F. L. v. Sckell* 1789–95 den Englischen Garten geplant und angelegt. Er hieß zunächst *Theodors Park,* erhielt jedoch später die heutige Bezeichnung. Er ist heute 5 km lang, rund 2 km breit und etwa 75 Morgen groß. Im Norden grenzt er an die *Hirschau,* die heute zum Englischen Garten gerechnet wird. Im Park befinden sich der *Chinesische Turm* (1789/90), das *Chinesische Wirtshaus* (1789/90) und eine Reihe von Denkmälern (u. a. für Rumford, nahe der Lerchenfeldstraße, und der *Monopteros* für Kurfürst Carl Theodor, 1833).

Hofgarten (Hofgartenstraße): Nördlich der Residenz liegt der Hofgarten, den Herzog Maximilian I. 1613–17 anlegte. Heute betritt man ihn durch das 1816 von L. v. Klenze* errichtete *Hofgartentor.* Die *Arkadengänge,* die den Garten im Westen und Süden einschließen (sie sind insgesamt 583 m lang und öffnen sich in 123 Bögen zur Gartenseite), stammen ebenfalls aus den Entstehungsjahren dieses Parks. Der Nordflügel der Arkaden wurde 1779 um ein Geschoß erhöht und sollte eine Gemäldegalerie aufnehmen. Die

Bilder von Athen, Olympia, Delphi und einigen anderen griechischen Städten und Inseln in den nördlichen Arkaden wurden erst 1963 von Seewald gemalt (womit ein Plan Ludwigs I. nachträglich verwirklicht wurde). Die Folge klassischer Landschaften, die K. Rottmann 1830–34 gemalt hatte, befindet sich jetzt im → Residenzmuseum. Im Osten wird der Hofgarten vom *Bayerischen Armeemuseum* (1900–05) abgeschlossen, von dem allerdings nach den Zerstörungen des 2. Weltkrieges nur ein geringer Teil erhalten ist. Die Waffensammlungen befinden sich jetzt im neuen Bayerischen Armeemuseum in → Ingolstadt.

Alter Botanischer Garten (Lenbachplatz): Auch diese Anlage hat L. v. Sckell* 1813 geschaffen (→ Englischer Garten, → Schloß Nymphenburg). Vom ursprünglichen Charakter ist nur wenig erhalten. Der Garten wurde 1935–37 zum Stadtpark umgestaltet, den man (vom Karlsplatz aus) durch einen klassizistischen Portalbau mit dorischen Säulen betritt (E. J. d'Herigoyen 1812). Der Garten wird nach Norden durch die Sophienstraße begrenzt. Dort befinden sich mehrere naturwissenschaftliche Institute der Universität.

MUSEEN

Die folgende Übersicht in alphabetischer Reihenfolge beschränkt sich auf die wichtigsten Münchner Museen.

Ägyptische Sammlung (Hofgartenstraße, in der Residenz): In ihr sind die Sammlungen der Glyptothek und der Ägyptischen Staatssammlung zusammengeführt. Gezeigt werden u. a. Statuen, Beiträge aus ägyptischen Gräbern und Tempeln, Waffen, Schmuck, Kult- und Gebrauchsgegenstände, Särge aus Stein und Holz, Totenfiguren, Papyrusrollen und Textilien. Die Sammlungen sind chronologisch geordnet und umfassen die Zeit um 4500 v. Chr. bis zum 9. Jh. nach Chr.

Alte Pinakothek (Barer Straße 27): In 13 Sälen und 23 Kabinetten werden Beiträge zur europäischen Malerei des 14. bis 18. Jh. geboten. Den Grundstock für die Alte Pinakothek, die zu den bedeutendsten Gemäldesammlungen in Europa zählt, lieferte Herzog Wilhelm IV. von Bayern, der 1528 einige der besten Künstler der Zeit beauftragte, große Ereignisse der Geschichte zu malen. Zu den Bildern, die aus jener Zeit erhalten sind, gehört u. a. das berühmteste Bild Albrecht Altdorfers* »Die Alexanderschlacht« (1529). Zahlreiche berühmte Werke niederländischer Meister kamen mit der Übertragung der Düsseldorfer Galerie 1806 nach München (u. a. Rubens). Ludwig I. ließ dann 1825–36 von Klenze* die Pinakothek errichten. Das Erdgeschoß ist gegliedert in »Altdeutsche – Teil II« sowie »Deutsche und Niederländer zwischen Renaissance und Barock«. Das Obergeschoß (in dem man die Besichtigung beginnen sollte) enthält die Abteilungen »Altdeutsche – Teil I«, »Niederländer«, »Italiener«, »Spanier« und »Franzosen«. Um nur einige der berühmtesten Maler zu nennen, die in der Alten Pinakothek vertreten sind (in alphabetischer Folge): Albrecht Altdorfer, Hans Baldung Grien, Hieronymus Bosch, Jan Breughel d. Ä., Pieter Breughel d. Ä., Lucas Cranach d. Ä., Albrecht Dürer, Anthonis van Dyck, Jan van Eyck, Goya, Mathis Grünewald, Frans Hals, Hans Holbein* d. Ä. und Hans Holbein* d. J., Leonardo da Vinci, Michelangelo, Raffael, Rubens, Tizian.

Anthropologische Staatssammlung (Richard-Wagner-Straße 10): Studiensammlung zur Abstammungslehre des Menschen.

Botanische Staatssammlung (Menziger Straße 67): Unter der Bezeichnung »Königliches Herbarium« wurde die Sammlung 1813 durch König Maximilian I. gegründet. Die Sammlung dient heute ausschließlich wissenschaftlichen Zwecken und befindet sich im Hauptgebäude des 1909–14 angelegten *Botanischen Gartens.*

Brauerei-Museum: → Stadtmuseum.

Deutsches Museum (Museumsinsel 1): Auf einer Insel inmitten der Isar ist der 460 m lange und bis zu 100 m breite Komplex im Jahr 1925 fertiggestellt worden (zuvor waren die Bestände im Gebäude des Alten Nationalmuseums untergebracht). Gründer des »Deutschen Museums von Meisterwerken der Naturwissenschaften und Technik« (so der vollständige Name) war Oskar von Miller (1913). Im »Deutschen Museum« versucht man, so sein Generaldirektor, »komplexe Naturphänomene auf ihre einfachen Naturgesetze zurückzuführen und die Vielfalt technischer Systeme in ihre ursprünglichen Elemente zu gliedern und durchschaubar zu machen«. – Die Sammlungen sind unterteilt in 33 Abteilungen. Sie erfassen die Geschichte des Bergbaus und der Hüttentechnik ebenso wie die Entwicklung der Kraftmaschinen, Landfahrzeuge, Automobile, Eisenbahnen, Schiffe, Flugzeuge und der Weltraumfahrt. Das Deutsche Museum besticht jedoch nicht nur durch die beinahe zahllosen historischen Geräte, sondern vor allem durch die Vielzahl der Demonstrationseinrichtungen, die vom Besucher selbst betätigt werden können.

Staatssammlung für Paläontologie und Geologie (Richard-Wagner-Straße 10): Wissenschaftlich bestimmte Versteinerungen aus allen Formationen und Teilen der Welt.

Glyptothek (Königsplatz 3): Mit dem Bau der Glyptothek (im Auftrag Ludwigs I.) leistete der später berühmte Hofbaumeister L. v. Klenze* 1816–30 seine erste Arbeit und schuf damit zugleich einen der ersten zweckgebundenen Museumsbauten in Deutschland. Man betritt den vierflügeligen klassizistischen Bau durch eine ionische Säulenvorhalle. Alle vier Flügel, die nach außen fensterlos sind, beziehen ihr Licht durch die Fenster zu einem Binnenhof hin. In den Nischen der Außenwände stehen Skulpturen, die auf die Zielsetzung des Baus hinweisen. Im Giebelfeld des Säulenportikus ist Athene als Beschützerin der plastischen Künste in einer Marmorgruppe nach einem Modell von M. Wagner durch L. Schwanthaler* dargestellt. Im Inneren werden griechische und römische Skulpturen gezeigt.

Staatliche Graphische Sammlung (Meiserstraße 10): Die Sammlungen

Deutsches Museum, Abtlg. Luftfahrt

umfassen mehr als 300000 Blatt Druckgraphik und Handzeichnungen von den Anfängen (Buchmalerei, Holzschnitte) bis zur Gegenwart. In der Abteilung der Altdeutschen sind u. a. Altdorfer, Baldung-Grien, Dürer, Elsheimer und Schongauer vertreten, bei den Niederländern finden sich u. a. erstklassige Rembrandt-Radierungen. Aus dem Bereich der modernen Kunst soll hier – stellvertretend – das vollständig vorhandene graphische Werk von Franz Marc genannt werden.

Haus der Kunst (Prinzregentenstraße): Das Haus der Kunst ist in den Jahren 1933–37 nach Plänen von P. L. Troost errichtet worden. Die klassizistischen Vorstellungen des Dritten Reiches kamen hier bereits zum Tragen. Heute finden im Haus der Kunst große Wechselausstellungen für große europäische Meister und bestimmte Kunstepochen statt. Im Herbst ist hier für jeweils 14 Tage die Deutsche Kunst- und Antiquitätenmesse untergebracht.

Deutsches Jagdmuseum (Neuhauser Straße 53): Es zeigt Jagdutensilien, Trophäen, Waffen und Beiträge zum Thema »Die Jagd in der Kunst«.

Jugendstil-Museum (Äußere Prinzregentenstraße): → Villa Stuck.

Lenbachhaus (Luisenstraße): Die *Städtische Galerie im Lenbachhaus* (so der vollständige Name) zeigt Münchner Malerei von der Gotik bis zur Gegenwart. Ein Schwerpunkt sind Werke der Künstlergruppe »Blauer Reiter« (Kandinsky und Marc). Der »Malerfürst« Franz von Lenbach* hat sich die Villa im Stile eines florentinischen Palazzos in den Jahren 1883–89 von G. Seidl errichten lassen, die nach seinem Tode von Frau von Lenbach inklusive der Gemälde und Graphiken Lenbachs sowie der umfangreichen Kunstsammlung der Stadt München geschenkt wurde.

Marstallmuseum (im Südflügel des Schlosses Nymphenburg): In den ehem. Gebäuden der kurfürstlichen Hofstallungen wurde 1950 das Marstallmuseum eingerichtet, das inzwischen neben den gleichartigen Museen in Wien und Lissabon zu den bedeutendsten dieser Art in aller Welt gehört. Wertvollstes Stück ist die prunkvolle Karosse, die von Kurfürst Carl Albrecht (dem späteren deutschen

Karosse Carl Albrechts, Marstallmuseum

Kaiser Karl VII.) bei dessen Krönung benutzt worden ist. Außerdem weitere Prunkwagen, Schlitten, Pferdegeschirr und Sattelzeug.

Staatliche Münzsammlung (Residenzstraße 1): Gesammelt werden alle Gebiete der Numismatik und Geldgeschichte (Münzen, Medaillen, Plaketten, Geldzeichen, Gemmen).

Bayerisches Nationalmuseum (Prinzregentenstraße 3): Das von König Maximilian II. als Sammelstätte »vaterländischer Altertümer« 1855 gestiftete Museum bietet in erster Linie kunst- und kulturgeschichtliche Sammlungen aus Bayern und Süddeutschland. Zu den wertvollsten Beständen gehören Werke von E. Grasser*, T. Riemenschneider*, H. Leinberger* und I. Günther*. Hervorzuheben sind unter den zahlreichen Spezialsammlungen u. a.: Spätgotische Stuben, Bauernstuben, Porzellan, Fahnen und Krippen.

Schloß Nymphenburg: Das Schloß (→ Schlösser) besitzt zum großen Teil das historische Inventar und bietet Beiträge zur Wohnkultur des 18. und 19. Jh. – Im nördlichen Teil des Rondells vor dem Schloß befindet sich die 1747 gegründete *Staatliche Porzellan-Manufaktur Nymphenburg.*

Neue Pinakothek (im Westflügel des Hauses der Kunst, Prinzregentenstraße 1): Die Neue Pinakothek (1853) ist auf Gemälde des 19. Jh. und auf Moderne Kunst konzentriert. Als Grundstock besaß sie die private Sammlung König Ludwigs I. 1945 wurde das Gebäude zerstört. Zuvor bereits waren 98 wertvolle Gemälde im Rahmen der Aktion »Entartete Kunst« zerstört oder verkauft worden. Im Erdgeschoß des Westflügels des Hauses der Kunst sind heute in 13 Räumen Vertreter der modernen Malerei ausgestellt (u. a. Maler der Gruppe »Blauer Reiter«, der Vereinigung »Die Brücke«, französische Impressionisten, führende Vertreter des Surrealismus, Maler des Bauhauses).

Puppentheater-Sammlung (am St.-Jakobs-Platz 1): → Stadtmuseum.

Residenzmuseum (Max-Joseph-Platz 3): Die Residenz (→ Schlösser) ist zum großen Teil zu besichtigen. Zu sehen sind Zeugnisse fürstlicher Wohnkultur

Riemenschneider-Figur, Nationalmuseum. Rechts: Lola Montez, Nymphenburg

Krone Kaiser Heinrichs II., Residenzmuseum

aus dem 17.–19. Jh., Gemälde, Bronzen, Porzellan, Majolica. Das Museum wurde 1920 eingerichtet. Im Erdgeschoß des Königsbaus befindet sich die *Schatzkammer* der Residenz. In insgesamt 10 Räumen werden u. a. Goldschmiedearbeiten der karolingischen und ottonischen Zeit und des späten Mittelalters gezeigt (u. a. das Gebetbuch Karls des Kahlen, um 860), dazu außereuropäisches Kunsthandwerk.

Schackgalerie (Prinzregentenstraße 9): Die Galerie geht in ihrem Kern auf die Sammlung des Grafen Adolf Friedrich v. Schack zurück, der in der Mitte des 19. Jh. eine Reihe von (später berühmten) Künstlern durch Ankäufe von Bildern gefördert hat. So zählen Werke von Böcklin, Feuerbach, Lenbach*, Schleich, Schwind und Spitzweg zu den Beständen, die 1894 durch Schenkung in den Besitz des deutschen Kaisers kamen und 1909 Eigentum des Preußischen Staates wurden.

Schatzkammer der Residenz: → Residenzmuseum.

Staatsgemäldesammlungen: Zu den Bayerischen Staatsgemäldesammlungen gehören die Bestände der Alten Pinakothek, der Neuen Pinakothek (im Haus der Kunst), die Schackgalerie und die Graphische Sammlung.

Stadtmuseum (St.-Jakobs-Platz 1): Im ehem. *Zeughaus* und den dazugehörigen Erweiterungsbauten ist das 1874 gegründete und 1888 eröffnete Stadtmuseum untergebracht. Es zeigt: »Moriskentänzer von Erasmus Grasser«, (für das → Alte Rathaus geschnitzt; sie gelten als Meisterwerke bürgerlicher Gotik in Deutschland, 1480), »Münchner Wohnkultur von 1700 bis 1900«, »Vor- und Frühgeschichte Münchens«, »Spielzeugparadies« und »München plant und baut«. Angeschlossen sind das Foto- und Filmmuseum, eine Puppentheatersammlung,

Nationaltheater

eine Musikinstrumentensammlung und das Deutsche Brauerei-Museum mit sehenswerten Objekten.

Städtische Galerie (Luisenstraße): Die Städtische Galerie ist 1929 in der Sammlung Lenbach aufgegangen.

Theatermuseum (Galeriestraße 4a): Die Schauspielerin Klara Ziegler stiftete ihre Sammlung zur Theatergeschichte und gab damit den Grundstock für diese heute einzigartige Sammlung in Deutschland.

Museum für Vor- und Frühgeschichte (Lerchenfeldstr.), bedeutende Sammlungen in einem architektonisch bemerkenswerten Gebäude.

Valentin-Musäum (Isartorturm): Ausstellungen aus dem Nachlaß des Komikers Karl Valentin und seiner Partnerin Lisl Karlstadt. Im 2. Stock Kuriositäten-Ausstellung.

Villa Stuck/Stuckvilla (Äußere Prinzregentenstraße 60): Der »Malerfürst« F. v. Stuck hat diese Villa für sich selbst in den Jahren 1897–98 entworfen und ausgestaltet. Hier sind heute bemerkenswerte Sammlungen zum Jugendstil zusammengetragen. – Im Erdgeschoß, den früheren Wohnräumen, finden gelegentlich Empfänge aus kulturellem Anlaß statt.

Völkerkundemuseum (Maximilianstraße 42): Im Gebäude des Alten Nationalmuseums (1858–65 von E. Riedel); bedeutende Sammlungen zu Südostasien, Südamerika usw.

THEATER

Die folgende alphabetische Übersicht beschränkt sich lediglich auf die wichtigsten Münchner Theater.

Bayerische Staatsoper (Max-Joseph-Platz 2): Das 1811 von K. v. Fischer erbaute Theater wurde 1823 durch Brand und 1943 durch Bomben zerstört. Beide Male wurde es wieder aufgebaut. Hier wurden die Opern »Tristan« und »Die Meistersinger von Nürnberg« uraufgeführt. – Das heutige Ensemble hat Weltrang.

Altes Residenztheater/Cuvilliés-Theater/Bayerische Staatsoper (Max-Joseph-Platz 1): Im Komplex der Residenz wurde das Theater im Stil des Rokoko von Francois Cuvilliés* gebaut (1753). Der Bau wurde durch einen Luftangriff 1943 zerstört, das Inventar war jedoch zuvor in Sicherheit gebracht worden, so daß bei der Wiedereröffnung im Juni 1958 der alte Zustand wieder hergestellt werden konnte. Es ist das bedeutendste Logentheater des Rokoko in Deutschland. Am 29. Januar 1781 wurde hier die Oper »Idomeneo« von Mozart uraufgeführt. Heute wird das Alte Residenztheater (so die offizielle Bezeichnung) vom Ensemble der Bayerischen Staatsoper bespielt.

Intimes Theater im Künstlerhaus (Lenbachplatz 8): In dem 1958 eröffneten Theater (Fassungsvermögen 150 Plätze) gibt es nur Schauspielaufführungen.

St. Michael, Berg am Laim

Kammerspiele: Das Ensemble der Münchner Kammerspiele (so die offizielle Bezeichnung) bespielt das *Schauspielhaus* (Maximilianstraße 26–28, erbaut 1900, 1970 im Jugendstil renoviert, 730 Plätze), das *Werkraumtheater* (Hildegardstraße 1, 299 Plätze), das *Theater der Jugend* (Reitmorstraße 7, 540 Plätze) und die Bühne in der *Otto-Falckenberg-Schule.*

Kleine Komödie: Das Ensemble bespielt die Kleine Komödie am Max-II.-Denkmal (früher »Kleines Haus«, Maximilianstraße 47, 556 Plätze) und die Kleine Komödie im Bayerischen Hof (früher »Großes Haus«, Promenadenplatz 6, 574 Plätze).

Residenztheater (Max-Joseph-Platz 1): In dem 1948–51 erbauten Theater steht vornehmlich klassisches Schauspiel auf dem Spielplan. Hier haben zahlreiche prominente Regisseure und Schauspieler gearbeitet. Das Ensemble bespielt auch das Alte Residenztheater/Cuvilliés-Theater (siehe dort).

Theater am Gärtnerplatz (Gärtnerplatz 3): Nach dem Wiederaufbau (Zerstörung im 2. Weltkrieg) dient das Theater am Gärtnerplatz heute in erster Linie Operettenaufführungen. 932 Plätze.

Tribüne (Leopoldstraße 17): Schauspiel.

SEHENSWÜRDIGKEITEN IN DEN VORORTEN

AU: **Pfarrkirche Mariahilf** (Mariahilfplatz): J. D. Ohlmüller errichtete 1831–39 den Bau, nachdem er einen vom König ausgeschriebenen Wettbewerb gegen so prominente Mitbewerber wie Klenze* und Gärtner* gewonnen hatte. Der unverputzte Ziegelbau im Stil der Neugotik zeigt erste Ansätze der Romantik innerhalb der Kirchenarchitektur. Die Folgen des 2. Weltkrieges konnten beseitigt werden, die Innenausstattung ging jedoch verloren.

St. Michael, Berg am Laim ▷

APPARITIO
S. MICHAELIS

Wallfahrtskirche Mariae Himmelfahrt, Ramersdorf

BERG AM LAIM: **Ehem. Hofkirche/ Pfarrkirche St. Michael:** 1737–52 ist die Kirche im Auftrag des Kölner Erzbischofs Clemens August als Hofkirche für das nahe gelegene Landschloß errichtet worden. Architekt war J. M. Fischer*, dem hier eine seltene Synthese aus Lang- und Zentralbau gelungen ist. J. B. Zimmermann* hat die Stukkaturen und Deckengemälde geschaffen, der Hochaltar stammt ebenso wie die sechs Nebenaltäre aus der Werkstatt J. B. Straubs*, die Kanzel hat B. Hässer geschaffen.

RAMERSDORF: **Stadtpfarr- und Wallfahrtskirche Mariae Himmelfahrt:** Die heutige Kirche ist in der 1. Hälfte des 15. Jh. entstanden, nachdem schon im 14. Jh. bedeutende Marienwallfahrten zu den Vorgängerbauten (seit 11. Jh. bezeugt) stattgefunden haben. Die Ausstattung wurde 1675 erneuert und präsentiert sich nun im Stil des Barock. Wertvollstes Teil der Innenausstattung ist der 1483 gestiftete *Flügelaltar,* dessen Kreuzigungsrelief E. Grasser* geschaffen hat.

BLUTENBURG: **Ehem. herzogliches Jagdschloß:** Ein älterer Bau wurde im 15. Jh. durch die Herzöge Albrecht III. und Sigismund ausgestaltet. 1667 wurde das baufällige Schloß renoviert und der Garten angelegt. Der typische spätmittelalterliche Herrensitz ist vor allem wegen seiner *Schloßkapelle St. Sigismund* berühmt. Die figürlichen Wandmalereien und die einheitliche Ausstattung aus der Entstehungszeit machen die Kapelle zu einer Kostbarkeit. Hochaltar und Nebenaltäre sind mit reichem Bildschmuck versehen. Berühmt sind die »Blutenburger Apostel«, ein Zyklus von Holzbildwerken eines unbekannten Münchner Meisters.

Außerdem sehenswert: Bogenhausen: Alte Pfarrkirche St. Georg mit Friedhof; **Harlaching:** Wallfahrtskirche St. Anna, **Oberföhring:** Kath. Pfarrkirche St. Laurentius.

Münden → Hannoversch Münden

Münster 4400

Nordrhein-Westfalen S. 414 □ D 9

Die alte Bischofsstadt, gelegentlich als »Rom des Münsterlandes« bezeichnet, zeigt schon in ihrem Namen die enge Verbindung zur Kirche (aus lat. monasterium = Kloster). Erste Hinweise auf die Stadt lassen sich bis in das 3. Jh. zurückverfolgen, das eigentliche Wachstum begann jedoch erst, als Münster 804 Bischofssitz wurde. Bald darauf übernahmen die Münsteraner Bischöfe auch die Aufgaben von Landesfürsten und bauten damit ihren Einfluß weiter aus. Als eines der Zentren der Hanse erlebte Münster im späten Mittelalter eine Blütezeit. 1534/35 bemächtigte sich die Sekte der Wiedertäufer mit Mord und Terror der Stadt. Als Folge des niedergeschlagenen Aufstands verlor die Stadt ihre bürgerlichen Freiheiten und den Wohlstand. 1648 wurde in Münster der Westfälische Frieden geschlossen.

Dom St. Paul (Domplatz): Der Westchor eines Domes, den Bischof Erpho 1090 geweiht hatte, wurde Grundlage des heutigen Baus: Auf dem Grundriß des Erpho-Domes entstand unter Bischof Hermann II. am Ausgang des 12. Jh. der bis heute erhaltene Bau, der zu den besten architektonischen Leistungen in Deutschland gehört. Ein Neubau im 13. Jh. übernahm dessen Grundriß und Grundmauern. Spätere Ergänzungen und Erweiterungen und auch der Wiederaufbau nach dem 2. Weltkrieg berücksichtigten den Ursprung und beließen den Gesamteindruck.
Baustil und Baubeschreibung: Der mehr als 100 m lange Bau wird von den beiden Türmen beherrscht, die bis zur Höhe des Mittelschiffs ungegliedert aufsteigen. Diese Schlichtheit setzt sich in der Westfront fort. Sie wird nur durch die 16 Rundfenster unterbrochen. Dem Westbau ist im Süden das »Paradies« vorgelagert. Die Formen sind romanisch-gotisch. Eine Reihe von Figuren schmückt die Fassade des mächtigen Baus.

Münster, Panorama mit Dom St. Paul

Inneres und Ausstattung: Man betritt den Dom durch den Alten Chor im Westen, der beiderseits von Arkadengängen gesäumt wird. In Verbindung mit dem Wiederaufbau des kriegszerstörten Doms wurde die Neuordnung den jetzigen Anforderungen an eine Bischofskirche angepaßt (siehe Grundriß). Bedeutendste Schätze der überreichen Innenausstattung sind die zehn *Apostelfiguren* im Paradies. Sie gelten als der »großzügigste und eindrucksvollste mittelalterliche Figurenzyklus in Westfalen«. Ein Rankenfries, der zu Füßen der Apostel verläuft, zeigt Musikanten, Jagdszenen, Szenen aus dem Ackerbau, aus der Weinlese, Tiere und Fabelwesen. Darüber hinaus ist der Dom voller Altäre, Statuen (u. a. Stephanusaltar – siehe Abbildung), Grabmäler und Epitaphien. Hervorgehoben werden sollen hier nur das *marmorne Prunkepitaph* für Fürstbischof C. B. von Galen (gest. 1678) und das marmorne Epitaph des Fürstbischofs F. Ch. von Plettenberg (gest. 1706). Beide wurden von Mitgliedern der berühmten Bildhauerfamilie Gröninger* geschaffen. Im Chorumgang findet sich die *astronomische Uhr* aus dem Jahr 1542, die von dem starken technisch-wissenschaftlichen Interesse der Fürstbischöfe zeugt. Im Untergeschoß des nördlichen Turms befindet sich jetzt der *Domschatz.* Wertvollstes Stück ist die goldene Reliquienbüste des hl. Paulus. Die massivgoldene Treibarbeit (aufgesetzt auf einen Holzkern) ist 22,8 cm hoch und über und über mit farbigen Steinen, Perlen und feinster Filigranarbeit besetzt. – Weitere Figuren aus dem Dom und ehem. Diözesanmuseum finden sich im Nordarm des Kreuzgangs, dem *Lapi-*

Münster, Dom 1 Westchor (Alter Chor) **2** Taufkapelle **3** Schatzkammer **4** Paradies **5** Johanneschor **6** Stephanuschor **7** Maximuskapelle **8** Liudgeruskapelle **9** Josefskapelle **10** Kreuzkapelle **11** Sakramentskapelle **12** Kapitelsaal **13** Sakristei **14** Marienkapelle **15** Kreuzgang **16** Astronomische Uhr, 1542 **17** a) Alter Hochaltar, 1622 b) Neuer Altar (Mensa), 1956 mit Apostelfiguren um 1330 **18** Leuchterengel von Johann Brabender, um 1560 **19** Denkmal des Domdechanten Heidenreich von Letmathe (1625 gestorben) von Gerhard Gröninger **20** Grabmal des Fürstbischofs Christoph Bernhard von Galen von Johann Mauritz Gröninger, 1678 **21** Grabmal des Fürstbischofs Friedrich Christian von Plettenberg (1706 gestorben) von Johann Mauritz Gröninger **22** Epitaph für Ferdinand von Plettenberg von Johann Wilhelm Gröninger, um 1712 **23** Grab des »Löwen von Münster« Clemens August Kardinal von Galen

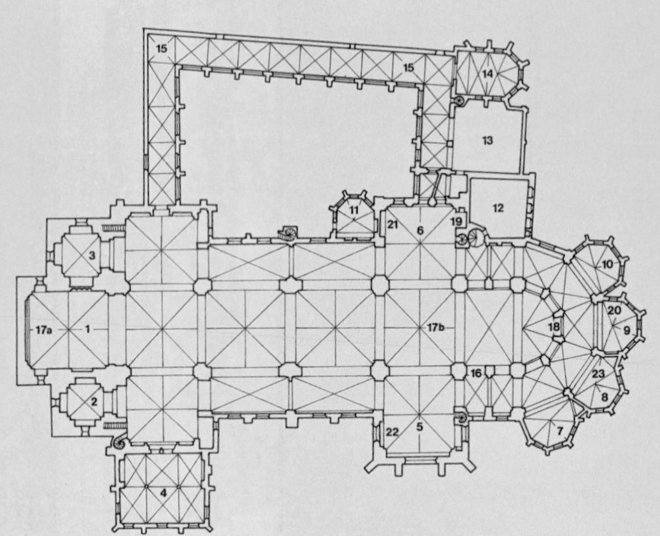

darium. Die bedeutendste Arbeit, der *Einzug Christi in Jerusalem,* wurde als Leihgabe in das Westfäl. Landesmuseum f. Kunst u. Kulturgeschichte überführt. Diese Figurengruppe stammt von H. Brabender (1545), einem der besten Bildhauer der Spätgotik. Erwähnt sei schließlich der *Kapitelsaal,* dessen Wandvertäfelung nach Entwürfen von Ludger tom Ring d. Ä. entstanden ist (vollendet 1558).

Kath. Pfarrkirche St. Ägidii (Ägidiistraße): J. K. Schlaun* hielt sich bei seinen Plänen strikt an die Vorschriften des Kapuzinerordens, der u. a. die Turm- und Schmucklosigkeit vorschrieb. – Im Mittelpunkt der reichen Ausstattung steht die *Kanzel* mit ihren lebensgroßen Figuren, ein Hauptwerk von J. W. Gröninger um 1720. Der achteckige *Taufstein* stammt von 1557 und ist eine Arbeit von A. Reining. Die *Seitenaltäre* enthalten Gemälde von E. v. Steinle (ab 1859), der auch die Wandmalereien besorgte.

Kath. St.-Clemens-Kirche (Clemensstraße): Im Auftrag des Kurfürsten Clemens August hat J. C. Schlaun die Kirche 1745–53 als Hospitalkirche für

Stephanusaltar im Dom zu Münster

Die Apostelfiguren im Paradies, Dom zu Münster

die Münsteraner Niederlassung der Barmherzigen Brüder gebaut. Die Kirche wird von einem runden Mittelraum beherrscht, der von einer Kuppel bedeckt und von mehreren Nischen umgeben ist (für Altäre, Beichtstühle und den Eingang). Aus der reichhaltigen Ausstattung ragt das Kuppelgemälde, das den hl. Clemens als Namenspatron der Kirche verherrlicht, heraus. J. A. Schöpf hat es 1750 gemalt (nach der Zerstörung im 2. Weltkrieg als Kopie wiederhergestellt).

Kath. Stadt- und Marktpfarrkirche St. Lamberti (Prinzipalmarkt): Die heutige Kirche (ihr gingen zwei ältere im 12. und 13. Jh. voran) entstand in den Jahren 1375–1450 (der Westturm wurde 1887–92 neu errichtet). Die Wiederherstellung nach den Zerstörungen aus dem 2. Weltkrieg war 1960 abgeschlossen. St. Lamberti ist nicht nur die größte Pfarrkirche der Stadt, sondern gleichzeitig eine der bedeutendsten Kirchen der Spätgotik in Westfalen. Das Äußere ist reich dekoriert, vor allem die Portale. Über dem Haupteingang ist die Wurzel Jesse in einem monumentalen Relief dargestellt. Große Teile der Ausstattung gingen verloren. Im Chor sind die Steinfiguren der Apostel, eine Arbeit von J. Kroess (um 1600), erwähnenswert, im sog. Alten Chor stehen Steinfiguren von vier Kirchenvätern (17. Jh.). An der Südseite des Turms sind die *Käfige* zu sehen, die 1536 aufgehängt wurden und in denen die Wiedertäufer gefangengesetzt waren. 1976/77 umfassende Restaurierung der Kirche innen und außen.

Münster, St. Lamberti 1 Alter Chor **2** Haupteingang mit Relief Wurzel Jesse, Mitte 15. Jh. **3** Kreuzigungsgruppe im Steingehäuse, nach 1536 **4** Apostelfiguren von Johann Kroeß, um 1600 **5** Expositorium von F. J. Diemig, 1782

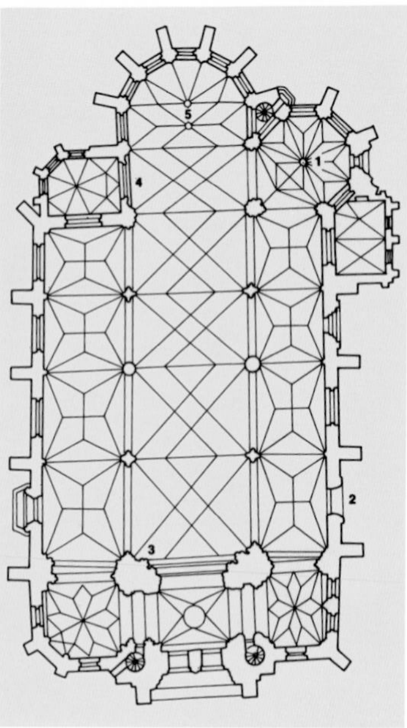

Kath. Pfarrkirche Liebfrauen (Überwasser Kirchplatz): Die erhaltene Hallenkirche entstand – als Nachfolgebau älterer Bauten – in den Jahren 1340–46 (der Turm war erst zu Beginn des 15. Jh. fertiggestellt). Der Figurenzyklus *Madonna und Apostel* (1363–74), der von den Wiedertäufern entfernt worden war und erst Jahrhunderte später (1898) bei Ausgrabungen wiedergefunden worden ist, befindet sich heute im Landesmuseum (siehe dort). Das barocke *Altarbild* hat M. Kappers gemalt (1763). Der *Alabaster-Taufstein* ist ein Werk von W. Gröninger (um 1720). Von tom Ring stammen die beiden großen Votivtafeln der Familie Ludger und Hermann tom Ring (1548 bzw. 1592). Vermutlich von G. Gröninger* stammen zwei der vier Epitaphe (für die Brüder Kerkerink und für Bernhard Hausmann, 1618 bzw. 1626).

Weitere sehenswerte Kirchen: *Ev. Apostelkirche* (13., 16. und 17. Jh.; Neubrückenstraße) mit Gewölbemalereien. – *Ehem. Dominikanerkirche St. Joseph* (Salzstraße): Der 1705–25 errichtete Neubau wurde nach den Kriegszerstörungen im 2. Weltkrieg wiederhergestellt. Zur Ausstattung

Rathaus ▷

gehört der geschnitzte Barockaltar von H. Gröne (1699). – *Kath. Pfarrkirche St. Ludgeri* (Marienplatz): Die Kirche ist ab 1180 als erste münsterländische Hallenkirche vom Typ der sog. Stufenhalle entstanden. – *Kath. Pfarrkirche St. Martini* (Neubrückenstraße): Aus d. Zeit um 1320. Zum Kirchenschatz gehört das Kapitelkreuz, das, im 14. Jh. entstanden, 58 cm hoch ist und Darstellungen aus dem Leben des Kirchenpatrons St. Martin enthält. – *Kath. Pfarrkirche St. Mauritz* (zwischen dem Hohenzollernring und Warendorfer Straße): Vom ersten Bau (11. Jh.) sind nur geringe Reste erhalten. Das basilikale Langhaus wurde in den Jahren 1859–61 von E. v. Manger (Oelde) errichtet.

Rathaus (Prinzipalmarkt): Das Giebelhaus mit Schauwand zum Markt ist im 14. Jh. entstanden. Es gehört zu den bedeutendsten Profanbauten der Gotik in Deutschland. Im Erdgeschoß befindet sich der *Friedenssaal,* in dem 1648 der Westfäl. Friede eingeleitet wurde. Die ursprüngl. Einrichtg. des Saales von 1577 blieb erhalten; 1958 Abschluß d. Wiederaufbaues d. Rathauses. An den Wänden hängen die Porträts der Gesandten, die den Friedensvertrag unterzeichnet haben. Der mächtige Kronleuchter ist um 1520 entstanden.

Prinzipalmarkt: Zu den Gebäuden des Prinzipalmarktes gehören neben dem Rathaus das *Stadtweinhaus* (1615 von J. v. Bocholt als Giebelhaus neben dem Rathaus errichtet). Der Platz wurde 1150 angelegt und ist seither Zentrum des städtischen Lebens geblieben.

Krameramtshaus (Alter Steinweg 7): Der Ziegelbau von 1588 ist das einzige erhaltene Gildehaus in Münster. Nach Beseitigung der Kriegsschäden (1951) beherbergt das Haus heute die Stadtbibliothek u. das Stadtarchiv.

Erbdrostenhof (Salzstraße): Dieser Bau von europ. Rang und schönste Adelshof in Münster ist ebenfalls ein Werk von J. C. Schlaun* (1757). Die Kriegsschäden sind beseitigt.

Ehem. fürstbischöfliches Residenzschloß (Schloßplatz): 1767 wurde mit dem Bau des Schlosses, für das Fürstbischof Maximilian Friedrich von Königsegg-Rothenfels den Auftrag gege-

Rathaus, Friedenssaal

ben hatte, begonnen, fast genau 20 Jahre später war es vollendet. Nach den Zerstörungen im Jahre 1945 (das Schloß brannte vollständig aus) ist es in seiner äußeren Form originalgetreu wieder aufgebaut worden. Die innere Aufteilung wurde auf die Nutzung durch die Universität ausgerichtet. – Die Pläne für diese bedeutende Anlage des norddeutschen Spätbarock hat J. C. Schlaun* entworfen.

Museen: Im *Westf. Landesmuseum für Kunst und Kulturgeschichte* (Domplatz 10) sind wichtige Beiträge zur mittelalterlichen Malerei und Plastik, zur Stadt- und Landesgeschichte sowie Werke sakraler Kunst zusammengetragen. – *Westf. Landesmuseum für Naturkunde* (Himmelreichallee 50): 300000 Bälge und Präparate von Vögeln, Säugetieren und Insekten. – *Westf. Landesmuseum für Vor- und Frühgeschichte* (Rothenburg 30): Vor- und Frühgeschichte Westfalens von der Altsteinzeit bis zum Mittelalter. – *Dom-Museum und Dom-Schatzkammer* (Domplatz): siehe Dom. – *Freilichtmuseum Mühlenhof* (über Sentruper Straße): Gezeigt werden originalgetreu erhaltene Mühlen.

Theater: *Städtische Bühnen* (Neubrükkenstraße 63): Die Architektengruppe Deilmann, von Hausen, Rawe und Ruhnau hat in den Jahren 1954–56 das Theater gebaut, das als beispielhaft für den modernen Theaterbau gilt. Im Innenhof blieb – als Kulisse – ein Rest des Romberger Hofes (1779–82) erhalten. Zum Stadttheater gehören das Musiktheater und das Schauspiel. Neben dem *Großen Haus* (956 Plätze) wird auch das *Kleine Haus* (bis zu 321 Plätze) bespielt. – Das *Zimmertheater* (Am Berliner Platz Nr. 23) bietet modernes Theater.

Bad Münstereifel 5358

Nordrhein-Westfalen S. 416 □ B 13

Ehem. Stiftskirche St. Chrysanthus und Daria (Langenhecke): Der aus dem 10. Jh. erhaltene Bau (im 19. Jh. restauriert) hat seinen Schwerpunkt im mächtigen Westwerk. Das Langhaus ist als Pfeilerbasilika mit schlichten Arkaden gestaltet. Im Inneren sind die Krypta, das Grab der Kirchenpatrone Chrysanthus und Daria sowie das Sakramentshäuschen, das F. Roir 1480 geschaffen

Fürstbischöfliches Residenzschloß

Fachwerkbauten, Münstereifel

hat, und das Hochgrab für Gottfried von Bergheim (gest. 1335) hervorzuheben. Der Taufstein (1619) und die aus Holz geschnitzte Muttergottes (14. Jh.) sind zwei weitere bedeutende Einzelstücke der reichen Ausstattung.

Rathaus (Marktstraße): Der aus zwei unterschiedlichen Teilen zusammengewachsene Bau (im linken Teil Treppengiebel und Erkertürme, im rechten dreijochige Laube mit Mansardendach) ist aus dem 15. Jh. übernommen (allerdings mit zahlreichen Ergänzungen und Erneuerungen).

Außerdem sehenswert: *Haus Windeck* (Orchheimer Straße): Das 1644 erbaute Fachwerkhaus ist eines der bedeutendsten und schönsten im Rheinland. – *Stadtbefestigung:* Die Bauten aus dem 13. und 14. Jh. sind zum Teil sehr gut erhalten. Unter den vier Stadttoren steht das *Werthertor* im Nordosten an der Spitze.

Umgebung: Im Stadtteil Iversheim (4 km nördlich) sind Reste einer römischen Kalkbrennerei zu besichtigen.

Münstermaifeld 5401

Rheinland-Pfalz S. 416 □ C 13

Stiftskirche St. Martin und St. Severus (Kirchplatz): Die 1332 geweihte Kirche hat den Charakter eines Wehrbaus. Der rechteckige Mittelbau des Westteils wird von zwei hohen Rundtürmen flankiert. – Die Wandmalereien an den Seitenschiffen stammen aus dem 13.–15. Jh. Der große Antwerpener Schnitzaltar ist ein Werk des 16. Jh. Erwähnenswert sind die Plastiken des Südportals (Eucharistische Taube aus dem 14. Jh., Madonna mit der Rose aus der 1. Hälfte des 14. Jh.).

Münzenberg 6309

Hessen S. 416 □ F 13

Geschichte und Anlage der Stadt sind im engen Zusammenhang mit der mächtigen Burg Münzenberg zu sehen, die als Ruine erhalten ist und zum Wahrzeichen der Wetterau wurde.

Ev. Pfarrkirche: Die Kirche aus der Zeit der Spätromanik wurde im 13. Jh. erweitert und hat seither ihr Bild fast unverändert erhalten. Kernstück ist der mächtige Chorturm, der von einem Helm aus Holz bekrönt und durch ausgezeichnete gotische Fensterformen charakterisiert wird. Aus der reichen *Ausstattung* sind hervorzuheben: Schnitzereien der Orgelempore und des Herrschaftsgestühls (vorwiegend 17., auch 18. Jh.), Ziborienaltar in der NO-Ecke des Schiffes (Mitte 13. Jh.), überlebensgroßes Kruzifix über dem Choraltar (14. Jh.), Sakramentsnische (15. Jh.), Grabmal für J. D. von Bellersheim (1601).

Burg Münzenberg: Die Burg gehört neben der Wartburg zu den bedeutendsten hochmittelalterlichen Anlagen in

Deutschland. Sie repräsentiert einen Teil des Systems von Pfalzen, Reichsburgen und Ministerialenburgen, mit denen das mittelalterliche Reich durchzogen war und von denen aus das Land regiert wurde. Die Münzenburg entstand in der Zeit Kaiser Friedrich Barbarossas (1170–80). Bauherr war der treue Gefolgsmann der Hohenstaufen, Kuno von Münzenberg. Vorbilder lieferten die Kaiserpfalz in → Gelnhausen und auch die Saalhofkapelle in → Frankfurt. – Die Burg ist heute nur noch als Ruine erhalten, aus der sich jedoch die Anlage aus der Entstehungszeit genau erkennen läßt. Charakteristisch sind die beiden hohen Rundtürme, mit denen die Anlage nach zwei Seiten hin abgeschlossen wird. Die Anlage besteht im einzelnen aus: *Falkensteiner Bau* (13. Jh., erstklassige frühgotische Fensterformen), Reste des *Küchenbaus* (mit erkennbarem Kamin), *Palas* mit großartiger Schauseite und *Kapelle* (über der Toreinfahrt).

Außerdem sehenswert: Das Rathaus (Marktplatz) aus dem 16. Jh.

Umgebung: Klosterruine Arnsburg (6 km nördlich). Ehem. Zisterzienserkloster, gegen 1197 Baubeginn, um 1246 geweiht. Ruinen von Kirche und Kreuzgang üben eine großartige monumentale Wirkung aus. Die Konventsgebäude sind heute Schloß der Grafen Solms-Laubach.

Stiftskirche, Münstermaifeld

Murnau 8110

Bayern S. 422 □ K 21

Pfarrkirche St. Nikolaus: An der Stelle, an der die Staffelseekirche im 12. Jh. eine Tochterkirche errichtete, ist die heutige Kirche in den Jahren 1717–27 erbaut worden (der Turm folgte bis 1732). Sie zählt zu den bedeutendsten Bauwerken des Barock in Bayern. Wer der geniale Baumeister gewesen ist, ist bisher ungeklärt (lange hielt man J. M. Fischer* für den Urheber). – Der Innenraum wird von einem Oktogon beherrscht, das durch dreieckige Ergänzungen von Raumgebilden zu einer quadratischen Grundfläche erweitert ist. Das mächtige *Gewölbefresko* in der Kuppel wurde erstaunlicherweise nicht gleich im Anschluß an die Fertigstellung des Baus geschaffen, sondern folgte im 19. Jh. Der *Stuck* rundet den Gesamteindruck dezent ab. Der *Hochaltar* zeigt erstklassige Plastik (E. Verhelst* zugeschrieben, um 1725–30). Er stammt aus dem Kloster Ettal, wo er 1730 aufgestellt worden war. Bei der Überführung nach Murnau im Jahr 1771 wurde er mit verändernden Zutaten versehen (B. Zwinde) und erhielt dabei sein heutiges Aussehen. Erwähnenswert sind auch *Nebenaltäre, Kanzel* (um 1750–60) und *Gestühl.*

Außerdem sehenswert: *Mariahilfkirche* (1734 geweiht); zahlreiche *Dorfkirchen* in der näheren Umgebung (u. a. in Froschhausen und Seehausen); *Bauernhofmuseum* auf der Glentleiten bei Großweil.

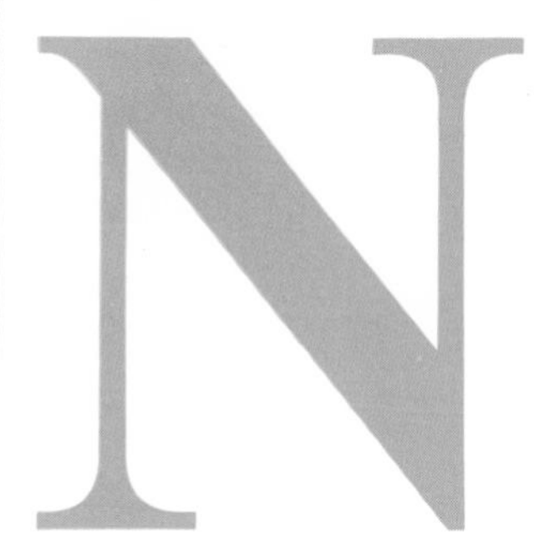

Nassau 5408

Rheinland-Pfalz S. 416 □ D 13

Schloß der Freiherren vom Stein: Die Freiherren vom Stein, seit dem 12. Jh. Burgmannen der Grafen von Nassau, bauten 1621 einen mittelalterlichen Gutshof zu einem schlichten Spätrenaissancebau mit quadratischem Treppenturm aus. In Verbindung mit den 1755 hinzugefügten Seitenflügeln entstand ein Ehrenhof. – In diesem Schloß kam Reichsfreiherr H. F. K. vom und zum Stein, der spätere preußische Minister und Reformer, 1757 zur Welt. 1814 ließ er nach Plänen K. F. Schinkels* zwischen Mittelbau und Südflügel den heute als *Schinkelturm* bezeichneten achteckigen und dreigeschossigen Turm errichten. Mit seinen Spitzbogenfenstern, mit der Dachterrasse und den Figuren an den Wandstreben ist der Turm ein frühes Beispiel neugotischer Bauweise. Im Obergeschoß befindet sich eine *Gedächtnishalle* für die

Schloß der Freiherren vom Stein, Nassau

Befreiungskriege mit Büsten der drei Monarchen der »Heiligen Allianz«, geschaffen von C. Rauch* (1817). Im Mittelgeschoß ist das *Arbeitszimmer* des großen Staatsmanns.

Außerdem sehenswert: Die *Burgruine Stein,* der Stammsitz des Geschlechts, wurde 1945 fast völlig zerstört. – Auch die *Burg Nassau,* welche auf das Jahr 1101 zurückgeht, ist 1945 stark beschädigt worden (quadratischer Hauptturm, Reste des Palas). – In der *ev. Kirche* mit spätromanischem Westturm und frühgotischem Langhaus ist das frühgotische Taufbecken auf vier Säulen sehenswert. – Der *ehem. Adolzheimer Hof* (seit 1912 Rathaus), ein dreistöckiger Fachwerkbau mit Erdgeschoßlaube (1607–09), hat prachtvolle Schnitzereien.

Bad Nauheim 6350

Hessen S. 416 □ E 13

Bereits in keltischer Zeit wurde im Bereich der heutigen Stadt Salz gewonnen. Ab 1905 entstand im Zuge einer großzügigen Stadtplanung die wohl größte einheitliche Bauanlage des Jugendstils in Deutschland.

Kurhaus: Die 1908–09 von W. Jost errichtete Anlage ist ein gutes Beispiel für die Jugendstilarchitektur (mit neubarocken Zutaten). Sie besteht aus zwei großen Gebäudeflügeln mit 16 kleinen, unterschiedlich gestalteten und teilweise reich verzierten *Binnenhöfen.* Um den großen *Sprudelhof* ziehen sich offene Arkaden. Im *Kurpark* steht der *Rabenturm* (1742–45).

Außerdem sehenswert: Auf dem 268 m hohen *Johannisberg* findet man Reste eines römischen Signalturms (2. Jh.) sowie Mauern des achteckigen Westturms (13. Jh.) einer Kirche. Heute befindet sich auf dem Johannisberg eine *Sternwarte.* – Das *Salzmuseum* (Ludwigstraße 20–22) zeigt Beiträge zur antiken und mittelalterlichen Salzgewinnung sowie zur Stadtgeschichte.

Nennig = Perl 6643

Saarland S. 416 □ A 15

Römische Villa: 1852 entdeckte ein

Sprudelhof, Bad Nauheim

Bauer am südöstlichen Ortsrand die Reste eines römischen Landhauses. Der Prachtbau hatte eine Frontlänge von 120 m und war mit der abseits gelegenen Badeanlage durch eine ca. 250 m lange Wandelhalle verbunden. In der Mitte befand sich ein Festsaal mit *Mosaikfußboden* (10 × 16 m) aus dem 2. Jh., der gut erhalten blieb. Die Schutzbauten sind im Stil des Klassizismus errichtet.

Schloß Berg: Das Schloß, das aus einer *Ober-* und einer *Niederburg* besteht, geht in seinen ältesten Teilen bis ins 12. Jh. zurück (großer Wohnturm, zwei kleine runde Türme, Tor zum Hof). Vom 14. bis zum 16. Jh. wurden mehrere Erweiterungsbauten hinzugefügt. Nach der Zerstörung im 2. Weltkrieg wurde die Anlage wiederhergestellt.

Nenningen = Lauterstein 7321

Baden-Württemberg S. 420 □ G 18

Friedhofskapelle: Unter mächtigen Baumkronen steht die kleine barocke Friedhofskapelle. Sie enthält das letzte Werk des großen Münchener Bildhauers I. Günther*, eine signierte Pietà (1774). Das lebensgroße, hervorragende Schnitzwerk schließt trotz seines barocken Pathos an die berühmten Pietà-Darstellungen der Gotik an.

Neresheim 7086

Baden-Württemberg S. 422 □ H 18

Benediktinerabtei Hl. Kreuz mit Klosterkirche: Die Benediktiner, die hier ab 1106 anzutreffen waren, haben das Kloster von Anfang an zum kulturellen Mittelpunkt des Härtsfeldes, der Hochfläche der Schwäbischen Alb zwischen Ulm und Nördlingen, gemacht. An der höchsten Stelle des Klosterbezirks liegt die Kirche, die dem hl. Ulrich geweiht ist. Der mittelalterliche Bau wurde mehrmals verwüstet. Ab 1750 entstand hier nach Plänen von B. Neumann* eine der schönsten Barockkirchen Europas. Nach dem Tod Neumanns (1753) ging man zwar weiter nach den Plänen des berühmten Architekten vor, doch wurde nun manches verändert und viel gespart. So entspricht die konvexe, mit Säulen, Lisenen und Figuren geschmückte *Fassade* nicht mehr

◁ *Römischer Mosaikboden, Nennig*

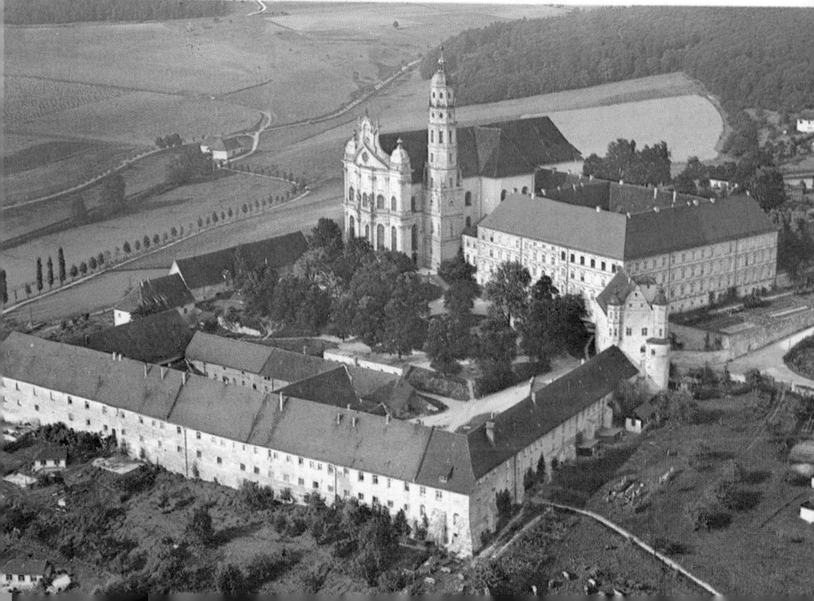

Klosterkirche, Neresheim

dem ursprünglichen Plan (im oberen Teil stark reduziert). Der an der Südwestecke stehende *Turm* stammt aus dem Jahr 1618 und wurde in den Neubau einbezogen. – Von besonderer Bedeutung ist jedoch der *Innenraum:* Der ungeteilte Langbau (83 m lang) wird von einem kurzen Querschiff durchschnitten. Durch die Schrägstellung der Wandpfeiler, die zudem von der Mauer abgerückt sind, erhält der Raum eine rhythmische Gliederung mit ungewöhnlicher Licht- und Schatteneinwirkung. Die fünf ovalen Flachkuppeln sind eine Eigenart Neumanns. – Die geplante *Ausstattung* kam nur teilweise zur Ausführung. Anstatt großer, pompöser Altäre gibt es nur bescheidene im Louis-Seize-Stil. Ausgewogen in Komposition und Farbgebung sind die figurenreichen *Deckengemälde* des Tiroler Malers M. Knoller (1771–75). – Im angrenzenden *Kloster* (1699–1714) findet man interessante Stukkaturen.

Neuburg a. d. Donau 8858

Bayern S. 422 □ K 18

Ein befestigter Übergang über die Donau war die Keimzelle des Ortes. Die aufstrebende Brückensiedlung besaß eine alte Burg, die bald zu eng wurde und der Neuburg Platz machte. Um die Mitte des 16. Jh. wurde Neuburg Residenz der Fürsten von Pfalz-Neuburg. 1777 kam Neuburg an Bayern.

Schloß: Der größte Teil des heutigen Schlosses entstand 1530–45 unter Pfalzgraf Ottheinrich, der als großer Bauherr der Renaissance in die Geschichte eingegangen ist (Ottheinrichsbau im → Heidelberger Schloß). Zunächst wurden drei gegen O geöffnete, äußerlich schlichte *Flügel* gebaut. Sie umschließen einen malerischen *Hof,* der von zweigeschossigen Laubengängen umgeben ist. Die unteren Arkaden zeigen gedrehte Säulen mit Rundbogen und gotisches Kreuzrippengewölbe. Der Hof ist ein gutes Beispiel für die Anfänge der deutschen Renaissancearchitektur. – Die wertvolle *Schloßkapelle* gehört zu den ältesten ev. Schloßkapellen in Deutschland. Die von H. Bocksberger 1543 gemalten *Fresken* sind ein frühes Zeugnis protestantischer Monumentalmalerei. – Den *Ostflügel* des Schlosses baute Pfalzgraf Philipp Wilhelm 1665–68.

Neuburg a. d. Donau, Donaupartie mit Schloß von Nordosten

Ehem. Hofkirche St. Maria (Karlsplatz): Auf dem alten benediktinischen Klostergelände begann 1607 der Bau einer protestantischen Kirche. Sie war als »Trutzmichael« gegen das Zentrum der jesuitischen Gegenreformation, → St. Michael in München, konzipiert, aber schon vor Vollendung des Baus, als wieder ein kath. Fürst die Regierung antrat, wurde die Kirche kath.-jesuitisch umfunktioniert. – Die frühbarokke *Einturmfassade* mit ihrem pilastergegliederten Unterbau prägt den Schloßplatz. – Das *Innere* ist spätgotisch gegliedert, die Ausstattung zeigt jedoch den Stil der Hochrenaissance. Italienische Stukkateure und Maler haben hier mitgearbeitet. An der *Orgelempore* (um 1700) waren Barockstukkateure der → Wessobrunner Schule beteiligt. Ein überdimensionales Gemälde »Das Jüngste Gericht«, das P. P. Rubens für den *Hochaltar* geschaffen hatte, wurde wegen der Nuditäten 1703 entfernt und gehört jetzt ebenso der Alten Pinakothek in → München wie zwei andere Rubens-Tafeln, die einst die Hofkirche geschmückt haben.

Theater: Das *Stadttheater* (Residenzstraße A 67), ein Bau aus dem Jahr 1869 (1968/69 renoviert), wird von auswärtigen Bühnen bespielt. Die *Neuburger Kammeroper e. V.* bietet hier jeweils im Juli eigene Aufführungen.

Außerdem sehenswert: Das *Rathaus* (17. Jh.) mit hoher doppelter Freitreppe wurde 1948/49 innen erneuert. – Die *Bibliothek* (ehem. St.-Martins-Kirche, 1731) ist ein bedeutender, durch Pilaster und vorgesetzte Säulen gegliederter Bau mit feinen Rokokostukkaturen im Inneren und geschnitzten Bücherregalen (18. Jh.). – Die *Pfarrkirche St. Peter* (1641–47) hat einen beachtenswerten Hochaltar.– *Heimatmuseum* (Amalienstraße 119).

Neuenbürg 7540

Baden-Württemberg S. 420 □ E 17

Schloß: Der große Ruinenkomplex umfaßt die mittelalterliche Ringmauer nebst Zwinger sowie ein Schloß aus dem 16./17. Jh. Hier ist heute das Forstamt untergebracht.

Ev. Schloßkirche St. Georg: Der frühgotische Bau wurde 1557 verändert. Zur Ausstattung gehören *Wandgemälde* (1. Hälfte des 14. Jh.), die erst 1952 freigelegt worden sind.

Ev. Stadtpfarrkirche: Der 1789 entstandene klassizistische Bau besitzt einen in dieser Gegend seltenen Kanzelaltar.

Neuenheerse = Bad Driburg 3490

Nordrhein-Westfalen S. 414 □ F 10

Ehem. Damenstiftskirche/Kath. Pfarrkirche St. Saturnina: Die Kirche stammt in wesentlichen Teilen aus dem frühen 12. Jh. Der starke *Westturm* mit seinen Treppentürmen (ein altes Westwerk) wurde später erhöht und als Glockenturm ausgebaut. Das südliche Querschiff war als Frauenempore eingerichtet. Darunter befand sich der *Kapitelsaal* (heute Sakristei). Im 14. Jh. wurden Langhaus und südlicher Querarm zu einer Hallenkirche umgewandelt, mit Strebepfeilern versehen und in den Fenstern gotisiert. – Von der romanischen Ausgestaltung zeugen noch die stämmigen *Säulen* mit Gurtbögen über den Würfelkapitellen des nördlichen Seitenschiffs, das nicht mit in die neue Halle einbezogen wurde. – In der frühromanischen *Krypta* befindet sich an der Westseite der Durchgang zum Kultgrab eines Heiligen oder Märtyrers. – Die nach O anschließende *Lambertikapelle* (12. Jh.) zeigt Reste von Wandmalereien aus der Erbauungszeit. Eine monumentale Inschriftenplatte (11. Jh.) erinnert an die hl. Walburg, die das adelige Damenstift im 9. Jh. gegründet hat. – Die *Ausstattung* der Kirche ist überwiegend barock. Beachtenswert ist ein prachtvolles *Eisengitter* (um 1400) im nördlichen Seitenschiff. Sehenswert ist auch der sog. *Damensattel,* ein steinerner Sitz auf der nördlichen Kirchhofsmauer, den eine neu ernannte Äbtissin bei ihrer Einführung einnehmen mußte.

Neuenstein 7113
Baden-Württemberg S. 420 □ G 16

Schloß: Seit Mitte des 13. Jh. ist das Schloß im Besitz der Grafen bzw. Fürsten von Hohenlohe. Dem heutigen Renaissancebau ging eine Wasserburg des frühen 13. Jh. voraus, deren Bergfried und Ringmauern mit romanischen und frühgotischen Elementen noch erhalten sind. Der rechteckige Binnenhofkomplex mit starken Ecktürmen erhielt durch Zutaten aus dem letzten Jahrzehnt des 16. Jh. seine malerische, kontrastreiche Dachsilhouette. Über den schlichten Mauern wurden reich verzierte Giebel angebracht, auf den beiden Tortürmen originelle Pavillons errichtet. Im Erdgeschoß befinden sich mehrere mächtige Säulenhallen, unter denen der *Kaisersaal* mit Netzgewölbe (um 1560) eine Sonderstellung einnimmt. Statt der fehlenden Korridore gibt es zahlreiche versteckte *Wendeltreppen.* – Das Schloß beherbergt heute das *Hohenlohe-Museum* und das Hohenlohische Zentralarchiv mit einer Reihe interessanter Beiträge.

Neuenstein (Hohenlohe), Schloß 1 Brückentor **2** Kaisersaal, um 1560 **3** Treppenturm

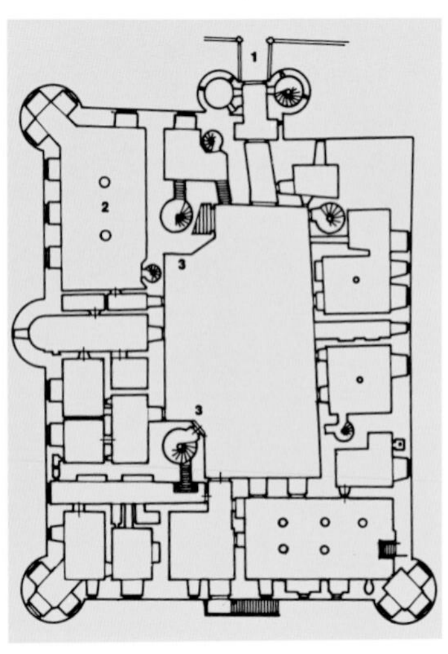

Neuerburg, Eifel 5528
Rheinland-Pfalz S. 416 □ A 14

Burgruine: Zu den Befestigungsanlagen der Westeifel-Stadt gehörten ursprünglich 16 Türme und drei Tore. Sie waren an die Burg, die auf steilem Felsgrat liegt, angeschlossen. Der Kern der Anlage (dreigeschossiger Torbau, Ringmauer, Palas) stammt aus dem 13. Jh. Der Saal im Erdgeschoß des Palas wurde vermutlich Anfang des 15. Jh. mit rundbogigen, romanisierenden Kreuzgewölben versehen. Im 16. Jh. wurde die Burg durch eine zusätzliche Ostbastion befestigt, die Ringmauern wurden verstärkt und zusätzlich zwei hufeisenförmig vorspringende Geschütztürme errichtet. Obwohl 1692 die Außenwerke von den Franzosen gesprengt und später teilweise abgebrochen wurden, ist die Burg trotzdem gut erhalten geblieben bzw. instand gesetzt worden.

Kath. Pfarrkirche St. Nikolaus: Der 1492 begonnene und gegen 1570 vollendete gotische Bau gehört zur Gruppe jener zweischiffigen Kirchen, die durch Stützenreihen in der Mittelachse gekennzeichnet und von denen mehrere in der Westeifel erhalten sind. Der freistehende *Glockenturm* war zugleich Torturm des Burgberings (mit Durchfahrt). – Im Inneren fallen die reichen *Stern- und Netzgewölbe* auf, die im Langhaus auf schlanken Achteckpfeilern ruhen.

Neuschwanstein 8959
Bayern S. 422 □ I 21

Schloß: Der Theatermaler C. Jank, der in München auch die Bühnenbilder zum »Tannhäuser« entworfen hatte, konzipierte die neuromanische Burg für König Ludwig II. von Bayern. Neben seinem Versailles (→ Herrenchiemsee) wollte Ludwig auch seine Wartburg haben. Der Bau wurde 1869–86 in unvergleichlicher Lage über Alp- und Schwansee aufgeführt. Neben Arbeits-, Schlaf-, Wohn- und Speisezimmern für den König und seine Begleitung (ausgemalt mit Szenen aus »Tristan« und »Lohengrin« sowie aus anderen Wagneropern) sind der Thron- und der Sängersaal besonders hervorzuheben. Letzterer wurde der Sängerhalle aus dem »Tannhäuser« nachgebaut und von F. Piloty u. a. mit Bildern zum »Parzival« ausgeschmückt.

Neuss 4040

Nordrhein-Westfalen S. 416 □ B 11

Aus dem lateinischen Novaesium, dem Namen für ein römisches Legionslager am Rhein, entwickelte sich Neuss. Die Stadt war schon im Mittelalter Rheinhafen und gehörte dem Hansebund an.

Stiftskirche St. Quirin/Kath. Pfarrkirche (Münsterplatz): In der Reihe der romanischen Kirchen am Rhein steht St. Quirin zeitlich fast am Ende; vor allem am reichgeschmückten *Westturm* der mächtigen Kirche sind gotische Elemente bereits deutlich sichtbar. Der klassisch schöne *Kleeblattchor* im O hat dagegen seine Vorbilder in → Köln (St. Aposteln). Der große *Vierungsturm* im O, der sein barockes Kupferdach nach einem Brand im Jahr 1741 erhielt, hat originelle blumenförmige Fenster. Die *Westfassade,* an der die Arkadenbögen in drei Giebeln treppenförmig herauf- und herunterlaufen, war ursprünglich als Zweiturmfassade geplant; dann gab man jedoch der gewaltigen Einturmlösung den Vorzug (1230–50). Von der *Ausstattung* sind ein Gabelkruzifixus Kölner Art (um 1360, auf dem Altar) und eine »Schöne Madonna« als Werk des sog. Weichen Stils (1420) hervorzuheben.

Museum: Das *Clemens-Sels-Museum* befindet sich beim *Obertor,* das zur Stadtbefestigung (13. Jh.) gehörte. Hier werden römische Bodenfunde, Sammlungen zur Stadtgeschichte, zur Volkskunst des näheren Einzugsgebietes und zur Kunst des 14.–19. Jahrhunderts gezeigt.

Schloß Neuschwanstein

◁ *Stiftskirche St. Quirin, Neuss* *St. Quirin, Neuss*

Theater: Das *Rheinische Landestheater Neuss* (Büttger Straße 2) mit eigenem Schauspielensemble bespielt nicht nur das eigene Theater (394 Plätze), sondern auch zahlreiche Bühnen in der näheren Umgebung.

Außerdem sehenswert: Die *Dreikönigenkirche* (Dreikönigenstraße) mit den berühmten Fenstern von J. Thorn-Prikker (1909–1911).

Neustadt i. Holstein 2430

Schleswig-Holstein S. 412 □ I 3

Ev. Stadtkirche: Die Kirche ist eine dreischiffige gotische Backsteinhalle mit etwas älterem, 1238 begonnenem Chor. Der schon vorher geplante *Westturm* wurde erst 1334 aufgeführt. In seinem Untergeschoß befand sich vermutlich die Gerichtslaube. Nach der Restaurierung einer Ausmalung aus der Zeit um 1350 (1957 freigelegt) gehört der Bau zu den schönsten gotischen Kirchenräumen in Holstein. Die Architekturglieder werden durch unterschiedliches Dekor, die Rippen durch begleitende »Krabben« (Scheitelbogen mit geometrischen Blumenornamenten) betont. Im oberen Teil des Mittelschiffs sind anstelle der Fensteröffnungen kunstvolle Maßwerkfenster aufgemalt – eine seltene Art der Ausschmückung (ebenso wie die Blendrose über dem Chorbogen). Chor und Langschiff enthalten *Wandgemälde* aus verschiedenen Epochen der Gotik. Der prächtige *Schnitzaltar* (1643) war ursprünglich für den → Schleswiger Dom angefertigt worden, wurde jedoch 1668 in Neustadt aufgestellt (in Schleswig hatte man zu dieser Zeit den Bordesholmer Altar erworben).

Außerdem sehenswert: *Heilig-Geist-Hospital und -Kapelle* (1408) mit Resten gotischer Ausmalung; *Kremper*

Stadtkirche, Neustadt i. Holstein

Tor, das einzige erhaltene von drei Haupttoren (mit *Heimatmuseum*).

Umgebung: 4 km nördlich von Neustadt die Basilika in *Altenkrempe.*

Neustadt a. d. Weinstraße 6730

Rheinland-Pfalz S. 420 □ D 16

Gegenüber dem älteren, schon im 8. Jh. genannten Dorf Winzingen, das inzwischen ein Stadtteil von Neustadt geworden ist, gilt die eigentliche Stadt als – wortwörtlich – »neue Stadt«. Ihre Blütezeit erlebte sie (trotz Beteiligung am Bauernkrieg auf seiten der Bauern) im 16. Jh. unter dem Pfalzgrafen Johann Casimir, der damals ein eigenes linksrheinisches Fürstentum erhielt. Ihm ist auch das Collegium Casimirianum zu verdanken (eine Gegengründung zur → Heidelberger Universität). Die Stadt hatte das Glück, 1689 von den Franzosen nicht zerstört zu werden, so daß das ursprüngliche Straßenbild noch gut erhalten ist.

Ehem. Stiftskirche Liebfrauen (Am Markt): Die Kirche aus rotem Sandstein gehört zu den bedeutendsten Bauwerken der linksrheinischen vorderen Pfalz. Sie stammt im wesentlichen aus dem 14. Jh. und wurde ursprünglich als Begräbniskirche der kurfürstlichen Familie errichtet. Der *Südturm,* der in seinen unteren Geschossen aus einem älteren Bau übernommen worden ist, schließt unter seiner Barockhaube eine reizvolle *Türmerwohnung* ein, die bis vor wenigen Jahren noch benutzt worden ist. – Das Innere erhält durch reichen *plastischen Schmuck* (an Baldachinen, Konsolen und Affen, Fratzen, Ranken und Wappen) ein besonderes Bild. Im Chorgewölbe und in der Westvorhalle finden sich Reste *gotischer Malerei, Grabmäler* von Mitgliedern der Pfalzgrafenfamilie schmücken den Chor (das Grabmal der Kurfürstin Margarete von Aragonien ist 1377 entstanden und kündigt in seiner Zartheit bereits den sog. Weichen Stil an).

Casimirianum (Ludwigstraße): Das Casimirianum wurde 1579 als Hochschule für jene Reformierten gegründet, welche die lutherische Universität von Heidelberg verlassen mußten. Der dreigeschossige Bau hat seine architektonischen Reize vor allem im Treppenturm und in dem schönen Renaissanceportal (1579).

Hambacher Schloß (4 km südlich der Stadt): Über dem (eingemeindeten) Ort Oberhambach liegt die *Kästenburg,* eine alte Reichsburg der salischen Kaiser (11. Jh.), die 1688 von den Franzosen zerstört worden war. Sie wurde berühmt durch das »Hambacher Fest«, eine studentische Kundgebung im Mai 1832, bei der es um die Vereinigung der deutschen Länder zu einem einheitlichen Reich und um den Zusammenschluß Europas ging. Die Burg, ein Hochzeitsgeschenk der Pfälzer an den bayerischen Kronprinzen

Maximilian, wurde von diesem ab 1846 im venezianisch-gotischen Palaststil neu aufgebaut.

Rathaus und Wohnbauten: Im ehemaligen Jesuitenkolleg am Markt (1730) ist heute das Rathaus untergebracht. Rings um den Marktplatz sind viele Wohnbauten mit schönen Höfen erhalten (u. a. Marktplatz 4 und 11, Rathausgasse 4 sowie Hauptstraße 55 und 91).

Museum: Das *Heimat- und Weinmuseum* ist der Geschichte des Weinbaus gewidmet, was an diesem Ort nicht als Zufall gelten kann. Die Stadt ist heute die größte Weinbaugemeinde in Deutschland. Außerdem befinden sich in diesem Museum Sammlungen zur Orts- und Heimatgeschichte.

Neuwied 5450

Rheinland-Pfalz S. 416 □ C 13

An jener Stelle, an der die Wied in den Rhein mündet, lag der Ort Langendorf, der im 30jährigen Krieg vollständig verwüstet wurde. Graf Friedrich III. von Wied legte 1648 zusammen mit seinem Schloß planmäßig eine neue Stadt an und gab ihr seinen Namen. Die Bauplätze wurden unter der Auflage, daß beim Bau der Häuser ein vorgeschriebener Plan eingehalten werde, kostenlos abgegeben. So entstand ein homogenes Stadtbild mit einheitlichen Häusertypen.

Schloß (Schloßstraße): Der erste Bau, mit dem 1648 begonnen wurde, fiel bald den Franzosen zum Opfer. Ein Neubau wurde 1706 in Angriff genommen und nach längerer Unterbrechung schließlich 1756 vollendet. Von den drei Gebäuden, die um einen Hof gruppiert sind, ist das mittlere, das *Corps de logis,* reicher gegliedert. Treppenhaus und Festsaal sind mit *Stuckfiguren* an den Decken geschmückt. Die Wände wurden von A. Gallasini* reich stukkiert. – Zwischen dem Schloß und der Mündung der Wied liegt der *Park,* der auch die ehem. *Fasanerie* (einen zweistöckigen Pavillon) enthält.

Museum: Das *Kreismuseum* (Raiffeisenplatz) zeigt vor- und frühgeschichtliche fränkische Grabbeigaben, mittelalterliche Bildwerke und Glasmalereien, Möbel sowie Kunstgewerbe.

Theater: *Landesbühne Rheinland-Pfalz* (Heddesdorfer Straße) und *Theatermobil* (Rosengarten 1), eine Gastspielbühne, die mit ihren Aufführungen den gesamten deutschsprachigen Raum bereist.

Nieblum 2271

Schleswig-Holstein S. 412 □ E 1

Ev. Kirche St. Johannis: Diese 1240 erstmals genannte Kirche auf der Insel Föhr ist zugleich Pfarrkirche von Amrum. Der gedrungene kreuzförmige Backsteinbau paßt sich mit seinem niedrigen Turm der Insellandschaft an. Die Bauformen des *Chors* sind noch spätromanisch, die des *Querhauses* bereits frühgotisch (mit Stützpfeilern und Spitzbogenfenstern). Das *Südportal* liegt hinter einem barocken Vorhaus (mit Sonnenuhr). Auch der reich gegliederte *Westturm* stammt aus der Frühgotik. – Der Innenraum wird von einer Holzbalkendecke abgeschlossen (in der Mitte abgestützt). Neben den Holzemporen ist vor allem der schöne *Schnitzaltar* hervorzuheben. Er zeigt eine Marienkrönung. Zur wertvollen Ausstattung gehören auch ein *Granittaufstein* (um 1200), eine interessante *Holzkanzel* mit Reliefszenen und reicher Ornamentik (1618) sowie ein *Holzepitaph* (1613), der dem Flensburger Künstler H. Ringering zugeschrieben wird.

Außerdem sehenswert: Der *Kirchhof* mit originellen Seefahrergrabsteinen (u. a. ein Dreimaster in stürmischer See mit üppigem Rocaillerahmen). – Zum gut erhaltenen Ortsbild gehören schöne *Friesenhäuser.*

Niederaltaich 8351

Bayern S. 422 □ N 18

Benediktinerklosterkirche St. Mauritius: Das Kloster, zwischen den Altwassern in der Donauniederung gelegen (daher der Name »altaich«), war im Mittelalter eines der bedeutendsten Klöster in Bayern. Der Mauerkern der Kirche stammt aus dem 14. Jh. Er wurde, nachdem das Gebäude bis auf die Grundmauern ausgebrannt war, in den Neubau von 1718 einbezogen. Baumeister war J. Pawanger. Von ihm ist jedoch nur das *Langhaus* mit den hoch hinaufgerückten Emporen; sein *Chorbau* wurde infolge großer technischer Mängel halb vollendet wieder abgerissen. Die Bauleitung wurde J. M. Fischer* übertragen, der damit seinen ersten Kirchenbauauftrag erhielt (1724–26). Besonders reizvoll sind die Flachkuppeln der *Seitenschiffe,* die zu den Emporen geöffnet sind. Die *Stukkierung* ist in ihren Grundzügen italienisch. Der *Freskenzyklus* an den Dekkenfeldern schildert Klosterszenen und die Apotheose des Kirchenheiligen. Unter den *Altären* befindet sich ein Sebastiansaltar mit guten Schnitzfiguren. – J. M. Fischer hat die *Sakristei* unter den runden Chorabschluß gelegt. Neben der zarten Stukkierung verdienen die Sakristeischränke, eine vorzügliche Schreinerarbeit aus der Zeit um 1727, besondere Beachtung.

Niederlahnstein, Lahnstein 5420

Rheinland-Pfalz S. 416 □ C 13

Pfarr- und Klosterkirche St. Johannes d. T.: Die Kirche, Mitte des 19. Jh. noch Ruine, wurde 1856, 1906 und endlich 1960/61 in den originalen alten Zustand des 12. Jh. zurückversetzt. Der mächtige *Westturm* mit seinen sechs Geschossen und dem kurzen Pyramidendach zeigt die typisch rheinische Rot-Schwarz-Eckquaderung. Der *Innenraum* wird bestimmt durch die Emporenöffnungen und die Säulenarkaden im Westturm (unter der Orgel). St. Johannes ist eine der frühesten Emporenkirchen im Rheinland.

Außerdem sehenswert: Das *Heimbachsche Haus* (Heimbachgasse 2), ein romanisches Wohnhaus aus dem 12. Jh. mit rot-weißen Rundbögen; der *Naussau-Sporkenburger Hof* (Johannisstraße 21), ein spätgotischer Steinbau; *Wirtshaus an der Lahn* (Lahnstraße 8), malerischer Fachwerkbau (1697). Siehe auch → Lahnstein.

Niederrotweil 7801

Baden-Württemberg S. 420 □ C 19

Altar in der kath. Kirche St. Michael: Der spätgotische *Hochaltar* gehört zu den ausdrucksstärksten in Süddeutschland. Dargestellt ist eine Marienkrönung, die von St. Michael und Johannes d. T. flankiert wird. Auf den Reliefs der Innenflügel sind Michael mit der Seelenwaage, der Sturz der Verdammten, die Taufe Christi und die Enthauptung Johannes des Täufers dargestellt. Der virtuos geschnitzte Altar ist ein Spätwerk des Meisters H. L., des Schöpfers des Altars im → Münster von Breisach.

Nienburg 3070

Niedersachsen S. 414 □ F 7

Rathaus (Lange Straße 24): Der Fachwerkbau wird geprägt von einem *Laubengang* und einem übergroßen *Turm.* Zur Langen Straße hin erhebt sich ein siebenstufiger *Treppengiebel,* dessen einzelne Stufen mit Muschelhalbrunden bekrönt sind. In den Formen sehr ähnlich ist das *Utlucht,* ein zweigeschossiger Erkerbau. Beide Teile, jeweils in Sandstein aufgeführt (1582–89), sind schöne Beispiele der Weserrenaissance.

Außerdem sehenswert: Die spätgotische Hallenkirche *St. Martin* mit Renaissancegrabmälern. – Im Haus

Hochaltar, Niederrotweil ▷

Quaet-Faslem (Leinstraße 4), einem schönen klassizistischen Gebäude, befindet sich das *Heimatmuseum.*

Umgebung: Nordwestlich von Nienburg liegt *Marklohe* mit einer schönen romanischen Kirche (12. und 13. Jh.). Die Giebelreliefs an den Südportalen zeigen Kain und Abel. Im Inneren sind Wände und Gewölbe mit spätgotischen Malereien geschmückt (1480). Ein Schnitzaltar (1420) und ein figurenreiches Sakramentshaus aus der späten Gotik (1521) gehören zu den bemerkenswerten Teilen der Ausstattung.

Norden 2980

Niedersachsen S. 414 □ C 4

Im äußersten Nordwestwinkel der Bundesrepublik liegt die alte Seestadt Norden mit der größten mittelalterlichen Kirche Ostfrieslands.

Ev. Ludgeri-Kirche (Am Markt 37): Die Ludgerikirche hat ein romanisches *Langhaus* (Ende 12. Jh.). Der von der Kirche getrennte *Glockenturm* entstand Ende des 13. Jh. und zeigt bereits gotische Stilelemente. Den krönenden Abschluß erhielt der Bau durch den steil aufragenden *Hochchor,* den Graf Ulrich I. von Ostfriesland 1445–81 errichten ließ. – Von der reichen *Ausstattung* sind die *Grabdenkmäler* und die barocke *Kanzel* hervorzuheben. Am nördlichen Chorpfeiler steht ein 9 m hohes, spätgotisches *Sakramentshaus* aus Sandstein. Eine *Orgel* des berühmten Orgelbauers Anton Schnitger (1685–88) ist durch ihren reich verzierten barocken Prospekt gekennzeichnet. Acht *Sandsteinfiguren,* die aus der im 16. Jh. abgebrochenen Andreaskirche stammen, sind im Chorumgang aufgestellt. Diese Plastiken (wohl um 1250) haben die strenge archaische Haltung früher gotischer Portalplastik.

Museum: Im ehem. Rathaus, einem Bau aus dem Jahr 1540, befindet sich das *Heimatmuseum* (Am Markt 36) mit sehenswerten Sammlungen.

Außerdem sehenswert: Das *Rathaus* mit Treppenturm (16. Jh.); ein Patrizierhaus von 1662, das zur *Mennonitenkirche* umgestaltet wurde (Markt); das *Haus Schöningh* (Osterstraße) mit prunkvoller Giebelplastik (1576).

Nordkirchen 4717

Nordrhein-Westfalen S. 414 □ C 9

Wasserschloß: Baumeister G. L. Pictorius entwarf 1703 die größte und bedeutendste Wasserschloßanlage Westfalens, die von Zeitgenossen bewundernd das »münsterische Versailles« genannt wurde. Umgeben von breiten Wassergräben, liegt das Schloß auf einer fast quadratischen Insel, deren Ekken mit vier achteckigen Pavillons besetzt sind. Nach dem Tod des Auftraggebers, Fürstbischof F. C. von Plettenberg, übernahm zunächst der Sohn von G. L. Pictorius, ab 1724 jedoch der Münsteraner Baumeister J. C. Schlaun* den weiteren Ausbau. Im 19. und 20. Jh. wurden einige weitere Anbauten hinzugefügt. – Im Inneren sind die *Deckenstukkierungen* erhalten. Im *Festsaal* in der Mittelachse des Erdgeschosses sind zwei reiche Kamine, eine Gemäldefolge mit den Taten des Herkules, Szenen aus Ovids Metamorphosen und repräsentative Bildnisse des Erbauers und eines anderen Fürstbischofs sehenswert. – Im *Park,* den J. C. Schlaun zusammen mit französischen Gartenarchitekten gestaltet hat, steht als Hauptbau die *Oranienburg,* eine Orangerie, die Schlaun zu einem Gartenkasino ausgebaut hat (1725–33). Die Rabatten sind mit Figurenplastiken rhythmisch gegliedert.

Nördlingen 8860

Bayern S. 422 □ I 17

Die Stadt im Ries ist jahrhundertelang nicht über ihren spätmittelalterlichen Mauerkern hinausgewachsen und hat ihn auch bis heute unversehrt erhalten – ein einmaliges Beispiel unter den alten deutschen Städten. – Der Mauergürtel wurde im 14. Jh. gebaut, später erweitert und im 16. Jh. mit wuchtigen Vorwerken verstärkt.

Ev. Stadtpfarrkirche St. Georg (Marktplatz 10): Mittelpunkt der Stadt in der weiten Rieslandschaft ist die ev. Stadtpfarrkirche St. Georg mit dem 90 m hohen *Daniel.* Dieser spätgotische (15. Jh.) Turm erhielt im 16. Jh. eine Kupferhaube im Stil der Renaissance (1538/39). Der Kirchenneubau zog sich von 1427 (Entwurf) bis 1444 (Baubeginn) und dann unter neun verschiedenen Baumeistern bis 1508 hin. (Die sog. Zieglersche Kapelle wurde sogar erst 1519 vollendet.) – Sechs *Portale,* der einzige Außenschmuck, führen in das Innere. Die weiträumige dreischiffige Halle hat sechs Joche im Schiff und ebensoviele im Chorraum. – Das bedeutendste Stück der Ausstattung ist der *Hochaltar,* in dessen barokke Umrahmung fünf gotische Holzbildwerke von großem Rang eingearbeitet worden sind (15. Jh.): Der Gekreuzigte zwischen den verzweifelten Gestalten von Maria und Johannes, umschwebt von zwei Engeln. Weiter außen stehen St. Georg und die hl. Magdalena. Die Altargemälde von F. Herlin (1462–65) befinden sich jetzt im → Museum der Stadt. Ein in Sandstein geschlagenes *Sakramentshaus* (1511–25) bietet in der Baldachinarchitektur ein großes theologisches Programm: Propheten, Evangelisten, musizierende Engel und Heilige besetzten die Etagen. Das Ganze wird von Johannes d. Ev. und Johannes d. T. mit Christus als Salvator mundi gekrönt. Sehenswert ist auch die *Treppe,* die zum spätgotischen Kanzelkorb (1499) führt, ferner die Grabdenkmäler.

Ehem. Karmelitenklosterkirche St. Salvator (Salvatorgasse 15): Die Kirche stammt aus der Hauptbauperiode der Stadt (15. Jh.). Sehenswert ist der *Hochaltar* (1497), der aus Fürth nach Nördlingen kam und dem Bamberger Meister H. Nußbaum zugeschrieben wird. Zu beachten sind auch die sehr gut erhaltenen *Wandfresken* (15. Jh.)

Rathaus (Marktplatz): Das Rathaus wurde im 14. Jh. erbaut und ist in seinen wesentlichen Teilen gotisch. Die große *Freitreppe,* die 1618 hinzugefügt wurde, wird zwar von der Renaissance bestimmt, aber auch sie zeigt in Anleh-

Wasserschloß, Nordkirchen

nung an den alten Bau noch viele Elemente der Gotik. Im Inneren ist die *Bundesstube* mit alten Wandgemälden sehenswert.

Spital zum Hl. Geist (Baldingergasse/Vordere Gerbergasse): Das im frühen 13. Jh. gegründete Spital war auf wirtschaftliche Unabhängigkeit ausgerichtet. Darauf weisen die ausgedehnten Baulichkeiten mit weiten *Höfen,* zahlreichen *Wirtschaftsgebäuden* und einer eigenen *Mühle* hin (diese Bauten entstanden im 16. Jh.). Die *Kirche* geht in ihrem Kern auf das 13. Jh. zurück, sie ist jedoch 1848 weitreichend erneuert worden. Wandmalereien, die erst 1939 entdeckt und freigelegt worden sind, stammen aus der 2. Hälfte des 14. Jh. Der dreiteilige Altar (1578) kann als typisches Beispiel für die protestantische Altargestaltung gelten.

Klösterle (Am Klösterle): Die ehem. Barfüßerkirche (um 1420) wurde während der Reformation zum Kornhaus umfunktioniert. Im Zuge der Umgestaltung erhielt der hochgiebelige Bau ein schönes Portal (1586).

Tanzhaus (Marktplatz, gegenüber dem Rathaus): Mitte des 15. Jh. wurde das Tanzhaus als Treffpunkt für die Bürger der Stadt erbaut. Es ist an der Front mit einem Standbild Kaiser Maximilians I., der ein besonderer Freund der Stadt gewesen ist, geschmückt und beherbergt im Erdgeschoß eine Ladenreihe.

Weitere Profanbauten: Beim *Hallhaus* (Am Weinmarkt) haben Fuggersche Baumeister ihre Erfahrungen mit Lagerhäusern für Wein und Salz eingebracht (1541–43). – Schöne alte *Wohnbauten* sind die Gebäude am Rübenmarkt 6, in der Nonnengasse 5 und in der Kämpelgasse 1.

Museum: Im → Spitalhaus z. Hl. Geist (1518–64) befindet sich das *Stadtmuseum* (Vordere Gerbergasse 1) mit Sammlungen zur Vor- und Frühgeschichte sowie zur Stadtgeschichte.

Nottuln 4405

Nordrhein-Westfalen S. 414 □ C 9

Kath. Pfarrkirche St. Martin: Von einer spätromanischen Damenstiftskirche ist im Neubau von 1489–98 wenig

Nördlingen, Panorama

erhalten. Den Neubau sollen Schweizer oder Tiroler Maurergesellen ausgeführt haben, was die süddeutschen Akzente in dieser großen weiten Hallenkirche erklären könnte. Die Untergeschosse des Vorgängerbaus aus dem 13. Jh. wurden jedoch bei der Aufstokkung in der Spätgotik beibehalten. – Im Innenraum ist 1956 eine schöne *Gewölbebemalung* freigelegt worden. Die Netz- und Sterngewölbe haben teilweise figürlich geschmückte *Schlußsteine.* Die *Maßwerkfenster* (Fischblasenmuster) und die *Rundpfeiler* mit achteckigem Sockel und schmalen, z. T. figurengeschmückten Kapitellen sind besonders zu erwähnen.

Außerdem sehenswert: An der Südseite des malerischen, baumbestandenen Stiftsplatzes stehen mehrere Kurienhäuser, die z. T. nach den Plänen von J. C. Schlaun im 18. Jh. für adelige Stiftsdamen errichtet worden sind.

Nümbrecht 5223

Nordrhein-Westfalen S. 416 □ C 12

Schloß Homburg: Nördlich von Nümbrecht, über dem Brölbachtal, liegt auf einer Bergkuppe eine mittelalterliche Burg, die im 17. und 18. Jh. von den Grafen Sayn-Wittgenstein zu einem terrassenförmig angelegten Schloß umgebaut wurde. Im *Scheunenbau,* durch den man das Schloß betritt, befindet sich heute eine Gaststätte. Die nächste Terrasse nimmt ein ummauerter Garten ein, dann folgt, mit einem Graben abgesichert, das *Herrenhaus.* Es ist ein Bau mit zwei Flügeln, die sich um einen kräftigen *Treppenturm* legen. Das im Laufe des 19. Jh. verfallene Schloß wurde als *Museum des oberbergischen Landes* wiederhergestellt.

Außerdem sehenswert: Die *ev. Pfarrkirche* mit der Gruft der Grafen von Sayn. – In *Marienberghausen,* nordwestlich Schloß Homburg, sind in der kleinen ev. Kirche spätgotische Wandmalereien beachtenswert (im Querhaus und im Chor).

Nürnberg 8500

Bayern S. 422 □ K 16

Die Stadt Albrecht Dürers, die Stadt

Sebalduskirche, Nürnberg

Sebaldusgrab in St. Sebaldus

der Meistersinger und des Hans Sachs, des Taschenuhrerfinders Peter Henlein, der ersten deutschen Eisenbahn (1835) und des Humanisten Pirckheimer ist keine Stadt der Butzenscheibenromantik (in dieser Beziehung haben die Zerstörungen im 2. Weltkrieg alle Illusionen genommen). Mit mehr als einer halben Million Einwohner ist Nürnberg eine moderne Großstadt mit hochentwickelter Industrie und einer fortschrittlichen Stadtplanung, die den mittelalterlichen Kern in gelungener Weise mit einbezogen hat. – Der alte Stadtkern teilt sich, wie noch heute deutlich zu erkennen ist, in zwei Bezirke: die Burgseite mit St. Sebaldus und die Lorenzer Seite mit der Kirche von St. Lorenz. Die versumpften Pegnitzauen haben die beiden Stadtteile erst relativ spät zusammenwachsen lassen. Im Mittelalter wurden sie durch Mauergürtel und Bastionen zu einer Einheit verschmolzen. Im Gegensatz zu vielen anderen deutschen Städten blieb Nürnbergs mittelalterliches Stadtbild über die Jahrhunderte hinweg erhalten, unangefochten vom baulustigen Barock und allen anderen Epochen. Von 1219 bis 1806, als die Stadt an Bayern fiel, war Nürnberg Freie Reichsstadt.

Ev. Stadtpfarrkirche St. Sebaldus (Winklerstraße 26): Die doppelchörige Kirche ist den beiden Heiligen Petrus und Sebaldus geweiht. Der ältere *Westteil,* der die festen runden Formen der späten Romanik zeigt, ist nach dem Vorbild des Doms in → Bamberg um 1230/40 begonnen worden. Erst später, bei einem weiteren Ausbau, wurden die gotischen Fenster eingebrochen und die Seitenschiffe gotisiert. Der *Ostchor,* der 1361–79 gebaut wurde, überragt mit seinem mächtigen Dach den Westteil um 13 m. Die *Türme* im W wurden erst Ende des 15. Jh. zu ihrer jetzigen Höhe aufgestockt. – Auch im *Inneren* werden die verschiedenen Bauabschnitte deutlich: Der schmale Westteil steht mit seinen schwereren Säulen, Halbsäulen und Rundstäben der lichten Halle im Osten gegenüber. – Das berühmteste Stück der Ausstattung ist das *Sebaldusgrab:* Um den gotischen Reliquienschrein aus gestanztem Silberblech (Ende 14. Jh.) hat P. Vischer* gemeinsam mit seinen Söhnen ein Bronzegehäuse gestellt. Mit den Leuchterweibchen an allen vier Ecken, den Apostelgestalten, der berühmten Selbstdarstellung des Meisters P. Vischer (mit Schurz und

Seitenschiff in St. Sebaldus

Englischer Gruß, St. Lorenz ▷

Kappe) sowie den vielen allegorischen und mythologischen Figuren quillt dieses Kleinod der Renaissance über von erzählerischer und bildnerischer Phantasie. Der Baldachin, von Bronzeschnecken und -delphinen getragen, ist eine der größten Leistungen des Bronzegusses. – Aus der Werkstatt von H. Vischer, dem Vater von Peter, kommt auch das bronzene *Taufbecken.* Es steht im Westchor der Kirche, der hoch überspannt wird von einer Orgel- und Sängerempore, dem sog. *Engelschor.* Meisterwerke plastischer Kunst sind auch die verschiedenen *Portale* der Kirche: Jüngstes Gericht (Südportal), Tod und Begräbnis Mariens (Nordportal, beide um 1300). Neben dem Nordquerschiff ist wenig später das Brautportal, mit der beziehungsvollen Darstellung der klugen und törichten Jungfrauen, errichtet worden. Die schöne Skulptur der *Katharina* (um 1310), die ehemals zum Südportal gehörte, steht jetzt im Kircheninneren. Hier ist auch (am ersten nördlichen Pfeiler des Ostchors) die *Schöne Madonna* im Strahlenkranz zu bewundern (um 1430). – Von V. Stoß*, dem neben T. Riemenschneider* bedeutendsten Bildhauer der deutschen Spätgotik, stammen drei Reliefs der *Volckamerschen Passion* (1499, unter den Glasfenstern im Ostchor). Er hat auch die darüber aufgestellten Figuren von *Christus* und *Maria* sowie die berühmte *Kreuzigungsgruppe* geschaffen, die über dem Hauptaltar zu sehen ist. Von dem Nürnberger Bildhauer A. Krafft* stammt das *Schreyersche Grabmal,* ein frühes Monumentalwerk des Meisters (1490–92). – Das sog. *Sebalduschörlein,* das ehemals kanzelartig auf einem eigenen Pfeilersockel vor dem Pfarrhof St. Sebaldus stand, ist mit seinen Steinreliefs ein wichtiges bildhauerisches Werk des 14. Jh. Es wurde ins → Germanische Nationalmuseum überführt und durch eine Kopie ersetzt.

Ev. Stadtpfarrkirche St. Lorenz (Königstraße): Mit ihren Doppeltürmen

Nürnberg, St. Lorenz 1 Sakristei **2** Imhoffaltar mit Marienkrönung, um 1420 **3** Deocarusaltar, 1437 **4** Wolfgangaltar von Valentin Wolgemut, 1455 **5** Dreikönigsaltar, 1460 **6** Glasgemälde a) Schlüsselfelderfenster, 1477 b) Volckamerfenster von Hemmel und Andlau, 1485 c) Konhoferfenster, 1477 d) Kaiserfenster, 1477 e) Knorrfenster, 1476 f) Hallerfenster, 1479–80 g) Rieterfenster, 1478–80 **7** Krellaltar, 1483 **8** Rochusaltar, 1485 **9** Memmingaltar, 1490; Gemälde von Michael Wolgemut **10** Sakramentshaus von Adam Kraft, 1493–96 **11** Hauptaltar mit Kruzifix von Veit Stoß, 1500 **12** Annenaltar, 1510; Flügelbilder von Hans von Kulmbach **13** Nikolausaltar, 1505–10 **14** Martha-Altar, 1517 **15** Engelsgruß von Veit Stoß, 1517–18 **16** Johannesaltar, 1521

Nürnberg, St. Sebald 1 Südportal (Jüngstes Gericht), Anfang 14. Jh. **2** Nordportal (Begräbnis und Marienkrönung), Anfang 14. Jh. **3** Dreikönigsportal, Mitte 14. Jh. **4** Apostelfiguren, Mitte 14. Jh. **5** Sakramentshaus, 2. Drittel 14. Jh. **6** Muttergottes im Strahlenkranz, 1430–40 **7** Holzfigurengruppe Christus und Maria von Veit Stoß, 1499 **8** Volckamersche Passion von Veit Stoß, 1499 **9** Bamberger Fenster, 1501 **10** Kreuztragung von Adam Krafft, 1506 **11** Andreas von Veit Stoß, 1506 **12** Epitaph Tucher von Hans von Kulmbach, 1513 **13** Sebaldusgrab von Peter Vischer d. Ä., 1488–1519 **14** Hauptaltar mit Kreuzigungsgruppe von Veit Stoß **15** Maximiliansfenster von Veit Hirschvogel, 1514 **16** Markgrafenfenster von V. Hirschvogel, 1515

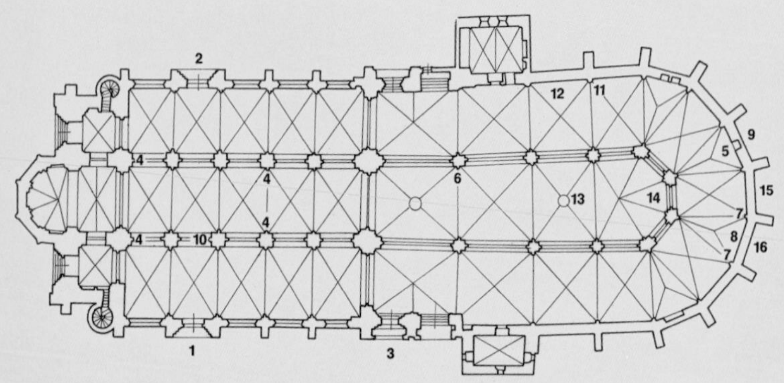

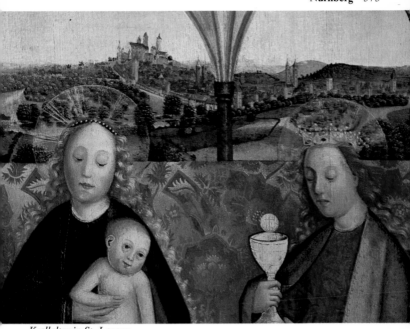

Krellaltar in St. Lorenz

sehen die beiden Hauptkirchen (Sebaldus im Norden und Lorenz im Süden) einander sehr ähnlich. Mit dem Bau der heutigen Kirche wurde Ende des 13. Jh. begonnen. Im 14. Jh. entstand das Schmuckstück dieses Baus, die *Westfassade* mit Figurenportal, Tympanon, Maßwerkrose und durchbrochenem Giebel. Um 1400 waren auch die zwei sechsgeschossigen *Türme* fertiggestellt. Im Zuge der weiteren Arbeiten wurden zwischen die Strebepfeiler des Langhauses Kapellen gelegt, die den zu eng gewordenen Kirchenraum erweitern sollten. Die Raumnot wurde jedoch erst nach dem Abriß des alten Ostchors mit dem neuen, von einem Kapellenkranz umgebenen *Hallenchor* beseitigt. Auch hier öffnet sich – wie in St. Sebaldus – aus einem schmalen Mittelschiff

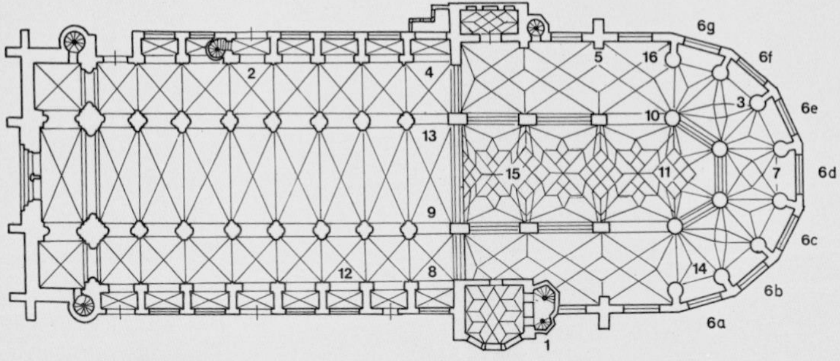

mit abgetrennten Seitenschiffen ein weiter Chorraum, der von einem Sterngewölbe abgeschlossen wird. Dieser Bauabschnitt, wohl der schönste deutsche Hallenchor, wurde 1477 vollendet. – Hauptwerke der Ausstattung sind der *Englische Gruß* von V. Stoß* und am letzten nördlichen Chorpfeiler das *Sakramentshäuschen* von A. Krafft. Der Englische Gruß zeigt Maria mit dem Engel in einem mit Medaillons besetzten Kranz (in den Medaillons sind die sieben Freuden Mariä dargestellt). Das 3,70 m hohe Spätwerk des Meisters war ursprünglich nur als Oberteil eines eisernen Radleuchters gedacht und ist eine Stiftung der Familie Tucher (1517/19). Das berühmte, 18 m hohe Sakramentshaus aus Kalkstein stellt mit fast 100 Figuren die Leidensgeschichte Christi dar. Dabei wird die steile Pyramide von den lebensgroßen Gestalten des Meisters Krafft und zweier Altgesellen getragen. – In St. Lorenz ist Stoß noch mit weiteren Werken vertreten: einem *Paulus* am Chorpfeiler (1513) und dem *Kruzifixus* auf dem Hauptaltar (um 1500). Der *Deocarus-Altar,* der *Imhoffsche Altar* und das *Ehenheim-Epitaph* sind bedeutende Werke älterer Nürnberger Malerei aus der ersten Hälfte des 15. Jh. Die prachtvollen *Chorfenster* (15. Jh.) sind in ihrer alten Verglasung und Farbigkeit bis in unsere Zeit erhalten geblieben.

Frauenkirche/Kath. Stadtpfarrkirche (Hauptmarkt): Die Kirche steht an der Stelle einer alten Synagoge, die im 14. Jh. mit dem Judenviertel zerstört wurde. Kaiser Karl IV. hat das Gotteshaus 1349 gestiftet und dann zu seiner Hofkirche ernannt (1355). Auf dem Balkon, der zur Marktseite gerichtet ist, zeigte der Kaiser bei seinen Besuchen in Nürnberg dem Volk die Reichskleinodien. Der *Michaelschor* (auf dem Balkon) und der *Giebel* wurden erst in der Spätzeit der Gotik von Adam Krafft in Form von fünf Nischenreihen und einem Erkertürmchen geschaffen (1506–08). Auch das berühmte *Männleinlaufen* wurde erst 1506 eingebaut. Die Figuren der sieben Kurfürsten, die den thronenden Kaiser Karl IV. jeden Mittag Punkt 12 Uhr dreimal umlaufen, wurden als Erinnerung an die Verleihung der »Goldenen Bulle« durch Karl IV. geschaffen. – Das schlichte Innere der Kirche enthält zwei figurenreiche *Steinepitaphe* von A. Krafft (Pe-

St. Michael in St. Lorenz

Adam Krafft, Sakramentshäuschen

ringsdorffer und H. Rebek, 1500). Ein bedeutendes Werk der Nürnberger Malerschule, die der Zeit von Wolgemut und Dürer* vorausging, ist der *Tucher-Altar,* ein Triptychon mit Kreuzigung, Verkündigung und Auferstehung, das etwa um 1440/50 datiert wird.

St. Egidien (Egidienplatz): Die Kirche ist im gotischen Nürnberg der einzige Barockbau und deshalb nur schwer in das Stadtbild einzuordnen.Sie ist nach einem Brand im Jahre 1696 erbaut worden, wobei allerdings Teile des Vorgängerbaus (eine romanische Kirche aus dem 12. Jh.) einbezogen wurden. So sind die romanische *Wolfgangskapelle* (mit einer Grablegungsgruppe aus der Zeit um 1446) und die *Euchariuskapelle* (um 1140) erhalten geblieben. Die Euchariuskapelle wurde bei der Gründung eines Schottenklosters durch Konrad III. als Königskapelle erbaut und 100 Jahre später zur heutigen, zweischiffigen Form umgestaltet. In der abschließenden *Tetzelkapelle* (1345) ist das Landauersche Epitaph von Adam Krafft (um das Jahr 1501) besonders hervorzuheben.

Elisabethkirche (Ludwigstraße): Die Kirche des Deutschen Ordens wurde Ende des 18. Jh. neu geplant. Die Vorlagen des jüngeren Neumann, Sohn des berühmten B. Neumann*, wurden jedoch von fünf Baumeistern überarbeitet, bevor der Rundbau mit seinen korinthischen Doppelsäulen 1805 endlich fertiggestellt war. Die Kirche ist in Nürnberg das einzige bedeutende Beispiel klassizistischer Architektur.

Burg (Auf der Burg): Hoch über der Stadt erhebt sich, auf Sandsteinfelsen errichtet, die große Burganlage. Es sind die drei Baugruppen *Kaiserburg, Burggrafenburg* und *Kaiserstallung* zu unterscheiden. Die Kaiserburg ist ab Mitte des 12. Jh. entstanden und hat als Kern eine romanische *Doppelkapelle,* von Kaiser Barbarossa nach dem Modell der staufischen Doppelkapelle errichtet. Im oberen, hohen Raum, der sich über den kurzen, gedrungenen Säulen des Untergeschosses öffnet, nahm der Kaiser während der Messe Platz. Der untere Raum war für das Gefolge bestimmt. 32 Kaiser und Könige haben in der Burg residiert und Geschichte gemacht. Die Burggrafenburg ging 1427 an die Reichsstadt, die sich

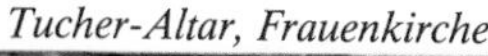

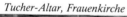

Tucher-Altar, Frauenkirche

Burg

nach der Zerstörung im 2. Weltkrieg um die originalgetreue Wiedererrichtung verdient gemacht hat. Neben der genannten Doppelkapelle sind *Ritter-* und *Kaisersaal, Heidenturm* und *Brunnen* die wichtigsten Sehenswürdigkeiten des weitläufigen Komplexes.

Rathaus (Rathausplatz): Das Rathaus besteht aus einem spätgotischen Teil und einem kunsthistorisch bedeutenden Renaissancekomplex. Nach den Kriegszerstörungen wurden sowohl die spätgotische Fassade an der Rathausgasse (um 1515) wie auch der Renaissancebau mit seinen drei aufgesetzten Turmgeschossen und den drei Prachtportalen wiederhergestellt.

Albrecht-Dürer-Haus (Albrecht-Dürer-Str. 39): Das mehrstöckige Eckhaus unterhalb der Burg, von Dürer* 1509 erworben, ist heute Dürer-Museum und zeigt u. a. eine Druckpresse aus der Zeit sowie Dürergraphik und die Kopien einiger seiner Gemälde. Die Einrichtung ist nicht mehr original, jedoch wie der ganze Fachwerkbau charakteristisch für ein Bürgerhaus am Anfang des 16. Jh. Dürer hat darin bis 1528 gelebt.

Maut (Hallplatz 2): Der mächtige, auf einer Grundfläche von 20 × 80 m errichtete Bau ist vom Nürnberger Stadtbaumeister H. Beheim in den Jahren 1489–1502 als Kornhaus (seit 1572 Zollamt) errichtet worden. Im 2. Weltkrieg wurde der Bau fast vollständig zerstört, in den Jahren 1951–53 jedoch wiedererrichtet. Er dient heute als Geschäftshaus.

Heilig-Geist-Spital (bei der Museumsbrücke): Den nördlichen Pegnitzarm überspannt die sog. *Sude,* ein Flügel des schon 1331 gestifteten Heilig-Geist-Spitals, das H. Beheim d. Ä. von 1511–27 neu aufgeführt hat. In der 1945 völlig zerstörten Heilig-Geist-Kirche wurden von 1424–1796 die Reichskleinodien aufbewahrt. Das Spital wurde nach dem Krieg originalgetreu wiederaufgebaut und ist heute Speiserestaurant.

Stadtmauer: Diese dritte Stadtmauer ist im 14./15. Jh. entstanden und umschließt den mittelalterlichen Stadtkern. Sie ist insgesamt 5 km lang und weist in ihrem Verlauf ca. 80 Türme auf. Die Zerstörungen des 2. Weltkriegs sind inzwischen beseitigt worden. Die im 16. Jh. an den vier Drehpunkten errichteten *dicken Türme* sind ein Wahrzeichen des Stadtbilds.

Brunnen: Nürnberg, die Stadt der Erzgießer (Vischer, Labenwolf, Wurzelbauer, Jamnitzer, Flötner, Kern u. a.) ist eine Stadt der vielen Brunnen. Der älteste und berühmteste ist der sog. *Schöne Brunnen* (am Hauptmarkt). Er ist bald nach dem Neubau der Frauenkirche und wohl als Teil der kaiserlichen Planung entstanden (1389–96). Aus dem achteckigen Wasserkasten erhebt sich eine 19 m hohe Sandsteinpyramide, auf deren einzelnen Geschossen die sieben Kurfürsten sowie heidnische, jüdische und christliche Helden dargestellt sind. Ganz oben sind Moses und die sieben Propheten zu erkennen, am Brunnenrand Kirchenväter und Evangelisten. Die heutigen Figuren sind Kopien. Fragmente der Originale sind im Germanischen Nationalmuseum zu sehen. – Der *Gänsemännchen-Brunnen* an der Rathausgasse (von P. Labenwolf, um 1550), der *Apollo-Brunnen* im Hof des wiederaufgebauten *Pellerhauses* (von P. Flötner, 1532) und der *Puttenbrunnen* im Rathaushof (von P. Labenwolf, 1557) sind weitere bemerkenswerte Brunnen. – Hervorzuheben ist aber vor allem der *Tugendbrunnen* (vor der St.-Lorenz-Kirche), wo Putten aus Trompeten und, eine Etage tiefer, die Frauengestalten der Tugenden aus ihren Brüsten dünne feine Wasserstrahlen kreuz und quer in das achteckige Wasserbecken spritzen, ein elegantes Werk des Manierismus (1585–89 vom Gießer Wurzelbauer).

Johannis-Friedhof (Johannisstraße): Auf dem altehrwürdigen Johannisfriedhof sind einige der berühmtesten Söhne der Stadt begraben: Albrecht Dürer, der Schuhmacher und Poet Hans Sachs, der Bildhauer Veit Stoß, der Humanist Pirckheimer, der Philosoph Ludwig Feuerbach, der Maler Anselm Feuerbach und viele andere. – Im Friedhof steht neben der *Johanniskirche* (14. Jh.) auch die als Rotunde gebaute *Holzschuher-Kapelle* (1513). – Die *Kreuzwegstationen* von A. Krafft, die vom Tiergärtnertor bis zum Johannisfriedhof führen, wurden durch Kopien ersetzt.

Museen: Das *Germanische Nationalmuseum* (Kornmarkt) wurde 1852 in romantischer Begeisterung für das »Altdeutsche« gegründet. Es hat eine vor- und frühgeschichtliche Abteilung. Die Gemäldegalerie gibt ein umfassendes Bild deutscher Tafelmalerei vom 14. bis zum 19. Jh. Hauptstücke der Sammlung sind Werke von Dürer*, Burgkmair, Altdorfer, Cranach*, H. Baldung, gen. Grien*, Witz, H. v. Aachen und Sandrart. Die Plastik zeigt u. a. Werke von T. Riemenschneider*, V.

Schöner Brunnen mit Frauenkirche

Stoß*, H. Leinberger*, P. Vischer*, A. Krafft*, die berühmte Nürnberger Madonna, den Schlüsselfelder Christophorus und Werke der Rokokoplastik. Hier befinden sich auch viele Originale aus Nürnberger Kirchen und Gebäuden, die an ihren alten Standorten durch Kopien ersetzt worden sind. Zu einer Kunsthandwerksabteilung kam nach 1945 auch eine Musikinstrumentensammlung. Das Kupferstichkabinett umfaßt rund 200000 Blätter. Einzigartig ist die volkskundliche Abteilung mit Zeugnissen aus dem gesamten deutschen Kulturraum. In den Museumskomplex ist der Raum der gotischen *Karthäuserkirche* einbezogen worden. – Das *Stadtmuseum Fembohaus* (Burgstraße 15), ein Haus mit Sandsteinfassade und in Voluten und Pyramiden aufsteigendem Giebel (1591–96), ist mit seiner Ausstattung aus dem 16. bis 19. Jh. das letzte erhaltene gebliebene Nürnberger Patrizierhaus. In 36 Schauräumen werden Modelle und Bilder aus dem alten Nürnberg gezeigt. – Die berühmte Würzburger Spielzeugsammlung L. Bayer bildet den Grundstock für das Nürnberger *Spielzeugmuseum* (Karlstraße 13/15). Gezeigt werden Karussells, Zinnfiguren, Baukästen und Puppenhäuser aus verschiedenen Epochen und Ländern. – Aus dem Bereich der handwerklichen Kunst sind im *Gewerbemuseum* (Gewerbemuseumplatz 2) bedeutende Werke aus Glas, Keramik, Silber, Porzellan und Metall zusammengetragen. Eine besondere Abteilung zeigt ostasiatische Kunst. – Die *Städtischen Kunstsammlungen* (Lorenzer Straße 32) bieten neben der ständigen Ausstellung von Werken der Malerei, Graphik und Plastik aus dem 19. und 20. Jh. regelmäßig Wechselausstellung moderner Kunst an. – Das *Verkehrsmuseum* (Lessingstraße 6) zeigt Beiträge zur Eisenbahn- und Postgeschichte, zur Entwicklung der Lokomotiven, des Fernmeldewesens und der Übertragungstechnik. Kernstück sind zahlreiche Lokomotiven und Eisenbahnwagen in Originalgröße (u. a. ist die erste deutsche Eisenbahn, die 1835 zwischen Nürnberg und Fürth verkehrte, zu sehen). – Das mittelalterliche *Lochgefängnis im Alten Rathaus* (Rathausplatz 2) ist in seinem ursprünglichen Zustand mit Zellen, Folterkammer, Schmiede und Wohnung des »Lochwirts« erhalten. – Beachtenswert ist auch das *Albrecht-Dürer-Museum* im → Albrecht-Dürer-Haus.

Theater: Die *Städtischen Bühnen* verfügen über ein *Opernhaus* (Richard-Wagner-Platz) mit rund 1500 Sitzplätzen (nach dem 2. Weltkrieg wiederaufgebaut) sowie über ein *Volkstheater im Schauspielhaus* (Richard-Wagner-Platz) nebst *Kammerspiel.*

Außerdem sehenswert: Die gotische Kirche *St. Jacob* (Ludwigstraße) mit schönem Altar; die ehem Meistersingerkirche *St. Martha* (Königstraße); das *Nassauer Haus* (Karolinenstraße 2), ein mittelalterliches Turmhaus mit hübschem Chörlein (13.–15. Jh.); die *Fleischbrücke* über die Pegnitz (um 1600); schöne *Höfe* (Winklerstraße 31, Weinmarkt 6 und Theresienstraße 7); schließlich das *Tucherschlößchen* (Hirschelgasse 11), ein Renaissancebau aus den Jahren 1533–44 (Führung nach Vereinbarung).

Puppenküche um 1800, Spielzeugmuseum

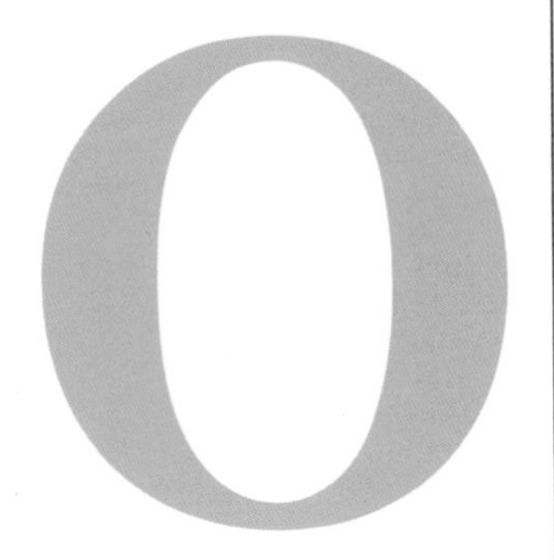

Oberaltaich über Straubing 8441
Bayern S. 422 □ M 17

Ehem. Benediktinerklosterkirche St. Peter und Paul: Die heutige Kirche stammt aus dem 17. Jh. (Bauabschluß 1630). Sie weist eine Reihe von Eigenartigkeiten auf, die dem Abt Vitus Möser zugeschrieben werden. Auf rechteckigem Grundriß war ursprünglich nicht eine Apsis, sondern waren gleich vier Apsiden vorgesehen. Die Westapsis ist zwischen den beiden Türmen auch von außen sichtbar und durch zwei spätgotische Nischenfiguren gekennzeichnet. – Im Inneren des dreischiffigen Hallenbaus ist die »hangende Stiege« einst als technisches Wunderwerk gepriesen worden. Sie führt zu den Emporen. Den Innenraum erreicht man durch eine Vorhalle, die mit eigenartigen Stukkaturen (Vögel darstellend) geschmückt ist. Das gesamte Innere der Kirche ist mit Dekorationsmalerei ausgestaltet. Der mächtige Hochaltar (die Figuren Benedikts und Augustins dominieren) stammt aus dem Jahr 1693 und erreicht fast die ganze Höhe der Kirche. Das wertvolle Rokoko-Tabernakel von 1758/59 ist vermutlich das Werk des Straubinger Künstlers M. Obermayer. Die acht Nebenaltäre besitzen kunsthistorisch unterschiedlichen Wert. Im Zeichen des Klassizismus steht die geschnitzte Brüstung der Orgelempore (spätes 18. Jh.).

Oberammergau 8103
Bayern S. 422 □ K 21

Oberammergau ist durch die Passionsspiele, die alle zehn Jahre stattfinden (nächstes Spieljahr 1980), bekannt geworden. Die erste Aufführung fand im Jahr 1634 statt. Die Oberammergauer gelobten die Ausrichtung der Spiele als Dank für das Ende der Pest. Damals wurde auch bereits festgelegt, daß die Passionsspiele alle zehn Jahre zu wiederholen seien. Seit 1680 finden sie jeweils in den durch 10 teilbaren Jahren statt. Das heutige *Passionsspielhaus* (Theaterstraße) wurde 1930 errichtet. In den Passionsspieljahren (Darsteller sind jeweils Oberammergauer Bürger) stehen 102 Aufführungen auf dem Programm. Eine Aufführung dauert 5½ Stunden (mit zweistündiger Mittagspause) und zeigt in 16 Akten den Leidensweg Christi. Insgesamt sind 1400 Mitwirkende beteiligt, die aus allen Einwohnern ausgesucht werden, die entweder in Oberammergau geboren sind oder seit mindestens 20 Jahren hier wohnen. Die Verteilung der Rollen entscheidet sich nach öffentlichen Proben, bei denen jeder Bewerber sein schauspielerisches Talent unter Beweis stellen muß.

Kath. Pfarrkirche (Ettaler Straße): Baumeister J. Schmuzer* (Wessobrunn) hat die heutige Kirche an der

Stelle eines gotischen Vorläuferbaus in den Jahren 1736–42 aufgeführt und dabei seinen Sohn Franz Xaver beteiligt (Stuckdekor). Die prächtigen Fresken, die das Innere der Kirche bestimmen, sind das Werk von M. Günther *, 1741 und 1761 (Augsburg). Hauptaltar und Nebenaltäre, Arbeiten des späten Rokoko, stammen von F. X. Schmädl (Weilheim).

Häuser mit Lüftlmalerei: Im Stadtbild finden sich zahlreiche Häuser, die mit der sog. Lüftlmalerei geschmückt sind (Fassaden sind mit Architekturmalerei versehen). F. Zwinck, einer der bekanntesten Lüftlmaler, hat die Fassaden der Häuser Geroldhaus und Pilatushaus bemalt (Ende 18. Jh.).

Oberammergauer Heimatmuseum: Plastische (14.–18. Jh.) Volkskunst (insbesondere die Oberammergauer Schnitzarbeiten), Druckstücke, Wachsarbeiten, Krippenschau.

Umgebung: Abteikirche in → Ettal (5 km südöstlich), Schloß → Linderhof.

Oberkaufungen = Kaufungen 3504

Hessen S. 416 □ G 11

Ehem. Benediktinerinnen-Reichsstift und Kirche Hl. Kreuz: Zurückgehend auf die Klostergründung durch Kaiserin Kunigunde (Gemahlin Heinrichs II.) im Jahre 1017, entstand hier am Rande des Kaufunger Waldes eine ausgedehnte Anlage. Vielfache Umbauten im Laufe der Jahrhunderte haben das Gesicht des Klosters und der Kirche stark verändert, die Grundzüge der ersten Bauten sind jedoch in Teilen erhalten geblieben. Zur Zeit der Spätgotik sind Wände und Pfeiler bemalt worden (15. Jh.). Bemerkenswert ist der *Grabstein* für Äbtissin Anna von der Borch (gest. 1512). Der fünftürmige *Orgelprospekt* wurde 1799 geschaffen und ist vom Zopfstil gekennzeichnet. – Die alte *Klosteranlage* ist durch Neubauten ganz ersetzt worden. Ältester erhaltener Teil ist der *Kreuzgang* südlich der Kirche. Nach der Übergabe der Anlage an die hessische Ritterschaft (1532) entstanden die ritterschaftliche *Renterei* (1606) und das *Herrenhaus* (1714). In beiden Fällen folgen den steinernen Unterbauten sehr ausgewogene Fachwerkaufsätze. Im Herrenhaus befindet sich ein sehenswerter Rittersaal. An den Wänden die Wappen adliger Familien.

Heimatmuseum (Leipziger Straße 45): Das Museum wurde 1958 in der ehem. St.-Georg-Kapelle der Kirche Hl. Kreuz eingerichtet.

Obermarchtal 7931

Baden-Württemberg S. 420 □ G 19

Ehem. Prämonstratenser-Klosterkirche St. Peter und Paul: Auf einem Hügel oberhalb der Donauschleife bei Obermarchtal entstand das erste Kloster im 8./9. Jh. Nach der Neugründung im 12. Jh. erlebte der Ort jedoch erst Ende des 17. Jh. und im 18. Jh. seine Blüte. In dieser Zeit entstand der heutige Bau, für den (bis zu seinem Tod

St. Peter und Paul, Obermarchtal

im Jahre 1690) M. Thumb* aus Vorarlberg verantwortlich zeichnete. Später setzten sein Bruder Christian und sein Vetter F. Beer die Arbeiten fort. – Ihren kunsthistorischen Wert bezieht die Klosterkirche aus der hervorragenden Gestaltung des Inneren. Die Rundbogen der Arkaden wirken auf großartige Weise zusammen mit den überreichen Stukkaturen, die der Wessobrunner J. Schmuzer* geschaffen hat. Auf diese Raum- und Detailwirkung ist auch die Farbgebung abgestimmt: Bis auf das Gold und Braun der Altäre und bis auf das dunkle Chorgestühl ist alles in reinstem Weiß gehalten. Der Raum gehört zu den Kostbarkeiten des süddeutschen Barock. – Im Zentrum des Hochaltars steht ein Gemälde von J. Heiß (1696). Es ist der Verherrlichung des Prämonstratenserordens gewidmet. Auch die Nebenaltäre sind mit Gemälden versehen. Das Chorgestühl, von einem Laienbruder namens P. Speisenegger aus Schaffhausen geschnitzt, paßt sich ideal der gesamten Raumgestaltung an. Der Orgelprospekt zeigt bereits die Formen des Rokoko. – Die *Klosterbauten,* die größtenteils sehr reich ausgestattet sind, werden vom *Kapitelsaal* (schönes Chorgestühl) und vom *Refek-*

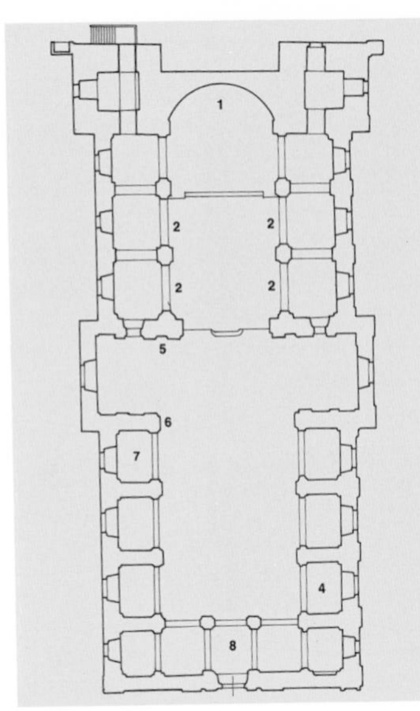

Obermarchtal, Klosterkirche 1 Hochaltar, Gemälde von Johann Heiß, 1696 **2** Chorgestühl von Paul Speisenegger, 1690; Bekrönung 18. Jh. **4** Antoniusaltar, Gemälde von M. Zehender, 1690–96 **5** Sakramentsaltar, Gemälde von M. Zehender, 1690–96 **6** Kanzel, um 1715 **7** Ursaciusaltar 1736, **8** Orgelprospekt, Rokoko

Prämonstratenser-Kloster und Kirche St. Peter und Paul, Obermarchtal

torium (Stuck von F. Pozzi, Fresken von Appiani, um 1755) gekrönt.

Umgebung: Kulturhistorisch interessante Ausflüge kann man von hier nach → Zwiefalten, Bad → Schussenried, → Sigmaringen oder nach → Blaubeuren unternehmen.

Obermarsberg = Marsberg 3538

Nordrhein-Westfalen S. 416 □ F 10

Stiftskirche St. Petrus und Paulus: Die heutige Kirche entstand auf den Resten eines Baus aus dem 13. Jh., der durch Blitzschlag und Brand zerstört wurde. Der Wiederaufbau war um 1410 vollendet (Dächer aus dem 19. Jh.). Besonderes Interesse beansprucht die Krypta (unter dem Chor), die durch den achtkantigen Mittelpfeiler gekennzeichnet wird. Die Schiffe dieser Hallenkirche werden von kuppelartigen Kreuzgewölben überspannt. Die Ausstattung ist – selten in dieser Gegend – barock.

Nicolaikapelle: Die kleine Kirche ist als dreischiffige Hallenkirche angelegt, besitzt jedoch angrenzend an die Ostwand der Seitenschiffe kleine Nebenchöre und im Westen einen fünfseitigen Anbau (siehe Grundrißskizze). Der Bau wird 1247 zum ersten Mal genannt. – Das Innere wird von hohen Rundpfeilern charakterisiert. Sie werden durch frühgotische Laubwerkkapitelle abgeschlossen (die Kreuzrippengewölbe tragen). Besondere Beachtung verdienen die noch erhaltenen alten Fenster und das meisterliche spätromanische Südportal mit seinem reichen Schmuck. Die Kirche ist eines der bedeutendsten und reizvollsten Bauwerke der frühen Gotik in Westfalen.

Obermarsberg, St. Nikolaus 1 Südportal **2** Doppelmadonna im Rosenkranz, um 1700 **3** Heiliger Christophorus, 1744 gestiftet **4** Vesperbild, Anfang 18. Jh.

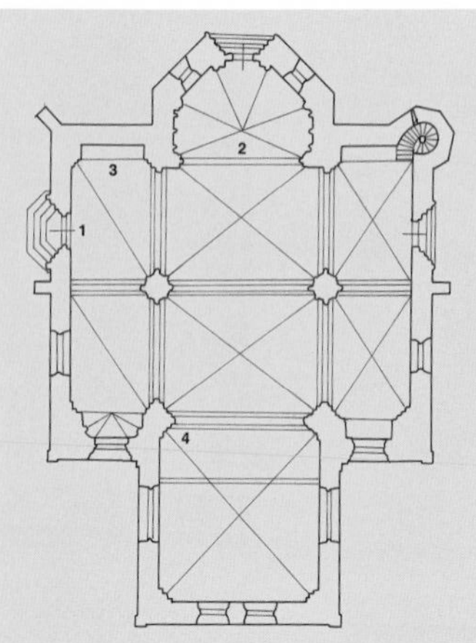

Außerdem sehenswert: Rolandssäule (1737), Pranger (aus dem 16. Jh.).

Obernkirchen 3063

Niedersachsen S. 414 □ F 8

Stiftskirche: Obwohl noch 1396 im Bau, sind doch große Teile der dreischiffigen Halle romanisch. Auffallend sind die beiden unmittelbar nebeneinander liegenden Pyramidenhelme. Im Inneren beansprucht der *Hochaltar* (1496) das größte Interesse. Auf der steinernen Predella steht ein Schrein mit geschnitzten Passionsfiguren. Auf den Außenseiten der Schreinflügel sind Maria mit dem Jesuskind bzw. die hl. Anna zu sehen. Die reich geschnitzte *Kanzel* (17. Jh.) wird von einer Mosesfigur getragen. Erwähnenswert ist auch das *Epitaph* des Bürgermeisters Georg Tribbe (gest. 1665), der zugleich Bildhauer war und sich hier selbst ein Denkmal aus Marmor und Alabaster errichtet hat. Zahlreiche weitere Schnitzfiguren sind über die gesamte Kirche (auch auf den Emporen) verteilt. – Die angrenzenden *Klosterbauten* sind im 16.–18. Jh. entstanden und stellen eine malerisch-romantische Ergänzung zur Stiftskirche dar. Erhalten geblieben sind auch die einstige *Klostermühle* sowie eine Scheune, wo früher der Zehnte als Abgabe der Bauern an das Kloster gespeichert wurde.

Rathaus (Markt): Unter den Fachwerkhäusern nimmt das Rathaus, 16. Jh., eine Sonderstellung ein.

Oberpleis = 5330 Königswinter 21

Nordrhein-Westfalen S. 416 □ C 12

Ehem. Propsteikirche/Kath. Pfarrkirche: Oberpleis, heute → Königswinter zugeordnet, war im 12. Jh. eigenständige Propstei. Die heutige Kirche entstand im 12. und 13. Jh. Der äußere Bau wird durch den fünfgeschossigen Westturm charakterisiert. Romanik und Gotik mischen sich in dieser dreischiffigen Pfeilerbasilika. Im Inneren sind romanische und gotische Wand- und *Gewölbemalereien* erhalten (renoviert). Die *Krypta,* in der zweiten Hälfte des 12. Jh. entstanden, besitzt schöne Kreuzgewölbe, die von 16 Säulen getragen werden. – Glanzstück der Ausstattung ist ein *Retabel* aus der Zeit um 1150–60. Dargestellt sind die Muttergottes, drei Jungfrauen und die Hl. Drei Könige. Das Tuffsteinretabel gehört zu den bedeutendsten Werken hochromanischer Plastik am Rhein.

Oberstenfeld 7141

Baden-Württemberg S. 420 □ F 17

Ehem. Nonnenstiftskirche St. Johannes Baptist: An die Gründungszeit (Beginn des 11. Jh.) erinnert die erhaltene Krypta. Im 13. Jh. entstanden die dreischiffige Basilika und der Chorturm. Der Innenraum zeigt monumentale romanische Formen. Maulbronner Meister haben das Kreuzrippengewölbe eingezogen. Aus der Innenausstattung ist der Flügelaltar hervorzuheben, dessen Altartriptychon (1512) der Schule Dürers* zugeschrieben wird. Sehenswerte Grabdenkmäler.

Burg Lichtenberg (2 km südöstlich): Die Burg ist in den erhaltenen Teilen ein Bau des 13.–15. Jh. Der Hof ist von einem Zwinger umgeben. Beiderseits der Tordurchfahrt befinden sich ein Mannschaftsraum und die *Kapelle* (Wandmalereien um 1230). Im ersten Geschoß schöner Festsaal. – Einige der Wirtschaftsbauten sind im 16. und 17. Jh. ergänzt worden.

Außerdem sehenswert: Peterskirche (nordöstlich von Oberstenfeld): Einfacher Bau aus dem 11. Jh. mit Wandgemälden (um 1300).

Oberwesel 6532

Rheinland-Pfalz S. 416 □ D 14

Das mittelalterliche Weinstädtchen hat von seiner Romantik, die Ferdinand Freiligrath überschwenglich gerühmt hat (er bezeichnete Oberwesel als den »schönsten Zufluchtsort« der Romantik am Rhein), nichts verloren. Vor Freunden und Bürgern hat Hoffmann von Fallersleben am 17. 8. 1843 hier zum erstenmal sein Deutschlandlied gesungen.

Stiftskirche U. L. Frau (Liebfrauenstraße): Der rote Sandstein hat dieser Kirche aus dem ersten Drittel des 14. Jh. im Volksmund die Bezeichnung »rote Kirche« eingebracht. Der 72 m hohe Westturm schließt mit einem Helm und acht Giebeln ab. Vier kleinere Ecktürmchen begleiten den Turm. – Die kostbare *Innenausstattung* steht in ihrem ungewöhnlichen Reichtum im Gegensatz zu den schlichten architektonischen Formen. An erster Stelle ist der *Lettner* zu nennen, der weit über seine Funktion hinaus (Trennung zwischen Geistlichkeit und Laien) zu einem großartigen Kunstwerk gestaltet worden ist. In den Seitenschiffen wird er in vereinfachter Form als Gitter aus Stein und Eisen fortgeführt. In seiner Bedeutung steht der *Nikolausaltar* dem Lettner kaum nach. Er stammt – wie auch die übrigen Altäre – aus der Werkstatt eines unbekannt gebliebenen Meisters (1506). Das Bild des Mittelteils zeigt den Heiligen, der drei unschuldig verurteilte Ritter befreit, und drei Mädchen, die von ihrem mittellosen Vater zur Prostitution gezwungen werden sollten, mit je einem Geldbeutel beschenkt. Im Vordergrund ist ein dicht mit Menschen aller Stände besetztes Schiff zu sehen, beschützt vom Heiligen, dem Patron der Schiffer. Die Altäre gehen auf eine Stiftung des Kanonikus Peter Lutern (gest. 1515) zurück. Sein *Grabmal,* das ebenfalls zu den bedeutenden Kunstwerken in der Kirche gehört, hat der berühmte H. Backoffen* geschaffen (16. Jh.). Ein Schüler des Meisters hat das künstlerisch noch höher einzuordnende Grab des Ritterpaares Ottenstein (1520) in Stein geschlagen. – Von den einstigen *Stiftsgebäuden* sind der Kreuzgang (spätgotisch) und Reste des Kapitelsaals erhalten.

Kath. Pfarrkirche St. Martin (Auf dem Martinsberg): Die Lage auf einem Berg im Norden der Stadt und der wuchtige Turm geben der Kirche aus dem 14./15. Jh. wehrhaften Charakter. Die hell leuchtenden Farben des Langhauses (Ausmalung 15. Jh.) und Chors haben ihr – im Unterschied zur Liebfrauenkirche – die Bezeichnung »weiße Kirche« eingebracht. Sie ist ähnlich gegliedert wie die Liebfrauenkirche.

Schönburg (2 km südlich): Die mittelalterliche, schon im 12. Jh. genannte Anlage – gewaltig in ihrer Ausdehnung auf einem 320 m hohen Bergkegel – wurde 1689 größtenteils zerstört und ist nur als Ruine erhalten. Die einstige Ausdehnung und der Typ der sog. Schildmauerburg lassen sich jedoch gut erkennen (Torturm und Schildmauer sind erhalten).

Stadtbefestigung: Die Ringmauer mit ihren 16 Türmen (von ursprünglich 21) ist in bestem Zustand erhalten.

Ochsenfurt 8703

Bayern S. 418 □ H 15

Kath. Pfarrkirche St. Andreas (Pfarrgasse 9): Die Bauzeit dieser Kirche erstreckt sich bei einem Baubeginn im Jahre 1288 (mit Turm aus dieser Zeit) bis ins späte 15. Jh., als die Kapellen fertiggestellt waren. Die Johann-Nepomuk-Kapelle an der Südostecke kam sogar erst im 18. Jh. hinzu. Reiches Maßwerk wird zum bestimmenden Schmuck. Der Typ der sog. Staffelhalle ist durch ein überhöhtes Mittelschiff gekennzeichnet. Der Hochaltar von 1612, den der Bildhauer G. Brenck aus Windsheim geschaffen hat, füllt mit seinem dreiteiligen Aufbau den größten Teil des Chores aus. Eine vorzügliche Holzfigur, die den hl. Nikolaus darstellt, stammt von T. Riemenschneider* (16. Jh.). Weiterhin sehenswert: Ein achtseitiges Bronzetaufbecken (um 1515), spätgotisches Chorgestühl, Plastik mit der Anbetung der Könige (Anfang 14. Jh.). – In der Nachbarschaft der Pfarrkirche ist die *Michaelskapelle* (Baubeginn 1440) als zweigeschossige Friedhofskapelle entstanden. Sie enthält wertvolle Steinplastik.

Rathaus (Markt): Das spätgotische Rathaus gehört zu den schönsten in Franken. Dem älteren Hauptbau (um 1500) folgte rund 20 Jahre später der Ostflügel. Sehenswert ist das Uhrtürmchen mit einem Spielwerk aus dem Jahr 1560. Das Innere erreicht man über eine schöne Freitreppe mit Maßwerkbalustraden.

Stadtmuseum (Hauptstraße 42): Im sog. »Schlößchen«, das ehemals als Brückenbefestigung diente, ist das Museum mit seiner bemerkenswerten Steinsammlung sowie Beiträge zur Entwicklung der Waffen und Trachten zu finden.

Außerdem sehenswert: *Brücke* über den Main aus dem 17./18. Jh. – *Spitalkirche* aus der Zeit um 1500. – *Wolfgangskapelle* (Baubeginn im 15. Jh.), die alljährlich Ziel eines Pfingstumrittes ist.

Umgebung: → Kitzingen, → Randersacker, → Würzburg, → Weikersheim, Bad → Mergentheim.

Liebfrauenkirche, Oberwesel ▷

Benediktinerkloster, Ochsenhausen

Ochsenhausen 7955
Baden-Württemberg S. 422 □ H 20

Ehem. Benediktinerklosterkirche St. Georg (Schloß-Bezirk Ochsenhausen): Mit dem Fußtritt eines Ochsen soll die eigentliche Geschichte der Stadt begonnen haben: Eben jener Tritt soll um 1050 einen Klosterschatz zu Tage gefördert haben, den hundert Jahre zuvor die vor den Ungarn flüchtenden Nonnen eines Klosters namens Hohenhausen an besagter Stelle versteckt hätten. Hatto von Wolperswendi sah darin einen Wink des Allmächtigen und gründete das Benediktinerkloster. Mit dem Bau der heutigen Kirche wurde 1489 begonnen (Fertigstellung 1495). Im 17. und 18. Jh. wurde der Bau einschneidend verändert (u. a. Barockfassade aus dem Jahr 1725). Auch der Innenraum wurde im Stil des Barock umgestaltet. Die Stuckornamente stammen von dem Italiener G. Mola und zeigen den Zeitgeschmack um 1725–30. Die umfangreiche Freskomalerei im Hochschiff ist das Werk J. B. Bergmüllers* (1727–30, ergänzt durch Arbeiten seines Schülers J. A. Huber, 1787, in den Seitenschiffen). Aus der Ausstattung sind weiter hervorzuheben: Rokoko-Hochaltar mit älteren Figuren und einem Gemälde von J. H. Schönfeld aus Biberach, Chorgestühl (1686), Kanzel von Ä. Verhelst* (1740/41), Orgel von J. Gabler (1725–30). Von der spätgotischen Ausstattung sind nur noch einige plastische Werke erhalten. – Im Osten grenzen die *Klostergebäude* an (1583 bis 1791). Sie erreichen ein ungewöhnliches Ausmaß und umfassen u. a. die Gebäudeteile Prälatur, Konventflügel, Refektorium und den (klassizistischen) Bibliothekssaal, der sich im Nordflügel befindet.

Umgebung: Sehenswert ist besonders auch die Klosterkirche in → Rot an der Rot.

Benediktinerkirche, Ochsenhausen

Oettingen 8867

Bayern S. 422 □ I 17

Die ehem. Residenzstadt am Rande des Riesbeckens hat ihr ursprüngliches Ortsbild bis heute erhalten können. Viele Fachwerkhäuser (15.–17. Jh.) und Barockbauten vermischen ländliche Idylle mit höfischem Glanz.

St. Jakob (Schloßstraße): Auf den Fundamenten einer Kirche aus dem frühen 14. Jh. entstand im 14./15. Jh. die heutige Kirche (Abschluß der Bauarbeiten mit der Fertigstellung des Turmobergeschosses im Jahr 1565). Sehenswert wird die Kirche durch die reiche Innenausstattung, deren Stukkaturen M. Schmuzer* geschaffen hat (1680/81). Hervorzuheben ist ein Hochaltar (um 1500) mit einer bedeutenden Kreuzigungsgruppe. Die Kanzel (1677) und der Taufstein (1689) sind mit erstklassiger Plastik versehen.

Neues Schloß: Auch im Neuen Schloß hat M. Schmuzer aus Wessobrunn erstklassige Stukkaturen geschaffen, u. a. den Festsaal. Die weitläufige Anlage ist im 17. und 18. Jh. entstanden und umfaßt neben dem Hauptbau zahlreiche Wirtschafts- und Nebengebäude. Sie umstehen den Schloßhof, der 1720 einen *Marienbrunnen* erhalten hat. Nach Westen hin schließt sich der *Hofgarten* an. Das dortige Orangeriegebäude hat G. Gabrieli* errichtet (1726).

Außerdem sehenswert: *St. Sebastian:* Reste der Kirche von 1471 (ergänzt durch einen Neubau von 1847) sind erhalten. Die Kirche war mit ihrem Hl.-Blut-Wunder Wallfahrtsziel. – *Rathaus:* Fachwerkbau aus dem Jahr 1431. – *Lateinschule:* Giebelbau aus dem Jahr 1724 (neben St. Jakob). – *Stadtbefestigung:* Von der Stadtmauer, die in ihren Anfängen bis zum Beginn des 12. Jh. zurückreicht, sind große Teile in sehr gutem Zustand erhalten geblieben. Drei der Tore geben ein gutes Beispiel von der Gesamtkonzeption.

Offenbach am Main 6050

Hessen S. 416 □ E 14

Goethe schwärmte von Offenbach wie kaum sonst für eine Stadt – allerdings wohl wegen seiner Liebe zu Lili Schönemann, mit der er sich Ostern 1775 verlobt hatte: Er lobt die »schönen, prächtigen Gebäude« und begeisterte sich an den Gärten und Terrassen, die »bis an den Main reichend, überall freien Ausgang nach der holden Umgebung erlauben.« In Offenbach gelebt haben u. a. Sophie von La Roche (ab 1786 bis zu ihrem Tod 1807) sowie Bettina von Arnim, die einen Teil ihrer Jugend in Offenbach verbrachte. Heute ist Offenbach eine bedeutende Industriestadt und Zentrum der deutschen Lederwarenindustrie.

Ehem. Isenburgisches Schloß (Schloßstraße 66): Das Renaissanceschloß aus dem 16. Jh. ist wegen der nach Süden gelegenen Schauseite und der Hof-

Isenburgisches Schloß, Offenbach

Hochaltar der Stiftskirche Öhringen ▷

fassade mit ausdrucksvollen Laubengängen sehenswert. Der heutige Bau, der möglicherweise als Vierflügelanlage geplant gewesen ist, war 1578 fertiggestellt.

Büsinghof mit Ruine des ehem. Büsing-Palais (Herrnstraße): Der im 18. Jh. erbaute Palast brannte im 2. Weltkrieg vollständig aus. Die Flügelbauten der Erweiterung von 1900 wurden jedoch wieder aufgebaut.

Museen: *Deutsches Ledermuseum/ Deutsches Schuhmuseum* (Frankfurter Straße 86): Herstellung und Verarbeitung des Leders sind ebenso ausführlich wie die Kulturgeschichte des Schuhs dargestellt. – *Klingspor-Museum* (Herrnstraße 80): Schwerpunkte sind Buch- und Schriftkunst des 20. Jh., Einbände und Graphik. Regelmäßig Wechselausstellungen, die größtenteils aus eigenen Beständen zusammengestellt werden.

Außerdem sehenswert: *Schloß Rumpenheim:* Landhaus aus dem Jahr 1680 am Main, dessen Hauptbau 1945 ausgebrannt ist. – *Lilipark* (am Mainufer): Benannt nach der Verlobten Goethes, die hier zeitweise lebte.

Offenburg 7600

Baden-Württemberg

S. 420 □ D 18

Johann Jakob Christoffel von Grimmelshausen (»Der Abenteuerliche Simplicissimus Teutsch«) arbeitete nach 1639 in Offenburg als Festungsschreiber und Regimentssekretär und heiratete hier 1649.

Kath. Stadtpfarrkirche Hl. Kreuz (Pfarrstraße 4): Nach fast 100jähriger Bauzeit wurde die Kirche im Jahre 1791 geweiht. Älter sind die 1524 entstandene Ölberggruppe auf dem Vorplatz (ehem. Friedhof) und die an den

Außenwänden zu erkennenden Grabdenkmäler (u. a. das von C. v. Urach für Jörg von Bach, gest. 1538). Der Innenraum ist zum großen Teil ausgemalt (1956). Unter den Altären nimmt der *Hochaltar* (1740) eine Sonderstellung ein. F. Lichtenauer hat ihn (ebenso wie die meisten Nebenaltäre) ausgestattet. Sehenswert sind auch *Chorgestühl* (1740), klassizistische *Kanzel* (1790), *Rokokogitter* vor dem Orgelprospekt (18. Jh.) und das Original des *Kruzifixus* von 1521 im linken Seitenaltar, dessen Kopie auf dem Kirchenvorplatz zu sehen ist.

Rathaus (Hauptstraße 90): Für die Fassade des 1741 errichteten Baus wurden Bauteile aus dem 16. und frühen 17. Jh. verwendet. Architekt war M. Fuchs.

Landratsamt (Hauptstraße 96): Der Barockbau entstand im Auftrag der Markgräfin Sybilla und nach Entwürfen des Hofbaumeisters M. L. Rohrer. 1717 war der Bau mit seiner reich geschmückten Fassade fertiggestellt.

Museen: In dem 1775 erbauten *Ritterhausmuseum* (Ritterstraße 10) war in den Jahren 1804–06 das Direktorium der Offenburger Reichsritterschaft untergebracht, bis 1956 diente es als Unterkunft für das Landgericht. Neben Beiträgen zur Stadt- und Landes- und Kulturgeschichte bietet das Museum sehenswerte Sammlungen über die ehem. deutschen Kolonien. – *Städtische Galerie* (Ritterstraße 10): Sie widmet sich in erster Linie Werken von Offenburger Künstlern, insbesondere seit dem 18. Jahrhundert.

Außerdem sehenswert: *Franziskanerkloster:* 1702–17 auf älteren Fundamenten gebaut. Die Kirche ist eine schlichte Wandpfeileranlage mit reicher Altarausstattung. – *Palais Rieneck:* In dem Barockbau (mit beachtenswertem Treppenturm) befindet sich heute das Landgericht. – *Judenbad* (Glaserstraße 6): Unterirdische Anlage des späten 13. Jh. für die rituellen Waschungen der Juden in Offenburg. – *Verlagshaus Burda:* E. Eiermann hat den Bau 1954 als Stahlskelettkonstruktion entworfen.

Umgebung: Schloß Ortenberg; die ehem. Freie Reichsstadt *Gengenbach.*

Öhringen 7110
Baden-Württemberg S. 420 □ G 16

Ehem. Stiftskirche St. Peter und Paul (Marktplatz): Die heutige Stiftskirche entstand als Neubau an der Stelle einer romanischen Kirchenanlage im 15. Jh. An der westlichen Front sind Skulpturen von Petrus und Paulus sowie von Löwen (am südlichen Querschiffportal) beachtenswert (Kopien, die Originale aus dem 13. Jh. stehen im Inneren der Kirche). Bedeutende Werke der *Ausstattung:* Der geschnitzte Hochaltar (um 1500), der die Muttergottes zwischen Petrus und Paulus und zwei weiteren Männergestalten zeigt (noch ungeklärt, ob oberrheinisch oder fränkisch). Die Chorverglasung wurde aus erhaltenen Teilen des 15. Jh. zusammengesetzt. In der sehenswerten Krypta steht die Tumba von 1241 mit den Gebeinen Adelheids, der Mutter von Kaiser Konrad II. Sie veranlaßte 1037 Bischof Gebhard von Regensburg zur Umwandlung einer bereits bestehenden Kirche in ein Chorherrenstift. Weitere Grabdenkmäler bedeutender Meister befinden sich u. a. im Chor (16.–18. Jh.).

Schloß (Marktplatz 15): Das 1612 für Magdalena von Katzenelnbogen gebaute Schloß (nach Plänen von G. Kern) besitzt noch die Innenausstattung von 1714 und 1781. Anbauten von 1847 und 1860 ergänzen den weitläufigen Bau. Davor Hofgarten und ehem. Theaterpavillon (18. Jh.).

Lustschloß Friedrichsruhe (4 km nördlich): 1712–17 ist der schöne Barockbau mit reichem Außenschmuck und der zu dieser Zeit üblichen Stuckausstattung entstanden. Zu Beginn des 19. Jh. erhielt das Schloß bei einer durchgreifenden Umgestaltung klassizistische Züge. Die Gartenanlagen entsprechen noch denen des 18. Jh.

Weygang-Museum (Karlsvorstadt 38): Die Karlsvorstadt wurde 1782 – getrennt vom übrigen Stadtbereich durch ein klassizistisches Kolonnadentor – als Anlage im Sinne sozialer Fürsorge entworfen. Innerhalb dieser Bauten befindet sich heute das bemerkenswerte Museum, dessen Zinngießerei und Zinnfigurensammlung besonders hervorzuheben sind.

Oldenburg/Oldenburg 2900

Niedersachsen S. 414 □ E 6

Nach einer bewegten Geschichte (u. a. fast 100jährige Zugehörigkeit zu Dänemark) entwickelte sich die Stadt erst gegen Ende des 18. Jh. unter Herzog Peter Friedrich Ludwig zu einem kulturellen und wirtschaftlichen Zentrum in Norddeutschland. Nach 1945 wandelte sich die Stadt zu einer Großstadt mit heute mehr als 130000 Einwohnern und einer bedeutenden Industrie (Glas, Maschinen, Fleischwaren, Werften).

Ehem. Stiftskirche St. Lamberti (nahe dem Schloß am Schloßplatz): Kernstück der heutigen Kirche sind die Umfassungsmauern des Langhauses einer spätgotischen Hallenkirche, in die 1797 eine Rotunde eingebaut wurde. Die Empore wird von 12 Pfeilern, die mächtige Kuppel von 12 Säulen getragen. In der Vorhalle und in der Kirche befinden sich mehrere beachtenswerte Grabplatten.

Schloß (Schloßplatz): Das Schloß läßt die verschiedenen Bauetappen deutlich erkennen. Kernstück ist ein 1604 begonnener Neubau, durch den die mittelalterliche Burganlage aufgebrochen wurde. 1778 folgte der sog. Holmersche Flügel, rund ein Vierteljahrhundert später entstanden die Durchfahrt und der Galerieflügel (nach Plänen von C. H. Slevogt und H. Strack d. Ä.) und schließlich folgte 1899 der Theaterbau. Nach dem 1. Weltkrieg wurde in den Räumen des Schlosses das bedeutende *Landesmuseum für Kunst- und Kulturgeschichte* aufgebaut. Es bietet umfangreiche Sammlungen mittelalterlicher Plastik sowie eine Gemäldegalerie (die Sammlung geht auf eine Initiative des Malers J. H. Wilhelm Tischbein zu-

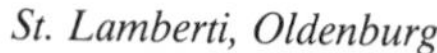

St. Lamberti, Oldenburg

rück, der den Grundstock durch den Kauf zahlreicher Gemälde italienischer Künstler legte). Weitere Sammelgebiete: Historisches Inventar, Kleinkunst des Altertums und kulturgeschichtliche Sammlungen.

Lappan (Heiligengeistwall): Turm des ehem. Heiliggeistspitals aus dem Jahr 1468 (Haube aus der Zeit des Barock).

Museen: Landesmuseum für Kunst- und Kulturgeschichte (siehe Schloß). – *Oldenburger Stadtmuseum/Städtische Kunstsammlungen* (Raiffeisenstraße 32/33): Kunst- und Kulturgeschichte, Plastik, Malerei, Graphik. – *Staatliches Museum für Naturkunde und Vorgeschichte* (Damm 40): Das klassizistische Gebäude der Landesbibliothek und der Museumsbau aus dem Jahr 1878 (der bereits den Jugendstil erkennen läßt) sind zu einem Gebäude zusammengeschlossen worden. Die Sammlungen umfassen umfangreiche Darstellungen zur Naturkunde und Vorgeschichte Oldenburgs.

Staatstheater: Das Staatstheater beschäftigt je ein Ensemble für Oper/Operette und Schauspiel. Gespielt wird im Großen Haus (Theaterwall 19) mit 861 Plätzen, im Schloßtheater (im Schloß, mit 252 Plätzen) sowie im Spielraum des neuen Foyer (bis maximal 170 Plätze).

Oppenheim 6504

Rheinland-Pfalz S. 416 □ E 15

Buch- und Kunstkenner verbinden mit Oppenheim den Gedanken an die berühmten Inkunabeln und an die Kupferstecherwerkstatt von Matthäus Merian d. Ä., der hier von 1617–20 gearbeitet hat. Für die meisten Besucher der romantischen Stadt auf dem hoch gelegenen linken Rheinufer ist der Name der Stadt freilich gleichbedeutend mit den berühmtesten Sagen des Weinbaus am Rhein. 1220 wurde der Ort freie Reichsstadt. 1689 wurden große Teile durch Brand vernichtet.

Katharinenkirche: Der rot schimmernde Sandsteinbau ist in seinen heutigen Trakten in mehrhundertjähriger Bauzeit entstanden, wobei sich die ältesten Teile (mit den beiden Türmen) bis in das 13. Jh. zurückverfolgen lassen. Bedeutendster Teil dieser großartigen Kirche ist das Langhaus, das in einer dritten Bauphase (zu Beginn des 14. Jh.) entstanden ist. Das reiche Maßwerk der Fenster sucht in diesem Gebiet seinesgleichen. – Die Kirche mußte in den letzten Jahrhunderten mehrfach restauriert werden, ist jedoch in ihrer Bedeutung dadurch nicht oder ganz geringfügig beeinträchtigt worden. Von der Ausstattung ist, abgesehen von einigen erstklassigen Grabma-

Katharinenkirche, Oppenheim ▷

Oppenheim, Katharinenkirche 1 Stiftschor von Madern Gerthener, 1415–39 **2** Grabmal der Anna von Dalberg (1410 gestorben) **3** Grabmal Wolf und Agnes von Dalberg, um 1520 **4** Grabmal des Ritters Conrad von Hantstein (1553 gestorben)

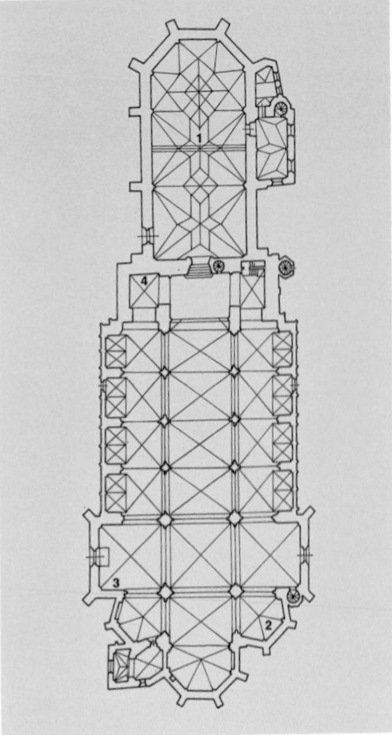

len, nichts erhalten geblieben. Sie wurde von dem großen Stadtbrand 1689 vernichtet. – Neben der Kirche befindet sich eine *Totenkapelle* (Karner), in deren Beinhaus Tausende von Schädeln und Gebeinen lagern.

Außerdem sehenswert: *Burgruine Landskron:* Von der Burgruine Landskron, die im 13. Jh. entstanden ist und die einst eine bedeutende Reichsfeste war, sind nur spärliche Reste erhalten. Von hier aus hat man jedoch einen großartigen Blick auf den Rhein.

Bad Orb 6482

Hessen S. 416 □ F/G 14

Bad Orb, das heute als Solbad für Herz-, Kreislauf- und Rheumaleiden bekannt ist, liegt in einem waldreichen Spessarttal. Seine Salzquellen verhalfen dem Ort (heute 8300 Einwohner) schon früh zu wirtschaftlicher Bedeutung. Die Stadt ist um den viereckigen Marktplatz gewachsen. Die Stadtmauer (13. Jh.) ist größtenteils erhalten.

Kath. Pfarrkirche St. Martin (Pfarrgasse): Die Bedeutung dieser Kirche beruht auf dem Gemälde, das den Mittelteil des *Hochaltars* darstellt. Es zeigt die Kreuzigungsszene und ist um 1440 entstanden. Es wird dem »Meister der Darmstädter Passion« zugeschrieben und zählt zu den bedeutendsten Beiträgen mittelrheinischer Malerei aus dieser Zeit. Die Flügel dieses Wandelaltars sind Kopien (Originale im Museum in → Berlin-Dahlem). Bemerkenswert sind auch umfangreiche Zyklen von *Wandmalereien* aus dem 14. und 15. Jh. Der *Schmerzensmann,* der sich außen an der Ostecke der Peterskapelle findet, ist um 1440 entstanden. Ältester Teil der Kirche ist das Untergeschoß des Turms einer aus dem 12. Jh. stammenden Kapelle.

Spessart-Museum (Villbacher Straße 8): Mineralien und Fossilien aus Europa, Afrika und Nordamerika; dazu Beiträge zur Heimatgeschichte.

Außerdem sehenswert: *Rathaus:* Das *Rathaus* ist im ehem. Verwaltungsgebäude der Saline (19. Jh.) untergebracht. Sehenswert sind auch die erhaltenen Einrichtungen, die einst der Salzgewinnung dienten (Siedehäuser).

St. Martin, Bad Orb

Ortenburg 8359

Bayern S. 422 ☐ O 18

Pfarrkirche: Die Kirche aus dem 14. Jh. wird gerühmt wegen ihrer Grabmonumente für die Ortenburger Grafen, die bereits im 11. Jh. genannt werden. Hervorzuheben sind die *Tumba* für Graf Joachim (1576/77) und das Grabmal für Graf Anton (1574/75 errichtet von Petzlinger).

Schloß: Als ein typischer Bau der Renaissance ist die umfangreiche Anlage aus dem 16. Jh. erhalten geblieben. Sehenswert ist die Kassettendecke der Zeit um 1600 im ehem. Festsaal, der später in eine Schloßkapelle umgewandelt worden ist. Sie gehört zu den herausragendsten dieser Zeit und darüber hinaus zu den bedeutendsten in Deutschland.

Osnabrück 4500

Niedersachsen S. 414 ☐ D 8

Zwischen Teutoburger Wald und Wiehengebirge hat sich die alte Bischofs- und Hansestadt schon früh zu einem wirtschaftlichen und geistigen Zentrum entwickelt. Karl der Große gründete hier um 785 einen Bischofssitz und betrieb von hier aus die Christianisierung. Im Gebiet der heutigen Stadt Osnabrück soll der Kaiser auch seinen schärfsten Widersacher, Widukind, besiegt und bekehrt haben. Mit der Gründung des Kollegiatstifts St. Johann im Jahre 1011 entwickelte sich die sog. Neustadt, die 1306 mit dem Gebiet um den Dom (Altstadt) vereinigt wurde. – Mittelpunkt eines historischen Ereignisses wurde Osnabrück im Jahre 1648, als auf der Freitreppe vor dem alten Rathaus das Ende des 30jährigen Krieges verkündet wurde. Vertreter der

Osnabrück, Dom 1 Taufbecken, 13. Jh. **2** Triumphkreuz, um 1250 **3** Apostelplastiken von westfälischem Meister, um 1525 **4** Margaretenaltar des Meisters von Osnabrück, Reste von ca. 1520 **5** Pietà, Ende 15. Jh. **6** Christus im Garten Gethsemane, 1515 **7** Sakramentshäuschen in der Kreuzkapelle, 15. Jh. **8** Altaraufsatz vom Meister von Osnabrück mit Darstellung des Stifters Lambert von Snetlage, 1517 gestiftet **9** Epitaph des Dompropstes B. Voß (1617 gestorben) **10** Epitaph des Ferd. von Kerssenbrock von J. C. Schlaun und Chr. Manskirch **11** Barockkanzel von Joh. A. Vogel, 1751 **12** Grabplastik des Bischofs Konrad von Diepholz (1481 gestorben) **13** Domschatz **14** Diözesanmuseum

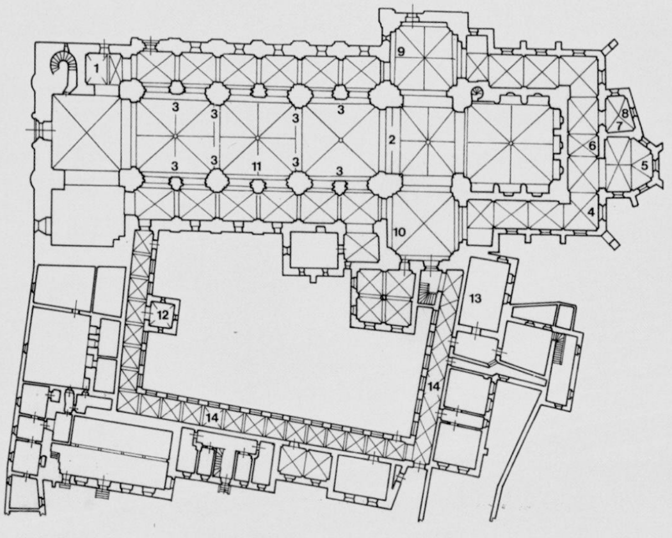

ev.-lutherischen Seite und des Kaisers handelten hier (parallel zu → Münster) den »Westfälischen Frieden« aus. Der Friede brachte für das Fürstbistum eine Kuriosität: Abwechselnd sollten ein kath. Bischof und ein ev. Prinz Landesherr sein. – Seine schnelle wirtschaftliche Entwicklung verdankte Osnabrück vor allem der günstigen geographischen Lage, die den Ort schon früh zu einem Handelsplatz für Waren auf dem Weg von Nord nach Süd, vor allem aber vom Rheinland an die Ostseeküste machte. Einen Höhepunkt in seiner Bedeutung als Wirtschaftszentrum erreichte Osnabrück in den Jahren 1768–83, als der Schriftsteller, Historiker und Staatsmann Justus Möser (1720–1794) Kanzler des letzten ev. Fürstbischofs war. Möser erwarb jedoch nicht nur Verdienste um seine Vaterstadt, sondern setzte sich auch mit der Entwicklung des Theaters und der Literatur auseinander. Mösers Ideal vom freien Bauern- und Bürgerstand, dessen Eigentum gesichert ist und der sich durch Selbstverwaltung am politischen Leben beteiligt, setzte in Osnabrück starke Akzente und prägte die weitere Entwicklung der Stadt und der folgenden Generationen. Eine Gedenktafel an seinem Geburtshaus (Markt) und ein Denkmal auf dem Domplatz erinnern an ihn. Seine Grabplatte ist in den Boden von St. Marien eingelassen (siehe dort). Im Städtischen Museum gibt eine umfangreiche Dokumentation Einblick in sein Leben und Werk. – Zu den bekannten Persönlichkeiten der Stadt gehört auch der Schriftsteller Erich Maria Remarque (1898–1970), der in Osnabrück geboren wurde und mit seinem Buch »Im Westen nichts Neues« einen der erfolgreichsten Romane geschrieben hat.

Dom St. Peter (Domhof): Der Baubeginn reicht bis ins 11. Jh. zurück. Erhalten ist der achtseitige Vierungsturm, der in den ersten Jahren des 12. Jh. errichtet wurde. Wichtigste Bauphase war jedoch das 13. Jh., als der Nordwestturm entstand und der Vierungsturm sein heutiges Aussehen erhielt. Das 15. Jh. fügte den Chorumgang hinzu, das 16. Jh. den mächtigen Südwestturm. Diese lange Bauzeit führte zu einer beeindruckenden Vermischung von romanischen und gotischen Formen. Man betritt die Kirche von Westen her durch ein schönes spätgotisches Portal bzw. von Norden oder Sü-

Dom in Osnabrück

den durch rundbögige Säulenportale und ist sofort beeindruckt von den mächtigen Gewölben und Säulen. An den massigen Pfeilern des Langhauses sind Sandsteinfiguren, die die Apostel darstellen, befestigt (16. Jh.). Der Chorumgang führt zu zwei Kapellen, in deren südöstlicher Bischofsgräber zu sehen sind. Die reiche Ausstattung, die im 14. Jh. u. a. 28 Altäre umfaßte, ist im 19. Jh. stark reduziert worden. Höhepunkt ist das große *Triumphkreuz* (um 1250). Seine Enden sind mit den vergoldeten Symbolen der Evangelisten versehen. Weitere bedeutende Kunstwerke sind in den Chorkapellen, im Chorumgang und in den Querschiffen zu sehen (u. a. eine lebensgroße Pieta aus dem 15. Jh.). In den Querschiffarmen stehen *Epitaphe* für Dompropst Voß (gest. 1617) und Ferdinand von Kerssenbrock (letzterer von J. C. Schlaun*). In der Nikolauskapelle (am Kreuzgang) steht die lebensgroße *Grabplastik* des Bischofs Konrad von Diepholz (gest. 1482). Sehenswert ist der *Domschatz,* zu dessen bedeutendsten Stücken ein Kapitelkreuz aus der Zeit um 1050 gehört. Ein hölzerner Kern ist mit Gold umkleidet und mit schönem Filigran geschmückt. Zum Domschatz gehören zahlreiche weitere bedeutende Werke sakraler Kunst aus dem 10. bis 19. Jh.

St.-Marien-Kirche (Am Markt): Die im 13. Jh. errichtete Kirche ist 1944 bei einem Fliegerangriff ausgebrannt, jedoch originalgetreu auf- und ausgebaut worden. Die Schauseite (zum Markt) imponiert mit ihren reich geschmückten Giebeln. Zum äußeren Schmuck gehören auch die lebensgroßen Sandsteinplastiken (u. a. Gottesmutter und Heilige Drei Könige). Im Inneren ergibt sich durch das Fehlen eines Querschiffs ein ungewohntes, aber dennoch ausgewogenes Bild. Kräftige Bündelpfeiler tragen die gotischen Gewölbe (sehenswerte Laubkapitelle der Rundpfeiler). Der Chorumgang ist im 15. Jh. hinzugefügt worden. Aus dieser Zeit stammt auch die schön gestaltete Sakristei. Im Mittelpunkt der *Ausstattung* steht das Triumphkreuz (um 1320). Es hängt über dem Antwerpener Passionsaltar (16. Jh.), der im Krieg stark beschädigt wurde. Erhalten blieben die in Gold gefaßten Figuren und die bemalten Flügel. Sie sind in einem neuen Schrein zusammengefaßt worden. Außerdem sehenswert: Taufstein

Kapitelkreuz, Domschatz

Chorumgang, Dom

Schnitzaltar, Johanniskirche

(1560), Epitaphe (u. a. gearbeitet von J. Brabender, A. Stenelt, G. Gröninger*), Holzepitaph des bischöflichen Kanzlers Derenthal (gest. 1691). Im Chorumgang erinnert eine Grabplatte an Justus Möser (siehe Einleitung).

Ev. St.-Katharinen-Kirche (Hakenstraße): Kennzeichen dieser im 14. Jh. begonnenen, wegen der Pest jedoch erst rund 100 Jahre später vollendeten Kirche ist der 102 m hohe Turm – der höchste in Osnabrück. Auffallend an der dreischiffigen Hallenkirche ist die ungewöhnliche Breite (im Verhältnis zur Länge), mit der die zentrale Wirkung unterstrichen wird. Kräftige Bündelpfeiler unterstützen diesen Eindruck. Wandarkaden und steinerne Sitzbänke prägen das Bild der Chornische.

Kath. St.-Johannis-Kirche (Johannisstraße): Die Johanniskirche wurde 1011 zugleich mit einem Kollegiatstift gegründet, der heutige Bau entstand jedoch erst in den Jahren 1259–89. Das Innere der Kirche ist betont schlicht gehalten und läßt die wertvolle Ausstattung besonders gut zur Geltung kommen. Hervorzuheben ist der *Schnitzaltar* (1511), der in Osnabrück entstanden ist, dessen Meister sich jedoch unverkennbar an den flandrischen Passionsaltären jener Zeit orientiert haben. Im Chor stehen lebensgroße *Sandsteinplastiken,* die Christus, die Gottesmutter und Apostel zeigen (um 1440). Aus dieser Zeit stammt auch das *Sakramentshäuschen.* Zu erwähnen sind schließlich mehrere erstklassige Epitaphe und hervorragende Goldschmiedearbeiten des 12.–19. Jh. als Bestand des *Kirchenschatzes.*

Gertrudenkirche (Knollstraße): Über der Stadt liegt die im 13. Jh. vollendete Kirche, die wegen ihrer strategisch bedeutsamen Lage vielen Angriffen ausgesetzt war und heute Bestandteil der

Rathaus

Niedersächsischen Landeskrankenanstalten ist (auch Abtei, Turm und Kloster). Das einschiffige Langhaus und der große Triumphbogen ergeben eine großartige Raumwirkung. Der Bau gilt als typisch für die Zisterzienser-Kirchenarchitektur des 13. Jh.

Rathaus (am Markt): Das Rathaus, 1487–1512 erbaut, steht an der westlichen Schmalseite des dreieckigen Marktplatzes. Den beherrschenden Eindruck vermitteln die zweiseitige Freitreppe (von der 1648 der »Westfälische Friede« verkündet wurde) und die großen Plastiken (heute Kaiserfiguren, früher allegorische Figuren). Über dem Portal nimmt ein Bildnis Karls des Großen als des Gründers der Stadt einen Ehrenplatz ein. Der dreigeschossige, schlichte Bau trägt zierliche Ecktürmchen und ein steiles Dach. Im Rathaus befindet sich der *Friedenssaal,* in dem 1648 der »Westfälische Friede« als Abschluß des 30jährigen Kriegs ausgehandelt wurde. Von der Ausstattung sind sehenswert: das reich geschnitzte Ratsgestühl von 1554, selten zu findende, im Stil der Spätgotik gestaltete Archivschränke, ein bemerkenswerter schmiedeeiserner Leuchter (16. Jh.), auch der *Ratsschatz,* zu dem u. a. der sog. Kaiserpokal (14. Jh.) gehört, dessen Inhalt nach einer Überlieferung von jedem neuen Ratsmitglied in einem Zug geleert werden mußte. Ebenfalls im Ratsschatz aufbewahrt wird die Urkunde, mit der Kaiser Barbarossa im Jahre 1171 der Stadt das Befestigungsrecht verliehen hat.

Kaufmannshäuser am Markt: Die Häuser aus dem 15.–19. Jh. beziehen ihren architektonischen Wert aus den typischen Treppengiebeln. Nach der Zerstörung im 2. Weltkrieg wurden sie originalgetreu wieder aufgebaut.

Fürstbischöfliches Schloß (Neuer Graben): Der römische Palazzo Madama war Vorbild für den Bau des viergeschossigen Palastes, der sich um einen rechteckigen Binnenhof gruppiert. Bauherr war Ernst August I., der vermutlich den Italiener P. Carato als Baumeister verpflichtete. Der Komplex ist 1945 ebenfalls ausgebrannt, wurde jedoch wieder aufgebaut und dient heute als Pädagogische Akademie.

Alte Stadtbefestigung (Herrenteichswall, Promenade, Vitischanze, Heger Tor): Barenturm (1471) und Buckturm sind die markantesten Punkte der sehr gut erhaltenen Stadtbefestigung. Im Buckturm werden mittelalterliche Folterwerkzeuge gezeigt, die in Verbindung mit den Hexenprozessen zu einer schaurigen Bedeutung gelangten.

Alte Bürgerhäuser: Im Gegensatz zu den Kaufmannshäusern (siehe zuvor), die eindeutig an hanseatischen Vorbildern orientiert sind, haben die Osnabrücker Bürgerhäuser eine starke Eigenwilligkeit. Besonders viele und typische dieser Häuser finden sich in der Krahn-, Marien- und Bierstraße (Hotel Walhalla).

Museen: Das *Städtische Museum* (Heger-Tor-Wall 27) ist in einem für Osnabrück typischen Steinwerk eingerichtet. Diese Bauten haben jeweils sehr hoch gelegene Eingänge und dicke Mauern und erwecken damit einen wehrhaften Eindruck. Sammelgebiete: Vor- und Frühgeschichte, Naturwissenschaften, Volkskunde, Stadtgeschichte, antike Kunst, Kunstgewerbe, Trachten und Kostüme, Waffen und Rüstungen, Münzen und Medaillen. – *Diözesanmuseum* und *Kirchenschätze:* Siehe unter den Beschreibungen der einzelnen Kirchen.

Theater: Die *Städtischen Bühnen Osnabrück* bespielen das *Große Haus* (Domhof 10, 1780 Plätze), das *Studio 99* (Markt) und bestreiten die *Rathausspiele* (Rathaus/Marktplatz). Eigenes Ensemble für Schauspiel, Oper, Operette und Ballett.

Außerdem sehenswert: Klassizistische Bauten sind die *bischöfliche Kanzlei* (1782–85), die *Hirschapotheke* (1797) und die *Städtische Sparkasse* (1790).

Umgebung: *Sutthausen:* Das langgestreckte Herrenhaus stellt eine kleinere Ausführung des Osnabrücker Schlos-

Fürstbischöfliches Schloß

ses dar. Es wurde von Oberhofmarschall G. B. von Moltke 1684–86 errichtet. – *Karlsteine:* Dieses Steinkammergrab befindet sich ca. 5 km nördlich von Osnabrück. – *Wasserburg Schelenburg:* 14 km östlich von Osnabrück.

Osterhofen 8353

Bayern S. 422 □ N 18

Ehem. Prämonstratenser-Klosterkirche St. Margaretha: J. M. Fischer* als Baumeister, C. D. Asam* als Maler und E. Q. Asam* als Bildhauer und Stukkateur, drei der bedeutendsten Künstler ihrer Zeit, haben mit der Klosterkirche ein Kunstwerk von hohem Rang geschaffen. Nachdem der mittelalterliche Vorgängerbau baufällig geworden war, wurde 1727 mit dem Neubau begonnen, der endgültig (einschließlich der Innenausstattung) 1740 fertig war. Die Kirche gehört zu den prunkvollsten Kirchenbauten des Barock in Bayern. Stuck, Gewölbefresko und die übrige Ausstattung ergänzen sich zu einer einzigartigen Barock-Sinfonie. Höhepunkt ist der *Hochaltar* von E. Q. Asam.

Osterode 3360

Niedersachsen S. 414 □ H 9/10

Osterode, heute grenznah zum Gebiet der DDR gelegen und vom Durchgangsverkehr abgeschnitten, verdankt seine Entwicklung der Lage am wichtigen Handelsweg von Goslar zum Leinetal. Das heutige Stadtbild stammt zu wesentlichen Teilen aus der Zeit nach dem großen Stadtbrand von 1545. Die erhaltenen Häuser spiegeln den wirtschaftlichen Wohlstand der Stadt vor dem 30jährigen Krieg.

Ev. Marktkirche St. Aegidien (Marktplatz): Der mächtige Westturm ist nicht nur Charakteristikum dieser Kirche, die nach dem Brand 1545 errichtet wurde (bis 1953 renoviert), sondern auch eines der Wahrzeichen von Osterode. Sehenswert ist die Kirche wegen der *Grabplatten* für die hier beigesetzten Herzöge aus der Linie Grubenhagen. Die bedeutendste hat E. Wolff d. J. aus Hildesheim geschaffen. Die fein gestaltete Figur zeigt Herzog Wolfgang.

Ev. Schloßkirche St. Jakobi (Jakobitor-

Prämonstratenser-Klosterkirche St. Margaretha, Osterhofen-Altenmarkt

straße): Die Kirche aus dem Jahr 1218 wurde in der Mitte des 18. Jh. durchgreifend umgebaut. Sehenswert sind die Altäre, die Kanzel (getragen von einer Moses darstellenden Figur), der Kruzifixus an der Nordwand.

Kornmagazin (Eisensteinstraße): Ein Fassungsvermögen von etwa 40000 Zentner Korn besaß der Bau, der 1719–22 errichtet wurde und dazu dienen sollte, die Versorgung der Bergknappen auch in schlechten Zeiten sicherzustellen.

Außerdem sehenswert: Das *Rathaus* (neben der Marktkirche): Errichtet nach dem großen Stadtbrand von 1545, mit klassizistischem Treppenaufgang. – *Fachwerk- und Wohnhäuser:* Viele schöne Häuser, die größtenteils in der 2. Hälfte des 16. Jh. und in den Jahren nach dem 30jährigen Krieg entstanden sind, haben alle Wirren der Jahrhunderte überstanden. – *Städtisches Heimatmuseum* (Am Rollberg 32) mit Beiträgen zur Ortsgeschichte.

Ottobeuren 8942

Bayern S. 422 □ H 20

Ottobeuren, heute Kneippkurort, hat sich in enger Verbindung zum Kloster entwickelt – einer ebenso ausgedehnten wie bedeutenden Anlage. Als Gründungsjahr des Klosters ist 764 überliefert. Mehrere Bauten des 11., 12., 13. und 16. Jh. wurden jedoch ein Opfer der Flammen, bis endlich die heutige Anlage unter Abt Rupert II. Neß von Wangen zu Beginn des 18. Jh. in Angriff genommen wurde. Um den Bau hatten sich die namhaftesten Meister beworben, unter ihnen A. Maini, D. Zimmermann* und S. Kramer. Kramer erhielt schließlich den Auftrag, seine Pläne wurden jedoch durch den später hinzugezogenen J. Effner* (München) überarbeitet und verändert. Aber auch Effner scheiterte. J. M. Fischer* führte den Bau schließlich zum Ende und schuf damit einen der großartigsten Barockbauten.

Benediktinerklosterkirche zur Hl. Dreifaltigkeit: Obwohl Fischer zahlreiche Vorgaben seiner Vorgänger zu berücksichtigen hatte, schuf er mit der Klosterkirche dennoch ein durch und durch einheitliches Werk. Das großartige Langhaus hat hoch aufsteigende Arkaden. Dahinter öffnen sich reich ausgestaltete Kapellen. Alles hat gewaltige Dimensionen: Die beiden Türme reichen 82 m empor, das Innere erreicht eine Länge von 89 m. Der großartige Stuck, der zum entscheidenden Gestaltungselement geworden ist, ist das Werk von J. M. Feuchtmayer*. Die farbenprächtigen Fresken hat J. J. Zeiller geschaffen. Von Zeiller stammt auch das Dreifaltigkeitsbild, das den Hochaltar umschließt. Die Figuren von J. J. Christian* erreichen allerhöchsten Rang. Außerdem: Chorgestühl mit vergoldeten Reliefs, Orgel mit einem Relief von J. J. Christian.

Klostergebäude: Die Planungen für den ausgedehnten Komplex begannen 1711, 1725 war der Bau beendet. An der Ausstattung haben die besten Künstler der Zeit mitgewirkt, so u. a. J. B. Zimmermann* und J. M. Feuchtmayer. Sehenswert sind vor allem der Kapitelsaal, der Kaisersaal, Bibliotheks- und Theatersaal.

Klostermuseum: In den ehem. Residenzräumen der Reichsabtei Ottobeuren wird vornehmlich kirchliche Kunst seit der Romanik gezeigt.

Owen, Teck 7311

Baden-Württemberg S. 420 □ G 18

Burg Teck (3 km östlich von Owen, anschließend 30 Min. Fußmarsch): Auf einem Tafelberg, der Schwäbischen Alb vorgelagert, ist die Anlage im 12. Jh. begonnen, später jedoch stark verändert und erweitert worden. Während der Bauernkriege wurde die Burg stark zerstört, im 18. Jh. teilweise zur Festung ausgebaut.

Klosterkirche, Ottobeuren ▷

Paderborn 4790

Nordrhein-Westfalen S. 414 □ F 9

Die Stadt an den Paderquellen, die auch einmal zur Hanse gehörte, steht auf uraltem Kulturboden. Schon für das 3. und 4. Jh. sind Siedlungen belegt. Berühmt wurde Paderborn durch Karl d. Gr., der hier eine Kaiserpfalz hatte und wichtige Reichsversammlungen abhielt. 799 traf er in Paderborn mit Papst Leo III. zusammen, der beim Kaiser Hilfe gegen seine Gegner in Rom erwirkte und mit diesem Schritt die Grundlage für das Hl. Römische Reich Deutscher Nation legte. Das steinerne Podest, auf dem Karl den Papst empfing, ist noch erhalten. – Der wichtigste Bauherr, der mit seinen Gebäuden den Charakter der Stadt bestimmte, war Bischof Meinwerk (gest. 1036). Die Grundlage des Dombaus mit Alexius- und Bartholomäuskapelle geht auf seine Initiative zurück. Er gab auch den Auftrag zur Stadtbefestigung.

Stadtansicht mit Dom

– 1614 wurde im Rahmen der Gegenreformation in Paderborn eine Jesuiten-Universität gegründet.

Dom St. Maria, St. Liborius und St. Kilian (Domplatz): Der Dom, den Bischof Meinwerk in Auftrag gegeben hatte, brannte 1058 ab. Den folgenden Bau mit verlängertem Ostchor und dem großartigen, noch heute das Stadtbild bestimmenden romanischen *Westturm* weihte 1068 Bischof Imad. Die Kirche erlitt wiederholt schwere Brandschäden und wurde häufig umgebaut. Der bestehende, weitgehend gotische Bau stammt im wesentlichen aus dem 13. Jh. Die dreischiffige Hallenkirche mit zwei Querhäusern und gerade geschlossenem Ostchor hat eine bis unter die Vierung reichende *Krypta,* die zu den größten in Deutschland gehört. – Den Außenbau beleben die zwei- bis vierteiligen *Maßwerkfenster;* die reich dekorierten Giebel stammen jedoch aus dem 19. Jh. Aus der ersten Bauperiode ist die Nordseite mit der *Roten Pforte,* einem spätromanischen Stufenportal (um 1230), unverändert erhalten geblieben. Wertvollster Bestandteil des Äußeren ist die *Paradiespforte* in der Vorhalle der Südwand, ein bedeutendes, in Deutschland seltenes Figurenportal (1250). Am Mittelpfosten ist die Muttergottes, an den Seiten sind Apostel und Heilige dargestellt. Die Paradiespforte ist in der Anlage spätromanisch, zeigt jedoch auch gotische Elemente. Neben dem großen Fenster des südlichen Querschiffs sind *Figurenzyklen* eingemauert: die klugen und die törichten Jungfrauen sowie Szenen aus dem Leben Jesu und andere Teile des ehemaligen *Brautportals* (1270–80). – Das Innere des großartigen Langhauses ist trotz unterschiedlicher Bauformen zu einer vollkommenen Einheit zusammengewachsen. Deutlich ist das Fortschreiten des Baues von W nach O am Wandel

Paderborn, Dom 1 Paradies **2** Hippolytuskapelle **3** Matthiaskapelle **4** Josefskapelle **5** Vituskapelle **6** Pfarrflügel **7** Marienkapelle **8** Sakristei **9** Brigidakapelle **10** Atrium **11** Hasenkamp **12** Engelkapelle **13** Dreifaltigkeitskapelle **14** Elisabethkapelle **15** Meinolphuskapelle **16** Rote Pforte, um 1220–30 **17** Paradiesportal **18** Heilig-Grab-Nische (Reste) **19** Grabmal des Bischofs Bernhard V. zur Lippe (1341 gestorben) **20** Grabmal des Bischofs Heinrich von Spiegel (1380 gestorben) **21** Hochaltar, um 1420–40 **22** Sarkophag des Bischofs Rotho, um 1450 **23** Flügelaltar von Gert van Loen, um 1500 **24** Epitaph für Dietrich von Fürstenberg von Heinrich Gröninger **25** Christophorus von H. Gröninger, 1619 **26** Kanzel, 1736

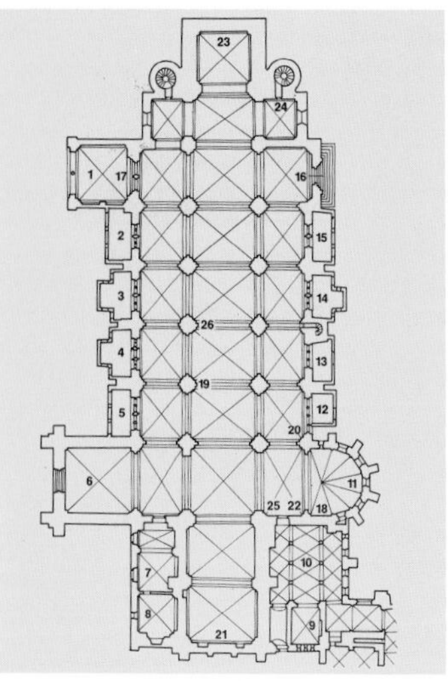

Paradiesportal, Dom

des *Kapitelldekors* abzulesen, das von spätromanischen stilisierten Ornamenten (z. T. mit Tieren und Masken) bis zu frühgotischem naturalistischen Laubwerk reicht. – Von der äußerst reichen Ausstattung kann nur das Bedeutendste genannt werden: Im nordöstlichen Querschiff steht das 13 m hohe prunkvolle *Grabmal des Fürstbischofs Dietrich v. Fürstenberg* (gest. 1618) aus verschiedenem Steinmaterial mit biblischen Szenen, Heiligen und allegorischen Figuren, dazu die wichtigsten vom Bischof errichteten Bauten. Das Grabmal ist das Hauptwerk des Manierismus in Westfalen. In der Westphalenkapelle am Kreuzgang findet man das berühmte *Epitaph des Domdechanten Wilhelm v. Westphalen* (gest. 1517). Sehenswert ist auch der zweigeschossige spätgotische *Reliquienaltar* im Hochchor (um 1420–40). Die Eingänge vom Langhaus in die *Seitenkapellen* wurden im 17. Jh. sehr reich gestaltet. Am schönsten ist das *Portal der Marienkapelle.* – Das *Hasenfenster* mit den zum Rundornament gefügten drei laufenden Hasen im spätgotischen *Kreuzgang* gilt als Wahrzeichen Paderborns. – Im *Domschatz* befindet sich unter vielen wertvollen Stücken auch der berühmte, vom Mönch Roger von Helmarshausen geschaffene Tragaltar, dessen vielfältige Metallbearbeitung byzantinischen Einfluß zeigt (1100).

Bartholomäus-Kapelle (Kl. Domplatz): Nördlich des Doms steht diese seltsame kleine Kapelle, die unter Bischof Meinwerk um 1017 von griechischen Bauleuten errichtet wurde. Sie ist die älteste bekannte Hallenkirche auf deutschem Boden.

Franziskanerkirche St. Josef (Westernstraße): Diese Kirche (1668–71) hat die schönste *Barockfassade* Westfalens. Der in Würzburg tätige A. Petrini* aus Trient hat sie in römischen Barockformen entworfen, mit vier monumentalen Pilastern gegliedert und mit einer Freitreppe versehen. – Im Besitz des anschließenden *Klosters* befindet sich ein weiterer *Tragaltar* des Roger von Helmarshausen (um 1100).

Ev. Abdinghofkirche (Abdinghof): Die ehemalige Kirche St. Peter und Paul wurde unter Bischof Meinwerk (11. Jh.) als Klosterkirche errichtet. Es ist eine archaisch strenge, im Mittelschiff flach gedeckte Basilika mit eng-

Dom

gestellten Pfeilern. Besonders schön ist die *Hallenkrypta.*

Alexius-Kapelle (Abdinghof): Ein kleiner achteckiger Zentralbau wurde 1670–73 anstelle der gleichnamigen, von Bischof Meinwerk geweihten und mit Asylrecht ausgestatteten Kapelle erbaut.

Stiftskirche Busdorf (Am Busdorf): Bischof Meinwerk gründete hier, östlich vom Dombezirk, 1014 ein Kollegiatstift. Die wehrhaften, runden Treppentürme mit dem als Glockenhaus dienenden Zwischenbau sind im Ostteil der heutigen Anlage erhalten geblieben, ebenso zwei Flügel des romanischen Kreuzgangs. Der übrige Bau und der Westturm stammen aus dem 13. Jh.

Gaukirche/Kath. Pfarrkirche St. Ulrich (Markt): Die schon 1183 als Pfarrkirche erwähnte Basilika präsentiert sich an der Straßenseite mit konkav geschwungener *Fassade,* Pilastergliederung, Giebeldreieck und der Nischenfigur des hl. Ulrich über dem Portal als barocke Anlage. Tritt man aber durch die Vorhalle und das ursprüngliche Westportal in den Kirchenraum, so steht man in einem strengen romanischen Bau aus dem 12. Jh. Schwere rechteckige Pfeiler tragen die breiten Bogen und Kuppeln. Zu dem schlichten Innern paßt der wuchtige achteckige *Vierungsturm,* der aus der Mitte nach W verschoben ist. – Wertvollste Stücke der Ausstattung sind eine *Steinmadonna* (1420), das *Kalvarienrelief* (um 1440) und ein Gabelkruzifix (14. Jh.), dazu (stark erneuerte) Reste romanischer *Wandmalerei.*

Ehemalige Jesuitenkirche (Jesuitenmauer): Die dreischiffige Emporenbasilika (1682) wirkt vor allem durch die doppelt vorgelegte *Terrassenanlage* ihrer breitgelagerten *Fassade.* – Im Inneren imponieren hohe toskanische Säulen, gotisierende Gewölbe und prachtvolle Stukkatur.

Rathaus (Rathausplatz): Der bestehende Bau wurde 1613–20 auf Veranlassung des Bischofs Dietrich von Fürstenberg unter Verwendung mittelalterlicher Mauern des Vorgängerbaues aufgeführt. Der Hauptfassade sind rechts und links symmetrisch zwei *Ausluchten* (übergiebelte Erker) vorgesetzt. Unter beiden befindet sich eine

Tragaltar, Franziskanerkirche St. Josef

Rathaus

offene, von kurzen dorischen Säulen getragene Halle, die einst als Gerichtslaube gedient hat. Das Rathaus ist einer der spätesten und schönsten Bauten der sog. *Weserrenaissance.*

Erzbischöfliches Diözesanmuseum (Domplatz 3): Sammlung kirchlicher Kunstwerke aus der Diözese (Plastik, Gemälde, Goldschmiedekunst, Textilien). Am wertvollsten ist die *Imad-Madonna* (um 1060), von Bischof Imad ursprünglich dem Dom gestiftet. Sie gehört zu den bedeutendsten frühromanischen Madonnenfiguren.

Theater (Rathausplatz): Die *westfälischen Kammerspiele* unterhalten ein eigenes Schauspielensemble.

Außerdem sehenswert: *Kurien-Kloster-* und *Adelshöfe,* z. B. am Abdinghof 1, am Rothoborn 1 und am Kamp 38; *Bürgerhäuser* in Stein und in Fachwerk, Heisingsche Haus (Stadtsparkasse, Marienplatz 2), ein prächtiges Renaissancegiebelhaus mit figurenverziertem Erker (um 1600).

Passau 8390

Bayern S. 422 □ O 18

Passau ist auf einer gewölbten Landzunge am Zusammenfluß der drei Flüsse Inn, Donau und Ilz entstanden. Ihren Namen erhielt die alte Keltenstadt durch die Bataverkohorte der Römer, die hier in Garnison lag: Batava, Bazzava und Passau sind die drei Stationen der Namensentwicklung. Bonifatius machte die Stadt 739 zum Bischofssitz. Bischof Pilgrim von Passau (970–91) steht eng mit der Sammlung und Niederschrift des »Nibelungenlieds« in Verbindung.

Dom St. Stephan (Domplatz): Der *Ostchor* und das *Querhaus* in reicher Spätgotik (1407 begonnen, 1520 vollendet) sind von einem ersten Bau erhalten geblieben. Besonders das sog. *Stephanstürmchen* am nördlichen Querarm zeigt die Formensprache dieser Epoche. Der *Westteil* der Kirche wurde nach einem Brand im schweren italienischen Barockstil neu gebaut (1668–78). Die originell geschweifte *Helmkuppel* über der spätgotischen Vierung, eine romanische Reminiszenz, ist eine Zutat des 18. Jh. Erst 1896 wurden die beiden Westtürme mit den achteckigen Obergeschossen bekrönt. Vorbild dafür war der Dom zu Salzburg, die einst übermächtige Konkurrenz für die Bischofsstadt an Donau und Inn. – Die Innenausstattung des Doms ist im Gegensatz zum Äußeren wie aus einem Guß. In plastischer Kraft wuchern die *Stuckarbeiten* der Italiener G. B. Carlone* und P. d'Aglio. Putten mit Tafeln, Propheten und Karyatiden drängen sich auf Gesimsen und Gebälk; im Chor tragen anstelle der ehemaligen gotischen Rippen Atlanten die neue Wölbung. Bei der Barockisierung des Chorraums wurden die gotischen *Fenster* unterteilt.

Passau, Panorama mit Dom ▷

Breite, mit Girlanden, Rosetten, Kränzen und Früchten reich stuckierte Gurte ergeben eine Vielzahl von Flachkuppeln, die C. Toncalla mit *Fresken* geschmückt hat (1679–84). Die Dekken in den Seitenschiffen malte mit gewagten Illusionseffekten C. A. Bossi* aus. Unter den *Altären* sind vor allem die mit Gemälden von J. M. Rottmayr ausgestatteten hervorzuheben: Seitenaltäre für Paulus und Johannes d. T. (»Bekehrung« und »Enthauptung«) an den Westwänden des Querschiffes, dazu der Agnes- und der Sebastiansaltar. Neben dem modernen, vielfigurigen Hochaltar mit dem Martyrium des hl. Stephanus von J. Henselmann (1953) ist die hervorragende *Kanzel* (1722–26) beachtenswert. An Kanzelbrüstung und Schalldecke sind wertvolle, aus Wiener Schule kommende Figuren angebracht. Die Empore über der Westseite beherbergt in einem reichen, goldschimmernden Prospekt mit rund 16000 Pfeifen die größte *Orgel* Europas. – In der Ortenburgkapelle am Nordarm des Querschiffs ist mit der figürlichen *Grabplatte des Grafen Heinrich von Ortenburg* ein außerordentlich schönes Werk aus der Zeit des gotischen »Weichen Stils« erhalten (1420–30). – Nördlich des Doms ist die dreischiffige Halle der *Herrenkapelle* (14. Jahrhundert) einer Besichtigung wert.

Passau, Dom 1 Andreaskapelle **2** Ortenburger Kapelle **3** Sakristei **4** Werkzeugkammer **5** Trenbachkapelle **6** Lambergkapelle **7** Kruzifixus, spätgotisch **8** Nebenaltäre von Carlone, 1687–89 a) Maximilian- und Valentinsaltar b) Johannesaltar; Gemälde von Rottmayr c) Katharinenaltar d) Dreikönigsaltar e) Agnesaltar; Gemälde von Rottmayr f) Sebastiansaltar; Gemälde von Rottmayr g) Christi-Geburts-Altar h) Martinsaltar i) Pauli-Bekehrungs-Altar; Gemälde von Rottmayr j) Marienaltar **9** Deckengemälde von Tencalla (außer d) a) Heilige Cäcilie b) Tempelreinigung c) Alttestamentliches Opfer d) Aussendung des heiligen Geistes e) Siegeszug Gottes auf Erden f) Triumph der Kirche g) Stephans Sterbegesicht h) Steinigung des heiligen Stephan i) Eucharistie **10** Kanzel, 1726 **11** Hauptorgel; Gehäuse von Matthias Götz, 1731 **12** Mittelaltar von Joseph Henselmann, 1953 **13** Hauptaltar, 1953

Alte Residenz (Zengergasse): Um zwei aufeinanderfolgende *Höfe* sind Gebäude aus verschiedenen Epochen zusammengefaßt, die im Barock durch gliedernde Portale, Dekor und Innenausstattung ein einheitliches Gepräge erhalten haben. Sehenswert ist nach O zu der sog. *Saalbau,* der wie viele Teile der Residenz der Spätgotik entstammt und im Barock nur neu dekoriert wurde.

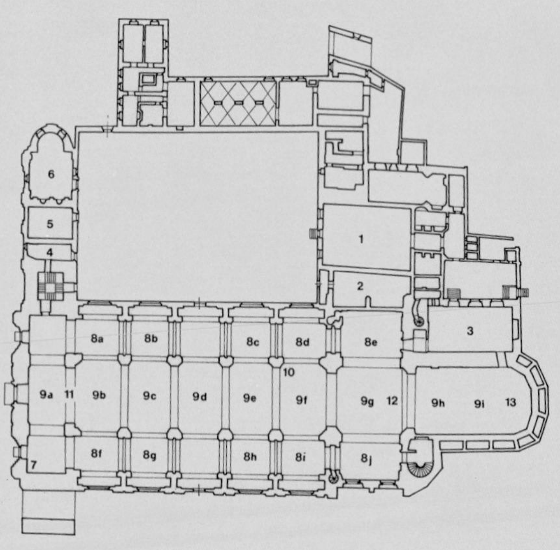

Neue Residenz (Residenzplatz): Der Bau der Neuen Residenz ist aus dem Trakt der Alten Residenz herausgewachsen. Seine barocke Schauseite bildet zum reichen spätgotischen Chor des Doms einen reizvollen Kontrast. Kernstück des Baus (1712–32) ist das prachtvolle *Stiegenhaus,* dessen Treppenzüge und Geschoßgeländer um einen rechteckigen Hohlraum verlaufen. Mit flackerndem Stuckdekor und laternentragenden Putten, überwölbt von einem sich weit öffnenden Fresko-Olymp, ist dieses Treppenhaus neben dem im Salzburger Mirabellschloß das schönste im südostdeutschen Raum. – Im *Obergeschoß* der Residenz befindet sich eine Flucht von Räumen, die mit reichem Stuck, Vertäfelungen, Tapisserien, Kachelöfen, Lüstern, Gemälden und Mobiliar ausgestattet sind.

Hl.-Kreuz-Kirche (i. d. Jesuitengasse): Östlich vom Domberg, auf dem niedrigen Teil der Landzunge, liegt das *Kloster Niedernburg* mit seiner Kirche. Mit den *Pfeilern* der Kirche ist im Kern noch die alte romanische Anlage aus dem 11. Jh. erhalten. Aus gleicher Zeit stammt auch die *Westvorhalle,* über der die ehemalige Nonnenempore erhalten blieb. Das *Langhaus* ist in der jetzigen Form das Resultat einer Reinigung (1860–65) der romanischen Kirche von allem Barockwerk. Jedoch blieben die barocken Einwölbungen bei der Reromanisierung erhalten. – Interessant sind die romanischen und gotischen Grabsteine in der sog. *Parzkapelle.*

Ehem. Jesuitenkirche St. Michael (Schustergasse): Nur einen Häuserblock nach W entfernt von der Hl.-Kreuz-Kirche befindet sich unmittelbar über dem Innufer die doppeltürmige Barockanlage St. Michael. Nach dem Einspruch des Bischofs, der die städtebauliche Dominante des Doms erhalten wollte, fiel dieser Bau der Jesuiten allerdings zurückhaltender aus, als er ursprünglich geplant war. Er zeigt jetzt die Formen italienischen Barock. – Die *Stukkaturen* im Inneren erinnern an die Ausstattung des Doms. Von der Ausstattung sind der *Hochaltar* und die prächtige *Kanzel* (beide frühes 18. Jh.) hervorzuheben. – Im *Kollegiengebäude,* ist heute die philosophisch-theologische Hochschule untergebracht.

St. Severin (Innstadt): Jenseits des Inns

Brunnen mit Neuer Residenz

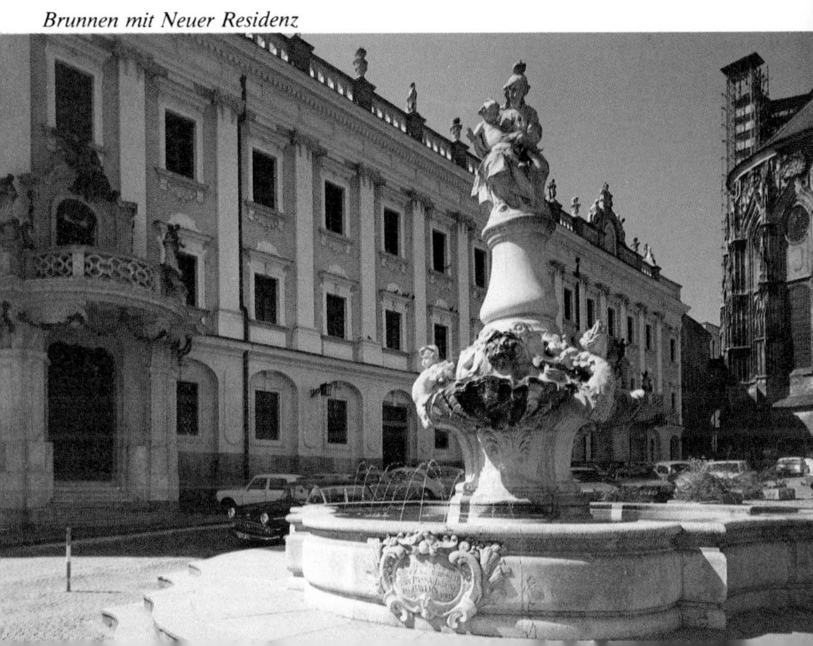

liegt der Ort, an dem der erste Missionar Passaus, St. Severin (gest. 482), seine Zelle baute. Sie wird, wenn inzwischen auch stark verändert, noch heute gezeigt. Der jetzige Bau, der als Friedhofskapelle dient, hat im Langhaus noch karolingische Mauern (8./9. Jh). Der Chor wurde 1476 gebaut. – Am interessantesten ist im Inneren die gotische *Madonna* (um 1450).

Wallfahrtskirche Mariahilf (Mariahilfberg 3): Über der Innstadt erhebt sich mit ihrer eigenartigen Turmbekrönung die Mariahilfkirche, ein Bau des 17. und frühen 18. Jh. Er wurde errichtet, um die Kopie des Innsbrucker Gnadenbildes von L. Cranach* aufzunehmen, und ist künstlerisch weniger bedeutend.

Salvatorkirche (Ilzstadt): Anstelle einer Synagoge wurde die Kirche 1470 als Sühnekirche (wegen eines von Juden angeblich begangenen Hostienfrevels) unterhalb der Feste Oberhaus aufgeführt. Der Bau sticht hart in den Berghang, so daß zum Terrainausgleich das Untergeschoß des Chors als *Krypta* ausgebildet wurde.

Veste Oberhaus (Oberhaus): Die Zwingburg der Bischöfe, auf dem Felsenrücken zwischen Donau und Ilz gegen die Bürgerschaft errichtet, ist in *Vorwerk* und mehrere *Höfe* geteilt. Barock- und Renaissancedekors geben den einfachen Bauten stilistische Akzente. Die gotische *Georgskapelle* ist barock ausgestattet. – In der Veste Oberhaus befinden sich das *Böhmerwald-* und das *Historische Stadtmuseum,* eine Filialgalerie der *Bayerischen Staatsgemäldesammlungen* sowie einige weitere *Spezialsammlungen.*

Veste Niederhaus (Wagnerstraße): Unterhalb der Veste Oberhaus steht auf der äußersten Landspitze die Veste Niederhaus, ein hohes Gebäude (wohl 14. Jh.) mit Vorburg. Der Bau ist mit der Veste Oberhaus durch einen Verteidigungsgang verbunden.

Sommerschloß Freudenhain (Eggendobl): Westlich der Vorstadt Anger, am Nordufer der Donau, liegt der 1785 erbaute Sommersitz der Fürstbischöfe. Der heitere, frühklassizistische Bau ist von einem englischen Park umgeben, zu dem das sog. *Holländische Dorf,* ein Ensemble kleiner Häuschen, und der sogenannte *Chinesische Teepavillon* gehören.

Theater: Das 1783 von G. Hagenauer errichtete *Fürstbischöfliche Hoftheater* (Innstr. 4, 400 Plätze) ist 1961 restauriert worden. Hier finden Gastspiele des Südostbayerischen Städtetheaters, dessen musikalische Abteilung in Passau sitzt, und anderer Bühnen statt. – Passau veranstaltet jedes Jahr die bedeutenden *Europäischen Wochen* mit internationalen Orchestern und Theaterensembles. – Die *Nibelungenhalle* ist Mittelpunkt zahlreicher kultureller Veranstaltungen.

Außerdem sehenswert: Das *Rathaus* (am Donauufer) wurde 1393 errichtet und wiederholt umgebaut. Reizvoll sind die Innenhöfe und der Ratssaal mit Barockausstattung (1662) sowie der neugotische Turm (1888–93). – Die *Domherrenhöfe* (Domplatz) aus dem 16., 17. und 18. Jh. mit interessanten Fassaden. – Als Rest der ehem. Stadtbefestigung am Innufer der *Scheiblingerturm* (erbaut 1481) sowie Reste alter *römischer Befestigungen* auf der Donauseite.

Pellworm 2251

Schleswig-Holstein S. 412 □ F2

Pellworm ist der restliche Teil des untergegangenen Altnordstrands. Die Marscheninsel liegt im Wattenmeer und wird von mächtigen Steindämmen geschützt. Über → Husum besteht Schiffsverbindung.

Alte Kirche: Kennzeichen dieser einfachen, schlichten Kirche ist der 1611 eingestürzte *Turm,* der seither als Ruine erhalten blieb. Beachtenswert sind die *Schnitger-Orgel* (1711), eine

Bronzetaufe und ein *Altar* mit spätgotischen Tafelmalereien.

Außerdem sehenswert: Einige der *alten Häuser* sind in ihrem ursprünglichen Zustand erhalten und spiegeln den Kampf der Bewohner mit den Naturgewalten.

Perschen (bei Nabburg) 8470

Bayern S. 418 □ L 16

Pfarrkirche: Die doppeltürmige Basilika gehört zu den ältesten Kirchen der Oberpfalz (älteste Zeugnisse lassen auf einen Bau aus dem 10. Jh. schließen). Bei einer Restaurierung in den Jahren 1752/53 wurde das Gesamtbild allerdings stark verändert. – In der anschließenden zweigeschossigen *Friedhofskapelle,* die vermutlich noch älter ist als die Pfarrkirche, sind *Fresken* aus dem 12. Jh. sehenswert.

Oberpfälzer Bauernmuseum: Im *Edelmannshof,* einem Gehöft des 12. Jh., wurde ein Bauernmuseum eingerichtet.

Petersberg = Erdweg 8065

Bayern S. 422 □ K 19

Ehem. Benediktinerklosterkirche: Die einfache, kleine Basilika stammt aus dem 12. Jh. und ist in ihrem Kern romanisch. Ungewöhnlich ist der *Rundpfeiler,* der die viereckigen Arkadenpfeiler ablöst. Die romanischen *Wandmalereien* im Chor wurden 1906 freigelegt und in den 50er Jahren restauriert. An der Südwand verdient eine geschnitzte *Marienfigur* aus dem 16. Jh. Beachtung.

Pforzheim 7530

Baden-Württemberg S. 420 □ E 17

Die Stadt, die viele römische Spuren aufweist, leitet ihren Namen vom lat. portus ab. Sie ist berühmt durch ihre

St. Michael, Pforzheim

Schmuckwarenindustrie und der Geburtsort des Humanisten J. Reuchlin.

Ev. Schloß- und Stiftskirche St. Michael (Neuer Schloßberg 4): Vom *Schloß,* der einstigen Residenz der badischen Markgrafen, ist außer dem *Archivturm* nichts erhalten. – Die Kirche wurde 1945 bis auf die Umfassungsmauern zerstört, ist jedoch 1949–57 vorbildlich wiederaufgebaut worden. Wegen des abschüssigen Geländes hatte man 1225–35 gegen alle mittelalterlichen Baugewohnheiten von Westen nach Osten zu bauen begonnen. So entstand zuerst der spätromanische Westteil mit *Vorhalle* und *Fensterrose* am Südgiebel. Auch das schön gestufte *Westportal* mit seinem phantastischen Skulpturenschmuck gehört zu dieser Anlage. Der übrige Bau ist frühgotisch. Der mächtige *Stiftschor* ist bedeutend höher als das Langhaus und zeichnet sich durch sein schönes Sterngewölbe aus. Hier stehen auch die *Wandgräber* der badischen Markgrafen, deren Grabkapelle St. Michael seit 1535 gewesen ist.

Altenstädter ev. Pfarrkirche St. Martin (Altstädterstraße): Von der romanischen Basilika ist ein interessantes *Portal* in der westlichen Turmhalle erhalten geblieben. Im Bogenfeld stellen symbolische Figuren die Bedrohung des Menschen durch das Böse und die Rettung durch die Kirche dar. Im schönen *Chor* (1340) befinden sich spätgotische *Wandmalereien* mit Jüngstem Gericht, Schutzmantelmadonna und Heiligen (1430–50).

Museum: Im Reuchlinhaus (Jahnstr. 42) findet man neben dem *Heimatmuseum* auch ein *Schmuckmuseum.*

Außerdem sehenswert: Im Arlinger steht als gelungenes Beispiel modernen Kirchenbaus die zeltartige *ev. Matthäuskirche* (1953) von E. Eiermann*; das nahegelegene Tiefenbronn mit kath. Pfarrkirche *St. Maria Magdalena* (got. Basilika um 1430; wertvolle Altargemälde von Lucas Moser, aus dem Jahre 1431).

Pilsum = Krummhörn 2974

Niedersachsen S. 414 □ C 5

Ev. Pfarrkirche: Die einschiffige kreuzförmige Backsteinkirche von 1266 ist einer der besterhaltenen und schönsten spätromanischen Bauten in Ostfriesland. Auffallend ist der mächtige *Vierungsturm* aus dem 14. Jh., der als Stützen besonders massive Vierungspfeiler benötigte. Er diente mit seinen hell verputzten und weithin leuchtenden Blendarkaden jahrhundertelang als Seezeichen für die Einsteuerung in die Emsmündung. Der sehr niedrige *Glockenturm* steht abseits im O. Ungewöhnlich ist auch die geometrische Aufteilung der Giebelfelder des Querschiffs. Das bronzene *Taufbecken* (1469) hat reichen Reliefschmuck und als originelle Tragfiguren menschliche Gestalten mit den Evangelistensymbolen anstelle von Köpfen.

Rathausplatz, Pirmasens

Kanzel, Orgel und *Empore* stammen aus dem Barock.

Pirmasens 6780

Rheinland-Pfalz S. 420 □ C 16

Pirmasens, das Zentrum der deutschen Schuhindustrie, war im 18. Jh. Residenz des Landgrafen Ludwig IX. von Hessen-Darmstadt. Im 2. Weltkrieg ist die Stadt Pirmasens fast völlig zerstört worden.

Altes Rathaus: Der dreigeschossige Rokokobau hat wie durch ein Wunder die Bombenangriffe des 2. Weltkrieges überstanden. Er stammt aus der Zeit um 1770 und ist heute Heimat für das *Pfälzische Schuhmuseum.* Gezeigt wird historische Schuhbekleidung aus der ganzen Welt, dazu Sammlungen zur Geschichte des Schuhmacherhandwerks.

Schloß, Plön

Plettenberg 5970
Nordrhein-Westfalen S. 416 □ D 11

Ev. Pfarrkirche/Christuskirche (Kirchplatz): Die ehemalige Lambertuskirche mit ihrem schweren Westturm und dem großen westfälischen Haubendach (13. Jh.) war Vorbild für verschiedene südwestfälische Hallenkirchen. Sie selbst ist in ihrem Grundriß eine Nachahmung kölnischer Kirchen. Originell sind die *Treppentürme* zwischen Querschiff und Chor mit den fächerförmig übereck gestellten Geschossen. Im Bogenfeld des romanischen *Südportals* sind eine naive Darstellung der Kreuzigung, die Geburt Christi und die Frauen am Grabe dargestellt. Eine für deutsche Kirchen ungewöhnliche *Ausmalung* (u. a. mit Papst- und Kardinalswappen, 15. Jh.) wurde im Chorgewölbe freigelegt. Im schlichten Innenraum sind die Halbsäulenvorlagen an den Pfeilern mit Knollenkapitellen, wie sie für das Sauerland typisch sind, versehen. Einige Eckknollen sind als Menschen- oder Widderköpfe ausgebildet.

Außerdem sehenswert: In Plettenberg-Ohle die *ev. Pfarrkirche* aus dem 13. Jh. mit Wandmalereien.

Plön 2320
Schleswig-Holstein S. 412 □ H 3

Schloß (Schloßgebiet 3): Mitten in der seenreichen Holsteinischen Schweiz liegt dieses Wasserschloß am Großen Plöner See. Es wurde 1633–36 von Herzog Joachim Ernst von Schleswig-Holstein-Sonderburg-Plön an der Stelle einer Residenz der wendischen Fürsten aus dem 9. Jh. erbaut. Der letzte Plöner Herzog führte hier um die Mitte des 18. Jh. eine aufwendige Hofhaltung nach französischem Vorbild. Hundert Jahre später diente das Schloß dem dänischen Königshaus als Sommersitz, wurde in preußischer Zeit Kadettenhaus und im Dritten Reich Nationalpolitische Erziehungsanstalt. Heute ist es Gymnasium mit Internat. – Der dreiflügelige Bau ist mit seiner gleichmäßigen Giebelreihe im Äußeren nüchtern. Barocke *Dachreiterlaternen* sind der einzige Schmuck. – Das Innere wurde für die Verwendung als Kadettenanstalt zweckmäßig umgebaut, die Fensteröffnungen wurden verändert. In der ursprünglichen Form sind einige *Treppenhäuser* italienischer Art erhalten, ebenso ein Zimmer von 1750 (im ersten Stock) und das herzogliche Schlafgemach (reich ausgestattet mit Schnitzereien im Alkoven und italienischen Stukkaturen an Decken und Wänden). Die *ehem. Bibliothek* hat eine vollständige geschnitzte Rokokotäfelung. Unter der *Schloßkapelle* befindet sich die herzogliche Gruft mit prächtigen *Sarkophagen* des 17./18. Jh. – Im Schloßbezirk liegt auch das *Prinzenhaus* (jetzt Mädchenheim der Schule), dessen siebenachsiger Kernbau mit seiner reichen Innengestaltung (Stukkaturen, Malerei) als das geschlossenste Beispiel der Rokokoarchitektur in Schleswig-Holstein gilt. Besonders schön sind das achteckige *Vestibül*, der ovale *Gartensaal* mit geschwungener Musikempore und die kleinen *Eckkabinette.*

Museum des Kreises Plön (Schloßberg 3): In den Räumen des ehem. Plöner Rathauses (1817) befinden sich jetzt Sammlungen zur lokalen Vor- und Frühgeschichte, Handwerksaltertümer, Zinn, Glas und Ton.

Außerdem sehenswert: Der *ehem. Marstall* (im Schloßgebiet), Backsteinbau aus den Jahren 1745/46.

Polling 8121

Bayern

S. 422 □ K 20

Ehem. Augustiner-Chorherren-Stiftskirche: Die Kirche wird von jenem mächtigen *Turm* bestimmt, der im 17. Jh. nach Plänen von H. Krumper* begonnen und 1822 fertiggestellt wurde. Die übrigen Teile der Kirche stammen meist aus der Zeit 1416–20, als Vorgängerbauten durch einen Neubau ersetzt wurden. Der reiche Stuck kam wie der Turm im 17. Jh. hinzu. – Im Mittelpunkt der reichen Ausstattung steht der *Hochaltar* von B. Steinle aus Weilheim (1623). Im Obergeschoß der zweigeschossigen Anlage befindet sich das berühmte *Tassilokreuz,* dessen Vorderseite mit Pferdehaut bespannt ist. Sie wurde erst vergoldet, dann wurde mit Wasserfarben das Bild des Gekreuzigten darauf gemalt (um 1230). Zu erwähnen sind neben dem

Polling, Stiftskirche 1 Grabstein für Propst Schondorfer (1382 gest.) **2** Taufstein, gotisch **3** Muttergottes, um 1500 **4** Grabstein des Tuchsenhauser von Peißenberg, 1512 **5** Sitzende Marienfigur von Hans Leinberger, 1526 **6** Marienaltar, 1625 geweiht **7** Hochaltar von Bartholome Steinle, 1623 **8** Achbergkapelle, 1762–64 **9** Tabernakel von Joh. B. Straub, 1763 **10** Holzreliefs von Straub, 1763 a) Mannalese, b) Abendmahl, c) Emmausjünger **11** Orgel, Gehäuse 1768

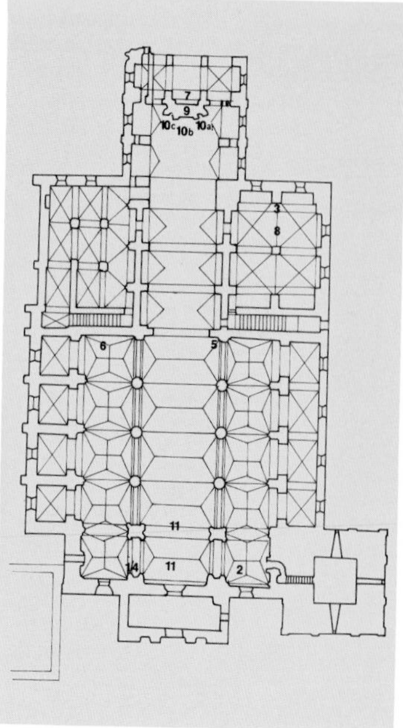

prächtigen *Tabernakel* auch die *Kanzel* (1705), die *thronende Muttergottes,* die der Landshuter H. Leinberger* geschnitzt hat (1526), weitere *Altäre* (in den Seitenkapellen mit Gemälden bekannter Künstler aus der zweiten Hälfte des 18. Jh.), ein schmiedeeisernes *Gitter* und der *Orgelprospekt* (1768). – Besichtigen sollte man ferner die *Achberg-* oder *Reliquienkapelle* (Stuckdekorationen, Gemälde). – Die ehem. angrenzenden *Klostergebäude* sind nur zum geringsten Teil erhalten. Bemerkenswert ist der dreigeschossige Bibliothekssaal (1775–78). Das ehemalige Laienrefektorium enthält das Fresko »Parnaß« von M. Günther*.

Pommersfelden
Post Steppach 8602

Bayern S. 418 □ I 15

Schloß Weißenstein: Wenige Kilometer von der Ausfahrt → Bamberg der Autobahn Würzburg-Nürnberg entfernt liegt der großartige Repräsentationsbau des Schlosses, das der Erzkanzler des Reichs, Fürstbischof Lothar Franz v. Schönborn, 1711–16 erbauen ließ. Drei Architektennamen sind damit verbunden: J. Dientzenhofer* als Leiter des Baus, M. v. Welsch* aus Mainz und der Wiener Hofbaumeister J. L. v. Hildebrandt*. – Weißenstein ist der erste große Schloßbau des 18. Jh. auf deutschem Boden. – Ursprünglich sollte das alte Wasserschloß im Ort selbst umgebaut werden, aber L. F. v. Schönborn, der, vom »Bauwurm« befallen, nachts »mit dem Zirkel über Plänen brütete«, wollte keine halbe Lösung. Darum stellte er das Schloß südöstlich der Ortschaft ins freie Gelände. Das Schloß befindet sich noch heute in Besitz der Familie Schönborn. – Der *Mittelblock* mit dem Treppenhaus wird von zwei vorspringenden *Seitentrakten* flankiert. Diesem Rechteck des *Ehrenhofs* steht der rund ausschwingende Bau des *Marstalls* nach Plänen des M. v. Welsch (1714–17) gegenüber. – Herzstück des Baus ist das gewaltige *Treppenhaus.* Der Bauherr hat es unter Mithilfe von L. v. Hildebrandt vermutlich selbst entworfen. In zwei doppelt gebrochenen Läufen steigen die Treppen bis zum ersten Stock, darüber rahmen zwei offene Galerien den riesigen Hohlraum, dessen wenig gewölbte Decke (sie ist am Dachstuhl

Schloß Weißenstein, Pommersfelden

aufgehängt) von einem perspektivisch-illusionistischen Gemälde überzogen ist. J. R. Byß hat die vier Erdteile sowie olympische Götter in den Mittelpunkt gestellt (1718). Das Treppenhaus mit seinen Stufenfolgen und Galerien diente vor allem der Repräsentation. – Im Erdgeschoß liegt hinter dem Treppenhaus der ovale *Grottensaal,* der sich nach dem Garten hin öffnet, ein niedriges, mit Muscheln, Mineralien, Spiegeln und Stuckblättern eingelegtes Gewölbe aus Tuffstein mit Brunnen, Figurengruppen und glitzernden Kerzenleuchtern. – Darüber befindet sich der marmorne *Hauptsaal* des Schlosses. Er ist gekennzeichnet durch die freistehenden Säulen an den Wänden und durch das schwere Gebälk, auf dem mächtige Gestalten sitzen. In Wandovalen, die sich nach außen in lichte Fensteröffnungen verwandeln, stehen die Figuren der berühmtesten Schönborner. Das Deckengemälde »Sieg der Tugend über das Laster« schuf J. F. Rottmayr (1717). – Sehenswert ist auch das *Spiegelkabinett* in der Nordostecke des Gebäudes mit einem vielfältig vergoldeten Konsolengeäst. Exotische Ornamente und Motive mit Darstellungen von Indianern, Türken und Chinesen umranken die ostasiatischen Porzellane, die der sammelfreudige Fürstbischof in ganzen Schiffsladungen nach Europa geholt hat. – Ein festlich gedeckter Tisch im *Speisesaal* zeigt das höfische Tischzeremoniell des 18. Jh. – Berühmt ist das Schloß neben seiner *Bibliothek* auch durch seine *Gemäldegalerie,* die durch Gänge und Zimmer führt und u. a. Werke von Rubens, Rembrandt, Tizian, Breughel, Cranach* und Dürer* enthält. In der Galerie, deren Anlage noch ganz im Stil des Barock belassen ist, sind die Wände mit Gemälden geradezu tapeziert. – Im *Marstallbau,* dem Schloß gegenüber, ist der ovale Sattelraum in der Mitte mit Kutschen und Schlitten sowie entsprechenden Dekken- und Wandmalereien sehenswert.

Preetz 2308

Schleswig-Holstein S. 412 □ H 3

Ev. Stiftskirche: Preetz unterstand der Gebietshoheit des Benediktinerinnenklosters, von dessen alter Anlage neben dem Campus Beatae Mariae die Stiftskirche erhalten geblieben ist. Auffallend an ihr ist das große *Satteldach,* das

Deckengemälde im Treppenhaus

Treppenhaus, Pommersfelden ▷

sich schützend über die drei Schiffe der gotischen Backsteinkirche (1325–40) legt. Auch die ungewöhnlich massiven *Stützpfeiler* bestärken den Eindruck, daß die Kirche fest im Boden wurzelt und für die Ewigkeit gebaut ist. Im Gesamtbild ist sie, obwohl vieles im 19. Jh. nach neugotischen Stilvorstellungen verändert wurde, ein gutes Beispiel für den Bautyp dieser Gegend. Eine zierliche *Dachreiterlaterne,* ein vieleckiger *Treppenturm* (an der Chornordseite) und hohe spitzbogige *Maßwerkfenster* lockern die Schwere des Baus auf. – Der Innenraum hat im wesentlichen die ursprüngliche Form einer Nonnenklosterkirche mit *Sanctuarium* (Altarraum), *Stuhl der Vorsängerinnen* und *Chorus* (mit gotischem Gestühl, 1335–40) bewahrt. Der Altarraum mit dem figurengeschmückten barocken *Hochaltar* (1743) wird von einem prachtvollen schmiedeeisernen *Gitter* mit Akanthusranken und Wappen abgeschlossen. Am Ende des nördlichen Seitenschiffs sollte vor allem der *Schnitzaltar* mit der hl. Sippe und gut gemalten Flügeln (Anfang 16. Jh.) besichtigt werden, aber auch die *Holzkanzel* (1674) mit Engeln und Salvator auf dem Schalldeckel sowie die Orgel (Renaissancegehäuse und Ergänzungen des Rokoko) verdienen Beachtung. 1843 wurden Ausstattungsstücke aus der Kirche von Dänischenhagen erworben, unter denen sich schöne *Schnitzwerke, Gemälde* und *kirchliche Geräte* befinden.

Ev. Stadtkirche: Die ehem. St.-Lorenz-Kirche aus dem 13. Jh. wurde 1725–28 zur barocken Saalkirche umgebaut. Von der einheitlichen Régence-Ausstattung blieb die prächtige *Westempore* erhalten.

Prien am Chiemsee 8210

Bayern

S. 422 □ M 20

Pfarrkirche Mariae Himmelfahrt: In den Jahren 1735–38 entstand die flachtonnige Saalkirche, deren Größe auf den ungewöhnlich umfangreichen Pfarrbezirk abgestimmt wurde. Bei der wertvollen Ausstattung haben so berühmte Künstler wie J. B. Zimmermann* (Stuck und Fresken, Mitarbeit an einigen Altären) mitgewirkt. Die einheitlichen *Marmoraltäre* stammen von einem Salzburger Meister (1738 bis 1740). Das ausgezeichnete schmiedeeiserne *Gitter,* das den Anstieg zur Kanzel begleitet, hat ein einheimischer Schmied geschaffen. Die *Grabdenkmäler* stammen meist aus dem 16. und 17. Jh.

Heimatmuseum (Friedhofweg 1): Trachtensammlung und Volkskunst, Handwerksstuben, Galerie mit Bildern Chiemgauer Maler.

Umgebung: → Herrenchiemsee mit Schloß, Insel → Frauenchiemsee mit Schloß, Kirche in → Urschalling.

Prüm 5540

Rheinland-Pfalz

S. 416 □ A 13

Kirche der ehem. Benediktinerabtei: Die Basilika, »deren Türme und Fassade Stadt und Umgebung in ein Gefilde des Barock verwandeln« (Wolfgang Weyrauch über Prüm), ist zum weithin sichtbaren Wahrzeichen der Stadt geworden. Der Bau trat in den Jahren 1721–30 an die Stelle einer älteren Kirche. Die Pläne dafür hatte Hofarchitekt J. G. Judas aus Trier geliefert. Schwere Schäden aus dem 2. Weltkrieg sind inzwischen ganz beseitigt worden. – Die mit rotem Sandstein gegliederte *Fassade* erhebt sich über drei Portalen. Der große Innenraum besitzt ein ausgeprägtes *Kreuzrippengewölbe.* Von der barocken Innenausstattung sind das *Chorgestühl* und der *Hochaltar* erhalten. Die *Kanzel* (16. Jh.) stammt noch aus der alten Kirche.

Klostergebäude: Am Bau der Klostergebäude beteiligte sich neben J. Seitz und dessen Sohn auch B. Neumann*. Ihren Abschluß fanden die Arbeiten allerdings erst 1912, als das Gebäude Schule und Amtsgericht aufnahm.

Prunn, Altmühl 8421
Bayern S. 422 □ L 17

Burg: Auf einem bizarr getürmten Kalkfelsen über dem Altmühltal liegt die Burg Prunn, benannt nach dem um 1037 erwähnten wohl ältesten Besitzer Wernherus de Prunne (zum Brunnen). Berühmtester Besitzer war der »freudige Hans« Frauenberger (gest. 1428), dessen Grabmal in der Pfarrkirche im Dorf Prunn zu sehen ist. Er ging als der bekannteste Turnierfechter und Haudegen seiner Zeit in die Geschichte ein. Zeitweise gehörte die Burg dem Ingolstädter Jesuitenkolleg, später dem Johanniterorden. 1822 kam sie in den Besitz der Wittelsbacher. Der junge König Ludwig I. ordnete 1827 eine weitgehende Restaurierung und Konservierung der baufällig gewordenen Burg an. Seitdem gehört »das Juwel des Altmühltals« als Museum dem Bayerischen Staat. – Ein Rundgang durch die Burg vermittelt noch heute eine Vorstellung von den Wohnbedingungen vergangener Zeiten. Der einzige Zugang zur Burg führt an der gefährdetsten Stelle über einen tiefen *Halsgraben* am starken, klobigen, fast fensterlosen *Bergfried* vorbei. Er ist ältester Bestandteil der Anlage. Gegen Süden schließt sich ein noch größtenteils romanischer *Wohntrakt* an (12./13. Jh). Die Bauten um die *Toranlage* mit hübschen schindelgedeckten Ecktürmen sind 1604 angefügt worden. Sie enthalten im Untergeschoß eine Torwachstube, im 1. Obergeschoß Küche, Kemenate und Trinkstube. Eines der schönsten Zimmer ist die *gotische Stube* im Seitenflügel an der Ostseite.

Außerdem sehenswert: Flußabwärts von Prunn liegen *altsteinzeitliche Wohnhöhlen.*

Pullach 8023
Bayern S. 422 □ K 20

Hl.-Geist-Kirche: Der schlichten Kirche aus dem 16. Jh. blieb ihre kostbare *spätgotische Ausstattung* erhalten. Hervorzuheben sind vor allem die Skulpturen und Malereien.

Umgebung: *Schloß Schwaneck* wurde 1842 als Landsitz des Bildhauers L. v. Schwanthaler* errichtet.

Ehemalige Benediktinerabtei mit Kirche, Prüm

Raesfeld 4281
Nordrhein-Westfalen S. 414 □ B 9

Wasserschloß: Graf Alexander II. von Velen, der »westfälische Wallenstein« (er war im 30jährigen Krieg kaiserlicher Generalfeldmarschall), hat Raesfeld über seinen architektonischen Wert hinaus zu Ruhm verholfen. Den Kern der Wasserburg hatte er von seinem Vater übernommen. Der Ausbau begann gegen Ende des 30jährigen Krieges und folgte den Plänen des Kapuziners Michael von Gent. Das vierflügelige Schloß ist allerdings nur in Teilen erhalten: es handelt sich dabei um Flügel der *Oberburg, Unterburg* und *Kapelle.* Auffallend ist der *Eckturm* mit Haube.

Raitenhaslach 8261
Bayern S. 422 □ N 19

Ehem. Zisterzienserklosterkirche: Der Bau aus dem 12. Jh. ist zwar in Grundzügen erhalten, jedoch nach den durchgreifenden Umbauarbeiten gegen Ende des 17. Jh. praktisch nicht mehr zu erkennen. Die Kirche gehört zu den am reichsten ausgestatteten Barockkirchen in Bayern und steht damit im Gegensatz zu den meisten anderen Zisterzienserbauten, die an die strengen Ordensregeln gebunden waren und als betont schlichte Gebäude entstanden sind. – Die ungewöhnliche Farbigkeit der *Deckenfresken* überrascht jeden Besucher. Dargestellt sind die Lebensstationen des Ordensstifters Bernhard von Clairvaux. Gelegentlich der barokkisierenden Umbauten wurden die romanischen Mauern erhöht, und den Chor unterteilte man in zwei Geschosse (Sakristei und darüber Mönchschor). Für die Ausstattung sorgten zwei der berühmtesten Künstler ihrer Zeit: M. Zick aus Kempten schuf die *Stuckarbeiten,* J. Zick* aus Ottobeuren ist der Meister der Fresken und des Gemäldes im *Hochaltar.* Vier der *Nebenaltäre* haben wertvolle Tafelbilder des berühmten österreichischen Barockmalers J. M. Rottmayr. Hervorzuheben sind ferner: *Kanzel* (1740), *Orgelprospekt* (1697, im 18. Jh. erweitert), *Heiliges Grab* (18. Jh., in der westlichen Vorhalle) sowie schöne *Grabdenkmäler.* – Von den einstigen *Klosterbauten* ist nur wenig erhalten.

Randersacker 8701
Bayern S. 418 □ H 15

Pfarrkirche: Die spätromanische Kirche steht innerhalb einer im 17. Jh. entstandenen Friedhofsbefestigung. Wichtigster Teil ist der viergeschossige, typisch romanische Turm. Die Ausstattung ist aus der Zeit des Barock.

Neumann-Pavillon: Neben dem alten *Gasthaus Krone* baute sich der berühmte Architekt B. Neumann* einen sehenswerten Gartenpavillon.

Rasdorf 6419

Hessen S. 416 □ G 12

Kath. Pfarrkirche / Ehem. Kirche des Kollegiatsstifts St. Johannes d. T.: Als die Kirche des um 838 von Hrabanus Maurus errichteten Stifts im 13. Jh. einstürzte, entstand der heutige Bau als dreischiffige Basilika mit Querhaus und achteckigem Vierungsturm. Übernommen wurden aus dem Vorgängerbau Kämpfer, Säulen und vor allem die erstklassigen *Kapitelle* (vermutlich aus dem 9. oder 10. Jh.), welche die Arkaden des Neubaus aufnehmen. Sie gehören mit ihrem teilweise figürlichen Schmuck zu den bedeutendsten Beispielen steinerner Bauplastik aus der Zeit vor 1200. Die Ausstattung der Kirche ist im Stil des Barock gestaltet.

Außerdem sehenswert: Ein befestigter *Friedhof* im O des Ortes (Mauer mit Rundtürmen).

Ehemalige Kirche des Kollegiatsstifts St. Johannes der Täufer in Rasdorf bei Hünfeld

Das Wasserschloß zu Raesfeld (17. Jh.), eine Anlage aus dem 17. Jahrhundert

Rastatt 7550

Baden-Württemberg S. 420 □ D 17

Gemeinsam mit seiner Gemahlin Sybilla Augusta von Sachsen-Lauenburg, die seine ehrgeizigen Pläne nach dem Tode fortsetzte, schuf Markgraf Ludwig Wilhelm mit Rastatt eine Residenzstadt von gar ungewöhnlicher Großzügigkeit. Rossi aus Wien konzipierte den markgräflichen Vorstellungen folgend die Stadt, die in ihrem Kern schon nach zehn Jahren abgeschlossen war.

Schloß (Schloßstraße): Die Pracht italienischer Paläste und französischer Schloßbauten (Versailles) sollte nach dem Willen des Bauherrn und des Baumeisters nun auch, und zum ersten Mal, am Oberrhein erstehen. So wurde das Rastätter Schloß zum ersten Barockschloß dieser Dimension in Deutschland. Genau sieben Jahre haben die Handwerker an dieser prächtigen, in bestem Zustand erhaltenen Anlage gebaut und damit das Herz der Stadtanlage geschaffen. Auf das Schloß sind neben den drei größten Straßen auch eine Vielzahl kleinerer Gassen strahlenförmig ausgerichtet. Hauptteil der Schloßanlage ist das *Corps de Logis* (Fürstentrakt). Dieser Mittelbau beherrscht die übrigen Teile, die sich um einen *Ehrenhof* gruppieren. Nach dem Tode von Ludwig Wilhelm im Jahre 1707 folgten unter Sybilla Augusta der *Nordflügel* mit der → Schloßkirche und der *Südflügel* mit Räumen für ein Theater. – Im Inneren gehören die *Treppenaufgänge* zu den glücklichsten Konzeptionen, die in barocken Schloßbauten verwirklicht worden sind. Sie führen zweiseitig zur ersten Etage und über ein großzügig angelegtes Podest zum *Festsaal.* Das Fresko des Festsaals (auch Ahnensaal genannt) zeigt die Aufnahme des Herkules in den Olymp. Die *Schloßkirche Hl. Kreuz* schließt direkt an den Wohnflügel der Gräfin an. Die Pläne stammen nicht mehr von Rossi, sondern von M. L. Rohrer, der die Bauleitung nach dem Tod des »Türkenlouis« übernommen hatte. Die Wandpfeileranlage betritt man durch ein großartiges Portal. Größter Wert wurde auf das Zusammenspiel von Licht und Farben gelegt, weshalb neben das große Gewölbefresko vielfältige, kleinere Ornamentfelder getreten sind. Prunkvoller Blickfang ist der *Hochaltar* mit dem versilberten

Schloß, Rastatt

Holzkruzifixus. – In einem Terrassengarten, der zur Entstehungszeit direkt mit dem Schloß verbunden war, heute jedoch durch eine Straße abgetrennt ist, liegt die *Kapelle Maria Einsiedeln.* Sie wurde 1717 geweiht und weicht in ihrer schlichten Ausstattung von den Schloßbauten ab. – Neben der Kapelle ergänzt die *Pagodenburg,* nach dem Vorbild in → München-Nymphenburg errichtet, die markgräflichen Bauten (1722). Rohrer hat dabei die Pläne von J. Effner* etwas abgeändert.

Schloß Favorite (5 km südlich in Richtung Baden-Baden): Nach dem Tode ihres Gemahls Ludwig Wilhelm ließ Markgräfin Sybilla Augusta dieses abgeschiedene Lustschloß nach ihren eigenen Vorstellungen von M. L. Rohrer errichten (Fertigstellung 1711). Sie wollte sich hier trotz Beibehaltung einer fürstlichen Lebenshaltung eine Stätte der Besinnung schaffen. Schwerpunkt des Baus ist die Gartenseite mit einer doppelläufig geschwungenen *Freitreppe* vor der gut gegliederten Fassade. Ein achteckiger *Turm* betont den fürstlichen Charakter des vornehmen Gebäudes. – Das Innere ist reich mit figürlichem Schmuck ausgestattet. Zentrum des Baus ist der *Speisesaal,* der wie alle übrigen Räume dieses Kleinods kostbar ausgestattet ist. Neben den fürstlichen *Wohnräumen* ist die *Prunkküche* sehenswert. – An den Hauptbau schließen sich *Arkadenbauten* an, die überwiegend als Wohnungen der Dienerschaft gedacht gewesen sind. Etwas abseits finden sich vier *Kavaliershäuser* sowie die *Eremitage.*

Rathaus und Marktplatz: Die Anlage des Marktplatzes war Teil der Gesamtplanung Rossis. Stadtkirche und Rathaus dominieren, obwohl die Kirche erst später (Weihe 1764) entstanden ist. Das Rathaus war 1750 fertig. Die *Stadtkirche* deutet auf den aufkeimenden Klassizismus, von der Ausstattung ist der Hochaltar hervorzuheben.

Museen: Das *Heimatmuseum* (Herrnstraße) widmet sich der Orts- und Landesgeschichte. – In 42 Ausstellungsräumen innerhalb der barocken Schloßanlage bietet das *Wehrgeschichtliche Museum* bedeutende Dokumentationen für die Zeit vom Mittelalter bis zur Gegenwart.

Umgebung: 18 km südlich von Rastatt

Schloß Favorite, Rastatt

liegt auf dem Hohenbaden das *Alte Schloß;* 18 km südöstlich die Ruine *Ebersteinburg.* Von beiden Anlagen hat man einen lohnenden Fernblick, da sie jeweils über 400 m hoch liegen.

Ratzeburg 2418

Schleswig-Holstein S. 412□14

Die Stadt (13000 Einwohner) liegt auf einer Insel im Ratzeburger See und ist durch zwei Dämme mit dem Festland verbunden. Das heutige Stadtbild entstand nach einem Brand im Jahr 1693 und löste eine unregelmäßige Anlage ab. Vorbild für die bis heute deutlich zu erkennende neue Konzeption war die Stadtplanung von → Mannheim. – Mit Ratzeburg ist der Name eines der bedeutendsten Bildhauer des 20. Jh. eng verbunden: E. Barlach* hat hier von 1878–84 einen Teil seiner Jugend verbracht und wurde 1938 auf dem Friedhof an der Seedorfer Straße begraben.

Dom (Domhof): Der Baubeginn ist auf 1170 datiert. Schon um die Jahrhundertwende war der großartige romanische Bau weitgehend abgeschlossen. Umfangreiche Wiederherstellungsarbeiten gaben dem Dom in den Jahren 1961–66 auch im Inneren das ursprüngliche Gesicht zurück. Der Grundriß zeigt eine dreischiffige Basilika, deren äußeres Bild vom massigen *Turm* des Westbaus und dem Rot der Backsteine bestimmt wird. – Die *Vorhalle* beweist in eindrucksvoller Weise die weit gespannten Möglichkeiten, die der Backsteinarchitektur gegeben sind. – Das Innere des Doms imponiert durch die Schlichtheit der Anlage. Im Langhaus beachte man ein spätromanisches *Triumphkreuz,* das um 1260 entstanden ist. Es zeigt neben dem ans Kreuz geschlagenen Christus Maria und Johannes (im 17. Jh. überarbeitet). Am südlichen Seitenschiff ist (vor der Katharinenkapelle) das gotische *Gestühl der Herzöge von Sachsen* erhalten (erstklassige Holzarbeiten im Knorpelstil). Das romanische *Chorgestühl* ist um 1200 entstanden und damit

Dom mit Triumphkreuz, Ratzeburg

das älteste in Norddeutschland. Im Chor ist der *Kreuzaltar* aufgestellt (Malereien 1481–87). Die in Stein geschlagene Passionstafel entspricht dem Weichen Stil (1430, vermutlich eine westfälische Arbeit). Die *Kanzel* ist zur Zeit der Reformation entstanden (1567). Das Bild zwischen Korb und Schalldekkel stellt Georg Usler, den ersten protestantischen Prediger, dar. Der *Hochaltar* (jetzt im südlichen Querschiff) mit seinen drei Geschossen ist ein gutes Beispiel des Knorpelbarock (1629). Zahlreiche *Grabplatten* erinnern an die hier beerdigten Bischöfe und Herzöge. – Im Norden ist der Dom durch den *Kreuzgang* mit den *ehem. Klausurgebäuden* verbunden (aus dem 13./14. Jh., später restauriert und umgebaut).

Stadtkirche (Marktplatz): Der Neubau aus dem späten 18. Jh. ist wie der Dom aus Backstein errichtet und folgt dem Schema der rechteckigen Saalkirche. Er ist sparsam dekoriert und zielt in

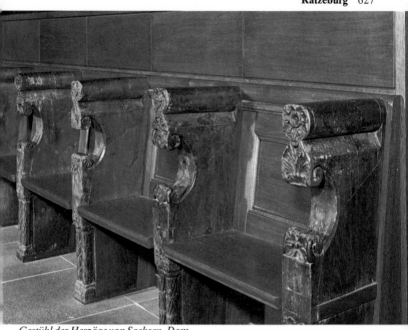

Gestühl der Herzöge von Sachsen, Dom

seiner Wirkung darauf ab, alle Aufmerksamkeit der Gemeinde auf die Predigt zu konzentrieren. Altar, Kanzel und Orgel sind an der südlichen Querwand zusammengefaßt.

Museen: Im ehemaligen Haus der Dompropstei (Am Domhof 13) ist das *Kreismuseum* mit seinen Sammlungen zur Vorgeschichte, zur Landes- und Stadtgeschichte untergebracht. – Im ehem. Wohnhaus der Familie Barlach, einem Biedermeier-Bau aus dem Jahr 1840, wurde die *Ernst-Barlach-Gedenkstätte* (Barlachplatz 3) eingerich-

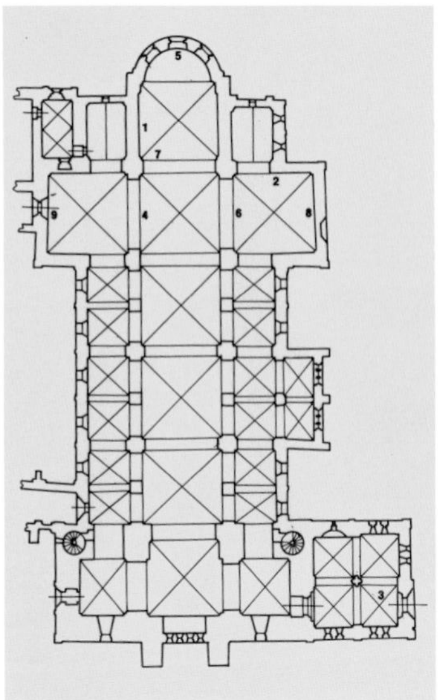

Ratzeburg, Dom 1 Reste des Chorgestühls, um 1200 **2** Triumphkreuzgruppe, deren Beifiguren (Maria, Johannes) von ca. 1260 **3** Südliche Vorhalle **4** Gotischer Dreisitz, um 1340 **5** Ehemaliger Kreuzaltar, spätes 15. Jh., mit Malereien des H. v. Krog, zwischen 1481 und 1487 **6** Kanzel von Hinrich Matthes, 1576 **7** Bronzetaufe (1440) mit Holzdeckel von H. Matthes, 1577 **8** Hochaltar von J. G. Tietge, 1629 **9** Epitaph für August von Sachsen-Lauenburg und Herzogin Catharina, von J. G. Tietge, 1649

tet. Ausgestellt sind Bronzeplastiken, Handzeichnungen, Holzschnitte und Lithographien.

Ravensburg 7980

Baden-Württemberg S. 420 □ G 20

Die der Stadt den Namen gebende Burg wurde als »Ravenspurc« bereits 1098 erwähnt. In ihr wurde Herzog Heinrich der Löwe geboren. Den wirtschaftlichen Aufschwung verdankte die Stadt dem Tuchhandel, der sich 1408 in der »Ravensburger Gesellschaft« organisierte. Der Reichtum der Kaufleute schlug sich in den weitgehend erhaltenen Bauten nieder. Erst im 15. Jh., als sich die Fugger und Welser von → Augsburg aus zu mächtigen Handelsdynastien entwickelten, verlor die »Ravensburger Gesellschaft« und mit ihr die Stadt an Bedeutung. Kulturelles Interesse verdient Ravensburg auch durch das nahe Kloster → Weingarten.

Kath. Pfarrkirche Unsere Liebe Frau/ Liebfrauenkirche (Marienplatz): Erweiterungen und Umbauten im 15. und 19. Jh. haben die Basilika mit ihrem hohen Nordostturm zwar verändert, lassen jedoch typische Elemente des Kirchenbaus aus dem 14. Jh. noch deutlich erkennen (der Bau war 1380 vollendet). – Der *Hochaltar* (1958 aus dem Engadin erworben) stammt mit seinen fein gegliederten Figuren aus dem 15. Jh. Das reich geschmückte *Sakramentshaus,* das *Chorgestühl* und die *Glasgemälde* der Chorfenster sind ebenfalls Werke des 15. Jh. Der gewaltige Lettner ist als *Empore* ausgebildet und durchzieht alle vier Schiffe. Die *Ravensburger Schutzmantelmaria* (am Ende des ersten südlichen Seitenschiffs (Kopie) ist um 1470 entstanden.

Marktplatz: Blaserturm, Waaghaus und Rathaus stehen auf dem Marktplatz dicht beisammen. Sie erinnern an die große Blüte der »Ravensburger Gesellschaft«. Der *Blaserturm* wurde zum Wahrzeichen der Stadt. Mit seinem Namen erinnert er an Zeiten, als noch der Stadtwächter die Uhrzeit und Brandunfälle verkündete (1556 fertiggestellt). Neben dem Blaserturm ist das *Waaghaus* erhalten (1498). Umbauten im 19. Jh. haben das ursprüngliche Bild allerdings etwas verändert. Im Erdgeschoß befand sich eine Lagerhalle. Das

Marienplatz in Ravensburg

Rathaus, dem Waaghaus gegenüber, ist an seinem schlichten Staffelgiebel zu erkennen. Der Bau (14./15. Jh.) bezieht seinen äußeren Schmuck aus der Vielzahl schmaler Fenster und einem Erker (1571) an der Nordseite. Im Inneren sind zwei Sitzungssäle erhalten. Beide sind mit gotischen Holzdecken ausgestattet. Die Wandmalereien kamen im 16. Jh. hinzu. Einen Blick sollte man auch auf die Skulptur werfen, die in einer Nische des kleineren Saals steht und ein Liebespaar zeigt, ein zu jener Zeit (um 1400) nur selten verwirklichtes Motiv. – In der nahen *Marktstraße* findet man die noch heute benutzte Brotlaube (1625).

Stadtbefestigung: Die Stadtbefestigung, die das Viereck der Stadtanlage einst geschlossen umgeben hat, ist vom 13. bis zum 15. Jh. entstanden und zu großen Teilen erhalten. *Frauentor, Schellenbergturm, Obertor, Weißer Turm* (sog. Mehlsack), *Spitalturm, unteres Tor, Bemalter Turm* und *Grüner Turm.*

Veitsburg (südöstlich über der Stadt, 524 m): Den besten Überblick über die Stadt vermittelt ein Besuch der im 11. Jh. gegründeten Welfenburg, von der nach einem Brand im 17. Jh. nur Wirtschaftsgebäude und ein Neubau des 18. Jh. übrig geblieben sind.

Heimatmuseum Vogthaus (Grüne Turmstraße): In den elf Ausstellungsräumen im Fachwerkbau aus dem 15. Jh. findet man aufschlußreiche Beiträge zur Entwicklung der Stadt sowie Kunst- und Gebrauchsgegenstände.

Außerdem sehenswert: *Lederhaus* (1574) und zahlreiche andere Wohnbauten mit oft reizvoller Bemalung; *Kreuzbrunnen* (17. Jh.) am Frauentorplatz; *Pfarrkirche St. Jodokus* (14. Jh., gut renoviert); *ehem. Karmelitenklosterkirche* (15. Jh.), heute ev. Pfarrkirche.

Umgebung: *Kloster* und *Basilika* → *Weingarten* (4 km nordöstlich); *Schloß* → *Waldburg* (10 km südöstlich).

Recklinghausen 4350

Nordrhein-Westfalen S. 414 □ C 10

Die Industriestadt im Ruhrgebiet,

Festspielhaus in Recklinghausen

schon im 14. Jh. Handelszentrum für Schmiedewaren sowie Tuche und Mitglied der Hanse, geht auf einen Reichshof zurück, den Karl d. Gr. hier errichten ließ. Im Mittelalter kam die Stadt in den Besitz des Erzbistums Köln. In der kulturellen Landschaft unserer Tage nimmt Recklinghausen einmal im Jahr mit den *Ruhrfestspielen* eine Sonderstellung ein.

Kath. Pfarrkirche St. Petrus (Am Kirchplatz): Reste der romanischen Vorgängerkirche, die im 13. Jh. bei einem Stadtbrand größtenteils zerstört wurde, sind noch erhalten. Die gotische Kirche wurde in späteren Jh. immer wieder verändert und erweitert, weshalb sie architektonisch kein geschlossenes Bild bietet. Bemerkenswert ist der *Baumeisterkopf* (13. Jh.), ein schön gestalteter Kopf, der sich heute an der Stirnwand des romanischen Querschiffs findet. Die *Altargemälde* stammen aus der Rubenswerkstatt. Erwähnt sei auch das reich geschmückte *Südportal* (romanisch-gotisch).

Engelsburg (Augustinessenstraße): Das Gebäude wurde 1700 als Wohnhaus errichtet (heute Hotel), dessen drei Flügel einen Ehrenhof umgeben. Beachtenswert ist der schön ausgestattete Saal mit barocker Stuckdecke.

Festspielhaus (Otto-Burmeister-Allee): Die Stadt Recklinghausen und der Deutsche Gewerkschaftsbund haben die Ruhrfestspiele nach dem 2. Weltkrieg gemeinsam gegründet. Früher fanden die Aufführungen im Städtischen Saalbau statt, 1965 wurde das heutige Festspielhaus eröffnet. Spielzeit ist in der Regel von Mitte Mai bis Ende Juli. Neben Theateraufführungen finden hier Konzerte, Tagungen, Ausstellungen und Diskussionen statt.

Museen: Die *Städtische Kunsthalle* (Wickingplatz) zeigt schwerpunktmäßig internationale Kunst ab 1945, außerdem westfälische Kunst des 20. Jh. – Durch den Erwerb der beiden bedeutendsten Ikonensammlungen aus deutschem Privatbesitz legte die Stadt Recklinghausen als Museumsträgerin den Grundstock für das *Ikonenmuseum* (Kirchplatz 2a), das im westlichen Europa kaum seinesgleichen hat. Weitere Sammelgebiete sind koptische Skulpturen und Textilien, Gläser, Bronzen, Kulturgeräte und Paramente der orthodoxen Kirche.

Regensburg 8400

Bayern S. 422 □ L 17

In der »Kaiserchronik«, die im 12. Jh. in Regensburg verfaßt und niedergeschrieben wurde, findet man Regensburg neben Rom schlicht als »Hauptstadt« bezeichnet. Diese Darstellung schießt zwar über die Fakten hinaus, kehrt aber doch die Bedeutung der Stadt hervor. Die Geschichte Regensburgs läßt sich bis in die Steinzeit zurückverfolgen. Seither ist das Gebiet an der Einmündung von Naab und Regen am nördlichen Donauknie ununterbrochen besiedelt gewesen. Ihren ersten Namen bezog die Stadt von der keltischen Niederlassung (um 500 v. Chr.) Radasbona. (Französisch noch heute Ratisbonne.) Der römische Kaiser Vespasian (69–79 n. Chr.) ließ hier ein Kohortenkastell errichten, das Marc Aurel verlegte und erweiterte, so daß es 6000 Soldaten Platz bot. Als Legionslager Castra Regina ging es in die Geschichte ein. Die 8 m lange Steintafel (179 n. Chr.) erinnert an die Fertigstellung des 24 ha großen Gevierts und war einst über einem der vier Lagertore befestigt. Sie gilt als Geburtsurkunde Regensburgs (heute im → Museum der Stadt). – Die *Römermauer,* um 300 nochmals verstärkt, läßt sich am Grundriß der Stadt noch heute verfolgen. Von der *Porta Praetoria* sind Torbogen und Flankenturm erhalten (unter den Schwibbögen), am Ernst-Reuter-Platz wurde die südöstliche Ecke des Kastells freigelegt, mit dem St.-Georgs-Platz ist die Nordostecke gesichert. – Seine größte Zeit hatte Regensburg im 12. und 13. Jh. Viele der aus dieser Zeit erhaltenen Bauten künden vom Reichtum der Stadt, die durch

Regensburg, Panorama mit Dom

ihre verkehrsgünstige Lage zum wichtigsten Umschlagplatz des aufkommenden europäischen Fernhandels wurde und um die Mitte des 13. Jh. die Reichsfreiheit erlangte. Die romanische Kunst erlebte hier einen ihrer Höhepunkte in Deutschland. Mit Beginn des 14. Jh. verlor Regensburg an Bedeutung. Das änderte sich jedoch, als die Stadt 1663 den »immerwährenden Reichstag«, das älteste deutsche Parlament, aufnahm und bis 1806 Tagungsstätte blieb. Seit 1748 vertraten die zu Fürsten erhobenen Reichspostmeister von Thurn und Taxis den Kaiser bei diesem Ständeparlament. 1810 kam Regensburg zu Bayern. Mit 135000 Einwohnern ist die Stadt an der Donau heute Hauptstadt der Oberpfalz und Sitz einer Universität. – Zu den berühmtesten Söhnen der Stadt zählt Albrecht Altdorfer*, Ratsherr und Stadtbaumeister, einer der größten Maler in Altbayern und wichtigster Vertreter der berühmten Donauschule. Johannes Kepler ist 1630 in Regensburg gestorben. Der Lyriker und Erzähler Georg Britting (1891–1964) wurde in Regensburg geboren. Unter den vielen literarischen Arbeiten, in deren Mittelpunkt Regensburg steht, oder die hier entstanden sind, ist das »Wessobrunner Gebet« das älteste. Es wurde im 8./9. Jh. im → Kloster St. Emmeram aufgeschrieben, dann aber nach Wessobrunn gebracht. Die seit 1949 verliehene Albertus-Magnus-Medaille erinnert an den großen Gelehrten, der hier zehn Jahre lang tätig gewesen ist und von 1260–62 Bischof von Regensburg war.

Alte Kapelle / Stiftskirche Unsere Liebe Frau zur Alten Kapelle (Alter Kornmarkt): Grundriß, Westwand und Turmunterbau der dreischiffigen Basilika sind noch Bestandteile der *karolingischen* Kirche des 9. Jh. Der Chor entstand um 1445. In der Folgezeit kamen die Nebenkapellen hinzu. Trotz der romanischen und gotischen Prägung gelang es dem zierfreudigen *Rokoko,* das Innere zu einer selten geglückten, festlichen Raumkomposition zu steigern.

Dom St. Peter (Domplatz): Er ist Zentrum der sog. Domstadt, die sich als geistliches Viertel nahe der Donau entwickelte. Die Fertigstellung des gewaltigen Baus, mit dem um 1250 begonnen wurde, zog sich über Jahrunderte hin. Trotzdem ist hier ein selten geschlossenes Baudenkmal der Gotik entstanden. Der Bau ist als dreischiffige Pfeilerbasilika konzipiert und unter Verwendung des *Eselsturmes,* der von einem romanischen Vorgängerbau stammt und an der Nordseite des Querschiffs erhalten ist, bis 1525 in seinen wesentlichen Teilen fertiggestellt gewesen. Dann zwangen wirtschaftliche Schwierigkeiten zur Einstellung der Bautätigkeit. Nach einigen Aktivitäten im 17. Jh. wurden 1859–69 endlich auch die beiden *Türme* vollendet (105 m); 1870/71 bildeten der Bau des *Querhausgiebels* und des *Dachreiters* den Abschluß. – Im Inneren des Doms finden bis zu 7000 Menschen Platz. Die Ausstattung enthält so viele einzigartige Kunstwerke, daß hier nur die wichtigsten herausgegriffen werden sollen. Bei einem Rundgang, der nach dem Eintritt durch das überreich geschmückte *Hauptportal* in der mit figürlichem und ornamentalem Schmuck prunkvoll ausgerüsteten *Westfassade* beginnt, sind beachtenswert: Beiderseits des Hauptportals stehen die *Reiterstatuen* des hl. Georg und des hl. Martin (um 1330). Dem Hauptportal gegenüber, inmitten des Langhauses, steht das *Hochgrab für Kardinal Herzog Philipp Wilhelm.* Auf der Tumba die kniende Bronzefigur des Verstorbenen vor einem hohen Kruzifix. Im nördlichen Seitenschiff folgt der *Rupertus-Altar* aus dem 16. Jh. Er zeigt die Figuren des hl. Kaiserpaares Heinrich und Kunigunde. In Höhe des

Regensburg, Dom 1 Hauptportal **2** Winterchor **3** Sakristei **4** Maria und der Verkündigungsengel, 1280 a) Maria b) Engel **5** Ziborienaltar mit Kaiser Heinrich II. und Kunigunde, 1350 **6** Ziborienaltar mit Verkündigung, 1350 **7** Petrus, 1340–50 **8** Paulus, 1340–50 **9** Heilige Georg und Martin, 14. Jh. a) Martin b) Georg **10** Christi-Geburt-Altar, um 1450 **11** Ursula-Altar, um 1450 **12** Ziehbrunnen, 15. Jh. **13** Sakramentshaus, 1493 **14** Grabtafel Margarete Tucher (1521 gestorben) von Peter Vischer **15** Grabstein der Ursula Villinger (1547 gestorben) **16** Hochgrab des Kardinals Ph. Wilhelm von Bayern, 1600 **17** Hochaltar, frühklassizistisch **18** Grabmal des Karl von Dalberg, 1824 **19** Kanzel

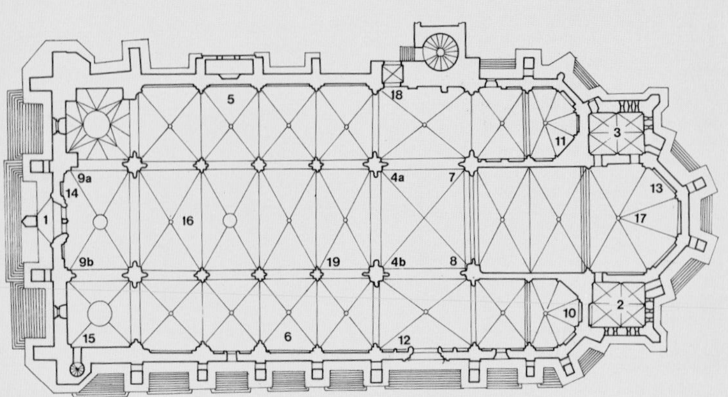

Eselsturmes steht das *Grabmal für K. v. Dalberg* (1824). Es folgen der *Dreikönigsaltar* mit einem Relief der Ursula-Marter (um 1460), das 15 m hohe *Sakramentshaus* (um 1493) und der 1785 vollendete frühklassizistische Hochaltar aus vergoldetem Kupfer und Silber. Der Christi-Geburts-Altar (um 1450) im südlichen Nebenchor ist als Gegenstück zum schon erwähnten Dreikönigsaltar zu sehen. Er imponiert durch seinen hohen, feingliedrigen Aufbau. An den Vierungspfeilern findet man die *Steinstatuen* von Petrus und Paulus sowie Maria und dem Verkündigungsengel. Die beiden letzten gehören zu den besten Werken der gotischen Bildhauerkunst in Deutschland und stammen vom Meister des Erminoldgrabes in Prüfening. Dem Verkündigungsengel gegenüber befindet sich im Südschiff ein *Ziehbrunnen*. Der folgende *Verkündigungsaltar* ist aus der Zeit um 1350. Von den zahlreichen Grabmälern sei hier noch die bronzene *Grabtafel für Margareta Tucher* aus der Werkstatt des P. Vischer* im Nordchor erwähnt. Neben zahlreichen originalen *Glasgemälden* des 13. und 14. Jh. ist auch der *Domschatz* eine Besichtigung wert. – Zu den Bauwerken, die den Dom umgeben und mit ihm gemeinsam die sog. Domstadt bilden, gehört im NO der *Kreuzgang* (zu erreichen über das Kapitelhaus) mit Grabdenkmälern aus dem 14. bis 18. Jh. Im O grenzt hier die *Allerheiligenkapelle* an (12. Jh.). Sie ist als Begräbnisstätte für Bischof Hartwich II. entstanden und enthält eine sehenswerte romanische Ausmalung. Neben dem Dom findet man die Kirche *St. Stephan* aus dem 11. Jh. (im Volksmund als »Alter Dom« bezeichnet). Hinter *Kapitelhaus* und *Domgarten* erhebt sich die *St.-Ulrichs-Kirche*. Sie diente ehemals als Dompfarrkirche und ist ein Werk des 13. Jh. Im Inneren sind Wandmalereien aus der Zeit um 1570 erhalten.

Ehem. Dominikanerkirche St. Blasius (Beraiterweg): Die *Westfassade* ist beherrschender Teil dieses Baus, der um 1300 fertiggestellt war und zu den ersten großen Bauten der Gotik in Deutschland gehört. Im Bogenfeld des *Westportals* ist die Figur des Kirchenpatrons zu sehen. Das Innere zeigt sich als querschifflose Basilika mit schönem *Kreuzgewölbe*. *Wandmalereien* im Chor und im südlichen Seitenschiff (14./15. Jh.). Das *Chorgestühl* aus dem 15. Jh. ist erhalten, ansonsten ging jedoch die alte Einrichtung weitgehend verloren. Eine *Schutzmantelmadonna* (um 1500) ist am nördl. Chorpfeiler beachtenswert. Das *Grabdenkmal für Lukas Lamprechtshauser* ist ebenfalls um 1500 abgeschlossen worden (in einem Relief die thronende Muttergottes). Die wertvollen *Grabsteine* aus Rotmarmor erinnern an die in voller Montur dargestellten Ritter Jörg Schenk von Neideck und Thomas Fuchs zu Schneeberg. – Zu den angrenzenden Klosterbauten, die vielfach verändert worden sind, gehört auch die *Albertuskapelle*.

Dreieinigkeitskirche (Schererstr./Gesandtenstr.): Der Nürnberger Baumeister J. Carl hat diese zweite protestantische Pfarrkirche der Stadt als tonnenüberwölbten Saalbau in den Jahren 1627–33 geschaffen. Im Inneren setzen die Gewölbestruktur (die Kassetten-

Alte Kapelle, Stiftskirche U. L. Frau

gliederung wird durch große Rippensterne unterbrochen) und die in den Kirchenraum ragenden Holzemporen unverwechselbare Akzente. Im engen Kirchhof erinnern prunkvolle Grabdenkmäler des 17. und 18. Jh. an Abgesandte des »Immerwährenden Reichstages«.

Ehem. Benediktinerklosterkirche St. Emmeram (Emmeramsplatz): Kirche und Kloster gründen auf einer älteren Georgskirche, in welcher der westfränkische Wanderbischof Emmeram, nachdem er einem Racheakt zum Opfer gefallen war, im 7. Jh. beigesetzt wurde. Die Anlage hat sich seit der Gründung des Benediktinerklosters im 8. Jh. zu einem ausgedehnten Komplex entwickelt. – Den Klosterbezirk überragt der (nach italienischem Vorbild) freistehende *Glockenturm* (1579). Neben dem Pfarrhaus aus dem 19. Jh. führt ein zweigeschossiges frühgotisches *Doppelportal* (um 1250) in die *Vorhalle,* die nach 1166 entstanden ist. An der Westseite erinnern zahlreiche *Grabsteine* an die karolingische Zeit. Jüngeren Datums, aber besonders prachtvoll ist das Epitaph des Humanisten und »Vaters der bayerischen Geschichtsschreibung« Johannes Turmayr (Aventinus genannt, gest. 1534). Östlich der Vorhalle erhebt sich die im 12. Jh. erstmals genannte und im 15. Jh. erneuerte Pfarrkirche *St. Rupert* mit bedeutendem Altargerät in der Sakristei.
Zwei Zugänge führen in die Emmeramskirche; der linke ins → Langhaus, der rechte ins *westliche Querschiff* mit dem *Dionysius-Chor* (11. Jh., romanische Wandmalereien) und der *Wolfgangskrypta* im Unterbau. An den Pfeilern des Doppelportals (11. Jh.) sind der thronende Christus, der hl. Emmeram und Dionysius dargestellt. Die Steinreliefs gehören zu den ältesten deutschen Großplastiken (1050). – Ältester Teil der Emmeramskirche, die als Mutterkirche des Bistums Regensburg den Rang einer päpstlichen Basilika erhielt, ist die *Emmeramskrypta,* um 740 entstanden, jedoch erst 1894 wiederentdeckt. Sie liegt unter der vom Langhaus getrennten *Hauptapsis* und ist durch einen Gang mit der 980 geweihten *Ramwoldkrypta* (1775 verändert) verbunden. – Die ursprünglich romanischen Formen des *Langhauses* sind unter der Rokokopracht verschwunden, die E. Q. Asam* als Stukkateur und C. D. Asam* als Maler der Wand- und Deckenfresken dieser Kirche angedeihen ließen. Von den vielen wertvollen *Grabdenkmälern* sollen der Grabstein für Königin Hemma (gest. 876) und der für die besonders liebevoll dargestellte sel. Aurelia (um 1330) hervorgehoben werden. – Die *Klostergebäude* dienen seit 1812 als → *Schloß der Fürsten von Thurn und Taxis.*

St. Kassian (Kassiansplatz): Diese älteste Bürgerkirche in Regensburg ist im Kern karolingisch, präsentiert sich jedoch in ihren wesentlichen Teilen als frühromanische Pfeilerbasilika. Sie erhielt in der Mitte des 18. Jh. eine farbenprächtige Rokokodekoration. Im südlichen Seitenaltar findet man die Schnitzfigur der *Schönen Maria,* die der berühmte Landshuter Meister H. Leinberger* um 1520 geschaffen hat. Der nördliche Seitenaltar stand ehemals im Hauptchor und birgt im Schrein die spätgotische Figur des hl. Kassian.

Ehemal. Minoritenkirche (Dachauplatz): Das frühgotische *Langhaus* war um 1260 fertig, der überhöhte *Chorbau* ersetzte einen Vorgängerbau im Jahre 1330. 1810 wurde die Kirche profaniert und erweitert. Sie dient seither in Verbindung mit den Resten des früheren Klosters, in dem der bedeutendste deutsche Prediger, Berthold v. Regensburg, lebte und starb (1272), als → Museum der Stadt.

Neupfarrkirche (Neupfarrplatz): Der über der zerstörten Synagoge errichtete Bau aus den Jahren 1519–40 war ursprünglich als Wallfahrtskirche Zur schönen Maria konzipiert (mit sechseckigem Zentralbau und angrezendem Kapellenkranz). Es kam jedoch nur

eine sehr vereinfachte Form zur Ausführung, nicht zuletzt deshalb, weil die Protestanten den Bau 1542 übernahmen.

Niedermünster (vor der Ostpforte des → Domgartens): Die Stiftskirche des ehem. reichsunmittelbaren adligen Damenstifts Niedermünster wurde nach dem Stadtbrand von 1152 erneuert und präsentiert sich als dreischiffige Pfeilerbasilika mit westlichem Turmpaar. Im 17./18. Jh. wurde das Innere im Stil des Barock ausgestattet. An den mittelalterlichen Zustand erinnert der wertvolle *Baldachinaltar* (um 1330) am Grab des hl. Erhard (nördl. Seitenschiff). An der Nordwand des Chors findet man die wertvolle *Bronzegruppe* des ehem. Kreuzaltars mit der trauernden Magdalena am Kreuzesstamm. – In den ehem. Stiftsgebäuden befinden sich seit 1810 das bischöfliche Ordinariat und die Residenz des Bischofs. – Östlich der Kirche ist die *St.-Erhards-Kapelle* beachtenswert (frühes 11. Jh.).

Schottenkirche St. Jakob (Jakobstraße): Die dreischiffige Säulenbasilika zeigt die Formen der Hochromanik. Unter teilweiser Übernahme eines Baus aus dem Jahre 1120 entstand 1150–95 die heutige Kirche. Bauherren waren irische Wandermönche. Im 16. Jh. besetzen schottische Benediktiner das zur Kirche gehörende Kloster neu. Kunsthistorisch höchst bedeutend ist das *Hauptportal* an der Nordseite. Es weist einen für die Romanik ungewöhnlichen Figurenschmuck auf. Die endgültige Deutung dieser Figurenfülle ist bisher nicht gelungen. Westfranzösische und lombardische Einflüsse sind deutlich. – Im Inneren setzt sich der Figurenreichtum an den *Kapitellen* der massigen Säulen fort, wo er auch von pflanzlichen Motiven abgewechselt wird. Im Triumphbogen findet sich eine der ältesten *Kreuzigungsgruppen* in Deutschland (um 1200). An den Pfeilern des Chores verdienen erstklassige gotische *Steinfiguren* Beachtung. – In den angrenzenden Räumen des *ehem. Schottenklosters* ist heute das bischöfliche Klerikalseminar untergebracht.

Weitere sehenswerte Kirchen: *Ehem. Deutschordenskirche St. Ägidien* (westlich von St. Emmeram); *Kirche St. Oswald* (Weißgerbergraben); *Dominikanerinnenkirche Hl. Kreuz* (Nonnenplatz).

Altstadt: Die Regensburger Altstadt ist am rechten Donauufer gewachsen und von einem Grüngürtel umgeben. Die meist sehr schmalen Gassen haben ihr mittelalterliches Gepräge erhalten und legen Zeugnis ab von einem selbstbewußten, durch den Handel wohlhabend gewordenen Bürgertum sowie von der Macht und dem Repräsentationsdrang des Klerus.

Brunnen: Italienische Formen und Vorbilder klingen bei den Brunnen der Stadt an. Der *Adlerbrunnen* vor dem *Haus an der Heuport* (14. Jh., Domplatz 17) ist von alters her Treffpunkt für die Gärtner aus Weichs, die hier ihre frischen Rettiche verkaufen. Weitere Brunnen sind der *Justitiabrunnen* (Haidplatz) aus dem Jahr 1656, der *Brunnen auf dem Fischmarkt* (um 1600) und der *Ziehbrunnen* in der Gasse Am Wiedfang (in der Nähe des mittelalterlichen Hafens, um 1610).

Geschlechtertürme: Die räumliche Enge zwang schon im Mittelalter die reichen Patrizierfamilien, ihre burgähnlichen, fast schmucklosen Häuser turmartig anzulegen. Der *Baumburgerturm* (am Watmarkt) ist der bedeutendste dieser sog. Geschlechtertürme. Er ist 28 m hoch und in sieben Geschosse unterteilt (13. Jh.). Höher ist der Goldene Turm des *Haymohauses* (auch Wallerhaus, Wahlenstr. 16). Er ist um 1260 entstanden und erreicht eine Höhe von 42 m. Den schönen Arkadenhof (romanische Formen) erreicht man über das Haus Untere Bachgasse 7. Weitere Geschlechtertürme sind der *Bräunelturm* (Watmarkt 6), das *Goliathhaus* (Watmarkt 5, mit dem Riesenfresko »David im Kampf mit Goliath« von M. Bocksberger aus dem Jahr 1573) sowie die ehem. Gasthöfe *Goldenes Kreuz* (Haidplatz 7) und *Blauer Hecht* (Keplerstr. 7).

Herzogshof (östlich vom Dom): Die Geschichte des Herzoghofs läßt sich anhand von Dokumenten bis in das Jahr 988 zurückverfolgen. Auf dem Gelände der agilolfingischen und karolingischen Pfalz ist der heutige Bau im 12./13. Jh. entstanden. Bemerkenswert sind die *Fensterarkaden* (um 1220) und der *Herzogssaal* im Obergeschoß (heute Stätte kultureller Veranstaltungen).

Altes Rathaus (Rathausplatz): Die ältesten Bauteile dieser malerischen Baugruppe gehen auf das 11. Jh. zurück. Im W befindet sich der *Reichssaalbau,* der um 1360 errichtet und 1408 nach einem Brand erneuert wurde. Sehenswert ist an der linken Portalschräge die Darstellung der *Stadtmaße* aus dem 15. Jh. (»der stat schuch«, »der stat öln«, »der stat klaffter«). – Die Verbindung zum *Neuen Rathaus* schafft ein Zwischentrakt, zu dem eine sog. *Hausburg* (13. Jh.) und der achtgeschossige *Rathausturm* (um 1250) gehören. Im Hof steht der große *Venusbrunnen* (1661) mit vier Steinfiguren (1630), die ursprünglich für die Portale der → Dreieinigkeitskirche bestimmt gewesen sind. Ein einfacherer Wandbrunnen steht im *Neptunhof* (1662). – Kernstück des Alten Rathauses ist der *Reichssaal,* der ursprünglich als Tanz- und Festsaal des Rates errichtet wurde, dann jedoch als Sitzungssaal des »Immerwährenden Reichstags« (1663–1806) eine bedeutendere Aufgabe erfüllte. Der 15 m breite und 8 m hohe Saal wird von einer großartigen *Balkendecke* (1408 erneuert) überspannt. Die Bemalung der Decke stammt aus dem Jahr 1564. Die Stufen, die den Saal an drei Seiten umlaufen, lassen noch die einstige Sitzordnung des Reichstags erkennen. An oberster Stelle, unter einem *Baldachin* (aus dem Jahr 1573) saß auf dem *Lehnsessel* (1664) der Kaiser. Darunter folgten Kurfürsten, Fürsten und schließlich die Vertreter der Reichsstädte. Besonderes Augenmerk verdient der bunte *Wirkteppich* (um 1550, eine Regensburger Arbeit). Zu erwähnen sind aber auch die wertvollen Brüsseler *Gobelins* (um 1600). Die *Fahnen* sind 1633 gestiftet worden. – Um den Reichssaal sind eine Reihe von Beratungszimmern gruppiert, in denen die drei Reichsstände tagten. Dazu gehören: Das *Kurfürstliche Nebenzimmer,* das *Reichsstädtische Kollegium,* das *Kurfürstenkollegium* und das *Fürstenkollegium.* Im Erdgeschoß erinnern verschiedene Räume an die Gerichtsbarkeit jener Zeit: Die *Fragstatt,* wo Gefangene verhört wurden, das *Lochgefängnis* und das *Armesünderstübchen,* wo einst die zum Tode Verurteilten auf ihre Hinrichtung warten mußten. In Verbindung mit dem *Ratskeller* (Restaurant) ist der *Dollingersaal* neu erstanden (aus einem 1889 abgebrochenen Patrizierhaus übernommen). Hier zeigen Stuckreliefs (13. Jh.) den Kampf, bei dem der Regensburger Bürger Dollinger im Jahre 930 vor den Augen Heinrichs I. auf dem angrenzenden Haidplatz den Hunnen Krako besiegt haben soll. – Im Rathaus befindet sich heute das *Reichstags-Museum.*

Schloß der Fürsten von Thurn und Taxis (südlich von St. Emmeram, Zugang über die Schloßstraße): Seit 1812 dienen die ehemaligen Stiftsgebäude von St. Emmeram als Schloß der Fürsten von Thurn und Taxis. Ergänzungen stammen aus dem Jahr 1889; damals wurden auch die übrigen Fassaden überarbeitet. Architektonisches Glanzstück ist der *Kreuzgang,* der zu den bedeutendsten Beispielen gotischer Architektur in Deutschland gehört (13./14. Jh.). Zum Schloßkomplex gehören ferner die fürstliche *Gruftkapelle* (1841) und die *Reitschule,* ein bedeutender Bau des Klassizismus (heute → *Marstallmuseum*). Hervorzuheben ist schließlich die Fürstlich Thurn und Taxissche *Hofbibliothek,* die zu den wertvollsten Privatbibliotheken der Welt zählt. Zum Privatarchiv gehört eine Dokumentation, in der sich die Bedeutung der aus Italien stammenden Thurn und Taxis als Generalpostmeister des Deutschen Reiches (seit 1595) spiegelt. 1967 wurden im Bibliothekssaal drei *Fresken* freigelegt, die C. D. Asam* geschaffen hat (1737).

Steinerne Brücke: Hans Sachs lobte die Steinerne Brücke, ein Wahrzeichen der Stadt, mit den Worten: »Der Brücken gleicht keine in Deutschland.« Sie ist in den Jahren 1135–46 im Auftrag des Bayernherzogs Heinrich des Stolzen errichtet worden und galt im Mittelalter als Wunderwerk der Technik. Ursprünglich 330 m lang, wurde sie später auf 310 m verkürzt. Die 16 gewölbten Bogen haben Spannweiten zwischen 10,4 und 16,7 m. Das berühmte Regensburger *Brückenmännchen* (Original heute im → Museum der Stadt) ist auf der Westbrüstung der Brücke zu sehen. – Von den ursprünglich drei *Brückentürmen* ist nur der südliche erhalten (14. Jh.). Sein Schmuck (dargestellt ist der hl. Oswald zwischen mehreren Figuren, 13. Jh.) wurde vom einstigen Mittel- und Nordturm übernommen.

AM STADTRAND

Benediktinerklosterkirche St. Georg in Prüfening (4 km westlich der Altstadt): Das Kloster wurde 1109 von Bischof Otto I. von Bamberg gegründet und ist seit 1953 wieder von Benediktinern besetzt. – Ältester Teil der heutigen Kirche ist der Ostteil mit seinen sieben Altären (Bauinschrift am südwestlichen Vierungspfeiler). Einzelne Teile des Baus wurden später stark verändert, der Grundgedanke blieb jedoch erhalten und macht St. Georg zu einer der bedeutendsten Kirchen des 12. Jh. in Deutschland. Starke Einflüsse (Querschiff und Osttürme) gehen vom Mutterkloster → Hirsau aus. – Von größtem Wert sind die erstklassigen, sehr gut erhaltenen *Wandmalereien* aus der Zeit um 1130/60. Sie bedecken große Teile des Hauptchors und der Nebenchöre. Dargestellt sind u. a. der Ordenspatron, Bischöfe, Kaiser, Märtyrer, die Evangelisten und Maria. Von hohem Rang ist auch das *Hochgrab des Abtes Erminold,* das 1283 vom sog. Erminold-Meister, einem der besten Bildhauer seiner Zeit, geschaffen wurde.

Karthaus-Prüll (1 km südwestlich der Altstadt): Die im Kern romanische Kirche des ursprünglichen Benediktinerklosters, in das im 15. Jh. Karthäusermönche einzogen, verdient einen Besuch wegen des *Freskos* an der Westempore, das als erstklassiges Beispiel spätromanischer Ausmalung gelten

Steinerne Brücke und Brückentor

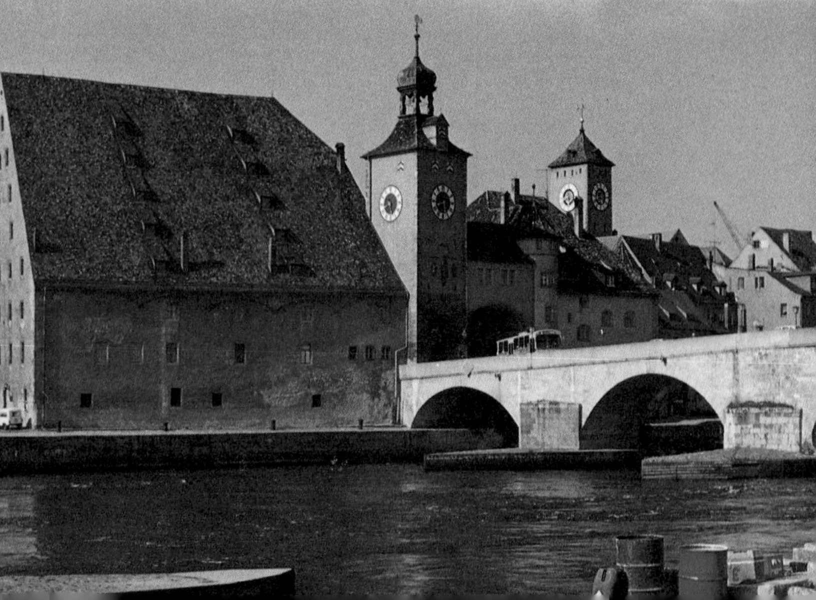

darf (um 1200) und die Verkündigungsszene zeigt. Die *Stuckdekorationen* stammen aus der Zeit um 1605. Sehenswert sind außerdem der *Hochaltar,* ein Meisterwerk deutscher Renaissance (im Übergang zum Barock), das *Chorgestühl* und mehrere *Ölgemälde* (um 1650). – In den angrenzenden *Klosterbauten* sind beim *Kreuzgang* sieben *Eremitenhäuschen* erhalten.

Stadttheater: Das 1852 erbaute Theater wurde sorgfältig renoviert. Es hat 540 Plätze (außerdem Podiumbühne sowie mobiles Theater) und wird von einem eigenen Musik- und Schauspielensemble bespielt.

Museen: Das *Museum der Stadt Regensburg* (Dachauplatz 2–4) ist im ehemaligen → Minoritenkloster (13. Jh.) untergebracht. Es verfügt über rund 100 Ausstellungsräume und gehört zu den bedeutendsten Museen in Süddeutschland. Die Sammlungen informieren insbesondere über Geschichte, Kultur und Kunst in Ostbayern (Altsteinzeit bis 19. Jh.) und enthalten zahlreiche der unschätzbar wertvollen Originale, die aus verschiedenen Kirchen und Gebäuden der Stadt übernommen worden sind (dort nur noch Kopien). – Im *Keplergedächtnishaus* (Keplerstr. 5), dem Sterbehaus des bedeutenden Astronomen und Mathematikers (1571–1630), befindet sich heute eine umfassende Sammlung zum Leben und Werk des Wissenschaftlers. – Das *Reichstags-Museum* (Rathausplatz 4) in einem Teil des → Alten Rathauses erinnert mit Dokumenten und Ausstellungen an den »Immerwährenden Reichstag«. – Im *Fürstlich Thurn und Taxisschen Schloßmuseum* (Emmeramsplatz) findet man Einrichtungsgegenstände, fürstlichen Kunstbesitz, Gobelins sowie die berühmte Hofbibliothek und das Zentralarchiv. Vor allem ist die Besichtigung des *Fürstlich Thurn und Taxisschen Marstallmuseums* zu empfehlen. Es zeigt Kutschen, Gespanne, Schlitten sowie andere Fahrzeuge aus dem 18. bis 20. Jh. und ist gleichzeitig Zeugnis für die ersten Etappen der Entwicklung des Postwesens in Deutschland. – In den Räumlichkeiten der ehemaligen Kunsthalle befindet sich die *Stiftung Ostdeutsche Galerie* (Dr.-Johann-Maier-Str. 5) mit einer Dokumentation der Kunst und Kultur in den ehemaligen deutschen Ostgebieten. – Das *Naturkundemuseum* (Prebronntor 4) widmet sich der allgemeinen Naturkunde, Geologie, Mineralogie, Zoologie und Naturgeschichte in Ostbayern. – In der *Staatsgalerie* (Dachauplatz 2–4) werden Werke europäischer Malerei des 16.–18. Jh. gezeigt.

Umgebung: *Walhalla* (11 km östlich, → Donaustauf), → *Weltenburg* und → Kelheim sind lohnende Ausflugsziele.

Reichenau 7752

Baden-Württemberg S. 420 □ F 21

Die Insel im Bodensee (durch einen Straßendamm mit dem Land verbunden) zeichnet sich durch ungewöhnlich fruchtbaren Boden und einige Stätten alter christlicher Kunst aus. Wilhelm Hausenstein schrieb über die Insel (1951): »Herübergesetzt in eine Welt voll von Pfingstrosen und Gemüsen und Heu, zwischen zwei Armen eines Sees, der nilgrün hier, dort violett die Ufer näßt und die Insel mit einem Dunst und Aroma des Feuchten sättigt.« – Die Insel gliedert sich in die Bereiche Mittelzell (mit dem Münster St. Maria und St. Markus), Oberzell (mit der ehem. Stiftskirche St. Georg) und Niederzell (mit der ehem. Stiftskirche St. Peter und Paul).

Münster St. Maria und St. Markus: Das Kloster, eine Gründung des Abts und Wanderbischofs St. Pirmin, der von 724–726 auf der Reichenau lebte, war einst einer der kulturellen Mittelpunkte des Abendlandes. Gegen Ende des 8. und im 9. Jh. blühten unter den Äbten Waldo (786–806) und Hatto I. (806–823) Kunst und Wissenschaft. Um 1000 erreichte die Buchmalerei in Deutschland hier auf Reichenau spektakulären Glanz. Ein letzter Höhe-

Münster St. Maria und Markus, Mittelzell

punkt des Reichenauer Wirkens war unter Hermanus Contractus zu verzeichnen, der im 11. Jh. dem Kloster vorstand und als Hermann der Lahme oder »das Mirakel des Jahrhunderts« in die Geschichte eingegangen ist. – Das Kloster kam im 16. Jh. an den Bischof von Konstanz und wurde 1759 ganz aufgehoben. In der Glanzzeit lebten im Kloster bis zu 700 Mönche.
Das bestehende Münster hat die ältesten Teile aus der Zeit um 990 übernommen. Die wesentlichen Teile stammen vom Neubau, den Abt Berno (1030–48) veranlaßt hat. Über Spindeltreppen erreicht man das erste Geschoß des Turmes, die sog. Kaiserloge. Darüber befindet sich im 2. Obergeschoß die Michaelskapelle. Das Chorgitter ist ein Musterbeispiel früher Eisenschmiedekunst. Die bedeutendsten Teile der Innenausstattung befinden sich heute in der *Schatzkammer.* Sie ist in der spätgotischen Sakristei über einem romanischen Keller eingerichtet. Hier finden sich u. a. fünf gotische Reliquienschreine, die aus der Glanzzeit des Klosters überkommen sind.

Ehem. Stiftskirche St. Georg: Vermutlich bereits in der Zeit um 900 ist die ehem. Stiftskirche entstanden. Schon im 9. Jh. befand sich hier eine Klosterzelle. Wertvollster Besitz dieser gut erhaltenen (wenn auch um 1000 erweiterten und im Barock veränderten) Kirche sind die *Wandmalereien* aus ottonischer Zeit. Keine Kirche des frühen Mittelalters besitzt einen vergleichbaren monumentalen Bildschmuck der Raumwände. Er ist eines der bedeutendsten bis heute erhaltenen Werke der Malkunst um das Jahr 1000 und durchzieht das gesamte Schiff. Dargestellt sind u. a. Reichenauer Äbte, sechs Apostel und die Wundertaten Christi. Erwähnenswert sind auch die Mensa des *Hochaltars* (um 1000), der spätromanische *Kruzifixus* (um 1170) über dem Zugang zur Krypta (dem hl. Georg

Stiftskirche St. Georg, Oberzell

geweiht) sowie ein *Vesperbild* (nördliche Apsis, 15. Jh.) und der *Schmerzensmann* (südliche Apsis, Mitte des 15. Jh.).

Ehem. Stiftskirche St. Peter und Paul: Die Kirche mit ihrem basilikalen Langhaus geht auf das 8./9. Jh. zurück, wurde jedoch im 11. Jh. (Türme) und im 15. Jh. (Obergeschosse) erweitert. Die Einflüsse der Reformbewegung von → Hirsau sind deutlich in den Würfelkapitellen und Profilen des Westportals zu erkennen. Stuck und Fresken stammen aus der Zeit des Barock. In der Mittelapsis sind Reste romanischer Wandmalerei erhalten.

Reichenbach, Oberpfalz 8411

Bayern S. 422 □ M 17

Ehem. Benediktinerklosterkirche St. Mariae Himmelfahrt: Die dreischiffige Basilika ist aus kräftigen Quadern im Stil der Romanik errichtet. Sie entstand zusammen mit dem 1118 gegründeten ehem. Benediktinerkloster (Kirche 1135 geweiht, Bauabschluß jedoch erst um 1200). Neben verschiedenen anderen Änderungen war der Ausbau zur Klosterburg im 15. Jh. am folgenreichsten. Wesentliche Teile der erstklassigen Innenausstattung gingen beim Bildersturm im 16. Jh. nach Einführung der Reformation verloren. Im 18. Jh. wurde das Innere vollständig barockisiert. Von der ursprünglichen Ausstattung sind nur das Chorgestühl aus dem frühen 15. Jh., eine Sandsteinmadonna, ein Meisterwerk des Weichen Stils, um 1420 (am nordwestlichen Arkadenpfeiler), und einige Grabdenkmäler erhalten. Im Zuge der barocken Umgestaltung kam u. a. der mächtige Hochaltar mit seinen doppelt gedrehten Säulen hinzu, um 1745–50. – Die *Klosteranlagen* sind nur teilweise erhalten und zum großen Teil stark umgestaltet.

Bad Reichenhall 8230

Bayern S. 422 □ N 21

Schon in vorrömischer Zeit besiedelt (reiche Salzlager), gehört Bad Reichenhall zu den bedeutendsten Kurbädern der Bundesrepublik. Starke Solequellen (Sole-Hallenbad) haben den Ort mit seinen 15000 Einwohnern in seiner Struktur geprägt.

Ehem. Augustiner-Chorherren-Stiftskirche St. Zeno: 1208 war die Kirche in ihren wesentlichen Teilen vollendet (1228 geweiht). Sie ist die größte romanische Kirche in Oberbayern. Man betritt sie durch das bemerkenswerte Westportal aus rotem und grauem Marmor, das sich in seiner Gestaltung sehr stark an oberitalienische Portale (Trient, Verona) anlehnt. Zwei urtümliche Löwen tragen das äußere Säulenpaar. Das Innere wurde nach einem Brand zu Beginn des 16. Jh. von P. Intzinger neu gestaltet. Die typische romanische Gliederung ging dabei weitgehend verloren, die schwere und schlichte Raumgestaltung der Romanik läßt sich jedoch in ihren Grundzügen erkennen. – In den angrenzenden *Klostergebäuden* ist der romanische Kreuzgang besichtigenswert. An einer der Säulen ist in einem Relief offenbar Kaiser Friedrich I., ein Förderer des Klosters, dargestellt. Ein anderes Relief zeigt die Fabel von Fuchs, Wolf und Kranich (vermutlich eine Symbolisierung der Undankbarkeit).

Städtisches Museum (Getreidegasse 4): Stadtgeschichte, Sammlungen zur Volkskunst und bäuerlichen Wohnkultur.

Außerdem sehenswert: Alte Saline und Kuranlagen.

Rendsburg 2370

Schleswig-Holstein S. 412 □ G 2

Der Nord-Ostsee-Kanal (ursprünglich Kaiser-Wilhelm-Kanal), der mit einer Gesamtlänge von 100 km Schleswig-Holstein durchquert und Rendsburg berührt, wurde zwar erst 1895 eröffnet, trotzdem zeichnete sich Rendsburg schon in den zurückliegenden Jahrhunderten durch seine verkehrsgünstige Lage aus.

Marienkirche (An der Marienkirche): Die dreischiffige Hallenkirche entstand nach dem Stadtbrand des Jahres 1287. Die reiche Ausstattung kommt durch das Weiß der Wände und Pfeiler besonders gut zur Wirkung. Bedeutende Stücke der Ausstattung sind (neben den zahlreichen Epitaphen): Reste einer Gewölbemalerei aus dem 14. Jh., 1951 freigelegt, Schnitzaltar im Knorpelstil (1649), Kanzel von H. Peper (1621) und Epitaph für M. Rantzau (1649).

Christkirche (Paradeplatz): In Neuwerk, einem barocken neuen Stadtteil, der im 17./18. Jh. mit einem zentralen Platz und fächerförmig davon ausgehenden Straßen angelegt wurde, entstand von 1695–1700 diese zweischiffige Kirche. Beide Schiffe kreuzen sich in der Mitte.

Neuwerk (siehe auch Christkirche): Zentrum dieses neuen Stadtviertels wurde der Paradeplatz. Hervorzuheben sind einige militärische Zweckbauten aus dem 18. Jh.

Rathaus (am Markt): Der Bau des 16. Jh., ursprünglich als Fachwerk aufgezogen, wurde um 1900 und 1939 verändert und erweitert und hat seine Ursprünglichkeit verloren. Erhalten ist das holzgetäfelte *Bürgermeisterzimmer* (mit Malereien um 1720). Heute befindet sich im Rathaus das *Heimatmuseum* (siehe unten).

Alte Häuser: Verteilt über die Altstadt und das übrige Stadtgebiet sind einige alte Bürgerhäuser erhalten. Sehenswert ist die Gastwirtschaft »Zum Landsknecht« von 1541 (Schleifmühlenstraße 2), ein Bürgerhaus mit schöner Fachwerkfassade.

Kanzel in der Marienkirche, Rendsburg ▷

IHR
SOLLT
MEINE
ZEVGEN
SEIN

Museen: Das *Heimatmuseum* (im Rathaus): Vorgeschichtliche Funde, Sammlungen zur Kulturgeschichte von Rendsburg und Umgebung. – Das *Kunstgußmuseum* (Glück-Auf-Allee) zeigt Kunstgußerzeugnisse, Plaketten, Portraitsammlungen und Dokumente aus der Geschichte der Carlshütte (Ahlmann-Carlshütte KG, Sitz in Rendsburg).

Theater: Das *Schleswig-Holsteinische Landestheater und Sinfonieorchester* (Jungfernstieg 7): Das Theater hat 599 Plätze und wird im Verbund mit den Theatern in → Flensburg und → Schleswig bespielt.

Außerdem sehenswert: *Eisenbahnhochbrücke* mit Schwebefähre, *Kanaltunnel* für die Europastraße (zwei bedeutende technische Baudenkmäler aus jüngster Zeit).

Reutlingen 7410

Baden-Württemberg S. 420 □ F 18

Die Geschichte der Stadt geht bis in das 11. Jh. zurück, als sich vier Siedlungen zu einem Dorf vereinigten. Nach der Verleihung des Marktrechts durch Friedrich Barbarossa (1182) und der Stadtrechte durch Otto IV. (1209) erfolgte 1216–40 die Anlage der »Neuen Stadt« durch Friedrich II. Schon 1247 behauptete die Stadt ihre Reichsunmittelbarkeit siegreich gegen Heinrich Raspe. Es folgte eine Hochblüte im 13. und 14. Jh., von der die Marienkirche Zeugnis ablegt. Zahlreiche Auseinandersetzungen mit den verschiedensten Gegnern haben die Stadt in den folgenden Jahrhunderten immer wieder schwer getroffen. Zuletzt richtete der 2. Weltkrieg schwere Schäden an. Heute ist die ehem. Reichsstadt am Rande der Schwäbischen Alb mit 91000 Einwohnern ein Zentrum der Textilindustrie.

Marienkirche (Weibermarkt): Ein Sieg über die Truppen des Heinrich Raspe, der sich als Gegenkönig gegen den Hohenstaufenkaiser Friedrich II. erhoben hatte, soll 1247 zum Anlaß für den Baubeginn geworden sein. Aus dieser Zeit ist der rechteckige Chor erhalten, der von zwei kleineren Türmen flankiert wird. Der Hauptturm wurde dagegen erst 1343 vollendet. Trotz der langen Bauzeit (weitere Teile wurden später hinzugefügt) zeichnet sich die Marienkirche durch eine überraschende Einheitlichkeit aus. Nur in den Details ist der Wandel, den die Gotik im 13. und 14. Jh. in Deutschland erlebte, nachzuvollziehen. Beachtenswert ist das komplizierte Strebesystem, das hier zum erstenmal in Schwaben ausgeführt wurde und mit dem das Langhaus abge-

Heiliges Grab, Marienkirche Reutlingen ▷

Reutlingen, Marienkirche 1 Wandmalerei in der südlichen Sakristei (Katharinenlegende), vor 1312 **2** Wandmalerei im Langhaus, 14. Jh. a) Katharina b) Christophorus c) Paulus **3** Taufstein, 1499 **4** Heiliges Grab, Anfang 16. Jh.

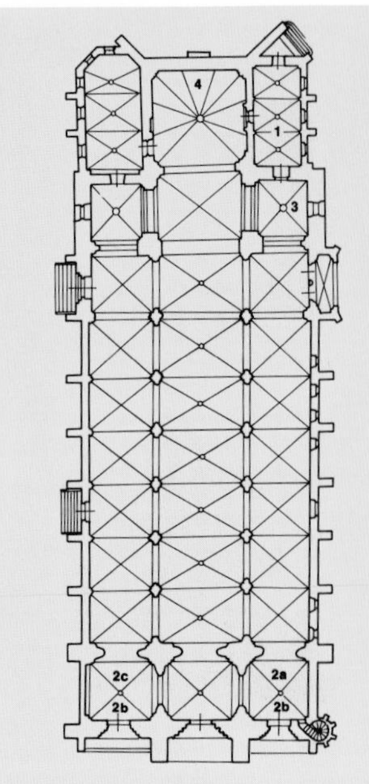

Hochaltar der Pfarrkirche in Rheinberg

stützt ist. – Höhepunkt der nur in Teilen erhaltenen Ausstattung ist das *Hl. Grab* (im Chor) aus dem Anfang des 16. Jh. Vermutlich in derselben Werkstatt wurde der achteckige *Taufstein* (1499) geschaffen, der ein ähnlich reich wucherndes Sprenkwerk besitzt. An einigen Stellen der Kirche finden sich Reste alter *Wandmalereien.*

Brunnen: Drei schöne Brunnen sind aus dem 16. Jh. erhalten: Der *Lindenbrunnen* (1544, Original im Museum), der *Kirchbrunnen* (1561, das Standbild zeigt Kaiser Friedrich II.) und der *Marktbrunnen* (1570, das Standbild zeigt Kaiser Maximilian II.).

Museen: *Heimatmuseum* (Oberamteistraße Nr. 22): In dem ehem. Königsbronner Klosterhof, einem Bau aus dem 16. Jh., ist seit 1939 das Heimatmuseum untergebracht. – *Kunstausstellungen im Spendhaus* (Lederstraße; mittelalterliches Fachwerkhaus, das einst als Fruchtkasten diente): Grundlage der wechselnden Ausstellungen sind 400 Gemälde und 1600 Handzeichnungen und Aquarelle, die aus der Kunstsammlung Ernst Ziegler stammen. – *Naturkundemuseum* (Spendhausstraße 8): Einheimische Tierwelt und Versteinerungen.

Außerdem sehenswert: Reste der *Stadtbefestigung* (u. a. Tübinger Tor an der Lederstraße, Gartentor an der Mauerstraße) aus dem 13. Jh. – *Spitalkirche* am Markt (1333 erbaut und 1555 erweitert).

Rheinberg 4134

Nordrhein-Westfalen S. 414□B 10

Kath. Pfarrkirche: Um 1400 begann der Neubau einer Kirche, in die Reste eines romanischen Vorgängerbaus einbezogen wurden. Hervorzuheben ist der *Hochaltar,* der einen Antwerpener Passionsaltar (16. Jh.) im oberen Teil und einen Doppelschrein, möglicherweise aus Brüssel (um 1440) sehr geschickt vereint. Der untere Doppelschrein zeigt Gottvater, Christus und die 12 Apostel. In der Kirche befinden sich mehrere *Tafelbilder,* Passionsszenen und Figuren eines Altars, der um 1440 von einem niederrheinisch-westfälischen Meister geschaffen wurde.

Außerdem sehenswert: Das Rathaus (1449), Pulverturm.

Rinteln 3260

Niedersachsen S. 414□F 8

Ev. Marktkirche St. Nikolai (Marktplatz): Mit dem Bau der Kirche wurde Mitte des 13. Jh. begonnen, jedoch erst im späten 14. Jh. war der Bau mit dem kräftigen Westturm abgeschlossen. Glanzstück der sehr guten *Ausstattung* ist der Altar, dessen reichgeschmückter Aufsatz Anfang des 17. Jh. aufgestellt

Hochaltar der Klosterkirche in Rohr ▷

wurde. Aus der Ausstattung sind ferner hervorzuheben: Bronzetaufbecken (1582), die Figuren auf der Kanzelbrüstung (1648, dargestellt sind Christus und die vier Evangelisten), gemalte Darstellungen aus dem Alten und aus dem Neuen Testament an der Brüstung der Westempore, Sandstein- und Holzepitaphe aus dem 16. und 17. Jh.

Ref. Kirche/Ehem. Jakobsklosterkirche: Die 1257 zuerst genannte Kirche wurde 1621, als Rinteln eine Universität in seinen Mauern hatte, Universitätskirche. Die schlichte, turmlose gotische Saalkirche erinnert an das nicht mehr bestehende Kloster und die aufgelöste Universität.

Rathaus (Marktplatz): Zwei Bauten sind zum Rathaus zusammengefaßt und bestimmen mit ihren reich geschmückten Giebeln und den vorspringenden Erkern diesen Teil des Marktplatzes. Der kleinere Bauteil (rechts) stammt aus dem späten 16. Jh., der größere ist im Stil der Weserrenaissance gehalten.

Altstadt: Die Altstadt wird vornehmlich durch die Fachwerkbauten am Marktplatz, an der Bäckerstraße und Brennerstraße charakterisiert. Wallanlage und Tore stammen aus dem 17. Jh., ältere Fachwerkbauten aus dem 16. Jh.

Schaumburgisches Heimatmuseum (Eulenburg): In einem alten Adelssitz, Steinbau aus dem 14. Jh., werden Beiträge zur Vor-, Stadt- und Kulturgeschichte Rintelns und der näheren Umgebung gezeigt.

Rohr, Niederbayern 8421

Bayern S. 422 □ L 18

Klosterkirche Mariae Himmelfahrt: Der Hochaltar, einzigartig in seiner Gestaltung, hat der Klosterkirche ihre Sonderstellung verschafft. Dargestellt ist die Himmelfahrt Mariens. Sie wird von Engeln getragen und bewegt sich auf eine Öffnung zu, wo sie vom Chor der Engel und den Figuren der Trinität erwartet wird. Zu ihren Füßen stellen die Apostel in Erstaunen, Anbetung und Verzückung fest, daß der geöffnete marmorne Sarkophag leer ist. Dieses bedeutende, in der Gestaltung der lebensgroßen Stuckfiguren einmalige Werk hat E. Q. Asam* um 1717 geschaffen. Es wirkt auf den Besucher der Kirche wie die Bühne eines Theaters, wobei das Langhaus zum Zuschauerraum wird. Die überreiche Ausstattung steht im Gegensatz zum schlichten Äußeren der Kirche, die zu den besten Arbeiten des E. Q. Asam gehört.

Rosenheim 8200

Bayern S. 422 □ M 20

Dort, wo die Römer einst im Zuge der Straße Augsburg–Salzburg den Inn überquerten und wo überdies die Straße kreuzte, die den Brenner mit Regensburg verband, entwickelte sich einige Jahrhunderte später die heutige Stadt Rosenheim. Ausgangspunkt war die 1234 gegründete Burg Rosenheim. Die Stadt wuchs mit Beginn des 14. Jh. um den noch heute erhaltenen Max-Joseph-Platz herum. Das hier gewonnene Salz vermittelte den Bürgern beträchtlichen Wohlstand.

Pfarrkirche St. Nikolaus: Vom ursprünglichen Bau aus dem 15. Jh. ist nur wenig erhalten. Eine neugotische Bearbeitung hat das Bild wesentlich beeinflußt. Dem einstigen Zustand entspricht der Turm, dessen Zwiebelkrönung 1656 hinzugekommen ist.

Heilig-Geist-Kirche (Heilig-Geist-Straße): Die wohlhabenden Bürger stifteten diese Kirche 1449. Das 17. Jh. brachte eine Barockisierung.

Max-Joseph-Platz: Typische Innstadt-Häuser umgeben den Platz, Laubengänge und Erker sind charakteristisch für den Baustil jener Zeit.

Altes Rathaus, Rot an der Rot ▷

Museen: *Heimatmuseum* (im Millertor, einem Stadttor aus dem 14. Jh. am Ludwigsplatz): Vor- und Frühgeschichte, Stadtgeschichte, Handwerk, Innschiffahrt. – *Städtische Kunstsammlung/Galerie* (Max-Braun-Platz 2): Schwerpunkte bilden die Werke des Münchner Kunstkreises (19. Jh.) sowie weiterer Münchner und Chiemgauer Künstler.

Außerdem sehenswert: Heilig-Blut-Kirche (Wendelsteinstraße): Barocke Wallfahrtskirche aus dem 17. Jh.

Rot an der Rot 7956

Baden-Württemberg S. 420 □ H 20

Ehem. Prämonstratenserklosterkirche St. Maria und St. Verena: Schon im 14. Jh. stand an dieser Stelle ein Vorgängerbau, der im 17. Jh. stark verändert und seit 1782 durch einen Neubau ersetzt wurde. Die Pläne kamen aus dem Kloster, das in den Jahren 1682–1702 seine bis heute erhaltenen Bauten errichtet hatte. In Anlehnung an schon bestehende Bauten, insbesondere Obermarchtal, planten die Mönche unter Abt Willibald Held den Neubau in eigener Regie. F. X. Feuchtmayer* übernahm die Stukkaturen, J. Zick* malte die Fresken. – Das Innere zeigt die ganze Pracht des ausgehenden Barock, läßt aber doch die Hinwendung zum Klassizismus bereits ahnen: Die Anordnung des reichen Schmucks und die Gliederung des Baukörpers ist strenger geworden. Neben den Stukkaturen und Fresken der schon genannten Künstler ist der *Hochaltar* wichtigster Teil der *Innenausstattung*. Er wird von mehreren Nebenaltären umrahmt, die zum Teil wie die Baldachinarchitektur des Hochaltars Arbeiten von F. X. Feuchtmayer und S. Feuchtmayer sind. Sehenswert sind außerdem das *Chorgestühl* von 1693, die *Orgel*, die bereits eindeutig vom Klassizismus geprägt ist, *Kanzel* und *Beichtstühle* im »Zopfstil«. – Im Norden schließt die *Sakristei* an die Kirche an. Sie ist 1690 unabhängig von den übrigen Bauten errichtet worden. – Die angrenzenden *Klostergebäude* (reiche Innenausstattung) sind von Zwiebeltürmen gekennzeichnet.

Klosterkirche, Rot an der Rot

Umgebung: → Ochsenhausen (11 km), → Memmingen (16 km).

Rothenburg ob der Tauber 8803

Bayern S. 422 □ H 16

Die ehem. Reichsstadt hat ihr mittelalterliches Stadtbild über Jahrhunderte hinweg bis zum heutigen Tage bewahrt. Ausgangspunkt war eine Grafenburg, die in ihren Anfängen bis in das 10. Jh. zurückreicht. 1172 erhielt die Stadt die sog. Reichsfreiheit. Eine Blütezeit erlebte Rothenburg im 14. Jh. unter Bürgermeister Heinrich Toppler. – Der Nachteil, abseits von den großen Verkehrswegen zu liegen, ist zum wichtigsten Vorteil der Stadt geworden: Geldmangel hinderte die Bürger daran, ihre Stadt ständig zu modernisieren, und erhielt auf diese Weise das alte Stadtbild in einer Vollständigkeit, wie sie sonst

Gerlachschmiede und Rödertor, Rothenburg ▷

nirgendwo in Deutschland anzutreffen ist.

Protest. Stadtpfarrkirche St. Jakob (Kirchgasse): Mit dem heutigen Bau wurde 1373 begonnen, geweiht wurde die Kirche aber erst 1464. Ihren hohen Rang bezieht die dreischiffige Basilika in erster Linie durch ihre erstklassige Ausstattung. Im Mittelpunkt steht der *Heilig-Blut-Altar* (in der Hl.-Blut-Kapelle), der in seinen entscheidenden Teilen von T. Riemenschneider* geschaffen wurde. Der Altar zeigt die Passion und das Abendmahl. Der *Hochaltar* ist ein berühmtes Werk der deutschen Spätgotik (1466). Die Plastik schuf der Nördlinger Meister H. Waidenlich, die gemalten Tafeln stammen vom Nördlinger Stadtmaler F. Herlin. Er hat mit der Darstellung des Rothenburger Marktes auf einer der Jakobus-Legenden (siehe Abbildungen) einen der frühesten Beiträge zur Darstellung von Städteansichten geliefert. Außerdem sehenswert: Glasscheiben der drei *Chorfenster* aus dem späten 14. Jh. und dem mittleren und späten 15. Jh., die *Steinmuttergottes,* um 1360 entstanden (in einer der vier Seitenkapellen, der sog. Häuptleinkapelle), das *Sakramentshäuschen* (um 1400) sowie die großen *Statuen* neben dem Gnadenstuhl.

Ehem. Franziskanerkirche (Herrngasse): Obwohl vom Baubeginn im Jahre 1285 bis zur Fertigstellung des Langhauses mindestens 50 Jahre vergangen sind, zeigt sich die Kirche als einheitlicher frühgotischer Bau. Die drei Schiffe des Langhauses werden durch wirkungsvolle Arkaden gekennzeichnet. Vom Chor ist das Langhaus durch einen bemerkenswerten spätgotischen Lettner getrennt. Aus der Ausstattung sind hervorzuheben: Erstklassige *Grabsteine* (aus dem 15. und beginnenden 16. Jh.) sowie *Steinplastiken* der Muttergottes (an der Nordseite, um 1400) und des hl. Liborius (1492, am Lettner) und der Altar, der dem hl. Franziskus gewidmet ist (um 1490, vor dem Lettner).

Rathaus (Marktplatz): Im 13. und im 16. Jh. ist der Doppelbau in zwei Etappen erbaut worden. Der ältere (kleinere) Teil geht in die Zeit der Gotik zurück, der jüngere (größere) ist ein Werk der Renaissance. Im Inneren führt eine Wendeltreppe zur Spitze des

Herlin-Altar, St. Jakob

Herlin-Altar

Rathausturms. Im älteren Bauteil befindet sich der *Große Saal* (auch Kaisersaal). Sehenswert sind schließlich die *Verliese* mit ihren schönen Gewölben. – Die ehem. *Ratstrinkstube* befindet sich neben dem Rathaus und wird wegen ihrer Kunstuhr bewundert. Dargestellt wird jener Meistertrunk, mit dem einst Bürgermeister Nusch die Stadt vor der Besetzung durch Tilly bewahrt haben soll.

Baumeisterhaus (Obere Schmiedgasse): Stadtbaumeister L. Weidmann hat dieses Haus 1596 für den Ratsherrn Michael Wirsching errichtet. Sein Wert liegt in der schön gestalteten Sandsteinfassade. Der Schmuck ist jedoch der strengen Gliederung untergeordnet.

Georgsbrunnen (Markt): Der Brunnen (1608) ist nicht nur schmückendes Element des Marktes, sondern charakteristisch für diese Stelle der alten Stadt.

Topplerschlößchen: Das kleine Schloß wurde 1388 für Bürgermeister Heinrich Toppler erbaut und sollte ihm die Möglichkeit bieten, das Geschehen in den an der Tauber gelegenen Mühlen besser zu überwachen.

Altes Gymnasium (Heugasse): Auch dieser Renaissancebau ist das Werk des Stadtbaumeisters L. Weidmann, der das dreigeschossige Gymnasium in den Jahren 1589–91 errichtet hat. Ein Treppenturm ist vor die Front gesetzt und bringt in das horizontal gegliederte Gebäude die Senkrechte ein.

Spital: Auch der dreigeschossige Spitalbau geht auf Stadtbaumeister L. Weidmann zurück (1574–78). Bemerkenswert sind im Inneren eine Wendeltreppe und zwei steinerne Renaissance-Portale. In die rings ummauerte Anlage ist das berühmte *Hegereiterhaus* einbezogen, eine der baulichen Kostbarkeiten Rothenburgs. Es wurde 1591 für den Spital-Bereiter gebaut.

Stadtbefestigung: Inneres Rödertor und Weißer Torturm gehören zur ersten Stadtbefestigung (12. Jh.). Die neue Stadtmauer (15. Jh.) ist am Topplerweg am besten erhalten (Spitaltor).

Bedeutende Straßen: Wer das alte Rothenburg nicht nur an einzelnen Punkten ausmachen möchte, sollte sich die folgenden Straßenzüge, die eine selten

Herlin-Altar

Herlin-Altar

Die Stadtpfarrkirche St. Jakob besitzt eine wertvolle Ausstattung

anzutreffende mittelalterliche Geschlossenheit aufweisen, vornehmen: Markt, Herrnstraße, Schmiedgasse (mit dem Plönlein), Rödergasse.

Tauberbrücke: Die Brücke wurde 1945 gesprengt, ist jedoch – ausgehend von einem Betonkern mit entsprechender Vermantelung – neu erstanden und gleicht dem Original. Sie war einst eines der bedeutendsten und bewundertsten Monumente mittelalterlicher Brückenbaukunst.

Museen: *Reichsstadtmuseum* (Bei der Klosterweth): Im 700 Jahre alten Dominikanerkloster werden Sammlungen zur Vor- und Frühgeschichte, antikes Mobiliar und Handwerksgeräte gezeigt. Glanzpunkte sind die 12 Bilder der Rothenburger Passion, die alte Klosterküche (die in den Museumsbereich einbezogen wurde) und der schon erwähnte Meistertrunkpokal (siehe Rathaus). – *Rothenburg-Galerie* (Klosterhof): Aus mehreren privaten Sammlungen ist diese sehenswerte Galerie hervorgegangen. Schwerpunkt ist die Malerei des 19. und 20. Jh. – *Folterkammer* (Klostergasse 1–3): Doku-

Der Heilig-Blut-Altar in der St.-Jakobs-Kirche in Rothenburg geht im wesentlichen auf den Würzburger Tilman Riemenschneider zurück

mente zur mittelalterlichen Rechtspflege und Foltergeräte.

Rott am Inn 8093

Bayern S. 422 □ M 20

Ehem. Benediktinerklosterkirche St. Marinus und Anianus: Ursprünglich hatte Abt Benedikt Lutz die alten Mauern des Vorgängerbaus aus dem 12. Jh. erhalten wollen, beauftragte dann jedoch mit J. M. Fischer* einen der berühmtesten Baumeister der Zeit mit dem vollständigen Neubau. Übernommen wurden nur die Türme und einige weitere, nicht erwähnenswerte Teile. Die Grundsteinlegung erfolgte 1759, abschließende Arbeiten dauerten bis 1767. Neben Fischer waren mit F. X. Feuchtmayer* und J. Rauch sowie dem Augsburger Maler M. Günther* und dem Münchner Bildhauer I. Günther* die besten Künstler an der Ausschmükkung der Kirche beteiligt. – Die Kirche, äußerlich in ein schlichtes Gewand gehüllt, ist eine der reifsten Leistungen des Spätbarock und wegen ihrer großartigen Ausstattung berühmt. Zentrum ist der mächtige Kuppelbau, der durch zwei seitliche und vier Diagonalkapellen ergänzt wird. Das gewaltige Fresko in der Hauptkuppel und die übrigen Fresken sind das Werk des großen M. Günther. Das *Kuppelfresko* zeigt die Verherrlichung der Heiligen des Benediktinerordens. I. Günther hat den *Hochaltar* und die meisten der zahlreichen *Nebenaltäre* entworfen und auch die überlebensgroßen Figuren geschaffen (dargestellt sind die Trinität sowie Heinrich und Kunigunde, Korbinian und Benno). Die Seitenaltäre gehen z. T. auf J. Götsch, einen Schüler des Meisters, zurück. Das Gemälde des rechten Seitenaltars stammt von J. Hartmann (der auch das Altarblatt für den Hochaltar geschaffen hat). – In der *Vorhalle* ist die Tumba für den Kirchenstifter und dessen Sohn aufgestellt.

Umgebung: → Wasserburg (15 km), → Rosenheim (15 km).

Rottach-Egern 8183

Bayern S. 422 □ L 21

Rottach-Egern, heute Luftkurort, ist mit dem Namen Ludwig Thoma

Rathaus Rothenburg

(1867–1921) verbunden. Hier ließ er sich 1908 ein Landhaus bauen, in dem er später die meisten seiner Werke geschrieben hat. An ihn erinnert das Grab auf dem Alten Friedhof, wo auch Ludwig Ganghofer (1855–1920) und der Opernsänger Leo Slezak (1873–1946) begraben liegen. Auf dem Neuen Friedhof wurde Heinrich Spoerl beigesetzt, der seit 1941 am Tegernsee lebte und hier am 25. 8. 1955 gestorben ist. Ebenfalls auf dem Neuen Friedhof befindet sich das Grab von Olaf Gulbransson, dem norwegischen Maler und Zeichner, der zu den bedeutendsten Mitarbeitern der satirischen Zeitschrift »Simplizissimus« gehört hat.

Pfarrkirche St. Laurentius: Die Kirche aus dem 15. Jh. erhielt 1672 eine Stuckausstattung. Aus dieser Zeit stammen auch die Altäre einheimischer Meister. Originell sind die Halbsäulen, von denen die Wandpfeiler und Dienste umkleidet werden. Diese Halbsäulen beginnen jedoch nicht etwa auf dem Boden, sondern erst in halber Höhe. An der Nordwand verdienen vier Votivtafeln besondere Beachtung (sie sollen die Erinnerung an die sog. Sendlinger Mordweihnacht, 1705, sowie an die Kriege von 1812, 1866 und 1870/71 wachhalten).

Ludwig-Thoma-Bühne (Fürstenstraße 36): Das Theater wurde 1958 erbaut und bietet 182 Besuchern Platz.

Außerdem sehenswert: Die Auferstehungskirche in Rottach.

Rottenbuch 8121

Bayern S. 422 □ I 21

Ehem. Augustiner-Chorherrenstiftskirche Mariae Geburt: Auf romanischen Fundamenten (11./12. Jh.) ist die gotische Basilika (1345 geweiht) entstanden, deren Inneres heute ganz vom Barock geprägt ist. Diese Mischung verschiedener Epochen ist durch die großartigen Dekorateure J. Schmuzer* und F. X. Schmuzer* sowie M. Günther* (Maler) meisterhaft gelöst worden. Hervorzuheben ist die Verbindung von gotischen Arkadenleibungen mit dem barocken Stuck. Der größte Teil der *Günther-Fresken* ist dem Leben und Werk des Ordenspatrons Augustin gewidmet. Der *Hochaltar,* ein Werk von F. X. Schmädl (1740–47), zeigt in plastischer Darstellung die Mariengeburt. Seitlich sind die Figuren der Eltern Joachim und Anna, über den Durchgängen die von St. Peter und Paul zu erkennen. Weitere wesentliche Teile der von Schmädl geschaffenen Innenausstattung sind die Aufbauten des *Chorgestühls* (mit den Figuren Davids und Aarons), die *Kanzel* mit den Evangelistengestalten sowie *vier Seitenaltäre* mit reichem Figurenschmuck. Einer der Seitenaltäre zeigt eine Sitzmadonna (1483), die als eine der besten Arbeiten von E. Grasser* gelten darf.

Umgebung: → Steingaden (12 km), → Schongau (14 km), → Wies (15 km).

Rottenburg/Neckar 7407

Baden-Württemberg S. 420 □ F 18

Dom St. Martin: Die Kathedralkirche (seit 1821) zeichnet sich durch den Turm von 1486 aus. Die Pläne dafür hat H. v. Bebenhausen geliefert, geschaffen hat ihn der einheimische H. Schwarzacher. Der reiche Schmuck des Helms ist in diesem Umfang sonst höchst selten zu finden. Die Innenausstattung der Kirche wurde 1956 im Zuge einer Restaurierung erneuert.

Ehem. Stiftskirche St. Moritz (im Stadtteil Ehingen): Der Bau stammt im Kern aus dem Jahr 1489, hat jedoch damals Teile eines Vorgängerbaus übernommen und wurde später in eine Halle umgestaltet (1706). Trotz dieser wechselvollen Baugeschichte ist die gotische Raumgruppierung geblieben. An den Rundpfeilern sind *Freskomalereien* aus dem 14. und 15. Jh. zu sehen. Das *Wandgemälde* im Chor ist aus dem 15. Jh. übernommen. Hervorzuheben

Marktplatz in Rottenburg

sind die zahlreichen *Grabdenkmäler,* die zum größten Teil aus dem 14. Jh. stammen. Im nördlichen Seitenschiff wurde die *Bildsäule des Marktbrunnens* aufgestellt. Erzherzogin Mechthild hatte den Brunnen 1470 gestiftet und verschiedene Fürsten figürlich darstellen lassen. Auf dem Marktplatz befindet sich heute eine Kopie der Säule.

Wallfahrtskirche St. Maria (im Weggental): Der Neubau von 1682 bewahrt die berühmte Gruppe des Johannes und der trauernden Frauen, die zu den besten Plastiken des 15. Jh. gehören (in der südlichen Seitenkapelle). Ein Vesperbild aus dieser Zeit ist in den Hochaltar einbezogen worden (1730).

Museen: *Sülchgau-Museum* (Bahnhofstraße): In der (rekonstruierten) Zehntscheuer der vorderösterreichischen Grafschaft Hohenberg (17. Jh.) werden stadtgeschichtliche und volkskundliche Sammlungen gezeigt. Darunter Adelsgräber aus Dettingen sowie handwerkliche Geräte. – *Diözesan-Museum:* Kirchliche Kunst, spätgotische Tafelbilder, Holzplastiken und Reliquiengläser.

Rottweil 7210

Baden-Württemberg S. 420 □ E 19

Die Lage am Neckar veranlaßte schon die Römer, dem Gebiet um das heutige Rottweil besondere Bedeutung beizumessen (Ausgrabungen aus dieser Zeit). Die Lage der 1140 durch den Zähringerherzog Konrad gegründeten Stadt am Hochufer des Neckars führte zu einer dicht gedrängten Bauweise. 1268 wurde Rottweil Freie Reichsstadt. Zu Beginn des 16. Jh. lehnte sich die Stadt eng an die Schweizer Eidgenossenschaft an, mit der ein »ewiger Bund« geschlossen wurde. Das Stadtbild ist seit dem 17. Jh., als Rottweil von den Franzosen erobert wurde, kaum verändert worden.

Münster Hl. Kreuz (Kirchplatz): Unter teilweiser Verwendung älterer Bauten ist das heutige Münster ein Werk des 15./16. Jh. Spätromanische Formen gehen in gotische über. Die Ausstattung sieht an vorderster Stelle eine Reihe hervorragender spätgotischer Kunstwerke, die jedoch größtenteils erst später im Münster aufgestellt worden sind. An erster Stelle ist der *Kruzifixus* zu nennen, der Ende des 15. Jh. entstanden ist und V. Stoß* zugeschrieben wird. Ferner sind zu erwähnen: Das *Sakramentshäuschen* (15. Jh.), der spätgotische *Petrusaltar* (im nördlichen Seitenschiff), der *Nikolausaltar* (im südlichen Seitenschiff), der *Apostelaltar* (an der Chorwand) und der *Marienaltar* (dem Apostelaltar gegenüber), beide 2. Hälfte des 15. Jh. Von dem Flügelaltar eines Rottweiler Meisters (um 1440) ist das *Andachtsbild* erhalten, das heute über der Turmpforte des südlichen Seitenschiffs zu sehen ist. Mit Schnitzereien reich geschmückt ist die *Kanzel* aus dem 16. Jh. Der Taufstein war 1563 vollendet.

Kapellenkirche U. L. Frau (Kapellenhof): Im Osten des Marktplatzes erhebt sich der *Kapellenturm,* dessen reiche Steinplastik zum Besten dieser Zeit in Deutschland gehört. Seine unteren Geschosse stammen aus dem 14. Jh., die drei oberen Geschosse von A. Jörg* (1473). Der eigentliche Kirchenbau wurde ebenfalls im 14. Jh. errichtet, später jedoch mehrfach und einschneidend verändert. – Der reiche Figurenschmuck breitet sich über alle drei Portale aus (Rottweiler Schule).

Dominikanerkirche (Bruderschaftsgasse): Die Kirche wurde 1753 zu ihrer heutigen Form umgebaut (Vorgängerbau aus frühgotischer Zeit). Hervorzuheben sind die Fresken von J. Wannenmacher (1755) und die Rokoko-Altareinrichtung.

Römer-Niederlassung Arae Flaviae (an der Bundesstraße 14/27): Aus der Zeit um 74 n. Chr. stammen die Bauten, die bei Ausgrabungen seit 1784 zu Tage gefördert wurden. Ausgegraben wurden u. a. die größte *Römer-Therme* in Baden-Württemberg, ein berühmtes *Orpheusmosaik* (etwa 180 n. Chr., heute Museum).

Wohnbauten: In den Straßen der Altstadt sind viele schöne Häuser aus dem 16.–18. Jh. erhalten. Typisch sind die feinen, meist geschnitzten Säulen als Unterteilung der Fensternischen.

Stadtmuseum Rottweil (Hauptstraße 20): In einem ehem. Patrizierhaus verdient die römische Abteilung des Stadtmuseums vorrangige Beachtung. Hier ist das *Orpheusmosaik* aus der Römerzeit zu sehen. Eine andere Abteilung erinnert an die Zeit, in der Rottweil Reichsstadt gewesen ist (siehe Einleitung). Die *Fastnachtssammlung* ist der berühmten Rottweiler Fasnet gewidmet.

Außerdem sehenswert: Marktplatz mit Brunnen, Reste der Stadtbefestigung mit dem schwarzen Torturm.

Rüdesheim am Rhein 6220

Hessen S. 416 □ D 14

Der berühmte Weinort war schon in römischer Zeit besiedelt. Später gewann Rüdesheim durch den »Kaufmannsweg« an Bedeutung, der als Umgehung des »Binger Lochs«, einer für die Schiffahrt gefährlichen Rheinenge, entstanden ist. Heute ist Rüdesheim einer der meistbesuchten Weinorte am Rhein. Zentrum des Tourismus ist die Drosselgasse mit Bürgerhäusern vornehmlich aus dem 17. und 18. Jh.

Pfarrkirche St. Jakob (Kirchplatz): Nur die frühromanische Kapelle (im Untergeschoß des Turms an der Nordseite) erinnert an einen Vorgängerbau aus dem 11. Jh. Die heutige Kirche stammt aus der Zeit um 1400 (Erweiterungen

Ruhpoldinger Madonna, St. Georg ▷

1912–14). Der 2. Weltkrieg hat großen Schaden angerichtet und durch einen Brand die wertvolle Innenausstattung fast vollständig vernichtet. Hervorzuheben: Ein Marienaltar aus Sandstein (um 1600), mehrere Grabdenkmäler.

Stadtbefestigung mit Adlerturm: Der Adlerturm in der Südostecke der Altstadt (heute Gebäude der Nassauischen Sparkasse) diente einst als Eckturm für die alte Stadtbefestigung (15. Jh.). Goethe hat hier mehrmals übernachtet.

Mäuseturm: Mitten im Rhein steht der steinerne Turm, den Philipp von Bolanden 1208 errichten ließ. Vorausgegangen war ein erster Turm aus Holz, den der römische Feldherr Drusus in Auftrag gegeben hatte (8 v. Chr.).

Niederwald-Denkmal (zu erreichen mit einer Kabinenseilbahn): Das Nationaldenkmal wurde 1883 eingeweiht und ist der Erinnerung an die Gründung des Wilhelminischen Kaiserreiches nach den Kriegsjahren 1870/71 gewidmet. Die Germania-Figur von J. Schilling ist 10,50 m hoch und wiegt 640 Zentner. Das Schwert, das sie trägt, ist 7,05 m lang.

Burgruine Ehrenfels: Die imposante Ruine ist als Rest eines mächtigen Burgbaus aus dem 13. Jh. erhalten geblieben. Die Burg wurde 1689 zerstört.

Rheingau- und Weinmuseum (Rheinstraße 2): In der Brömserburg oder Niederburg (lange Zeit im Besitz der Brömser), die bis ins 12. Jh. zurückgeht, nach tiefgreifendem Verfall jedoch erst im 19. Jh. ausgebaut wurde, befindet sich heute das größte Spezialmuseum dieser Art mit Sammlungen zur Landesgeschichte des Rheingaus sowie zur Vor- und Frühgeschichte.

Außerdem sehenswert: Die Türme der ehem. Ober- und Vorderburg, die ehemals ebenfalls im Besitz der Brömser von Rüdesheim waren.

Ruhpolding 8222

Bayern S. 422 □ N 20

Pfarrkirche St. Georg: Die Pfarrkirche gehört zu den schönsten Dorfkirchen in Oberbayern. Über ihre örtliche Bedeutung hinaus gewinnt sie ihren Rang durch die »Ruhpoldinger Madonna«, ein romanisches Holzbildwerk, das im rechten Seitenaltar gezeigt wird (um 1230). Neben dieser Madonna sind mehrere sehenswerte Altäre, das schöne Chorgestühl und eine reich geschmückte Kanzel hervorzuheben (alles aus der Erbauungszeit, 1738–57).

Bartholomäus-Schmucker-Heimatmuseum (Schloßstraße): In dem ehem. Jagdschloß, einem Renaissancebau aus dem Jahr 1587, werden stadt- und kulturgeschichtliche Sammlungen, dazu sakrale Kleinkunstwerke gezeigt.

Rüschhaus über Havixbeck 4401

Nordrhein-Westfalen S. 414 □ C 9

Östlich von → Havixbeck liegt das Haus Rüschhaus, ein münsterländischer Bauernhof, der – wie auch die Bauten im nahen Havixbeck – von J. K. Schlaun* errichtet wurde (1745–48). Hier lebte von 1826 bis 1846 die Dichterin Annette von Droste-Hülshoff (1797–1848) nach dem Tode des Vaters gemeinsam mit ihrer Mutter und Schwester Jenny. Heute befindet sich in dem roten Backsteinhaus ein *Museum* mit Sammlungen zum Leben und Werk der Droste-Hülshoff.

Saalburg → Bad Homburg

Saarbrücken 6600

Saarland S. 420 □ B 16

Die Grenzlage zwischen Frankreich und Deutschland sowie Eisen- und Kohlevorkommen haben die Entwicklung der Stadt Saarbrücken zum wirtschaftlichen Zentrum des Saarlandes bestimmt. Im Schutz der 999 erstmals erwähnten Burg Saarbrücken begann die Entwicklung zur Residenz und Verwaltungsstadt. Eine erste Blütezeit erlebte Saarbrücken zu Beginn des 17. Jh. unter Graf Ludwig, auf den wesentliche Teile der Stadtanlage und das Renaissanceschloß zurückgehen. Eine Etappe der Erweiterung erfuhr die Stadt unter Fürst Wilhelm Heinrich (1741–68), als der Bestand an bemerkenswerten Bauwerken um beachtliche Barock-Beiträge erweitert wurde. Die historisch zu erklärende Aufteilung in die drei Stadtteile Saarbrücken, St. Johann und St. Arnual ist aus dem heutigen Stadtplan noch gut abzulesen. – Neben seinem wirtschaftlichen Rang als Mittelpunkt einer hochentwickelten Industrielandschaft besitzt Saarbrükken auch Bedeutung als geistiges Zentrum des Saargebiets. Die Universität, die Pädagogische Hochschule, die Musikhochschule, das Saarländische Staats- und das Landestheater sowie der Saarländische Rundfunk und mehrere wissenschaftliche und künstlerische Gesellschaften geben wichtige Impulse. Seit 1959 wird hier der Kunstpreis des Saarlands verliehen.

Ev. Schloßkirche und Stadtpfarrkirche (Schloßplatz): Die Kirche aus dem 15. Jh. ist Grabkirche der Fürsten von Nassau-Saarbrücken. Schäden, die auf den Stadtbrand von 1677 und auf Bombenangriffe im 2. Weltkrieg zurückgingen, sind jeweils kurze Zeit später weitgehend beseitigt worden. Die alte Innenausstattung ging jedoch fast vollständig verloren (neue Fensterverglasung von G. Meistermann*). Sehenswert sind die erhaltenen oder wiederhergestellten Grabdenkmäler.

Deutschherrenkapelle (Moltkestraße): Dieser älteste Bau Saarbrückens geht auf das erste Drittel des 13. Jh. zurück, wurde jedoch mehrfach in Teilen zerstört und durchgreifend verändert (Turm an der Südseite aus dem Jahr 1868). Reste der mittelalterlichen Anlage sind im Keller des Wirtschaftsgebäudes erhalten. Das einstige Deutschherrenhaus, das modern erweitert wurde, ist heute *Waisenhaus.*

Ev. Ludwigskirche (Ludwigsplatz): Die Kirche, zwischen 1762–75 erbaut, entstand nach Plänen des Stadtbaumeisters F. J. Stengel*. Sie gilt als bedeutendster Kirchenbau des Saarlandes. Der Grundriß geht von einem griechischen Kreuz aus, die Ecken wurden abgerundet. Der dominierende Turm steht im Westen, Schau- und Eingangsseite ist jedoch die östliche Front. Nachdem die Kirche 1944 als Folge eines Bombenangriffs auf Saarbrücken ausbrannte, gab es lange Diskussionen, ob die Wiederherstellung in Anlehnung an ihre ursprüngliche Form oder modern ausgeführt werden solle. Vor einigen Jahren wurde das Innere nach alten Plänen restauriert und im ursprünglichen Zustand wiederhergestellt.

Kath. Pfarrkirche (Stadtteil St. Johann): F. J. Stengel* hat auch die Pläne für diese Kirche geliefert, die in den Jahren 1754–58 an die Stelle einer älteren Anlage getreten ist. Entgegen der Gepflogenheit hat Stengel Stirnseiten und Langseiten gleiche Aufmerksamkeit gewidmet und mit Aufwand ausgeführt. An dem plastischen Schmuck waren P. Mihm (Portal) und J. Gounin (Kapitelle und Fenster) beteiligt.

Stiftskirche (Markt St. Arnual): Im 13./14. Jh. ist diese bedeutende frühgotische Kirche entstanden. Im Inneren ergeben die Rippen und Gurte des kräftigen Kreuzrippengewölbes ein charakteristisches Bild. Berühmt ist die Kirche wegen ihrer zahlreichen Grabmäler für Angehörige des Hauses Nassau-Saarbrücken. Allen voran sind das Grabmal für den Grafen Johann III. (gest. 1472) und das für Elisabeth von Lothringen (gest. 1456) zu nennen.

Weitere sehenswerte Kirchen: *Altkath. Friedenskirche* im Stadtteil Saarbrücken (1743–46 erbaut), *Ev. Pfarrkirche* im Stadtteil St. Johann (1725–27 erbaut), *Kath. Pfarrkirche St. Albert* (Rodenhof): Moderne Kirche aus den Jahren 1952–1954, die als Zentralkirche richtungsweisend wurde.

Schloß (Schloßplatz): Der heutige Bau entstand 1738–48 nach den Plänen des Stadtbaumeisters J. F. Stengel. Vorausgegangen waren eine mittelalterliche Burg und ein Renaissanceschloß (1617), das nach der Zerstörung des Jahres 1677 neu errichtet, jedoch später zugunsten des heutigen Baus abgerissen wurde. Auch dieses Rokokoschloß, eine der großen Fürstenwoh-

Schloß, Saarbrücken

nungen der Zeit, blieb von Zerstörungen und Veränderungen nicht verschont. 1793 wurde es geplündert und niedergebrannt, unter Beachtung der Stengelschen Pläne allerdings anschließend wieder aufgebaut.

Altes Rathaus (Schloßplatz): Das Rathaus ist ein weiteres Werk F. J. Stengels (1758–60). Die Folgen des Brandes im 2. Weltkrieg wurden beseitigt.

Alte Brücke (Schillerplatz / Schloßplatz): Die Alte Brücke, die heute Schloß und Staatstheater verbindet, wurde in den Jahren 1546–48 von H. Sparer erbaut, im 18. Jh. jedoch umgestaltet. Die neue Form geht auf Pläne von B. W. Stengel, einen Sohn des Stadtbaumeisters, zurück.

Großer Brunnen (Stadtteil St. Johann, St.-Johanner-Markt): F. J. Stengel hat diesen Barockbrunnen entworfen, P. Mihm schuf den plastischen Schmuck und S. Bockelmann das Eisengitter (1759/60).

Römerkastell (Mainzer Straße): Das Kastell ist im 3. Jh. n. Chr. entstanden. Die eindrucksvollen Reste, die heute zu sehen sind, wurden bei Ausgrabungen zu Tage gefördert.

Museen: *Saarland-Museum* (St.-Johanner-Markt): Das Museum befindet sich in einem Gebäude des späten 18. Jh. In einem Innenhof wird in einer Freilichtausstellung Plastik saarländischer Künstler gezeigt. Schwerpunkte des Museums sind neben einer Sammlung moderner Malerei Kunst und Kunsthandwerk des 18. Jh. – *Landesmuseum für Vor- und Frühgeschichte* (Am Ludwigsplatz). – *Moderne Galerie* (Bismarckstraße). – Kunst der Gegenwart.

Theater: *Staatstheater* (Schillerplatz 1): Das 1937/38 erbaute Theater bietet 1136 Besuchern Platz. Musiktheater und Schauspiel sind hier mit eigenen Ensembles vertreten. – *Saarländisches Landestheater* (Scharnhorststraße 10): Das 1949 eröffnete Theater ist für Schauspiel-Aufführungen (mit eigenem Ensemble) reserviert.

Umgebung: → Nennig (160 m² großes Mosaik aus der Römerzeit, ca. 40 km), Otzenhausen (keltische Fliehburg, um 50 v. Chr., ca. 50 km).

Grabmal für Graf Johann III., Stiftskirche

Säckingen 7880

Baden-Württemberg S. 420 □ D 21

Der »Trompeter von Säckingen«, ein Versepos von Victor von Scheffel (1854), hat der Stadt literarischen Ruhm gebracht. Scheffel, der in den Jahren 1849–51 als Rechtspraktikant in Säckingen gelebt hat, schildert in seinem Epos die Liebe des Bürgersohnes Franz Werner Kirchhofer zu der adligen Maria Ursula von Schönauw. An die Geschichte, die sich im 17. Jh. in Säckingen zugetragen hat, erinnert ein Grabstein am Fridolinmünster.

Ehem. Nonnenstiftskirche St. Fridolin (Steinbrückstraße): Ursprung der Entwicklung ist die Missionszelle, die der Alemannenapostel Fridolin im Jahre 522 auf der ehem. Rheininsel gegründet hat. Der heutige Bau ist trotz barocker Zutaten eine gotische Anlage und entstand im 14. Jh. (Langhaus erst im 15., Türme im 16. Jh. fertiggestellt). Mehrere Brände zwangen zu erheblichen Erneuerungen, die auch mit Veränderungen verbunden waren. Berühmt ist das Münster wegen seiner reichen Rokoko-Ausstattung, die im Anschluß an den Brand des Jahres 1751 von J. M. Feuchtmayer* (Stuck) und F. J. Spiegler (Fresken) geschaffen wurde. Den Hochaltar hat J. P. Pfeiffer gestaltet (1721). Hervorzuheben sind einige sehr schöne Grabdenkmäler (17. und 18. Jh., an der Außenwand des Chors), ferner das Chorgestühl (1682) und ein reicher Kirchenschatz (u. a. mit dem Reliquienschrein des hl. Fridolin, Augsburger Silberarbeit von 1764). – Der Kirchplatz ist von Resten der alten Stiftsgebäude umstanden.

Schloß Schönau/»Trompeterschlößle« (Schönaugasse): In diesem Schloß, das um 1500 entstanden ist (als Folgebau einer ursprünglich romanischen Anlage) und im 18. Jh. umgestaltet wurde, spielte jene Romanze, die Victor von Scheffel als Vorlage für sein Epos »Der Trompeter von Säckingen« gedient hat. Im Schloß befindet sich heute das *Heimatmuseum.*

Rathaus (neben dem Münster): Der Bau stammt aus dem Anfang des 19. Jh. Es schließen mehrere Wohnbauten an, die zumeist nach dem Stadtbrand und der anschließenden Plünderung von 1678 entstanden sind. Das bedeutendste der erhaltenen Wohnhäuser ist das Haus in der Rheinbrückenstraße 15 mit Fassadenstukkatur des 18. Jh.

Rheinbrücke: Die ganz überdachte Brücke ist 200 m lang und die älteste erhaltene Holzbrücke der Welt.

Hochrheinmuseum (Schloßplatz): Das Museum befindet sich im »Trompeterschlößle«. Schwerpunkte sind Ur-, Vor- und Frühgeschichte, außerdem lokale und regionale kulturgeschichtliche Sammlungen sowie Erinnerungsstücke an V. v. Scheffel.

Salem 7777

Baden-Württemberg S. 420 □ F 20

Ehem. Zisterzienserabteikirche/Kath. Pfarrkiche (Bundesstraße 31): Von dem romanischen Gründungsbau hat sich nichts erhalten. An seine Stelle trat die jetzige Kirche, mit deren Bau 1297 begonnen wurde und die 1414 ihre Schlußweihe erhalten hat. Die lange Bauzeit hat die Einheitlichkeit des gotischen Gesamtbildes nicht beeinträchtigt. Die dreischiffige Gewölbebasilika entspricht in ihren Grundzügen genau den Vorschriften der Zisterzienser, sie wird jedoch durch die reichen Maßwerkfenster im Westen aufgelockert. – Im Inneren ist von der alten Ausstattung nur wenig erhalten (*Sakramentshaus* aus dem Jahre 1494 im nördlichen Querschiff, *Chorgestühl* aus den Jahren 1588–95). Die heutige Ausstattung ist mit dem *Hochaltar,* mit 26 Nebenaltären und wertvoller Einzelplastik das Werk von J. G. Dirr und J. G. Wieland (1771–1794). Alle Teile bestehen aus grauem und rötlichem Alabaster und zeigen bereits die Merkmale der frühklassizistischen Formenstrenge. Die

St. Fridolin, Säckingen ▷

Deckenbilder unter den Querschiffemporen stammen von F. J. Spiegler (1730). Die vier *Beichtstühle* hat J. A. Feuchtmayer* 1753 gestaltet. Die *Orgel* hat K. J. Riepp aus Ottobeuren geliefert (1766). – Im Süden lehnen sich an die Kirche die *Klostergebäude* an, die F. Beer* nach einem Brand 1697 neu errichtet hat. An der Ausgestaltung sind die besten Künstler der Zeit beteiligt gewesen (u. a. F. Schmuzer*, F. J. Feuchtmayer). Sehenswert ist vor allem der Kaisersaal.

Außerdem sehenswert: Kapelle auf dem Laienfriedhof im benachbarten *Stephansfeld:* Zentralbau nach Plänen von F. Beer (1707–10) auf dem Grundriß eines griechischen Kreuzes.

Salzgitter 3320

Niedersachsen S. 414 □ H 8

Ehem. Benediktinerklosterkirche St. Abdon und Sennen (Ortsteil Ringelheim): Der Grundriß der Kirche, die heute als kath. Pfarrkirche dient, geht vermutlich auf einen Bau aus ottonischer Zeit (um 1000) zurück, der Bau erhielt jedoch erst durch Erweiterungen 1504 (Chor), 1694 (Chor und Mittelschiff), 1695 (Turm) und 1794 (allgemeine Erweiterung) sein heutiges Gesicht. Durch seine exponierte Lage am Hang über der Innerste kommt dem Portal auf der Schauseite besondere Bedeutung zu. Die *Innenausstattung* wurde seit 1794 einheitlich im Zopfstil vorgenommen. Herausragend ist der Hochaltar, um den sich Seitenaltäre, Kanzel und Kommunionsbank gruppieren, alle um 1700 entstanden. Wertvollstes Teil der Ausstattung ist ein erstklassiger Kruzifixus, der wohl aus der Werkstatt Bernwards von Hildesheim stammt (um 1000).

Ehem. ev. Damenstiftskirche St. Maria und Jakob (Ortsteil Steterburg): An der Stelle älterer Bauten, die sich bis ins Jahr 1070 zurückverfolgen lassen, ist die heutige Kirche 1751–53 errichtet worden. Ihre Schaufronten, die südliche und nördliche Langseite, lassen eher auf ein Schloß als auf eine Kirche schließen.

Schloß (Ortsteil Salder): In dem Bau aus dem Jahre 1609 (1695 ergänzt und verändert) befindet sich heute das Museum der Stadt. Im Inneren waren die Wände mit großen Reiterbildnissen bedeckt, die vermutlich von T. Querfurt gemalt wurden.

St. Andreasberg 3424

Niedersachsen S. 414 □ I 10

Historisches Silbererzbergwerk Samson (Am Samson): Der Harz, der wegen seiner reichen Silbervorkommen einst zur »Schatzkammer der Kaiser« aufstieg (siehe auch → Goslar), hat in der Grube Samson eines der alten Erzbergwerke erhalten. Es ist von 1521–1910 in Betrieb gewesen und wird seither als technisches Museum geführt. Die 1847 eingerichtete und durch Wasserkraft betriebene Fahrkunst ist bis heute betriebsfähig und damit die älteste der Welt.

St. Blasien 7822

Baden-Württemberg S. 420 □ D 20

Ehem. Abteikirche St. Blasius: Vom alten Benediktinerkloster, das bis ins 9. Jh. zurückreicht, ist nichts mehr erhalten. Der Neubau entstand nach einer Feuersbrunst 1768. Nach der Säkularisation wanderten die Mönche nach Österreich aus, in die Klostergebäude zog eine Gewehrfabrik, später eine Spinnerei ein. Nach erneuter Brandkatastrophe 1874, der auch die Kirche zum Opfer fiel, begann der stilgerechte Wiederaufbau. Seit 1934 bzw. seit 1946 ist das Kloster Jesuitenkolleg.
Baustil und Baubeschreibung: Die großzügige, einheitlich durchdachte Anlage mit ihren beiden quadratischen Höfen – durch den Kirchenbau getrennt – erinnert an barocke Schloßkomplexe, fußt aber auf strengen ma-

thematischen Zahlenverhältnissen, die vor allem am Rundbau der Kirche abzulesen sind (Innendurchmesser = Innenhöhe = 46 m, dazu im ganzen Bau entsprechende Halbwerte). Der Bau (1768–83), entworfen von M. d'Ixnard*, ist geprägt von französischer Rationalität. Es ist der erste frühklassizistische Monumentalbau auf deutschem Boden. Der Rundbau der Kirche mit dem Säulenportikus an der Schauseite ahmt das antike Pantheon in Rom nach. An die Rotunde mit Säulenumgang schließt sich ein tiefer Mönchschor an. Von der originalen Ausstattung blieb lediglich der Hochaltar am Zugang zum Mönchschor (vom vorzüglichen Freiburger Bildhauer C. Wenzinger, dem Hauptmeister des badischen Rokoko) erhalten.

Umgebung: → Waldshut (25 km), → Freiburg (57 km).

St. Goar 5401

Rheinland-Pfalz S. 416 □ D 14

Die Burg Rheinfels, 1797 von den Franzosen gesprengt und seither als romantische Ruine erhalten, zog zahlreiche Literaten an, unter ihnen Ferdinand Freiligrath, Hans Christian Andersen, A. H. Hoffmann von Fallersleben und Emanuel Geibel. Die Ruine wurde zu einer wichtigen Station der romantischen Dichtung in Deutschland.

Stiftskirche / Ev. Pfarrkirche: Die Krypta, die aus dem späten 11. Jh. erhalten und einheitlich romanisch ist, ist eine der schönsten Krypten aus dieser Zeit zwischen Köln und Speyer. Ihr Charakter wird durch die Säulen bestimmt, die in zwei Reihen gegliedert sind und von denen die schönen Kreuzgewölbe ausgehen. Mit dem Bau der darüberliegenden, mit Ausnahme einiger spätromanischen Teile gotischen Kirche wurde im 13. Jh. begonnen, erst in der Mitte des 15. Jh. war jedoch der Bau fertiggestellt. Das Langhaus ist von einem feinen Netzgewölbe überzogen, der Chor präsentiert dagegen ein Kreuzrippengewölbe. In den Gewölbefeldern der Seitenschiffe finden sich (ausgezeichnet restaurierte) *Wandmalereien* aus dem 2. Drittel des 15. Jh. Bedeutende Kunstwerke sind die steinerne *Kanzel* mit reichem plastischen

Abteikirche, St. Blasien

Benediktinerklosterkirche St. Peter

Schmuck (um 1460–70) und einige Grabmäler im Stil des frühen Barock.

Kath. Pfarrkirche: Ein Besuch lohnt wegen des Flügelaltars, in dessen Mittelteil eine Tafel des sog. Hausbuchmeisters (um 1510) eingebaut ist.

Burgruine Rheinfels: In exponierter Lage, hoch über dem Rhein ist die Ruine jener Burg erhalten, die Graf Dieter III. v. Katzenelnbogen 1245 errichten ließ. 1568 wurde die Anlage zur Festung ausgebaut, 1797 wurde sie von den Franzosen gesprengt. In der Burg befindet sich heute eine sehenswerte heimatkundliche Sammlung.

St. Peter 7811

Baden-Württemberg S. 420 □ D 20

Ehem. Benediktinerklosterkirche St. Peter: Die Benediktinerabtei St. Peter bei Freiburg wurde von Abt Wilhelm von Hirsau ursprünglich in Weilheim a. d. Teck gegründet und erst Ende des 11. Jh. an diese exponierte Stelle im damals österreichischen Grenzgebiet verlegt. Sie war immer wieder schweren Kriegseinwirkungen, Bränden und Plünderungen ausgesetzt. So blieb von den mittelalterlichen Kunstwerken nichts erhalten. Die barocke Kirche mit der Doppelturmfassade und den Nischenfiguren unter dem geschwungenen Giebel ist ein Werk des Vorarlberger Baumeisters P. Thumb*. Die Anlage, 1724–27 entstanden, erinnert mit ihrer ungewöhnlichen Breite und den schlichten Formen an ähnliche Bauten der Vorarlberger Meister in Oberschwaben – allesamt Wandpfeilerkirchen mit Kapellen und Emporen. Ihrem Schmuck dienen schöne Chorgitter, Rokokodekorationen an der Orgel, Wand- und Gewölbemalereien (mit Szenen aus der Geschichte des Kirchenpatrons) sowie Figuren der Familie der Zähringer, deren Grabkirche St. Peter war. Diese Statuen (an den Pfeilern) sowie die Apostelfiguren auf den Altären stammen von J. A. Feuchtmayer*, die Figurengruppe auf dem Taufbrunnen im südlichen Querhaus von M. Faller. Heute ist St. Peter kath. Pfarrkirche. – Das *Abteigebäude,* seit 1842 Priesterseminar der Erzdiözese Freiburg, enthält im Kapitelsaal (der jetzigen Kapelle), im Treppenhaus und im Fürstensaal reiche Stukkaturen und Deckenmalereien, die Szenen aus dem Alten und dem Neuen Testament zeigen. Der schönste Raum ist die Bibliothek mit einem sehenswerten Deckenbild, das B. Gambs 1751 geschaffen hat.

St. Trudpert = Münstertal 7816

Baden-Württemberg S. 420 □ D 20

Ehem. Klosterkirche: Die heutige Kirche, von P. Thumb* ab 1709 errichtet, bezieht in einigen Teilen die romanische Basilika aus dem 12. Jh. und einen spätgotischen Nachfolgebau aus dem 15. Jh. in die architektonische Gesamtlösung ein. Die Bedeutung der Kirche beruht auf ihrer Ausstattung: Erstklassige Stuckarbeiten von M. Prevosti und C. Orsati (um 1716) werden durch Malereien von F. A. Giorgioli ergänzt. In den kleineren Darstellungen finden sich Szenen aus dem Leben des Kirchenpatrons Trudpert (einem irischen Missionar, der hier im 7. Jh. den Märtyrertod gestorben sein soll). Ungewöhnlich ist das Gemälde im Retabel des *Hochaltars:* Das Reliefgemälde – gestaltet in einer selten anzutreffenden Stucktechnik – hat J. J. Christian* gemalt (um 1782). Aus dem Augustinerkloster in → Freiburg wurde die mit reichem plastischen Schmuck ausgestattete *Kanzel* aus der Mitte des 18. Jh. übernommen. Wichtigster Schatz ist ein sog. *Vortragekreuz,* das um 1175 entstanden sein dürfte (aufbewahrt in der Sakristei). Erwähnt sei noch das *Chorgestühl* (um 1670–80). – Die angrenzenden *Klosterbauten* (18. Jh.) haben ihre kunsthistorischen Höhepunkte in einigen erhaltenen Rokokostukkaturen und in dem Hoftor, das A. Moosbrugger 1740 geschaffen hat.

Wallfahrtskirche, St. Wendel

St. Wendel 6690
Saarland S. 420 □ C 16

Kath. Pfarr- und Wallfahrtskirche St. Wendelinus (Am Fruchtmarkt): Die Kirche (14./15. Jh.) besitzt einen imponierenden Westteil, der von drei Türmen abgeschlossen wird (der größte trägt eine dreifache Barockbekrönung von 1721). Durch das mit reichem Figurenschmuck ausgestattete Portal (dargestellt sind u. a. der Weltenrichter und die 12 Apostel) erreicht man das Innere – eine schmale, von erstklassigem Netzgewölbe abgedeckte Halle. Aus der *Ausstattung* sind hervorzuheben: Die kostbare *Wendelinus-Tumba* (um 1360), der *Reliquienschrein* (hinter dem Hochaltar, entstanden etwa um 1430–40) und die aus Stein geschlagene *Kanzel* (1462, eine Stiftung des Nicolaus von Cusa). An den Seitenwänden werden acht Schnitzfiguren aus dem 18. Jh. gezeigt. Die Darstellung des Hl. Grabes besteht aus Tonfiguren (um 1500).

Museen: *Heimatmuseum* (im Rathaus): Orts- und Regionalgeschichte. – *Völkerkundesammlung der Steyler Missionare* (im Missionshaus): Sammlungen zur Geschichte der Mission und zur Völkerkunde.

Saulgau 7968
Baden-Württemberg S. 420 □ G 20

Kath. Pfarrkirche St. Johannes Baptist: Unter den zahlreichen spätgotischen Kirchen, die sich im Umkreis von Sigmaringen befinden, zeichnet sich St. Johannes Baptist in Saulgau (um 1400) durch das großzügig angelegte Kirchenschiff und die gelungenen Proportionen aus. Die Bedeutung dieser Kirche wird unterstrichen durch den *Kirchenschatz,* zu dem u. a. ein Prozessionskreuz mit reicher Goldarbeit (frühes 14. Jh.) gehört. Zu erwähnen sind auch die *Muttergottes* (um 1510, im südlichen Seitenschiff) und der ausdrucksvolle *Taufstein* (Ende 17. Jh.).

Kreuzkapelle/Schwedenkapelle: Die äußerlich unscheinbare, ursprünglich spätgotische und 1869 erweiterte Kapelle ist durch den *Saulgauer Kruzifixus* berühmt geworden. Die ausdrucksvolle Gestalt des Gekreuzigten (ein Schnitzwerk aus der Mitte des 13. Jh.) ist eines der bedeutendsten Kunstwerke der Zeit (Teil des Altars von 1734).

Außerdem sehenswert: Das *Rathaus* (Marktplatz) um 1820 erbaut, *Frauenkapelle* mit Stukkaturen aus der Hand des Wessobrunner Meisters K. Zimmermann (1741–43), gut erhaltene *Amts-* und *Stiftshäuser* (Pfarrgasse, Bogengasse). – *Galerie »Die Fähre«* (Schulstraße 6): Moderne Kunst.

Schäftlarn 8021

Bayern S. 422 □ K 20

Ehem. Prämonstratenserkloster (2 km östlich vom nahegelegenen Ebenhausen): Die 1760 fertiggestellte Kirche ist in den Jahren 1954–59 vorzüglich restauriert worden. Sie bildet die zentrale Achse der symmetrisch angelegten Klosterbauten. Das Innere zeichnet sich durch erstklassige *Dekorationen* berühmter Künstler aus. J. B. Zimmermann* hat hier im Alter von über 70 Jahren eine seiner ausgereiftesten Leistungen als Stukkateur und Freskenmaler erreicht (1754–56). Der berühmte J. B. Straub* hat die *Altäre* und die Kanzel geschaffen (1755–64), die wesentliche Komponenten des Raumbildes darstellen und großartige Figuren tragen. Die Gemälde, die in einige der Altäre einbezogen sind, stammen u. a. von A. Wolff (München) und B. A. Albrecht (München). Reicher *Figurenschmuck* findet sich auch an der *Kanzel.* – Das klar und streng gegliederte *Kloster* ist 1702–07 errichtet worden.

Schaumburg 6251

Rheinland-Pfalz S. 416 □ D 13

Schloß: Die Anlage auf hohem Berg-

Schloßhof, Schaumburg

gipfel ist erstmals 1197 erwähnt. Damals war die Burg im Besitz der Grafen von Leiningen, im 15. Jh. dann im Besitz der Grafen von Westerburg. Erzherzog Stephan von Österreich ließ sie 1851–55 in englischer Neugotik ausbauen. Der dreigeschossige Hauptflügel stammt aus dieser Zeit. Im Ostflügel ist noch mittelalterliches Mauerwerk erhalten.

Schleißheim = Oberschleißheim 8042

Bayern S. 422 □ K 19

Wer von Schloß Schleißheim spricht, drückt sich nicht exakt aus: Der große Schloßkomplex im N Münchens besteht aus drei Teilen: dem *Alten Schloß,* dem *Neuen Schloß* und dem Schlößchen *Lustheim.* – Im neuen Schloß befindet sich heute eine bedeutende Abteilung der *Bayerischen Staatsgalerie* mit niederländischer, italienischer und deutscher Malerei des Barock.

Neues Schloß: Das von Kurfürst Max Emanuel in Auftrag gegebene Neue Schloß blieb eigentlich ein Torso. Die ersten Schwierigkeiten gab es schon kurz nach der Grundsteinlegung (1701): Das gerade vollendete Vestibül stürzte wegen mangelhafter Fundamente wieder ein. E. Zuccali*, der zuvor Lustheim errichtet hatte (s. S. 672), war zu sorglos bei der Prüfung der technischen Voraussetzungen gewesen. Man half sich mit Erdaufschüttungen, die freilich noch heute die Proportionen beeinträchtigen, da das Schloß etwas im Boden zu stecken scheint. J. Effner* plante den neuen Treppenaufgang. Als Max Emanuel nach dem Spanischen Erbfolgekrieg ins Exil mußte, war das Neue Schloß im Rohbau fertig, aber die Arbeiten stockten. Fallengelassen wurden auch die Pläne, das Neue Schloß mit dem alten durch einen zusätzlichen Trakt zu verbinden und damit eine der größten europäischen Schloßanlagen zu bauen. Auch Zuccalis Idee, in die Mitte des Hauptgebäudes einen großen Turm zu stellen, wurde zu den Akten gelegt. – Als 1719 die Bauarbeiten wieder aufgenommen wurden, galten die Anstrengungen im wesentlichen der Komplettierung und Ausgestaltung des Vorhandenen. Hierfür wurden allerdings die besten Künstler herangezogen. J. Günther*

Neues Schloß, Schleißheim

hat das östliche *Portal* geschaffen, C. D. Asam* malte das großartige *Gewölbefresko* über der weitläufigen *Treppenanlage.* J. B. Zimmermann* wurde für die *Stuckarbeiten* engagiert und lieferte den Trophäenschmuck für den Festsaal. Das Ergebnis der Arbeit dieser und vieler anderer hervorragender Künstler läßt sich vor allem im monumentalen *Mittelbau* des Neuen Schlosses genießen, dessen Ausgestaltung eine der besten Leistungen des deutschen Barock ist. 1847/48 wurde unter König Ludwig I. nach alten Plänen die Treppe vollendet, im frühen 19. Jh. überarbeitete L. v. Klenze* die Fassade (zwei Giebel wurden entfernt). Schäden des 2. Weltkriegs wurden beseitigt. – Man betritt das Neue Schloß durch eines der *Portale* und befindet sich zunächst in einem italienisch anmutenden *Vestibül,* dessen Säulen flache Kuppeln aufnehmen. Im Erdgeschoß sind der frühere *Speisesaal* und *Repräsentationsräume* untergebracht. Über die *Treppenanlage* erreicht man den *Festsaal,* den künstlerischen Mittelpunkt des Neuen Schlosses. Die Fresken zeigen mythologische Szenen, die den erfolgreichen Türkenfeldzug des Kurfürsten Max Emanuel und seinen triumphalen Empfang (Viktoriensaal) spiegeln. Auf der Gartenseite schließen sich die großzügige *Galerie* und die kurfürstlichen *Wohnräume* an, die mit sehr wertvollem Inventar ausgestattet sind.

Altes Schloß: Das Alte Schloß wurde 1597 als Ruhesitz für Herzog Wilhelm V. gebaut. Es ist von unbedeutenden Ökonomiebauten umgeben und war 1616 fertiggestellt.

Lustheim: Die Planungen des Kurfürsten Max Emanuel gingen in der ersten Phase davon aus, in der Abgeschiedenheit Schleißheims eine Stätte der Ruhe zu schaffen (der Gedanke der Eremitage hatte zu jener Zeit viel Freunde). Sein erster Auftrag galt deshalb dem Bau eines vergleichsweise kleinen Schlosses, das mitten im Park stehen sollte und das E. Zuccali* von 1684–87 im O des heutigen Parkes errichtete. Vorbild waren Barockschlösser Italiens. – Zentrum ist der große *Saal,* der als Besonderheit ein freskengeschmücktes Spiegelgewölbe aufzuweisen hat, das von gemalten Atlanten getragen wird. Hervorzuheben ist die einheitliche Gestaltung des Schlosses, in dem eine wertvolle *Porzellansammlung* ausgestellt wird.

Park: Die im 17. und 18. Jh. entstandene Anlage gruppiert sich um den das Neue Schloß und Lustheim verbindenden Kanal, der im Westen von Effners *Marmorkaskade* abgeschlossen wird.

Schleswig 2380

Schleswig-Holstein S. 412 □ G 2

Ihren Glanz bezieht die Stadt aus der Zeit, da sie Herzogsresidenz und Bischofssitz gewesen ist. Mittelpunkt der reizvollen Stadt sind bis heute der Marktplatz und das Domviertel geblieben. Abseits davon liegt – von Wasser umgeben – das Schloß Gottorf, in dessen Mauern heute das Landesmuseum untergebracht ist.

Dom St. Petri (Süderdomstraße): Der heutige Bau, eine gotische Halle auf kreuzförmigem romanischem Grundriß, ist vom 13.–15. Jh. unter Einbeziehung älterer Bauten entstanden. Seine Ausmaße sind respektgebietend. Der Turm der heutigen ev. Pfarrkirche wurde Ende des 19. Jh. in unpassenden Proportionen hinzugefügt. Neben dem mächtigen Satteldach bestimmt er das Äußere des Baus. – Das Innere vermittelt nach dem Eintritt durch das *Petersportal* den Eindruck einer romanischen Bischofskirche. Chor und Chorseitenschiff tragen *Gewölbemalereien* (1892–93 freigelegt und 1936–38 restauriert). Die ältesten Teile dieser Malerei stammen aus dem 12. Jh. Neben den figürlichen Darstellungen verdient der ornamentale Schmuck Beachtung. – Das Hauptwerk im Petersdom ist der

Schachtsche Gruft, Dom zu Schleswig ▷

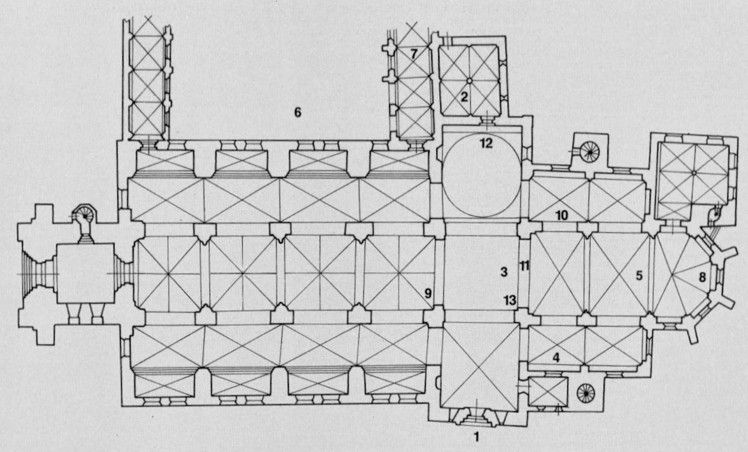

Schleswig, Dom 1 Peterstür, um 1180 **2** Alte Kanonikersakristei, um 1220–30 **3** Deckenmalereien in der Vierung, um 1240–50 **4** Dreikönigsaltar, letztes Viertel 13. Jh. **5** Chordeckenausmalung um 1330, Reste der Erstausmalung vom Ende des 13. Jh. **6** Schwahl (Kreuzgang), um 1310–20 **7** Ausmalung des Schwahls um 1330, teilweise 1891 ergänzt **8** Bordesholmer Altar, lt. Überlieferung von H. Brüggemann, 1514–21; im Dom seit 1666 **9** Holzkanzel, 1560 **10** Grabmal König Friedrich I. von Dänemark, von C. Floris, 1551–55 **11** Chorgitter von M. D. Vorhave, 1569–70 **12** Epitaph Kielmann von Kielmannseck, 1673 **13** Lettner, Ende des 15. Jh., Rekonstruktion von 1939.

Bordesholmer Altar (1514–21) von H. Brüggemann*. Der Schnitzaltar wurde 1666 aus dem Augustinerchorherrenstift in → Bordesholm überführt. Dargestellt ist in 12 kleinen und 2 großen Szenen die Heilsgeschichte. Die fast 400 Figuren, teilweise nach Dürer* komponiert, waren von Anfang an unbemalt. – Aus der Werkstatt Brüggemanns stammt auch die über 4 m hohe *Figur des Christophorus,* die sich direkt rechts neben dem Eingang befindet. – Im Chorseitenschiff stehen kostbare Altäre, u. a. der *Dreikönigsaltar* aus Eichenholz (um 1300) mit Maria und den Hl. Drei Königen. – Im nördlichen Nebenchor ist heute der *Kielmannseck-Altar* aufgestellt. Er wurde vom gottorfischen Kanzler Graf Kielmannseck 1664 gestiftet und von J. Ovens mit einem Altarbild geschmückt. Von dem berühmten Maler, in dessen Werk sich die Einflüsse van Dycks und Rembrandts erkennen lassen, stammt auch die *Blaue Madonna* im Langhaus. In den Räumen zwischen den Strebepfeilern wurden im 17. und 18. Jh. *Gruftkapellen* angelegt. Adel und Hofbeamte haben sich hier neben den *Grabmälern der Gottorfer Herzöge* bleibende Denkmäler geschaffen. Von den prachtvollen *Barockportalen* sei das zur Gruft der Familie Schacht hervorgehoben. Sehenswert sind ferner der *Lettner* (Nachbildung des Originals aus dem 15. Jh.), das *Chorgitter* (16. Jh.) und das ungewöhnlich hohe *Chorgestühl* mit je 19 Sitzen auf beiden Seiten

Dom St. Petri

(1512). – Besichtigen sollte man den an den Dom anschließenden *Kreuzgang*, der zu den wichtigsten Werken gotischer Kunst in Norddeutschland gehört. (*Wandmalereien* um 1330, z. T. anachronistisch restauriert).

Adliges St.-Johannes-Kloster (im Stadtteil Holm): Das ursprüngliche Benediktinerinnenkloster am Schleiufer wurde mit der Reformation zu einem adligen Damenstift umgewandelt. Die Anlage geht auf das Jahr 1196 zurück und gehört zu den besterhaltenen Klöstern in Norddeutschland. Die einschiffige *Kirche* wurde im Laufe der Jahrhunderte vielfach verändert. Der *Stiftsdamenchor* (18. Jh.), ein die Kirche teilender barocker *Portalbogen*, die *Kanzel* (1717) und das feingliedrige *Sakramentshaus* (15. Jh.) verdienen besondere Beachtung. Der gewölbte *Kreuzgang* mit darüberliegenden Klausurgebäuden und das gut erhaltene *Refektorium* mit frühgotischem Nonnengestühl repräsentieren die Klosterbaulichkeiten höchst anschaulich.

Schloß Gottorf (Schloßinsel): Das auf einer Insel in einer Schleibucht gelegene und von verschiedenen Bauperioden geprägte Gebäude ist die größte Schloßanlage in Schleswig-Holstein. – Der vierflügelige Bau umgibt einen Innenhof. Die breite *Schaufront* mit ihrem großen *Mittelturm* ist das Werk des beginnenden 18. Jh. Die wertvollsten Teile der Einrichtung stammen jedoch aus der Zeit Friedrichs III. (1616–59). Er baute auch die Festungswerke aus und zog zahlreiche Künstler und Gelehrte als seine Gäste nach Schleswig. Der Umbau zu einer Residenz im Stil des Barock geht auf Friedrich IV. (1694–1702) zurück. Später war das Schloß Kaserne. 1947 wurden Landesmuseum und Landesarchiv hierher verlegt und Teile der kostbaren Ausstattung neu aufgestellt. – Von den zahlreichen Räumen im Innern sollen hier nur die Kapelle und der Königssaal hervorgehoben werden. In der *Kapelle* auf der Altarseite findet man den *Betstuhl der Herzogin.* Er wurde in den Jahren 1608–14 für Herzogin Augusta eingebaut und gilt als bedeutender Beitrag der Renaissance in Norddeutschland. Die *Kanzel* und die hölzerne *Empore* hat um 1500 ein Flensburger Meister geschaffen. Der *Königssaal* wurde von Friedrich I. um 1520 im Südflügel errichtet. Eine Reihe von Rundsäulen trägt schöne Kreuzrippengewölbe. Die Goldrankenbemalung auf den Rippen und die Bemalung der Gewölbe wurden im 17. Jh. hinzugefügt.

Bürgerhäuser: Die wichtigsten Wohnhäuser aus der alten Handelsstadt Schleswig sind in der *Langen Straße* zu finden. Sie sind größtenteils aus dem 17. und 18. Jh. Häuser von Kleinbürgern und Fischern finden sich im Stadtteil *Holm.* Den Straßenzug *Lollfuß-Stadtweg* säumen klassizistische Adelshöfe.

Theater: Das *Schleswig-Holsteinische Landestheater und Sinfonieorchester* (Lollfuß 53) vereint das Musiktheater Flensburg, das Sprechtheater Rendsburg, das Sprechtheater Schleswig und die Schloßhofspiele Schleswig. Das Theater (1892 erbaut, 1950 wiedereröffnet) hat 620 Plätze. Die Schloßhofspiele beginnen jeweils Ende Juli auf einer Freilichtbühne im Schloß Gottorf.

Museen: Das *Schleswig-Holsteinische Landesmuseum* (im Schloß): Die Sammlungen dokumentieren in erster Linie die Kulturgeschichte des Landes vom Mittelalter bis zur Mitte des 19. Jh. Ein Besuch des Museums ist zu empfehlen, zumal es gleichzeitig auch das → Schloß Gottorf erschließt. – *Schleswig-Holsteinisches Landesmuseum für Vor- und Frühgeschichte* (im Schloß): Gleichfalls im Schloß Gottorf sind die vor- und frühgeschichtlichen Abteilungen untergebracht. Sie gelten heute als die größte vorgeschichtliche Sammlung in Deutschland. – Das *Städtische Museum* (Friedrichstraße 7–11) befindet

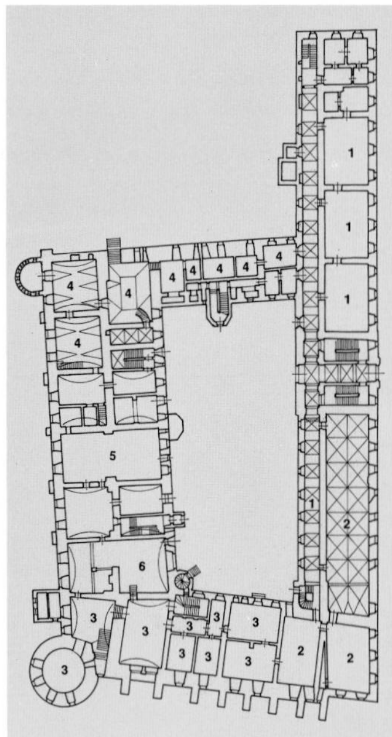

Schleswig, Schloß Gottorf 1 Wechselausstellungen **2** Ausstellungen Mittelalter **3** Ausstellungen Renaissance **4** Ausstellungen 18.–19. Jh. **5** Schloßkapelle **6** Schloßküche

sich in einem Haus aus dem Jahr 1634. Es zeigt Beiträge zur Stadtgeschichte sowie Werke Schleswiger Maler, Fayencen, Zinn und Silber.

Umgebung: 2 km südlich von Schleswig liegt → *Haddeby* (Haithabu), ein frühgeschichtliches Fernhandelszentrum. Von hier aus führt ein Weg zum frühmittelalterlichen Grenzwehr nach *Alt-Dänemark (Dannewerk,* 10.–12. Jh.).

Schlitz 6407

Hessen S. 416 ☐ G 12

Ev. Pfarrkirche St. Margaretha: Die Kirche hat eine lange und wechselvolle Baugeschichte hinter sich. Die verschiedenen Etappen spiegeln sich in

Schloß Gottorf, Schleswig

den Anbauten und dem ziemlich unvermittelt aus dem Dach tretenden Turm. – Im Inneren sind die verschiedenen *Grabmäler* der Grafen von Schlitz, ein *Taufstein* (1467) und die *Orgel* (1718) mit den Trompete blasenden Engeln beachtenswert.

Burgen: Die kreisförmig angelegte Stadt war von einem Mauerring umgeben, den mehrere Burgen verstärkten. Die *Hinterburg* ist die älteste. Erhalten sind nur der Bergfried (13. Jh.), das Burghaus (1553) und ein einfaches Wohngebäude. – Die *Vorderburg* ist an ihrem viereckigen Turm zu erkennen, an dem die beiden Flügel dieser Anlage aus der Zeit um 1565–1600 zusammenstoßen. Das Glockenspiel ist täglich um 15 und 17 Uhr zu hören. – Die *Schachtenburg* unterscheidet sich durch ihre Fachwerkgeschosse von den übrigen Bauten (um 1550). – Die *Ottoburg* ist gegen Ende des 17. Jh. entstanden. Der langgestreckte Bau wird an beiden Seiten durch Türme abgeschlossen. – Die *Hallenburg* liegt im Tal und diente als Wohnsitz der Grafen. Ihre klassizistischen Züge hat sie nachträglich erhalten.

Heimatmuseum (im Rathaus): Sehenswert sind umfangreiche Trachtensammlungen sowie Beiträge zur Kulturgeschichte des Leinens, das in Schlitz seit Jahrhunderten hergestellt wird.

Schongau 8920

Bayern S. 422 □ I 20

Pfarrkirche Mariae Himmelfahrt/ Stadtpfarrkirche (Marienplatz): Der Bau entstand nach dem Einsturz eines Turmes (1667) im 18. Jh. neu. Ihren Glanz bezieht die Kirche durch die Arbeit erstklassiger Künstler im Inneren. D. Zimmermann* schuf die großarti-

Zisterzienserklosterkirche, Schöntal

Ev. Stadtkirche, Schorndorf

gen *Stuckarbeiten* im Chor (1748), ein Wessobrunner Meister war der Stukkateur des dreischiffigen Langhauses, die *Fresken* schufen M. Günther* und F. A. Wassermann aus Schongau. Der monumentale *Hochaltar* entstand um 1760.

Außerdem sehenswert: Das *Ballenhaus* (Marienplatz) wurde 1515 als Rathaus errichtet und im 19. Jh. verändert; sehenswert der Ratssaal mit geschnitzter Balkendecke. – Ehem. *Steingadener Richterhaus* / 15. Jh.), ebenfalls Balkendecke

Umgebung: *Wallfahrtskirche in der* → *Wies* (16 km südlich), → *Altenstadt* mit Michaelskirche, → *Rottenbuch.*

Schöntal a. d. Jagst 7109

Baden-Württemberg S. 420 □ G 16

Ehem. Zisterzienserklosterkirche und ehem. Kloster: Das Kloster wurde schon 1157 gegründet, sein heutiges Gesicht erhielt es jedoch unter dem Abt Knittel von 1683–1732. Kein Geringerer als J. L. Dientzenhofer* konzipierte die Gesamtanlage von Kloster und Kirche, deren beherrschendes Element die beiden *Türme* sind, die eine schön gestaltete *Fassade* einrahmen. – Im Inneren beachte man den *Hochaltar,* den J. M. Fischer* 1773 geschaffen hat. Farbenprächtige *Deckenfresken* überwölben weitere *Rokokoaltäre.* Im Langhaus befinden sich mehrere *Alabasteraltäre,* die zu den Höhepunkten deutscher Bildhauerkunst des 17. Jh. gehören. Unter den *Grabdenkmälern* sei das Doppelgrab für Konrad und Anna von Weinsberg (1446/37) beiderseits des Westeingangs hervorgehoben. – Im *Kreuzgang* südlich der Kirche findet man den *Grabstein des Götz von Berlichingen* (gest. 1562) mit dem Kennzeichen der eisernen Hand. Der Kreuzgang gehört zur *Neuen Abtei,* die ebenfalls das Werk Dientzenhofers ist.

Ihr Glanzpunkt ist das berühmte *Treppenhaus.* Die Konstruktion kommt trotz der aufwendigen Anlage mit geringstem Raum aus und ist eine besondere architektonische Leistung. Hervorzuheben ist noch der *Ordenssaal.*

Schöppenstedt 3307

Niedersachsen S. 414 □ I 8

Ev. Stephanskirche: Die Kirche ist durch ihren *schiefen Turm* aus dem frühen 12. Jh. berühmt geworden. – Im Inneren verdient der barocke *Kanzelaltar* Beachtung. In der Mitte des Turmuntergeschosses ist ein tragender Steinpfeiler erhalten, dessen Ecksäulen *Kapitelle* mit Tier- und Menschenfratzen zeigen.

Till-Eulenspiegel-Museum (Nordstraße): Das Museum faßt zusammen, was Forscher und Künstler über den Schelm ausgesagt haben.

Umgebung: Östlich von Schöppenstedt steht in *Küblingen* die *Marienkirche* aus dem 13./14. Jh., eine ehem. Wallfahrtskirche.

Schorndorf 7060

Baden-Württemberg S. 420 □ G 18

Ev. Stadtkirche (Kirchplatz): A. Jörg*, einer der bekanntesten Baumeister aus dem 15. Jh., hat diese Kirche geschaffen. Nach seinem Tode (1492) wurden die Arbeiten im Sinne der ursprünglichen Pläne fortgesetzt. Besonders hervorzuheben ist das *Netzgewölbe* in der nordöstlichen Kapelle mit dem Stammbaum Christi (um 1500).

Außerdem sehenswert: Die *Dr. Palmsche Apotheke* (1665/96) mit großartigem Fachwerk am Marktplatz, das *Rathaus* aus dem 17. Jh. und das bescheidene *Schloß* Herzog Ulrichs (16. Jh.). – *Heimatmuseum* (Kirchplatz 9) in der Lateinschule (1648).

Schotten 6479

Hessen S. 416 □ F 13

Der Luftkurort Schotten am Vogelberg ist durch die älteste Motorradrennstrecke in Deutschland bekannt (*Schottenring*).

Flügelaltar, Liebfrauenkirche in Schotten

Ev. Stadtkirche Liebfrauen: Die Kirche aus dem 14. Jh. läßt noch erkennen, daß die bescheidenen Pläne einer Wallfahrtskirche anläßlich der Stadterhebung (um 1350) durch eine großzügigere Planung abgelöst wurden. Unter dem reichen äußeren Schmuck nimmt das *Westportal* mit einer Anbetung der Könige den ersten Rang ein. Das Tympanon über dem *südlichen Portal* des Westbaus zeigt die Madonna mit den Stiftern der Kirche. – Mächtige Säulen bestimmen das *Innere.* Wichtigster Teil der Ausstattung ist der großartige *Flügelaltar* (um 1400). Die Malerei zählt zum Bedeutendsten, was in Hessen aus dieser Zeit erhalten ist. In 8 Szenen ist die Passion Christi dargestellt (geschlossener Zustand), 16 Szenen zeigen das Marienleben (geöffnet). Wertvoll sind auch die spätgotischen Schnitzfiguren (Vesperbild, Kreuzigungsgruppe, Kruzifixus), der Taufstein (14. Jh.), die Orgel (1782) und ein Sakristeischrank (1494).

Rathaus (Markt): Der schöne *Fachwerkbau* entstand 1512–30.

Schrobenhausen 8898

Bayern S. 422 □ K 18

Stadtpfarrkirche St. Jakob: Die Basilika (1425–80, Turm im 17. Jh. erhöht) ist typisch für den Kirchenbau zur Zeit der Spätgotik in Bayern. Im Chor und an den Stützen sind *Wandmalereien* aus der Entstehungszeit erhalten. Eine *Kreuzigungsgruppe* und ein *Ölberg* verdienen ganz besondere Beachtung (um 1500).

Museen: Im *Heimatmuseum* (Lenbachstr. 22) sind stadt- und kulturgeschichtliche Sammlungen ausgestellt. – Das *Lenbachmuseum* (Ulrich-Peißer-Gasse 1) bietet einen Überblick über Leben und Werk des Malers.

Außerdem sehenswert: *St. Salvator* (Mitte des 15. Jh.), *Rathaus* mit Lenbachsaal, Teile der *Stadtmauer* aus dem 15. Jh.

Umgebung: In *Sandizell* (7 km westlich) lohnt die Rokokopfarrkirche *St. Peter* mit einem Hochaltar von E. Q. Asam* einen Abstecher.

Bad Schussenried 7953

Baden-Württemberg S. 420 □ G 20

Ehem. Prämonstratenserkloster mit Klosterkirche: Die Klostergründung geht auf das Jahr 1183 zurück, jedoch ist aus dieser Zeit so gut wie nichts erhalten. Die ursprüngliche Kirche wurde wiederholt umgebaut und dann zerstört. Sie wurde durch einen Neubau ersetzt. Die vorhandene Ausstattung erfolgte in den Jahren 1710–46. – Den beherrschenden Eindruck im Inneren vermittelt das *Langhausfresko* von J. Zick* (1745). Es zeigt Szenen aus dem Leben des Ordensheiligen Norbert. Besondere Aufmerksamkeit verdient das *Chorgestühl* an den Wänden des Mönchchors (1715–17). In überquellendem Formenreichtum wird ein theologisches Programm abgehandelt (die Weltordnung, beginnend mit Tieren und Pflanzen und endend mit Heilsfiguren). Außer dem *Hochaltar* ist eine oberschwäbische *Marienstatue* (um 1450) im südlichen Seitenschiff hervorzuheben. – Der ehem. *Klosterkomplex* ist vor allem wegen seines *Bibliothekssaals* berühmt (1754–61). Er entstand nach den Plänen von D. Zimmermann*. Den Saal umschließen von Säulen getragene Emporen. Die Rokokoausstattung wird von vorzüglichen Stuckarbeiten und einer reichen Grisaille- und Freskenmalerei geprägt. Vor den Säulen sind Apostelfiguren plaziert, die sich mit Puttengruppen auseinandersetzen, eine symbolische Darstellung der Irrlehren. Die Bücherrücken, die durch das Glas des Schrankwerks zu erkennen sind, wurden nur aufgemalt.

Bauernhausmuseum: Beiträge zur Ortsgeschichte und zur bäuerlichen Wohnkultur.

Klosterkirche, Schussenried ▷

Bibliothekssaal, Prämonstratenserkloster Schussenried

Umgebung: *Wallfahrtskirche* in → *Steinhausen* (5 km nordöstlich).

Schwabach 8540

Bayern S. 422 □ I/K 16

Ev. Pfarrkirche (Königsplatz): Die Kirche (Ende des 15. Jh. geweiht) ist zu Beginn des 16. Jh. um die Sakristei und die Annakapelle erweitert worden, hat im übrigen jedoch ihr ursprüngliches Gesicht unverändert behalten. Sehenswert ist vor allem die reiche *Ausstattung*. Sie ist aus der Entstehungszeit überkommen und in dieser Vollständigkeit nur in wenigen anderen Kirchen zu finden. Der *Hochaltar* gehört zu den besten Werken der Spätgotik (Beginn des 16. Jh.). Die Flügel malte M. Wohlgemut, Lehrer von A. Dürer*. Das Schnitzwerk lieferte ein Schüler von V. Stoß*: Mit H. Baldung, gen. Grien* war noch ein anderer bedeutender Meister aus der Zeit um 1500 für die Kirche tätig. Er malte die Tafelbilder, auf denen die hl. Katharina und die hl. Barbara zu sehen sind. Das Sakramentshaus (1505) gleicht dem der Lorenzkirche zu → Nürnberg.

Königsplatz: Der Königsplatz ist in seiner alten Bebauung, die bis in das frühe 16. Jh. zurückreicht und ihre letzten Ausformungen im 18. Jh. erfuhr, fast unverändert erhalten. Neben dem *Rathaus* (1509) verdient die ehem. *Fürstenherberge* besondere Beachtung (1726–28). Der *Schöne Brunnen* wurde 1716/17 aufgestellt. An der Nordwestecke des Platzes steht der kleinere klassizistische *Pferdebrunnen*.

Stadtmuseum (Pfarrgasse 8): Unter den Sammlungen verdienen die Abteilungen Schwabacher Buchdruck, eine Nadlerei und eine Goldschlägerwerkstatt besondere Aufmerksamkeit.

Schwäbisch Gmünd 7070

Baden-Württemberg S. 420 □ G 18

Die ehemalige Reichsstadt an der Rems ist heute bekannt wegen ihrer Schmuckindustrie. Hier wurden der Baumeister Peter Parler* sowie die Maler Hans Baldung, gen. Grien*, und Jörg Ratgeb geboren.

Heilig-Kreuz-Münster (Münsterplatz): Unter Einbeziehung eines romanischen Langhauses ist das Münster (heute kath. Pfarrkirche) in den Jahren von 1310 bis 1410 (Weihe) entstanden. Sie zählt zu den Hauptwerken der Baumeister-Familie Parler. Das Äußere präsentiert sich besonders reizvoll, wenn man von O auf den Chor blickt. Die etwas vorgeschobenen Kapellen lassen hier eine Art Untergeschoß mit maßwerkgeschmückten Fenstern entstehen. Beachtenswert ist auch der reiche plastische Schmuck am äußeren Bau. – Das Innere dieser ersten großen *Hallenkirche* Süddeutschlands wird durch die mächtigen *Rundstützen* (mit feinen Kapitellen) und die großartigen *Netzgewölbe* bestimmt. Der *Chor* ist von einem schon von außen sichtbaren Kapellenkranz umgeben. – Die *Ausstattung* der Kirche erinnert kaum noch an die Entstehungszeit. Eine Ausnahme bildet der *Heilig-Grab-Aufbau* (um 1400) in der mittleren Chorkapelle, der dem im Münster zu → Freiburg stark ähnelt. – Reste alter *Wandmalerei* weisen in das erste Drittel des 15. Jh. – Sehenswert sind auch der *Flügelaltar* (1508) an der Südseite, ein *Sippenaltar* mit der Wurzel Jesse (1520) in der nördlichen Sebalduskapelle, das *Chorgestühl* mit Prophetenfiguren (1550) und die *Orgel* (1668).

Johanneskirche (Johannisplatz): Weil sie an der Stelle, an der heute die romanische Basilika steht, ihren bei der Jagd verlorenen Ring wiedergefunden hat, soll Herzogin Agnes von Schwaben hier eine Kapelle gestiftet haben (Reste sind erhalten). Die heutige Kirche entstand im 13. Jh. Ihr überreicher spätromanischer *Bauschmuck* ist einmalig.

Münster, Schwäbisch Gmünd

Dargestellt sind über die ganze Kirche verteilt Jagdszenen, Figuren aus dem Tier- und Fabelreich, Ornamente und Ereignisse aus der christlichen Welt.

Rathaus (Markt): Das in den Jahren 1783–84 errichtete Rathaus war ursprünglich als Wohnhaus für einen Kaufmann geplant. Architektonisches Interesse verdient der *Lichthof* im Treppenhaus.

Museum Schwäbisch Gmünd (Johannisplatz 3): Die kulturgeschichtlichen Sammlungen haben ihren Schwerpunkt in Plastiken der Spätgotik und des Barock.

Außerdem sehenswert: Rings um den Markt sind mittelalterliche *Fachwerkbauten* und einige *barocke Bauten* erhalten. – Der *Marktbrunnen* mit der Doppelmadonna ist um 1700 aufgestellt worden. – In den zahlreichen kleinen Gassen findet man viele *alte Bür-*

Lichthof, Rathaus Schwäbisch Gmünd

St. Michael, Schwäbisch Hall

gerhäuser. – Einige *Türme* markieren die ehemalige Stadtmauer. – Die ehem. *Franziskanerkirche* (13. Jh.) besitzt eine im 18. Jh. eingebrachte Barockausstattung.

Schwäbisch Hall 7170

Baden-Württemberg S. 420 □ G 17

Das Salz hat die Geschichte der Stadt, die ehemals Reichsstadt war und heute 30000 Einwohner hat, wesentlich beeinflußt. Schon im 3. Jh. war die Solquelle Anlaß für keltische Siedler, hier seßhaft zu werden. Friedrich Barbarossa verlieh Hall 1156 die Stadtrechte. Als Münzstätte des »Häller« (später Heller) erlangte die Stadt einen großen Bekanntheitsgrad.

Ev. Pfarrkirche St. Michael (Am Markt): Eine breit angelegte Freitreppe führt vom Platz zum mächtigen *Westturm,* dessen vier untere Geschosse von einem vorausgegangenen romanischen Basilikabau aus dem 12. Jh. übernommen worden sind (Weihe 1165). Das heutige *Langhaus* war nach einem Vierteljahrhundert Bauzeit 1456 fertiggestellt. Der *Chor* kam 1527 hinzu. Der Turm erhielt seinen achtekkigen Abschluß mit der Kuppelbekrönung 1573. Seither wurde an der Kirche nur wenig verändert. Man betritt sie durch eine von Rundpfeilern getragene *Vorhalle,* in der die ausgezeichnete Steinplastik (um 1300) des St. Michael, des Namenspatrons der Kirche, steht. Runde Stützen prägen auch das *Innere* des Langhauses, das von einem sehr schönen *Rippengewölbe* überdeckt ist. Die gedrungen wirkende Halle des Langhauses kontrastiert eigenartig mit dem hellen und leichten *Chor,* der später gebaut wurde. – Der *Hochaltar* (darüber der Kruzifixus von M. Erhart, 1494) zeigt Passionsszenen in niederländischer Manier (um 1470).

Weitere sehenswerte Teile der Ausstattung: *Chorgestühl* (1534), *Sakramentshäuschen* (15. Jh.), *Michaelsaltar* (1510) in der Sakristei, *Schnitzaltäre* einheimischer Meister in den Seitenkapellen, ein *Heiliges Grab* (16. Jh.) in einer Nische an der südlichen Wand und *Grabmäler* in den Kapellen.

Kirche St. Katharina (Katharinenstr.): Die ältesten Teile dieser Kirche stammen aus dem 13. (Turm) und 14. Jh. (Chor). Erweiterungen und Veränderungen fanden im 16. und 18. Jh., zuletzt noch um 1900 statt. Sehenswert sind die *Glasgemälde* im südlichen Chorfenster, die aus der Zeit um 1360 in hervorragendem Zustand erhalten geblieben sind. Reste einer *Wandmalerei* deuten auf das Jahr 1480. Der *Altar* im Chor ist im letzten Drittel des 15. Jh. entstanden und zeigt Verbindungen zwischen der Schnitzkunst niederländischer und schwäbischer Werkstätten.

Rathaus (Am Markt): Das Gebäude, in den Jahren 1730–35 erbaut, ist an die Stelle des bei einem Stadtbrand vernichteten Vorgängerbaus getreten und gehört zu den bedeutendsten aus dieser Zeit in Deutschland. In seiner Eleganz erinnert es in vielfacher Hinsicht an die Adelspalais des Barock. Der gewölbt vortretende Mittelteil mit dem gerundeten Giebel wird von zwei etwas zurückgenommenen Wänden flankiert. Auf dem Dach sitzt ein Turm mit Uhr und schmückender Krone.

Großes Büchsenhaus (sog. Neubau, Im Rosenbühl): Das in den Jahren 1505–27 errichtete Zeughaus ist seit 1926 Festhalle.

Burgruine Limpurg: Von der Burg aus dem 13. Jh. sind bei Grabungen 1905 nur Reste freigelegt worden. Es handelt sich um eine der herkömmlichen Anlagen jener Zeit, die im 15. und 16. Jh. um Festungsbauten erweitert wurde.

Stadtbefestigung: Von dem einstigen Stadtbering sind nur einzelne *Türme* erhalten: der Malefizturm am Säumarkt (13. Jh.), das Sulfertor am Kocher (im 18. Jh. umgebaut), der Josenturm in der Gelbinger Gasse (im 17. Jh. umgebaut) und das Steinbachertor (18. Jh.).

Freilichtspiele auf der großen Freitreppe vor St. Michael: Von Juni bis August finden auf der vom Marktplatz zur Kirche aufsteigenden Treppe (1700 Zuschauer) Freilichtaufführungen statt.

Keckenburg-Museum (Untere Herrengasse 8–10): Stadt- und Regionalgeschichte, sakrale Kunst.

Außerdem sehenswert: Im Stadtkern Reste mittelalterlicher *Adelsburgen* und schöne *Fachwerkhäuser* aus dem 16. Jh. – Neben dem großen *Marktbrunnen* (1509) ist noch der alte *Pranger* zu besichtigen.

Umgebung: → Comburg.

Schwalenberg = 3284 Schieder-Schwalenberg 2

Nordrhein-Westfalen S. 414 □ F 9

Rathaus: Das Rathaus (1579) ist das schönste unter den zahlreichen, meist sehr gut erhaltenen *Fachwerkhäusern* des Ortes. Ein Fries über der vierbogigen Laube (früher Markthalle) zeigt reiche Fassadenschnitzereien.

Burg Schwalenberg: Die Burg liegt über dem malerischen Ort. Sie wurde im Stil der Spätrenaissance ausgebaut und dient heute als Schloßhotel.

Schwarzach = Rheinmünster 7587

Baden-Württemberg S. 420 □ D 18

Ehem. Benediktinerklosterkirche: Die um 1220 errichtete romanische Kirche erfuhr im Laufe der Jahrhunderte zahlreiche Eingriffe in die Bausubstanz. Die letzte Renovierung (1967–69) bemühte sich, die mittelalterliche Anlage möglichst originalgetreu zu rekonstruieren. Der starke *Vierungsturm* und die *Apsiden* im O prägen das Äußere der Kirche. Das *Westportal* mit dem thronenden Christus im Bogenfeld deutet auf oberitalienische Einflüsse. Im Inneren ist das *Langhaus* flach gedeckt. Nur der *Chor* zeigt Kreuzrippengewölbe. Aus romanischer Zeit ist ein *Taufbrunnen* erhalten. Im südlichen Querschiff steht der ehem. barokke *Hochaltar. Chorgestühl* und *Orgel* sind Leistungen des 18. Jh.

Schweinfurt 8720

Bayern

S. 418 □ H 14

Schweinfurt, heute bedeutende Industriestadt mit 57000 Einwohnern, war bis 1802 freie Reichsstadt. Im 2. Weltkrieg wurde fast die Hälfte der Gebäude zerstört. – Berühmtester Sohn der Stadt ist Friedrich Rückert, der hier 1788 geboren wurde. An den Lyriker, Orientalisten und Übersetzer erinnern das Geburtshaus (Am Markt Nr. 2) und ein Denkmal (ebenda).

Ev. Pfarrkirche St. Johannis (Martin-Luther-Platz): In der Kirche, die man durch das spätromanische *Portal* vom Markt her betritt, vereinigen sich verschiedene Stilrichtungen. Das *Querschiff* (um 1235) zeigt den Übergang von der Romanik zur Gotik, das *Langhaus* kam in der zweiten Hälfte des 13. Jh. hinzu, der *Chor* ist bereits spätgotisch. Von der Ausstattung seien hervorgehoben: der *Taufstein* mit Bemalung aus der Entstehungszeit (1367), die reich geschmückte *Kanzel* (1694), *Grabmäler* des 14. Jh. und der frühklassizistische *Hochaltar.*

Marktplatz mit Rathaus, Schweinfurt

Rathaus (Marktplatz): Die Schäden, die der 2. Weltkrieg an diesem 1570–72 von Nicolaus Hoffmann errichteten Bau angerichtet hat, sind behoben worden. Die zwei Flügel des Renaissancebaus stoßen rechtwinklig aufeinander. Die Schauseite ist zum Markt gewandt. Während die regelmäßige Bauweise typisch für die Renaissance ist, wirkt in Giebeln und Fensterumrahmungen noch die Spätgotik nach.

Theater der Stadt Schweinfurt (Roßbrunnstraße 2): Das 1966 erbaute Theater hat 785 Plätze.

Städtisches Museum (Martin-Luther-Platz 12): Im ehem. Gymnasium aus dem Jahr 1582 werden vornehmlich Beiträge zur Stadt- und Kulturgeschichte gezeigt. Hervorzuheben ist eine Sammlung wissenschaftlicher Instrumente aus dem 15.–18. Jh. Das Rückertzimmer erinnert an den Dichter, der in Schweinfurt geboren wurde.

Schweinsberg = 3570 Stadtallendorf 1

Hessen

S. 416 □ F 12

Ev. Pfarrkirche St. Stephan: Die schlichte Hallenkirche aus dem 16. Jh. wurde 1956 gut restauriert. Im Inneren beachte man die schlanken, achteckigen Pfeiler und das gelungene Netzgewölbe. Neben dem Taufstein (1619) sind die Grabplatten der Schenck zu Schweinsberg erwähnenswert.

Burg: Die Anlage geht bis ins 13. Jh.

zurück. Durch den *Fachwerktorbau* mit seitlichem Rundturm erreicht man über die Brücke drei weitere *Portale.* Rechts folgt der *Fähnrichsbau* (16. Jh.). Vom *Burghof* aus sieht man Reste der alten *Oberburg.* Die *Neue Kemenate* (15. Jh.) erkennt man an den Staffelgiebeln, den drei Ecktürmen und dem Treppenturm. Im Erdgeschoß Saal und Halle mit Netz- bzw. Kreuzgewölbe.

Schwetzingen 6830

Baden-Württemberg S. 420 □ E 16

Schloß: Die einstige mittelalterliche Wasserburg war durch mehrere Erweiterungen und Veränderungen den Wünschen ihrer Besitzer angepaßt worden, bevor zu Beginn des 18. Jh. unter Pfalzgraf Johann Wilhelm der heutige Bau entstanden ist. Der *Mittelbau* mit den beiden Ecktürmen ist ältester Teil der im Grunde bescheiden gebliebenen Anlage. Die im Norden und Süden stehenden Bauten (sog. *Zirkelbauten*) kamen in der Mitte des 18. Jh. hinzu und entsprechen dem gewollten Ebenmaß der Gesamtanlage. Das trifft auch für alle anderen ergänzenden Gebäude zu. Im nördlichen Trakt ist die von F. Weinbrenner gestaltete *Kapelle* (1806) sehenswert. – Bedeutender als die Bauten ist die einzigartige *Parkanlage,* die zu den wichtigsten in Europa gehört. Sie entstand in drei Zeitabschnitten. J. L. Petri konzipierte in den Jahren 1753–58 das große Rondell (Zirkel) im geometrischen französischen Stil, das im W an das Schloß anschließt. N. d. Pigage* schuf 1766–74 die zahlreichen Gartenbauten, unter denen die *Moschee* besonders hervorzuheben ist. 1778–1804 kam schließlich unter der Leitung von F. L. v. Sckell* eine Gürtelzone im landschaftsorientierten englischen Stil hinzu. – Hinter dem nördlichen Zirkelbau liegt das in den Jahren 1746–52 entstandene *Rokokotheater,* das einzige unveränderte kurfürstliche Hoftheater in Deutschland. Sein Architekt war ebenfalls N. d. Pigage. 1752 wurde es eröffnet.

Schwetzinger Festspiele (Auskunft über den Verkehrsverein am Schloßplatz): Jeweils im Mai und Juni finden unter dem Protektorat des Süddeutschen Rundfunks im Schloß, Park und Theater Festspiele statt.

Schloß mit Arion-Fontäne, Schwetzingen

Benediktinerkloster, Seeon

Kunstausstellung im Schloß: Das Schloß ist heute als Museum zu besichtigen. Gezeigt werden dort neben dem historischen Inventar Beiträge zur Wohnkultur des achtzehnten und neunzehnten Jahrhunderts, sowie eine sehenswerte Gemäldesammlung.

Außerdem sehenswert: Der *Marktplatz* mit gut erhaltenen Wohnbauten aus dem 18. Jh., die kath. Pfarrkirche (1739–65) mit einer bemerkenswerten Altarausstattung und figürlicher Plastik.

Umgebung: → Heidelberg 11 km, → Mannheim 15 km.

Seebüll = Neukirchen 2261

Schleswig-Holstein S. 412 □ F 1

Seebüll ist heute Ortsteil des 5 km nordöstlich gelegenen Neukirchen. Berühmt wurde Seebüll durch den Maler Emil Nolde, der 1956 hier gestorben ist. Im Atelierhaus des Malers und großen Expressionisten, das dieser 1927/28 nach eigenen Entwürfen errichten ließ, werden 120 seiner Werke in wechselnden Zusammenstellungen gezeigt (nach der Stiftung Ada und Emil Nolde).

Seehof = Memmelsdorf 8602

Bayern S. 418 □ I 15

Schloß: Das alte Seehaus der Fürstbischöfe von → Bamberg wurde im 16. und 17. Jh. zu einem repräsentativen Barockschloß ausgebaut. Vier Flügel mit kuppelgedeckten Ecktürmen umschließen den Binnenhof. – Im *großen Saal* ist ein *Fresko* von J. I. Appiani beachtenswert. Die *Kapelle* im Erdgeschoß beherbergt einen hübschen *Rokokoaltar* von C. A. Bossi*. – Im *Park*, der das Schloß symmetrisch auf allen

Grabmal des Stifters Pfalzgraf Aribo, St. Lambert in Seeon

Seiten umgibt, errichtete J. H. Dientzenhofer* 1733 die *Orangerie* nach Entwürfen B. Neumanns*. Nach dem *Haupttor* an der Bamberger Straße entstand 1782 als letztes Bauwerk die *Schweizerei.*

Seeon im Chiemgau 8221

Bayern S. 422 □ M 20

Ehem. Benediktinerklosterkirche St. Lambert: Auf einer kleinen Insel im Klostersee ist die Klosteranlage im Laufe der Jahrhunderte gewachsen und mehrfach verändert worden. Ihr Wahrzeichen sind die Zwiebeltürme der Kirche (1561). – Ausgangspunkt war die Klostergründung im 10. Jh., der im 12. Jh. der Bau einer romanischen Basilika folgte. Im 15. Jh. erfolgte der Umbau der Kirche im Stil der Gotik. Aus jener Zeit stammt das *Netzgewölbe,* das mit einzigartigen *Ausmalungen* geschmückt ist (ab 1579, freigelegt ab 1911). Die berühmte Seeoner *Muttergottes,* die zu den wichtigsten Werken plastischer Kunst im 15. Jh. gehört, befindet sich heute im Bayerischen Nationalmuseum in → München. Den Hochaltar schmückt ihre Kopie. Weitere Ausstattung: *Seitenaltäre* aus dem 18. Jh., das *Grabdenkmal des Stifters* Pfalzgraf Aribo (um 1400 entstanden) sowie weitere *Grabdenkmäler.*

Klostergebäude: Neben dem spätgotischen *Kreuzgang* beachte man die seit dem 17. Jh. zweigeschossige *Laimingerkapelle,* den *Kapitelsaal,* das *Refektorium,* den *Speisesaal* und die Nikolauskapelle (alle aus dem 18. Jh.). Letztere trägt Stuckarbeiten von J. M. Feuchtmayer* und hat zudem eine sehenswerte Rokokoausstattung.

Umgebung: Kirche *St. Jakob* in **Rabenden** mit spätgot. Bildwerken des »Meisters von Rabenden«.

Bad Segeberg 2360

Schleswig-Holstein S. 412 □ H 3

Das Sol- und Moorbad liegt am Großen Segeberger See und hat heute 14500 Einwohner. Seit 1952 sind die Karl-May-Festspiele vor der Kulisse einer Felswand alljährlich Anziehungspunkt für insgesamt rund 100000 Zuschauer.

Marienkirche/Ehem. Klosterkirche der Augustinerchorherren (Kirchplatz): Der Baubeginn dieser bedeutenden Backsteinkirche – einer der ältesten überhaupt – geht bis in die 60er Jahre des 12. Jh. zurück. In der wechselvollen Geschichte dieses Baus wurden zwar wesentliche Veränderungen und Erweiterungen vorgenommen, trotzdem ist der Rang der Kirche als eines der ehrwürdigsten Denkmale der Backsteinbaukunst im nördlichen Europa ungeschmälert geblieben. Interessant sind die Kapitelle, Kämpfer und Bogenrahmen, die schon in früher Zeit aus dem Gips, den der nahe Kalkberg geliefert hat, gestaltet wurden. Herzstück der Ausstattung ist der vielfigurige *Schnitzaltar* mit der ausdrucksvollen Passion Christi. Der Altar ist um 1515 entstanden. Das darüber hängende *Triumphkreuz* stammt aus dem Anfang des 16. Jh., die *Kanzel* kam 1612 hinzu. – An das einstige *Kloster* erinnert heute nur noch ein zweischiffiger Raum, der nördlich am Chor erhalten geblieben ist (schönes Kreuzrippengewölbe).

Alt-Segeberger Bürgerhaus (Lübecker Straße 15): Zu den Bürgerhäusern, die der Lübecker Straße bis heute den reizvollen Charakter einer alten Straße bewahrt haben, gehört auch dieses Fachwerk-Giebelhaus von 1616, in dem sich jetzt das *Museum* befindet.

Seligenstadt 6453

Hessen S. 416 □ F 14

Berühmt wurde Seligenstadt durch Einhart, Biograph Karls des Großen, der hier nach 828 ein Benediktinerkloster gründete. Hier schrieb er »Leben und Taten Karls des Großen«.

Einharts-Basilika/Ehem. Benediktinerabteikirche: Die Kirche ist die größte erhaltene Basilika aus der Karolingerzeit. 840, als Einhart starb (und in

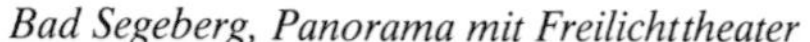

Bad Segeberg, Panorama mit Freilichttheater

Schnitzaltar der Augustinerchorherren-Kirche in Bad Segeberg

der Kirche beigesetzt wurde), war der Bau bereits fertiggestellt. Spätere Erweiterungen haben die eigentliche Basilika stark verändert, die Grundsubstanz des karolingischen Baus ist jedoch auch im heutigen Bau erkennbar geblieben. Am besten sind die ursprünglichen Formen bei einem Blick von Norden auszumachen. – Das Innere der Basilika ist von großer Schlichtheit – typisches Merkmal karolingischer Bauweise. Die Ausstattung ist aus der Zeit des Barock hinzugekommen. Im Mittelpunkt steht der marmorne *Hochaltar* (1715), den M. v. Welsch entworfen hat und der aus der zerstörten Kartäuserkirche in Mainz stammt. Auch die *barocken Wandelaltäre* wurden aus Mainz übernommen. – Unter den angrenzenden *Klostergebäuden* steht die *Prälatur* von 1699 an erster Stelle. Sie diente der Hofhaltung des Abtes und als Quartier für (fürstliche) Gäste. Ihre wichtigsten Räume: *Kaisersaal* und *Bibliothek.*

Kaiserpfalz (nördlich des Klosters): Nahe dem Mainufer liegt die Ruine der einstigen Kaiserpfalz, die in ihren Ursprüngen auf einen Besuch Friedrichs I. in Seligenstadt im Jahre 1188 zurückgeht. Friedrich II. ließ die Pfalz um 1235–40 zu einem (unbefestigten) kaiserlichen Jagdsitz ausbauen. Bis heute erhalten geblieben sind die Umfassungsmauern des Palas, der Kaiserwohnung. Die Schauseite ist zum Main geneigt und wird von den drei großen Doppelfenstergruppen bestimmt. Anlehnungen an die unteritalienischen Bauten des Kaisers sind unverkennbar.

Außerdem sehenswert: *Rathaus* (1823 an die Stelle eines Renaissancebaus aus dem Jahr 1539 getreten); *Haus zum Einhart* (Aschaffenburger Straße) mit schönem Fachwerkobergeschoß und im Eckerker der Inschrift: »Selig sei die Stadt genannt, da ich meine Tochter wiederfand.« Der Sage nach soll Karl der Große der Stadt ihren Namen gegeben haben. Reste der *Stadtbefestigung* aus dem 13. Jh. sind vor allem nahe dem Mainufer erhalten; südöstlich der Stadt liegt die *Wasserburg,* die sich der Abt 1708 als Sommersitz errichten ließ.

Siegburg 5200

Nordrhein-Westfalen S. 416 □ C 12

Benediktinerabtei St. Michael (Bergstraße): Das Kloster wurde 1064 gegründet. An die ältesten Bauten erinnern die Umfassungsmauern der romanischen Krypta unter dem jetzigen östlichen Langhausjoch. Die heutige Kirche wurde nach schwersten Kriegsschäden in Anlehnung an den Bau der Jahre 1649–67 errichtet. – Kostbarster Besitz der Kirche ist der *Anno-Schrein* aus der Werkstatt des N. v. Verdun, um 1183 entstanden. Der Schrein – ein Meisterwerk der Goldschmiedekunst aus jener Zeit – ist zwar nicht vollständig erhalten, vermittelt aber trotzdem ein gutes Bild des ursprünglichen Zustands. Er ist 1,57 m lang, aus Holz gefertigt (mit Satteldach) und reich mit Goldfiligran, Email und Edelstein besetzt. Die Kirchenpatrone Michael und St. Anno waren an den beiden Stirnseiten dargestellt (jeweils zwischen zwei Engeln), sind jedoch wie die Hauptfiguren an den Längsseiten (je sechs Heilige und heiliggesprochene Kölner Bischöfe) verlorengegangen. – An die Kirche schließen *Klosterbauten* im Stil des Barock an (17./18. Jh.).

Kath. Pfarrkirche St. Servatius (Mühlenstraße): Die Emporenbasilika, die um 1169 an dieser Stelle errichtet wurde (und eine ältere Kirche ablöste), ist im Laufe der Jahrhunderte vielfach verändert worden. Die letzte eingreifende Veränderung stellte die Verlängerung der Nebenschiffe gegen Ende des 19. Jh. dar. Geblieben ist eine insgesamt eindrucksvolle Kirche, die allerdings vom einstmals romanischen Ausgangsbau nur wenig übernommen hat. Das Innere lehnt in vielen Details an den Kölner Dom an. – Von großem Wert ist der *Kirchenschatz,* der vor allem Email-Arbeiten aus dem 12. und 13. Jh. enthält. Zu diesem Kirchenschatz gehört der Anno-Schrein, der jetzt jedoch an die Abteikirche ausgeliehen ist (siehe oben). Allererste Kostbarkeiten sind ferner der *Schrein* der

Prälatur der Benediktinerabtei in Seligenstadt

beiden Heiligen Innocentius und Mauritius (beide um 1190), *Tragaltäre* des hl. Mauritius (um 1160) und des hl. Gregorius (um 1180). Erwähnt sei noch ein byzantinischer *Seidenstoff* (aus der Zeit zwischen 921 und 931).

Museen: *Städtisches Heimatmuseum* (Grimmelgasse): Neben heimatgeschichtlichen Beiträgen besitzt das Museum Spezialabteilungen zu den Themen Humperdinck, Kupfertiefdruck, Landkarten. – *Steuergeschichtliche Sammlung* der Bundesfinanzakademie (Michaelsberg).

Außerdem sehenswert: Haus auf der Arken (Haus aus dem 15. Jh. mit Fachwerkobergeschoß und Schieferdach); Reste der Stadtmauer aus dem 15. Jh. – *Pranger* (Hühnermarkt): Zwei gefesselte Figuren sind in einer Säule aus Trachyt dargestellt (1570).

Siegen 5900

Nordrhein-Westfalen S. 416 □ D 12

Ev. Martinikirche (am Kölner Tor): Erst 1960 sind bei Ausgrabungen Reste einer der größten ottonischen Kirchen in Westdeutschland zu Tage gefördert worden, so u. a. ein Mosaikfußboden aus der Zeit um 1000 n. Chr. Dem ottonischen Bau, dessen genauer Beschaffenheit weitere Forschungsarbeit gewidmet ist, folgte ein spätromanischer Bau, von dem das Westportal der heutigen Kirche erhalten ist. 1511–17 wurde die heute bestehende spätgotische Halle errichtet.

Ev. Nikolaikirche (Am Markt): Die spätromanische Kirche aus dem 13. Jh. ist als sechsseitige Zentralanlage errichtet worden. Diesem Zentralbau wurde in den Jahren 1455–64 der viergeschossige Turm vorgestellt. Der Anlage des Zentralbaus entsprechen die sechs Säulen, von denen das kräftige Kreuzgewölbe ausgeht. Nach dem 2. Weltkrieg hat der Bildhauer G. Marcks die Bronzetür für das Westportal geschaffen.

Oberes und Unteres Schloß (Hasengarten bzw. Kölner Straße): Die Burg, die dem Oberen Schloß vorausgegangen ist, stammt aus dem beginnenden 16. Jh., wurde jedoch im 17./18. Jh. stark umgebaut und wird heute als *Mu-*

Anno-Schrein, Abteikirche Siegburg

seum genutzt (siehe unten). Das Untere Schloß ist 1698–1714 an der Stelle erbaut worden, an der sich zuvor ein Franziskanerkloster (1534 aufgehoben), dann die Universität (1595–1609), die Fürstengruft und schließlich ein erstes Schloß (1695 samt Kloster abgebrannt) befunden haben.

Rathaus (am Markt): Das Rathaus wurde 1783–88 errichtet und zu Beginn unseres Jahrhunderts erweitert.

Museum des Siegerlandes (im Oberen Schloß): Siegen darf sich rühmen, Geburtsstadt des großen flämischen Malers Peter Paul Rubens zu sein, dessen Vater sich als Bediensteter der Herzogin von Oranien-Nassau zur Zeit der Geburt seines Sohnes Peter Paul (1577) in Siegen befand. Sieben Originalgemälde geben einen Einblick in die Arbeit des Malers.

Bühnen der Stadt (Wilhelmstraße 25): Das neue *Siegener Theater* wurde 1957 eröffnet (814 Plätze). Es wird jedoch kein eigenes Ensemble beschäftigt. – Das *Kleine Theater Lohkasten* (Löhrtor 3) wurde 1974 eröffnet und hat nur 75 Plätze. Als Gäste treten hier namhafte Künstler auf.

Umgebung: Eremitage (3 km südöstlich, von dort schöner Ausblick).

Sigmaringen 7480

Baden-Württemberg S. 420 □ F 20

Schloß (Karl-Anton-Platz): Die ursprüngliche Burg wird 1077 erstmals genannt. Aus dieser Zeit und auch von der nachfolgenden mittelalterlichen Anlage ist nicht viel erhalten geblieben. Die wesentlichen Teile des heutigen Schlosses stammen aus dem 18. und 19. Jh. Überkommen ist eine wohl romantisch, kunsthistorisch aber wenig beeindruckende Anlage. Die wertvolle Einrichtung umfaßt bedeutende Kunst- und Gemäldesammlungen. Das Schloß ist heute als Museum zugänglich (siehe unten).

Kath. Pfarrkirche St. Johannes Ev.: Der Neubau aus den Jahren 1757–63 enthält eine wertvolle Ausstattung, allen voran die Wiege des hl. Fidelis, der 1577 in Sigmaringen geboren wurde und 1611 als Märtyrer gestorben ist J. M. Feuchtmayer* hat die Entwürfe der sehenswerten Altaraufbauten gestaltet.

Ehem. Franziskanerklosterkirche Hedingen: Der Neubau aus der Zeit um 1680 wurde 1715 um eine Marienkapelle erweitert (1747 nach einem Brand erneuert), die sich durch erstklassige Stuckarbeiten und wertvolle figürliche Plastik (Altar) hervortut. Der Chor, der von einer Kuppel abgeschlossen wird, enthält die Hohenzollerngruft, eine Zutat aus dem Jahre 1889.

Fürstlich Hohenzollernsches Museum (Schloß): Mit seinen zahlreichen Ankäufen aus bekannten Kunstsammlungen schuf Fürst Carl Anton von Hohenzollern die Grundlage für die bedeutenden Ausstellungsstücke des Museums. Gemälde, Waffen des 15.–19. Jh., historische Möbel (als Inventar des Schlosses) und Reisewagen im Marstallmuseum.

Umgebung: Pfarrkirche in **Laiz** (2 km südwestlich).

Sindelfingen 7032

Baden-Württemberg S. 420 □ F 18

Ehem. Chorherrenstiftskirche St. Martin (Kirchstraße): Die 1083 geweihte Kirche, eine dreischiffige Basilika ohne Querhaus, konnte nach einer Restaurierung 1933 ihren alten Raumeindruck weitgehend wiedergewinnen. Die Arkaden, von Pfeilern getragen, lassen italienischen Einfluß erkennen. Aus der Ausstattung treten das romanische Beschlagwerk der Westtür und eine spätgotische Reliefplatte aus dem Jahr 1477 für Graf Eberhard im Bart und für dessen Mutter Mechthild hervor.

Hohenzollernschloß, Sigmaringen

Altes Rathaus (Lange Straße): Das Haus stammt aus dem Jahr 1478 und ist mit dem Salzhaus (1592) verbunden. Beide Häuser entsprechen dem Fachwerkstil, der auch in vielen anderen Gebäuden der Stadt fortlebt.

Stadtmuseum (Altes Rathaus): Zeigt interessante stadtgeschichtliche Sammlungen.

Umgebung: → Stuttgart (19 km).

Sinzig 5485

Rheinland-Pfalz S. 416 □ C 13

Sinzig, an der Mündung der Ahr in den Rhein gelegen und heute ein Städtchen mit 12 500 Einwohnern, war fränkische Königs- und später Kaiserpfalz. König Pippin und Kaiser Heinrich III. sowie einige andere Kaiser haben hier geweilt.

Kath. Pfarrkirche St. Peter (Im Zehnthof): Die heutige Kirche, 1225–30 erbaut, ist ein wichtiges Glied in der Entwicklung der spätromanischen Kirchen am Rhein. Sie ist eine dreischiffige Emporenbasilika, über deren Vierung sich ein mächtiger Turm erhebt. Fassaden und Seitenwände sind stark gegliedert und durch Fenster unterbrochen. Der verhältnismäßig klein wirkende Bau überrascht durch das weitläufige Innere. Arkaden und Emporen tragen zu diesem großzügigen Bild bei. – Typisch für die Pfarrkirche ist das farbige Äußere und die reiche Innenausmalung (jeweils erneuert). Reste alter *Wandmalerei* (1270) sind im östlichen Nebenchor zu sehen. Der *Flügelaltar* aus dem 15. Jh. steht an der Spitze der nicht sehr reichhaltigen Innenausstattung.

Heimatmuseum (im neugotischen Schloß aus dem 19. Jh.): Das Museum ist vor allem wegen seiner Skulpturen aus dem 15.–19. Jh. und der Gemälde

St. Peter, Sinzig

aus dem 17.–19. Jh. sowie frühgeschichtl. Funde eines Besuches wert.

Soest 4770

Nordrhein-Westfalen S. 414 □ D 10

Soest war nicht nur eine der wichtigsten Städte der Hanse, sondern eine der wichtigsten Europas überhaupt. Berühmt geworden ist die »Soester Fehde«, in der sich die Stadt – auf dem Höhepunkt ihres Ruhms und ihrer wirtschaftlichen Macht – in den Jahren 1444–49 vom Erzbistum Köln lossagte. Später kam Soest an Brandenburg. Politische Unruhen, Seuchen und Kriege ließen die Stadt in Mittelmaß absinken.

Stiftskirche St. Patroklus/Patroklidom (Rathausstraße): Der Wiederaufbau, der nach den Schäden aus dem 2. Weltkrieg notwendig war, beseitigte auch einige der Veränderungen, die diesen monumentalen Dom im Laufe der Jahrhunderte entstellt hatten. In der Form, in der sich der Bau dem Besucher präsentiert, entspricht er in allen wesentlichen Teilen wieder dem Zustand des 12. Jh. (der Ursprungsbau entstand um 1000, Erweiterungsbauten setzten im 11. und 12. Jh. ein). Wichtigster Teil der Kirche ist der mächtige Turm, der mit Recht als schönster romanischer Turm in Deutschland gilt. Die großartige Wirkung, die der Bau ausübt, wird durch den grünlich schimmernden Sandstein aus den Steinbrüchen der näheren Umgebung noch unterstrichen. – Das Innere des Doms ist von den starken Pfeilern und der Großzügigkeit des gesamten Baus geprägt. Glanzpunkt ist das in der zweiten Hälfte des 11. Jh. hinzugefügte *Westwerk.* Von der romanischen *Wandmalerei,* die während des 2. Weltkriegs fast vollständig vernichtet wurde, sind Reste nur noch in der Altarapsis des nördlichen Querhausarmes (»Marienchörchen«) erhalten. Die übrige Wandmalerei wurde beim Wiederaufbau durch P. Hecker ersetzt. Auch die *Fenster* in der Turmhalle sind jüngsten Datums. Reste der ursprünglichen Verglasung finden sich nur noch in den drei Fenstern des Chores. Die Ausstattung der Kirche hat ihren Höhepunkt in einem 2,12 m hohen *Triumphkreuz,* das als Altarkreuz aufgebaut ist. Weitere bedeutende Teile der einstigen Ausstattung befinden sich heute in der *Schatzkammer* (in der früheren Rüstkammer), so u. a. ein Kissen (12. Jh.) mit Seidenstickerei (dargestellt ist Alexanders Greifenflug).

Petrikirche/Ev. Pfarrkirche (Rathausstraße): Die Petrikirche – dem Dom gegenübergelegen – wurde im 12. und 13. Jh. als Gewölbebasilika errichtet. Besondere Bedeutung wurde dem Westwerk beigemessen, das in unmittelbaren Zusammenhang mit der westlich der Kirche liegenden erzbischöflichen Pfalz zu bringen ist. Es wird charakterisiert durch eine fünfschiffige Halle im Untergeschoß, deren Säulen das großartige Kreuzgewölbe tragen. Wertvollster Teil der Innenausstattung

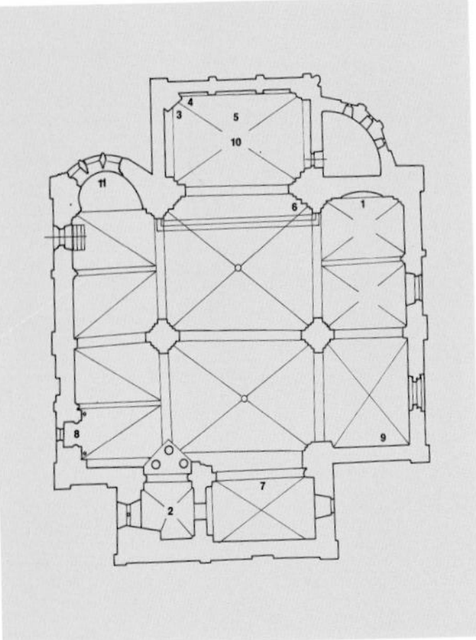

Soest, St. Maria zur Höhe 1 Hölzernes Scheibenkreuz, um 1230 **2** Taufstein, um 1230 **3** Kerzenträger, Ende 14. Jh. **4** Sakramentshäuschen, um 1450 **5** Altaraufsatz, um 1740; Tafelbild des Liesborner Meisters **6** Kanzel, um 1600 **7** Orgelprospekt, 1679 **8** Grabnische mit Fresken aus dem 13. Jh. **9** Tafelbild »Hesekielapokalypse« von Knipping, 1640 **10** Engelreigen, 1280 **11** Katharinenchor mit Fresken, um 1260

Heilig-Grab-Nische, Hohnekirche

sind die vortrefflich erhaltenen Wandbilder aus dem 13.–15. Jh. Zwei der Kreuzigungsbilder werden dem Kreis um Konrad von Soest zugeschrieben. Aus der 2. Hälfte des 15. Jh. stammt der reich verzierte Pelikankelch.

Maria zur Höhe/Hohnekirche (Hohe Gasse): Der heutige Bau, um 1225 fertiggestellt, hat in einigen Teilen den romanischen Vorgängerbau einbezogen. Wie die meisten der westfälischen Hallenkirchen, so ist der Grundriß auch hier beinahe ein Quadrat. Von besonderem Wert ist die Ausstattung der Kirche, vor allem die *Wandmalerei.* Chor, Nebenchor und Altarraum sind mit figürlicher Malerei geschmückt, während Wände, Pfeiler und Gewölbe mit Ornamenten verziert wurden. Glanzpunkt der Gewölbemalerei ist der *Engelreigen* über dem Hauptchor. Dem stehen die Malereien des Heiligen Grabes (in einer Nische, siehe Grundrißskizze) kaum nach. Der Hauptaltar enthält Gemälde mit der Kreuzigung und der Passion. Die westfälische Malerei der Spätgotik (um 1480) hat hier eines ihrer Meisterwerke.

St. Maria zur Wiese/Wiesenkirche (Wiesenstraße): Die Kirche entstand in relativ kurzer Bauzeit im 14. Jh. Lediglich die Türme kamen erst im 15. Jh. hinzu (fertiggestellt in der Mitte des 19. Jh.). Aus dem reichen Figurenschmuck sollen hier die Figuren über dem Süd- und über dem Nordportal hervorgehoben werden. Von großartiger Qualität ist auch das Maßwerk der Fenster. Im Inneren der Wiesenkirche ist der Raum mit großen gotischen Fenstern durch Geräumigkeit und Helligkeit gekennzeichnet. Bestimmend auf den Gesamteindruck wirken die vier hohen, trotzdem aber schlanken Pfeiler, die gleichzeitig die Teilung in drei Schiffe und drei Joche unterstreichen. Glanzvoller Höhepunkt der Innenausstattung sind die hochragenden Fenster mit der

»Westfälisches Abendmahl«, Wiesenkirche

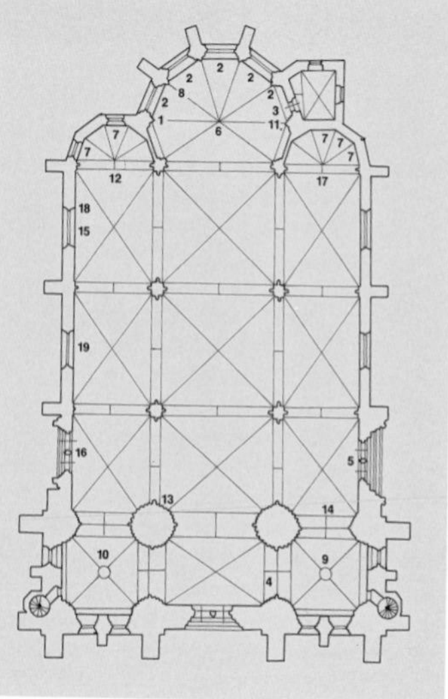

Glasmalerei aus der 2. Hälfte des 14. Jh. Neben Aposteln und Heiligen ist auch ein volkstümliches Motiv enthalten: Das sog. »Westfälische Abendmahl«, das die Abendmahlsszene in ein westfälisches Gasthaus verlegt (um 1520). – Wichtigster Teil der Ausstattung ist der große *Flügelaltar* (um 1520), der nach neuesten Forschungen ein Werk von H. Aldegrever ist.

Weitere sehenswerte Kirchen in Soest: *Nikolaikapelle* (Thomasstraße): Erbaut im 12. Jh., bedeutendes Altarbild von Konrad von Soest, in der Restaurierung des 19. Jh. erhaltene Wandmalereien. – *Thomaekirche/Ev. Pfarrkirche* (Thomästraße): Hallenkirche aus dem 13. Jh.

Stadtbefestigung (Osthovenstraße): Von der alten Stadtbefestigung aus dem 16. Jh. sind das *Osthoventor* (1523–26) und der gotische *Kattenturm* erhalten geblieben.

Museen: Das *Burghofmuseum* (Burghofstraße 22) ist in einem Haus aus den Jahren 1558/59 untergebracht, das Nebengebäude ist aus romanischer Zeit erhalten (etwa 1200). Die Sammlungen beschäftigen sich in erster Linie mit der Soester Stadtgeschichte. – *Wilhelm-Mogner-Haus* (Thomästraße): In diesem Haus sind die Sammlung des Soesters Wilhelm Mogner, die Städtische Kunstsammlung und eine fast vollständige Sammlung mit Stichen von H. Aldegrever zusammengefaßt.

Soest, St. Maria zur Wiese **1** Alabasterrelief der heiligen Dreifaltigkeit, um 1300 **2** Fenster des Hauptchores, Glasmalerei um 1350 **3** Wandmalerei neben der Sakristeitür (Verkündigung), um 1370 **4** Lesepultdecke, um 1390 **5** Marienstatue am Mittelpfeiler des Südportals, um 1400 **6** Jacobialtar, um 1420 **7** Fenster der Nebenchöre, Anfang 15. Jh. **8** Sakramentshäuschen, um 1420 **9** Taufstein, 1. Hälfte 15. Jh. **10** Reliquientabernakel, Mitte 15. Jh. **11** Wandmalerei über der Sakristeitür, 1. Viertel 15. Jh. **12** Sippenaltar des Meisters von 1473, 1473 **13** Madonna im Ährenkleid, 2. Hälfte 15. Jh. **14** Kreuzigungsgruppe, 2. Hälfte 15. Jh. **15** Marienfenster, Ende 15. Jh. **16** Nordportalfenster mit »Westfälischem Abendmahl«, um 1500, Ergänzungen des 19. Jh. **17** Marienaltar, um 1525; Flügelgemälde von Heinrich Aldegrever **18** Schnitzaltar, brabantisch, Anfang 16. Jh. **19** Wurzel-Jesse-Fenster, Ende 15. Jh.

Sögel 4475
Niedersachsen S. 414 □ D 6

Schloß Clemenswerth: Die Anlage hat J. C. Schlaun* im Auftrag des Fürstbischofs Clemens August in den Jahren 1736–50 in großer Abgeschiedenheit errichtet. Das zweigeschossige Schlößchen ist in rotem Backstein ausgeführt, der durch hellen Sandstein (als Verzierung) unterbrochen wird. Zur Gesamtkonzeption Schlauns gehören die acht Alleen, die sternförmig auf das Jagdschloß zuführen. Vom Schloß aus kann man aus jedem Fenster eine dieser Alleen und damit das wechselnde Wild sehen. Umgeben ist der Hauptbau von acht Pavillons, die überwiegend nach Bischofssitzen benannt sind (Pavillon Münster, Hildesheim, Paderborn, Osnabrück, Köln). Dazu gibt es den Pavillon Clemens August, den Pavillon Mergentheim, den Küchenpavillon und eine Kapelle mit Kapuzinerkloster. Die enge Verbindung zur Jagd zeigt sich sowohl in der gesamten Anlage als auch in vielen Details. So sind der Festsaal des Schlosses und alle anderen Räume mit Jagdszenen stuckiert. Im Treppenhaus zeigen mehrere Gemälde den fürstlichen Jäger. Heute befindet sich im Schloß das *Emsland-Museum* mit Beiträgen zur Geschichte der Jagd und zum jagdlichen Brauchtum.

Solingen 5650
Nordrhein-Westfalen S. 416 □ C 11

Kath. Pfarrkirche (Gräfrath): Die Anfang des 13. Jh. erbaute Kirche wurde 1690 durch einen einschiffigen Saalbau ersetzt. Die Chorausstattung folgt dem Barock. Wertvollste Teile sind der Hochaltar, die Seitenaltäre und eine Kommunionsbank. Im Kirchenschatz befinden sich erstklassige Goldschmiedearbeiten.

Kleinstadtmarkt (Marktplatz in Gräfrath): Der Markt ist mit seinen Bauten aus dem 18. Jh. fast unverändert erhalten geblieben. Direkt am Markt befindet sich die ev. Kirche (1716–18). Vom Markt aus führt eine Treppe zum Westturm der Stiftskirche.

Deutsches Klingenmuseum (Wuppertaler Straße 160): Waffen, Besteck und Schneidegerät sind in diesem Spezialmuseum aus allen wichtigen Epochen zusammengetragen.

Theater Solingen (Obere Hauptstraße 215): Das 1963 eröffnete Theater hat 813 Plätze.

Umgebung: Die *Müngstener Brücke* (5 km östlich) ist mit 107 m Höhe die höchste Eisenbahnbrücke in Deutschland (506 m lang). – *Schloß Burg* (8 km südöstlich), Dom zu → Altenberg (24 km südöstlich).

Speinshart 8481
Bayern S. 418 □ L 15

Klosterkirche: Mit dem Bau dieser Klosterkirche in einem kleinen Ort der Oberpfalz feierte das Barock einen überschäumenden Triumph. Baumeister war W. Dientzenhofer* (ab 1691), der sich für eine Wandpfeileranlage entschied. Stukkateur C. D. Luchese hat mit immer neuen Einfällen einen Reichtum an Formen und Figuren geschaffen, wie er kaum anderswo anzutreffen ist. Sein Bruder B. Luchese hat die Fresken gemalt. Die Wangen des Chorgestühls stehen Stuck und Fresken nicht nach.

Speyer 6720
Rheinland-Pfalz S. 420 □ E 16

Speyer, heute eine Stadt mit 43000 Einwohnern, war schon von den Kelten besiedelt. Von einem Bistum Speyer kann man seit dem 7. Jh. sprechen, vermutlich bestand schon in spätrömischer Zeit ein Bischofssitz. Seit 1294 Reichsstadt, ist Speyer mehr als fünfzigmal Tagungsort des Reichstages bis 1570. Der von den Saliern Konrad II., Heinrich III. und Heinrich IV. erbaute Dom ist Grablege von acht Kaisern und Königen.

Kaiserdom (Domplatz): Vorgängerbauten reichen bis ins 7. Jh. zurück, mit dem Bau des heutigen Doms wurde jedoch erst unter Kaiser Konrad II. begonnen (Grundsteinlegung 1030). Schon gut 30 Jahre später war der gewaltige Bau fertig: Nachdem Heinrich III. die Fertigstellung der Krypta feierlich begangen hatte, ließ sein Nachfolger Heinrich IV. den Dom weihen. In der Folgezeit erfuhr der Dom zahlreiche Veränderungen, die zum Teil durch seine gefährdete Lage in der Nähe des Rheins bedingt waren, zum Teil aber auch dem Zeitgeschmack entsprachen. Die durchgreifendste Veränderung erfolgte unter Kaiser Heinrich IV. Er ließ das bis dahin flachgedeckte Mittelschiff wölben – eine epochemachende Leistung der deutschen Architekturgeschichte. Viele Umgestaltungen, die dem ursprünglichen Baubild und der Bedeutung des Doms abträglich waren, wurden bei der 1957 einsetzenden Restaurierung wieder beseitigt. Anläßlich der 900-Jahr-Feier im Jahr 1961 präsentierte sich der Bau wieder in fast dem Bild, das ihm die Kaiser während der Entstehungszeit gegeben hatten. – Die Lage rund 10 m über dem Rhein unterstreicht die Wirkung, die von dem mächtigen Bauwerk ausgeht. Je zwei Türme im Osten und Westen begrenzen den Bau und krönen ihn zugleich. Zwischen den beiden Turmpaaren erheben sich kleinere, achteckige Türme sowohl über der Vierung wie auch über der Vorhalle. Fenster, Arkaden und Portale sind reich geschmückt: Steinmetze, die wahrscheinlich aus der Lombardei geholt wurden, haben hier Meisterbeispiele plastischer Kunst geliefert. Das Innere zeigt eine mächtige Pfeilerbasilika von gewaltigen Ausmaßen (Länge 133 m). Die Wölbung erhöht den großartigen Raumeindruck. Königschor und Vierung sind so ange-

Dom zu Speyer ▷

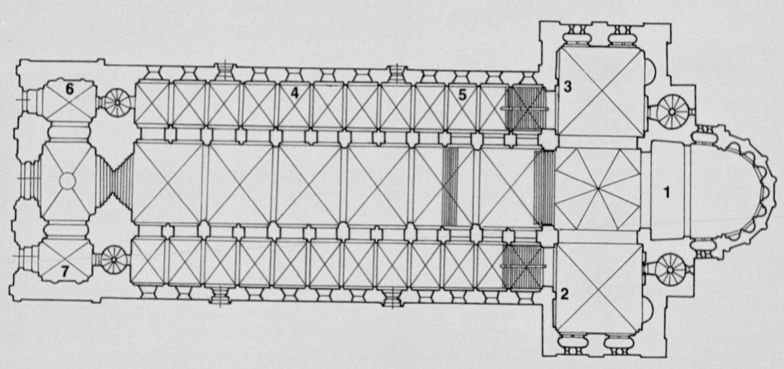

Speyer, Dom 1 Steinbecken, spätromanisch (»Rauschender Kelch«), in der Krypta **2** Epitaph für Wipert von Finsterlohe (1503 gestorben) in der Krypta **3** Relief der Beweinung Christi, stark beschädigt, um 1530, in der Krypta **4** Grabmal des Kanonikus Mohr vom Waldt (1713 gestorben) **5** Epitaph für Bischof Gerhard von Erenberg von Vinzenz Möhring **6** Denkmal für König Adolf von Nassau, 1824 gestiftet; Entwurf von Leo von Klenze, Ausführung durch David Ohnmacht **7** Denkmal für Kaiser Rudolf von Habsburg von Ludwig Schwanthaler, 1843

legt, daß sie zu architektonischen Höhepunkten des Rauminneren werden (siehe Skizze). Unter Chor und Chorschiff befindet sich die *Krypta.* Man erreicht sie über Treppen, die von den östlichen Enden der Seitenschiffe in diesen Teil des Domes führen. Sie ist in drei Räume unterteilt, die jeweils annähernd quadratisch sind. Die gesamte Anlage ist auf großartige Weise miteinander verbunden und hat ihr den Ruhm verschafft, die »schönste Unterkirche der Welt« zu sein. Ihre frühromanischen Formen sind über die Jahrhunderte hinweg in eindrucksvoller Klarheit erhalten geblieben. In der Krypta sind vier Kaiser, drei Kaiserinnen, vier Könige und fünf Bischöfe begraben. – Unter den Anbauten ist die *Afrakapelle* besonders hervorzuheben. Der einschiffige, vierjochige Bau entstand um 1100, wurde 1689 ein Opfer der Zerstörung durch die Franzosen, ist jedoch 1850 wiederhergestellt worden. Ihr besonderer Wert liegt in den ausgezeichneten und im Original erhaltenen Kapitellen. Zwei erstklassige Steinbildwerke (das Relief der Kreuztragung Christi aus dem mittleren 15. Jh. und die »Speyerer Verkündigung«, ein Relief mit der Verkündigung Mariae, um 1470 entstanden) wurden von ihren einstigen Plätzen an der Außenwand des Domes hierher gebracht. An das südliche Seitenschiff wurde im 11. Jh. die *Emmeramskapelle* angelehnt, über der die *Katharinenkapelle* im Jahr 1857 errichtet wurde.

Ev. Dreifaltigkeitskirche (Gr. Himmelsgasse): Bei den Verwüstungen von 1689 wurden auch die protestantischen Kirchen der Stadt weitgehend zerstört. Bei einem Wettbewerb wurde der Entwurf von J. P. Graber ausgewählt. 1717 wurde der Bau eingeweiht: Eine der bedeutendsten Barockkirchen im heutigen Rheinland-Pfalz. Der Bau ist ein weiträumiger Predigtsaal mit fünfseitig geschlossenem Chor (siehe Abbildung). Das Innere wird durch die doppelgeschossigen hölzernen Emporen geprägt, deren Seitenteile mit Gemälden versehen sind. Auch das Kappengewölbe, ebenfalls aus Holz gezimmert, ist mit Gemälden geschmückt (Guthbier zugeschrieben, um 1713).

Gedächtniskirche / Retscherkirche (Landauer Straße): Zum Gedenken an die Protestation der ev. Fürsten auf dem Speyerer Reichstag von 1529

Afrakapelle, Dom

wurde 1904 die neugotische Kirche erbaut.

Judenbad (Judengasse): Das Bad gehört zu den wenigen erhaltenen Anlagen dieser Art in Deutschland. Es ist im 12. Jh. entstanden und war für die Waschungen der Frauen nach dem israelitischen Ritus bestimmt.

Stadtbefestigung: Wichtigstes und zugleich eines der schönsten Stadttore in Deutschland ist das *Altpörtel* in der Maximilianstraße. Es stammt aus dem 12. Jh. (Veränderungen und Ergänzungen im 13. und 16. Jh.). Zur Stadtbefestigung gehört auch das *Heidentürmchen* (13. Jh.) im Domgarten.

Historisches Museum der Pfalz (Große Pfaffengasse 7): Berühmtester Besitz ist der »Goldene Hut aus Schifferstadt«, der 1835 in der Nähe von Schifferstadt gefunden wurde und einer der drei bekannten bronzezeitlichen Goldkegel ist. Er stammt aus der Zeit um 1200 v. Chr. und diente vermutlich als Kultkegel. Neben Sammlungen zur Stadt- und regionalen Kulturgeschichte bietet das Historische Museum der Pfalz in einer Sonderabteilung ein *Weinmuseum*. Im Komplex des Historischen Museums ist auch das *Diözesanmuseum* untergebracht. Seine wichtigsten Ausstellungsstücke sind Funde aus der Grablegung deutscher Kaiser im Dom, dazu alte Handschriften, Kultgegenstände und religiöses Volksbrauchtum bis zum 18. Jh.

Stade 2160

Niedersachsen S. 412 □ G 4

Ev. Pfarrkirche St. Wilhadi (Wilhadikirchhof): Die Backsteinkirche, ein Hallenbau aus dem 14. Jh. (Turm aus dem 13. Jh.), wird von Strebepfeilern getragen. Von ihnen geht das sehr schöne Kreuzrippengewölbe aus. An die nördliche Langhauswand wurde das »Brauthaus« angebaut, eine Ergänzung aus dem 14. Jh. Sehenswert sind die sechs Kopfkonsolen im Obergeschoß, erstklassige Steinplastiken, die drei Ehepaare in verschiedenen Lebensphasen darstellen. Wichtigster Teil der Ausstattung ist die Barockorgel des Bremer Orgelbaumeisters E. Bielfeldt (1730–35). Neben der Orgel das Epitaph für Johannes Pahlen (1686).

Dreifaltigkeitskirche, Speyer

Dom, Mittelschiff gegen Osten

Bürgermeister-Hintze-Haus, Stade

Ev. Kirche St. Cosmae et Damiani (Cosmaekirchhof 3): Kennzeichen dieser bis in das 11. Jh. zurückgehenden Kirche ist der riesige Barockhelm des achtseitigen Vierungsturmes aus dem Jahr 1682. Wesentlicher als das Äußere dieser Kirche, die im Laufe der Jahrhunderte vielfach verändert wurde, ist die erstklassige Innenausstattung. Bis auf die Vierung, die durch ausgezeichnete Spitzbögen auffällt, sind alle anderen Teile der Kirche mit hölzernen Tonnengewölben und Flachdecken versehen. Die Ausstattung der Entstehungszeit wurde nach dem großen Stadtbrand von 1659 in die Kirche eingebracht. Als einziger der mittelalterlichen Altäre ist der Gertrudenaltar erhalten (15. Jh., Südwand des Langhauses). Der Altar ist das Werk des Hamburgers C. Precht (1674). Die Mormortaufe, 1665 gestiftet, zeigt sehr feine Evangelistenfiguren aus Alabaster. Außerdem sind zu erwähnen: Die Kanzel (1663), drei Kronleuchter aus dem 16. und 17. Jh. und die Orgel, deren Bau von B. Huß begonnen und die nach seinem Tode bis 1688 von seinem Gesellen, dem berühmten Orgelbaumeister A. Schnitger, als Erstlingswerk vollendet wurde. Die schmiedeeisernen Portalgitter sind erstklassige handwerkliche Kunst des 17. Jahrhunderts.

Rathaus (Hökerstraße): Das 1667 erbaute Rathaus ist ein massiver Backsteinbau mit Sandsteingliederungen. Im Inneren sehenswertes Treppenhaus und ausgezeichnetes Holzwerk (Türen). Die gotisch gewölbten Keller erinnern an einen Vorgängerbau aus dem 13. und 15. Jh.

Bürgermeister-Hintze-Haus (Wasser West): Der Bau ist mit seiner großartigen Barockfassade im Stadtbild Stades einer der Kernpunkte. Bürgermeister Heino Hintze ließ die Fassade in den Jahren 1617–46 anbringen. Das Haus selbst ist ein charakteristisches Kaufmannshaus des späten Mittelalters.

Museen: *Heimatmuseum* (Inselstraße 12): Geschichte und Kulturgeschichte des Raums Stade. – *Vorgeschichtliches Museum* (Eisenbahnstraße 21): Zum Besitz gehören vier Bronzeräder aus der Zeit um 700 v. Chr., die vermutlich zu einem Kultwagen gehört haben. – *Freilichtmuseum* (auf der Insel) mit Altländer Bauernhaus.

Umgebung: Das Alte Land, ein besonders fruchtbares, heute auf den Obstanbau ausgerichtetes Gebiet, besitzt eine Vielzahl schöner alter und typischer Bauernhäuser. Orte, die eine Besichtigung lohnen, sind u. a. Bassenfleth, York, Borstel und Ladekop.

Stadthagen 3060

Niedersachsen S. 414 □ F 8

Ev. Stadtkirche St. Martini (Am Kirchhof 3): Die ab 1318 erbaute Kirche wurde im 14. und 15. Jh. zu dem heutigen Bau vervollständigt. Das äußere

Bild wird beherrscht von dem großen Turm, der sich im Inneren als Turmhalle darstellt. Ungewöhnlich ist die Wandvertäfelung, die seit 1578 den Innenraum umläuft. Darauf abgestimmt ist das Gestühl, das in solcher Geschlossenheit nur selten zu sehen ist. Auch die übrige Ausstattung läßt wertvolle Holzarbeiten dominieren: Der Altar (1585), ein schöner Renaissanceaufbau, bezieht große Teile eines flandrischen Schnitzaltars aus dem 15. Jh. ein, das große Triumphkreuz (mit Maria und Johannes) stammt aus dem 16. Jh., die Kanzel kam ebenfalls im 16. Jh. hinzu. Auch unter den Grabdenkmälern und Epitaphien sind einige aus Holz gearbeitet, so das Epitaph für Christoph von Landsberg (1584, im südlichen Seitenschiff) und das Epitaph an der Südostwand des Chores (1590). – Kunsthistorisch an der Spitze steht das *Fürstliche Mausoleum,* das an der Ostseite an die Kirche anschließt. Fürst Ernst von Schaumburg ließ es – für seine Eltern, seine Gemahlin und für sich selbst errichten und schuf damit eines der bedeutendsten Denkmäler des frühen Barock in Deutschland. Der Bau entstand in den Jahren zwischen 1609 und 1625.
Der Architekt war J. M. Nosseni, die Bildwerke schuf der Bildhauer A. de Vries. Von ihm stammt auch das mittlere Denkmal, ganz aus Marmor, es stellt die Auferstehung Christi dar.

Schloß (Obernstraße): Die Vierflügelanlage, einer der frühesten deutschen Bauten mit Formen oberitalienischer Renaissancearchitektur, entstand im 16. Jh. Der Wert des Schlosses liegt in Details der Innenausstattung, insbesondere in den beiden Kaminen, die im Obergeschoß des Westflügels stehen (16. Jh.). Sie sind mit erstklassigen Reliefs geschmückt. – Vor dem Schloß ist ein *Kavaliershaus* mit einem schönen Erker erhalten (16. Jh.).

Rathaus (Am Markt): Das Rathaus aus dem 16. Jh. beherrscht den Marktplatz und kann seine deutliche Anlehnung an die Schloßarchitektur (siehe zuvor) nicht leugnen. Es ist ein langgestreckter

Fürstliches Mausoleum in St. Martini

Bau mit Staffelgiebeln und kugelverzierten Halbkreisaufsätzen.

Außerdem sehenswert: *Schloßgarten* (südlich vom Schloß) mit einem kleinen Lusthaus auf Pfeilern aus der 2. Hälfte des 16. Jh. – *Stadtbefestigung* (Pferdemarkt): Der Turm am Pferdemarkt wurde 1423 errichtet. – *Alte Häuser:* Vor allem am Markt (hier das Haus Markt 4) sind alte Häuser, meist aus dem 16. Jh., erhalten. Die Weserrenaissance bestimmt die Architektur.

Steinbach = Maria Steinbach 8941

Baden-Württemberg S. 422 □ H 20

Pfarr- und Wallfahrtskirche St. Maria: An die Stelle einer Pfarrkirche aus dem 16. Jh. trat bis 1753 der bestehende Neubau, bis 1764 kam die erstklassige Ausstattung hinzu. Meister des schwäbisch-bayerischen Rokoko haben hier ein Schmuckstück sakraler Kirchenbaukunst geschaffen. Die Pläne für den Bau werden bei J. G. Fischer* oder D. Zimmermann* vermutet, Meister der Innenausstattung waren F. X. Feuchtmayer* und J. G. Üblherr*, die Fresken hat F. G. Hermann geschaffen.

Steinbach = Michelstadt 6120

Hessen S. 416 □ F 15

Einhartsbasilika (1 km nordwestlich von Michelstadt): Einhart, Berater und Biograph Karls des Großen (siehe dazu auch → Seligenstadt), ließ die Kirche im 9. Jh. errichten. Ursprünglich sollte sie die Gebeine der hl. Marcellinus und Petrus übernehmen, die aus Rom nach Steinbach gebracht worden waren (dann jedoch 828 nach Seligenstadt kamen). Seit ihrer Entstehungszeit ist die Kirche in wesentlichen Teilen unverändert erhalten geblieben und zählt deshalb zu den eindringlichsten Zeugnissen karolingischer Architektur nördlich der Alpen. Die Krypta zeichnet ein Ebenmaß der Proportionen aus.

Steinfeld = Kall 5370

Nordrhein-Westfalen S. 416 □ B 13

Ehem. Klosterkirche der Prämonstratenser: Die Augustinerchorherren, deren Orden vom hl. Norbert von Xanten gegründet wurde, bezogen hier in Steinfeld ihr erstes deutsches Kloster (1121). 1126 nehmen sie die Ordensregel der Prämonstratenser an. Das Kloster bleibt Stützpunkt der Christianisierung des deutschen Ostens. Der Bau der Kirche setzte im Jahr 1142 ein und erbrachte die bis heute fast unverändert erhaltene Gewölbebasilika. Das Äußere wird von der schmucklosen Westfassade bestimmt, die links und rechts von Rundtürmen abgeschlossen wird. Den hohen Rang der Kirche macht die großartige Innenausstattung aus. An erster Stelle ist die Wandmalerei zu nennen, die teilweise aus dem 12. und 14. Jh. erhalten ist. Der Rest kam in den Jahren 1509–17 hinzu, als H. v. Aachen das gut erhaltene Rankenwerk und auch einige figürliche Szenen malte. Im Mittelschiff nimmt der Sarkophag des 1241 gestorbenen und später seliggesprochenen Prämonstraten-

Schloß Fürstenau in Steinbach bei Michelstadt war ehemals Wasserburg. Die komplexe Gebäudegruppe ist vom 14. Jh. bis zum 19. Jh. entstanden

sers Hermann Joseph eine dominierende Stellung ein. Erwähnenswert sind die barocke Orgel (1690–1732), die reich geschmückte Kanzel und der Altar. – Die *Klostergebäude* an der Nordseite der Kirche wurden überwiegend im 16. Jh. errichtet, im 18. Jh. jedoch entscheidend verändert (Erhöhung um ein Geschoß). Hier Kreuzgang mit großartigen Glasmalereien.

Umgebung: Sehenswert ist das malerische *Monschau.*

Steingaden 8924

Bayern S. 422 □ I 21

Ehem. Prämonstratenserklosterkirche St. Johann Bapt.: Die Kirche aus der Mitte des 12. Jh. ist zwar im Äußeren weitgehend unverändert aus der Gründungszeit erhalten geblieben, ihr Formenreichtum im Inneren ist jedoch das Werk des 18. Jh. F. X. Schmuzer* hat hier mit den *Stukkaturen* eine seiner besten Leistungen erbracht (um 1740). Die *Fresken* sind das Werk des Augsburgers J. G. Bergmüller* (1741–51). Das Gemälde für den *Hochaltar* (1663) stammt von J. C. Storer (Konstanz). Die an den Pfeilern befestigten *Stifterfiguren* schuf der Münchner Bildhauer J. B. Straub*. Erwähnt sei schließlich das erstklassige *Chorgestühl,* das aus älterer Zeit erhalten ist (1534). – Im angrenzenden *Kreuzgang* aus der 1. Hälfte des 13. Jh. sind romanische Säulen erhalten. Die *Johanneskapelle,* Typ des romanischen Zentralbaus.

Steinhausen = Bad Schussenried 7953

Baden-Württemberg S. 420 □ G 20

Wallfahrtskirche/Kath. Pfarrkirche St. Peter und Paul: Die Kirche ist das Werk der Brüder Dominikus (Baumeister und Stukkateur) und Johann Baptist Zimmermann* (Stukkateur und Maler). Sie ist in den Jahren 1728–33 entstanden und einer der künstlerischen Glanzpunkte aus dieser Zeit. Das Innere hat einen Ovalraum zum Zentrum (siehe Grundriß), der von Licht durchflutet ist. Das Innere bleibt bis zur Höhe der Kapitelle völlig schmuck- und farblos, was die Wirkung der dann folgenden, überreichen Stuckorna-

Klosterkirche, Steingaden

mente und großartigen Farben noch beträchtlich steigert. Die Pfeilerarkaden sind von reich stukkierten, goldglänzenden Balustraden umsäumt. Höhepunkt der Ausschmückung ist das gewaltige Kuppelfresko. – In vielen Stuckfiguren und Einzeldarstellungen ist die Wessobrunner Schule, durch die beiden Brüder Zimmermann gegangen sind, unverkennbar. So gehört die Darstellung von heimischen Blumen und Vögeln, aber auch Schnecken und Eichhörnchen zu dem großartig einheitlichen Bild. In der Wieskirche (→ Wies) haben die Brüder ihre gemeinsame Arbeit fortgesetzt.

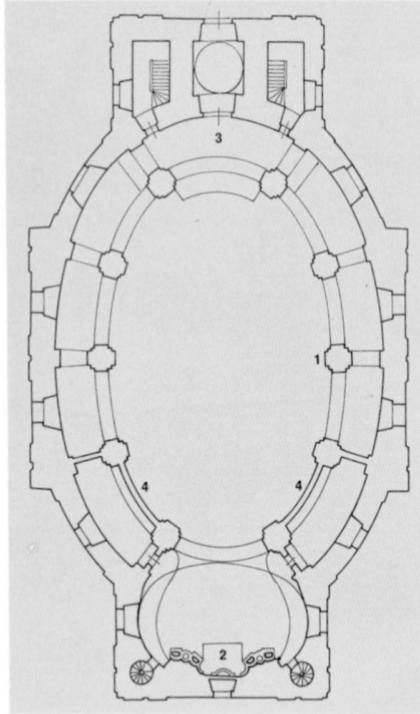

Steinhausen, Pfarrkirche St. Peter und Paul, Wallfahrtskirche 1 Kanzel von Joh. Georg Prestel, 1746 **2** Hochaltar von Joachim Früholz, 1750; Vesperbild um 1410–20 **3** Orgel, Gehäuse von Georg Reusch, 1750 **4** Nebenaltäre von Joachim Früholz mit Bildern von Esperlin, 1746

Steinhude = 3050 Wunstorf 1

Niedersachsen S. 414 □ G 7

Der heute 4800 Einwohner zählende Ort am Steinhuder Meer ist zum Zentrum eines Feriengebietes und Schlammheilbad geworden.

Schloß Wilhelmstein: Graf Wilhelm von Schaumburg ließ ab 1761 die nach ihm benannte Inselfestung Wilhelmstein errichten (Fertigstellung 1767).

Schloß Wilhelmstein, Steinhude

Wallfahrtskirche, Steinhausen ▷

Die Miniaturfestung mit ihren 16 Nebenforts steht auf einer künstlich aufgeschütteten Insel und diente anfangs als Muster-Kriegsschule. Berühmtester Schüler war Gerhard von Scharnhorst. Nach Aufhebung der Militärakademie diente die Festung als Museum und ist beliebtes Ziel für Touristen.

Straubing 8440

Bayern S. 422 □ M 17

Aus einem in der Donauniederung gelegenen römischen Militärlager entwickelte sich die bajuwarische Siedlung, die seit etwa 900 auch urkundlich belegt ist. Donauaufwärts gründete Herzog Ludwig d. Kehlheimer 1218 die Neustadt.
Das Modell der mittelalterlichen Stadt, von dem Straubinger Drechsler Jakob Sandtner 1568 angefertigt (heute im Bayerischen Nationalmuseum in → München), ist auch heute noch in großen Teilen erkennbar. Stattliche Bauten des Mittelalters machen die Macht des altbayerischen Bürgertums deutlich. – An die Augsburger Baderstochter Agnes Bernauer, die mit Herzog Albrecht vermählt war und 1435 als vermeintliche Zauberin in die Donau gestürzt wurde, erinnern die ihr zu Ehren errichtete → Agnes-Bernauer-Kapelle und die Agnes-Bernauer-Festspiele, die alle vier Jahre stattfinden.

Stadtpfarrkirche/Stiftskirche St. Jakob (Pfarrplatz 7): Die im 15. Jh. erbaute Kirche gehört zu den größten *Hallenkirchen* in Bayern. Die Pläne stammen von dem bekannten Landshuter Kirchenbaumeister H. Stethaimer*. Das strenge Äußere des Ziegelbaus wird nur durch den spätbarocken Turmhelm (1780) aufgelockert. – Im Inneren tragen schlanke *Rundpfeiler* ein flaches Gewölbe, das ursprünglich 3 m höher war, aber nach dem Stadtbrand von 1780 nicht mehr in der alten Form gelang. Seitlich umgibt ein Kranz reich ausgestatteter *Kapellen* den gesamten Bau. - Der neugotische *Hochaltar* besitzt wertvolle Figuren und gemalte

St. Jakob, Straubing

Flügel eines 1590 aus Nürnberg übernommenen Altars. Die Gemälde stammen nach neuesten Erkenntnissen aus der Werkstatt des Meisters Wohlgemut. Die 1753 aufgestellte *Kanzel* ist überreich mit barockem Schmuckwerk versehen; den Schalldeckel krönt der Kirchenpatron St. Jakob. Besonders sehenswert sind die zum Teil von schönen schmiedeeisernen Gittern abgeschlossenen Kapellen. Hervorzuheben ist die *Maria-Hilf-Kapelle,* in der das Glasfenster und Wandmalereien aus dem 15. Jh. erhalten sind. In der rechts folgenden *Maria-Tod-Kapelle* steht der Stuckmarmoraltar von E. Q. Asam* mit einem Gemälde seines Bruders. In der *Bartholomäus-Kapelle* (nördlich der Chormitte) verdient das Grabmal des Ratsherrn Ulrich Kastenmayer (um 1430) Beachtung, das zu den besten bildhauerischen Leistungen der Zeit gehört. – Unter den *Glasgemälden* des Kirchenschiffs sind Originale des 15. Jh.

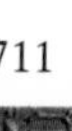

Karmelitenkirche

Bernauer-Grabstein, Friedhof St. Peter

Karmelitenkirche (Albrechtgasse 20): Der Baubeginn ist auf das Jahr 1371 datiert, doch wurde die Kirche unter Mitwirkung Stethaimers erst im 15. Jh. vollendet. Die charakteristischen Merkmale, welche heute ihren Wert ausmachen, gehen auf die Barockisierung in den Jahren 1700–10 unter W. Dientzenhofer* zurück. Im Zuge dieser Neugestaltung wurde die Wölbung des Langhauses neu gestaltet und der Turm im Westen hinzugefügt. – Im Inneren ist der gotische Charakter (schlanke Pfeiler) zugunsten des Barock aufgegeben worden. Im Gegensatz zu anderen Kirchen ist Dientzenhofer in Straubing so weit gegangen, daß er sogar Pfeiler verkleidete oder Fenster erweiterte und mit Rundbogen abschloß. – Die Ausstattung wird angeführt von einem der mächtigsten *Hochaltäre* Süddeutschlands. Er ist das Werk eines Passauer Meisters (1741/42) und reicht bis in die Wölbung, so daß der Ostteil des Chores als Mönchschor abgetrennt wird. Im Mittelpunkt des überdimensionalen Werkes steht das Gemälde mit der Darstellung der Ausgießung des Heiligen Geistes. Die großen, vollplastischen Figuren stellen Propheten und Päpste dar. Neben den *Seitenaltären und der barocken Kanzel* gehört schließlich die *Tumba für Herzog Albrecht II.* (gest. 1397) zu den Schätzen der Kirche (aus Rotmarmor; im Mönchschor hinter dem Hochaltar).

Ursulinenkirche (Burggasse 9): Zwei große Künstler des 18. Jh. sind mit dem Bau dieser Klosterkirche verbunden. E. Q. Asam* war ihr Architekt, C. D. Asam* hat den größten Teil der Ausmalung übernommen. Das Zentrum ist der *Hochaltar,* der als bestimmendes Element des Kirchenraumes seine Fortsetzung in den Seitenaltären und im Deckenfresko findet.

Pfarrkirche St. Peter (Petersgasse): Die um 1200 neu errichtete Kirche ist als querschifflose dreischiffige Basilika typisch für die Romanik in Bayern. Die Westfassade wird von zwei *Türmen* begleitet (im 19. Jh. neuromanisch aufgestockt), die drei *Apsiden* im O sind sparsam ornamentiert. Bildhauerische Meisterleistungen sind die *Portale* im W und S, die eine reiche Ornamentik und Figurenreliefs aufweisen.

Friedhof St. Peter: In dem die Peterskirche umgebenden äußerst stimmungsvollen Friedhof interessieren neben gut renovierten *schmiedeeisernen Grabkreuzen* drei Kapellen. Die *Liebfrauenkapelle* (Alter Karner), ein zweigeschossiger Bau der Spätgotik, die 1486 als neuer Karner entstandene *Totentanzkapelle* mit einer barocken Totentanzdarstellung an den Wänden des Langhauses sowie die *Agnes-Bernauer-Kapelle*. Sie geht auf eine Sühnestiftung des Herzogs Ernst von Bayern zurück. Er hatte Agnes Bernauer als unebenbürtige Gattin seines Sohnes 1435 in der Donau ertränken lassen. Im Mittelpunkt steht ihr Grabstein, den ein einheimischer Meister im 15. Jh. geschaffen hat.

Weitere sehenswerte Kirchen: *Ehem. Jesuitenkirche* (im 17. Jh. von Grund auf erneuert), *St. Veit* (aus dem 14. Jh., 1702/03 barockisiert, sehenswerte Ausstattung), *Schutzengelkirche* (1706 errichtet mit reicher Ausstattung).

Schloß (im N der Stadt an der Donaubrücke): Der heutige Bau entstand unter Herzog Albrecht I. ab 1356. Die Schloßkapelle (14./15. Jh.) schließt mit einem kleinen Chor, der als Erker aus der Rückwand des Schlosses tritt. Im Schloßhof finden die Freilichtaufführungen über das Leben der Agnes Bernauer statt.

Stadtplatz: Der die beiden Platzhälften (Ludwigs- und Theresienplatz) trennende *Stadtturm* wurde in den Jahren 1316–93 errichtet und ist an seiner charakteristischen Turmbekrönung zu erkennen. Neben dem zentralen Turm sollten vier Eckerker den Wachmännern die Möglichkeit geben, in jeder Richtung Ausschau zu halten. Westlich des Stadtturms steht die *Dreifaltigkeitssäule*. Sie wurde von den Bürgern der Stadt gestiftet, nachdem 1704 eine Belagerung durch österreichische Truppen abgebrochen wurde.

Rathaus (Theresienplatz): Als das ursprünglich mit dem Stadtturm verbundene alte Rathaus zu klein wurde, wich man im 14. Jh. mit einem Neubau in die Häuserzeile aus, die den großen Stadtplatz umgibt. Sehenswert sind der *Laubenhof* (16. Jh.) und ein *spätgotischer Saal*.

Alte Wohnbauten: Die sehenswerten Wohnbauten, oft mit hohen mittelalterlichen Giebeln und Längsfassaden des 17. und 18. Jh., finden sich vor allem am Ludwigsplatz und in der Fraunhoferstraße.

Stadttheater (Theresienplatz 11): Das Theater (1953 umgebaut) hat 460 Plätze und wird von Gastbühnen bespielt.

Gäuboden- und Stadtmuseum (Fraunhoferstraße 9): In einem ehem. Adelshaus mit schöner Barockfront werden Beiträge zur Vor- und Frühgeschichte sowie kulturgeschichtliche Sammlungen (Trachten, Möbel, Waffen, Keramik, Volkskunst) gezeigt. Im Mittelpunkt steht der sog. *Straubinger Römerschatz*, der 1950 im Westen der Stadt gefunden worden ist.

Stuppach = Bad Mergentheim 6990

Baden-Württemberg S. 420 □ G 16

Pfarrkirche: Die Kirche, ein unauffälliger Bau aus dem Jahre 1607, ist wegen ihres Mariengemäldes berühmt, das Matthias Grünewald gemalt hat (1517–19) und zu den bedeutendsten Werken altdeutscher Malerei gehört.

Stiftskirche und Fruchtkasten sind die beherrschenden Gebäude des Schillerplatzes in Stuttgart ▷

Stuttgart 7000

Baden-Württemberg S. 420 □ F 18

Die Hauptstadt Baden-Württembergs hat heute 627 000 Einwohner. Technische Hochschule, Landwirtschaftliche Hochschule, die Hochschule für Musik und darstellende Kunst sowie die Akademie der Künste sind Zeichen der zentralen kulturellen Stellung. Die Württembergische Landesbibliothek gehört mit mehr als 1,2 Millionen Bänden zu den größten in Deutschland. Stuttgart ist auch Sitz der Deutschen Schillergesellschaft (→ Marbach). – Keimzelle der Stadt war ein »Stuten-Garten«, ein Gestüt also, das der Stadt den Namen gegeben hat und das Schwabenherzog Liutolf vermutlich um 950 gründete. Mit Urkunden belegt ist die Entwicklung Stuttgarts seit dem 12. Jh. Im 17. Jh. wurde zwar die Residenz der Herzöge von Württemberg nach → Ludwigsburg verlegt, doch erlebte die Stadt zur Zeit des Barock und im Klassizismus kulturelle und wirtschaftliche Höhepunkte. Noch im 20. Jh., insbesondere in Verbindung mit der Bauausstellung des Jahres 1927, sind viele bemerkenswerte Bauten hinzugekommen. – Zu den großen Söhnen der Stadt gehören der Philosoph G. W. F. Hegel und die Dichter G. Schwab und W. Hauff.

Ev. Stiftskirche Hl. Kreuz (Stiftstraße 12, am Schillerplatz): Der heutige Bau (nach den Zerstörungen im 2. Weltkrieg renoviert) ist in seinen wesentlichen Teilen in den Jahren 1433–60 nach Plänen des bekannten Baumeisters A. Jörg* entstanden. Jörg übernahm den Unterbau des Turmes aus einem Vorgängerbau um 1230 sowie den Chor, der bereits 1327–47 entstanden war. Im Inneren sind die *Grabdenkmäler* der Grafen von Württemberg im Chor beachtenswert. Sie sind das Werk des Bildhauers S. Schlör (1576–1608) und gehören zu den bedeutenden Bildhauerarbeiten dieser Zeit. Ferner: mehrere *Epitaphien* (betender Ritter Hermann von Sachsenheim, 1508) und ein steinerner Altar aus der Zeit um 1500 mit einem *Schmerzensmann* als Mittelstück.

Ev. Spitalkirche (Büchsen-/Hospitalstraße): A. Jörg hat auch diese Hallenkirche erbaut (1471–93), die im 2. Weltkrieg allerdings stark zerstört

Die Grabmäler der Grafen von Württemberg im Chor der evangelischen Stiftskirche

wurde. Erhalten geblieben ist die großartige *Kreuzigungsgruppe* (1501, im Chor) des Heilbronner Bildhauers H. Seyffer, der auch als Hans von Heilbronn in die Kunstgeschichte eingegangen ist. In der Kirche findet man auch einige bemerkenswerte *Grabdenkmäler* aus dem 16./17. Jh.

Ev. Leonhardskirche (Leonhardsplatz): Auch hier wird A. Jörg als Baumeister genannt, der 1463–74 einen älteren *Chor* mit in den Bau einbezog. Hervorzuheben ist das *Chorgestühl* aus dem 15. Jh. Die *Kopie* jener *Kreuzigungsgruppe,* die jetzt in der → Spitalkirche steht, ist freistehend neben der Kirche zu sehen.

Ev. Stadtkirche in Bad Cannstatt: Wieder ist A. Jörg als Baumeister überliefert, und auch hier zeigte er sein Geschick, Reste von Vorgängerbauten in ein geschlossenes Konzept einzubeziehen (u.a. die beiden *Türme* im O sowie das *Sterngewölbe* des *Chors).* Der *Hauptturm* wurde 1613 hinzugefügt.

Ev. Veitskirche in Mühlhausen: Die Kirche ist in den Jahren 1380–90 entstanden und seither im wesentlichen fast unverändert geblieben. Von der reichhaltigen und gediegenen Ausstattung verdient vor allem die *Ausmalung* Beachtung, die in den ältesten Teilen aus der Erbauungszeit stammt (Triumphbogen, Chorgewölbe), im übrigen aber im 15. Jh. hinzugekommen ist. Prunkstück der Kirche war jener böhmische *Hochaltar* (um 1380), der sich jetzt in der → Staatsgalerie befindet.

Moderne Kirchen in Stuttgart: Kirchen aus dem ersten Viertel dieses Jahrhunderts, aber auch Neubauten, die an die Stelle der im 2. Weltkrieg verlorenen Kirchen getreten sind, haben Stuttgart zu einem *Zentrum moderner Kirchenbaukunst* gemacht. Hier seien als besonders sehenswert erwähnt: *Markuskirche* (Markusplatz), *Erlöserkirche* (Birkenwaldstraße), *St. Georg* (Heilbronner Straße), *Kirche in Sillenbuch* (Kleine Hohenheimer Straße).

Altes Schloß (Planie): Die Zerstörungen des 2. Weltkrieges sind beseitigt worden, so daß sich das Alte Schloß – aus einer Wasserburg des 13. Jh. entstanden – heute wieder annähernd im Zustand des 16. Jh. präsentiert. Die wesentlichen Teile des Schlosses gehen

Hl. Kreuz gehören zu den bedeutendsten Bildhauerarbeiten des 16. Jahrhunderts

auf A. Tretsch* zurück, der in den Jahren 1553–78 den Ausbau im Stil der Renaissance vornahm. Der Reiz der Anlage zeigt sich in erster Linie beim Betreten des *Binnenhofes,* der den Blick zu den dreistöckigen Arkadengängen, die den einstigen Turnierplatz an drei Seiten umstehen, freigibt. Die Schloßkapelle ist ebenfalls das Werk von Tretsch (1560–62, im Südflügel).

Neues Schloß (Schloßplatz): 1746 begann Herzog Carl Eugen mit den Bauarbeiten für das neue Schloß, da sein Vater die Residenz von Ludwigsburg nach Stuttgart zurückverlegt hatte. Die an Versailles orientierten Pläne sind von L. Retti*. Ab 1751 übernahm L. P. de la Guêpière* die Verantwortung. Nach dem 2. Weltkrieg wurde das Schloß innen nach modernen Gesichtspunkten aufgebaut.

Lustschloß Solitude (Über Rotebühlstraße, Wildparkstraße): Im W der Stadt auf einem Bergrücken ließ Herzog Carl Eugen das Schloß 1763–67 als Stätte der Besinnung und »Einsamkeit« errichten. Neben dem ausklingenden Rokoko wird hier schon die klassizistische Entwicklung deutlich. Bei der Vervollkommnung der Ausstattung ist dieses Element um 1800 noch verstärkt worden. In den Nebengebäuden sind der ehem. *Theatersaal* und die *Kapelle* sehenswert.

Schloß Hohenheim (Im Ortsteil Hohenheim): In den Jahren 1785–91 ließ der baufreudige Herzog Carl Eugen von F. H. Fischer das Schloß als Landsitz errichten. Die Formen des Barock treten zugunsten der klaren Formen des Klassizismus.

Schillerplatz: → *Stiftskirche* und *Fruchtkasten* sind die beherrschenden Gebäude des weitgehend im alten Zustand erhaltenen Platzes; das 1839 aufgestellte *Schillerdenkmal* von B. Thorwaldsen ist sein zentraler Punkt. Der Fruchtkasten geht auf das 14. Jh. zurück, wurde jedoch gegen Ende des 16. Jh. neu gestaltet. Architektonisch wertvolle Gebäude am Schillerplatz sind ferner die *Alte Kanzlei* (1550–60) und daneben der *Prinzenbau* (1698 fertiggestellt).

Schloßplatz: Der Schloßplatz präsentiert sich als großer Garten mit kastaniengesäumten Alleen. Er schafft eine

Neues Schloß – Ehrenhofseite

Verbindung zwischen → Neuem Schloß, → Altem Schloß, → Schillerplatz und Königstraße. In der Mitte des Platzes steht die *Jubiläumssäule* (1841).

Rathaus (Marktplatz): Im ehemaligen Zentrum der alten Stadt ist in den Jahren 1954–56 das neue Rathaus nach Plänen der Architekten H. P. Schmohl und P. Stohrer entstanden.

Weißenhofsiedlung: Die heutige Siedlung weicht nach Beseitigung der Kriegsschäden zwar stark von der ursprünglichen, zur Ausstellung des Deutschen Werkbundes im Jahre 1927 geschaffenen Anlage ab, sie läßt jedoch die grundsätzlich neuen Ideen und Ansätze, die damals von den namhaftesten Architekten der Zeit verwirklicht worden sind, noch gut erkennen. Häuser von P. Behrens, M. van der Rohe, Le Corbusier, H. B. Scharoun* u. a. sind im Originalzustand erhalten.

Liederhalle (Schloß-/Seidenstraße): Unter dem Dach dieses Konzertbaus, der als bekanntes Beispiel moderner Architektur gilt, sind drei Musiksäle vereint: der *Beethovensaal* (2000 Plät-

Binnenhof des Alten Schlosses mit dreistöckigen Arkaden

Lustschloß Solitude auf einem Bergrücken im Westen der Stadt

ze), der *Mozartsaal* (750 Plätze) und der *Silchersaal* (350 Plätze). Architekten des 1955/56 entstandenen Konzerthauses waren A. Abel, R. Gutbrod und B. Spreng.

Theater: Das *Württembergische Staatstheater* (Oberer Schloßgarten 6), ist reich an Tradition und wird auch heute oft gerühmt (sein Ballett hat Weltrang). Die Aufführungen des Sprech-, Musik- und Tanztheaters finden im Großen und Kleinen Haus sowie einem zusätzlichen Kammertheater statt. Das *Große Haus* wurde 1912 eröffnet und faßt 1400 Zuschauer. Das *Kammertheater* wurde 1946 in den dritten Stock des Großen Hauses eingebaut und hat 400 Plätze. Das *Kleine Haus,* nach der Zerstörung im 2. Weltkrieg 1962 wiedereröffnet, bietet 841 Besuchern Platz. – Die *Komödie im Marquardt* (Bolzstraße 4–6) pflegt gehobenes Boulevardtheater und spielt von September bis Juli. – Im *Theater der Altstadt* (Charlottenplatz) finden ebenfalls von September bis Juli Schauspielaufführungen statt. – Nicht vergessen sei das *Stuttgarter Marionettentheater* (Hegelplatz 1).

Museen: Das *Württembergische Landesmuseum* (Schillerplatz 6, im Alten Schloß) ist die Zentrale für Zweigmuseen in weiteren Städten Baden-Württembergs. Die hier zusammengetragenen Sammlungen erheben das Museum zu einem der bedeutendsten in der Bundesrepublik. Schwerpunkte sind: Vor- und Frühgeschichte, eine Antikensammlung, das Römische Lapidarium, reiche Kunst- und kulturgeschichtliche Sammlungen (u. a. Waffen, Uhren, Musikinstrumente, Münzen). – Die *Staatsgalerie* (Konrad-Adenauer-Straße 32) hat Wilhelm I. von Württemberg gegründet (1843 eröffnet). Gesammelt werden europäische Malerei vom Mittelalter bis zur Gegenwart, Plastik des 19. und 20. Jh. sowie Graphik. Eines der bedeutendsten Werke ist der »Herrenberger Altar«, den Jörg Ratgeb 1518/19 für die Herrenberger Stiftskirche gemalt hat und der 1892 nach Stuttgart gekommen ist. In der Staatsgalerie sind aber auch niederländische Meister wie Hals, Rembrandt, Rubens vertreten, daneben fast alle großen französischen Maler des 19. und 20. Jh. – Die *Galerie der Stadt Stuttgart* (Kunstgebäude am Schloßplatz) zeigt schwäbische Kunst des 19. und 20. Jh. – Im *Linden-Museum*

Schloßplatz mit Kunstgebäude und Jubiläumssäule. Rechts: *Staatstheater*

(Hegelplatz 1) werden Beiträge zur Völkerkunde aller Kontinente gesammelt. – Das *Staatliche Museum für Naturkunde* (Schloß Rosenstein, am Schwanplatz) bietet Sammlungen zur Zoologie, Geologie, Botanik und zu verwandten Gebieten. – Das *Daimler-Benz-Museum* (Mercedes-Straße) gehört zu den wichtigsten Museen im Bereich der Motoren- und Fahrzeugentwicklung. Unter den rund 100 Oldtimern sind auch die berühmten Rennfahrzeuge der Firma. – Die *Württembergische Bibelanstalt* (Hauptstätterstr. 5/B) hat eine sehenswerte Sammlung alter Bibeln.

Außerdem sehenswert: Der *Fernsehturm* auf dem Bopser wurde 1956 gebaut. Er mißt mit Sendemast 217 m. Die obere Aussichtsplattform ist in 152 m Höhe, die oberste Gaststätte liegt nur wenige Meter darunter.

Umgebung: In *Rotenberg* (über Untertürkheim) errichtete König Wilhelm I. eine *Gruftkirche* für seine Gemahlin. Der Rundbau entstand 1820–24 über den Resten der Stammburg der Wirtemberger auf dem gleichnamigen Berg.

Sulzbach-Rosenberg 8458

Bayern S. 422 □ L 16

Pfarrkirche Mariae Himmelfahrt (Pfarrgasse): Die Kirche entstand im 14./15. Jh. 1526 wurde eine Fürstenempore, die sich über alle drei Schiffe erstreckt, eingezogen. Beachtenswert sind die schönen *Maßwerkfenster* aus der Entstehungszeit. Den *Hochaltar* beherrscht das Gemälde Mariae Himmelfahrt, das H. G. Asam (1711 gest.), der Vater des berühmten Brüderpaares, geschaffen hat.

Schloß: Der 1582–1618 durch Herzog Ottheinrich II. von Pfalz-Sulzbach errichtete Bau (1768–94 stark verändert) dient heute als Heimatmuseum. Zum Komplex gehören ein *Saalgebäude* (1582) mit Treppenturm und Schmuckportal, der *Fürsten- und Gästetrakt* (1618) und das *Kanzleigebäude*. 1701 ließ Herzog Christian August den *Schloßbrunnen* mit dem Pfälzischen Löwen aufstellen.

Rathaus (Luitpoldplatz 25): Das im 14. Jh. errichtete Rathaus imponiert mit seiner gotischen *Giebelfront*.

Gruftkirche für die Gemahlin König Wilhelms I. in Rotenberg bei Stuttgart

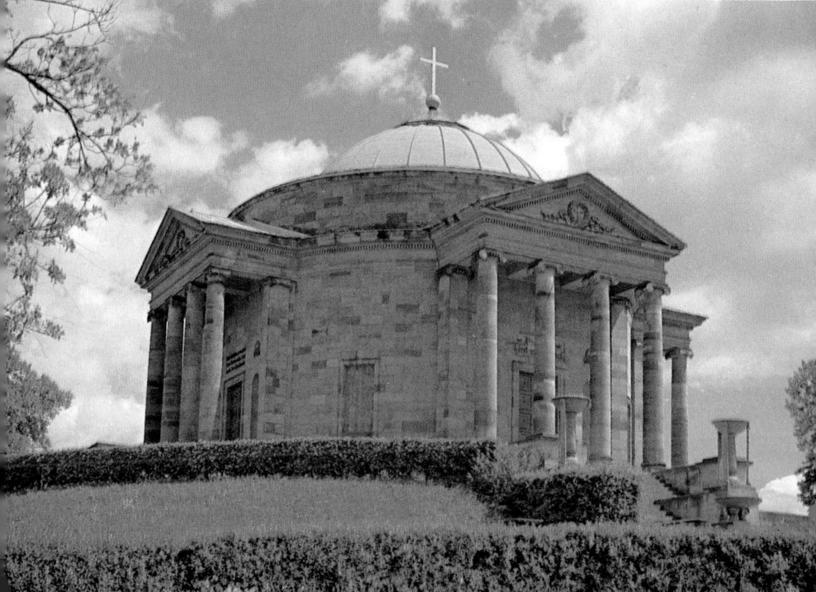

Tauberbischofsheim 6972

Baden-Württemberg S. 416 □ G 15

Kath. Pfarrkirche St. Martin (Liobaplatz): An die erste Kirche, die 1910–14 durch den heutigen Neubau ersetzt wurde, erinnert nur noch der *Muttergottesaltar* (16. Jh.). Der Altar stammt wahrscheinlich aus der Werkstatt T. Riemenschneiders.* Der *Kreuzaltar* (1761) enthält die Kopie eines Grünewald-Bildes mit der Kreuzigungsszene (Original in der Staatlichen Kunsthalle → Karlsruhe).

Kurmainzisches Schloß, Tauberbischofsheim

Ehem. kurmainzisches Schloß (Schloßplatz): Der wesentliche Teil der Bauten stammt aus dem 15./16. Jh. Anfänge lassen sich jedoch bis in das Jahr 1250 zurückverfolgen. Im Schloß ist heute ein *Museum.*

Fachwerkbauten: Erstklassige Fachwerkbauten finden sich vor allem in der *Hauptstraße* und auf dem *Marktplatz.*

Tecklenburg 4542

Nordrhein-Westfalen S. 414 □ D 8

Ev. Stadtkirche (Landrat-Schultz-Straße): Der Saalbau aus dem 16. Jh. beherbergt die *Grabdenkmäler* der Grafen von Tecklenburg (16. Jh.). – Der Turm wurde erst später vorgesetzt.

Burgruine: Das ehem. Schloß der Grafen von Tecklenburg ist nur als Ruine erhalten. – Hier finden alljährlich von Mai bis August die *Tecklenburger Freilichtspiele* statt.

Wasserburg Haus Mark (zwischen Lengerich und Tecklenburg): Der Abstecher (1 km südlich von Tecklenburg) lohnt sich vor allem wegen des *Rittersaals.*

Tegernsee 8180
Bayern S. 422 □ L 21

Die große kulturelle Blüte brachte für Tegernsee das Benediktinerkloster, eines der damals bedeutendsten Kulturzentren in Europa. Buchmalerei und Schreibkunst erreichten hier einen ihrer Höhepunkte. In der wechselvollen Geschichte des Klosters waren das 11., das 15. sowie das 17./18. Jh. die fruchtbarsten Phasen. – In unserem Jahrhundert lebte der Heimatschriftsteller L. Ganghofer mehrere Jahre in Tegernsee, wo er 1920 starb. 1950 ist hier auch H. Courths-Mahler gestorben.

Ehemalige Benediktinerklosterkirche/ Pfarrkirche St. Quirin: Zahlreiche, meist durch Brände zerstörte Bauten sind der heutigen Kirche, die ihre Gestalt nach einem weitreichenden Umbau in den Jahren 1684–89 erhalten hat, vorangegangen. Der Vater der berühmten Brüder, H. G. Asam, steuerte *Stukkaturen* und *Fresken* bei. Die mächtige *Doppelturmfassade,* die älteste in Bayern, wurde 1817 durch L. v. Klenze* umgestaltet. – Im Inneren der dreischiffigen Basilika sind von den zahlreichen Altären nur einige erhalten geblieben. Der *Hochaltar* zeigt im Zentrum ein Kreuzigungsgemälde (Kopie des Gemäldes von K. Loth, das im 18. Jh. nach Oberösterreich gelangte). Am nördlichen *Seitenaltar* ist die hl. Agatha in einer vorzüglichen Plastik dargestellt. Einige später hinzugekommene Ausstattungsstücke tragen eindeutig klassizistische Züge. Sehenswert sind die *Nebenräume,* die sich durch reichen Rokokoschmuck auszeichnen (vor allem in der Quirinus- und in der Benediktuskapelle). – Nachdem der bayrische König Max I. Joseph 1817 das Kloster erworben hatte, wurde es durch L. v. Klenze zu einem Schloß umgebaut. Der *Rekreationssaal* mit seinem Stuck von J. B. Zimmermann* zeigt noch klösterliche Züge.

Heimatmuseum (Rosenstraße 24): In das Museum sind mehrere der musealen Klosterräume einbezogen.

Telgte 4404
Nordrhein-Westfalen S. 414 □ D 9

Stadtkirche: Die Kirche ist um 1500 als Nachfolgebau einer Holzkirche am Ufer der Ems entstanden. Sie enthält als wertvollstes Stück der Ausstattung eine *Muttergottesfigur* aus dem 15. Jh.

Wallfahrtskapelle (Kirchplatz): 1654 entstand im Auftrag des Fürstbischofs Christoph v. Gahlen die achteckige Kapelle aus Sandstein. Die Innenausstattung wurde 1959 erneuert. Erhalten blieb das *Gnadenbild,* ein Vesperbild aus dem Jahre 1370.

Heimatmuseum Münsterland: In einem alten bäuerlichen Wirtschaftsgebäude, das für Museumszwecke erweitert wurde, ist das Heimatmuseum Münsterland mit seinen Sammlungen zur allgemeinen und religiösen Volkskunst untergebracht. Berühmt sind die westfälischen *Hungertücher.* Dabei handelt es sich um kunstvolle Textilarbeiten, von denen die bedeutendste auf einer Fläche von 7 × 4 m 33 Darstellungen aus der Leidensgeschichte Christi enthält.

Thurnau 8656
Bayern S. 418 □ K 14

Ev. Pfarrkirche: Der *Turm,* in dem sich auch der *Chor* befindet, ist aus einem älteren Bau übernommen worden und von der späten Gotik geprägt. Das *Langhaus* ist in den Jahren 1700–06 entstanden. Im Inneren wird der annähernd quadratische Raum auf drei Seiten von einer Empore umgeben. In der Westempore befindet sich ein in Schwarz und Gold gehaltener zweigeschossiger *Herrenstand.* Sehenswert ist auch ein im oberen Geschoß aufgestellter *Baldachinstuhl* aus dem frühen 17. Jh. Von der Empore führt eine Brücke zum benachbarten Schloßturm.

Schloß: Der umfassende Komplex hat sich seit dem 12. Jh. aus einer Vielzahl von Einzelbauten entwickelt und ist heute noch in das *Untere* und *Obere Schloß* gegliedert. Die wesentlichen Teile der Anlage stammen aus dem 16.–19. Jh.

Trausnitz 8471
Bayern S. 422 □ M 16

Burg: Das kleine Dorf (950 Einwohner) bezieht seine Anziehungskraft aus seiner *malerischen Lage* im Tal der Pfreimd und aus der stolzen *Burg,* die in ihrem heutigen Zustand aus dem 13. Jh. stammt. Die Anlage gruppiert sich um einen kleinen Hof. – In der Geschichte spielte die trutzige Burg in den Jahren 1322–24, als hier Friedrich d. Schöne v. Österreich, der Gegenkönig Ludwig d. Bayern, in Haft gehalten wurde, eine bedeutende Rolle.

Trechtingshausen 6531
Rheinland-Pfalz S. 416 □ D 14

Clemenskirche (etwas außerhalb der Stadt, unmittelbar am Rheinufer): Die Kirche trägt alle Kennzeichen einer *romanischen Basilika.* Sie ist im 12. Jh. erbaut und fast unverändert erhalten geblieben. Dominierend sind die paarweise angeordneten Pfeiler im Langhaus. Die Vierung wird von einer Gewölbekuppel abgeschlossen.

Umgebung: *Burg Reichenstein* (1 km südlich von Trechtingshausen). – *Burg Rheinstein* (2 km südlich von Trechtingshausen) aus dem 13. Jh. wurde ab 1825 im Auftrag des Prinzen Friedrich von Preußen im romanischen Stil ausgebaut. Die Sammlungen (Gemälde, Waffen) wurden 1974 verkauft, die Burg 1976 restauriert. – *Burg Sooneck* (3 km nördlich).

Triberg 7740
Baden-Württemberg S. 420 □ D 19

Pfarr- und Wallfahrtskirche Maria in der Tannen/Maria Himmelfahrt: Die Kirche, äußerlich kaum hervortretend, birgt das *Gnadenbild* »Maria in der Tannen« von A. J. Schupp aus Villingen (1645). Ferner verdienen die *Seitenaltäre* und die *Kanzel* (ebenfalls von

Burg Rheinstein, Trechtingshausen

Schupp) sowie das *Antependium* vor dem Hochaltar Aufmerksamkeit. Das historische Stadtbild Villingens (1715) ist auf einem der *Votivbilder* getreu wiedergegeben.

Trier 5500

Rheinland-Pfalz S. 416 □ B 15

Trier ist die älteste Stadt Deutschlands. Eine Inschrift am Roten Haus behauptet, die Stadt sei 1300 Jahre älter als Rom. Tatsächlich wurde Trier 15 vor Christus von den Römern selbst gegründet. 117 n. Chr. wurde es Hauptstadt der Provinz Belgica prima und später Residenz des Kaisers. In Trier residierten die Kaiser Maximianus, Constantius Chlorus und vor allem Konstantin der Große (von 306–312). Die Stadt blühte kulturell und wirtschaftlich und trotz mehrfacher Zerstörung durch die Germanen wurde sie, dreimal so groß wie Köln, zu einer Weltstadt des Imperiums. Ihre Kaufleute handelten mit Marseille, Italien, Griechenland und Syrien. Mit der Vertreibung der Römer endete auch die Macht der Stadt an der Mosel. Neuer Aufstieg setzte erst ein, als Trier – zur heiligen Stadt erhoben – erster Bischofssitz jenseits der Alpen wurde. – Heute beherbergt Trier eine Universität und eine Philosophisch-Theologische Hochschule in seinen Mauern, sie ist bedeutende Industriestadt geworden und noch immer ein Zentrum für den Handel mit Wein. – Zu den bekanntesten Söhnen der Stadt gehört Karl Marx, der hier geboren wurde.

DAS RÖMISCHE TRIER

Basilika/Aula regia (Konstantinplatz): Die vermutlich von Kaiser Konstantin um 300 erbaute Basilika dient heute als ev. Pfarrkirche. Das gewaltige Ausmaß des rechteckigen Ziegelbaus ist ein Beweis der beispiellosen Leistungen römischer Architektur aus dieser Zeit: Mit 73 m Länge, 28,50 m Breite und einer Höhe von 33 m würde der Bau der pfeilerlosen Halle auch noch heute keine leichte Aufgabe sein. Neben dem Pantheon in Rom ist die Basilika der größte und großartigste Innenraum, der aus römischer Zeit überkommen ist. In monumentaler Gestalt und Erhabenheit zeigt sich hier die Größe römischer Baukunst. Vielfach wurden Ein-

Basilika, Trier

griffe in den antiken Bestand unternommen. Daß sich die Basilika heute wieder fast originalgetreu in jenem Zustand präsentiert, in dem sie einst von ihren Erbauern fertiggestellt worden ist, darf in erster Linie als Verdienst von Friedrich Wilhelm IV. von Preußen gelten, der den Befehl gab, die Basilika wieder in »ursprünglicher Größe und Stilreinheit mit Benutzung der sehr bedeutenden Reste« herzustellen. Im Zuge dieses Erlasses verschwanden zahlreiche der Nebenbauten, die im Laufe der Jahrhunderte hinzugefügt worden waren und das großartige Bild des Bauwerks beeinträchtigt hatten. Eine zweite große Phase der Wiederherstellung setzte nach dem 2. Weltkrieg ein, als Kriegsschäden zu beseitigen waren und bei dieser Gelegenheit zusätzliche Restaurierungsarbeiten durchgeführt wurden. – Im Inneren ist der Bau eine mächtige Halle mit einer monumentalen Kassettendecke.

Porta Nigra (Porta-Nigra-Platz): Der schwarz verwitterte Sandstein, mit dem dieses mächtigste Stadttor der Römerzeit auf dem Boden des römischen Weltreichs – einst Nordtor der römischen Stadtbefestigung – errichtet wurde, hat den Namen gegeben. Das Tor wurde vermutlich im vierten Jahrhundert, als die Erweiterung der Stadt notwendig geworden war, erbaut. Das Tor, 36 m lang, 21,50 m breit und 30 m hoch, ist eines der beherrschenden Elemente im Stadtbild des heutigen Trier. Der doppeltorige Mittelbau wird von zwei halbrunden Türmen begrenzt. Die großen Sandsteinblöcke des Bauwerks wurden im ursprünglichen Zustand nicht durch Mörtel, sondern durch große Eisenklammern zusammengehalten. Viele dieser Eisenklammern wurden jedoch später herausgebrochen. – Mehrere ergänzende Bauten, die im Laufe der Zeit hinzugefügt wurden, sind – parallel zur Wiederherstellung des alten Zustands der Basilika (siehe zuvor) – wieder beseitigt worden. Dazu gehörte auch jene *Simeonskirche,* die Erzbischof Poppo zu Ehren seines Freundes Simeon errichten ließ, der sich 1028 in eine Zelle der Porta Nigra einmauern ließ und hier sieben Jahre lang als Einsiedler gelebt hat. Von dieser Kirche ist nur der Chor erhalten. Ein Teil des ehem. *Simeonsstifts* dient heute als Städt. Museum. Der zweigeschossige Kreuzgang ist der älteste seiner Art in Deutschland.

Porta Nigra

Kaiserthermen

Kaiserthermen (Ostallee): Im Osten der Stadt erstreckt sich die einst riesige Bäderanlage. Sie machte ein Rechteck mit 250 m Länge und 150 m Breite aus. Mit dem Bau wurde im 3. Jh. begonnen, Konstantin der Große vollendete sie. Unter Kaiser Gratian (375–83) wurde die Anlage teilweise zu einem Forum neben dem Forum des Konstantin um- und ausgebaut, in der Zeit nach den Römern diente sie im Wechsel als Kastell, Kirche und schließlich als Teil der Stadtbefestigung. Heute sind nur Reste der Thermen erhalten, die jedoch ein gutes Bild dieser alten Anlage vermitteln.

Weitere Römer-Bauten in Trier: *Amphitheater* (Olewiger Straße): Der Bau dieses Theaters geht auf das 2. Jh. zurück. Heute sind nur geringe Reste erhalten. Im Theater fanden einst Kampfspiele statt. Darüber hinaus war es auch als Befestigung gedacht. – *Barbarathermen* (Südallee): Kalt- und Warmbad und zwei geheizte Schwimmbecken umfaßte die Anlage aus dem 2. Jh. Von diesen Thermen sind nur noch die Grundmauern vorhanden. – *Römerbrücke:* Von der Brücke aus dem 4. Jh. sind nur noch die Pfeiler erhalten.

KIRCHEN

Dom (Domfreihof): Die Geschichte des Doms ist in allen Einzelheiten erst offenkundig geworden, als Ausgrabungen seit 1944 viele Details über die Vorgängerbauten des heutigen Doms zu Tage brachten. Danach gewannen Überlieferungen Glaubwürdigkeit, wonach an der Stelle des heutigen Doms zunächst ein Palast der Kaiserin Helena, der Mutter Konstantins des Großen, gestanden haben soll. Zeugnisse dieses ersten Baus sind Reste von Deckenmalereien, die aus 50000 Stükken teilweise wieder zusammengesetzt worden sind. An der Stelle, an der einst der Palast seiner Mutter gestanden hat, ließ Konstantin sodann seit 326 eine große Doppelkirchanlage errichten, die – vermutlich nach einem Brand – in den Jahren 36–83 durch einen Neubau ersetzt wurde (Teile sind im Ostteil des heutigen Doms erhalten). Der Bau des heutigen Doms, der zahlreichen weiteren Veränderungen, Ergänzungen und Erneuerungen unterlag, begann um 1035 und zog sich über fast zweihundert Jahre hin. – Im Inneren wird das gotische Rippengewölbe zu einer Dominante. Die *Ausstattung* des Doms entspricht in ihrer Vielschichtigkeit der langen Bauzeit und den verschiedenen Veränderungen. Besondere Schwerpunkte sind: Die romanischen *Chorschranken* (12. Jh.) haben Teile des Lettners übernommen. Reste des wertvollen figürlichen Chorschrankenschmucks – Christus mit Maria und Johannes der Täufer sowie den 12 Aposteln – sind jetzt zwischen Kapitel- und Hochchor aufgestellt. Von den bedeutenden *Grabmälern* sei hier das Grabmal für den Kardinal Ivo (gest. 1144), die Tumba für Erzbischof Balduin von Luxemburg (gest. 1354), das Grabmal für Erzbischof Richard von Greiffenklau (1527) und für Johann von Metzenhausen (1542), genannt. Die *Kanzel* ist eine der ersten großen Arbeiten des Bildhauers H. R. Hoffmann (1570–72), der auch einige weitere Grabaltäre geschaffen hat (so den Allerheiligenaltar des Erzbischofs Lothar von Metternich, 1614, am letzten Südpfeiler). Bedeutendster *Reliquienschatz* des Doms ist der *Hl. Rock,* jenes nahtlose Gewand Christi, das aus braunem Gewebe gefertigt und zum Schutz mit einem byzantinischen Seidenstoff umgeben worden ist. Der Hl. Rock galt zunächst als Berührungsreliquie aus der Zeit Konstantins, in der »Gesta Treverorum« wurde sie jedoch zum tatsächlichen Leibrock Christi erklärt (neue Forschungen haben diese Auffassung allerdings entkräftet und dem in Trier gezeigten Hl. Rock nur Symbolgehalt bestätigt). – Der Dom verfügt über einige *Anbauten,* unter denen der *Kreuzgang* eine Vorrangstellung einnimmt. Er zeigt die Formen der frühen Gotik in ausgereifter Entwicklung und besitzt mit der *Steinernen Madonna* (aus dem Umkreis von N. Gerhaert, 15. Jh.) und einigen ausgezeichneten Grabmälern sehenswerte Schätze. Im sogenannten Badischen Bau (1470), der zwischen Chor und dem nördlichen Flügel des Kreuzganges errichtet wurde, befindet sich heute der *Domschatz* mit seinen schier unübersehbaren Reichtümern. Bedeutendstes Stück ist der Andreas-Altar, den Trierer Goldschmiede im 10. Jh. geschaffen haben.

Liebfrauenkirche (neben dem Dom): Mit dem Bau der Liebfrauenkirche nahm man den Gedanken der Doppelkirche, wie sie bereits von Konstantin dem Großen an gleicher Stelle verwirklicht worden war, wieder auf (siehe zuvor in der Einleitung zur Beschreibung des Doms). Begonnen wurde mit dem Bau um 1235, trotzdem sind die Formen bereits eindeutig gotisch. Der Bau ist neben der Elisabeth-Kirche in → Marburg der älteste gotische Kirchenbau in Deutschland und war zugleich Ausgangspunkt für die sog. Trierer Schule. – Der Grundriß der Liebfrauenkirche weicht allerdings von allen Bauten, die sonst an die Leistungen der Trierer Architekten anschließen, ab: Es handelt sich um einen Zentralbau mit fast kreisrundem Grundriß, der die Vierung als absoluten Mittelpunkt sieht. Zu den bemerkenswertesten Details dieses epochemachenden Baus gehört das Westportal, das zum ersten Mal als Figurenportal ausgebildet ist (Originalfiguren jetzt im Diözesan-Museum, siehe Museen). – Im Inneren verdienen unter den *Grabmälern* das für den Domherrn Karl von Metternich (gest. 1636) und für den Domkantor Johann Segensis (gest. 1564) besondere Aufmerksamkeit. M. Rauchmiller hat das Metternich-Grabmal um 1675 geschaffen, das Grabmal für Segensis ist eines der besten im Stil der Renaissance. Auf den 12 Pfeilern, von denen die runden Vierungspfeiler umstellt sind, sind die 12 Apostel dargestellt (Bemalung aus der Zeit um 1500 erhalten). Die Fensterverglasung ist neu (1954 und 1974 eingebracht).

Dom

Benediktinerabtei und Kirche St. Matthias: Die 1148 geweihte Kirche, die ihrerseits bereits auf Vorgängerbauten seit dem 4. Jh. zurückging, ist in den folgenden Jahrhunderten vielfach verändert worden. Die letzten folgenschweren Umbauten fallen in die Zeit nach dem Brand im Jahr 1783 und in die Restaurierung in den Jahren 1964–67. Ausgangspunkt für den Bau des Klosters und der dazugehörigen Kirche war das Grab des ersten Bischofs von Trier, St. Eucharius (4. Jh.). Von größter Bedeutung für die Kirche war die Entdeckung der Reliquien des Apostels Matthias. Das Kloster blühte auf und wurde Ziel zahlreicher Wallfahrten. – Das spätgotische Netzgewölbe ist in den Jahren 1496 bis 1504 von Meister Bernhard von Trier eingebracht worden. Es füllt das Mittelschiff ganz aus. Querschiff und Chor wurden 1505–10 durch J. v. Wittlich eingewölbt. Der Chor war durch hohe Schranken von der übrigen Kirche abgeschlossen (heute eine barocke Balustrade). Unter dem Chor eine *Krypta* aus der Zeit um 980 (später nach Osten verlängert). In der Krypta stehen die spätrömischen Sarkophage des hl. Eucharius und des hl. Valerius. – An die Kirche schließen die *Klostergebäude* an (13. Jh., bed. Frühgotik im Rheinland). Auf dem Kirchhof die *Quirinuskapelle* und wenig entfernt davon die unterirdischen *Grabkammern* aus frühchristlicher Zeit. In den *Gartenanlagen* sind Figuren des Bildhauers F. Dietz* und seiner Schüler.

Kirche St. Maximin/Ehem. Benediktinerabtei (In der Reichsabtei): Auf den Fundamenten von Vorgängerbauten wurde die Abteikirche um 1240 errichtet. 1581–1613 umgebaut, wurde 1674 zerstört und 1680–98 in ihrer heutigen Form neu errichtet. Später diente sie vorübergehend als Handwerkerschule, als Kaserne und Garnisonskirche. Das Barock hat die Gestaltung der Westfassade bestimmt, im Inneren der Kirche lebt hingegen die Gotik fort. Bedeutendster Teil der Kirche ist die *Krypta* (10. Jh.), die in den Jahren 1936–38 ausgegraben wurde. Beachtenswert ist vor allem die Wandmalerei aus karolingischer Zeit, einziger bedeutender Rest der karolingischen Monumentalmalerei im Rheinland.

Ehem. Stiftskirche/Pfarrkirche St. Paulin (Palmatiusstraße): B. Neumann*, hat diese Kirche entworfen (1734–47 errichtet). Der Bau löste eine romanische Kirche ab und gilt als eine der wichtigsten Leistungen des Barock im Rheinland. Dem vergleichsweise strengen Äußeren steht die heitere, farbenfrohe Ausstattung gegenüber. An der Ausstattung waren namhafte Künstler beteiligt: J. Arnold (Stuck), F. Dietz* (Putten), C. T. Scheffler (Deckenmalerei 1743), J. Eberle (Chorgitter 1767). Auch der Hochaltar folgt einem Entwurf von B. Neumann. Ausgeführt wurde er von F. Dietz (1755).

Weitere sehenswerte Kirchen in Trier: *Hospitalkirche St. Irminen / Ehem. Adlige Benediktinerinnen-Abteikirche* (über Katharinenufer): Ausgehend von einem Bau aus dem 12. Jh. entstanden die wesentlichen Teile der heutigen Kirche (nach den Zerstörungen im 2. Weltkrieg neu errichtet) im 17. und 18. Jh. – *Dreifaltigkeitskirche:* Der im 13. Jh. begonnene Bau wurde im 18. Jh. vollendet. Sehenswert ist das Wappen-Epitaph für Elisabeth von Görlitz (1451). – *Kath. Pfarrkirche St. Gangolf* (am Hauptmarkt): Die Kirche ist in den Jahren 1410–60 errichtet worden. Der mächtige Turm kam um 1507 hinzu. Im Inneren ist eine steinerne Altartafel aus der Zeit um 1475 teilweise erhalten. Am östlichen Ende des Seitenschiffes steht ein Marienaltar, den H. R. Hoffmann 1602 geschaffen hat. – *Kath. Pfarrkirche St. Antonius:* Die Kirche aus dem 15. Jh. erhielt im 18./19. Jh. eine neue Ausstattung, unter der die Kanzel von F. Dietz* eine besondere Kostbarkeit darstellt. Der Grottenaltar ist im 18. Jh. entstanden.

Kanzel, Dom

Erzbischöfliches Schloß (Konstantinplatz): Das Schloß in seiner heutigen Form ist im 17./18. Jh. entstanden. Im Mittelpunkt des Interesses steht das großartige Treppenhaus, für das F. Dietz die Bildhauerarbeiten geliefert hat. Von den Einheimischen M. Eytel (Stuck) und J. Zick* (Ausmalung) stammt der Schmuck.

Hauptmarkt: Anläßlich des 958 erworbenen Marktrechts wurde das *Marktkreuz* aufgestellt. Der *Marktbrunnen,* der dem Stadtpatron (dem hl. Petrus) gewidmet ist, wurde 1595 aufgestellt. Dargestellt sind die vier Tugenden Klugheit, Gerechtigkeit, Mäßigung und Stärke. An der Südseite schließt die Marktkirche St. Gangolf an (siehe Beschreibung zuvor). Im Westen die nach Kriegszerstörung wieder aufgebaute *Steipe,* ein Gebäude aus dem 15. Jh., in dessen von Pfeilern gebildeten offenen Lauben einst das Marktgericht getagt hat. Das Haus selbst diente als Festhaus der Trierer Ratsherren.

Palais Kesselstatt (an der Liebfrauenkirche): Schräg gegenüber der Liebfrauenkirche ist mit dem Palais Kesselstatt der bedeutendste der einstigen Domherrenhöfe erhalten geblieben. 1740–45 ist das Gebäude entstanden.

Wohnbauten: Zu den wenigen, im wesentlichen erhaltenen Wohnbauten des Mittelalters gehören das *Dreikönigshaus* (Simeonstraße), im 13. Jh. im Stil der Gotik erbaut, und der *Frankenturm* (11. Jh.).

Museen: *Rheinisches Landesmuseum* (Ostallee 44): Das 1874 gegründete Museum zeigt bedeutende Sammlungen zur Vor- und Frühgeschichte, aus der römischen Zeit sowie zu den Bereichen mittelalterlicher und neuzeitlicher Kunstgeschichte. In Deutschland gibt es keine vergleichbare Dokumentation römischer Kunst. – *Städtisches Museum* (Simeonstift): In dem ehem. Kreuzgang aus dem 11. Jh., der als Ergänzungsbau zur Porta Nigra entstanden ist, werden heute die Sammlungen des Städtischen Museums gezeigt, darunter Malerei und Plastik vom Mittelalter bis zur Neuzeit, niederländische und rheinische Malerei (überwiegend 19. Jh.) sowie Topographie und Kunstgeschichte Triers. – *Bischöfliches Museum und Diözesanmuseum* (Banthusstraße): Sakrale Kunst aus der Diözese Trier, insbesondere frühchristliche Kunst sowie Bauplastik des Doms und der Liebfrauenkirche. – *Domschatzkammer* (in einem Anbau des Doms): Siehe Beschreibung des Doms. – *Karl-Marx-Haus* (Brückenstraße 10): Die gezeigten Sammlungen enthalten Dokumente zur Lebensgeschichte und zum Werk des Begründers des wissenschaftlichen Sozialismus.

Theater der Stadt (Am Augustinerhof): An die Stelle des alten Stadttheaters (an der Fahrstraße) ist das 1964 eröffnete Theater getreten.
Das Theater (622 Plätze) hat eigene Ensembles (Musiktheater und Schauspiel).

Trifels → Annweiler

Tübingen 7400

Baden-Württemberg S. 420 □ F 18

Tübingen, seit 1477 Universitätsstadt, ist mit 80000 Einwohnern eines der

Madonna, Dom

Grabmal des Johann Philipp von Walderdorf (1756–1768), Dom

wirtschaftlichen und kulturellen Zentren in Baden-Württemberg. 1078 wurde der Name der Stadt zum ersten Mal urkundlich erwähnt, ihre Entwicklung setzte jedoch erst ein, als die beiden Stadtteile, die sich am Neckar und an der Ammer gebildet hatten, zu einer Stadt vereint wurden. Zum Ruhm der Stadt hat das evangelisch-theologische Stift (begründet 1536) beigetragen, das so berühmte Männer wie Kepler, Hegel, Schelling, Mörike und Hauff hervorbrachte. Erinnerungen an weitere Persönlichkeiten aus dem deutschen Geistesschaffen werden bei einem Besuch des Alten Friedhofs wach. Hier sind u. a. Hölderlin und Uhland begraben. An Hölderlin, der ebenfalls im Stift seine Ausbildung erhalten hat, erinnert u. a. der nach ihm benannte Turm (siehe dort), wo der nervenkranke Dichter im Hause des Schreinermeisters Zimmer gepflegt wurde und wo er 1843 gestorben ist. An Hölderlin erinnert auch das Denkmal im Botanischen Garten, in der Stadtbibliothek werden das Original seiner Magisterarbeit und weitere Dokumente aufbewahrt. – Durch den Cotta-Verlag wurde Tübingen auch zu einem Zentrum für die bekanntesten Dichter der Zeit. Johann Friedrich Freiherr (seit 1822) Cotta von Cottendorf (1764–1832) hatte den 1659 gegründeten Verlag 1787 übernommen und wurde u. a. zum Verleger von Goethe und Schiller. Gespräche mit Cotta brachten u. a. Goethe und Schiller, aber auch eine Reihe anderer bekannter Schriftsteller wiederholt nach Tübingen (der Cotta-Verlag ist heute in Stuttgart ansässig). – Neben der schon erwähnten Stadtbibliothek sei gesondert auf die Universitätsbibliothek mit einem Bestand von rund einer Million Bänden verwiesen.

Ev. Stiftskirche St. Georg (Münzgasse 32): Die Stiftskirche ist in zwei dicht aufeinander folgenden Abschnitten entstanden. Stilformen deuten darauf hin, daß P. v. Koblenz* 1470 den Chor mit seinem großartigen spätgotischen Gewölbe und dem reichen Maßwerk errichtete. Acht Jahre später folgt das Langhaus. Beide Teile dieser bedeutenden Kirche sind durch einen spätgotischen Lettner getrennt. Berühmt sind die figürlichen Reliefs des späten 15. Jh. in den Fensteröffnungen der Nordseite. An erster Stelle steht die Fensterskulptur mit dem Martyrium des hl. Georg (der gerädert wurde). Im Chor,

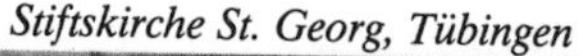

Stiftskirche St. Georg, Tübingen

der zur Grablege der württembergischen Herzöge bestimmt wurde, sind die Grabtumben dicht nebeneinander aufgereiht. Hier wurde auch nachträglich Graf Eberhard im Bart (gest. 1496), der Gründer der Tübinger Universität, beigesetzt. Insgesamt birgt der Chor 13 Tumben, die gleichermaßen eine Ahnengalerie des württembergischen Fürstenhauses wie auch ein Überblick oberschwäbischer Bildhauerkunst sind. Die vorzüglichste Tumba ist die der Gräfin Mechthild (in der Mitte der vorletzten Reihe), die H. Multscher aus Ulm geschaffen hat (1450). Erwähnt seien auch noch der gemalte Flügelaltar (1520) an der südlichen Wand sowie die Fenster im Chorschluß (um 1480).

Schloß (Burgsteige): Der berühmteste Teil des Schlosses, das über der Stadt errichtet wurde, ist das Äußere Tor, das zu einer Vorburg gehört. A. Keller hat es 1606 nach einem Entwurf von H. Schickhardt* ausgeführt. Auf den äußeren Säulen stehen zwei Wachtposten, in der Mitte ist das Wappen Herzog Friedrichs (gestorben 1608) in Stein geschlagen. Das Schloß geht auf einen 1078 erstmals genannten Vorgängerbau zurück, ist jedoch durch einen Neubau ab 1507 (abgeschlossen um 1540) erneuert worden. 1647 wurde die Anlage von den Franzosen gesprengt und später zum Teil erneuert.

Rathaus (Marktplatz): Der Bau aus dem Jahr 1435 wurde 1698 und 1872 durchgreifend erneuert, hat jedoch seine Innenaufteilung mit dem Ratssaal im ersten Stock bewahrt. Die astronomische Uhr ist das Werk J. Stöfflers (1511). – Auf dem Marktplatz steht der *Marktbrunnen* von 1617. Auch für diesen Brunnen lieferte H. Schickhardt* die Entwürfe. Die Sandsteinfiguren wurden durch Nachbildungen aus Bronze ersetzt (Originale im Rathaus).

Hölderlinturm (Bursagasse 6): Hier verbrachte Hölderlin seine langen Jahre der Umnachtung (1806–43). Er wurde von der Familie des Schreinermeisters Zimmer aufgenommen und bis zu seinem Tode gepflegt.

Bursa (Bursagasse): Das 1479 errichtete Haus sollte ursprünglich Wohnstatt der Studenten werden, wurde jedoch 1805 im klassizistischen Stil um-

Äußeres Schloßtor

Hölderlinturm

gebaut und diente sodann als Klinikum. Von 1514–1518 hat hier der Humanist und Reformator Philipp Melanchthon Vorlesungen gehalten.

Untere Stadt: In der Unteren Stadt, die in ihrer ausdrucksvollen Seite dem Neckar zugewandt ist, sind zahlreiche alte Fachwerkhäuser erhalten.

Museen: Das *Theodor-Haering-Haus/ Städtische Sammlungen* (Neckarhalde 31): Zahlreiche Stiftungen haben die Bestände des 1967 gegründeten Museums bereichert und zu seiner Stellung beigetragen. Neben den Sammlungen der Stadtgeschichte finden sich hier zahlreiche Dokumente aus den Bereichen Buchdruck, Verlagswesen und Buchhandel. – *Hölderlin-Gedenkstätte* (Bursagasse 6): Im sog. Hölderlinturm (siehe dazu Einleitung und Beschreibung des Turms) Sammlungen zum Leben und Werk Friedrich Hölderlins. – Die verschiedenen Institute der Universität Tübingen unterhalten eigene Sammlungen (u. a. Sammlungen des Ägyptologischen Instituts, des Archäologischen Instituts, des Instituts für Geologie und Paläontologie des Völkerkundlichen Instituts und des Mineralogisch-Petrographischen Instituts).

Theater: *Landestheater Württemberg-Hohenzollern* (Wilhelmstraße 3): Das Theater (mit 900 Plätzen im Schillersaal und 350 Plätzen im Uhlandsaal) besitzt ein eigenes Schauspiel-Ensemble, das auch zahlreiche Bühnen im näheren Einzugsgebiet bespielt. – *Tübinger Zimmertheater* (Bursagasse 16): Das 1958 eröffnete Theater hat 90 Plätze, darüber hinaus einen Theaterkeller mit variablem Zuschauerraum. Das Ensemble widmet sich vor allem dem progressiven Theater.

Umgebung: Zisterzienserabtei in → Bebenhausen (5 km nördlich), → Reutlingen; Wurmlinger Kapelle.

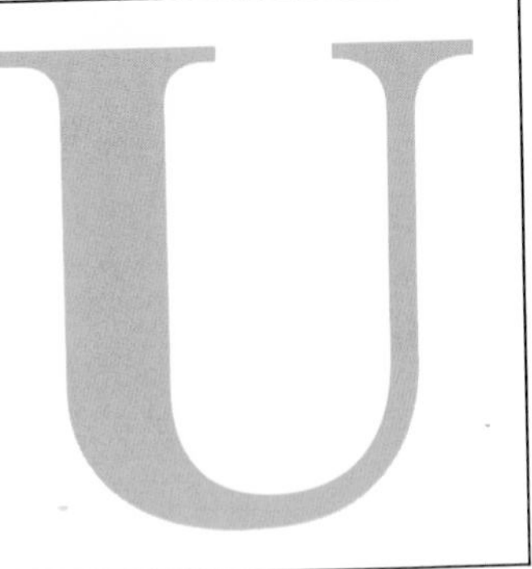

Überlingen 7770

Baden-Württemberg S. 420 □ F 20

Kath. Stadtpfarrkirche St. Nikolaus/ Münster (Münsterplatz): Der Bau des Münsters ist in mehreren Etappen erfolgt. Ausgangspunkt war eine einfache Saalkirche, die durch einen Neubau im 12. Jh. ersetzt wurde. Zwischen 1512 und 1563 wurde das heutige Münster erbaut. Die Bedeutung des Münsters beruht auf seiner großartigen Ausstattung. Von höchstem Rang ist der *Hochaltar,* den J. Zürn* von 1613–16 errichtet hat. Gotik und Renaissance haben das figurenreiche Werk zu beinahe gleichen Teilen beeinflußt. Das gilt auch für das ebenfalls von Zürn geschaffene *Sakramentshaus* (1611), das in der Gliederung von der sonst gewohnten Form abweicht. Die spätgotische Steinkanzel ist ebenso an den Mittelschiffpfeilern befestigt wie die Figuren Christi und der 12 Apostel (1552). In der ersten Südkapelle verdient der *Rosenkranzaltar* (1640), der von den Brüdern J. Zürns, Michael und Martin geschaffen wurde, Beachtung. – Der Ölberg südlich vor der Kirche wurde von den L. Reder 1493 geschaffen.

Franziskanerkirche (Franziskanerstraße): Die Kirche aus dem 15. Jh. erhielt im 18. Jh. ihr Stuckgewand und Fresken im Hochschiff. Den Hochaltar hat J. A. Feuchtmayer* 1759 geschaffen.

Rathaus (Am Marktplatz): Das im 15. Jh. erbaute Rathaus ist wegen seines *Ratssaales* berühmt, den der einheimische Meister J. Ruß in den Jahren 1490–94 ausgestaltet hat. Dargestellt sind auf dem Getäfel die einzelnen Stände des Reiches, die weltliche Macht mit Kaiser und König und die göttliche Macht mit Christus, Maria und Johannes. An das Rathaus schließt im Westen der sog. *Kanzleibau* an.

Städtisches Museum (Krummenberg-

Münster, Überlingen

Detail aus dem Ratssaal, Überlingen

straße): Das Patrizierhaus Reichlin-Meldegg, im 15. Jh. errichtet, ist heute Heimat des Städtischen Museums. Sehenswert sind – neben den Sammlungen des Museums – die Hauskapelle (1486 geweiht, von J. A. Feuchtmayer in der Mitte des 18. Jh. mit reichem Figurenschmuck neu gestaltet) und der Festsaal, dessen erstklassiger Stuck von Wessobrunner Künstlern stammt.

Umgebung: Wallfahrtskirche in → Birnau (5 km südöstlich), → Friedrichshafen (32 km), Insel → Mainau.

Uelzen 3110

Niedersachsen S. 414 □ I 6

Ev. St. Marienkirche (an der St. Marienkirche 1): Die Kirche, die in ihren ersten Anfängen bis in das Jahr 1281 (erste urkundliche Erwähnung) zurückgeht, wurde nach den Zerstörungen des 2. Weltkrieges bis 1954 in etwas veränderter Form wiederaufgebaut. Charakteristikum ist der Findlingssockel, über dem sich die dreischiffige Hallenkirche aus Backsteinen erhebt. Die Halle besitzt ausgezeichnete Kreuzrippengewölbe, die auf dicke Rundpfeiler gestützt sind. Im Gegensatz dazu steht der lichtdurchflutete Chor, der um 1380 hinzugekommen ist. Kostbarster Besitz der Kirche und zugleich Wahrzeichen der Stadt ist jenes »Goldene Schiff«, ein frühgotischer Tafelaufsatz aus vergoldetem Kupferblech, der in einer Nische der Turmhalle aufbewahrt wird. Er stammt vermutlich aus dem 13. Jh. Seine Höhe mißt 62,5 cm. Aus der nur zu kleinen Teilen erhaltenen Ausstattung seien hier außerdem erwähnt: Rokoko-Orgel (1756), Messingkronleuchter (15. Jh.), St.-Annen-Schrein (16. Jh.) sowie mehrere Grabsteine und das Marmorepitaph für Propst Stillen (gestorben 1702).

Heiligen-Geist-Kapelle (Lüneburger Straße): Die Kapelle wurde 1321 zum ersten Mal genannt. In der Kapelle verdient der Marienaltar aus dem 16. Jh. Beachtung. Einige Glasmalereien aus dem 15. Jh. wurden aus der St.-Viti-Kapelle der Marienkirche übernommen.

Museen: *Heimatmuseum* (Hoeffstraße 3): Das Museum, in einem klassizistischen Bürgerhaus untergebracht, zeigt vorgeschichtliche und kulturgeschichtliche Sammlungen. – *Mühlenmuseum Suhlendorf* (15 km südöstlich von Uelzen): 36 nachgebildete Wind- und Wassermühlen aus verschiedenen Ländern und Epochen sind hier in einem Freilichtmuseum aufgestellt.

Ulm 7900

Baden-Württemberg S. 420 □ H 19

Das Umland der einstigen Reichsstadt Ulm (heute fast 100000 Einwohner) war bereits in der jüngeren Steinzeit besiedelt. Die günstige Verkehrslage

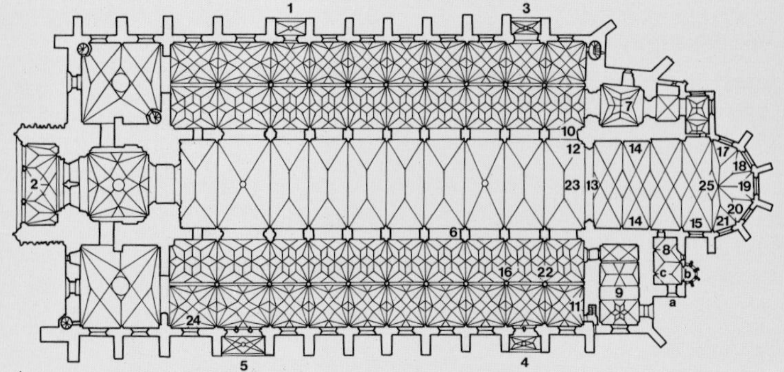

Ulm, Münster 1 Westliches Nordportal, 1356 **2** Vorhalle mit Hauptportal **3** Östliches Nordportal **4** Östliches Südportal, Brauttor **5** Westliches Südportal, um 1380–1400 **6** Stiftungsrelief zur Grundsteinlegung, Ende 14. Jh. **7** Neithartkapelle **8** Bessererkapelle a) Südfenster, 1420 b) Chörlein, 1430 c) Kruzifix **9** Konrad-Sam-Kapelle mit Glasmalerei von 1957 **10** Figur Hans Ehingers **11** Kargaltar, 1433 **12** Sakramentshaus, 1467–71 **13** Dreisitz von Jörg Syrlin d. Ä., 1468 **14** Chorgestühl von Jörg Syrlin d. Ä., 1469–74 a) Frauenseite b) Männerseite **15** Medaillonfenster, frühes 15. Jh. **16** Taufstein, um 1470 **17** Johannesfenster **18** Kramerfenster von Peter von Andlau, 1480 **19** Ratsfenster von Peter von Andlau, 1480 **20** Anna-Marien-Fenster **21** Freuden-Marien-Fenster **22** Weihwasserbecken von Jörg Syrlin d. J., 1507 **23** Altar mit Abendmahlsbild von Hans Schäufelin d. Ä., 1515, darüber Triumphkreuz und Wandbild des Jüngsten Gerichts, 1470–71 **24** Parlerstein **25** Choraltar, sog. Hutzaltar, von Martin Schaffner, 1521

an der Donau hat Handel und Wirtschaft allzeit begünstigt. Ulm ist seit dem Mittelalter ein bedeutendes Handelszentrum geblieben. 1164 erhielt Ulm das Stadtrecht, 1274 wurde die Reichsunmittelbarkeit verbrieft. Das Wachstum der Stadt im Mittelalter läßt sich an den beiden Umfassungen verfolgen: Ein erster Ring umgibt den alten Stadtkern, ein zweiter wurde im 14. Jh. gezogen und umgab eine so große Fläche, daß die Entwicklung der Stadt erst im 19. Jahrhundert darüber hinaus ging.

Münster (Münsterplatz): Unzweifelhaft gehört das Ulmer Münster zu den bedeutendsten sakralen Bauten in Europa. Mit seinen gewaltigen Abmessungen (123,55 m lang, im Langhaus 48,75 m breit, im Hauptschiff 41,6 m hoch und mit einer überdeckten Fläche von 5100 qm sowie mit seinem 161 m hohen Turm) ist das Münster nicht nur eine der größten Kirchen, sondern mit seiner unvergleichlichen Architektur und seinem großartigen Bauschmuck auch eine der besten kirchlichen Bauten. – Der Baubeginn lag im Jahr 1377, wie eine Inschrift beweist. Mehrere Baumeisterfamilien (u.a. die Parler* und Ensinger*) haben an dem Werk gearbeitet. Endgültig fertig war das Münster erst 1890. – Äußeres: Der Turm, höchster Kirchturm der Welt, beansprucht bei einer Betrachtung des äußeren Baus die größte Aufmerksamkeit für sich. Ihm stehen auf der Ostseite zwei kleinere Türme gegenüber. Das schönste von den fünf Portalen, die alle überreich mit figürlichem Schmuck versehen sind, ist das Hauptportal im Westen. Unter den Figuren, mit denen die Arkaden abschließen, sind Maria und die Apostel (um 1420, geschaffen von Meister Hartmann), die bedeutendsten, vorzügliche Werke des Weichen Stils. Am Mittelpfosten des Portals ist der berühmte *Schmerzensmann* zu sehen, den H. Multscher im Jahre 1429 geschaffen hat. Weitere Figuren, die in der Vorhalle aufgestellt sind, stammen von Syrlin d. J.* und stellen Evangelisten, Kirchenväter und Märtyrer dar. – Inneres: Das Innere zeigt ein Hochschiff mit steilen Arkaden, die den Blick zum Chor lenken. Die Ausstattung des Münsters ist trotz der Schäden, die von den Bilderstürmern des 16. Jh. angerichtet wurden, noch immer von großer Einheitlichkeit und ebensolchem Reichtum. Nur noch in geringen Teilen ist allerdings die einstmals reiche Wandmalerei erhalten (an den Mittelschiffpfeilern und das *Fresko des Jüngsten Gerichts,* 1471, eines der bedeutendsten Zeugnisse spätgotischer Monumentalmalerei). Mit den Chorfenstern, die in ihrer Größe und Farbenpracht dominierende Wirkung erlangen, sind hervorragende Leistungen der Glasmalerei des 15. Jh. erhalten. Das *Sakramentshaus* (links vom Chorbogen) gehört zu den besten, die von deutschen Künstlern hervorgebracht worden sind (1464–71). Die Statuen im unteren Teil hat N. Hagenauer geschaffen, die Figuren des ersten Geschosses werden H. Multscher zugeschrieben (Moses, David und eine nicht auszumachende Figur). Die *Kanzel,* 1499 von B. Engelberg* geschaffen, erhielt 1510 einen Holzbaldachin von J. Syrlin d. J. Schließlich sei das großartige *Chorgestühl* hervorgehoben, das als das beste in Deutschland gilt. J. Syrlin d. Ä.* hat es (1469–71) geschaffen und damit eine der bedeutendsten Leistungen deutscher Schnitzkunst vollbracht. Von den ehemals 60 Altären sind die meisten von den Bilderstürmern der Nachreformationszeit vernichtet worden. Von den erhaltenen sei der heutige Hochaltar erwähnt, jener *Sippenaltar,* den M. Schaffner 1521 ursprünglich für die Turmhalle geschaffen hat.

Weitere Kirchen in Ulm: *Dreifaltigkeitskirche* (Lange Straße): Die 1944 durch Bomben zerstörte Kirche aus den Jahren 1617–21 ist nur als Ruine erhalten. Die Sakristei aus dem 14. Jh. wurde als Kapelle eingerichtet. – *Ev. Garnisonskirche* (Frauenstraße): Die Kirche, die T. Fischer 1908–10 erbaut hat, zählt zu den bahnbrechenden Leistungen der Architektur dieser Zeit.

Rathaus (Rathausplatz): Ausgehend von Bauten aus der Zeit um 1360 erfolgte der Umbau der Anlage zur heutigen Gestalt ab 1420. Die großartigen Skulpturen (sie stellen Kurfürsten und Kaiser als Träger der Reichsidee dar) hat H. Multscher ab 1427 geschaffen. Die astronomische Uhr wurde 1520 angebracht, aber schon 1580 von I. Ha-

Ulm, Panorama mit Münster

brecht erneuert. Die Bemalung an der Ost- und Nordseite stammt vermutlich von M. Schaffner.

Neuer Bau (Neue Straße): H. Fischer hat diesen Bau 1585–93 ursprünglich als Kornmagazin errichtet, nichtsdestotrotz erhielt er jedoch ein schloßartiges Aussehen. Diese Wirkung wird vor allem durch den Binnenhof unterstrichen. Das Portal zu diesem Arkadenhof ist das Werk von C. Bauhofer, den Treppenturm hat P. Schmidt 1591 geschaffen. Die Figur der hl. Hildegard, der Gemahlin Karls des Großen, mit der der Brunnen im Hof geschmückt ist, ist heute nur noch Kopie. Das Original, von C. Bauhofer 1591 geschaffen, befindet sich heute im Museum.

Museen: *Ulmer Museum* (Neue Straße 92): Im Mittelpunkt der Sammlungen, die in dem 1882 gegründeten und heute auf fast 50 Ausstellungsräume ausgedehnten Museum zu sehen sind, steht die oberschwäbische Kunst der Spätgotik. Daneben moderne Kunst ab 1890 bis zur Gegenwart. – *Deutsches Brotmuseum* (Fürsteneckerstraße 17): Das Museum versteht sich zwar auch als eine Sammelstelle für die Kultur-

Das Münster in Ulm ist einer der bedeutendsten sakralen Bauten in Europa

Das Ulmer Rathaus ist mit großartigen Skulpturen ausgeschmückt

geschichte des Brotes, es will aber vor allen Dingen bei breiten Bevölkerungskreisen über das Problem des Hungers in der Welt aufklären.

Theater: *Ulmer Theater* (Olgastraße 72): Das 1969 eröffnete Theater (815 Plätze) hat je ein Ensemble für Oper/Operette und Schauspiel. – *Theater in der Westentasche* (Herrenkellergasse 6): Platz für 80 Zuschauer, Schauspiel.

Außerdem sehenswert: *Schwörhaus* (Schwörhausgasse): Das Haus erinnert an die Tradition, daß der regierende Bürgermeister und die Zünfte alljährlich am »Schwörmontag« auf die Stadtverfassung schwören mußten. Dieser Gedanke lebt in dem alljährlich gefeierten Volksfest »Schwörmontag« fort. Das 1613 errichtete Haus wurde 1785 im Stil des Barock verändert. – *Metzgerturm* (Unter der Metzig): Dieser »Schiefe Turm von Ulm« hat eine Neigung von 2,05 m nach Nordwesten. Er stammt aus dem 14. Jh. – *Fischer- und Gerberviertel:* An den Ufern der Blau, die diesen Stadtteil mit mehreren Armen durchzieht, haben früher Fischer und Gerber gewohnt. Bis heute sind viele malerische Motive erhalten geblieben. – Die *Brunnen:* Die Brunnen, zumeist aus dem 14. Jh. finden sich u. a. am Weinhof, am Marktplatz, an der Neuen Straße, am Plätzle und am Münsterplatz. Der Marktbrunnen (»Fischkasten«) stammt von J. Syrlin d. Ä.* und war 1482 fertiggestellt. Die Originale der drei Ritterfiguren befinden sich heute im Museum.

Umgebung: Ehem. Benediktinerklosterkirche St. Martin in → Wiblingen.

Unkel 5463

Rheinland-Pfalz S. 416 □ C 12

Kath. Pfarrkirche: Der Kern ist eine dreischiffige gotische Halle aus dem beginnenden 14. Jh. Äußerliche Erkennungszeichen sind die in dieser Anordnung eigentümlich und reizvoll anmutenden drei Satteldächer, mit denen die drei Schiffe überdeckt sind. Bei Renovierungen in den 50er Jahren wurde ein Reliquienschrein wiederentdeckt und restauriert, dessen schöne Ausmalung wahrscheinlich auf das 15. Jh. zurückgeht und in der Qualität an S. Lochner* erinnert (siehe Dom in → Köln). Ausstattung Barock.

Freiligrath-Haus: Ferdinand Freiligrath lebte 1839/40 in Unkel.

Unteruhldingen = Uhldingen-Mühlhofen 7772

Baden-Württemberg S. 420 □ F 21

Pfahlbaudorf: Am Ufer des Bodensees rekonstruierte man auf vorgeschichtlichen Resten (Stein- und Bronzezeit) diese Siedlungsform aus der deutschen Frühzeit (z. T. abgebrannt). – Im nahen *Seefelden* lohnt die spätgotische kath. *Kirche St. Martin* mit romanischem Turm einen Abstecher.

Urach 7417

Baden-Württemberg S. 420 □ G 18

Ehem. Stiftskirche St. Amandus/Ev. Pfarrkirche: Der Kern des Baus stammt aus den Jahren 1477–1500, als P. v. Koblenz* im Auftrag des Grafen Eberhard im Bart eine spätgotische Basilika errichtete (der Baumeister ist in der Vorhalle begraben). Der Turm erhielt seine endgültige Höhe allerdings erst im 19. Jh., die Ausmalung des Chorbogens erfolgte im 20. Jh. Bedeutender ist die aus der Entstehungszeit erhaltene *Ausstattung.* Aus dem Jahr 1472 stammt der mit reichem Schnitzwerk versehene *Betstuhl des Grafen Eberhard.* Kurz nach Fertigstellung wurde die *Kanzel* eingebracht, die später noch ihren Schalldeckel erhielt (1632). Die Kanzel zeigt im Unterteil mehrere Heiligenfiguren, das Corpus trägt Kirchenväter. Darüber ist dichtes

Kanzel der Stiftskirche in Urach >

SO GOTTES WORT HÖR

Schlingwerk geflochten – eine bedeutende Steinmetzarbeit des 16. Jh. Die *Chorkanzel* muß man im Zusammenhang mit dieser Hauptkanzel sehen. Beachtenswert ist trotz einiger Erneuerungen auch das Chorgestühl. Auf das Jahr 1518 ist der Taufstein (aufgestellt in der Taufkapelle zwischen Chor und Seitenschiff) datiert. Schließlich sei auf die Glasgemälde hingewiesen, unter denen einige (am Ende des südlichen Seitenschiffs) aus dem 15. Jh. erhalten sind. Im Chor stehen Epitaphien.

Residenzschloß (Bismarckstraße): Das seit 1443 erbaute Schloß dient heute als Zweigstelle des Württembergischen Landesmuseums in → Stuttgart. Im 2. Obergeschoß befindet sich der »Goldene Saal«, der 1474 unter Herzog Eberhard im Bart geschaffen wurde, jedoch erst im 16. und 17. Jh. seine heutige Ausstattung erhalten hat. Die Balkendecke wird von vier korinthischen Säulen getragen, die Türen sind reich umrahmt. Beachtenswert ist ein Kachelofen mit ebenfalls reichem Schmuck.

Rathaus und Marktplatz: Der schöne Fachwerkbau wird von freistehenden Holzstützen getragen. Der Bau ist 1562 fertig gewesen. Noch älter ist der davor stehende Marktbrunnen (1495–1500), der von einer Figur des hl. Christophorus bekrönt wird (Kopie). Auch die übrigen Häuser, die den großen Marktplatz umstehen, haben ihr Fachwerk über die Jahrhunderte erhalten.

Albmuseum Schloß Urach (Schloß): Im Schloß werden Sammlungen zur Stadtgeschichte sowie eine Waffensammlung des Württembergischen Landesmuseums gezeigt.

Urschalling (über Prien) 8210

Bayern S. 422 □ M 20

Hl.-Jakobs-Kirche (2 km südlich von Prien): Auf einer Anhöhe über dem Chiemsee ist vermutlich im 12. Jh. die heutige Kirche entstanden. Bei Restaurierungsarbeiten während der Jahre 1941–42 wurden dort mittelalterliche Wandmalereien freigelegt, die zu den besten in Bayern und wertvollsten des Mittelalters gehören. Die Malereien sind in der Minderheit dem frühen 13. Jh., die übrigen dem 14. Jh. zuzuschreiben.

Fachwerkbau, Urach

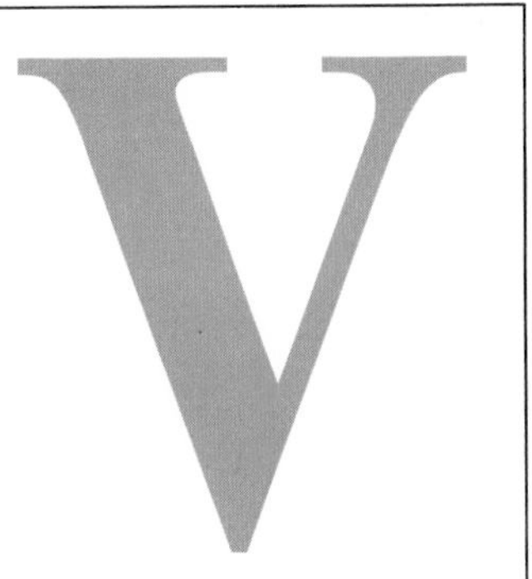

Varel 2930

Niedersachsen S. 414 □ E 5

Evangelische Kirche (Schloßplatz 3): Findlinge, Granitquader und Backstein wurden in den verschiedenen Etappen der langen Bauzeit als Materialien für diese Kirche benutzt. Die ältesten Bauteile gehen in das 13. Jh. zurück. Bedeutender als das Äußere ist die Innenausstattung, die Graf Anton II. von Oldenburg-Delmenhorst bei dem Bildhauer L. Münstermann in Auftrag gab und die im ersten Viertel des 17. Jh. aufgestellt wurde. Im Mittelpunkt steht der meisterhafte Altar, der als ein Hauptwerk des Manierismus zu gelten hat. Die zahlreichen Figuren sind aus farblich kontrastierendem Alabaster gefertigt und in einen überreich ausgeschmückten Gesamtrahmen gestellt. Auch die Kanzel (1617), die Taufe (1618) und ein Lesepult sind Werke Münstermanns.

Alabaster-Altar, Varel

Heimatmuseum: Beiträge zur Orts- und Landesgeschichte.

Veitshöchheim 8702

Bayern S. 416 □ G 15

Schloß: H. Zimmer hat das Schloß in den Jahren 1680–82 wahrscheinlich nach Plänen von Petrini* erbaut, nach Plänen von B. Neumann* wurde es um 1750 erweitert. Zu dieser Zeit entstanden auch bedeutende Teile des heutigen Parks, der im Auftrag von Fürstbischof Adam Friedrich von Seinsheim nach Plänen von P. Mayer aus Böhmen nach freimaurerischen Motiven angelegt wurde, sowie ein Teil des reichen Figurenschmucks, der von J. W. van der Auwera* erstellt wurde. Die wesentlichen bildhauerischen Beiträge für diese in ihrer Art einmalige Anlage stammen jedoch von F. Dietz*,

Veitshöchheim, Schloß mit Park

der von Fürstbischof Adam Friedrich von Seinsheim und dessen Bauamtmann J. P. Geigel beauftragt worden war. Jahre der fehlenden Pflege sind ebenso wie die Schäden, die der 2. Weltkrieg angerichtet hat, weitgehend beseitigt. Heute zeigt sich die großartige Parkanlage wieder in jenem Glanz, der ihr zu einer Sonderstellung unter den deutschen Schloßanlagen verholfen hat. Neben dem Schloß wurde der See zum zweiten Schwerpunkt der Anlage. Die zahlreichen Plastiken, dazu Grotten, Pavillons, Fontänen, Wege und Plätze sind zu einem einzigartigen Mosaik zusammengesetzt.

Velbert 5620

Nordrhein-Westfalen S. 416 □ C 10

Deutsches Schloß- und Beschlägemuseum (Thomasstr. 1): Nur in Velbert, dem Zentrum der deutschen Schloß- und Beschlägeindustrie, konnte dieses einzige Spezialmuseum entstehen. Die Sammlungen, die von ältesten Schlüsseln bis zu modernen Beschlägen reichen, sind eine fast lückenlose Kulturgeschichte von Schloß und Riegel.

Verden an der Aller 3090

Niedersachsen S. 414 □ F 6

Dom St. Marien (Domplatz): Zwei Holzkirchen des 8. und 10. Jh. folgte 1185 eine massive Basilika. In mehr als zweihundertjähriger Bauzeit erhielt der Dom 1490 sein endgültiges Gesicht. Trotzdem präsentiert sich der Dom, der durch das Kupferdach eine unverwechselbare Eigenart erhalten hat, als weitgehend einheitliches Bauwerk. Seinen Rang als eines der bedeutendsten Bauwerke aus dieser Zeit und in Niedersachsen gewinnt er aus den großartigen Proportionen des Innen-

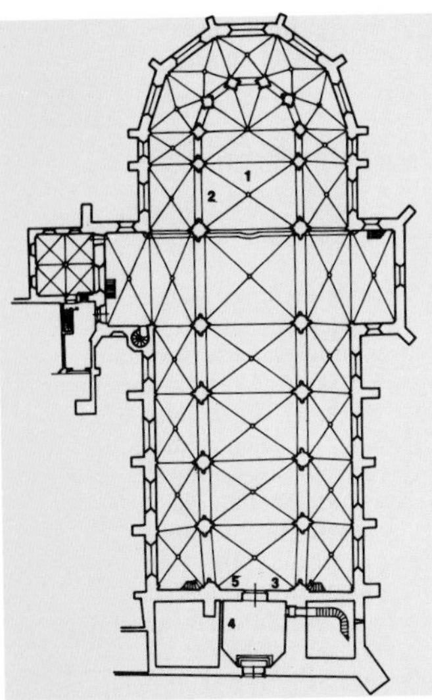

Verden, Dom 1 Romanischer Taufstein **2** Gotischer Levitenstuhl, 1. Hälfte 14. Jh. **3** Sarkophag des 1623 gestorbenen Bischofs Sigismund (1594) **4** Bronzegrabplatte des Bischofs Barthold (1502 gest.) **5** Zwei Bischofsgrabmale des 16. Jh.

Gotischer Levitenstuhl, Dom

raums. Rundpfeiler und Kreuzrippengewölbe stehen in harmonischer Verbindung und leiten den Blick des eintretenden Besuchers zum Chor, der sein Licht aus einem großen Maßwerkfenster bezieht. Im Chor steht auch jener gotische Levitenstuhl (1. Hälfte des 14. Jh.), der zu den wertvollsten Stükken der ansonsten nicht sehr reichhaltigen *Ausstattung* gehört. Erwähnt seien hier noch ein romanischer Taufstein und der Sarkophag für Bischof Philipp Sigismund (gestorben 1623) sowie die Grabplatten und Grabmale für weitere Bischöfe.

Ev. St.-Andreas-Kirche (Grüne Straße 19): Die Kirche wurde in den Jahren 1212–20 errichtet. Bischof Yso, der um die Entwicklung der Stadt große Verdienste hat (und an dieser Stelle begraben ist), ließ die Kirche als einschiffigen Bau aus Backstein errichten. Wichtigster Teil der Ausstattung ist die Grabplatte für Yso. Sie ist 1231 aus Messing gearbeitet worden und damit das erste Denkmal aus diesem Material. Das Gestühl stammt aus dem Anfang des 18. Jh., der Altar wurde im 19. Jh. aus barockem Schnitzwerk zusammengesetzt.

Ev. Johanniskirche (Ritterstraße 30): Die ältesten Teile stammen aus dem 12. Jh., die heute erhaltene Kirche entstand jedoch in ihren wesentlichen Teilen im 15. Jh. Das Triumphkreuz und ein bemerkenswertes Sakramentshäuschen sind Arbeiten aus dem 15. Jh. Der Altaraufsatz ist mit 1623 datiert.

Wohnhäuser: Unter den erhaltenen Wohnhäusern sind einige hervorzuheben: Ein Ackerbürgerhaus von 1577 (Strukturstraße 7), das Fachwerkhaus in der Oberen Straße 24 (um 1600) und jener Backsteinbau aus dem Jahre 1708 (Große Fischerstraße 10), in dem sich heute das Heimatmuseum befindet.

Die Wallfahrtskirche Vierzehnheiligen bei Staffelstein

Umgebung: Im Sachsenhain sind 4 500 Findlingsblöcke zu sehen.

Vierzehnheiligen = Grundfeld 8621

Bayern S. 418 □ K 14

Wallfahrtskirche: Gegenüber dem ehem. Benediktinerkloster → Banz, auf der anderen Seite des Mains, ist die Wallfahrtskirche Vierzehnheiligen in den Jahren 1743–72 (also nach Banz) entstanden. Der großartige Komplex des gegenüberliegenden Benediktinerklosters hat bei allen Plänen unzweifelhaft großen Einfluß ausgeübt. – Der heutige, prunkvolle Bau löste eine kleine Kapelle ab, die bis dahin das Ziel zahlloser Wallfahrten gewesen war. Die Wallfahrt geht zurück auf die Vision eines Schäfers, dem in den Jahren 1445–46 mehrmals das Jesuskind und die 14 Nothelfer erschienen waren. Dieser Vision entspricht der freistehende Gnadenaltar, den J. M. Küchel* geschaffen hat. – Architekt der Kirche war B. Neumann*, der für das gegenüberliegende Benediktinerkloster Banz lediglich einige Pläne geliefert hatte und hier seine schönste Kirche in

Vierzehnheiligen, Innenausstattung

Franken geschaffen hat. Adäquat der Leistung des großen Neumann waren die Arbeiten der Künstler, die an der Innenausstattung mitgewirkt haben. Neben dem schon genannten Küchel sind in erster Linie die Brüder Johann Michael und Franz Xaver Feuchtmayer* aufzuführen, die gemeinsam mit J. G. Üblherr* auch die Stukkaturen des Gnadenaltars geschaffen haben. Die Deckenfresken, eine der besten Leistungen dieser Zeit, stammen von J. I. Appiani. – Das großartige Zusammenwirken aller Teile macht die Kirche Vierzehnheiligen zu einem der bedeutendsten sakralen Gesamtkunstwerke dieser Stilepoche. – Das Verständnis der Neumannschen Pläne wird erleichtert, wenn man ein Detail aus der Bauzeit kennt: Neumann hatte ursprünglich vor, den Gnadenaltar (siehe zuvor) in die Vierung zu stellen, wurde daran jedoch durch Entscheidungen, die der Bauleiter Krohne ohne sein Wissen getroffen hatte, gehindert. Daraufhin entschloß sich Neumann, den Altar ins Schiff zu stellen und ihn von einem großen Oval zu umgeben. Dieses große Oval grenzt an zwei (kleinere) Längsovale und zwei (wesentlich kleinere) Querovale. Die Kreuzarme haben Kreisform und schließen sich ebenfalls an das Hauptoval an. So wird erreicht, daß die einzelnen Zonen der Kirche ineinander verschmelzen. – An der Nordostseite schließt das *Propsteigebäude* an (1745/46 nach Entwürfen Küchels* entstanden).

Villingen 7730

Baden-Württemberg S. 420 □ E 20

Münster Unserer Lieben Frau (Münstergasse): Der Vorgängerbau, ein Opfer des Brandes von 1271, wurde in mehreren Etappen durch das heutige Münster ersetzt. Bezieht man die beiden Türme ein, so war der heutige Bau erst im 16. Jh. vollendet. Das Äußere besticht durch die spätgotischen Maßwerkfenster und das darunter liegende romanische Portal (ein weiteres, eben-

Vierzehnheiligen 1 Gnadenaltar **2** St.-Blasius-Altar **3** St.-Georgs-Altar **4** St.-Franziskus-Altar **5** St.-Antonius-Altar **6** Deckengemälde a) Anbetung der Hirten b) Verkündigung c) Josephs Traum d) Nothelfer mit Dreifaltigkeit e) Kaiser Heinrich und Kaiserin Kunigunde f) Abrahams Opfer g) Jakobsleiter h) Anbetung der Heiligen Drei Könige **7** Hochaltar **8** Kanzel

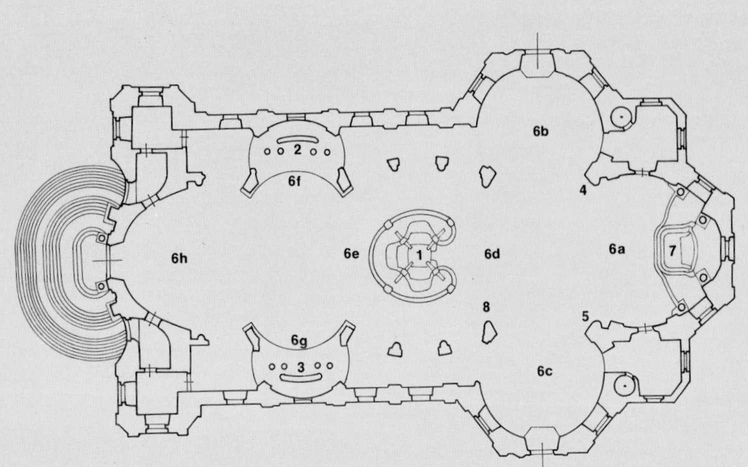

falls erstklassiges auf der Südseite). Von der ersten Ausstattung sind einige wertvolle Teile erhalten. Dazu gehören die steinerne Kanzel (um 1500–10) mit schönem figürlichen Schmuck und der Nägelin-Kruzifixus (14. Jh.) auf dem Kreuzaltar. Das Chorgestühl und weitere Teile der Ausstattung sind im 18. Jh. hinzugekommen.

Museen: Museum der Stadt Villingen (Münsterplatz): Im alten spätgotischen Rathaus mit Renaissance-Ausbau zeigt das Museum Beiträge zur Ur- und Frühgeschichte sowie Kunsthandwerk, Plastik und Malerei. – *Franziskaner-Museum* (Am Riettor): Neben volkskundlichen Sammlungen und Funden aus der Keltenzeit gibt eine gesonderte Abteilung Einblick in die heutige Methodik der Archäologie (Zeitbestimmung von archäologischen Funden). – *Uhrenmuseum* (Friedrich-Ebert-Straße 35): Entwicklung der Uhrenfertigung in den letzten 400 Jahren, ergänzend dazu rund 1500 Uhren.

Außerdem sehenswert: *Ehem. Franziskanerkloster,* gegründet 1268, mit Kirche, Kreuzgang und Kapelle. – *Ehem. Benediktinerkloster,* mit Kirche und Konventgebäuden aus dem 18. Jh. (heute Stadtteil Schwenningen, der gemeinsam mit Villingen eine Stadt mit 80000 Einwohnern bildet).

Visbek 2849

Niedersachsen S. 414□E 6

Steingräber: Die Gräber sind aus der Jungsteinzeit erhalten und stellen Massengräber dar, in denen Sippen oder auch ganze Dorfgemeinschaften bestattet worden sind. Mehrere der großen Steine sind zu Gräbern zusammengefaßt. Eine 100 m lange Gruppe wird als Visbeker Bräutigam, die 80 m lange Gruppe als Visbeker Braut bezeichnet.

Vohenstrauß 8483

Bayern S. 418□M 15

Schloß Friedrichsburg: Mit dem Bau des Schlosses begann Pfalzgraf Friedrich von Vohenstrauß im Jahre 1586. 1590 war das Schloß endgültig fertiggestellt. Besonderes Merkmal sind die sechs Türme, von denen vier an den

Steingräber bei Visbek

Ecken und zwei an den Längsseiten stehen (der mittlere Turm an der Südseite wurde 1903 hinzugefügt). Die Türme rahmen an der Fassadenseite einen schönen Staffelgiebel ein. Im Schloß sind städtische oder andere kommunale Behörden untergebracht.

Städtisches Heimatmuseum (Marktplatz 9): Stadt- und volkskundliche Sammlungen.

Volkach 8712

Bayern S. 418 □ H 15

Kath. Pfarrkirche: Die Kirche ist in den Jahren 1413 bis 1597 entstanden, 1754 wurde der Bau durchgreifend verändert (die drei Schiffe gingen in einem Schiff auf, eine gewölbte Holzdecke wurde eingezogen). Die Innenausstattung folgt der letzten Veränderung und bietet reinstes Rokoko – gestaltet von bekannten Künstlern. Die Stukkaturen stammen von N. Huber (1754), die Fresken hat J. M. Wolcker gemalt (1753). Der Hochaltar hat von seiner ursprünglichen Fassung aus dem Jahr 1739 nur noch Teile erhalten. 1792 wurde er von P. Wagner, der auch einige der Holzfiguren geschaffen hat, umgestaltet. Auf Wagner geht auch die Kanzel zurück.

Wallfahrtskapelle Maria am Weingarten (an der Kreisstraße nach Fahr): Die Kirche war in aller Munde, als vor einigen Jahren die »Volkacher Madonna« eine Rosenkranz-Muttergottes von T. Riemenschneider*, geraubt und im Zuge einer Aktion, die von einer großen Illustrierten lanciert war, zurückgeholt wurde. Die Madonna gehört zu den letzten und deshalb reifsten Werken des Künstlers und ist im ersten Viertel des 16. Jh. entstanden.

Rathaus und Marktplatz: Das Rathaus, seit 1544 erbaut, ist ein Renaissancebau. Die zweiläufige Freitreppe ist sein besonderes Merkmal. Der Madonnenbrunnen und die umstehenden Bürgerhäuser geben dem Marktplatz seine romantische Note.

Umgebung: Pfarrkirche und Schloß in Gaibach (3 km nördl.); mehrere reich ausgestattete Kirchen im Umkreis.

Schloß Friedrichsburg, Vohenstrauß

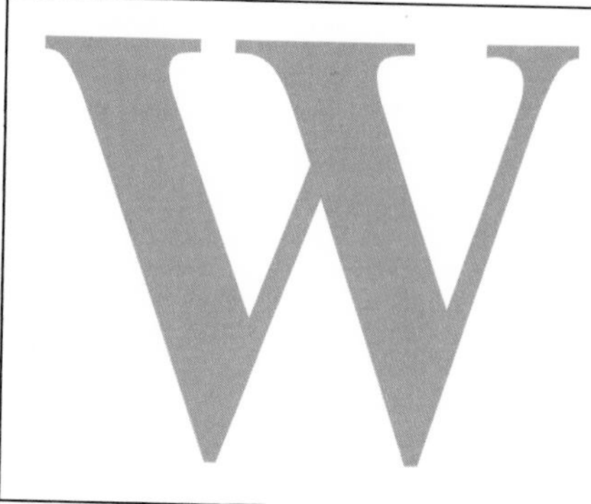

Waiblingen 7050

Baden-Württemberg S. 420 □ F 17

Ev. Michaeliskirche (Alter Postplatz 21): Die Kirche ist in den Jahren 1480–89 entstanden. Der Turm steht auf quadratischem Grundriß und überragt die ansonsten niedrige Hallenanlage. Die Schiffe tragen Netzgewölbe, der Chor hat Kreuzrippenwölbungen. Sehenswert sind die Kanzel (1484) und ein Relief für Erzengel Michael.

Nonnenkirche (Alter Postplatz 19): Die Kirche hat H. von Ulm 1496 errichtet. Das Untergeschoß ist als Beinhaus, das Obergeschoß als Kirchenraum eingerichtet. Sehenswert sind Rippennetzgewölbe und das reiche Fischblasen-Maßwerk.

Heimatmuseum (Kurze Straße): Im ehemaligen ev. Dekanatsgebäude sind Sammlungen zur Geschichte der Stadt sowie regional orientierte kulturgeschichtliche Sammlungen zu sehen.

Umgebung: Schloß in → Ludwigsburg.

Waldburg 7981

Baden-Württemberg S. 420 □ G 20

Schloß: Die heutigen Anlagen traten ab 1525 an die Stelle älterer, im Bauernkrieg zerstörter Bauten (ältere Mauerreste im Palas). Sehenswert sind mehrere Renaissancedecken und -vertäfelungen, die im Rittersaal von 1568 ihre Krönung finden. Das Mobiliar aus dem 16. und 17. Jh. ist größtenteils erhalten. Das Schloß ist heute Museum.

Außerdem sehenswert: Kath. Pfarrkirche aus dem 16. Jh. mit Turmunterbau aus dem 14. Jh. und einer Barockausstattung aus der Zeit um 1748. Einige Teile der Ausstattung gehen in die Entstehungszeit der Kirche zurück (Salvatorfigur, Vesperbild, Altartafel). – Fachwerkhäuser aus dem 17./18. Jh.

Umgebung: → Weingarten.

Waldsassen 8595

Bayern S. 418 □ M 14

Zisterzienserinnen-Kloster St. Johannes Ev.: Das 1131 gegründete Kloster erhielt seine heutige Gestalt in den Jahren 1685–1704. Architekt war A. Leutner aus Prag, als Baumeister stand ihm G. Dientzenhofer*, als Maurer dessen Bruder Christoph zur Seite. Die Stukkaturen stammen von dem oberitalienischen Meister G. B. Carlone*. Die Fresken zeigen ebenfalls beste Prager Schule: J. Steinfels hat sie gemalt.

Stiftsbibliothek, Waldsassen ▷

Carlones Kunst erreicht ihren Höhepunkt im Aufbau des *Hochaltars,* der ganz aus rotem und schwarzem Marmor gearbeitet ist (1696). Die Gemälde von C. Mono zeigen im unteren Teil die Kreuzigung Christi, im oberen Teil Gottvater. Erwähnenswert sind die weiteren Altäre im Querschiff und in den Kapellen. Das *Chorgestühl,* von M. Hirsch bis 1696 erarbeitet, zeigt Gemälde mit Putten, Apostelfiguren und weiteren formenreichen Barockschmuck von C. Mono. – Unter den *Klosterbauten* nimmt die *Bibliothek* eine Sonderstellung ein. Sie ist 1725 fertiggestellt worden und besitzt hervorragende lebensgroße Schnitzfiguren. Das ungewöhnliche Werk erhält durch beste Stukkaturen, die P. Appiani geschaffen hat, einen großartigen Rahmen.

Waldsee, Bad 7967

Baden-Württemberg S. 420 □ G 20

Ehem. Augustiner-Chorherrn-Stiftskirche St. Peter: Die Kirche, die 1479 entstanden ist, ist in ihren Mauern zwar bis heute erhalten, von den damaligen Formen ist jedoch kaum noch etwas zu erkennen. Der Bau wurde im 18. Jh. so durchgreifend umgestaltet, daß er als ein Werk dieser Zeit gelten kann. Diesen Eindruck unterstreichen die beiden über Eck gestellten Türme, die eine schön geschwungene Westfassade einrahmen. Lediglich im Inneren sind spätgotische Züge zu erkennen. Aber auch hier dominiert das Barock. Höhepunkt der reichen Ausstattung ist der dem D. Zimmermann* zugeschriebene Hochaltar von 1715, dem prächtige Nebenaltäre zur Seite stehen (Schnitzfiguren zwischen 1720–30). Das bedeutendste Stück der Ausstattung ist aus dem 15. Jh.: Die Bronzegrabplatte für Georg I. Truchseß von Waldburg (gestorben 1467), eine der Höchstleistungen spätgotischer Bildkunst.

Rathaus (am Markt): Als Baubeginn wurde das Jahr 1426 festgehalten, jedoch läßt sich das Rathaus heute nicht mehr dem 15. Jh. zuschreiben. Der Fassadengiebel, der dem Rathaus das Gesicht gibt, entstand samt Blendnischen und Maßwerkgalerie erst in der zweiten Hälfte des 17. Jh. Im Inneren

Zisterzienserinnen-Kloster St. Johannes, Waldsassen

Georg I. Truchseß von Waldburg, Waldsee ▷

sind der Ratssaal (Holzkassettendekke) und das Ratszimmer (Innenausstattung aus dem 17. Jh.) eine Besichtigung wert. – Dem Rathaus gegenüber steht das im 15. Jh. erbaute *Kornhaus.*

Schloß (Schloßhof 7, westlich der Stiftskirche): Die einstige, um 1550 angelegte Wasserburg wurde 1745 wesentlich erweitert. Bedeutendster Teil ist die Schloßkapelle.

Museen: Städtisches Heimatmuseum (Kornhaus): Plastik des 14.–18. Jh. Beiträge zur Wohnkultur des 18. Jh. – *Kleine Galerie* im Elisabethen-Bad: Malerei und Plastik.

Außerdem sehenswert: Von der Stadtmauer aus dem 13. Jh. sind Reste überkommen. Zum Bering um 1280 gehörte auch das erhaltene Wurzacher Tor.

Waldshut = Waldshut-Tiergen 7890

Baden-Württemberg S. 420 □ D 21

Pfarrkirche (im Nordosten der Altstadt): Gotische Reste wurden in den Neubau von 1804 einbezogen. Die Grundeinstellung des Inneren ist klassizistisch. Entsprechend wurde als Material für die Ausstattung fast ausschließlich Marmor gewählt. Die Altäre sind das Werk J. F. Vollmers.

Rathaus (Kaiserstraße): Das Barock gab den Ausschlag für die Formen dieses Baus, der um 1770 fertiggestellt gewesen ist.

Heimatmuseum (Kaiserstraße): In einem Bau aus dem 16. Jh. befindet sich das Heimatmuseum mit guten vorgeschichtlichen und heimatkundlichen Sammlungen.

Walkenried 3425

Niedersachsen S. 414 □ I 10

Ehem. Zisterzienser-Kloster St. Maria und St. Martin: Die Zisterzienser, die das Kloster 1129 gegründet haben, beteiligten sich an den wirtschaftlich einträglichen Unternehmungen dieses Gebiets (Bergbau, Verhüttung, Viehzucht) und machten das Kloster damit zu einem der reichsten in Deutschland.

Zisterzienserklosterruine, Walkenried

Die Kirche, deren Schlußweihe um 1290 stattfand, wurde während der Bauernkriege (1525) stark zerstört und ist heute nur als Ruine erhalten. Mit einer Länge von 83 m gehörte sie zu den größten Kirchen in Niedersachsen. – Die *Konventsgebäude* aus dem 13. und 14. Jh. sind zum überwiegenden Teil erhalten geblieben. Hervorzuheben sind der gotische, durch seine Schönheit berühmte Kreuzgang mit dem dazugehörigen Brunnenhaus (um 1350). Im ehem. Kapitelsaal befindet sich heute eine ev. Kirche. Die Kanzel stammt aus dem Jahr 1662.

Außerdem sehenswert: Ehem. Jagdschloß: 1725–27 für Herzog August Wilhelm von Braunschweig-Wolfenbüttel gebaut.

Wangen im Allgäu 7988

Baden-Württemberg S. 420 □ G 21

Kath. Pfarrkirche St. Martin (Marktplatz): Die Kirche erhielt im 14./15. Jh. ihr heutiges Aussehen: Eine dreischiffige Basilika, die durch Rundstützen charakterisiert ist. Aus der Ausstattung ist die Renaissance-Grabplatte für den 1511 gestorbenen Vogt von Summerau hervorzuheben.

Rathaus mit Pfaffenturm (Marktplatz): Der heute barocke Eindruck des Rathauses geht auf die Veränderungen der Jahre 1719–21 zurück. Das Haus selbst ist bereits im 15. und 16. Jh. entstanden. Schmuckstücke sind die Fassade und der wirkungsvolle Volutengiebel.

Landratsamt (Marktplatz): Die Bedeutung dieses Renaissancebaus, der 1542 für die Patrizierfamilie Hinderofen erbaut wurde (in der Mitte des 17. Jh. zu einem Kapuzinerkloster umgestaltet) liegt in einem interessanten Binnenhof.

Stadtbering: Die Stadtbefestigung aus dem 14. Jh. hat ihren Höhepunkt in dem gut erhaltenen *Ravensburger Tor.* Es wurde im 17. Jh. stark verändert und hat im 19./20. Jh. eine neue Bemalung erhalten. Erhalten sind auch der *Pfaffenturm* am Rathaus (siehe dort) sowie das *Lindauer Tor* (auch St.-Martins-Tor) und der kleinere *Pulverturm.* Der Stadtbering selbst ist in zwei Teilstükken ebenfalls erhalten.

Ravensburger Tor, Wangen

Museen: *Deutsches Eichendorff-Museum* (Atzenberg 31): Die Sammlungen des 1954 gegründeten Museums gelten dem Leben und Werk des Lyrikers und Erzählers Joseph Freiherr von Eichendorff. Gezeigt werden u. a. Handschriften, Erstausgaben, Briefe und Bilder. – *Gustav-Freytag-Archiv* (Atzenberg 27): Ein weiteres literarisches Archiv ist Gustav Freytag (1816–95), Literaturwissenschaftler und Schriftsteller, gewidmet. – *Hermann-Stehr-Archiv* (Atzenberg 29): Das Archiv ist Leben und Werk Hermann Stehrs (1864–1940) gewidmet. – *Städtisches Heimatmuseum* (Am Eselsberg): Sammlungen zur Heimatkunde und Allgäuer Volkskunst.

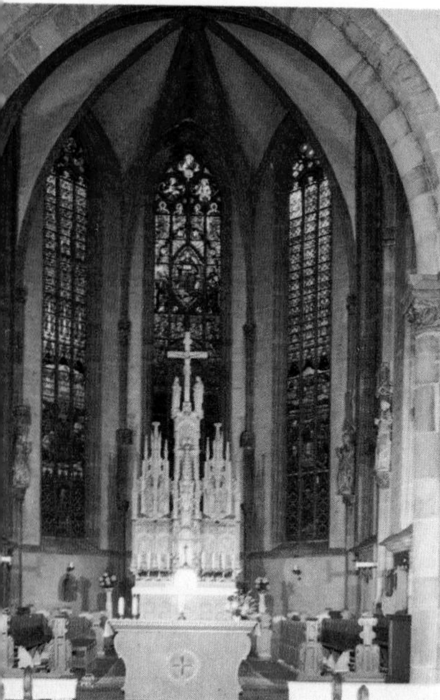

Johanniskirche, Warburg

Warburg 3530

Nordrhein-Westfalen S. 416 □ F 10

Altstädter Kirche/Marienkirche (Josef-Kohlschein-Straße): Der Bau stammt aus dem 13. Jh. Erweiterungsbauten brachte das 15. Jh., Umgang und Helm des Turms stammen aus der Zeit um 1900. Kunsthistorisch gesehen ist das silberne Altarkreuz aus dem Jahr 1580 (von A. Eisenhoit) Hauptanziehungspunkt für Besucher der Kirche.

Johanniskirche / Neustädter Kirche (Kirchplatz, Hauptstraße 49): Auch hier ist der Turm (wie bei der Altstädter Kirche) erst um 1900 in die heutige Form gebracht worden (Bedachung und umlaufende Galerie). Der Bau der Kirche zog sich vom 13. bis zur Mitte des 15. Jh. hin. Das Innere wird von kreuzförmig aufgestellten Pfeilern und hervorragenden Kreuzgewölben bestimmt. Wichtigste Ausstattungsstücke sind die Standbilder auf Konsolen an den Wanddiensten (15. Jh.).

Heimatmuseum (Sternstraße 35): Gezeigt werden interessante Bodenfunde aus dem näheren Umkreis sowie Sammlungen zur Stadtgeschichte.

Außerdem sehenswert: *Rathaus* von 1582 (Zwischen den Städten), *Burgturm* (An der Burg), *Sackturm* (Stadtmauer), *Johannisturm* (Burggraben).

Umgebung: *Burgruine Desenberg* (3 km nordöstlich, 345 m hoch gelegen).

Warendorf 4410

Nordrhein-Westfalen S. 414 □ D 9

Warendorf war einst eine bedeutende Handelsstadt (Leinen). Heute ist die Stadt Mittelpunkt der westfälischen Pferdezucht und sportliches Zentrum für Turniersport und Fünfkampf.

Alte Pfarrkirche: Der heutige neugotische Bau ist 1913 entstanden und hat den Gründungsbau aus dem 12. Jh. ersetzt. Von Interesse ist vor allem die teilweise erstklassige Innenausstattung. An erster Stelle ist der *Hochaltar* zu nennen, dessen Tafeln zu den bedeutendsten Werken deutscher Malerei aus der Zeit um 1450 zählen. Der Altar ist ein Werk des Meisters von Warendorf, einem Schüler und Künstler im Range des Konrad von Soest.

Kreis-Heimatmuseum (Münsterstraße 12), befindet sich im *»Haus Harmonie«*, in dessen Zentrum ein Saal im Stil der Schinkel-Architektur steht.

Wasserburg am Inn 8090

Bayern S. 422 □ M 20

Wasserburg ist mit den Namen einiger großer Dichter und Schriftsteller ver-

Burg, Wasserburg ▷

bunden. Hier fanden sich Teile der Manuskripte zu Wolfram von Eschenbachs »Parzival« und »Willehalm«.

Stadtpfarrkirche St. Jakob (Kirchplatz 5): Der berühmte Landshuter Baumeister H. v. Burghausen (gen. »Stethaimer«*) ist vermutlich seit 1410 der Baumeister der Kirche gewesen. Auf ihn gehen die schlanke dreischiffige Halle mit ihren Seitenkapellen zwischen den Strebepfeilern und das ausgezeichnete Sterngewölbe zurück. S. Krumenauer vollendet den Bau 1445 (Chor). 1478 kam der Turm hinzu. – Wertvollstes Teil der barocken Ausstattung ist die von den Brüdern Zürn geschnitzte Kanzel (1638–39).

Frauenkirche (Marienplatz): Die Kirche aus dem 14. Jh. erhielt ihre Barock-Ausstattung erst in der 2. Hälfte des 18. Jh. Von der alten Ausstattung sind eine Muttergottes (15 Jh.), Figuren des hl. Blasius und der hl. Apollonia (Ende des 15. Jh.) sowie ein Taufstein von 1520 erhalten.

Burg: Herzog Wilhelm IV. ließ die Burg 1531 errichten. Wichtigstes Element sind die Stufengiebel. Im Inneren der Burg sind die drei netzgewölbten Gänge zu erwähnen, die nicht mehr durch geschwungene, sondern durch gradlinige Treppen miteinander verbunden sind (für die damalige Zeit ungewöhnlich). Im Obergeschoß befindet sich ein schön geschmückter Saal. Der Getreidekasten, der im Westen an den Hauptbau anschließt, stammt aus dem Jahr 1526. Zwischen Schloß und Getreidekasten liegt die Schloßkapelle (1465). Die Stukkaturen kamen 1710 hinzu.

Rathaus (Marienplatz 2): J. Tünzel, der auch die Schloßkapelle erbaut hat (siehe zuvor), errichtete das Rathaus mit seinem hohen Giebel in den Jahren 1457–59. Es wurde später allerdings mehrfach umgebaut und verändert. – Die ursprüngliche Idee, Ratsstube, Tanzhaus und Speicher unter einem Dach zu vereinen, läßt sich jedoch noch heute erkennen.

Städtisches Heimatmuseum (Herrengassen): Sammlungen zur Stadt- und Gewerbegeschichte, volkskundliche Sammlungen.

Außerdem sehenswert: Unter den

Frauenkirche *St. Jakob* ▷

zahlreichen Häusern, die alle Jahrhunderte fast unverändert überstanden haben, ist das Irlbeckhaus in der Schmiedzeile 93 das älteste (1497). Daneben zahlreiche weitere Häuser mit den für dieses Gebiet typischen Eigenarten: Die Fassaden sind meist flach, im Erdgeschoß gibt es häufig Laubengänge, die Dächer bleiben hinter den hochgeführten Mauern unsichtbar.

Umgebung: Abteikirche in → Rott am Inn (15 km südlich), Klosterkirche in Altenhohenau (10 km südlich).

Wedel/Holstein 2000

Schleswig-Holstein S. 412 □ G 4

Der Handel mit Ochsen hat der Stadt am Nordufer der Elbe einst zu Reichtum und Bedeutung verholfen. Selbstbewußtsein und das eigene Marktrecht spiegeln sich in einer Rolandsfigur, die in dieser Art einmalig in Deutschland ist. Sie ist aus dem späten 16. Jh. überkommen und aus Sandstein gearbeitet. Reichsapfel, Schwert und Krone kennzeichnen die bunt bemalte Figur als Kaiser.

Weiden über Lövenich = 5000 Köln 40

Nordrhein-Westfalen S. 416 □ A 11

Römische Grabkammern: Die römischen Grabkammern bei Weiden, 1843 entdeckt, gehen auf das 1./2. Jh. zurück und sind die besterhaltenen nördlich der Alpen. Der Raum mißt 4,44 × 3,55 m im Grundriß und hat eine Höhe von 4,06 m. In den großen Wandnischen stehen die Klinen (Ruhebetten). Sie sind von ausgezeichneten Marmorbüsten des 2. Jh. geschmückt.

Weikersheim 6992

Baden-Württemberg S. 422 □ H 16

Schloß: Schloß und Schloßpark gehören zusammen zu den wichtigsten Schloßanlagen in Baden-Württemberg. Das Schloß hat zwar einige mittelalterliche Teile bewahrt, in der Hauptsache bestimmt jedoch die Renaissance das Bild. Im Stil des Barock wurden nur der Marstall und die Toranlage hinzugefügt. Der Hauptbau, der sich in zwei rechtwinklig zueinan-

Römische Grabkammer, Weiden

Rittersaal, Schloß Weikersheim

der gefügten Flügeln darstellt, entstand in den Jahren von 1586–1603. Der Wert des Schlosses liegt jedoch weniger in seinem äußeren Erscheinungsbild, als vielmehr in den glanzvoll ausgestalteten Innenräumen. Im Mittelpunkt steht der *Rittersaal,* der ein Spiegelbild der Jagdleidenschaft seines Erbauers, des Grafen Wolfgang von Hohenlohe, ist. In einer einzigartigen Kassettendecke von E. Gunzenhäuser geschaffen, stammen die Gemälde von B. Katzenberger. Sie sind in dieser Form an keiner zweiten Stelle zu sehen. Es sind Jagdszenen dargestellt (in Anlehnung an niederländische Stiche). Die Tierköpfe, die an den Wänden befestigt sind, sind Stuckarbeiten von guter Qualität. Eine Porträtgalerie zeigt Mitglieder des hohenlohischen Hauses. – Der Schloßpark, ab 1709 angelegt, ist voller figürlichem Schmuck und gehört zu den schönsten Barockgärten in Deutschland. Im Schloßpark befindet sich eine Orangerie (1719).

Weilburg 6290

Hessen S. 416 □ E 13

Schloß: Auf einem Steilhang über der Stadt und oberhalb einer Lahnschleife erhob sich bereits 906 eine Burg. Im 12. Jh. wurden hier die Nassauer Grafen ansässig, die im 16.–18. Jh. eine Residenzanlage schufen. Der heutige Bestand ist ein buntes Gemisch verschiedener Stilepochen, wobei der Kern auf die Bauten der Renaissance zurückgeht. Beim Betreten des Innenhofes beansprucht der Nordflügel die größte Aufmerksamkeit. Hier sind zwischen ionischen Säulenpaaren Arkaden ausgebildet, über denen sich einst ein offener Gang befunden hat. Heute ist eine zweigeschossige Galerie zu sehen. 1695–1703 begann der Ausbau der Barockresidenz, die ihren Schwerpunkt in der Einrichtung der Repräsentationsräume hatte. Die Zimmer sind fast alle in ihrer damaligen Einrichtung erhalten geblieben. Nach Süden schließt sich zum Garten hin die Orangerie an (zweigeschossiger Mittelpavillon und zwei Flügel). Die Stukkaturen stammen von C. M. Pozzi (1704), die Deckengemälde von M. Roos. – Vom Baumeister der barocken Anlagen, J. L. Rothweil, stammt auch der quadratische Baublock, der die *ev. Schloßkirche* und das *Rathaus* nach dem Vorbild in → Mannheim unter einem Dach vereint (1707–13). Der große Saalraum der Kirche gilt als bedeutendste protestantische Kirchenanlage des Barock in Hessen. Der zurückhaltende, meisterhafte Stuck ist eine Leistung A. Gallasinis* (1710–12). Den Kanzelaltar hat A. Ruprecht geschaffen.

Marktplatz: Der Marktplatz ist eine Modellanlage des Barock-Architekten J. L. Rothweil (Neptunbrunnen von Wilckens aus dem Jahre 1709). Die einheitliche Bebauung – in genauer Abstufung zum Schloß in der Wirkung darauf ausgerichtet – setzte sich auch in einigen anderen Straßen fort (Lang-, Neu-, Schwanen-, Bogen-, Pfarr- und Marktgasse sowie Mauerstraße). Ergänzt wird diese »Stadtanlage vom Reißbrett« durch die Wachthäuser an der Lahnbrücke, die den Stadteingang anzeigten.

Heiliggrabkapelle (auf dem Friedhof im Süden von Weilburg): Der achtseitige Zentralbau ist ein wichtiges Denkmal der Heiliggrabverehrung im ausgehenden Mittelalter. Vorbild war jeweils die Grabeskirche in Jerusalem. Mit der Heiliggrabkapelle steht der Kalvarienberg mit Kreuzigungsgruppe in Verbindung (16. Jh.).

Städtisches Museum und Bergbaumuseum (Schloßplatz 1): Das Museum, das ursprünglich stadt- und kulturgeschichtlichen Sammlungen gewidmet war, ist um ein Bergbaumuseum mit Schaustollenanlage erweitert worden.

Weil der Stadt 7252

Baden-Württemberg S. 420 □ F 18

Kath. Pfarrkirche St. Peter und Paul (Stuttgarter Str.): Der Westturm beherrscht nicht nur die Kirche, sondern ist Wahrzeichen der romantischen Reichsstadt, in der der Astronom Johannes Kepler (1571–1630) sowie

Schloßhof mit Nordflügel, Weilburg

Pfarrkirche, Weilheim an der Teck ▷

der Reformator Johannes Brenz (1499–1570) geboren wurden. Die Kirche erhielt ihr heutiges Gesicht durch den Umbau, den A. Jörg* bis 1492 abgeschlossen hatte und der die beiden älteren Osttürme (12. u. 13. Jh.) einbezog. Nachträglich kamen der Chor mit schönem Sterngewölbe (1519), das Renaissance-Sakramentshäuschen (1611) und eine teilweise Barockausstattung hinzu.

Marktplatz: Das Rathaus (1582) gefällt mit seiner Laubenhalle, die fast unverändert erhalten geblieben ist. Am Marktplatz steht auch das Geburtshaus Keplers. An den Wissenschaftler, der als Erneuerer der Astronomie in die Geschichte eingegangen ist, erinnert das in seinem Geburtshaus untergebrachte *Museum*. Auf dem Marktplatz außerdem ein Kepler-Denkmal. – Die beiden *Marktbrunnen* tragen die Figur Kaiser Karls V. (1537) und einen wappenhaltenden Löwen.

Weilheim an der Teck 7315

Baden-Württemberg S. 420 □ G 18

Ev. Pfarrkirche (Marktplatz): 1522 war der Bau, den 33 Jahre zuvor der erfolgreiche Baumeister P. von Koblenz* begonnen hatte, abgeschlossen. Seither ist der Bau im wesentlichen unverändert erhalten geblieben, lediglich die Ausstattung setzte in den folgenden Jahrhunderten neue Akzente. Das großartige Gewölbe ruht auf stämmigen Achteck-Pfeilern, die dem Raum eine beherrschende Note geben. Berühmteste Teile der reichen Ausmalung sind das Weltgericht über dem Triumphbogen, die Höllendarstellung am östlichen Abschluß des nördlichen Seitenschiffs und der Zug der Seligen am südlichen Seitenschiff. Als Künstler wird T. Schick genannt. Zur ersten Ausstattung gehört die großartige Kanzel (um 1500), die zu den erstklassigen Steinmetzarbeiten der Zeit zu zählen ist. 1499 wurde das reich geschnitzte Chorgestühl aufgestellt, die Emporen, die heute den Gesamteindruck entscheidend bestimmen, wurden 1599 eingesetzt.

Umgebung: In Holzmaden (3 km westlich) archäologisches Museum Hauff. – Burgruine Teck (10 km südwestlich, 773 m hoch gelegen).

Weingarten 7987

Baden-Württemberg S. 420 □ G 20

Benediktinerklosterkirche St. Martin von Tours und St. Oswald (4 km nordöstlich von Ravensburg): Auf einer Anhöhe über dem Schussental, dem Bodensee nordöstlich vorgelagert, ist in den Jahren 1715–24 der weit ausladende Klosterkomplex mit der kuppelbedeckten Kirche im Mittelpunkt entstanden. Weingarten ist der größte barocke Klosterbau auf deutschem Boden. Berühmt wurde Weingarten jedoch nicht nur seiner Bauten wegen, sondern vor allem durch seine erstklassige Bibliothek. In Weingarten entstand nach 1300 die »Weingartener Liederhandschrift« (diese Sammlung von Liedern und Sprüchen befindet sich heute in der Württembergischen Landesbibliothek in Stuttgart). – Die ungewöhnliche Massenwirkung, die bereits bei einer Betrachtung des Äußeren deutlich wird, bestimmt auch das Innere. Das Zentrum bildet die gewaltige Kuppel über der Vierung, im Verhältnis dazu stehen die mächtigen Pfeiler. Die besten Architekten und Künstler der Zeit haben an der Errichtung der Kirche mitgearbeitet. An den Plänen waren M. Thumb*, E. Zuccalli*, der Schweizer K. Mossbrugger, F. Beer*, A. Schreck und C. Thumb sowie in der letzten Phase D. G. Frisoni* (aus Ludwigsburg) beteiligt. Von Frisoni stammen u. a. die Pläne für die Kuppel, die in diesen Ausmaßen zu jener Zeit als technische Glanzleistung angesehen wurde. Der Stuck ist das Werk des großen Wessobrunner Meisters F. Schmuzer* (1718), die Fresken hat C. D. Asam* geschaffen. Innerhalb der übrigen Ausstattung nimmt der Hochaltar, der Teil der Frisoni-Entwürfe ist, den

Benediktinerklosterkirche, Weingarten

Mittelpunkt ein. Der schöne figürliche Schmuck stammt von D. Carlone (1719–23), die Gemälde steuerten G. Benso und C. Carlone bei. Für einen der Seitenaltäre schuf F. J. Spiegler ein Altarbild (1738). Erwähnenswert ist schließlich das Chorgestühl, das kein Geringerer als J. A. Feuchtmayer* geschaffen hat (um 1720), sowie das farbenprächtig schillernde Chorgitter (um 1730). Orgel v. J. *Gabler*.

Weinheim an der Bergstraße 6940

Baden-Württemberg S. 416 □ E 15

Kath. Stadtpfarrkirche St. Laurentius (Marktplatz): Die Kirche selbst ist erst in diesem Jahrhundert entstanden (1911–13 im neuromanischen Stil), sie hat jedoch alle bedeutenden Teile der alten Ausstattung aufgenommen. So sind drei Altäre und die schöne Kanzel (alles um 1720) erhalten. Die Wandmalereien aus dem 15. Jh. wurden in die östlichen Teile der Seitenschiffe eingesetzt. Übertragen wurden auch die zahlreichen Grabdenkmäler bedeutender Weinheimer Familien.

Schloß (Obertorstraße 9): In drei Phasen ist der heutige Schloßkomplex gewachsen. Am Anfang stand das *Pfalzgrafenschloß* (16. Jh., anschließend mehrfach verändert). 1770 folgte das *Lehrbachsche Herrschaftshaus.* Das *Berckheimsche Schloß,* das an seinem neugotischen Turm zu erkennen ist, kam in den Jahren 1860 bis 1870 hinzu.

Burg Windeck (1 km östlich, 222 m hoch gelegen): Die Burg ist im 12. Jh. angelegt, jedoch im 13. und 15. Jh. durchgreifend verändert und erweitert worden. Nach den schweren Schäden aus dem »Holländischen Krieg« (1675) sind nur noch der Bering, der Bergfried und Reste des Palas erhalten.

Heimatmuseum (Amtsgasse 2): Das Museum ist in dem ehem. Deutschordenshaus mit Portal von 1710 untergebracht.

Außerdem sehenswert: Unter den alten Wohnhäusern der Altstadt sei hier der *Büdinger Hof* aus dem Jahr 1582 mit seinem interessanten Treppenturm hervorgehoben (Judengasse 15–17). – Vom ehem. *Stadtbering* sind nur einige Türme erhalten (Roter Turm). – Die *Wachenburg* (2 km östlich, 402 m hoch gelegen) ist in den Jahren 1907–13 erbaut worden.

Umgebung: *Heppenheim* an der Bergstraße (malerischer Marktplatz).

Weißenburg 8832

Bayern S. 422 □ I 17

Ev. Pfarrkirche St. Andreas (Martin-Luther-Platz): Baubeginn war schon im 14. Jh., aber erst 1520 war der Bau in seiner heutigen Gestalt fertig. Wertvollster Teil ist die *Michaelskapelle*, die sich südlich an den Chor anschließt und heute als Taufkapelle dient. Man betritt die Michaelskapelle durch ein reich geschmücktes Portal, das im Gegensatz zu der sonst eher als karg zu bezeichnenden Kirche steht. Im Inneren verdient der Chor besondere Aufmerksamkeit. Aus der Ausstattung sind die drei Altäre (Hochaltar um 1500, Sebaldusaltar von 1496 und der Marienaltar um 1500) hervorzuheben.

Rathaus (Marktplatz): In den Jahren 1470–76 ist das Rathaus entstanden. 1567 kam der Turm hinzu.

Stadtbefestigung: Die Stadtbefestigung ist vollständig erhalten (32 bewohnte Türme!) und besitzt im *Ellinger Tor* aus dem 14. Jh. (Nördliche Ringstraße) und im *Spitaltor* (ebenfalls aus dem 14. Jh., Südliche Ringstraße) zwei der schönsten erhaltenen Stadttore.

Heimatmuseum (Martin-Luther-Platz 3): Vor- und Frühgeschichte, orts- und kulturgeschichtliche Sammlungen.

Außerdem sehenswert: *Spitalkirche* (am Spitaltor): Kirche aus den Jahren 1450–60 mit neuer Ausstattung aus der Zeit um 1729. Am westlichen Tor sind zwei Steinfiguren erhalten.

Umgebung: *Deutschordensschloß* in → Ellingen (4 km nördlich). – *Wülzburg* (3 km östlich, 630 m hoch gelegen), Vauban-Festung des 17. Jh.; tiefster Brunnen Deutschlands.

Weltenburg = Kelheim 8420

Bayern S. 422 □ L 17

Klosterkirche St. Georg und St. Martin: Kein Geringerer als C. D. Asam* ist der Schöpfer dieses großartigen Baus (1716–18), der zu den besten Barockkirchen in Deutschland gehört. Im Zentrum steht ein ovaler Kirchenraum, dem eine ebenfalls ovale Vorhalle vorausgeht. Im Gegensatz dazu steht der rechteckige Chor. An den Hauptraum – umstellt von korinthischen Säulen – schließen sich kleine Nebenkapellen mit ihrerseits reicher Ausstattung an. Der Hauptraum ist von einer mächtigen Kuppel überwölbt, über der sich ein Tambour erhebt. Der Tambour

Kloster mit Klosterkirche, Weltenburg

schließt seinerseits mit einer Flachdekke, hat jedoch seitliche Fenster, durch die Licht einfällt. – Das große Kuppelfresko (1721) erreicht durch einen davorgelegten Kronreif eine ungeheure plastische Wirkung. Dieser Kronreif wird von Putten und vom Erbauer der Kirche, Cosmas Damian Asam, getragen, der sich hier selbst ein Denkmal gesetzt hat. Im Kuppelfresko ist sein Bruder Egid Quirin Asam* in einer der Engelsgestalten zu erkennen. Er hat den größten Teil des figürlichen Schmucks dieser Kirche geschaffen. Glanzstück der überreichen Ausstattung ist der Hochaltar (1722–24). Er zeigt den Kampf des vollplastisch dargestellten St. Georg, der hoch zu Pferde durch die Ehrenpforte des Retabels kommt und zum Kampf gegen den Drachen antreten wird. Die Seitenaltäre und weitere Gemälde, ebenfalls von der Familie Asam erbracht, sind jedes für sich meisterhaft. Die angrenzenden *Klostergebäude* gehen auf einen Entwurf von F. P. Blank zurück und sind in den Jahren 1714–16 entstanden.

Außerdem sehenswert: *Frauenbergkapelle* (rechts von der Kirche auf dem Frauenberg): Die Kapelle steht auf

Weltenburg

Fundamenten, die von einem Vorgängerbau aus der Zeit um 700 stammen sollen. Ausstattung aus der ersten Hälfte des 18. Jh.

Wemding 8853

Bayern S. 422 □ I 17

Pfarrkirche St. Emmeram (Marktplatz): Mit der Errichtung des nördlichen Turms bekam die Kirche 1619 endgültig das Aussehen. Wertvollstes Stück der Ausstattung ist der Hochaltar (1630–33). Er macht den Übergang von der mittelalterlichen Schreintradition zur barocken Triumphbogenarchitektur bereits deutlich. D. Zimmermann* hat 1713 die Seitenaltäre geschaffen. M. Zink ist Schöpfer der Gemälde.

Wallfahrtskirche Maria Brünnlein (Oettinger Straße): Der Wert der Kirche im Nordwesten der Stadt, auf einer kleinen Anhöhe gelegen, zeigt sich erst bei einem Blick in das Innere. Vater und Sohn, J. B. Zimmermann* und M. Zimmermann, waren als Stukkateure und Freskenmaler tätig und haben hier eine meisterhafte Leistung im Stil des Rokoko vollbracht. Den Hochaltar hat P. Rämpl geschaffen (1761).

Heimatmuseum (Marktplatz 3): Vor- und Frühgeschichte, stadt- und kulturgeschichtliche Sammlungen.

Umgebung: → Harburg (12 km südlich), → Nördlingen (19 km), → Donauwörth (23 km).

Werl 4760

Nordrhein-Westfalen S. 414 □ D 10

Propsteikirche St. Walburga (Kirchplatz 1): Von einem Vorgängerbau ist der spätromanische *Turm* erhalten, der in die gotische *Hallenkirche* einbezogen wurde. Das Erdgeschoß des Turms dient als Vorhalle. – Besondere Beachtung verdienen die *Altäre.* Im südlichen

Wertheim, Teilansicht mit Schloß

Seitenschiff steht ein Baldachinaltar aus dem 15. Jh. (mit Altarbild im Weichen Stil). Der Seitenaltar stellt das Marienleben dar (um 1560). Erwähnt sei auch die *Kalvarienberggruppe* (um 1520) und eine *Pieta* (17. Jh.) im nördlichen Seitenschiff.

Außerdem sehenswert: Die *Kapuzinerkirche* (alte Wallfahrtskirche) aus dem 18. Jh. sowie die *Franziskaner-Wallfahrtskirche* (1903–05) mit dem Gnadenbild (Madonna mit Kind) aus dem 13. Jh. – Sammlungen aus den Missionsgebieten der Franziskaner zeigt das *Missionsmuseum*.

Wertheim 6980

Baden-Württemberg S. 416 □ G 15

Ev. Stadtpfarrkirche (Am Markt): Die spätgotische Kirche bietet mit der *Portalvorhalle* (16. Jh.) zwischen Langhaus und Turm nebst dem kleinen Chor der *Hl.-Geist-Kapelle* (um 1420) im zweiten Turmgeschoß einen reizvollen Anblick. In der Mitte des Chors steht das *Grabmal des Grafen Ludwig II. von Löwenstein-Wertheim* und dessen Gattin (17. Jh.). Wegen des Baldachins bekam das Grabmal im Volksmund die Bezeichnung »Bettlade«. – An den beiden Langhauspfeilern fand man im Jahre 1957 Reste spätgotischer Wandmalereien.

Burgruine (Altes Schloß): Nahe der Mündungsstelle der Tauber in den Main bauten die Grafen von Wertheim im 12. Jh. die *Oberburg*, deren *Palas* erhalten ist. Um 1270 kam die *Kapelle* hinzu. Nach weiteren Befestigungsmaßnahmen im 14. und 15. Jh. wurde im 16. Jh. die *Unterburg* errichtet und die Umwandlung zu einer repräsentativen Schloßanlage eingeleitet. 1634 wurde die Burg durch kaiserliche Truppen zerstört.

Außerdem sehenswert: Die *ehem. Kilianskapelle* (nördlich der Pfarrkirche), ein spätgotischer Bau, diente im Untergeschoß als Beinhaus; das Obergeschoß hat reiches Maßwerk und fialenbekrönte Strebepfeiler *(Heimatmuseum).* – Das *Rathaus* (Marktplatz) vereint drei ehem. Bürgerhäuser zu einem einheitlichen Komplex mit Treppenturm. – Spätgotische *Wehrtürme* erinnern an den alten Stadtbering. – Im eingemeindeten *Eichel* am linken Mainufer steht eine kleine Kirche aus dem 13. Jh.

Wesel 4230

Nordrhein-Westfalen S. 414 □ B 9

Stadtkirche St. Willibrord (Willbrordiplatz): Die Gründung erfolgte schon im 8. Jh. Nach Neu- und Umbauten im 10., 12./13. und 15. Jh. wurde der »Dom zu Wesel« jedoch erst im 19. Jh. vollendet. Der 2. Weltkrieg zerstörte große Teile des nun weitgehend neugotischen Baus. Erweiterungen des 19. Jh. wurden beim Wiederaufbau nicht erneuert. In der heutigen Fassung entspricht der Dom wieder der fünfschiffigen Pfeilerbasilika mit Querschiff und Chorumgang aus der Hauptbauzeit von 1434–1537. Neben dem *Doppelportal* des Turms und den erstklassigen *Maßwerkfenstern* sind das reiche *Netz- und Sterngewölbe* hervorzuheben.

Befestigungsanlagen: Von den einst mächtigen Befestigungsanlagen sind nur noch Reste erhalten. Dazu gehören das barocke *Zitadellentor* (an der Zitadelle) von 1718 und das *Berliner Tor* (Berliner-Tor-Platz) von 1722. – In der Zitadelle befindet sich das *Schill-Museum* (Lokalgeschichte).

Theater: Im *Städtischen Bühnenhaus* (Martinistr.) und im *Studio im Centrum* (Ritterstraße) finden von Oktober bis April Theater- und Konzertgastspiele statt.

Außerdem sehenswert: Zwei moderne Kirchenbauten, und zwar die *Friedenskirche zu den Hl. Engeln* (Wesel-Fustemberg), 1957 von H. Schilling erbaut, und *Mariä Himmelfahrt* (Pastor-Janssen-Str.) mit der das Motiv der Fensterrose variierenden Westwand (im Jahre 1951 von R. Schwarz geschaffen).

Wesselburen 2244

Schleswig-Holstein S. 412 □ F 3

Wesselburen ist durch seinen berühmtesten Sohn bekannt geworden: durch den Dramatiker Friedrich Hebbel (1813–1863), der hier geboren wurde. An Hebbel erinnert heute ein ihm zu Ehren geschaffenes *Museum* (Österstraße 6, in der Kirchspiel-Vogtei) und ein Denkmal vor dem Haus Hebbels in der Süderstraße 49.

Kirche: Die Kirche ist in den Jahren 1737/38 entstanden. Baumeister war J. G. Schott (Heide). Dabei wurden die Außenmauern eines Vorgängerbaus übernommen, so daß bei erster Betrachtung noch immer der Eindruck einer romanischen Kirche entsteht. Die barocke Ausstattung wurde 1738 eingebracht.

Wessobrunn 8121

Bayern S. 422 □ K 20

Wessobrunn ist nicht nur der Fundort des »Wessobrunner Gebetes«, des ältesten Textes in deutscher Sprache (etwa 1000 Jahre alt), sondern auch Heimatstadt einiger der besten Stukkateure, die Deutschland hervorgebracht hat. Die Wessobrunner Schule wurde beherrschend für die Stuck-Kunst des 17. und 18. Jh. Im Mittelpunkt standen die Familien Schmuzer*, Zimmermann* und Feuchtmayer*, die hunderte von Kirchen vorwiegend in Bayern und Baden-Württemberg ausgestattet haben. Einige der bedeutendsten sakralen Kunstwerke aus dieser Zeit sind das Werk der genannten Künstlerfamilien.

Wessobrunn, Klostergang

Dom zu Wetzlar ▷

Ehem. Benediktinerabtei: In der Abtei erhielten die meisten jener Stukkateure, die den Ruhm des Ortes über ganz Deutschland getragen haben, ihre Ausbildung. Von den einstigen Anlagen der Abtei sind heute der Gäste- oder Fürstenbau erhalten. Hier entfaltet sich die Wessobrunner Stuck-Kunst zu ihrer ganzen Pracht. Im Norden des Komplexes befindet sich die *Pfarrkirche St. Johannes* (1757–59), die F. X. Schmuzer* gebaut hat. Auch hier sind Stukkaturen der besten Art in Deutschland zu sehen.

Wetzlar 6330

Hessen

S. 416 □ E 13

Dom (Buttermarkt): Die ältesten Bauteile reichen bis in das Jahr 897 zurück. Kurze Zeit später begannen jedoch bereits Veränderungen, Erweiterungen und Ergänzungen, die die Geschichte dieses monumentalen Baus über die Jahrhunderte hinweg bestimmt haben. Trotz dieser langen Bautätigkeit bietet der Dom heute ein geschlossenes Bild, die dreischiffige, rippengewölbte Hallenkirche nach dem Vorbild vergleichbarer Bauten in → Marburg, → Köln, → Herford und → Paderborn. Beherrschend ist der mächtige, dreigeschossige Turm im Südwesten. Er war endgültig erst im späten 16. Jh. fertiggestellt. Vor dem Eintritt beachte man bei einem Rundgang um den Dom die ausgezeichneten Portale, von denen hier das Westportal, ein Doppelportal mit Mittelsäule und reichem Figurenschmuck, besonders hervorgehoben werden sollte. Das Innere läßt kaum erkennen, daß die verschiedensten Baumeister über Jahrhunderte hinweg immer wieder eigene Gedanken in das Gesamtwerk eingebracht haben. Beherrschende Rollen übernehmen die mächtigen Pfeiler mit ihrem schönen Schmuck. Ungewöhnlich ist die Bemalung, die

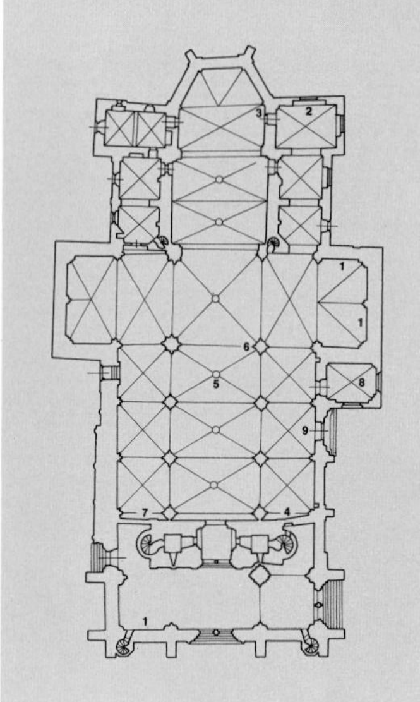

Dom zu Wetzlar 1 Reste von Wandmalerei des 14. Jh. an der Westwand des Mittelschiffes und im Querhaus **2** Vesperbild, um 1370–80, Fassung 18. Jh. **3** Muttergottes, um 1460 **4** Kreuztragender Christus, 1. Hälfte 16. Jh. **5** Kronleuchter, Anfang 16. Jh., sog. Zunftleuchter **6** Kanzel, Anfang 18. Jh. **7** Romanisches Taufbecken **8** Johanniskapelle mit: Originalen des Südportals (um 1260–70), Statuetten des gotischen Westbaus Maria und Verkündigungsengel, 13. Jh., Kreuzigungsgruppe, Ende 15. Jh., Domschatz **9** Südportal, nach französischem Vorbild, mit Marienstatue

zuerst bei der Restaurierung in den Jahren 1904–15 wiederhergestellt worden ist und dann auch bei der Beseitigung der Kriegsschäden wieder berücksichtigt wurde. Man beachte vor allem an der Westwand die große Christophorus-Darstellung sowie die Alexius-Legende in den Nischen des Querhauses. – Zahlreiche wertvolle Teile der Ausstattung sind im 2. Weltkrieg verlorengegangen. Eines der wertvollsten unter den erhaltenen Stücken ist die lederüberzogene Pieta, die aus der Zeit um 1380 stammt und im südlichen Querschiff zu sehen ist. – Weitere sehenswerte Ausstattungsstücke im Dommuseum (in der Johanneskapelle bzw. im Obergeschoß des Westbaus). – Der Dom ist heute Doppelkirche für Katholiken und Protestanten.

Weitere sehenswerte Kirchen in Wetzlar: *Michaelskapelle* (südlich des Doms), *Ehem. Franziskaner-Klosterkirche* (Schillerplatz), *Ev. Hospitalkirche* (Lahnstraße): Die in den Jahren 1755–64 von J. L. Splittdorf errichtete Kirche besitzt einen sehenswerten Aufbau aus Altar, Orgel und Kanzel.

Lottehaus und Städt. Museum (Lottestraße 8/10): In einem Flügel des ehem. Deutschordenshofes wohnte Charlotte Buff. Heute ist das Haus als Museum eingerichtet.

Jerusalemhaus (am Schillerplatz): Das Fachwerkhaus, um 1700 errichtet, war Wohnhaus des Legationssekretärs Jerusalem, der in Goethes »Werther« erwähnt ist. Es gehört zu den zahlreichen alten Häusern, die in Wetzlar erhalten sind und von denen hier als besonders sehenswert die Häuser Fischmarkt 13, Eisenmarkt 8 und Domplatz 11 hervorgehoben werden sollten.

Museen: Neben dem schon erwähnten Lottehaus mit dem städtischen Museum und neben dem Jerusalemhaus ist das *Palais Papius* (Kornblumengasse 1) zu nennen. Hier werden Möbel vornehmlich aus dem 16.–18. Jh. gezeigt.

Industrie-Festspiele: In der Freilichtbühne Rosengarten (1800 Plätze) Schauspiel-, Oper-, Musical-, Ballett- und Konzertaufführungen.

Umgebung: *Burgruine Kalsmunt* (Viertelstunde Fußmarsch), ehem. *Nonnenkloster in Altenberg* (3 km westlich), *Burg Gleiberg.*

Wiblingen = Ulm 7900

Baden-Württemberg S. 420 □ H 19

Ehem. Benediktinerklosterkirche St. Martin: Wiblingen, das heute zu Ulm

Klosterkirche, Wiblingen ▷

ADORATE DOMINVM IN
ATRIO SANCTO EIVS

Bibliothek, Kloster Wiblingen

gehört, erhielt 1093 das von den Grafen von Kirchberg gestiftete Kloster. Der heutige Bau wurde ab 1714 errichtet und 1783 geweiht. Nach Entwürfen von J. M. Fischer* wurde die Kirche durch J. G. Specht erbaut. – Die Kirche – ein kuppelüberdeckter Zentralraum – trägt bereits deutlich die Zeichen des einsetzenden Klassizismus. Das Innere ist von großer Pracht, trotzdem aber von Zurückhaltung und Vornehmheit geprägt. In den großen Kuppelgemälden von J. Zick* dominiert allerdings noch das ausklingende Barock. Wichtigste Teile der Innenausstattung sind der Hochaltar, ebenfalls ein Werk Zicks, das Chorgestühl von J. Joseph Christian* und J. F. Christian sowie ausgezeichnete Statuen (Kanzel, Brüstung). Den Kruzifixus (Anfang 16. Jh.) hat die Klosterkirche aus dem Münster in → Ulm erhalten. – Das angrenzende Kloster ist vor allem durch seine *Bibliothek* berühmt geworden. Die Galerie wird von Säulen getragen, an denen lebensgroße Statuen die geistigen Wissenschaften und Tugenden personifizieren.

Wiedenbrück 4832

Nordrhein-Westfalen S. 414 □ E 9

Stiftskirche St. Ägidii (Kirchplatz): Die um 1500 entstandene große Hallenkirche erhielt Turm und Chor erst im 19. Jh. Kunsthistorisch von großem Interesse ist das Sakramentshäuschen aus dem Jahr 1504 – mit seinem großartigen, reichen Aufbau eines der besten dieser Art in Westfalen. Aber auch die Sandsteinkanzel (getragen von der Figur Moses, um 1617) und der Taufstein aus der Zeit der Spätgotik sowie die Kanzel aus dem frühen 17. Jh. sind zu rühmen.

Marienkirche/Marien-Wallfahrts-Kirche (Marienplatz): Die dreischiffige

Hallenkirche war 1470 fertiggestellt und hat ihre Gestalt seither fast unverändert erhalten. Bemerkenswert ist das ungewöhnliche Verhältnis zwischen Breite und Länge: Die Kirche ist mit einer Breite von 19 m und einer Länge von nur 13,20 m eine Ausnahme unter den westfälischen Hallenkirchen. Gegenüber liegt das 1667 gegr. Kloster.

Wienhausen 3101

Niedersachsen S. 414 □ H 7

Ehemal. Zisterziensernonnenkloster: Alljährlich zehn Tage nach Pfingsten werden die »Wienhäuser Bildteppiche« gezeigt, die weit über das nähere Einzugsgebiet hinaus berühmt sind. Die Teppiche stammen aus der Zeit zwischen 1300 und 1500 und wurden von den Nonnen geschaffen. Neben diesen Teppichen machen zahlreiche weitere Kunstwerke von erstem Rang das Kloster zu einer der bedeutendsten Kunststätten in Deutschland. Zu den großartigen künstlerischen Leistungen, die hier bewahrt werden, gehören auch Wand- und Glasmalereien, Skulpturen

Spätgotischer Taufstein in der Stiftskirche St. Ägidii, Wiedenbrück

Wienhausen, Panorama mit ehemaligem Zisterzienserinnenkloster

sowie verschiedene Sammlungen (Hausrat, eine unvergleichbare Truhensammlung, Schränke). – Das Äußere der Klosteranlage ist von den Backsteinfassaden bestimmt. Hervorzuheben sind die Staffelgiebel des Kloster-Westflügels und des Nonnenchors. Die Nonnenkirche ist um 1300 entstanden. Aus dieser Zeit sind im Nonnenchor und in der Allerheiligenkapelle erstklassige Wandmalereien erhalten. Sie gehören zum Besten, was die Malerei der Gotik hervorgebracht hat. – Herausgegriffen sei schließlich auch der berühmte Schrein, der das Hl. Grab darstellt. Darin liegt der tote Christus (Holzfigur aus der Zeit um 1280). Von gleichem Rang ist der Marienaltar (1519).

Wies = Steingaden 8924

Bayern S. 422 □ I 21

Die Wies/Wallfahrtskirche zum gegeißelten Heiland: Ausgangspunkt für den Bau der heutigen Wallfahrtskirche war eine Figur, die den Heiland an der Geißelsäule zeigte (um 1730). Sie gehörte einem Bauern auf der Wies, der festgestellt haben will, daß diese Figur plötzlich Tränen vergossen und der daraufhin den Bau einer einfachen Feldkapelle betrieben habe. Das Wunder wurde Anlaß zu einer Wallfahrt, die sich schnell ausbreitete, daß alsbald der Bau einer eigenen Kirche entstand. 1746 wurde – nachdem das übergeordnete Kloster in → Steingaden die Zustimmung gegeben hatte – der Grundstein für einen Bau gelegt, der nach seiner Fertigstellung zu den bedeutendsten des Barock gehören sollte. D. Zimmermann*, der zuvor bereits die Entwürfe für Steingaden geliefert und damit der Zeit wie sich ein Denkmal errichtet hatte, wurde auch mit dem Bau der Wieskirche beauftragt. 1754 wurde die Kirche geweiht. 1757 war auch die Orgel eingebaut und damit das Gesamtkunstwerk der Wieskirche vollendet. Für D. Zimmermann war die Wieskirche der Höhepunkt seines Lebenswerkes. Das dokumentiert sich nicht nur in der Kirche selbst, sondern auch mit der Stiftung eines Votivbildes durch ihn. In einem Haus in unmittelbarer Nachbarschaft der Wieskirche ist Zimmermann 1766 gestorben.

Baustil und Baubeschreibung: Die Wieskirche ist bis in das letzte Detail

◁ *Nonnenchor, Wienhausen*

Wieskirche

ganz dem Barock unterstellt. Kaum ein zweites Mal ist in solcher Stilreinheit ein Bau errichtet worden. Zentrum ist der große Mittelraum, dem eine Halle in Halbkreisform vorgelagert ist. Zur anderen Seite hin schließt sich der langgezogene Chor an (siehe Grundrißskizze). Vor dem Chor steht der Ostturm, dem – als Sommersitz des Abtes konzipiert – ein hufeisenförmiger Bau vorgelagert ist.

Inneres und Ausstattung: Die besten Künstler der Zeit haben unter der Gesamtleitung von D. Zimmermann an der Ausgestaltung der Kirche gearbeitet. Die Grundkonzeption ist darauf ausgerichtet, daß sich Form und Farben zum Altarzentrum hin verdichten. Ein hohes Maß an Lebensfreude hat sich in der Wieskirche niedergeschlagen. Den entscheidenden Anteil an der Ausstattung hat J. B. Zimmermann*, Bruder des Dominikus. Seine besten Leistungen sind die einzigartigen Fresken. Das große Kuppelfresko zeigt auf der einen Seite den leeren Thron des Weltenrichters, dem auf der anderen Seite die verschlossene Paradiestür gegenübersteht. Dazwischen zeigt ein Regenbogen das Erscheinen Christi. Die Fresken sind in ihrer Wirkung abgestellt auf den Hochaltar. In dessen Mittelpunkt steht das Gemälde, auf dem B. A. Albrecht die Menschwerdung Christi dargestellt hat. Die vier Figuren, die das Gemälde umrahmen, sind die Evangelisten. Sie sind das Werk von E. Verhelst*. Von kaum geringerem Rang sind die Nebenaltäre im Laienhaus. An den mittleren Pfeilerpaaren sind die Figuren der vier Kirchenväter befestigt (der Füssener Bildhauer A. Sturm hat sie geschaffen). Ein weiterer Glanzpunkt ist die herrliche Kanzel.

Wiesbaden 6200

Hessen S. 416 □ E 14

Wiesbaden, mit 260000 Einwohnern Landeshauptstadt von Hessen und bedeutende Kur- und Kongreßstadt zwischen Taunus und Rheingau, ist schon zur Zeit der Römer ein Verkehrsknotenpunkt gewesen. Klassizismus und

Wieskirche ▷

Wies, Wallfahrtskirche 1 Deckengemälde von Joh. Bapt. Zimmermann (Dreifaltigkeit) **2** Hochaltar; Gemälde von B. A. Albrecht, 1753–54; Figuren von Agid Verhelst **3** Deckengemälde von J. B. Zimmermann (Engel tragen Kreuz) **4** Kanzel von Dominikus Zimmermann **5** Abtsloge von Anton Sturm **6** Seitenaltar a) Margarethe b) Maria Magdalena von J. G. Bergmüller, 1756 c) Magdalena **7** Seitenaltar a) Norbert b) Christus und Petrus von Josef Mages, 1756 c) Bernhard **8** Vier Kirchenväter von Anton Sturm

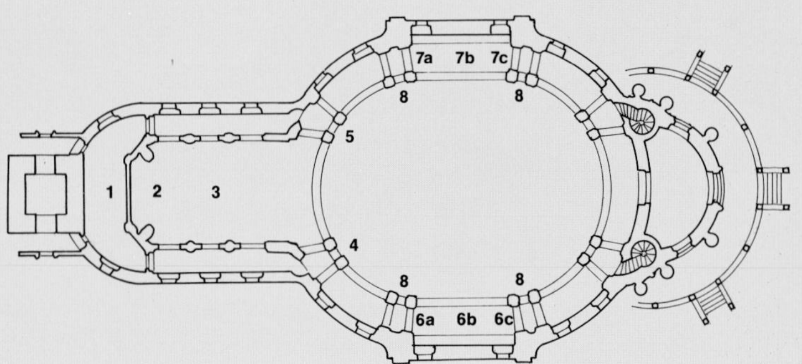

Historismus haben das Gesicht der Stadt geprägt.

Griechische Kapelle (Neroberg): Die fünf vergoldeten Zwiebeltürme haben die Kapelle, die als Grabeskirche für die 1845 nach einjähriger Ehe verstorbene und aus Rußland stammende Herzogin Elisabeth von Nassau erbaut wurde, zu einem unverwechselbaren Bauwerk gemacht. Die Kapelle wurde ganz im byzantinisch-russischen Stil erbaut.

Pfarrkirche Schierstein: Die Kirche wurde im Stil des Barock errichtet. Die Ausstattung entspricht dem Rokoko.

Stadtschloß (Schloßplatz): Der Bau, 1837–40 von den Herzögen Wilhelm und Adolf von Nassau errichtet, wurde 1866 königliches Schloß. Kaiser Wilhelm I. und Wilhelm II. haben hier während ihrer Besuche in Wiesbaden residiert. Heute ist das Schloß Sitz des Hessischen Landtags.

Schloß Biebrich (Rheingaustraße): Die späteren Fürsten und Herzöge von Nassau haben das Schloß im Stil des Barock zwischen 1698 und 1744 erbaut. Es diente ihnen als Residenz. Die Schauseite zeigt zum Rhein. Der ursprünglich barocke Garten wurde 1811 in einen englischen Park durch L. v. Sckell* umgestaltet. Im Sinne der damaligen romantisch-historisierenden Baugesinnung, für die es in Wiesbaden zahlreiche weitere Beispiele gibt, ist die 1807 geschaffene Moosburg angelegt.

Schloß Biebrich, Wiesbaden

Altes Rathaus (Marktstraße): Das Alte Rathaus, 1609 fertiggestellt, ist das älteste Gebäude der Stadt. Das Neue Rathaus, das in den Jahren 1884–87 erbaut wurde, trägt die Zeichen der Neurenaissance.

Kurhaus (Parkstraße): F. v. Thiersch hat die Pläne für diesen Bau geliefert, der in den Jahren 1905–07 errichtet worden ist. Vorgelagert ist ein Portikus mit sechs ionischen Säulen. Die Widmung lautet »Aquis Mattiacis«.

Museen: *Städtisches Museum* (Friedrich-Ebert-Allee 2): Unter einem Dach sind eine beachtenswerte Gemäldegalerie sowie eine naturwissenschaftliche Sammlung und die »Sammlung nassauischer Altertümer« untergebracht. Ferner: zahlreiche Objekte aus dem Besitz Merians.

Theater: *Hessisches Staatstheater* (Theaterkolonnaden): Das Theater liegt im Kurzentrum und beschäftigt eigene Ensembles für Oper, Operette, Musical, Schauspiel und Ballett. – *Intimes Theater* (Am Kochbrunnen 3): Lustspiele und Schwänke.

Wildeshausen 2878

Niedersachsen S. 414 □ E 6

St.-Alexander-Kirche (Herrlichkeit 6): Die in den Jahren 1224–30 erbaute Kirche gleicht in ihrem Grundriß dem Dom zu → Osnabrück. Auffallend ist das Mauerwerk des Flügels, der sich vom Chor nach Süden erstreckt: Es wurde auf Findlingen in meisterhafter Weise zusammengefügt. Das Innere wird von dem kugelförmigen Gewölbe und ausgewogenen Rundbogenarkaden bestimmt. Aus der Ausstattung sollen hervorgehoben werden: Der spätgotische Levitenstuhl und der schön gegliederte Sakramentsschrank, beides erstklassige Arbeiten aus Sandstein. In der Sakristei, über deren Eingang ein frühgotischer Kruzifixus hängt, sind erstklassige Wandmalereien vom Beginn des 15. Jh. und aus der Zeit um 1300 freigelegt worden.

Umgebung: Pestruper Gräberfeld (bedeutendste prähistor. Grabanlage N-Europas); Hünengräber in → Visbek.

Bad Wildungen 3590

Hessen S. 416 □ F 11

Ev. Stadtkirche St. Maria, Elisabeth und Nikolaus (Am Markt): Der Baubeginn geht in die erste Hälfte des 14. Jh. zurück, fertig war der Bau jedoch erst gegen Ende des 15. Jh. 1505 kam die nördlich an den Turm anschließende Grabkapelle hinzu. Der Turm erhielt seine Haube erst 1811. In der Halle mit fast quadratischem Grundriß wird das Kreuzrippengewölbe von schlanken Rundpfeilern getragen. Berühmt ist die Kirche wegen des Wildunger Altars, den Konrad von Soest (siehe dazu auch Marienkirche in → Dortmund) geschaffen hat. Mit diesem Bild-Zyklus hat Konrad von Soest eines der bedeutendsten Bildwerke deutscher Malerei geschaffen (entstanden in den ersten Jahren des 15. Jh.). Im geschlossenen Zustand zeigt der Flügelaltar die Heiligen Katharina, Johannes d. T., Elisabeth und Nikolaus. Im geöffneten Zustand (er erreicht dann eine Breite von annähernd 6 m) sind Kindheit, Passion, Auferstehung, Himmelfahrt Christi, Pfingstwunder und Jüngstes Gericht dargestellt. Weitere sehenswerte Details der Ausstattung: Zahlreiche Grabmäler (u. a. für Graf Samuel von Waldeck, das A. Herber 1579 schuf). Spätgotischer Kruzifixus über dem Altar (1518), Orgel (1930).

Außerdem sehenswert: Schönes Stadtbild mit zahlreichen gut erhaltenen Fachwerkbauten (siehe insbesondere Brunnen-, Hinter- und Lindenstraße). – *Schloß Friedrichstein* (in Alt-Wildungen): Schloß, das in seinen Anfängen auf eine Burg um 1200 zurückgeht, dessen vorzügliche barocke Innenausstattung jedoch aus der Mitte des 18. Jh. stammt.

Umgebung: *Kupferbergwerk in Bergfreiheit* (10 km südlich): Ein altes Kupferbergwerk ist so weit wiederhergerichtet worden, daß sich ein guter Eindruck vom einstigen Kupferabbau in diesem Gebiet ergibt.

Wilhelmshaven 2940

Niedersachsen S. 414 □ E 4

Die Geschichte der Stadt beginnt erst 1856 mit dem Bau eines Kriegshafens. – 1869–75 wurde die *Christuskirche* (Friedrich-Wilhelm-Platz) als Marine-Gedächtnis-Kirche errichtet. Das *Rathaus* (Kirchplatz) von F. Höger, einem der bekanntesten Architekten in der ersten Hälfte unseres Jh., entstand 1929 für die Stadt Rüstringen, welche

Stadtkirche, Bad Wildungen

Rathaus, Wilhelmshaven

später mit Wilhelmshaven verschmolz. – Im *Küsten- und Schiffahrtsmuseum* (Rathausplatz 2) werden einmalige Sammlungen zur Besiedlung der Küsten in Niedersachsen und zur Geschichte der Schiffahrt gezeigt. – In der Umgebung ist das *Wasserschloß Gödens* (18 km südwestlich) sehenswert.

Wilhelmsthal = Calden 3527

Hessen S. 416 □ G 10

Schloß (2 km südlich von Calden): Durch die 9 km lange Rasenallee ist Schloß Wilhelmsthal mit dem Schloß Wilhelmshöhe in → Kassel verbunden. Die Regenten Hessens ließen dieses Meisterwerk des Rokoko in den Jahren 1743–70 nach einem Plan von F. de Cuvilliés* als Sommersitz erbauen. Beide Seitenflügel sind nur locker mit dem *Hauptbau* verbunden, dessen Glanzstück die *Gartenfront* bildet. – Unter den Innenräumen nehmen der *Musen-* und der *Speisesaal* sowie das *Papageienkabinett* wegen der vollendeten Stuck- und Raumgestaltung das größte Interesse für sich in Anspruch. J. H. Tischbein d. Ä. hat die meisten Gemälde der *Schönheitsgalerie* beigetragen. Wertvolle *Wandbekleidungen,* erlesene *Möbel* und *Meißner Porzellan* vervollständigen die Ausstattung. – Der ehemals franz. *Park* wurde 1794–99 im englischen Stil umgestaltet.

Bad Wimpfen 7107

Baden-Württemberg S. 420 □ F 16

Wimpfen, an der Mündung der Jagst in den Neckar gelegen, war in röm. Zeit Kastell. Seit dem 9. Jh. gehörte es den Bischöfen von Worms. Die Staufer errichteten hier eine ihrer größten Pfalzen auf deutschem Boden. Von etwa

1350 bis 1803 war Wimpfen Freie Reichsstadt.

Ehemalige Kaiserpfalz: Um 1180 auf dem Altenberg errichtet; eine typ. Abschnittsburg mit Palas und herrlichen Arkaden sowie einem Saal für Hof- und Gerichtstage. Daneben das gotische Steinhaus, die Wohnung des Burggrafen. Sehenswert die Pfalzkapelle mit Kaiserempore. Im W der Blaue Turm aus Blaustein. Die Ringmauer der Anlage ist in wesentlichen Abschnitten noch zugänglich.

Außerdem sehenswert: *Ev. Stadtpfarrkirche St. Maria,* 1234 urkundl. erwähnt; große spätgotische Hallenkirche, der Unterbau der Osttürme roman.; *Benediktinerklosterkirche St. Peter,* der W-Bau mit 2 Türmen romanisch, Langhaus und O-Teile aus dem 13. Jh. (letztere vielleicht von Erwin von Steinbach, dem Meister des Straßburger Münsters); bemerkenswerte alte Ausstattung; malerische *Altstadt* mit Bürgerhäusern des 15. und 16. Jh., hübsche Brunnen.

Windberg Post Hunderdorf 8441

Bayern S. 422 □ N 17

Prämonstratenser-Klosterkirche St. Maria: An den Hängen des Bayerischen Waldes entstand eine romanische Basilika unter → Hirsauer Einfluß. Besonders reich ist das *Hauptportal* (um 1220) mit der Gottesmutter im Tympanon ausgestaltet. Das Innere wurde im 16. Jh. eingewölbt und 1755 stuckiert. Im *Hochaltar* eine schöne Marienfigur (um 1650), hervorragende *Altäre* auch an den Pfeilerpaaren des Langhauses. Um 1230 entstand der interessante romanische *Taufstein.*

Wittlich 5560

Rheinland-Pfalz S. 416 □ B 14

Die zu Beginn des 18. Jh. in gotisierendem Barock erbaute *kath. Pfarrkirche* (Marktplatz) schmücken moderne *Glasfenster* von LeChevalier, A. Stettner, H. Dieckmann und G. Meistermann. Von letzterem findet sich auch ein Fenster mit den Apokalyptischen Reitern im *Rathaus* (Marktplatz), das 1647 erbaut und 1922 erweitert wurde.

Witzenhausen 3430

Hessen S. 418 □ G 11

Den ursprünglichen Umriß der mittelalterlichen Stadt an der Werra deuten noch heute Reste der *Stadtmauer* sowie zwei *Türme* aus dem 18. Jh. und ein älterer an. Entlang dem gitterförmig angelegten Straßennetz sind viele alte *Fachwerkhäuser* erhalten, die der Stadt ein romantisches Gepräge geben. Neben den Kirchen verdient auch das dreigeschossige *Renaissance-Rathaus* (1951 renoviert) Beachtung.

Ev. Liebfrauenkirche: Die wechselvolle Baugeschichte der Kirche beginnt um 1225 und endet mit einer Restaurierung im Jahr 1931. Schon von außen steht das breite *Langhaus* im Gegensatz zum hochsteigenden *Chor.* – Im Inneren fallen die eigenartigen *Pfeiler* auf, die eine Übergangsform zwischen romanischen Kantensäulen und gotischen Bündelpfeilern darstellen. Verwiesen sei vor allem auf die ausgezeichneten *Wandmalereien,* die aus dem 16. Jh. erhalten sind (in der Kapelle unter der Südempore). Im Chor steht ein ungewöhnliches *Grabmal der Familie v. Bodenhausen.*

Außerdem sehenswert: Vom gotischen ehem. *Wilhelmitenkloster St. Nikolaus und Hl. Kreuz* sind nur geringe Teile erhalten (Refektorium, Kapitelsaal, Kirchenportal). – Zum *Hospital St. Michael* gehört eine Kapelle aus dem Jahr 1392 mit zierlich geschmücktem Turm.

Umgebung: *Burg Ludwigstein* (6 km südöstlich), *Burg Bilstein* (15 km südlich), *Ruine Ziegenberg* (7 km nordwestlich), *Schloß Berlepsch* (8 km nordwestlich).

Wolfegg 7962
Baden-Württemberg S. 420 □ G 20

Pfarrkirche St. Katharinen: An die Stelle der Stifts- und Schloßkirche trat in den Jahren 1733–42 der bis heute erhaltene Neubau von J. G. Fischer*. – Das Innere der äußerlich schlichten Kirche ist reich mit Stuck und Fresken geschmückt und besticht durch die eindrucksvolle Raumaufteilung. Die *Stuckdekoration* (ab 1735) und die *Wandmalereien* sind gute Beispiele früher Rokokokunst. Hervorzuheben sind auch die *Kanzel* (1760), das *Chorgestühl* (1755) und mehrere *Epitaphien.*

Schloß: Berühmt geworden ist das Schloß (1580 vollendet) durch seinen großartigen *Rittersaal.* Entlang den Wänden stellen 22 *Holzfiguren* die Truchsessen dar. Die rocaillegerahmten *Wandbilder* zeigen Szenen aus der Herkulessage sowie Allegorien der Erdteile und Elemente. – Unter den bedeutenden Kunstgegenständen des Schlosses nimmt das *Hausbuch* des nach diesem benannten Meisters einen besonderen Rang ein.

Umgebung: → Waldburg (13 km südwestlich), → Weingarten und → Ravensburg (16 km westlich), → Wangen (21 km), → Leutkirch (22 km).

Wolfenbüttel 3340
Niedersachsen S. 414 □ I 8

Wolfenbüttel hat als alte *Herzogstadt* und als die Stadt großartiger *Fachwerkbauten* einen Namen. Die mittelalterliche Anlage der Stadt ist heute kaum noch zu erkennen, da unter den Herzögen Julius und August d. Jüngerem eine der Renaissance gemäße Planmäßigkeit beim Ausbau der Residenz waltete. – E. Lessing war von 1770–81 Leiter der Herzog-August-Bibliothek gewesen. Er hat hier »Emilia Galotti« geschrieben und »Nathan der Weise« vollendet. Im *Lessinghaus* (Lessingplatz 1), wo er die letzten Lebensjahre verbrachte, erinnert ein Museum an den Dichter und seine Zeit. – W. Raabe verbrachte entscheidende Jahre (1845–62) in der Residenzstadt, und W. Busch besuchte sie von 1862–87 regelmäßig. – Die *Herzog-August-Bibliothek* wurde 1572 gegründet und

Schloß in Wolfsburg

zum Anziehungspunkt für viele Geistesgrößen wie G. W. v. Leibniz, Stendhal und G. Casanova. Sie hat heute einen Bestand von 450000 Bänden.

Ev. Hauptkirche Beatae Mariae Virginis/Marienkirche (Michael-Praetorius-Platz): Herzog Heinrich Julius ließ die Kirche im 17. Jh. vom größten niedersächsischen Renaissancebaumeister P. Francke entwerfen. Der erste Eindruck ist trotz dieses Bautermins immer noch gotisch, doch verrät die Ausgestaltung deutlich die Züge der Renaissance. – Im Inneren tragen sechs Achteckpfeiler das Rippengewölbe der dreischiffigen Halle. – Von der Ausstattung sind hervorzuheben: Der *Hochaltar,* ursprünglich für eine Prager Kirche bestimmt, jedoch 1623 für Wolfenbüttel erworben; die *Kanzel* (1619/23), eine *Taufe* (1571), *Chorgestühl* mit reichen Intarsienarbeiten sowie mehrere *Grabdenkmäler.*

Ev. Pfarrkirche St. Trinitatis (Landeshuterplatz): 1719 wurde der Neubau geweiht, der die durch Brand zerstörte Vorgängerkirche (im 17. Jh. aus dem Umbau des Kaisertors entstanden) ablöste. Auffallend ist die farbige *Fassade* mit den beiden Türmen. – Im Inneren wird der sechseckige Mittelraum von 10 korinthischen Säulen bestimmt, die ihn vom zweigeschossig mit Emporen umgebenen Umgang trennen.

Ev. Pfarrkirche St. Johannis (Glockengasse): Die im 17. Jh. erbaute Fachwerkkirche mit dem kampanileähnlichen Glockenturm glänzt durch die erstklassige *Renaissance-Ausstattung* (Orgel, Taufe, Kanzel, Altarwand und zahlreiche Grabdenkmäler).

Ehem. Residenzschloß (Schloßplatz): In diesem Bau, dem größten erhaltenen Schloß Niedersachsens, haben u. a. die Dichterherzöge Heinrich Julius (1564–1613) und Anton Ulrich (1633–1714) gelebt. Hier wurde aber auch Herzogin Anna Amalia geboren, die später den berühmten Weimarer Musenhof gegründet hat. Das Schloß ist heute als Museum erschlossen. Die Barocksäle des *Stadt- und Kreis-Heimatmuseums* zeigen u. a. die ursprüngliche *Schloßausstattung,* deren barokken Glanz der äußerlich schlichte Holzbau nicht erwarten läßt.

Residenzschloß in Wolfenbüttel, das größte erhaltene Schloß in Niedersachsen

Rittersaal des Schlosses in Wolfegg

Lessingtheater: Im Theater finden von September bis April Gastspiele bekannter Bühnen statt.

Außerdem sehenswert: Das *Rathaus* (Stadtmarkt 2–6) wurde zwischen 1599 und 1609 als Fachwerkbau errichtet. – Als Waffenarsenal diente das *Zeughaus* (Lessingplatz, 17. Jh.). 500 ausgezeichnet erhaltene *Fachwerkhäuser* der Renaissance und des Barock sowie Teile der alten *Stadtbefestigung* verleihen der Stadt einen selten anzutreffenden historischen Reiz.

Wolfhagen 3549

Hessen S. 416 □ F 11

Ev. Stadtkirche St. Anna und Maria: Die gotische Hallenkirche mit ihrem schiefergedeckten *Turm* (1561) erinnert mit dem farbig gefaßten *Triumphbogen* an den Vorgängerbau des 13. Jh. Die *Gewölbeschlußsteine* in den Kirchenschiffen bilden einen seltenen Weltgerichtszyklus.

Außerdem sehenswert: Von der *Burg* der Landgrafen von Thüringen (13. Jh.) zeugen nur noch Bauten späterer Epochen. – Das *Rathaus* (17. Jh.) erinnert mit den zwei stark vorspringenden Fachwerkgeschossen an norddeutsche Vorbilder, während die übrigen *Fachwerkhäuser* hessisch geprägt sind. – *Schloß Elmarshausen* (nordöstlich von Wolfhagen) präsentiert sich als von gemauerten Gräben umgebenes *Wasserschloß* aus dem 16. Jh.

Wolframs-Eschenbach 8802

Bayern S. 422 □ I 16

Der Dichter, nach dem sich das mittelalterliche Städtchen nennt und der als Verfasser des »Parzival« berühmt geworden ist, liegt alten Zeugnissen gemäß in der → Pfarrkirche begraben. – Die alte *Stadtbefestigung* ist zum großen Teil erhalten geblieben, und auch die alten Gassen und die schmucken Giebelhäuser überliefern ein Bild vergangener Jahrhunderte. – Die *kath. Pfarrkirche* wurde im 13. Jh. im Auftrag des Deutschen Ordens errichtet und in der ersten Hälfte des 18. Jh. weitgehend erneuert. Dabei erfuhr die Hallenkirche eine weitgehende Barockkisierung. Sehenswert sind der Altar der Marienkapelle (1751) sowie ein Rosenkranzrelief (um 1510). – Im *ehem. Deutschordensschloß* aus dem 17. Jh. ist seit 1859 das Rathaus untergebracht. Die steinerne Fassade kontrastiert zu den Fachwerkbauten der Umgebung.

Wolfratshausen 8190

Bayern S. 422 □ K 20

Stadtpfarrkirche St. Andreas (Am Marienplatz): In ihrem Kern geht die Kirche auf das 15. Jh. zurück, Brand und Zerstörung haben jedoch im 17. Jh. zu wesentlichen Veränderungen geführt. Hervorzuheben ist an diesem dreischiffigen Hallenbau die gute Ausstattung, die im 17. und 18. Jh. eingebracht wurde: *Hochaltar* (um 1660), *Kanzel* (um 1670), *Apostelstatuen* an den Wänden (um 1670) und interessante *Prozessionsstangen* der Bruderschaften (17./18. Jh.).

Umgebung: *Klosterkirche* in → Schäftlarn (9 km nordöstlich).

Wolfsburg 3180

Niedersachsen S. 414 □ I 8

Die junge Stadt, bekannt als Sitz des Volkswagenwerks, entstand nach dessen Gründung (1937) in der Umgebung des alten Schlosses. Die Pläne für die Anlage neuer Stadtbezirke lieferte P. Koller. Danach wurden 1938–41 die Waldsiedlung Steimker Berg und die City erbaut. Eine Neuplanung aus dem Jahr 1955 regelte den weiteren Ausbau zur heutigen Dimension. – Das *Kultur-*

Dom zu Worms ▷

zentrum, das der berühmte finnische Architekt A. Aalto entworfen hat und das in den Jahren 1959–62 erbaut wurde, dient u. a. als Volkshochschule, Stadtbücherei und Jugendheim. – Das *Theater der Stadt* entstand nach den Plänen von H. Scharoun* (1971–73). – Im *Volkswagenwerk* finden werktags um 10 und 14 Uhr Führungen statt.

Schloß (Alt-Wolfsburg): Das Schloß erinnert an die Vergangenheit der modernen Stadt. Von der ursprünglichen Wasserburg aus dem 13./14. Jh. ist nur der *Bergfried* erhalten. Die übrigen Teile kamen zur Zeit der Renaissance im 16. Jh. hinzu. Der südliche der vier Flügel, die den *Innenhof* umgeben, wurden in der Mitte des 19. Jh. mit viel Feingefühl hinzugefügt. Heute dient das Schloß als kultureller Treffpunkt der Öffentlichkeit.

Sakrale Bauten: Wolfsburg ist ein Musterbeispiel für die Vielfalt des *modernen Kirchenbaus,* der hier durch Architekten von hohem Rang vertreten ist. – Von den Kirchen des alten Wolfsburg ist die ev. *St.-Annen-Kirche* (13. Jh.) erhalten. In der Nähe des Schlosses birgt die ev. *St.-Marien-Kirche* Epitaphien und Grabsteine aus dem 17. Jh.

Worms 6520

Rheinland-Pfalz S. 416 □ E 15

Worms, eine Mittelstadt mit bedeutender Industrie und eines der deutschen Weinhandels-Zentren, kann auf eine ruhmvolle Geschichte zurückblicken. Unter römischer Herrschaft war Worms Garnison- und Hauptstadt der Civitas Vangionum. Hier bekämpften sich Burgunder und Hunnen sowie Franken und Alemannen, hier nimmt das Nibelungenlied seinen Anfang und hier fanden fast 100 Reichstage statt (u. a. der Reichstag des Jahres 1521, zu dem Luther nach Worms gerufen wurde). Von den großartigen Bauten des Mittelalters sind nur wenige (allerdings bedeutende) erhalten geblieben. Die Zerstörungen im 30jährigen Krieg, in den Revolutionsjahren des 18. Jh. und im 2. Weltkrieg haben der Stadt am linken Rheinufer erheblich zugesetzt. Heute hat Worms 78 000 Einwohner.

Dom St. Peter (Domplatz 1): Der Dom gehört neben den vergleichbaren Bauten in → Speyer und → Mainz zu den bedeutendsten Zeugnissen hoch- und spätromanischer Baukunst in Deutschland. Er wurde nach Vorgängerbauten – u. a. unter Bischof Burkhard im Jahr 1018 – in seiner heutigen Gestalt ab 1171 errichtet, 1181 wurden die ersten Teile bereits geweiht, 1230 war der monumentale Bau fertig. Später erfolgten hochgotische Umbauten und wurden Kapellen und das Südportal ergänzt, grundsätzlich hat sich jedoch am Baugefüge seit dem 13. Jh. kaum noch etwas verändert. Allen Gefahren, die in den Kriegen (insbesondere im 30jährigen Krieg durch die Franzosen) drohten, hat der mächtige Bau getrotzt. Umfangreiche Sicherungsarbeiten haben seinen Bestand nach dem 2. Weltkrieg gewährleistet. – *Baustil und Baubeschreibung:* Die hoch- und spätromanische Ausgestaltung des Doms ist von erstaunlicher Einheitlichkeit. Er erreicht im Inneren die gewaltige Länge von 110 m, ist 27 m breit und (im Mittelschiff) 26 m hoch. In den Kuppeln hat er sogar eine Höhe von 40 m. Grundlage des Baus ist eine Pfeilerbasilika mit Doppelchor. Über dem Westchor und über der Vierung im Osten erheben sich die charakteristischen Türme, die von jeweils zwei feineren und höheren Seitentürmen eingerahmt werden. Außerordentlich reich ist der plastische Bauschmuck, insbesondere an der Ostfassade. Am Untergeschoß des Nordturms ruht der Rundbogenfries auf Konsolen in Gestalt von Tier- und Männerköpfen. Zu erkennen sind u. a. Löwen und Bären. Dieser reiche vollplastische Schmuck, der in dieser Eigenart und Qualität einzigartig ist, setzt sich an den großartigen Portalen fort. Am Südportal befand sich einst (als Tympanon) das Relief »Daniel in der Löwengrube«, das heute im Inne-

Dom, Hochaltar ▷

ren des Doms aufgestellt ist. Das gotische Südportal zeigt in Auslese einzigartige Plastiken aus dem Bereich der biblischen Heilsbotschaft. – *Inneres und Ausstattung:* Beim Blick gegen Westen beanspruchen das zwölfteilige große Radfenster und die drei kleineren Radfenster des nördlichen Turms alle Aufmerksamkeit. Das Mittelschiff zeigt links und rechts Pfeilerarkaden, die jeweils zu einem Joch verbunden sind. Vor jedem zweiten Pfeiler liegt eine Halbsäule, die später Gurtbogen und Gewölberippen aufnimmt. Die Ausstattung des Doms aus der Entstehungszeit ist nicht mehr erhalten. Der überwiegende Teil entstammt dem 18. Jh., darunter der hervorragende Hochaltar, den B. Neumann* entworfen hat (1738–42). Die Plastik schuf J. W. v. d. Auwera*. Das Chorgestühl ist die Arbeit eines unbekannt gebliebenen Meisters. Es wurde um 1760 aufgestellt. Von der älteren Ausstattung sind nur einige Plastiken (u. a. Kruzifixus aus dem 12. Jh.) und Reliefs erhalten (u. a. das um 1430 entstandene der hl. Jungfrauen Embede, Warbede und Willebede, in der Nikolauskapelle). Die Grabdenkmäler erreichen nicht den Rang der anderen großen Kaiserdome

Dom

in Deutschland. Im *Bischofshof* befindet sich seit 1968 das vorher in Ladenburg befindliche *Lobdengau-Museum* (Funde der Römerstadt Lopodunum, Beiträge zur Odenwälder Bauernmalerei des 18./19. Jh.).

Ehem. Stiftskirche St. Martin/Kath. Pfarrkirche (Ludwigsplatz): Im heutigen Bau, der ab 1170 im Anschluß an das Langhaus des Domes als rippengewölbte Pfeilerbasilika entstanden ist, sind Reste des 991 begonnenen Vorgängerbaus erhalten. Parallelen zum Dom sind unverkennbar, allerdings kann die Martinskirche nicht mit dem Reichtum an Türmen konkurrieren (nur der nördliche Turm stammt aus der Entstehungszeit, der andere wurde 1960/61 hinzugefügt). Der Wert dieser Kirche liegt im reichen Schmuck der Portale im Westen und Süden. Alle Portale des ansonsten strengen und fast schmucklosen Baus stammen aus dem 13. Jh.

Andreaskirche (Weckerlingsplatz): Auch hier zeigt sich die deutliche Verwandtschaft zu dem die Stadt beherrschenden Dom. Das heutige Gesicht erhielt die Kirche bei durchgreifenden Erneuerungsarbeiten im 12. Jh. Die Kirche dient heute als Städtisches Museum (Beschreibung des Museums siehe S. 790). Aus dem baulichen Bestand der Nebengebäude ist der romanische Kreuzgang, dessen westlicher Flügel erhalten geblieben ist, besonders zu erwähnen. Stämmige Säulen tragen sieben Arkaden.

Paulskirche (Paulusplatz): Worms verdankt die neben dem Dom bedeutsame Kirche seinem baufreudigen Bischof Burkhard, der die Paulskirche zu Beginn des 11. Jh. errichten ließ (nach einer Urkunde an der Stelle einer von ihm zuvor erworbenen Salierburg des Herzogs Otto). Der heutige Bau entspricht allerdings nicht mehr dem ursprünglichen Bild, sondern erhielt seine Gestalt im 13. Jh. Das Langhaus wurde zu Beginn des 18. Jh. völlig umgebaut. Reste des ersten Baus sind im Kreuzgang (im Süden der Kirche) erhalten. Im südlichen Oratorium und in der Sakristei sind Wandmalereien aus dem 13. Jh., die von den Beschädigungen des 2. Weltkriegs nicht berührt bzw. wiederhergestellt worden sind, hervorzuheben.

Liebfrauenkirche (Liebfrauenring 21): Nach langer Bauzeit war die heutige Kirche 1468 vollendet. Das Äußere der dreischiffigen Basilika wird von den beiden hohen Türmen bestimmt, die von steinernen, steilen Helmen bekrönt werden. Bei einer Betrachtung des Äußeren sind der Figurenschmuck des Westportals und das Maßwerkfenster im Giebel des Mittelschiffs besonders hervorzuheben. Reicher Figurenschmuck zeichnet auch das Südportal aus. Das Innere hat seine Bestände aus der Gründungszeit nicht bewahren können. Das Gnadenbild, das einst Ziel von Wallfahrten war, stammt aus dem 14. Jh.

Weitere sehenswerte Kirchen in Worms: *Magnuskirche* (Weckerlingsplatz): Kirche aus dem 13. Jh. Beschädigungen des 2. Weltkriegs sind beseitigt. – *Bergkirche in Worms-Hochheim:* Auf einer Anhöhe gelegene Kirche mit künstlerisch wertvollen romanischem Westturm (12. Jh.) und Krypta (11. Jh.). – *Pfarrkirche in Worms-Herrnsheim:* Die Kirche ist wegen der sehr guten Innenausstattung und der sehenswerten Grabdenkmäler (u. a. aus dem 15. Jh.) in einem kapellenartigen Anbau hervorzuheben.

Synagoge (Martinsplatz): Wegen der Wirksamkeit des Rabbi Raschi, der 1180 in Worms gestorben ist, war die Synagoge wohl die bedeutendste in Westeuropa. Sie fiel 1938 einem Pogrom zum Opfer, wurde jedoch inzwischen originalgetreu wiedererrichtet. Zu besichtigen ist jetzt auch wieder das unterirdische *Frauenbad.* Ein *Judenfriedhof,* im Mittelalter angelegt, befindet sich in der Nähe.

Schloß Herrnsheim (Hauptstraße 1): Dieses Empireschloß der Herzöge von Dalberg besitzt sehenswerte Repräsentationsräume im Erdgeschoß. Im Englischen Park befindet sich auf der Nordwestecke des Hauptbaus ein Rundturm der Burg aus dem 15. Jh., die dem klassizistischen Bau vorausgegangen ist. Das Schloß befindet sich heute im Besitz der Stadt Worms.

Dom, Chorgestühl

Lutherdenkmal (Lutherring): Lutherdenkmal, 1868 vom Bildhauer Rietschel geschaffen, erinnert an Luthers Auftritt vor dem Reichstag in Worms.

Museen: *Museum der Stadt Worms* (Weckerlingsplatz): Das Museum befindet sich in der ehem. Stiftskirche St. Andreas (siehe S. 788). Neben Sammlungen zur Vor- und Frühgeschichte, Stadt- und Landesgeschichte sind spezielle Sammlungen dem Aufenthalt Luthers in Worms während des Reichstags im Jahre 1521 gewidmet. – *Stiftung Kunsthaus Heylshof* (Stephansgasse 9): Gemälde europäischer Meister des 15.–19. Jh., Glasgemälde und Glasgefäße, Keramik, Handzeichnungen.

Theater: *Städtisches Spiel- und Festspielhaus* (Bahnhofstraße 4): Dieser Neubau wurde 1966 eröffnet. Das Spiel- und Festspielhaus bietet 844 Besuchern Platz.

Worpswede 2862

Niedersachsen S. 414 □ F 5

Am Fuße des Weyerberges entwickelte sich das Moordorf zur weltbekannten Künstlerkolonie. Rilke und viele andere haben die Landschaft gerühmt. Die Malerkolonie beherbergte u. a. F. Overbeck, H. Vogeler, H. am Ende, O. Modersohn und Paula Modersohn-Becker. – Vom Jugendstil geprägt sind das *Café Worpswede* (1925) von B. Hoetger, dem Schöpfer der Böttcherstraße in → Bremen, und das *Hoetgersche Wohnhaus* (1922).

Wunsiedel 8592

Bayern S. 418 □ L 14

Im ehemals zum Egerland gehörenden Fichtelgebirgsort wurde 1763 Jean Paul geboren. Sein Geburtshaus• ist heute *Fichtelgebirgs-Museum* (Spitalhof 1–2). – Berühmt ist Wunsiedel vor allem wegen der alljährlich veranstalteten *Luisenburg-Festspiele* auf der großen Naturbühne (1800 Zuschauerplätze).

Wunstorf 3050

Niedersachsen S. 414 □ G 8

Stiftskirche: Die romanische Kirche ist in den mehr als 700 Jahren ihres Bestehens vielfach verändert worden, die romanische Substanz blieb jedoch erhalten. Der Westturm kam erst im 17. Jh. hinzu. Im Inneren findet sich ein spätgotisches Sakramentshäuschen. Bemerkenswert sind einige Grabmale.

Wunstorf, Stiftskirche 1 Viersitz, romanisch **2** Standbilder der Patrone a) Cosmas b) Damian **3** Grabplatte des Grafen Johann von Wunstorf und Roden, 1334 **4** Grabplatte des Grafen von Wunstorf und seiner Gemahlin Walburgis, 1358 **5** Grabplatte der Äbtissin Alheydin de Monte (1349 gestorben) **6** Kruzifix über dem Altar, 14. Jh. **7** Schrein in der Taufkapelle, 3. Viertel 15. Jh. **8** Sakramentshaus, um 1500 **9** Grabplatte des Cordt von Mandelsloh (1537 gestorben) **10** Memorientafel des Johann von Holle und der Katharina von Heimburg, 1569 **11** Epitaph der Sophie von Münchhausen (1751 gestorben) von Johann Friedrich Ziesenis

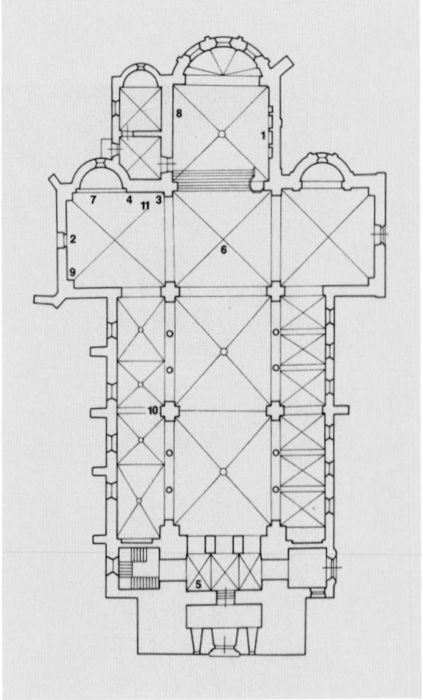

Wuppertal 5600

Nordrhein-Westfalen S. 416 □ C 11

Wuppertal mit seinen 420000 Einwohnern ist Zentrum der Textil- und eisenverarbeitenden Industrie im Bergischen Land. Die Geschichte der Stadt beginnt erst 1929, als Barmen und Elberfeld zusammengeschlossen wurden. – Berühmt geworden ist Wuppertal vor allem durch seine *Schwebebahn,* die seit 1901 in 12 m Höhe 18 Stationen zwischen Vohwinkel und Oberbarmen miteinander verbindet. – Die *Laurentiuskirche* (Friedrich-Ebert-Straße 22) wurde in den Jahren 1828–32 erbaut. Sie gehört zu den besten in Deutschland noch erhaltenen sakralen Bauten des Klassizismus. – Bei der *ehem. Kreuzbrüder-Klosterkirche* (im Stadtteil Beyenburg, 15. Jh.) interessiert vor allem die Innenausstattung, an deren Spitze der barocke Hochaltar und ein spätgotisches Chorgestühl stehen. Der frühere Kreuzgang wurde als nördliches Seitenschiff in die Kirche einbezogen.

Theater: Die *Wuppertaler Bühnen* umfassen das Musiktheater (Oper, Operette, Ballett) im Opernhaus (Friedrich-Engels-Allee, 851 Plätze) sowie das Sprechtheater im Schauspielhaus (Bundesallee, 758 Plätze). – Ein eigenes Schauspielensemble unterhalten auch die *Kammerspiele* (Gathe 83).

Museen: Im *Von-der-Heydt-Museum* (Turmhof 8) werden Werke des französischen Impressionismus gezeigt, außerdem die Hauptwerke des Kubismus. Die deutsche Malerei des 19. und 20. Jh. ist in einem guten Überblick vertreten. – Das historische *Uhrenmuseum* (Poststraße 11) bietet 1000 Zeitmeßgeräte der verschiedensten Epochen und Ausführungen. – Weitere Museen: *Missionsmuseum* (Missionsstraße 7), *Städt. Museum* (Geschwister-Scholl-Platz 6) und die *Friedrich-Engels-Gedenkstätte* (Friedrich-Engels-Allee) nahe dem nicht mehr vorhandenen Geburtshaus dieses berühmten Sohnes der Stadt.

Außerdem sehenswert: Die sog. *Schwimmoper,* eine Schwimmhalle modernster Prägung.

Bad Wurzach 7954

Baden-Württemberg S. 420 □ G 20

Kath. Pfarrkirche St. Verena: Das dreischiffige flachgedeckte Langhaus (1775–77) ist vom französischen Klassizismus beherrscht. Neben dem *Dekkengemälde* mit Gestalten aus der Bibel und zeitgenössisch gekleideten Fürsten verdient der *Hochaltar* mit einer Figurengruppe J. A. Feuchtmayers* in der oberen Nische besondere Beachtung.

Kloster Maria Rosengarten (neben der Pfarrkirche): Im 16. Jh. von der Truchsessin zu Waldburg gestiftet, interessiert der Bau heute vor allem wegen seines hübschen *Treppenhauses* und der kleinen *Rokokokapelle.*

Ehem. fürstliches Schloß: Das *Alte Schloß* beherbergt eine *Kapelle* aus dem 18. Jh., die in einen modernen Kirchenraum überleitet. Das *Neue Schloß* gruppiert sich in drei Flügeln um einen Ehrenhof und birgt im Mittelbau das prächtig ausgestattete *Treppenhaus* im Rokokostil.

Würzburg 8700

Bayern S. 416 □ H 15

Die Geschichte der Stadt reicht bis in keltische Zeit zurück. Im 7. Jh. entstand am Ufer des Mains ein fränkischer Herzogshof, schon im folgenden Jh. erhob Bonifatius den Ort zum Bistum, dessen Bischöfe bald landesfürstliche Gewalt ausübten, nachdem sie im 12. Jh. Kaiser Friedrich Barbarossa zu Herzögen von Franken erhoben hatte. Mit dieser Sonderstellung leitete Barbarossa eine Entwicklung ein, die in den folgenden Jahrhunderten die Stadt zu einem kulturellen Zentrum Europas machte. Eine letzte große Blütezeit erlebte Würzburg im 17. und 18. Jh., wo-

von die Früchte der Bauleidenschaft seiner Fürstbischöfe zeugen. – Heute ist Würzburg Hauptstadt des Regierungsbezirks Unterfranken und Sitz der *Julius-Maximilians-Universität.* – Die Reihe der berühmten Persönlichkeiten, die mit der Stadt in enger Verbindung stehen, beginnt mit Walther von der Vogelweide, der um 1230 in der Nähe von Würzburg gestorben ist. M. Grünewald wurde in Würzburg geboren und T. Riemenschneider* starb in der Stadt seines langjährigen Wirkens. Auch M. Dauthendey (1867) und L. Frank (1882) sind in Würzburg geboren. An der Universität wirkten R. Virchow, W. Röntgen, E. Fischer sowie viele andere Wissenschaftler von Rang, und R. Wagner war kurze Zeit Chordirektor am Stadttheater.

St. Burkard (Burkarder Straße): Die Kirche ist aus dem Kloster hervorgegangen, das Bischof Burkard 748 gestiftet hat. Ihr Westteil ist *romanisch* und stammt überwiegend aus dem 11. Jh., der *spätgotische* Ostbau (mit Querhaus und Hochchor) ist Ende des 15. Jh. hinzugefügt worden. Sehenswert ist vor allem der *Flügelaltar* (1593) an der Südwand des Querschiffs. Daneben steht eine *Madonna,* die T. Riemenschneider* um 1500 geschaffen hat. Erwähnt sei auch der *Opferstock.*

Deutschhauskirche (Zeller Straße): Der Turm ist noch spätromanisch, der übrige Baukörper trägt die Züge der Frühgotik. Die Kirche wurde Ende des 13. Jh. als Komtureikirche des Deutschherrnordens errichtet. Der *Chor* ist der erste gotische in Würzburg. Verwiesen sei auf die ausgezeichneten frühgotischen *Steinmetzarbeiten* an den Konsolen und Kapitellen der Gewölbeauflagen.

Dom (Domplatz): Die viertürmige Pfeilerbasilika ist auf einem kreuzförmigen Grundriß an der Stelle errichtet worden, an der zuvor eine Kirche aus dem 9. Jh. ihren Platz hatte. Trotz des Baubeginns um 1050 wurde der Hauptbau erst gut 100 Jahre später geweiht. Wichtige Umbauten leistete das 13. Jh. (u. a. Bau der östlichen Türme). Zu Beginn des 18. Jh. kam die bedeutende *Schönbornkapelle* hinzu, die von den berühmten Architekten M. v. Welsch* und B. Neumann* als Mausoleum für die Fürstbischöfe des Hauses Schönborn entworfen worden ist. – Der romanische Charakter, den sich der Dom im Äußeren bis heute bewahrt hat, wird besonders an seiner Ostseite deutlich. Das Innere erfuhr im 18. Jh. durch den üppigen *Stuckmantel* des Mailänder Meisters P. Magno eine Verwandlung ins Barocke. Nach den Restaurierungsarbeiten der sechziger Jahre präsentieren sich *Chor* und *Querschiff* wieder im barocken Schmuck des 18. Jh., während im *Mittelschiff* die strengere Raumarchitektur der Romanik waltet. – An erster Stelle der im 2. Weltkrieg stark dezimierten Ausstattung sind die zahlreichen *Grabdenkmäler* zu nennen, die jetzt zwischen den Pfeilern des Hauptschiffes aufgerichtet sind und mit deren Bedeutung es nur der → Mainzer Dom aufnehmen kann. Ihre Aufstellung in zeitlicher Folge vermittelt einen guten Überblick über 700 Jahre deutsche Stilgeschichte. Am siebenten und achten nördlichen Pfeiler die Epitaphien, welche T. Riemenschneider* für Rudolf v. Scherenberg (gest. 1495) und Lorenz v. Bibra (gest. 1519) aus Salzburger Rotmarmor geschaffen hat. Weitere Werke Riemenschneiders sind die *Figuren Christi und zweier Apostel* (1502–06) südöstlich im Querschiff sowie der *Apostel Johannes* (nördliches Seitenschiff) und ein *Diakon* (mit Evangelienbuch) rechts vor der Chortreppe. Zur alten Ausstattung gehört auch die *Kanzel* des berühmten Bildhauers M. Kern (1609/10). Vor dem westlichen Teil des Langhauses steht jetzt ein *schmiedeeisernes Gitter* (1750–52), das ursprünglich den östlichen Teil des Chors abgegrenzt hat. Ein frühmittelalterliches *Steckkreuz* mit bärtigem Kopf und die *Tumba des Bischofs Bruno* (13. Jh.) verdienen in der bei der Renovierung neu erstandenen *Krypta* Beachtung. Zur modernen Ausstattung gehören

◁ *Bad Wurzach, Treppenhaus im Schloß*

neben den verschiedenen *Bronzeportalen* der *Altar* im Chor, den A. Schilling unter Einbeziehung des Schreins der drei Frankenheiligen gestaltet hat. – Mit dem Dom verbunden sind neben der schon erwähnten *Schönbornkapelle* ein vierflügeliger *Kreuzgang* (mit bedeutenden Grabdenkmälern), die *Sepultur* mit weiteren Grabmälern sowie die beiden symmetrisch angeordneten *Sakristeien* von B. Neumann*.

Franziskanerkirche (Franziskanergasse): Der frühgotische Bau, um 1300 vollendet, im letzten Krieg stark in Mitleidenschaft gezogen, wurde wiederhergestellt. Eigenwillig ist die Gestaltung des Dachstuhls über dem Mittelschiff: Die feinen Stahlrohre sind bewußt sichtbar geblieben, so daß darüber das Holzwerk der Dächer zu sehen ist. Aus der alten Ausstattung ist neben *figürlichen Grabplatten* eine *Pietà* aus der Werkstatt T. Riemenschneiders erhalten.

Käppele/Wallfahrtskirche St. Maria (Auf dem Nikolausberg): Dieser überkuppelte Zentralbau ist das Werk B. Neumanns* (1747–50 errichtet). Man erreicht die Kirche über eine Treppe, die den Leidensweg Christi darstellt. Ihre Lage hoch über der Stadt gibt dieser fein gestalteten Kirche einen besonderen Reiz. Bedeutende Künstler des Rokoko haben an der Ausgestaltung mitgewirkt: Von J. M. Feuchtmayer* stammt der Stuck, M. Günther*, ein Asam-Schüler, hat die Fresken gemalt.

Marienkapelle (Marktplatz): Fast 100 Jahre wurde an dieser Kirche am Ort der zerstörten Synagoge gearbeitet (Baubeginn 1377). Als letzter Teil wurde der Turm 1479 vollendet (1857 nach dem Vorbild der Frauenkirche in → Esslingen verändert). Höhepunkt künstlerischen Schaffens der Spätgotik ist der *figürliche Schmuck* des Äußeren. Adam und Eva von Riemenschneider (1491–93) schmücken die Seiten der *Brautpforte*. Die 14 Riemenschneiderfiguren an den *Strebepfeilern* sind in den Jahren 1500–06 entstanden, wurden jedoch wie die Figuren der Brautpforte durch Nachbildungen ersetzt. Die *Muttergottesstatue* im Weichen Stil (Südseite des Langhauses im Inneren) schmückte einst das Hauptportal.

Marienkirche (Burghof): Die Burgkirche auf dem → Marienberg ist nicht nur

Käppele, Würzburg

Grabmal, von T. Riemenschneider

die älteste Kirche in Würzburg, sondern mit Bauteilen aus dem Jahr 706 neben dem Dom in → Trier auch die älteste Kirche in Deutschland. Veränderungen (so der rechteckige Chor aus dem Jahr 1603, das reich geschmückte Portal und die Barockausstattung im Inneren) haben zwar das Gesamtbild verwischt, aber die Grundkonzeption des Kirchenrunds nicht umstürzen können.

Neumünster (St.-Kilians-Platz): Wo im Jahr 689 der Frankenapostel Kilian und seine Missionsbrüder ermordet worden sind, entstand im 8. Jh. die erste Würzburger Bischofskirche. Jene Kirche, welcher der heutige Bau in den wesentlichen Teilen entspricht, entstand im 13. Jh. Ab 1710 wurde die Kirche im Stil des Barock umgestaltet. Damals entstand der mächtige, für das Stadtbild charakteristische *Kuppelbau* von J. Greising. Die *Fassade* wird häufig J. Dientzenhofer* zugeschrieben, wurde aber vermutlich zusammen mit Greising ausgeführt. Der *Statuenschmuck* der Fassade stammt von J. W. v. d. Auwera* (1719). Während das Äußere der Kirche nach den schweren Bombenschäden wieder originalgetreu hergestellt werden konnte, mußte man bei der Renovierung im Inneren einige schmerzliche Abstriche akzeptieren.

Universitätskirche (Neubaustraße): A. Petrini* darf als der eigentliche Baumeister der Kirche gelten, da er den unter Bischof Julius Echter begonnenen Bau ab 1696 übernommen und von Grund auf erneuert hat. Das Äußere beherrscht die farbkräftige *Buntsteinfassade* mit dem von Petrini vollendeten *Turm*. Die spätgotischen Anklänge der Renaissancearchitektur sind typisch für die Ende des 16. Jh. entstandenen Julius-Echter-Bauten.

Weitere Kirchen (in alphabetischer Reihenfolge): Die *Augustinerkirche* (Schönbornstraße), ein von B. Neumann* 1741–44 barockisierter frühgotischer Bau. Die schlichte Kirche des Klosters *Himmelspforten* besitzt eine sehenswerte frühgotische Skulptur. – *St. Jakob/Schottenkirche* (Schottenanger), eine ehemalige Klosterkirche aus dem 12. Jh. wurde beim Wiederaufbau nach dem 2. Weltkrieg in den Neubau der *Don-Bosco-Kirche* einbezogen. – In der *Karmelitenkirche* (Sanderstraße)

Dom

von Petrini findet man interessante Grablegen in den Katakomben. – *St. Peter* (Petersplatz) wurde im 18. Jh. umgebaut, doch sind die Westtürme der romanischen Basilika (um 1100) erhalten. – Die Benediktinerbasilika *St. Stephan* aus dem 12. Jh. (Hallenkrypta erhalten) wurde 1790 erneuert und umgebaut. – Kennzeichen der Kirche des *Stifts Haug* (Hauger Pfarrgasse), die Petrini 1670–91 errichtet hat, sind die Kuppel und die hohen Türme im W. Über dem Hochaltar eine Kreuzigungsszene von Tintoretto (1585).

Alte Mainbrücke (Am Mainkai): Der malerische Steinbau ist in seiner heutigen Form in den Jahren 1473–1543 entstanden, ein technisches wie künstlerisches Meisterwerk der Zeit. Die *Statuen* sind Beigaben des Barock.

Alter Kranen (Westende der Juliuspromenade): Der Sohn von B. Neumann hat diesen Kran, eines der Wahrzeichen der Stadt, 1773 erbaut. Die Treträder, mit denen man den Kran einst ausfahren konnte, sind noch erhalten. Die lateinische Inschrift bedeutet: »Ich empfange, übergebe und versende, was man will.«

Bürgerspital zum Hl. Geist (Theaterstraße/Semmelstraße): Die Spitalkirche aus dem Jahr 1371 ist Mittelpunkt der umfangreichen Anlage, die einst von einer Bürgerfamilie gestiftet wurde. Eine Attraktion ist das *Glokkenspiel* (um 11, 15 und 19 Uhr zu sehen).

Marienberg (Burgweg): Die ältesten Teile der *Festung* auf dem schon von Kelten und Germanen besiedelten Bergrücken über dem Main stammen, sieht man von der einbezogenen → Marienkirche ab, aus den ersten Jahren des 13. Jh. Das typische Bild dieses Wahrzeichens der Stadt bestimmen auch die Rebgärten, die der ehemals kriegerischen Anlage einen freundlichen Anstrich verleihen. – Von 1253 bis 1720 haben hier auf dem Marienberg die Bischöfe residiert. Zu ihnen zählte Rudolf von Scherenberg, der die Befestigung weiter ausbaute (Ende des 15. Jh.), vor allem ist jedoch Julius Echter v. Mespelbrunn zu nennen. Nach zwei Bränden in den Jahren 1572 und 1600 gab er der Anlage die Prägung eines repräsentativen Renaissancesitzes. Unter Bischof Johann Ph. v. Schönborn machten Bastionen und

Alte Mainbrücke mit Marienberg

Kaisersaal, Residenz ▷

mächtige Mauern die Burg zur Festung (ab 1650). Den Schlußpunkt unter den Ausbau setzten im 18. Jh. *Teufelsschanze* und *Maschikuliturm* von B. Neumann. Grundriß siehe S. 800. Heute befindet sich auf der Festung das → Mainfränkische Museum.

Haus zum Falken: Das ehemalige Gästehaus erhielt 1751 seine bekannte, unverwechselbare *Stuckfassade.*

Juliusspital: Die wiederholt umgebaute Gründung Bischof Julius Echters wurde 1945 fast völlig zerstört. Wiederhergestellt wurde u. a. der *Fürstenpavillon* im Zentrum mit einer *Apotheke* aus dem 18. Jh. – Im *Park* der *Vier-Flüsse-Brunnen* von J. W. v. d. Auwera* und ein architektonisch reizvoller *Pavillon* (wohl von Greising).

Rathaus (in der Rückermainstraße): Das Haus stammt in seinen Grundzügen aus der Zeit um 1200. Es war ursprünglich Wohnhaus eines bischöflichen Burggrafen, wurde jedoch im 15. und 16. Jh. aufgestockt. Die bunte *Fassadenmalerei* geht auf das 16. Jh. zurück. Frühgotische Stilelemente prägen den *Wenzelsaal* im 1. Obergeschoß. Den Westteil des Rathauskomplexes bildet der *Rote Bau* (1660), ein hervorragendes Spätrenaissancewerk in Rotsandstein.

Residenz (Residenzplatz): Die Residenz ist das Hauptwerk B. Neumanns*, des großen Barockbaumeisters, der in Würzburg tätig war und hier auch gestorben ist (1687–1753). Ab 1719 fungierte er als fürstbischöflicher Baudirektor. Doch wirkten später auch M. v. Welsch*, der Wiener J. L. v. Hildebrandt* und französische Baumeister an der Vollendung der Stadtresidenz mit, welche die Festung → Marienberg endgültig ablöste. – Der Bau umschließt auf drei Seiten den großen *Ehrenhof* und bildet seitlich je zwei Binnenhöfe. Im Inneren zählt man fünf Säle, mehr als 300 Zimmer und eine Kirche. In den Kellergewölben ließen sich die Fürstbischöfe Lagerplatz für 1,4 Millionen Liter Wein schaffen. – Das Hauptinteresse verdient der *Mittelbau* mit dem von J. W. v. d. Auwera* gestalteten *fürstbischöflichen Wappen* im Giebelfeld und den Portikusbalkonen an der rückwärtigen *Gartenfront.* – Das berühmte *Treppenhaus,* das zu den besten Leistungen Neumanns gehört,

Marienkapelle

Treppenhaus, Residenz

ist im alten Glanz neu erstanden. Es wird von einem Muldengewölbe überdeckt, für das G. B. Tiepolo* das Freskengemälde geschaffen hat und dessen Ausmaße in der Kunstgeschichte einmalig sind. Das Monumentalwerk stellt die Huldigung der Erdteile (damals waren nur vier bekannt) vor Fürstbischof Greiffenklau dar. – Unter den zahlreichen Prachträumen sei hier neben dem *Gartensaal* (Stukkaturen von C. A. Bossi*, Fresken von J. Zick*) der *Kaisersaal,* in dem alljährlich die Konzerte des *Mozartfests* stattfinden, besonders hervorgehoben. Der Stuck einschließlich des figürlichen Schmucks stammt ebenfalls von Bossi, die Fresken lieferte wieder Tiepolo. Man versäume aber auch nicht eine Besichtigung des *Weißen Saals* und besuche die *Hofkirche.* – Im Südflügel der Residenz befinden sich das → *Martin-von-Wagner-Museum.* – Der anschließende *Hofgarten* geht auf das Jahr 1732 zurück und hat seine Glanzpunkte in den *Steinskulpturen* P. Wagners und den großartigen *schmiedeeisernen Toren,* für die Neumann die Entwürfe geliefert hat.

Universität (Neubaustraße): Julius Echter, der 1582 die Universität gründete, gab den weitläufigen Renaissancebau der alten Universität in Auftrag. Der vierflügelige Bau hat seine Reize besonders zur *Hofseite* hin, während die Straßenfassaden eher eintönig wirken.

Theater: Das *Stadttheater* im Bau aus dem Jahre 1966 (Theaterstraße 21) unterhält Ensembles für Schauspiel, Oper und Operette. – Das *Torturmtheater* (im nahen Sommerhausen) bietet Schauspielinszenierungen im winzigen Theaterbau des 15. Jh.

Museen: Das *Mainfränkische Museum* (in der Festung → Marienberg) bietet den geschlossensten Einblick in das *Werk T. Riemenschneiders*,* da hier mit großer Ausdauer die Originale seiner deutenden Werke zusammengetragen wurden (an den ursprünglichen Standorten meist durch Kopien ersetzt). Daneben sind aus den überreichen Beständen vor allem die *Gartenplastiken* von P. Wagner und F. Tietz aus dem Hofgarten in → Veitshöchheim zu nennen. Ferner: Barockgalerie, Grabmalplastik und Kunstgewerbe. – Im *Martin-von-Wagner-Museum* (im Südflügel der → Residenz) bildet

Hofgarten mit Residenz

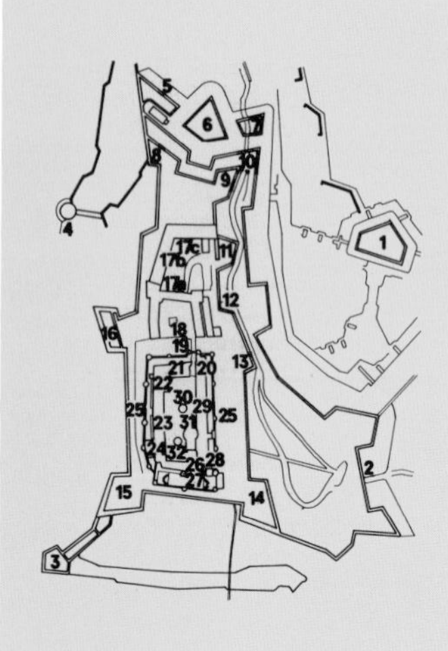

Würzburg, Festung Marienberg 1 Teufelsschanze **2** Neutor **3** Werk Höllenschlund **4** Maschikuliturm **5** Werk Frankenland **6** Reichsravelin **7** Werk Teutschland **8** Bastei Mars **9** Bastei Bellona **10** Inneres Höchberger Tor **11** Bastei Werda **12** Schönborntor **13** Bastei Caesar **14** Bastei St. Joh. Nepomuk **15** Bastei St. Joh. Baptist **16** Bastei St. Nikolaus **17** Museum a) Echterbastei b) Neues Zeughaus c) Kommandantenbau **18** Pferdeschwemme **19** Scherenbergtor **20** Kiliansturm **21** Altes Zeughaus **22** Ehem. Hofstubenbau **23** Bibliotheksbau mit Gaststätte **24** Randersackerer-Turm **25** Bering, mittelalterlich **26** Fürstenbau mit Bibratreppe **27** Fürstengarten **28** Marienturm **29** Kammerbau **30** Bergfried **31** Marienkirche **32** Brunnen

den Schwerpunkt der Sammlungen die *antike Kleinkunst,* insbesondere griechische Vasen sowie griechische und römische Skulpturen. Ferner: europäische und deutsche Kunst aus dem 14.–19. Jh. – Die *Städtische Galerie* (Hofstraße 3) zeigt Malerei, Skulpturen und Graphik von fränkischen Künstlern des neunzehnten und zwanzigsten Jahrhunderts.

Umgebung: *Hofgarten* in → Veitshöchheim (7 km nordwestlich), → Randersacker.

Würzburg, Residenz 1 Einfahrtshalle (im Obergeschoß Weißer Saal) **2** Gartensaal; Ausstattung 1750; Deckengemälde von Johann Zick (im Obergeschoß Kaisersaal; Stuck von Bossi; Dekkengemälde von Tiepolo) **3** Treppenhaus; Dekkengemälde von Tiepolo, 1752–53 **4** Paradezimmer **5** Hofkirche **6** Rondellsaal

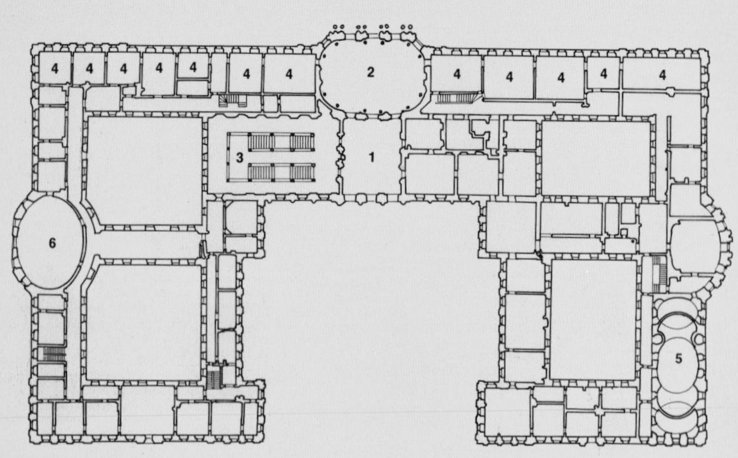

Xanten 4232

Nordrhein-Westfalen S. 414 □ B 9

Xanten erweist sich als eine beispielhafte Stätte abendländischer Geschichte. Um 15 v. Chr. wurde hier ein Heerlager errichtet, das als Operationsbasis für Kriege gegen das rechtsrheinische Germanien dienen sollte. Von hier aus zog Varus zum Teutoburger Wald. Noch vor Augustus soll hier Siegfried geboren worden sein, der zur berühmtesten deutschen Sagengestalt aufgestiegen ist. Aus der Zeit der Römer sind die Reste eines Amphitheaters.

Dom, Xanten

Dom/Ehem. Stiftskirche St. Viktor:

St. Viktor, Dom

Die Geschichte des Doms läßt sich, wie Ausgrabungen in den 30er Jahren unseres Jahrhunderts gezeigt haben, bis in das 4. Jh. zurückverfolgen. Aus dieser Zeit wurde ein Grab mit den Skeletten zweier Männer gefunden. Der heutige Bau wurde 1190 begonnen und war 1530 beendet. Der Dom gehört zu den bedeutendsten Kirchenbauten am Niederrhein. Der äußere Eindruck wird durch die monumentale Westfassade bestimmt. Hier, wie auch in vielen anderen Teilen, gehen die Formen der Romanik und Gotik eine charakteristische Mischung ein. Die reiche Ausstattung, die zu den besten gehört, die aus der Erbauungszeit erhalten sind, ist fast ganz erhalten geblieben (bzw. nach dem Zweiten Weltkrieg restauriert worden).
Unter den mehr als 20 Altären ist der große Marienaltar von H. Douvermann* (Bilder von R. Loesen, 16. Jh.) an erster Stelle zu nennen. An den Pfeilern des Mittelschiffs sind 28 steinerne Statuen aufgestellt (zum Teil jetzt im Dommuseum), Apostel, Kirchenväter u. a. Das Chorgestühl ist aus dem Jahr 1240 erhalten. Im Chor steht auch ein selten anzutreffender Dreisitz (um 1300). – Im Norden schließen *Stiftsgebäude* an den Dom an. Sehenswert sind vor allem der *Kreuzgang* (1543–46) und der *Kapitelsaal* (jetzt Dommuseum). – Der Domschatz (heute großenteils im Regionalmuseum, s. u.) enthält wertvolle Elfenbein- und Goldschmiedearbeiten aus der Zeit des fünften bis fünfzehnten Jahrhunderts.

Außerdem sehenswert: Von der alten Stadtbefestigung ist mit dem *Klever Tor* noch ein Doppeltor erhalten. Erhalten sind aber auch Mauerteile, die mit einer Turmwindmühle aus dem 18. Jh. in Verbindung stehen. *Regionalmuseum Xanten* (Kurfürstenstr. 7–9), stadthist. Museum mit Wechselausstellungen, Konzertveranstaltungen; in der Stiftsimmunität. – *Ausgrabungen* der röm. Bürgerstadt Colonia Ulpia Traiana; *Archäologischer Park* Xanten (p. A. Rathaus).

Zell am Main 8702

Bayern S. 418 □ G 15

Ehem. Prämonstratenserkloster Oberzell: Die 1126 gegründete Klosteranlage wurde zu Beginn des 19. Jh. säkularisiert und diente von 1817 bis 1901 als Fabrik. Ab 1901 wurde die Anlage von einer kath. Schwesternkongregation übernommen und weitgehend in den alten Zustand zurückversetzt. Die Pläne für die dreigeschossigen Klostergebäude gehen auf B. Neumann* zu-

Zons, Kurkölnische Zollfestung

Deckengemälde, Zwiefalten

Abteikirche, Zwiefalten

rück, vollendet wurde das Kloster allerdings erst durch seinen Sohn (bis 1770). – In *Unterzell* befindet sich seit 1613 ein dreiflügeliger Klosterbau mit einer vier Jahre zuvor errichteten Klosterkirche. Dieser Bau erstand an der Stelle eines Klosters, das im Bauernkrieg zerstört worden ist.

Zons = 4047 Dormagen 5

Nordrhein-Westfalen S. 416 □ B 11

Kurkölnische Zollbefestigung: Die Zollfestung, im 14. Jh. in der Nachfolge von Neuß unmittelbar am Rhein errichtet, ist praktisch unversehrt erhalten geblieben. An der Rheinseite liegt das Schloß *Friedeström.* Es ist von zahlreichen Wirtschaftsgebäuden umgeben, die eine weitgehende wirtschaftliche Unabhängigkeit bewirken sollten. Im ehemaligen Herrenhaus befindet sich jetzt das sehenswerte Kreismuseum mit interessanten Dokumenten über die Geschichte dieser in ihrer Art einmaligen Zollfestung, die eine Vorstellung von einer mittelalterlichen Festung vermittelt.

Zweibrücken 6660

Rheinland-Pfalz S. 420 □ C 16

Alexanderkirche (Hauptstraße/Alexanderplatz): Die in den Jahren 1492–1507 errichtete spätgotische Hallenkirche wurde nach den Zerstörungen im 2. Weltkrieg bis 1956 originalgetreu wiedererrichtet (jetzt allerdings mit farbig gefaßter Flachdecke). Die Kirche ist wegen mehrerer Grabdenkmäler der Wittelsbacher bedeutsam.

Schloß: Auch das Schloß wurde im 2. Weltkrieg erheblich beschädigt. Der Wiederaufbau folgte den Plänen der

Jahre 1720–25, so daß das äußere Bild wieder dem ursprünglichen Bau entspricht.

Außerdem sehenswert: Säulenportal der Karlskirche, die im 2. Weltkrieg zerstört wurde.

Zwiefalten 7942

Baden-Württemberg S. 420 □ G 19

Abteikirche/Münster: J. M. Fischer* aus München hat ab 1739 die heutige Kirche mit den angrenzenden Klostergebäuden errichtet. Beherrschendes Element im Inneren sind die Doppelsäulen, die eine Straße auf dem Weg zum Chor und Hochaltar bilden. Hinter den Säulen befinden sich die ebenfalls reich ausgestatteten Kapellen sowie vergoldete Balustraden und schmuckreiche Emporen. In die Säulenordnung einbezogen ist auch der monumentale Hochaltar. Die übergroßen Figuren des Altars (wie auch der überwiegende Teil der übrigen Plastik) stammen von J. J. Christian. Die Fresken sind eine der besten Leistungen F. J. Spieglers (1751). Als Stukkateur hat sich ein anderer berühmter Künstler der Zeit hervorgetan, J. M. Feuchtmayer*. Kaum eine andere Kirche erreicht eine so geschlossene Barockgestaltung wie das Münster in Zwiefalten.

Zwingenberg, Baden 6931

Baden-Württemberg S. 420 □ F 16

Burg Zwingenberg: Ältester Teil der auf einem Bergvorsprung gelegenen Anlage ist der Bergfried aus dem 13. Jh. Die meisten der übrigen Bauten kamen im 15. Jh. hinzu (so auch die Alte Kapelle).

Register der Fachausdrücke

Ädikula: Wandnische, die zur Aufstellung einer Büste oder Statue dient; meist mit → Giebel, → Pfeilern oder → Säulen verziert.

Akanthus: Schmuckelement, das sich vor allem am → korinthischen → Kapitell findet und aus der stilisierten Darstellung eines scharf gezackten, distelähnlichen Blattes entwickelt wurde.

Altar: Opfertisch bei Griechen und Römern, Tisch des Herrn im christlichen Glauben. In katholischen Kirchen neben dem Hauptaltar oft mehrere Nebenaltäre für verschiedene Heilige, in protestantischen Kirchen meist nur ein Altar.

Altaraufsatz: Schreinartiger Aufbau über dem Altartisch.

Altarauszug: Oberer, abgehobener Teil des → Altaraufsatzes.

Altargerät: Gefäße und Requisiten für die gottesdienstlichen Handlungen am → Altar.

Altarretabel: → Altaraufsatz.

Ambo: Pult an den Chorschranken in altchristlichen und mittelalterlichen Kirchen; Vorläufer der → Kanzel.

Andachtsbilder: Kleinere Kunstwerke mit Einzeldarstellungen, die an Nebenaltären gezeigt werden und der religiösen Erbauung dienen.

Anna selbdritt: Darstellung von Anna, Maria und dem Jesusknaben.

Antependium: Frontverkleidung des Altartisches.

Apsis: Abschluß des → Chors, meist halbkreisförmig. In der Regel Standort des → Altars.

Aquädukt: Wasserleitung, oft als über eine Bogenbrücke geführter Kanal, bei den Römern häufig zu Monumentalbauten entwickelt.

Aquamanile: Gießgefäß oder Schüssel für rituelle Waschungen bei der kath. Liturgie.

Arabeske: Ein stilisiertes Blattwerk, das als Schmuckmotiv verwendet wird.

Architrav: Steinerner Hauptbalken über den → Säulen.

Archivolte: Bogenlauf über romanischen und gotischen Portalen.

Arkade: Bogen, der von → Säulen oder → Pfeilern getragen wird. Mehrere Arkaden werden zu Bogengängen zusammengefaßt. Wenn die Arkaden keine Öffnung haben (und nur aus dekorativen Gründen verwendet werden), spricht man auch von Blendarkaden.

Atrium: Bei den Römern ein zentraler Raum mit einer Öffnung im Dach, durch die das Regenwasser einfallen konnte. In der christlichen Architektur ein Vorhof, der meist von → Säulen umgeben ist, auch Paradies genannt.

Attika: Eine (meist reich verzierte) Wand, die über das → Gesims einer Säulenreihe gemauert wird und das Dach verdecken soll.

Aufgehendes Mauerwerk: Der sichtbare (oberirdische) Teil des Mauerwerks.

Aula: Halle, Fest- oder Versammlungssaal.

Auslucht (niederdeutsch Utlucht): Gebäudeerker auf massivem Sockel (→ Erker).

Backstein: Ziegel, der im Brand gehärtet worden ist (im Gegensatz zum natürlichen Gestein).

Backsteingotik: Bauten aus → Backstein in den Formen der → Gotik. Vorwiegend in Nord-, Ost- und Süddeutschland zu finden.

Baldachin: Schutzdach über → Altären, Grabmalen, Statuen und Portalen.

Baluster: Kleine bauchige oder profilierte Säule.

Balustrade: Aus → Balustern gebildetes Geländer.

Barock: Stilbezeichnung für die Kunst- und Kulturepoche ab etwa 1600 bis etwa 1750. Bestimmend sind kraftvoll bewegte, ineinandergreifende Formen.

Basilika: Griechische Königshalle; im Kirchenbau Bezeichnung für eine mehrschiffige Kirche (→ Schiff), deren Satteldach über dem Hauptschiff höher ist als die Pultdächer über den Seitenschiffen. Siehe auch → Säulenbasilika und → Pfeilerbasilika.

Basis: Fuß einer → Säule oder eines → Pfeilers, meist breit auslaufend und dekorativ gestaltet.

Bauhütte: Die Werkstatt der Handwerker, die an einem Kirchenbau beteiligt waren.

Bergfried: Hauptturm einer Burg, letzte Zufluchtstätte bei Belagerungen.

Bering: Mantelmauer einer Burg.

Beschlagwerk: Schnitzwerk der → Renaissance, das bandeisernen Zierbeschlägen nachgebildet wurde.

Biedermeier: Kunst- und Kulturepoche (vor allem im deutschsprachigen Raum) von etwa 1815 bis etwa 1850.

Blattkapitell: Gotisches → Kapitell (Abb.), bei dem die Grundform von feinen Blattornamenten überzogen ist.

Blendarkade: → Arkade.

Blendmaßwerk: → Maßwerk.

Bogenformen: Der Bogen dient zur Überbrückung größerer Spannweiten im Steinbau (Bogenformen vgl. die Abb.).

Bogenfries: Ein → Fries in der Form von Rundbogen (häufig bei romanischen Bauwerken).

Bündelpfeiler: In der → Gotik beliebte → Pfeilerform, bei der sich um einen Kernpfeiler kleinere und größere Dreiviertelpfeiler gruppieren.

Chor: Der meist erhöhte und in der Regel östlich gelegene

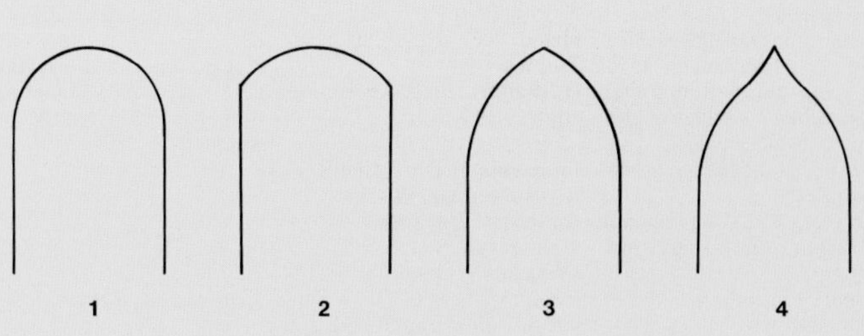

1 Rundbogen 2 Flachbogen 3 Spitzbogen 4 Kielbogen

Abschluß des Kirchenraumes. Der Chor hat meist nicht die gleiche Breite wie das → Schiff. Er dient zur Aufnahme des → Altars. Im Mittelalter war der Chor oft durch Schranken zum übrigen Kirchenraum abgegrenzt.
Chorgestühl: Sitzreihen für die Geistlichkeit bzw. in Klosterkirchen für die Mönche und Nonnen, zu beiden Seiten des → Chors aufgestellt.
Chorumgang: Ein Gang, der durch die Fortführung der Seitenschiffe entsteht und um den → Chor herumführt.
Ciborium: Steinerner, von → Säulen getragener → Baldachin über dem → Altar. Auch Kelch zur Aufbewahrung konsekrierter Hostien.

Dachreiter: Türmchen über dem Dachstuhl.
Doppelkapelle: Eine zweigeschossige Kapelle.
Dorische Säulenordnung: → Ordnung, bei der die → Säulen ohne → Basis direkt auf den Boden gesetzt sind und flache, wulstförmige → Kapitelle (Abb.) tragen.

Empore: Zwischengeschoß; in der Kirche meist Galerie für Sänger und Orgel.
Englischer Garten: Im Gegensatz zur (franz.) geometrischen Barockanlage hat der englische Garten Landschaftscharakter und ist aufgelockert.
Englischer Gruß: Verkündigung des Engels an Maria.
Epitaph: Gedenktafel oder Gedenkstein an Wand oder Pfeiler, oft über dem Grab des Verstorbenen.
Erker: In sich geschlossener vorspringender Anbau an die Außenwand eines Gebäudes. Oft ein Dekorationselement.
Eremitage: Pavillon in Park- und Gartenanlagen, einsam gelegenes Schloß.
Eselstreppe: Stufenloser Aufgang eines Turms, vermutlich benutzt, um Esel das Baumaterial hinauftragen zu lassen. Daher sog. Eselstürme an mittelalterlichen Domen.

Fachwerk: Balken, die als tragende Teile benutzt werden, sind mit Lehm oder Ziegeln aufgefüllt.
Fassade: Haupt- oder Schauseite eines Bauwerks.
Fassung: Bemalung.
Fayence: Töpferwaren mit Glasurüberzug, benannt nach der italienischen Stadt Faënza.
Fiale: Ziertürmchen in der → Gotik; oft als Bekrönung eines → Strebepfeilers.
Figurenkapitell: Das → Kapitell einer Säule, das zu einer Figur ausgearbeitet worden ist.
Filigranwerk: Ursprünglich Goldschmiedearbeit, bei der Gold- und Silberdraht ornamentartig auf eine Metallunterlage gelötet werden. Auch auf vielfach durchbrochene Schnitzwerke und Stukkaturen übertragen.
Fischblase: Flammenförmige Ornamentform im gotischen → Maßwerk.
Flügelaltar: Der → Altaraufsatz hat ausklappbare, meist reich geschnitzte oder bemalte Flügel.
Fresko: Auf den noch feuchten Kalkputz werden Wasserfarben ohne Bindemittel aufgetragen. Beim Trocknen des Mörtels verbinden sich die Farben besonders haltbar mit dem Putz.
Fries: Schmuckstreifen zum Abschluß oder als Untergliederung einer Wand. Der Fries kann flächig oder plastisch sein, er kann aus Figuren oder → Ornamenten bestehen.

Gaden: In der Architektur Bezeichnung für Obergeschoß.
Galerie: Ein langgestreckter Raum; oft werden → Emporen und → Arkadengänge auch Galerie genannt.
Gaube: Als Giebelhäuschen ausgebildetes Dachfenster.
Gebälk: Balkensystem eines Holzbauwerks. Im Steinbau der → Renaissance und des → Barock werden → Architrav, → Fries und → Gesims zusammen als Gebälk bezeichnet.
Gebundenes System: Quadratisches Schema eines Grundrisses (vorwiegend in

romanischen Kirchen). Ausgehend von der quadratischen → Vierung sind jeweils gleichgroße Gewölbequadrate in allen Richtungen angefügt. In den Seitenschiffen entsprechen jeweils zwei kleinere Gewölbequadrate den größeren Quadraten des Mittelschiffes.

Gesprenge: Abschließende Bekrönung des → Altaraufsatzes.

Gesims: Ein vorspringender Wandabschluß.

Gewölbe: Bogen- oder haubenförmiger Abschluß eines Raums. (Die verschiedenen Gewölbeformen vgl. Zeichnung.)

Gobelin: Bildteppich

Gotik: Epoche der europäischen Kunst und Kultur, die von der Mitte des 12. Jh. bis ins 16. Jh. reicht.

Grisaille: Malerei in verschiedenen Grauabstufungen.

Gurtbogen: Eine konstruktive und dekorative Unterstützung des Gewölbeabschnitts, die sich rippenartig als Bogen quer zur Längsachse spannt.

Hallenkirche: Im Gegensatz zur → Basilika sind Hauptraum und → Seitenschiffe gleich hoch; ohne → Querhaus.

Hallenchor: Ein → Chor, der aus mehreren, jedoch gleichhohen → Schiffen besteht.

Halsgraben: Künstlich geschaffener Graben, der Burgen vom Landrücken trennt. Zugang über Zugbrücken.

Helm: Der Abschluß eines Turmes.

Hochaltar: Zentraler Hauptaltar einer Kirche.

Immaculata: Die Unbefleckte, Ehrennahme Marias.

Intarsia: Einlegearbeit in Holz, Stuck, Stein etc.

Ionische Säulenordnung: → Ordnung, bei der die → Säulen auf einer mehrgliedrigen → Basis stehen und das → Kapitell (Abb.) durch zwei Schneckenbögen charakterisiert ist.

Joch: Grundeinheit des durch → Pfeiler, → Säulen oder → Gurtbogen gegliederten Raumes.

Jugendstil: Nach der Münchner Zeitschrift »Jugend« benannte Stilrichtung, die sich gegen die Übernahme alter Formen wendet und neue, der Natur entnommene Ausdrucksformen schafft. Zeitlicher Schwerpunkt in den Jahren von 1895 bis um 1905.

Kalotte: Gewölbte Kuppel in Form eines Kugelabschnitts.

Kamee: Stein oder Edelstein mit erhaben geschnittener Darstellung.

Kämpfer: Steinplatte zwischen → Säule bzw. → Kapitell und Bogen oder Gewölbe.

Kanon: Regelmäßiges, wiederkehrendes Maß.

Kanzel: Erhöhter Platz in der Kirche, von dem aus die Predigt gehalten wird. Oft von einem → Baldachin oder einem → Schalldeckel überdeckt.

Kapitell: Abschließender, kopfartiger Teil einer → Säule. Die Form der Kapitelle ist ausschlaggebend für Stil oder → Ordnung (vgl. Zeichnung).

Kapitelsaal: Versammlungsraum der Klostergemeinde.

Kartusche: Zierrahmen, mit dem Wappen, Initiale oder Inschriften eingefaßt sind.

Karyatide: → Gebälk tragende Figur.

Kassettendecke: Diese in rechteckige Felder unterteilte Decke ist durch → Ornamente, Bemalung oder anderen Schmuck ausgeprägt.

Kassettengewölbe: Ein von einer rechteckigen Kassette angeschnittenes → Kloster- oder Haubengewölbe in regelmäßiger Folge (Abb. → Gewölbe).

Klassizismus: Von klassisch-antiken Vorbildern ausgehende Stilrichtung, die in Deutschland zwischen etwa 1770 bis etwa 1830 ihren Höhepunkt erreichte.

Klostergewölbe (Haubengewölbe): Ein kuppelähnliches, waagrecht gerade abschließendes Gewölbe aus Tonnenabschnitten (siehe Abb.).

1 Tonnengewölbe 2 Stichkappengewölbe 3 Kreuzrippengewölbe 4 Kreuzgratgewölbe 5 Klostergewölbe 6 Sterngewölbe 7 Kassettengewölbe 8 Spiegelgewölbe

Knorpelstil: Die vorbarocke Form des → Ornaments, aus dem → Beschlagwerk entwikkelt, mit ohrmuschelartigen Formen.
Knospenkapitell: Abwandlung des → korinthischen Kapitells in frühgotischer Zeit (Abb. → Kapitell).
Konsole: Wandvorsprung, Balkenstütze.
Kopfreliquiar: → Reliquiar in Kopf- oder Büstenform.
Korbbogen: Flachgedrückter Rundbogen
Korinthische Säulenordnung: Reiche Zierformen kennzeichnen bei dieser → Ordnung die → Kapitelle (Abb.). Die → Basis ähnelt der → ionischen Ordnung.
Kragstein: Aus der Mauer herausragender Stein, der als Stütze, als Auflage oder auch nur als Träger für eine Büste dient.
Kreuzgang: Meist gewölbtes, nach innen durch → Arkaden geöffnetes Geviert, das als Umgang im Hof eines Klosters dient und an einer Seite an die Kirche anschließt.
Kreuzgewölbe: Ein → Gewölbe (Abb.), bei dem sich zwei → Tonnengewölbe rechtwinklig kreuzen. Man unterscheidet das einfache Kreuzgratgewölbe von dem Kreuzrippengewölbe, bei welchem die Schnittkanten durch Rippen verstärkt sind.
Krypta: Unterkirche, Grabraum, meist unter dem → Chor gelegen. Oft sind Kirchen über einer alten Krypta errichtet worden.

Langhaus: Hauptteil der Kirche, für die Gemeinde bestimmt. → Chor und → Apsis werden nicht mitgemessen.
Laterne: Kleiner Turm zum Abschluß einer Kuppel, meist reich verziert.
Laubengang: Bogengang, der dem Erdgeschoß eines Baus vorgelagert ist.
Leibung: Fläche des Mauereinschnitts bei Fenstern und Türen.
Lettner: Wand oder Brüstung zwischen → Chor und → Mittelschiff, die den klerikalen

1 dorisches Kapitell 2 romanisches Würfelkapitell 3 korinthisches Kapitell 4 ionisches Kapitell 5 gotisches Knospenkapitell 6 gotisches Blattkapitell

Bereich vom Laienraum trennt.

Loggia: Nach außen geöffnete Säulenhalle eines Bauwerks, häufig im Obergeschoß.

Louis-Quinze: Epoche des Spätbarock in Frankreich, benannt nach Ludwig XV. (1710–74). Entspricht in etwa dem → Rokoko in Deutschland und Österreich.

Louis-Quartorze: Französischer Kunststil, dem deutschen → Barock vergleichbar; benannt nach Ludwig XIV. (1638–1715).

Louis-Seize: Beginn des → Klassizismus in Frankreich, benannt nach Ludwig XVI. (1754–93); eine gemäßigte Form des → Rokoko.

Lüftlmalerei: Malerei an Hauswänden, vornehmlich im süddeutschen Raum.

Manierismus: Kunststil zwischen → Renaissance und → Barock (ungefähr von 1530–1630). Der Manierismus vernachlässigt natürliche und »klassische« Formen zugunsten gewollter Künstlichkeit der Manier.

Mansarde: Ein abgeknicktes Dach, wobei der untere Teil steiler als der obere ist. Der gewonnene Raum wird ebenfalls Mansarde genannt und läßt sich gut für Wohnzwecke benutzen. (Benannt nach dem Franzosen F. Mansart.).

Maßwerk: Gotische geometrische Zierformen, vor allem für die Ausgestaltung von Fensterbögen oft verwendet. Liegen die Zierbogen direkt auf der Wand, spricht man von Blendmaßwerk.

Mausoleum: Ein prächtiges Grabmal, meist in der Form eines Hauses oder Tempels.

Mensa: Die Deckplatte des Altars.

Miniatur: Kleinformatiges Bild; handgemalte Bilder in alten Handschriften.

Mittelschiff: Mittleres → Schiff der → Basilika oder der mehrschiffigen → Hallenkirche.

Mönchschor: Jener Teil des → Chores, der den Mönchen vorbehalten ist, oft abgeschlossen.

Monstranz: Schmuckgerät, in dem (meist hinter Glas) die geweihte Hostie gezeigt wird.

Mosaik: Wand-, Boden- oder Gewölbeschmuck, zusammengefügt aus kleinen bunten Steinchen, Glasscherben oder anderen Materialien.

Münster: Große Klosterkirche bzw. große Stiftskirche, vor allem in Rheinnähe gebräuchlich.

Muschelwerk: Zierornamente, die dem Muschelmotiv nachempfunden sind; vor allem in der späten → Renaissance und im → Rokoko.

Netzgewölbe: → Gewölbe (Abb.), bei dem sich die Rippen mehrfach kreuzen. Vor allem zur Zeit der → Gotik anzutreffen.

Neubarock: Reaktion auf den kühlen → Klassizismus. Die Wiederverwendung der Formen des → Barock entwikkelte sich im letzten Drittel des 19. Jh. als ein historisierender Prunkstil mit übertriebenem plastischem Schmuck und auffälligen Farben.

Neugotik (Neogotik): Historisierender Kunststil, mit dem man im 19. Jh. die Bauformen und Schmuckornamente der → Gotik neu beleben wollte.

Nonnenchor: → Empore, auf der Nonnen dem Gottesdienst beiwohnen.

Obelisk: Freistehender Pfeiler mit quadratischem Grundriß und pryramidenartiger Spitze.

Odeon: Meist rundes Gebäude, in dem musikalische und andere musische Aufführungen stattfinden.

Oktogon: Gebäude mit achteckigem Grundriß.

Olifant: Das Wunderhorn Rolands, ein Signal- und Kriegshorn aus Elfenbein, reich geschnitzt und in Edelmetall gefaßt.

Orangerie: Teil barocker Schloß- und Parkanlagen, ursprünglich für die Überwinterung der während des Sommers im Freien aufgestellten Orangenbäume und anderer südlicher Gewächse gedacht. Oft erhielten die Orangerien jedoch Festräume für große Hofgesellschaften.

Ordensburg: Burgen des Deutschen Ritterordens, vornehmlich in Preußen und Livland. Die vierflügeligen Anlagen sind um einen Innenhof gruppiert und durch sehr starke Befestigungsanlagen geschützt. Kloster, Garnison und Verwaltung sind in den Ordensburgen gemeinsam untergebracht gewesen.

Ordnung: Architektursystem der Antike, das bestimmte Reihenfolgen vorschreibt, vor allem bei → Säulen (→ dorische, → ionische etc.).

Orgelprospekt: Schauseite einer Orgel.

Ornament: Regelmäßig sich wiederholende Zierformen. Wiederkehrende Ornamente sind oft unter anderen Begriffen zusammengefaßt (z. B. → Fries).

Oratorium: Kleine Kapelle, die in der Regel nicht für die Öffentlichkeit zugänglich ist, oft dem → Chorraum angegliedert.

Ottonische Kunst: Kunst aus der Zeit der Könige Otto I., Otto II. und Otto III. (936–1002). Anreger und Finanziers dieser Kunst waren die Könige sowie Würdenträger der Kirche.

Pagode: Süd- und ostasiatischer Reliquienschrein und Tempel.

Palas: Wohnbau einer Burg.

Pallium: Ein mantelähnlicher Umhang der Römer, im Mittelalter Krönungsmantel für Könige und Kaiser, später auch bei Erzbischöfen.

Paneel: Brusthohe Holzvertäfelung.

Panorama: In der Kunst ein Rundgemälde, vor allem zur Darstellung von Schlachten und Städteansichten.

Pantheon: Den Göttern geweihter Tempel. Nach dem Vorbild des Pantheons in Rom (Rundbau).

Paradies: → Atrium.
Patio: Innenhof des Hauses, vor allem in Spanien.
Pavillon: Meist mehreckiger oder runder Bau in Parkanlagen. Bei Barockschlössern verbinden sehr häufig Eckpavillons den Hauptbau mit den davon abzweigenden → Galerien.
Pergola: Offener Laubengang aus einer Holzkonstruktion; an den Balken ranken sich Pflanzen empor.
Pesel: Wohnraum und Zentrum norddeutscher Bauernhäuser.
Pestsäule: Mittelalterliche Schmucksäulen, die an Zeiten erinnern, in denen die Pest im Ort gewütet hat.
Pfalz: Wohnstatt für Könige und Kaiser, die im Mittelalter nicht an einem Ort residierten, sondern ihren Sitz regelmäßig wechselten.
Pfeiler: Stützglied wie die → Säule, doch von recht- oder mehreckigem Grundriß.
Pfeilerbasilika: Die Bogen des → Schiffes der → Basilika liegen auf → Pfeilern.
Pietá: Darstellung der trauernden Maria mit dem Leichnam des Sohnes auf dem Schoß.
Pilaster: → Pfeiler, der aus einer Wand hervortritt (Halbpfeiler), mit → Basis und → Kapitell.
Pinakothek: (Griech.) Bildersammlung.
Polygon: Vieleck
Portikus: Von → Pfeilern gestützte Vorhalle.
Postament: Sockel eines Standbildes.
Präraffaeliten: Von London ausgehende Kunstrichtung (um 1850), die eine Verbindung religiöser und seelischer Motive forderte und sich an der italienischen Malerei der frühen → Renaissance orientierte. Vorstufe des → Jugendstils.
Predella: Unterbau des → Altars.
Presbyterium: Ursprünglich »Raum der Priester«, heute allgemeine Bezeichnung für den → Chor bzw. die → Apsis einer Kirche.
Profan: Das Gegenteil von → sakral, also Kunst, die nicht mit dem religiösen Bereich in Verbindung steht. Zu den Profanbauten zählt man z. B. Rathäuser, Burgen, Schlösser, Bürgerhäuser etc.
Propyläen: Die Eingangshalle monumentaler Bauten. Vorbild späterer Bauten waren die Propyläen auf der Akropolis in Athen (entstanden 437 bis 432 v. Ch.).
Putten: Nackte engelhafte Kinderfiguren in der → Renaissance, im → Barock und im → Rokoko.

Quader: Behauener Block aus massivem Stein.
Quadriga: Ein vierspänniger Wagen.
Querhaus oder **Querschiff:** Raum in der Kirche, quer zum → Langhaus (→ Basilika).
Querschnitt: Ein gedachter Schnitt quer durch ein Gebäude zur Darstellung der Architektur.

Refektorium: Speiseraum in Klöstern.
Régence: Französische Ausformung des → Rokoko.
Relief: Bildhauerarbeit, bei der die Figuren halbplastisch aus der Fläche herausgeschnitten (Holz) oder gemeißelt (Stein) sind. Je nach der Stärke der Erhebung spricht man von Flach-, Halb- oder Hochrelief.
Reliquiar: Behälter, in dem die Reliquien eines Heiligen aufbewahrt werden.
Remter: Speisesaal einer → Ordensburg (→ Refektorium).
Renaissance: Stilbezeichnung für die bildende Kunst ab etwa 1500 bis etwa 1600. Die Renaissance fällt zusammen mit dem Ende des mittelalterlichen Weltbilds und dem Beginn einer neuen, an der Antike orientierten Lebenshaltung (ital. rinascimento = Wiedergeburt).
Retabel: → Altarretabel.
Risalit: Aus der Fluchtlinie vortretender Teil eines Gebäudes, der dessen volle Höhe erreicht.
Rocaille: Reich gestaltete, muschelähnliche → Kartusche, die namensgebend für das → Rokoko wurde.
Rokoko: Stilbezeichnung für die Zeit des ausklingenden → Barock (etwa 1720–70) mit eleganten, leichten, oft verspielten, vor allem ovalen Formen.
Rollwerk: Bandartiges Ornament, dessen sich aufrollende Enden plastisch ausgeformt sind. Motiv vieler Holzarbeiten vor allem im 16. Jh. in Flandern und Holland (→ Beschlagwerk).
Romanik: Die zusammenfassende Bezeichnung für die Kunst vom Jahr 1000 bis ins 13. Jh. In ihren Bauwerken ist die Romanik bestimmt von Rundbogen, ruhigen Ornamenten und einer insgesamt schweren Haltung.
Romantik: Kunstrichtung zu Beginn des 19. Jh., die sich vor allem in der Literatur (Märchen), Malerei und Musik ausbreitete. Sie nimmt Formen und Motive des Mittelalters wieder auf und bedeutet eine Abkehr von den rationalen Normen des → Klassizismus.
Rose: Ein stark gegliedertes Rundfenster über dem Portal mit reichem → Maßwerk, vor allem bei gotischen Kirchen.
Rotunde: Rundbau
Rundling: Dörfer, die sich regelmäßig um den (runden) Marktplatz herum entwickelt haben.
Rustika: Mauern aus → Quadern, deren Schauseite absichtlich unbehauen geblieben ist.

Saalkirche: Stützenfreier Kircheninnenraum, also ohne → Seitenschiff.
Sakral: Kirchlich, geistlich (im Gegensatz zu → profan).
Sakramentshäuschen: Gehäuse zur Aufbewahrung der geweihten Hostien. In der späten → Gotik entstanden zahlreiche große Sakramentshäuschen, die teilweise zu bedeutenden Kunstwerken ausgestaltet sind.

Säkularisation: Umwandlung geistlicher Besitztümer in weltliche, vor allem unter Napoleon (1803).
Sarkophag: Meist reich verzierter steinerner Sarg.
Satteldach: Von zwei schräg gegeneinander gestellten Flächen gebildetes Dach. Die 2 Giebel befinden sich an den Schmalseiten.
Säule: Im → Querschnitt runde, sich nach oben etwas verjüngende Stütze. Die Gliederung der Säulen wird durch die → Ordnung bestimmt (siehe dagegen → Pfeiler).
Säulenbasilika: → Basilika, die von → Säulen gestützt wird (im Gegensatz zur → Pfeilerbasilika).
Schalldeckel: → Kanzel
Schiff: Der Raumteil einer Kirche; daraus einschiffige oder mehrschiffige Kirchen; letztere durch → Säulen oder → Pfeiler aufgeteilt.
Seitenschiff: Seitlich gelegenes → Schiff, durch → Säulen oder → Pfeiler vom Hauptraum der Kirche getrennt.
Sepultur: Für Begräbnisstätten reservierter Kirchenraum.
Sgraffito: Kratzputz.
Sockel: Vorspringender unterer Teil einer Wand, eines → Pfeilers oder einer Säule.
Spiegelgewölbe: Ein langgestrecktes → Klostergewölbe, das im Scheitel mit einer waagrechten Fläche schließt (Abb. → Gewölbe).
Sprengwerk: → Gesprenge.
Stabkirche: Holzkirche (in Deutschland fast ausschließlich im Harz) aus senkrecht stehenden Planken und Pfosten.
Stabwerk: Senkrechte Stäbe zur Gliederung gotischer Fenster und Fassaden (→ Maßwerk).
Staffelgiebel: Giebel mit treppenartiger Stufung, auch Treppen- oder Stufengiebel.
Stichkappengewölbe: Ein von dreieckigen Kugelflächen eingeschnittenes → Tonnengewölbe (Abb. → Gewölbe).
Strebepfeiler: Die in der Gotik ungewöhnlich großen Fensteröffnungen forderten eine Abstützung der Außenmauern durch → Pfeiler und Halbbögen. Dieses Strebewerk fing den Gewölbedruck auf.
Stuck: Ein leicht formbarer Werkstoff aus Gips, Kalk, Sand und Wasser, der vor allem im 17./18. Jh. zur plastischen Ausschmückung von Innenräumen gedient hat.
Synagoge: Jüdisches Gotteshaus.

Tabernakel: Altargehäuse für die Hostie.
Thermen: Römische Warmbadeanstalten.
Tonnengewölbe: → Gewölbe (Abb.), das einer Tonne gleicht, die in Längsrichtung durchgeschnitten wird.
Triptychon: Dreiteiliges Altarbild.
Triumphbogen: Geschmückter Torbogen.
Tudorstil: Baustil, der Elemente der → Gotik und der → Renaissance verbindet; benannt nach der englischen Familie Tudor (etwa um 1530 bis um 1600).
Tumba: Aufbau über einer Grabstelle.
Tympanon: Das Bogenfeld über dem mittelalterlichen Portal.

Verblendung: Verkleidung von Bauteilen, die nicht sichtbar sein sollen.
Vesperbild: → Pietá.
Vierung: Die Stelle, an der sich → Lang- und → Querhaus kreuzen.
Vollplastik: Allseits plastisch gearbeitetes Bildwerk (dagegen → Relief).
Volute: Spiralenförmiges → Ornament.

Wange: Seitlicher Abschluß des → Chorgestühls.
Weicher Stil: Spezifische Erscheinung in der deutschen Malerei und Plastik der Spätgotik mit fließenden Gewandfalten und zartem Gesichtsausdruck.
Welsche Haube: Geschwungenes Haubendach für Türme, Vorläufer der → Zwiebelhaube.
Westwerk: Monumentaler Westabschluß bei Kirchen aus karolingischer, ottonischer und romanischer Zeit. Als Kirche für den Herrscher vorgesehen und deshalb oft auch mit einem eigenen Altar ausgestattet.
Würfelkapitell: Aus der Durchdringung von Würfel- und Kugelform entwickeltes → Kapitell (Abb.) der romanischen Stilepoche.

Ziborium: Großer steinerner → Baldachin über dem → Altar.
Zopfstil: Stilrichtung aus der Zeit zwischen → Rokoko und → Klassizismus (etwa um 1760–80); geprägt von strenger Ausdrucksweise.
Zwerchhaus: Dachhäuschen mit einem Giebel, der quer zum Hauptdach steht.
Zwerggalerie: Gang in der Außenmauer unter dem Dachgesims; nach außen geöffnet und meist reich verziert.
Zwiebelhaube: Dach in der Gestalt einer Zwiebel.
Zwinger: Das Gelände zwischen den inneren und äußeren Mauern der mittelalterlichen Stadtbefestigungen. Hier wurden oft Tiere gehalten. Im → Barock errichtete man an dieser Stelle dann oft Vergnügungsstätten.

Register der bedeutenden Künstler